Lena de Escandon

AN ANTHOLOGY

OF

SPANISH AMERICAN LITERATURE

AN ANTHOLOGY

OF

SPANISH AMERICAN

LITERATURE

Prepared under the Auspices of the

Instituto Internacional

de Literatura Iberoamericana

by a Committee consisting of

E. HERMAN HESPELT

Chairman and Editor

| IRVING A. LEONARD | JOHN A. CROW |
| JOHN T. REID | JOHN E. ENGLEKIRK |

APPLETON-CENTURY-CROFTS, INC.
NEW YORK

E 43747

655-13

PREFACE

THIS *Anthology of Spanish American Literature* has been prepared as a companion volume to the *Outline History of Spanish American Literature* published by the same committee under the auspices of the Instituto Internacional de Literatura Iberoamericana (New York, F. S. Crofts and Co., 1941; 2nd ed., 1942). The material recommended in the *Outline History* for reading in college classes has hitherto been widely scattered and, in spite of a remarkable increase during the past few years in good, reasonably priced editions of the South American classics, some of it has been relatively inaccessible. The committee hopes, therefore, that by bringing these selections together in one volume it will have provided the teacher and the student of the history of Spanish American literature with a convenient and useful tool.

Since any anthology which covers so vast a field must suffer from limitations of space, the editors have subjected themselves to various restrictions in the choice and scope of their material. With very few exceptions, selections have been limited to works of the most important authors (those marked with a single or a double asterisk in the *Outline History*). No selection from any novel published after 1826 has been included; this, because of the editors' belief that any excerpts short enough to fit into the available space would be too short to represent fairly the work from which they were taken. The introductory paragraphs before the selections from each author do not attempt to repeat information given in the *Outline History*, but limit the biographical and critical material which they present to that bearing more or less directly upon the composition or the interpretation of the selected passages. Words and idioms, as a rule, have been translated in the notes only when no translation adequately rendering their meaning can be found in the Cuyas dictionary (*Appleton's New Spanish-English and English-Spanish Dictionary*, New York, 1910, and subsequent editions). The dates of publication of the works from which the selections have been made and the dates of composition of some of the individual selections have been entered in the Table of Contents.

The arrangement of the authors and their works follows the order set up in the *Outline History,* with one exception: the selections from Sarmiento's *Facundo* have been placed before those from the gaucho poets, since they serve as a natural and logical introduction to these.

The text of the selections has been collated, whenever possible, with that of the standard editions of the works represented. Capitalization and punctuation have been modernized.

Each of the five members of the committee of editors is responsible for that part of the *Anthology* which corresponds to the section he prepared for the *Outline History:*

SECTION A, "The Colonial Period (1519–1808)," Irving A. Leonard, University of Michigan.

SECTION B, "The Period of Struggle for Independence (1808–1826)," John T. Reid, University of California at Los Angeles.

SECTION C, "The Nineteenth Century before Modernism (1826–1888)," E. Herman Hespelt, New York University.

SECTION D, "Modernism-Realism (1888–1910)," John A. Crow, University of California at Los Angeles.

SECTION E, "The Contemporary Period (1910–   )," John E. Englekirk, Tulane University.

Although some differences in emphasis and in technique may be evident in the various sections because of this division of labor, it is hoped that a reasonable degree of uniformity has been attained and that the *Anthology* is the more valuable for being the expression of the taste and judgment of more than one compiler.

The Committee wishes to make grateful acknowledgement to the individual authors who have kindly consented to the inclusion of their works in this anthology; to the members of the editorial staff of F. S. Crofts & Company for the abundant help rendered in solving the many problems arising during the various stages of the work in its course from manuscript to finished book; and especially to Miriam Van Dyck Hespelt for her constant encouragement and valuable assistance in collating the texts of many of the selections used, in reading proof, and in conducting the voluminous correspondence.

E. H. H.

Contents

SECTION D: Modernism–Realism (1888–1910)

CONTENTS

CONTENTS

CONTENTS

SECTION A

The Colonial Period
1519-1808

Hernán Cortés

1485-1547

THE FIRST history of the Conquest of Mexico was written by the chief protagonist himself, Hernán Cortés, in his series of five *cartas de relación* dispatched successively in the years 1519, 1520, 1522, 1524 and 1526 to the Emperor and King of Spain, Charles V. The stirring events of this epic adventure are set forth in these soldierly reports in simple, terse prose free of the affectation and pedantry characterizing the works of the more academic court chroniclers, and these first hand accounts afford vivid, sharply etched sketches of incidents and participants. The following selections are taken from the *Carta segunda*, dated at Segura de la Frontera, New Spain (Mexico), October 30, 1520, which graphically records some of the most exciting phases of the Conquest.

THE MEETING OF CORTÉS AND MOCTEZUMA

Having successfully conquered or won over the Indians that they met as they pushed inland from Vera Cruz toward the central highland of Mexico, Cortés and his men advanced toward their great objective—the Aztec capital, Tenochtitlán, later called Mexico City. Some distance away the Spaniards were met by a delegation of Aztec nobles sent by their Emperor, Moctezuma, to conduct Cortés and his men into the city.

Yo me partí luego tras ellos, muy acompañado de muchas personas, que parecían de mucha cuenta, como después pareció serlo; y todavía seguía el camino por la costa de aquella gran laguna.[1] A una legua del aposento de donde partí, vi dentro de ella, casi a dos tiros de ballesta, una ciudad pequeña[2] que podría ser hasta de mil o dos mil vecinos, toda armada sobre el

1. laguna: Lake Chalco. The bottom of the Valley of Anahuac or Mexico was covered by a series of lakes, some of fresh and some of saline water. Tenochtitlán or Mexico City was situated in the middle of Lake Texcoco and was approached from the mainland by three important causeways. The lakes subsequently receded or were drained.

2. ciudad pequeña: Cuitlahuac. A causeway between it and the mainland divided Lake Chalco from Lake Xochimilco.

3

agua, sin haber para ella ninguna entrada, y muy torreada, según lo que de fuera parecía. Otra legua adelante entramos por una calzada tan ancha como una lanza jineta, por la laguna adentro, de dos tercios de legua, y por ella fuimos a dar a una ciudad, la más hermosa aunque pequeña que hasta entonces habíamos visto, así de muy bien obradas casas y torres como de la buena orden que en el fundamento de ella había, por ser armada toda sobre agua.

En esta ciudad, que será hasta de dos mil vecinos, nos recibieron muy bien y nos dieron muy bien de comer. Allí me vinieron a hablar el señor y las personas principales de ella, y me rogaron que me quedase allí a dormir. Aquellas personas que conmigo iban de Moctezuma me dijeron que no parase, sino que me fuese a otra ciudad que está tres leguas de allí, que se dice Iztapalapa, que es de un hermano de Moctezuma;[3] y así lo hice. La salida de esta ciudad donde comimos, cuyo nombre al presente no me ocurre a la memoria, es por otra calzada que tira una legua grande hasta llegar a la tierra firme.

Llegado a esta ciudad de Iztapalapa, me salió a recibir algo fuera de ella el señor, y otro de una gran ciudad que está cerca de ella, que será obra de tres leguas, que se llama Coyoacán, y otros muchos señores que allí me estaban esperando; me dieron hasta tres o cuatro mil castellanos y algunas esclavas y ropa, y me hicieron muy buen acogimiento.

Tendrá esta ciudad de Iztapalapa doce o quince mil vecinos; está en la costa de una laguna salada grande,[4] la mitad en el agua y la otra mitad en la tierra firme. Tiene el señor de ella unas casas nuevas que aun no están acabadas, que son tan buenas como las mejores de España; digo, de grandes y bien labradas, así de obra de cantería como de carpintería, y suelos y cumplimientos[5] para todo género de servicio de casa, excepto mazonerías[6] y otras cosas ricas que en España usan en las casas; acá no las tienen. Tiene en muchos cuartos, altos y bajos, jardines muy frescos de muchos árboles y flores olorosas; asimismo albercas de agua dulce muy bien labradas, con sus escaleras hasta lo fondo. Tiene una muy grande huerta junto a la casa, y sobre ella un mirador de muy hermosos corredores y salas, y dentro de la huerta una muy grande alberca de agua dulce, muy cuadrada, y las paredes de ella de gentil cantería, y alrededor de ella un andén de muy buen suelo ladrillado, tan ancho que pueden ir por él cuatro, paseándose; y tiene de cuadra cuatrocientos pasos, que son en torno mil seiscientos.[7] De la otra parte del andén, hacia la pared de la huerta, va todo labrado de cañas, y detrás de ellas todo de arboledas y yerbas olorosas; dentro del alberca hay mucho pescado y muchas aves, así como lavancos y cercetas[8] y otros géneros de aves de agua; y tantas que muchas veces casi cubren el agua.

Otro día después que llegué a esta ciudad, me partí y, a media legua an-

3. This brother was named Cuitlahuac and was chosen Emperor of the Aztecs after Moctezuma's downfall.

4. laguna . . . grande: Lake Texcoco

5. cumplimientos: *finishings* (*adornments*)

6. mazonerías: *stone-relief work*

7. tiene . . . seiscientos: *it is four hundred paces long on each of its four sides or one thousand six hundred all around*

8. lavancos y cercetas: *wild ducks and widgeons*

dada, entré por una calzada que va por medio de esta dicha laguna dos leguas, hasta llegar a la gran ciudad de Tenochtitlán, que está fundada en medio de la dicha laguna. Esta calzada es tan ancha como dos lanzas y muy bien obrada; pueden ir por toda ella ocho de caballo a la par. En estas dos leguas de la una parte y de la otra de la dicha calzada están tres ciudades. Una de ellas, que se llama Mexicaltzingo, está fundada, la mayor parte de ella, dentro de la dicha laguna; las otras dos, que se llaman, la una Mixiuacán y la otra Huitzilopocho, están en la costa de ella, y muchas casas de ellas están dentro del agua.

La primera ciudad de éstas tendrá tres mil vecinos, la segunda más de seis mil, y la tercera otro cuatro o cinco mil vecinos; y en todas hay muy buenos edificios de casas y torres, en especial las casas de los señores y personas principales, y las casas de sus mezquitas u oratorios donde ellos tienen sus ídolos. En estas ciudades hay mucho trato de sal, que hacen del agua de la dicha laguna y de la superficie que está en la tierra que baña la laguna; la cuecen en cierta manera y hacen panes de la dicha sal, que venden para los naturales y para fuera de la comarca.

Así seguí la dicha calzada y, a media legua antes de llegar al cuerpo de la ciudad [9] de Tenochtitlán, a la entrada de otra calzada que viene a dar de la tierra firme a esta otra, está un muy fuerte baluarte con dos torres, cercado de muro de dos estados, con su pretil almenado por toda la cerca que toma con ambas calzadas,[10] y no tiene más de dos puertas, una por donde entran y otra por donde salen.

Aquí me salieron a ver y a hablar hasta mil hombres principales, ciudadanos de la dicha ciudad, todos vestidos de la misma manera y hábito y, según su costumbre, bien rico. Cuando habían llegado para hablarme, cada uno por sí, en llegando a mí, hacía una ceremonia que entre ellos se usa mucho; ponía cada uno la mano en la tierra y la besaba. Así estuve esperando casi una hora hasta que cada uno hiciese su ceremonia.

Ya junto a la ciudad está una puente de madera de diez pasos de anchura, y por allí está abierta la calzada para que tenga lugar el agua de entrar y salir, porque crece y mengua,[11] y también para fortaleza de la ciudad, porque quitan y ponen unas vigas muy luengas [12] y anchas, de que la dicha puente está hecha, todas las veces que quieren. De éstas hay muchas por toda la ciudad como adelante, en la relación que haré de las cosas de ella, vuestra alteza verá.[13]

Pasada esta puente, nos salió a recibir aquel señor Moctezuma con hasta doscientos señores, todos descalzos y vestidos de otra librea o manera de ropa, asimismo bien rica a su uso y más que la ropa de los otros. Venían en dos procesiones, muy arrimados a las paredes de la calle, que es tan ancha, hermosa y derecha que de un cabo se parece el otro; tiene dos tercios de legua y de la una parte y de la otra muy buenas y grandes casas, así de

---

9. al cuerpo ... ciudad: *to the main part of the city*

10. está ... calzadas: *a very strong bastion with two towers and surrounded by a wall about eleven feet high with crenelated battlements extending the entire length between* the two causeways. An *estado* is equivalent to 1.85 yards.

11. crece y mengua: *flows and ebbs*

12. luengas = largas

13. Cf. pp. 12-14

aposentamientos como de mezquitas. Moctezuma venía por medio de la calle con dos señores,[14] el uno a la mano derecha, y el otro a la izquierda, de los cuales uno era aquel señor grande que dije que me había salido a hablar en las andas; el otro era el hermano de Moctezuma, señor de aquella ciudad de Iztapalapa, de donde yo había partido aquel día. Todos los tres estaban vestidos de la misma manera, excepto Moctezuma que iba calzado, y los otros dos señores descalzos. Cada uno le llevaba del brazo y, como nos juntamos, yo me apeé y le fuí a abrazar solo. Aquellos dos señores que con él iban me detuvieron con las manos para que no le tocase; y ellos y él hicieron asimismo ceremonia de besar la tierra. Hecha esta ceremonia, mandó a su hermano, que venía con él, que se quedase conmigo y que me llevase por el brazo, y él con el otro se iba adelante de mí un poquito trecho. Después de haberme hablado él, vinieron asimismo a hablarme todos los otros señores que iban en las dos procesiones en orden, uno en pos de otro, y luego se tornaban a su procesión. Al tiempo que yo llegué a hablar al dicho Moctezuma, me quité un collar que llevaba de margaritas y diamantes de vidrio y se lo eché al cuello; y, después de haber andado la calle adelante, vino un servidor suyo con dos collares de camarones, envueltos en un paño, que eran hechos de huesos de caracoles colorados que ellos tienen en mucho;[15] y de cada collar colgaban ocho camarones de oro, de mucha perfección, tan largos casi como

un jeme. Como se los trajeron, se volvió a mí y me los echó al cuello; luego tornó a seguir por la calle en la forma ya dicha, hasta llegar a una casa muy grande y hermosa que él tenía para aposentarnos, bien aderezada. Allí me tomó por la mano y me llevó a una gran sala que estaba frontera de un patio por donde entramos. Allí me hizo sentar en un estrado muy rico, que para él lo tenía mandado hacer, y me dijo que le esperase allí, y él se fué.

Después de poco, ya que toda la gente de mi compañía estaba aposentada, volvió con muchas y diversas joyas de oro y plata y plumajes, y con hasta cinco o seis mil piezas de ropa de algodón, muy ricas y tejida y labrada de diversas maneras. Después de habérmela dado, se sentó en otro estrado, que luego le hicieron allí junto con el otro donde yo estaba; y sentado me habló en esta manera:

"Muchos días hay que, por nuestras escrituras, tenemos noticia de nuestros antepasados que yo, ni todos los que en esta tierra habitamos, no somos naturales de ella, sino extranjeros y venidos a ella de partes muy extrañas.[16] Tenemos noticia asimismo de que a estas partes trajo a nuestra generación un señor, cuyos vasallos todos eran, el cual se volvió a su naturaleza.[17] Luego tornó a venir después de mucho tiempo, y tanto tiempo que ya estaban casados los que habían quedado con las mujeres, naturales de la tierra; tenían mucha generación [18] y tenían hechos pueblos donde vivían; y queriéndolos llevar consigo, no quisieron ir, ni me-

---

14. Cacamatzín and Cuitlahuac
15. tener en mucho = estimar
16. The Aztecs or Culuans had come down from the north as barbarian invaders and had gradually conquered the more civilized Toltecs and Mayas.

17. Tenemos ... naturaleza: *We have knowledge likewise that our race was led hither by a lord, of whom all were vassals, who returned to his own country.*
18. generación: *offspring, descendants*

nos recibirle por señor; y así se volvió. Siempre hemos tenido seguridad de que, de los que descendiesen de él, habían de venir a sojuzgar esta tierra y a nosotros como a sus vasallos.[19] Según de la parte que vos decís que venís, que es donde sale el sol, y las cosas que decís de este gran señor o rey que acá os envió, creemos y tenemos por cierto ser él nuestro señor natural; en especial porque nos decís que hace muchos días que él tiene noticia de nosotros. Por tanto, vos sed cierto que os obedeceremos y os tendremos por señor en lugar de ese gran señor que decís, y que en ello no había falta ni engaño alguno. En toda la tierra, digo que en la que yo poseo en mi señorío, bien podéis mandar a vuestra voluntad, porque será obedecido y hecho, y todo lo que nosotros tenemos es para lo que vos quisierais disponer de ello.

"Pues estáis en vuestra naturaleza [20] y en vuestra casa, holgad y descansad del trabajo del camino y guerras que habéis tenido, porque muy bien sé todos los trabajos que se os han ofrecido de Potonchán acá; y bien sé que los de Cempoala y de Tlascala os han dicho muchos males de mí. No creáis más de lo que por vuestros ojos veréis, en especial de aquellos que son mis enemigos; y algunos de ellos eran mis vasallos y se me han rebelado con vuestra venida y, por favorecerse con vos, lo dicen. Sé

también que os han dicho que yo tenía las casas con paredes de oro y que las esteras de mis estrados y otras cosas de mi servicio eran asimismo de oro, y que yo era y que me hacía dios,[21] y otras muchas cosas. Las casas ya las veis que son de piedra, cal y tierra."

Entonces alzó las vestiduras y me mostró el cuerpo, diciendo a mí: "Veisme aquí, que soy de carne y hueso como vos y como cada uno; veis que soy mortal y palpable." Asiéndose él con sus manos de los brazos y del cuerpo: "Ved como os han mentido. Verdad es que yo tengo algunas cosas de oro que me han quedado de mis abuelos. Todo lo que yo tuviera, tenéis cada vez que vos lo quisierais. Yo me voy a otras casas donde vivo. Aquí seréis proveído de todas las cosas necesarias para vos y vuestra gente. No recibáis pena alguna, pues estáis en vuestra casa y naturaleza."

Yo le respondí a todo lo que me dijo, satisfaciendo a aquello que me pareció que convenía, en especial en hacerle creer que vuestra majestad era a quien ellos esperaban, y con eso se despidió. Habiendo ido, fuimos muy bien proveídos de muchas gallinas, pan, frutas y otras cosas necesarias especialmente para el servicio del aposento. De esta manera estuve seis días, muy bien proveído de todo lo necesario y visitado de muchos de aquellos señores.

19. It was this legend of Quetzalcoatl or the "Fair God" that engendered the fatalistic acceptance of events by Moctezuma and to that extent facilitated Cortés' great achievement.

20. naturaleza = país

21. que yo ... dios: *that I was or pretended to be a god*

THE DEATH OF MOCTEZUMA AND THE TRAGIC RETREAT OF THE SPANIARDS FROM THE AZTEC CAPITAL THE NIGHT OF JUNE 30, 1520

Leaving a garrison in Tenochtitlán Cortés had descended to the coast and defeated the expedition of Narváez sent to arrest the conqueror. During this absence from the Aztec capital relations between the Indians and the Spanish garrison had become bitterly hostile, and the bad reports reaching him caused Cortés to hurry back to his beleaguered followers in Tenochtitlán. Previously, in a bold move, he had made Moctezuma a captive in his own capital and was holding him as a hostage. (Cf. pp. 17–22.)

Otro día,[22] después de misa, enviaba un mensajero a la villa de la Veracruz por darles buenas nuevas de como los cristianos eran vivos, y que yo había entrado en la ciudad y que estaba segura. Este mensajero volvió después de media hora todo descalabrado y herido, dando voces que todos los indios de la ciudad venían de guerra, y que tenían todas las puentes alzadas; y junto tras él da sobre nosotros tanta multitud de gente por todas partes, que ni las calles ni las azoteas se parecían con gente,[23] la cual venía con los mayores alaridos y grita más espantable que en el mundo se puede pensar. Eran tantas las piedras que nos echaban con hondas dentro de la fortaleza, que no parecía sino que el cielo las llovía, y las flechas y tiraderas eran tantas que todas las paredes y patios estaban llenos, que casi no podíamos andar con ellas.

Yo salí fuera a ellos por dos o tres partes, y los indios pelearon con nosotros muy reciamente, aunque por una parte un capitán salió con doscientos hombres y, antes que se pudiese reco-gerle, mataron cuatro e hirieron a él y a muchos de los otros. Por la parte que yo andaba me hirieron a mí y a muchos de los españoles. Nosotros matamos a pocos de ellos, porque se nos acogían de la otra parte de las puentes, y desde las azoteas y terrados nos hacían daño con piedras. De estas azoteas ganamos algunas y las quemamos; pero eran tantas y tan fuertes, pobladas de tanta gente, y tan abastecidas de piedras y otros géneros de armas, que no bastábamos para tomárselas todas, ni defender, para que ellos no nos ofendiesen a su placer. En la fortaleza daban tan recio combate que, por muchas partes, nos pusieron fuego, y por un lado se quemó mucha parte de ella, sin que la pudiéramos remediar, hasta que la atajamos, cortando las paredes y derrocando un pedazo que mató el fuego. Si no fuera por la mucha guarda que allí puse de escopeteros y ballesteros y otros tiros de pólvora, nos entraran a escala vista sin poder resistirlos.

Así estuvimos peleando todo aquel día, hasta que fué la noche bien ce-

22. June 24, 1520
23. tanta multitud . . . gente: *such a crowd of people swarmed everywhere that* *neither the streets nor the flat roof-tops could be seen because of them*

rrada, y aun en ella no nos dejaron sin grita y rebato hasta el día. Aquella noche hice reparar los portillos de aquello quemado, y todo lo demás que me pareció que había flaco en la fortaleza. Concerté las estancias y gente que en ellas había de estar,[24] y la que otro día habíamos de salir a pelear afuera, e hice curar los heridos que eran más de ochenta.

Luego que fué de día, ya la gente de los enemigos nos comenzaba a combatir mucho más reciamente que el día pasado, porque estaba tanta cantidad de ellos que los artilleros no tenían necesidad de puntería, sino asestar en los escuadrones de los indios, aunque la artillería hacía mucho daño, porque jugaban trece arcabuces, sin contar las escopetas y ballestas; pero hacían tan poca mella que se parecía que no lo sentían porque, por donde llevaba el tiro diez o doce hombres, se cerraba luego de gente, de modo que no parecía que hacía daño ninguno.[25]

Dejada en la fortaleza la guarda que convenía y se podía dejar, yo torné a salir y les gané algunas de las puentes y quemé algunas casas. Matamos a muchos en ellas que las defendían, y eran tantos que, aunque más daño se hiciera, hacíamos muy poquita mella. A nosotros convenía pelear todo el día, y ellos peleaban por horas, se remudaban y aun les sobraba gente. También hirieron aquel día otros cincuenta o sesenta españoles, aunque no murió ninguno, y peleamos hasta que fué noche cuando, cansados, nos re-

trajimos a la fortaleza. Viendo el gran daño que los enemigos nos hacían y como nos herían y mataban a su salvo, y viendo que, aunque nosotros hacíamos daño en ellos, por ser tantos los enemigos no se parecía, gastamos toda aquella noche y otro día en hacer tres ingenios de madera. Cada uno llevaba veinte hombres, los cuales iban adentro para que, con las piedras que nos tiraban desde las azoteas, no los pudiesen ofender, porque iban los ingenios cubiertos de tablas. Los que iban adentro eran ballesteros y escopeteros, y los demás llevaban picos, azadones y varas de hierro para horadarles las casas y derrocar las albarradas que tenían hechas en las calles.

En tanto que[26] estos artificios se hacían, no cesaba el combate de los contrarios en tanta manera que, como nos salíamos fuera de la fortaleza, se querían ellos entrar adentro, a los cuales resistimos con harto trabajo. Moctezuma, que todavía estaba preso, y un hijo suyo, con otros muchos señores que al principio se habían tomado, dijo que le sacasen a las azoteas de la fortaleza y que él hablaría a los capitanes de aquella gente, y les haría que cesasen la guerra. Yo lo hice sacar y, en llegando a un pretil que salía fuera de la fortaleza y en queriendo hablar a la gente que por allí combatía, los suyos le dieron una pedrada en la cabeza tan grande que de allí a tres días murió. Así muerto yo le hice sacar a dos indios de los que estaban presos y a cuestas lo llevaron a su gente. No sé lo que de él se hicieron, salvo que

---

24. Concerté . . . estar: *I arranged for the positions and the men who should occupy them*

25. pero . . . ninguno: *but they had so little effect that it seemed as if the Indians did not feel it at all for, whenever a shot swept away ten or twelve men, others immediately closed in, filling the ranks so that it looked as if they were suffering no loss at all.*

26. en tanto que = mientras (que)

no por eso cesó la guerra, siendo mucho más recia y muy cruda cada día.

Este día llamaron por aquella parte por donde habían herido a Moctezuma, diciendo que me allegase yo allí porque me querían hablar ciertos capitanes. Así lo hice y pasamos entre ellos y mí muchas razones, rogándoles que no peleasen conmigo, pues ninguna razón tenían para ello, y que mirasen las buenas obras que habían recibido de mí y como habían sido muy bien tratados de mí. La respuesta suya era que me fuese y que les dejase la tierra y que luego dejarían la guerra; y que, de otra manera, yo creyese que los indios habían de morir todos o dar fin de nosotros. Lo hacían, según pareció, para que yo me saliese de la fortaleza para tomarme a su placer al salir de la ciudad entre las puentes. Yo les respondí que no pensasen que les rogaba con la paz por temor que les tenía, sino porque me pesaba del daño que les hacía y les había de hacer, y por no destruir tan buena ciudad como aquélla era. Todavía respondían que no cesarían de darme guerra hasta que saliese de la ciudad.

Después de acabados aquellos ingenios, luego otro día salí para ganarles ciertas azoteas y puentes. Los ingenios fueron en adelante y tras ellos cuatro tiros de fuego y otra mucha gente de ballesteros y rodeleros y más de tres mil indios de los naturales de Tlascala, que habían venido conmigo y servían a los españoles. Llegados a una puente, pusimos los ingenios arrimados a las paredes de unas azoteas y ciertas escalas que llevábamos para subirlas. Era tanta la gente que estaba en defensa de la dicha puente y azoteas, y tantas las piedras que de arriba tiraban, y tan grandes, que nos desconcertaron los ingenios, nos mataron un español e hirieron muchos, sin que pudiéramos ganar un paso, aunque pugnábamos mucho por ello. Peleamos desde la mañana hasta mediodía cuando nos volvimos con harta tristeza a la fortaleza, de lo cual los indios enemigos cobraron tanto ánimo que casi a las puertas nos llegaban, y tomaron aquella mezquita grande; en la torre más alta y más principal de ella se subieron hasta quinientos indios que, según me pareció, eran personas principales. En ella subieron mucho mantenimiento de pan y agua y otras cosas de comer, y muchas piedras; todos los demás tenían lanzas muy largas con unos hierros de pedernal más anchos que los de las nuestras, y no menos agudos. De allí hacían mucho daño a la gente de la fortaleza porque estaba muy cerca de ella. Esta torre combatieron los españoles dos o tres veces y la acometieron a subir. Como era muy alta y tenía la subida agria, porque tiene ciento y tantos escalones, y los de arriba estaban bien pertrechados de piedras y otras armas y favorecidos a causa de no haberles podido ganar las otras azoteas, ninguna vez los españoles comenzaban a subir que no volvían rodando,[27] y los indios herían a mucha gente. Los indios que de las otras partes los veían, cobraban tanto ánimo que se nos venían hasta la fortaleza sin ningún temor.

Yo, viendo que si aquéllos salían con tener aquella torre,[28] además de hacernos desde ella mucho daño, cobraban

---

27. ninguna ... rodando: *every time that the Spaniards tried to climb up, they fell tumbling back*

28. Yo ... torre: *I, perceiving that if those Indians succeeded in holding that tower*

esfuerzo para ofendernos, salí fuera de la fortaleza, aunque manco de la mano izquierda de una herida que me habían dado el primer día. Liada la rodela en el brazo,[29] fuí a la torre con algunos españoles que me siguieron y la hice cercar toda por bajo, porque esto se podía hacer muy bien, aunque los cercadores no estaban de balde,[30] pues por todas partes peleaban con los contrarios a los cuales se juntaron muchos por favorecer a los suyos. Yo comencé a subir por la escalera de la torre y detrás de mí varios españoles. Aunque nos defendían la subida muy reciamente, y tanto que derrocaron a tres o cuatro españoles, con la ayuda de Dios y de su gloriosa Madre, por cuya casa aquella torre se había señalado y se había puesto en ella su imagen, les subimos la torre. Arriba peleamos con ellos tanto que les fué forzado saltar de ella abajo a unas azoteas tan anchas como un paso que tenía alrededor. De estas azoteas tenía la torre tres o cuatro, tan altas una de la otra como tres estados. Algunos enemigos cayeron abajo del todo[31] donde, además del daño que recibían de la caída, los mataban los españoles que estaban abajo alrededor de la torre. Los enemigos que en aquellas azoteas quedaron, pelearon desde allí tan reciamente que estuvimos más de tres horas en acabar de matarlos, de modo que murieron todos, y ninguno escapó. Y crea vuestra sacra majestad que fué tanto ganarles esta torre que si Dios les quebrara las alas, pues bastaban veinte de ellos para resistir la subida a mil hombres, como quiera que pelearon muy valientemente hasta que murieron. Hice poner fuego a la torre y a las otras que había en la mezquita, de las cuales ya habían quitado y llevado las imágenes que en ellas teníamos.

Algo perdieron del orgullo los enemigos con haberles tomado esta fuerza, y tanto fué que, por todas partes, aflojaron en mucha manera. Luego torné a aquella azotea y hablé a los capitanes que antes habían hablado conmigo, que estaban algo desmayados por lo que habían visto. Luego éstos llegaron y les dije que mirasen que no se podían amparar; y que les hacíamos cada día mucho daño y morían muchos de ellos; que quemábamos y destruíamos su ciudad; y que no había de parar hasta no dejar cosa alguna de ella ni de ellos. Ellos me respondieron que bien veían que recibían de nosotros mucho daño y que morían muchos de ellos; pero que ellos estaban ya determinados de morir todos por acabarnos; que mirase yo por todas aquellas calles y plazas y azoteas cuan llenas de gente estaban, y que ellos tenían hecha cuenta que, a morir veinticinco mil de ellos y uno de los nuestros, nos acabaríamos nosotros primero, porque éramos pocos y ellos muchos; que me hacían saber que todas las calzadas de las entradas de la ciudad eran deshechas, como de hecho pasaba, que las habían deshecho todas excepto una; y que ninguna parte teníamos por donde salir sino por el agua; y que bien sabían que teníamos pocos mantenimientos y poca agua dulce; que no podíamos durar mucho porque de hambre nos

29. Liada . . . brazo: *The round shield fastened to my arm*

30. aunque . . . balde: *although this move was not a useless one*

31. Algunos . . . todo: *Several of the enemy fell down the whole way*

muriésemos, aunque ellos no nos matasen.

Es verdad que ellos tenían mucha razón pues, aunque no tuviéramos otra guerra más que el hambre y necesidad de mantenimientos, bastaba para morir todos en breve tiempo. Y pasamos otras muchas razones, favoreciendo cada uno sus partidos.

Ya que fué de noche, salí con varios españoles y, como los tomé descuidados, les ganamos una calle donde les quemamos más de trescientas casas. Luego volví por otra calle, ya que acudía la gente; asimismo quemé muchas casas de ella, en especial ciertas azoteas que estaban junto a la fortaleza, de donde nos hacían mucho daño. Con lo que aquella noche se les hizo, recibieron mucho temor; y en esta misma noche hice tornar a aderezar los ingenios que el día antes nos habían desconcertado.

Por seguir la victoria que Dios nos daba, salí en amaneciendo por aquella calle donde el día antes nos habían desbaratado y donde no menos defensa hallamos que el primero. Pero, como nos iban las vidas y la honra,[32] porque por aquella calle estaba la sana calzada que iba a la tierra firme, aunque hasta llegar a ella había ocho puentes muy grandes y hondas, y toda la calle con muchas y altas azoteas y torres, pusimos tanta determinación y ánimo que, ayudándonos Nuestro Señor, les ganamos aquel día las cuatro, y se quemaron todas las azoteas, casas y torres que había, hasta la postrera de ellas. Lo hicimos aunque, por lo de la noche pasada, tenían hechas en todas las puentes muchas y muy fuertes albarradas de adobes y barro, de ma-

nera que los tiros y ballestas no les podían hacer daño. Estas cuatro puentes cegamos con los adobes y tierra de las albarradas y con mucha piedra y madera de las casas quemadas, aunque todo no fué tan sin peligro que no hiriesen a muchos españoles. Aquella noche puse mucho recaudo en guardar aquellas puentes para que no las tornasen a ganar.

Otro día de mañana torné a salir y Dios nos dió asimismo tan buena dicha y victoria, aunque era innumerable gente que defendía las puentes y muy grandes albarradas y ojos[33] que aquella noche habían hecho, se las ganamos todas y las cegamos. Asimismo fueron ciertos hombres de caballo, siguiendo el alcance y victoria hasta la tierra firme. Estando yo reparando aquellas puentes y haciéndolas cegar, me vinieron a llamar a mucha prisa, diciendo que los indios que combatían la fortaleza pedían paces, y me estaban esperando allí varios capitanes de ellos. Dejando allí toda la gente y ciertos tiros, me fuí solo con dos de caballo a ver lo que aquellos principales querían. Éstos me dijeron que, si yo les aseguraba que por lo hecho no serían castigados, ellos harían alzar el cerco y harían tornar a poner las puentes y hacer las calzadas, y que servirían a vuestra majestad como antes lo hacían. Me rogaron que hiciese traer allí a uno como religioso de los suyos que yo tenía preso, el cual era como general de aquella religión. Él vino y les habló y dió concierto entre ellos y mí. Luego pareció que enviaban mensajeros, según ellos dijeron, a los capitanes y a la gente que tenían en las estancias, para decir

32. Pero, . . . honra: *But, as our lives and honor were at stake*

33. ojos: *gaps* or *breaches*

que cesase el combate que daban a la fortaleza y toda la otra guerra.

Con esto nos despedimos, y yo me metí en la fortaleza a comer. En comenzando, vinieron a mucha prisa a decirme que los indios habían tornado a ganar las puentes que aquel día les habíamos ganado, y habían muerto a varios españoles, de lo que Dios sabe cuanta alteración recibí, porque yo no pensé que habíamos que hacer con tener ganada la salida.[34] Cabalgué a la mayor prisa que pude y corrí por toda la calle adelante con algunos de caballo que me siguieron. Sin detenerme en ninguna parte, torné a romper por los indios, y les torné a ganar las puentes, y fuí en alcance de ellos hasta la tierra firme.

Como los peones[35] estaban cansados, heridos y atemorizados y vieron al instante el grandísimo peligro, ninguno me siguió. Por esta causa, después de pasadas yo las puentes, cuando me quise volver, las hallé tomadas y ahondadas mucho de lo que habíamos cegado; por una y por la otra parte de toda la calzada estaba llena de gente, así en la tierra como en el agua en canoas. Nos agarrochaba y apedreaba de tal manera que, si Dios misteriosamente no nos quisiera salvar, era imposible escapar de allí; y aun ya era público entre los que quedaban en la ciudad que yo era muerto. Cuando llegué a la postrera puente de hacia la ciudad, hallé a todos los de caballo que iban conmigo, caídos en ella y un caballo suelto, de manera que yo no pude pasar y me fuí forzado de revolver solo contra mis enemigos. Con aquello

hice algún tanto de lugar para que los caballos pudiesen pasar. Yo hallé la puente desembarazada y pasé, aunque con harto trabajo, porque de una a la otra parte había casi un estado de saltar con el caballo. Por ir yo y el caballo bien armados, los indios no nos hirieron más que atormentar el cuerpo. Así quedaron aquella noche con victoria y ganadas las cuatro puentes.

Yo dejé en las otras cuatro buen recaudo y fuí a la fortaleza. Hice hacer una puente de madera que llevaban cuarenta hombres. Viendo el gran peligro en que estábamos y el mucho daño que cada día los indios nos hacían, y temiendo que también deshiciesen aquella calzada como las otras pues, deshecha, era forzado morir todos, y porque de todos los de mi compañía fuí requerido muchas veces que me saliese, y porque todos o los más estaban heridos y tan mal que no podían pelear, acordé de hacerlo aquella noche. Tomé todo el oro y joyas de vuestra majestad que se podían sacar y lo puse en una sala. Allí lo entregué en varios líos a los oficiales de vuestra alteza, que yo en su real nombre tenía señalados; a los alcaldes y regidores, y a toda la gente que allí estaba, les rogué y requerí que me ayudasen a sacar y a salvarlo. Di una yegua mía para ello, en la cual se cargó cuanto yo podía llevar; y señalé a varios españoles, así criados míos como de los otros, que viniesen con el dicho oro y yegua. Lo demás los dichos oficiales, alcaldes, regidores y yo lo dimos y repartimos por los españoles para que lo sacasen.

34. porque yo ... salida: *because I did not think that we would have trouble after gaining an exit.*

35. peones: *foot-soldiers*

Desamparada la fortaleza y con mucha riqueza, así de vuestra alteza como de los españoles y mía, me salí lo más secreto que yo pude, sacandc conmigo un hijo y dos hijas de Moctezuma, y a Cacamatzín, señor de Acolhuacán, y al otro su hermano que yo había puesto en su lugar, y a otros señores de provincias y ciudades que allí tenía presos. Llegando a las puentes que los indios tenían quitadas, a la primera de ellas se echó con poco trabajo la puente que yo traía hecha, porque no hubo quien la resistiese, excepto ciertas velas que estaban en ella, las cuales apellidaban tan recio que, antes de llegar nosotros a la segunda puente, estaba infinito número de gente de los contrarios sobre nosotros, combatiéndonos por todas partes, así desde el agua como de la tierra. Yo pasé presto con cinco de caballo y con cien peones, con los cuales pasé a nado todas las puentes y las gané hasta la tierra firme. Dejando aquella gente en la delantera, torné a la rezaga donde hallé que peleaban reciamente, y era sin comparación el daño que los nuestros recibían, así los españoles como los indios de Tlascala que estaban con nosotros. Así a todos los mataron, y a muchos naturales, los españoles, y asimismo habían muerto muchos españoles y caballos, y se habían perdido todo el oro, joyas, ropa y otras muchas cosas que sacábamos, y toda la artillería.

Recogidos los que estaban vivos, los eché para adelante y yo, con tres o cuatro de caballo y hasta veinte peones que osaron quedar conmigo, me fuí en la rezaga, peleando con los indios hasta llegar a una ciudad que se llama Tacuba, que está fuera de toda la calzada. Dios sabe cuanto trabajo y peligro recibí porque todas las veces que volvía sobre los contrarios, salía lleno de flechas y viras y apedreado; como era agua de una y otra parte, los indios herían a su salvo sin temor a los que salían a tierra. Luego volvíamos sobre ellos y saltaban al agua y así es que recibían muy poco daño exceptuando algunos indios que, con los muchos se tropezaban, unos con otros, y caían y así morían.

Con este trabajo y fatiga llevé a toda la gente hasta la ciudad de Tacuba, sin matar ni herirme ningún español ni indio, si no fué uno de los de caballo que iba conmigo en la rezaga. Y no menos peleaban, así en la delantera como por los lados, aunque la mayor fuerza era en las espaldas, por donde venía la gente de la gran ciudad.

Bernal Díaz del Castillo

1492-1584

ḤERNÁN CORTÉS was not the only participant in the Conquest of Mexico who gave to posterity a first hand account of that notable exploit. Among his soldiers was one who, late in life, composed and wrote a voluminous history which not only exceeds the record left by the Spanish leader in length, wealth of detail and interest but is characterized by greater objectivity, impartiality and justice in the recital of events and in judgments on participants. Bernal Díaz del Castillo, a native of Castile and a veteran of the expeditions of Hernández de Córdova, Juan de Grijalva, and of all the campaigns of Cortés' conquest, was moved, while living in his old age on his estate in Guatemala, by misstatements he detected in an official history of the Conquest by a court chronicler, López de Gómara, to write the *True History of the Conquest of New Spain*. The forthright, unvarnished and often careless prose of this historical account affords one of the most vivid and colorful narratives of the sixteenth century.

DOÑA MARINA

The enterprise, resourcefulness and daring of Cortés largely explain his spectacular Conquest of Mexico against overwhelming odds, but if singularly fortunate circumstances had not cooperated, even those extraordinary qualities of the Spanish conqueror might not have availed. Fortune favored Cortés in the matter of capable interpreters, first in Jerónimo de Aguilar, a shipwrecked Spaniard rescued after many years on the island of Cozumel, where he learned the Mayan language, and later in an Indian maiden, baptized Doña Marina, whose knowledge of Mexican and Mayan permitted Cortés, through Aguilar, to communicate readily with the Aztecs. So important a part did Doña Marina play in the conquest that Bernal Díaz devoted Chapter 37 of his *Verdadera historia de los sucesos de la conquista de la Nueva España* to the brief biographical sketch which follows:

Antes que más yo meta la mano en lo del gran Moctezuma[1] y su gran Méjico y mejicanos, quiero decir lo de doña Marina y como, desde su niñez, fué gran señora de pueblos y vasallos, y es de esta manera:

Su padre y su madre eran señores y caciques de un pueblo que se llama Painala, y tenía otros pueblos sujetos a él, cosa de ocho leguas de la villa de Coatzacoalcos.[2] Murió el padre, quedando doña Marina muy niña, y la madre se casó con otro cacique mancebo y tuvieron un hijo. Según pareció, querían bien al hijo que habían tenido y entre el padre y la madre acordaron de darle al hijo el cargo después de sus días.[3] Para que no hubiese estorbo en ello, dieron de noche la niña a unos indios de Xicalango[4] para que no fuese vista, y echaron fama de que se había muerto. En aquella sazón murió una hija de una india esclava suya y publicaron que era la heredera, de manera que los indios de Xicalango la dieron a los de Tabasco[5] y los de Tabasco a Cortés.

Yo conocí a su madre y a su hermano de madre,[6] hijo de la vieja, que ya era hombre y mandaba juntamente con la madre a su pueblo, porque el marido postrero de la vieja ya era fallecido. Después de vueltos cristianos la vieja se llamó Marta y el hijo, Lázaro. Esto lo sé muy bien porque, en el año de 1523 después de ganado Méjico y otras provincias y se había alzado Cristóbal de Olid en las Higueras, fué Cortés allá y pasó por Coatzacoalcos. Fuimos con él a aquel viaje toda la mayor parte de los vecinos de aquella villa, como diré en su tiempo y lugar.

Como doña Marina, en todas las guerras de la Nueva España, Tlascala y Méjico, fué tan excelente mujer y buena intérprete, como adelante diré, que la traía siempre Cortés consigo. En aquella sazón y viaje se casó con ella un hidalgo que se llamaba Juan Jaramillo en un pueblo llamado Orizaba delante de varios testigos. Uno de ellos se llamaba Aranda, vecino que fué de Tabasco, y aquél contaba el casamiento, y no como lo dice el cronista, Gómara.[7] Doña Marina tenía mucho ser[8] y mandaba absolutamente entre los indios en toda la Nueva España. Estando Cortés en la villa de Coatzacoalcos, envió a llamar a todos los caciques de aquella provincia para hacerles un parlamento acerca de la santa doctrina y sobre su buen trata-

1. lo del gran Moctezuma: *the matter of the great Moctezuma.* Bernal Díaz makes frequent use of this compact, convenient construction, which is common in modern speech, throughout his long account.

2. Town on a river of the same name between Yucatán and Vera Cruz on the east coast of Mexico

3. entre . . . de sus días: *between the father and the mother it was agreed that their son should succeed to their honors when their days were done.*

4. An outlying stronghold of the Aztec empire lying on the southern side of the Laguna de Términos, near Yucatán

5. A province between Laguna de Términos and the Isthmus of Tehuantepec

6. su hermano de madre: *her half-brother* (by her mother)

7. Bernal Díaz seldom misses an opportunity in his history to correct alleged misstatements made in the work of the more learned historian, López de Gómara.

8. Doña . . . ser: *Doña Marina had considerable influence* (or *importance*)

miento, y entonces vino la madre de doña Marina y su hermano de madre, Lázaro, con otros caciques. Días hacía que me había dicho doña Marina que era de aquella provincia y señora de vasallos. Bien lo sabía Cortés, y Aguilar, el intérprete, de manera que cuando vinieron la madre, su hija y el hermano, conocieron claramente que era su hija porque se le parecía mucho. Ellos tuvieron miedo de ella porque creyeron que los enviaba a llamar para matarlos, y lloraban. Cuando doña Marina los vió llorar así, los consoló y dijo que no tuviesen miedo, porque cuando la entregaron a los indios de Xicalango, no supieron lo que se hacían, y se lo perdonaba. Les dió muchas joyas de oro y de ropa y les dijo que se volviesen a su pueblo, y que Dios le había hecho a ella mucha merced en quitarla de adorar ídolos ahora, en ser cristiana, y en ser casada con un caballero, pues era su marido Juan Jaramillo. Dijo que, aunque la hiciesen cacica de todas cuantas provincias había en la Nueva España, no

lo sería, porque tenía en más estima servir a su marido y a Cortés que cuanto hay en el mundo. Todo esto que digo, se lo oí muy certificadamente, y se lo juro, amen.

Esto me parece que quiere remedar a lo que le acaeció a Josef con sus hermanos en Egipto, que vinieron a su poder cuando lo del trigo.[9] Esto es lo que pasó y no como en la relación que dieron a Gómara. También él dice otras cosas que dejo por alto.

Volviendo a nuestra materia, doña Marina sabía la lengua de Guacacualco, que es la propia de Méjico, y sabía la de Tabasco, como Jerónimo de Aguilar sabía la de Yucatán y Tabasco, que es toda una. Se entendían bien y Aguilar lo declaraba en castellano a Cortés. Fué gran principio para nuestra conquista, y así se nos hacían las cosas, loado sea Dios, muy prósperamente. He querido declarar esto porque, sin doña Marina, no podíamos entender la lengua de Nueva España y Méjico.

THE IMPRISONMENT OF MOCTEZUMA

The growing unfriendliness of his unwilling Indian hosts made Cortés and his followers keenly aware of the precariousness of their situation within the lake-locked Aztec capital whose few avenues of escape to the mainland could readily be cut off. As their plight was desperate, several of Cortés' officers convinced him that the safety of the Spaniards could be assured only by the bold expedient of making Moctezuma, the emperor, a prisoner and by holding him as a hostage. The effect of the agreement to the prompt execution of this hazardous plan is vividly described in Chapter 95 of Bernal Díaz' *Verdadera historia* which follows.

Como teníamos acordado el día antes de prender a Moctezuma, toda

la noche estuvimos en oración con el padre de la Merced,[10] rogando a Dios

9. Cf. *Genesis*, XLV
10. el padre de la Merced: Bartolomé de

Olmedo, a friar of the Order of Mercy

que fuese de tal modo que redundase para su santo servicio, y otro día de mañana fué acordado de la manera que había de ser. Llevó consigo Cortés a cinco capitanes que fueron: Pedro de Alvarado, Gonzalo de Sandoval, Juan Velásquez de León, Francisco de Lugo y Alonso de Ávila, y nuestros intérpretes, doña Marina y Aguilar.[11] A todos nosotros Cortés mandó que estuviésemos muy a punto [12] y los caballos ensillados y enfrenados. En lo de las armas no había necesidad de ponerlo aquí por memoria, porque siempre de día y de noche estábamos armados y calzados nuestras alpargatas que en aquella sazón era nuestro calzado. Y cuando solíamos ir a hablar a Moctezuma, siempre nos veía armados de aquella manera. Esto digo porque, aunque Cortés iba con los cinco capitanes con todas sus armas para prenderle, Moctezuma no lo tendría por cosa nueva, ni se alteraría por ello.

Ya puestos a punto todos, nuestro capitán envió a hacerle saber que iba a su palacio, porque así lo tenía por costumbre y para que no se alterase, viéndole a Cortés venir de sobresalto. Moctezuma bien entendió poco más o menos que Cortés iba enojado por lo de Almería [13] y no lo tenía en una castaña; [14] mandó recado, por lo tanto, que fuese muy en buen hora.[15]

Cuando entró Cortés, después de haberle hecho sus acatos acostumbrados, le dijo a Moctezuma con nuestros intérpretes:

"Señor Moctezuma, muy maravillado estoy de vos, siendo tan valeroso príncipe y habiéndose dado por nuestro amigo, por haber mandado a vuestros capitanes que teníais en la costa cerca de Tuzapán que tomasen armas contra mis españoles que están en guarda por nuestro rey y señor,[16] y por haberles demandado indios e indias para sacrificar, y por haber matado un español, hermano mío, y un caballo."

Cortés no le quiso decir del capitán, ni de los seis soldados que murieron luego que llegaron a la Villa Rica de la Vera Cruz,[17] porque Moctezuma no lo alcanzó a saber, ni tampoco lo supieron los indios capitanes que les dieron la guerra. Añadió:

"Teniéndoos por tan buen amigo, mandé a mis capitanes que, en todo lo que fuese posible, os sirviesen y favoreciesen, pero vuestra majestad, por el contrario, no lo ha hecho. Y asimismo en lo de Cholula [18] tuvieron

11. Bernal Díaz was also present (Cf. Alfred P. Maudslay (trans.). Bernal Díaz del Castillo. *The True History of the Conquest of New Spain*. Hakluyt Society Publications. (London, 1908–1916. 5 vols.)
12. muy a punto: *alert, ready*
13. por ... Almería: *the Almería affair.* A dispute over the question of collecting tributes brought on a skirmish between a large force of Indian subjects of Moctezuma and a small band of Spaniards in a small town, called Almería by Cortés' men, located in the province of Panuco on the Gulf of Mexico. The result of this encounter was fatal to the Spaniards.
14. no ... castaña: *and he was afraid of him* (Cortés)

15. mandó ... hora: *he sent word, therefore, that he* (Cortés) *would be quite welcome.*
16. Cf. *supra,* note 13
17. Juan de Escalante and six of his soldiers were so badly wounded in the encounter at Almería that they all died three days after returning to Vera Cruz. Moctezuma knew of the defeat of the Spaniards on this occasion but was unaware, apparently, of the extent of the losses by the Spaniards.
18. lo de Cholula: On the march from the coast up to the Aztec capital Cortés and his men stopped at Cholula, near the present city of Puebla de los Ángeles. There he learned through Doña Marina of a plot, in-

vuestros capitanes gran copia de guerreros ordenada por vuestro mandado para que nos matasen. He disimulado lo de entonces por lo mucho que os quiero. Asimismo ahora vuestros vasallos y capitanes se han desvergonzado y tienen pláticas secretas porque nos queréis mandar matar; pero por estas causas yo no querría comenzar guerra ni destruir esta ciudad; para excusarlo todo conviene que, callando y sin hacer ningún alboroto, os vayáis con nosotros a nuestro aposento. Allí seréis servido y mirado tan bien como en vuestra propia casa; pero si alboroto o voces se dieran, luego seréis muerto por estos mis capitanes, porque no los traigo para otro efecto."

Cuando Moctezuma oyó esto, estuvo muy espantado y sin sentido.[19] Respondió que nunca mandó que tomasen armas contra nosotros y que enviaría luego a llamar a sus capitanes, que sabría la verdad y que los castigaría. Luego en aquel instante se quitó del brazo y muñeca el sello y señal de Huitzipochtli,[20] pues hacía aquello cuando mandaba alguna cosa grave y de peso para que se cumpliese, y luego se cumplía. Pero dijo que, en lo de ir preso y salir de sus palacios contra su voluntad, no era persona la suya para que tal le mandasen, y que no era su voluntad salir. Cortés le replicó muy buenas razones y Moctezuma le respondía con muchas mejores y que no había de salir de sus casas, y así estuvieron más de media hora en estas pláticas.

Cuando Juan Velásquez de León y los demás capitanes vieron que Cortés se detenía con Moctezuma y no veían la hora de haberle sacado a éste de sus casas y tenerle preso,[21] hablaron a Cortés algo alterados y dijeron: "¿Qué hace vuestra merced ya con tantas palabras? O le llevamos preso o le daremos de estocadas. Por eso, tornadle a decir que, si da voces o hace alboroto, le mataremos, porque más vale que esta vez aseguremos nuestras vidas o las perdamos."

Como Juan Velásquez lo decía con voz algo alta y espantosa, porque así era su hablar, y Moctezuma vió a nuestros capitanes como enojados, preguntó a doña Marina: "¿Qué decían con aquellas palabras altas?" Como doña Marina era muy entendida, le dijo:

"Señor Moctezuma, lo que yo os aconsejo es que vais luego con ellos a su aposento sin ruido ninguno, porque yo sé que os harán mucha honra como gran señor que sois; de otra manera, aquí quedaréis muerto y en su aposento se sabrá la verdad."

Entonces Moctezuma le dijo a Cortés: "Señor Malinche,[22] ya que eso queréis que sea, yo tengo un hijo y dos hijas legítimas. Tomadlos en rehenes[23] y a mí no me hagáis esta afrenta. ¿Qué dirán mis principales si me viesen llevar preso?"

spired by Moctezuma, to kill all the Spaniards to a man. For this intended treachery of the *cholutecas* (natives of Cholula) Cortés massacred a large number of them.
19. sin sentido = aturdido
20. War god of the Aztecs
21. no . . . preso: *they could not wait to get Moctezuma out of his palace and hold him as a prisoner*
22. The name by which Cortés was known to the Indians. It was derived from Malintzin, the Indian name of Doña Marina, later corrupted to Malinche, and by association became transferred from his close companion and interpreter to Cortés himself.
23. en rehenes: *as hostages*

Cortés volvió a decir que su persona había de ir con ellos y no había de ser otra cosa. En fin de muchas más razones que pasaron, Moctezuma dijo que iría de buena voluntad. Entonces nuestros capitanes le hicieron muchas caricias y le dijeron que le pedían por merced que no tuviese enojo y que dijese a sus capitanes y a los de su guarda que iba de su voluntad porque había tenido plática con su ídolo Huitzipochtli y con los papas[24] que le servían y que convenía para su salud y para guardar su vida estar con nosotros. Luego le trajeron sus ricas andas en que solía salir con todos sus capitanes que le acompañaron y fué a nuestro aposento donde le pusimos guardas y velas, y todos cuantos servicios y placeres que le podíamos hacer, así Cortés como todos nosotros. Tantos le hacíamos y no se le echó prisiones ningunas. Luego le vinieron a ver todos los mayores principales mejicanos y sus sobrinos, y a hablar con él y a saber la causa de su prisión, y si mandaba que nos diesen guerra. Moctezuma les respondía que a él le gustaba estar algunos días allí con nosotros de buena voluntad y no por fuerza; y cuando él algo quisiese, se lo diría y que no se alborotasen ellos ni la ciudad, y que no tomasen pesar de ello porque esto de estar allí que ha pasado lo tiene por bien su Huitzipochtli, y se lo han dicho ciertos papas que lo saben, porque hablaron con su ídolo sobre ello.

De esta manera que he dicho fué la prisión del gran Moctezuma, y allí donde estaba tenía su servicio y mujeres y baños en que se bañaba; siempre estaban en su compañía veinte grandes señores y consejeros y capitanes, y se conformó con estar preso sin mostrar pasión en ello. Allí venían con pleitos embajadores de lejanas tierras y le traían sus tributos y despachaba negocios de importancia. Me acuerdo de que, cuando grandes caciques de otras tierras venían ante él sobre términos, pueblos u otras cosas de aquel arte, por muy grande señor que fuese, se quitaba las mantas ricas y se ponía otras de nequen[25] y de poca valía, y descalzo había de venir. Cuando llegaba a los aposentos, no entraba derecho sino por un lado de ellos; cuando parecían delante del gran Moctezuma, tenían los ojos bajos en tierra, y antes que a él llegasen, le hacían tres reverencias y le decían:

"Señor, mi señor, gran señor." Entonces le traían pintado y dibujado el pleito o negocio sobre que venían en unos paños o mantas de nequen, y con unas varitas muy delgadas y pulidas le señalaban la causa del pleito. Estaban allí junto a Moctezuma dos hombres viejos, grandes caciques, y cuando bien habían entendido el pleito aquellos jueces, le decían a Moctezuma la justicia que tenían y con pocas palabras los despachaba y mandaba quien había de llevar las tierras o pueblos. Sin más replicar en ello, los pleiteantes se salían sin volver las espaldas, y con las tres reverencias se salían hasta la sala; cuando se veían fuera de su presencia de Moctezuma, se ponían otras mantas ricas y se paseaban por Méjico.

Dejaré de contar al presente esta prisión y digamos como los mensajeros, que Moctezuma envió con su señal y sello a llamar a sus capitanes que mataron a nuestros soldados, los trajeron ante él presos. Lo que habló

---

24. papas: *priests*

25. nequen: *henequen, a fiber plant*

con ellos, yo no lo sé, pero se los envió a Cortés para que hiciese justicia en ellos. Tomada su confesión sin estar Moctezuma delante, ellos confesaron ser verdad lo dicho atrás por mí,[26] y que su señor se lo había mandado que diesen guerra y cobrasen los tributos, y si algunos *teules*[27] fuesen en su defensa, también les diesen guerra o matasen. Vista esta confesión por Cortés, se lo envió a decir a Moctezuma que le condenaban en aquella cosa. Moctezuma se disculpó cuanto pudo y nuestro capitán le envió a decir que él, Cortés, así lo creía y que, aunque merecía castigo, conforme a lo que nuestro rey manda porque la persona que manda matar a otros sin culpa o con culpa, que muera por ello. Pero, dijo Cortés, le quiere tanto y le desea todo bien y ya que Moctezuma tuviese aquella culpa, antes la pagaría Cortés por su persona que vérsela pasar a Moctezuma;[28] con todo esto que le envió a decir, estaba temoroso. Sin gastar más razones Cortés sentenció a muerte a aquellos capitanes y que fuesen quemados delante de los palacios de Moctezuma.

Así se ejecutó la sentencia y, para que no hubiese algún impedimento, mientras se quemaban, mandó echar unos grillos al mismo Moctezuma. Cuando se los echaron, Moctezuma bramaba y, si antes estaba temoroso, entonces lo estuvo mucho más. Después de quemados, fué Cortés con cinco de nuestros capitanes a su aposento y él mismo le quitó los grillos, y tales palabras le dijo que, no solamente lo tenía por hermano sino en mucho más; y como Moctezuma es señor y rey de tantos pueblos y provincias, si Cortés podía, andando el tiempo, le haría que fuese señor de más tierras que las que no había podido conquistar, ni las que no le obedecían;[29] que si Moctezuma quiere ir a sus palacios, le da licencia para ello.

Se lo decía Cortés mediante nuestros intérpretes y cuando se lo estaba diciendo Cortés, parecía que se le saltaban las lágrimas de los ojos a Moctezuma. Respondió con gran cortesía que se lo tenía en merced, porque bien entendió Moctezuma que todo era palabras las de Cortés, y que ahora le convenía estar preso allí porque, por ventura, como sus principales son muchos y sus sobrinos y parientes le vienen cada día para decir que será bien darnos guerra y sacarle de prisión, cuando le vean fuera a Moctezuma, le atraerán a ello; pero él no quería ver revueltas en su ciudad y si no hace su voluntad, por ventura querrán alzar a otro señor.[30] Así él les quitaba aquellos pensamientos con decirles que su dios Huitzipochtli se lo ha enviado a decir que esté preso. A lo que entendimos y lo que es más cierto, Cortés había dicho a Aguilar,

---

26. Cf. *supra*, note 13
27. teules: Aztec word for *gods*. The Spaniards at first were thought by the Indians to be gods.
28. Pero, . . . pasar a Moctezuma: *But Cortés said that he had much affection for Moctezuma and wished all good for him and so, even though Moctezuma were guilty, Cortés would rather pay the penalty in his own person than see it fall upon Moctezuma*
29. no solamente . . . obedecían: *not only considered him a brother but a great deal more, and though Moctezuma is lord and king of so many towns and provinces, Cortés would, if he could in the course of time, make Moctezuma lord of more lands than he had been able to conquer or those which acknowledged his sovereignty*
30. pero . . . señor: *but he did not wish any uprisings in his city and if he does not do their will, perchance they will rise up with another prince in his place*

el intérprete, que le dijese en secreto que, aunque Malinche le manda salir de la prisión, los capitanes nuestros y soldados no lo querríamos. Cuando le oyó aquello, Cortés le echó los brazos encima y le abrazó y dijo:

"No en balde, señor Moctezuma, os quiero tanto como a mí mismo."

Luego Moctezuma demandó a Cortés un paje español que le servía que ya sabía la lengua y que se llamaba Orteguilla; fué harto provechoso así para Moctezuma como para nosotros por que él preguntaba a aquel paje y sabía muchas cosas de las de Castilla, y nosotros de lo que decían los capitanes de Moctezuma. Y verdaderamente el paje le era tan servicial que Moctezuma le quería mucho.

Dejemos de hablar como ya estaba Moctezuma contento con los grandes halagos, servicios y conversaciones que tenía con todos nosotros, porque siempre que pasábamos ante él, y aunque fuese Cortés, le quitábamos los bonetes de armas o cascos, pues siempre estábamos armados y él nos hacía gran mesura y honra a todos; y digamos los nombres de aquellos capitanes de Moctezuma que se quemaron por justicia. Se llamaba el principal Quetzalpopoca y los otros se llamaban, el uno Coatl, el otro Quiabuitle y el otro no me acuerdo el nombre; poco va en saber sus nombres. Y digamos que, cuando se supo este castigo en todas las provincias de la Nueva España, temieron, y los pueblos de la costa donde mataron a nuestros soldados volvieron a servir muy bien a los vecinos que quedaban en la Villa Rica de la Vera Cruz.

Los curiosos que leyeran esto han de considerar tan grandes hechos como: que hicimos dar con los navíos al través; [31] lo otro, osar entrar en ciudad tan fuerte, teniendo tantos avisos que allí nos habían de matar cuando nos tuviesen adentro; lo otro tener tanta osadía de osar prender al gran Moctezuma, que era rey de aquella tierra, dentro de su gran ciudad y en sus mismos palacios, teniendo tan gran número de guerreros de su guarda; y lo otro osar quemar a sus capitanes delante de sus palacios y echarle grillos entre tanto que se hacía la justicia. Muchas veces, ahora que soy viejo, me paro a considerar las cosas heróicas que en aquel tiempo pasamos y me parece que las veo presentes. Y digo que nuestros hechos, no los hacíamos nosotros, sino que venían todos encaminados por Dios porque ¿qué hombres ha habido en el mundo que osasen entrar cuatrocientos cincuenta soldados, y aún no llegábamos a ellos, en una tan fuerte ciudad como Méjico, que es mayor que Venecia, estando tan apartados de nuestra Castilla sobre más de mil quinientas leguas, y prender a un señor tan grande y hacer justicia de sus capitanes delante de él? Porque hay mucho que ponderar en ello y no así secamente como yo lo digo.

31. que hicimos ... través: *that we destroyed our ships*

Inca Garcilaso de la Vega

1539-1616

THE FIRST South American to win a permanent place in the history of Spanish and Spanish American literature was the son of a Spanish conqueror and an Inca princess, who was known as the Inca Garcilaso de la Vega (sometimes Garcilaso de la Vega, el Inca). His literary reputation rests chiefly on two historical works, the more important of which is *Los comentarios reales* (first part published in Lisbon in 1609, second part in Córdoba, Spain, 1617). In this work he describes the empire of the Incas, their legends, customs and monuments, together with many digressions and interpolated anecdotes. His style is natural, sometimes naive, and carries the reader along with relative ease. In these *Comentarios reales* Garcilaso was inspired by a genuine love for his theme and drew his materials not only from reliable written sources but also from his memory of his childhood when he had listened to his mother's conversations with her people and had heard much concerning the rites and ceremonies of the ancient Incas.

PEDRO SERRANO, A SPANISH "ROBINSON CRUSOE"

The opening chapters of the *Comentarios reales* are discursive and treat of matters somewhat remote from Garcilaso's subject. Having discussed the origin of the name Peru, he then devotes Chapter VII to telling how other geographical localities in the New World received their designations; among them he includes some reefs between the coasts of Colombia and Cuba, the Serrano Bank, named for a sailor marooned upon them. This story fascinated him, apparently, for he states: "*Quizá lo diremos en otra parte.*" The temptation to intercalate this tale is too great for in the very next chapter, after a succinct description of the geographical extent of Peru, he returns to it saying: "*Será bien, antes que pasemos adelante, digamos aquí el suceso de Pedro Serrano,*" and adds naively that he does

23

this *"para que este capítulo no sea tan corto."* This curious interpolation follows: [1]

Pedro Serrano salió a nado a aquella isla desierta [2] que, antes de él, no tenía nombre, la cual, como él decía, tendría dos leguas en contorno. Casi lo mismo dice la carta de marear, porque pinta tres islas muy pequeñas, con muchos bajíos a la redonda; y la misma figura le da a la que llaman Serranilla, que son cinco isletas pequeñas, con muchos más bajíos que la Serrana. En todo aquel parage los hay, por lo cual huyen los navíos de ellos por no caer en peligro.

A Pedro Serrano le cupo en suerte perderse en ellos [3] y llegar nadando a la isla donde se halló desconsoladísimo, porque no halló en ella agua, ni leña, ni aun hierba que pudiera comer, ni otra cosa alguna con que mantener la vida mientras pasase algún navío que lo sacase de allí para que no pereciese de hambre y sed. Le parecía muerte más cruel que haber muerto ahogado porque ésta es más breve.

Así pasó la primera noche, llorando su desventura, tan afligido como se puede imaginar que estaría un hombre puesto en tal extremo. Luego que amaneció, volvió a pasearse por la isla; halló algún marisco [4] que salía de la mar como son cangrejos, camarones y otras sabandijas, de las cuales cogió las que pudo y se las comió crudas porque no había candela donde asar o cocerlas. Así se mantuvo hasta que vió salir tortugas. Viéndolas lejos de la mar, arremetió con una de ellas y la volvió de espaldas. Lo mismo hizo de todas las que pudo, pues para volverse a enderezar, son torpes; [5] sacando un cuchillo, que de ordinario solía traer en la cinta y que fué el medio para escapar de la muerte, la degolló y bebió la sangre en lugar de agua. Lo mismo hizo de las demás; la carne la puso al sol para comerla hecha tasajos, [6] y desembarazó las conchas para coger agua en ellas de la lluvia, porque toda aquella región, como es notorio, es muy lluviosa.

De esta manera se sustentó los primeros días, con matar todas las tortugas que podía. Algunas había tan grandes, y mayores que las mayores adargas, [7] y otras como rodelas y como broqueles, de modo que las había de todos tamaños. Con las más grandes Serrano no podía valer para volverlas de espaldas porque le vencían de fuerzas y, aunque subía sobre ellas para cansarlas y sujetarlas, no le aprove-

1. This and the following selections are taken from the text printed in the *Biblioteca de cultura peruana* edition, Vol. 3, *Garcilaso de la Vega Inca: Páginas escogidas* (Paris, 1938), Book I, Chapters VIII, XVIII, XIX; Bk. II, Ch. XXVII; Bk. III, Ch. XXV; Bk. IV, Ch. XIII; Bk. VI, Ch. VII; and Bk. VII, Ch. XXVII.

2. This appears to have been Serranilla, about a hundred miles north of the Serrana keys at latitude 80° west, longitude 14° north in the western Caribbean, to both of which groups Serrano gave his name.

3. A Pedro Serrano le cupo en suerte perderse en ellos: *It was Pedro Serrano's fate to be cast away in them*

4. algún marisco: *an occasional shellfish*

5. pues ... torpes: *because they are helpless to right themselves again*

6. hecha tasajo: *as jerked meat*

7. mayores que las mayores adargas: *larger than the largest shields; adargas, rodelas* and *broqueles*, names of various types of shields and bucklers

chaba nada porque, con él a cuestas, se iban a la mar.[8] Así es que la experiencia le decía a cuáles tortugas había de acometer y a cuáles se había de rendir. En las conchas recogió mucha agua porque había algunas que cabían a dos arrobas y de allí abajo.[9]

Viéndose Pedro Serrano con bastante recaudo para comer y beber, le pareció que, si pudiese sacar fuego para asar la comida y para hacer ahumadas cuando viese pasar algún navío, no le faltaría nada. Con esta imaginación, como hombre que había andado por la mar—y es cierto que los tales hombres, en cualquier trabajo, hacen mucha ventaja a los demás—dió en buscar un par de guijarros que le sirviesen de pedernal, porque del cuchillo pensaba hacer eslabón. Como no los halló en la isla, porque toda ella estaba cubierta de arena muerta, entraba en la mar nadando y se zambullía. Buscaba con gran diligencia en el suelo, ya en unas partes, ya en otras, lo que quería, y tanto porfió en su trabajo que halló guijarros. Sacó los que pudo y escogió los mejores de ellos; quebrando los unos con los otros para que tuviesen esquinas donde dar con el cuchillo, tentó su artificio. Viendo que sacaba fuego, hizo hilas tan desmenuzadas de un pedazo de la camisa que parecían algodón carmenado[10] y le sirvieron de yesca; habiéndolo porfiado muchas veces, con su industria y buena maña, sacó fuego.

Cuando se vió con fuego se dió por muy dichoso y, para sustentarlo, recogió las basuras que la mar echaba en tierra. Por horas las recogía donde hallaba mucha hierba, que se llama ovas marinas,[11] y madera de navíos que se perdían por la mar, y conchas, huesos de pescados y otras cosas con que alimentaba el fuego. Para que los aguaceros no se lo apagasen, hizo una choza de las mayores conchas que tenía de las tortugas que había muerto, y con grandísima vigilancia cebaba el fuego para que no se le fuese de las manos.[12]

Dentro de dos meses, y aun antes, se vió como nació[13] porque, con las muchas aguas, calor y humedad de la región, se le pudrió la poca ropa que tenía. El sol, con su gran calor, le fatigaba mucho porque ni tenía ropa con que defenderse, ni había sombra a que ponerse. Cuando se veía muy fatigado, entraba en el agua para cubrirse con ella. Con este trabajo y cuidado vivió tres años, y en este tiempo vió pasar algunos navíos pero, aunque él hacía su ahumada, que en la mar es señal de gente perdida, no echaban de ver en ella o, por el temor de los bajíos, no osaban llegar donde él estaba y se pasaban de largo. De lo cual Pedro Serrano quedaba tan desconsolado que casi tomaba el partido de morirse y acabar ya. Con las inclemencias del cielo le creció el vello en todo el cuerpo tan excesivamente que parecía pellejo de animal, y no como cualquier

---

8. aunque . . . mar: *although he clambered on their backs to tire them out and thus subdue them, it did him no good because they crawled off into the water with him on their backs.*

9. porque había . . . abajo: *for there were some which held two arrobas of water and were from that size down. An arroba is a* variable measure usually considered about 25 pounds.

10. algodón carmenado: *finely combed cotton*

11. ovas marinas: *sea lettuce*

12. para que . . . manos: *so that the fire should not go out on him.*

13. se vió como nació: *he was stark naked*

animal sino el de un jabalí; el cabello y la barba le pasaban de la cinta.

Al cabo de los tres años una tarde, sin pensarlo, vió Pedro Serrano a un hombre en la isla que la noche antes se había perdido en los bajíos de ella y se había sostenido en una tabla del navío; luego que amaneció, había visto el humo del fuego de Pedro Serrano y, sospechando lo que fué, se había ido a él, ayudado de la tabla y de su buen nadar. Cuando se vieron ambos no se puede certificar cuál quedó más asombrado de cuál. Serrano imaginó que era el demonio que venía en figura de hombre para tentarle en alguna desesperación. El huésped entendió que Serrano era el demonio en su propia figura según lo vió cubierto de cabellos, barbas y pelaje. Cada uno huyó del otro y Pedro Serrano fué diciendo:

"¡Jesús! ¡Jesús! ¡Líbrame, Señor, del demonio!"

Oyendo esto se aseguró el otro, y, volviendo a él, le dijo:

"No huyáis, hermano mío, porque soy cristiano como vos."

Y, para que se certificase, porque todavía huía, dijo a voces el Credo, lo cual oído por Pedro Serrano, volvió a él y se abrazaron con grandísima ternura y muchas lágrimas y gemidos, viéndose ambos en una misma desventura sin esperanza de salir de ella. Cada uno de ellos brevemente contó al otro su vida pasada. Pedro Serrano, sospechando la necesidad del huésped, le dió de comer y de beber de lo que tenía, con que quedó algún tanto consolado, y hablaron de nuevo de su desventura. Acomodaron su vida como

mejor supieron, repartiendo las horas del día y de la noche en sus menesteres de buscar marisco para comer, ovas, leña, huesos de pescado, y cualquier otra cosa que la mar echase, para sustentar el fuego; y sobre todo la perpetua vigilia sobre el fuego que tenían que tener, velando por horas para que no se les apagase.

Así vivieron algunos días, pero no pasaron muchos que no riñeron de manera que apartaron rancho y no faltó sino llegar a las manos [14] (para que se vea cuán grande es la miseria de nuestras pasiones). La causa de la pendencia fué decir el uno al otro que no cuidaba como convenía de lo que era necesario. Este enojo y las palabras que se dijeron con él los descompusieron y apartaron. Pero ellos mismos, cayendo en su disparate, se pidieron perdón y se hicieron amigos; volvieron a su compañía y en ella vivieron otros cuatro años. En este tiempo vieron pasar algunos navíos y hacían sus ahumadas, pero no les aprovechaba, y así es que ellos quedaban tan desconsolados que no les faltaba sino morir.[15]

Al cabo de este largo tiempo acertó a pasar un navío tan cerca de ellos que vió la ahumada y les echó el bote para recogerlos. Pedro Serrano y su compañero, que se había puesto de su mismo pelaje, viendo el bote cerca y, para que los marineros que iban por ellos no creyesen que eran demonios y huyesen de ellos, dieron en decir el Credo y llamar el nombre de Nuestro Redentor a voces. Les sirvió el aviso porque, de otra manera, sin duda hubieran huido los marineros porque

---

14. de manera que . . . manos: *so that they ate apart and they almost came to blows*

15. y así es . . . morir: *and so they were so* disconsolate that there was nothing left to them but to die.

Serrano y su compañero no tenían figura de hombres humanos. Los llevaron al navío donde admiraron a cuantos los vieron y oyeron sus trabajos pasados. El compañero murió en la mar, regresando a España. Pedro Serrano llegó acá y pasó a Alemania donde el Emperador [16] estaba entonces. Serrano llevó su pelaje como lo traía para que fuese prueba de su naufragio y de lo que le había pasado en él. Por todos los pueblos que pasaba en la ida, si hubiera querido mostrarse, hubiera ganado muchos dineros. Algunos señores y caballeros principales, a quienes les gustaba ver su figura, le dieron ayudas de costa para el camino, y la Majestad Imperial, habién-dole visto y oído, le concedió cuatro mil pesos de renta, que son cuatro mil ochocientos ducados en el Perú. Al ir a gozarlos, murió Serrano en Panamá y así no llegó a verlos.

Todo este cuento, como se ha dicho, contaba un caballero que se llamaba Garci Sánchez de Figueroa, a quien yo se lo oí, y él conoció a Pedro Serrano y certificaba que se lo había oído a él mismo. Después de haber visto al Emperador, Serrano se había quitado el cabello y la barba, y la había dejado poco más corta que hasta la cinta. Para dormir de noche Serrano se la trenzaba porque, si no la trenzaba, se tendía por toda la cama y le estorbaba el sueño.

In the following selections the Inca Garcilaso de la Vega confines himself more closely to his description of the legends, practices, customs and monuments of his maternal ancestors, the Incas.

TWO LEGENDS OF THE ORIGIN OF THE INCAS

Otra fábula cuenta la gente común del Perú del origen de sus reyes Incas, y son los indios que caen al Mediodía del Cuzco, que llaman Collasuyu, y los del Poniente, que llaman Cuntisuyu. Dicen que pasado el diluvio, del cual no saben dar más razón de decir que lo hubo, ni se entiende si fué el general del tiempo de Noé,[17] o algún otro en particular; por lo cual dejaremos de decir lo que cuenta de él, y de otras cosas semejantes, que, de la manera que las dicen, más parecen sueños o fábulas mal ordenadas que sucesos historiales. Dicen, pues, que, cesadas las aguas, se apareció un hombre en Tiahuanacu, que está al Mediodía del Cuzco, que fué tan poderoso que repartió el mundo en cuatro partes, y las dió a cuatro hombres, que llamó reyes; el primero se llamó Manco Cápac, y el segundo Colla, y el tercero Tocay, y el cuarto Pinahua. Dicen que a Manco Cápac dió la parte septentrional, y al Colla la parte meridional (de cuyo nombre se llamó después Colla aquella gran provincia), al tercero, llamado Tocay, dió la parte del Levante, y al cuarto, que llaman Pinahua, la del Poniente; y que les mandó fuese cada uno a su distrito, y conquistase y gobernase la gente que hallase; y no advierten a decir si el diluvio los había ahogado

16. Charles V, Emperor of the Holy Roman Empire, who was also Charles I, King of Spain.

17. For a description of the flood at the time of Noah see *Genesis*, VII–VIII.

o si los indios habían resucitado para ser conquistados y doctrinados, y así en todo cuanto dicen de aquellos tiempos. Dicen que de este repartimiento del mundo nació después el que hicieron los Incas de su reino, llamada Tahuantinsuyu. Dicen que el Manco Cápac fué hacia el Norte, y llegó al valle del Cuzco, y fundó aquella ciudad, y sujetó los circunvecinos, y los doctrinó; y con estos principios dicen de Manco Cápac casi lo mismo que hemos dicho de él; y que los reyes Incas descienden de él; y de los otros tres reyes no saben decir qué fué de ellos; y de esta manera son todas las historias de aquella antigüedad; y no hay que espantarnos de que gente, que no tuvo letras con que conservar la memoria de sus antiguallas, trate de aquellos principios tan confusamente; pues los de la gentilidad del mundo viejo con tener letras y ser tan curiosos en ella, inventaron fábulas tan dignas de risa, y más que estas otras; pues una de ellas es la de Pirra y Deucalion,[18] y otras que pudiéramos traer a cuenta, y también se pueden cotejar las de la una gentilidad con las de la otra, que en muchos pedazos se remedan, y asimismo tienen algo semejante a la historia de Noé, como algunos españoles han querido decir, según veremos luego. Lo que yo siento de este origen de los Incas diré al fin.

Otra manera del origen de los Incas cuentan semejante a la pasada, y éstos son indios que viven al Levante y al Norte de la ciudad del Cuzco. Dicen que al principio del mundo salieron por unas ventanas de unas peñas que están cerca de la ciudad, en un puesto que llaman Paucartampu, cuatro hombres y cuatro mujeres, todos hermanos, y que salieron por la ventana de en medio, que ellas son tres, la cual llamaron ventana real; por esta fábula aforraron aquella ventana por todas partes con grandes planchas de oro y muchas piedras preciosas: las ventanas de los lados guarnecieron solamente con oro, mas no con pedrería. Al primer hermano llamaron Manco Cápac, y a su mujer Mama Ocllo: dicen que éste fundó la ciudad, y que la llamó Cuzco, que, en la lengua particular de los Incas, quiere decir ombligo, y que sujetó aquellas naciones y les enseñó a ser hombres, y que de éste descienden todos los Incas. * * *

Algunos españoles curiosos quieren decir, oyendo estos cuentos, que aquellos indios tuvieron noticia de la historia de Noé, de sus tres hijos, mujer y nueras, que fueron cuatro hombres y cuatro mujeres que Dios reservó del diluvio, que son los que dicen en la fábula, y que, por la ventana del arca de Noé, dijeron los indios la de Paucartampu, y que el hombre poderoso que la primera fábula dice que se apareció en Tiahuanacu, que dicen repartió el mundo en aquellos cuatro hombres, quieren los curiosos que sea Dios quien mandó a Noé y a sus tres hijos que poblasen el mundo. Otros pasos de la una fábula y de la otra quieren semejar a los de la santa historia, que les parece que se semejan. Yo no me entremeto en cosas tan hondas; digo llanamente las

---

18. According to Greek legend, Deucalion, King of Thessaly and son of Prometheus, and Pirra, his wife, were the only ones to be saved from the deluge. They repeopled the land by throwing behind them stones which were transformed into human beings.

fábulas historiales que en mis niñeces oí a los míos; tómelas cada uno como quisiere, y déles la alegoría que más le cuadrare. A semejanza de las fábulas que hemos dicho de los Incas, inventan las demás naciones del Perú otras infinidad de ellas del origen y principio de sus primeros padres, diferenciándose unos de otros, como las veremos en el discurso de la historia:

que no se tiene por honrado el indio que no desciende de fuente, río o lago, aunque sea de la mar o de animales fieros, como el oso, león o tigre, o de 5 águila, o del ave que llaman cúntur [cóndor], o de otras aves de rapiña, o de sierras, montes, riscos o cavernas, cada uno como se le antoja, para su mayor loa y blasón; y para fábulas 10 baste lo que se ha dicho.

THE AUTHOR'S SOURCES

Ya que hemos puesto la primera piedra de nuestro edificio (aunque fabulosa) en el origen de los Incas, reyes del Perú, será razón pasemos adelante en la conquista y reducción de los indios, extendiendo algo más la relación sumaria que me dió aquel Inca, con la relación de otros muchos Incas e indios, naturales de los pueblos que este primer Inca Manco Cápac 10 mandó poblar, y redujo a su imperio, con los cuales me crié y comuniqué hasta los veinte años. En este tiempo tuve noticia de todo lo que vamos escribiendo, porque en mis niñeces me 15 contaban sus historias, como se cuentan las fábulas a los niños. Después, en edad más crecida, me dieron larga noticia de sus leyes y gobierno; cotejando el nuevo gobierno de los es- 20 pañoles con el de los Incas: dividiendo en particular los delitos y las penas, y el rigor de ellas: decíanme cómo procedían sus reyes en paz y en guerra, de qué manera trataban a 25 sus vasallos, y cómo eran servidos de ellos. Demás de esto, me contaban, como a propio hijo, toda su idolatría, sus ritos, ceremonias y sacrificios; sus fiestas principales y no principales, y 30 cómo las celebraban; decíanme sus

abusos y supersticiones, sus agüeros malos y buenos, así los que miraban en sus sacrificios como fuera de ellos. En suma, digo que me dieron noticia 5 de todo lo que tuvieron en su república, que si entonces lo escribiera, fuera más copiosa esta historia. Demás de habérmelo dicho los indios, alcancé y vi por mis ojos mucha parte de 10 aquella idolatría, sus fiestas y supersticiones, que aún en mis tiempos, hasta los doce o trece años de mi edad, no se habían acabado del todo. Yo nací ocho años después que los españoles ganaron mi tierra, y como lo he dicho, me crié en ella hasta los veinte años, y así vi muchas cosas de las que hacían los indios en aquella su gentilidad, las cuales contaré, diciendo 20 que las vi. Sin la relación que mis parientes me dieron de las cosas dichas, y sin lo que yo vi, he habido [19] otras muchas relaciones de las conquistas y hechos de aquellos reyes; 25 porque luego que propuse escribir esta historia, escribí a los condiscípulos de escuela y gramática, encargándoles que cada uno me ayudase con la relación que pudiese haber de las 30 particulares conquistas que los Incas hicieron de las provincias de sus ma-

19. habido = tenido

dres; porque cada provincia tiene sus cuentas y nudos [20] con sus historias, anales y la tradición dellas; y por esto retiene mejor lo que en ella pasó que lo que pasó en la ajena. Los condiscípulos, tomando de veras lo que les pedí, cada cual dellos dió cuenta de mi intención a su madre y parientes; los cuales, sabiendo que un indio, hijo de su tierra, quería escribir los sucesos de ella, sacaron de sus archivos las relaciones que tenían de sus historias, y me las enviaron; y así tuve la noticia de los hechos y conquistas de cada Inca, que es la misma que los historiadores españoles tuvieron, sino que ésta será más larga, como lo advertiremos en muchas partes della. Y porque todos los hechos deste primer Inca son principios y fundamento de la historia que hemos de escribir, nos valdrá mucho decirlos aquí, a lo menos los más importantes, porque no los repitamos adelante en las vidas y hechos de cada uno de los Incas sus descendientes; porque todos ellos generalmente, así los reyes como los no reyes, se preciaron de imitar en todo y por todo la condición, obras y costumbres deste primer príncipe Manco Cápac; y dichas sus cosas, habremos dicho las de todos ellos. Iremos con atención de decir las hazañas más historiales, dejando otras muchas por impertinentes y prolijas; y aunque algunas cosas de las dichas, y otras que se dirán, parezcan fabulosas, me pareció no dejar de escribirlas, por no quitar los fundamentos sobre que los indios se fundan para las cosas mayores y mejores que de su imperio cuentan; porque en fin destos principios fabulosos procedieron las grandezas que en realidad de verdad posee hoy España;

por lo cual se me permitirá decir lo que conviniere para la mejor noticia que se pueda dar de los principios, medios y fines de aquella monarquía, que yo protesto decir llanamente la relación que mamé en la leche, y la que después acá he habido, pedida a los propios míos, y prometo que la afición dellos no sea parte para dejar de decir la verdad del hecho, sin quitar de lo malo ni añadir a lo bueno que tuvieron; que bien sé que la gentilidad es un mar de errores, y no escribiré novedades que no se hayan oído, sino las mismas cosas que los historiadores españoles han escrito de aquella tierra, y de los reyes della, y alegaré las mismas palabras dellos donde conviniere, para que se vea que no finjo ficciones en favor de mis parientes, sino que digo lo mismo que los españoles dijeron; sólo serviré de comento para declarar y ampliar muchas cosas que ellos asomaron a decir, y las dejaron imperfectas, por haberles faltado relación entera. Otras muchas se añadirán que faltan de sus historias, y pasaron en hecho de verdad, y algunas se quitarán, que sobran, por falsa relación que tuvieron, por no saberla pedir el español con distinción de tiempos y edades, y división de provincias y naciones, o por no entender al indio que se la daba, o por no entender el uno al otro, por la dificultad del lenguaje; que el español que piensa que sabe más dél, ignora de diez partes las nueve, por las muchas cosas que un mismo vocablo significa, y por las diferentes pronunciaciones que una misma dicción tiene para muy diferentes significaciones, como se verá adelante en algunos vocablos que será forzoso traerlos a cuenta.

20. nudos: for more details on the use of knots (*quipus*) as mnemonic devices see p. 38

Demás desto, en todo lo que desta república,[21] antes destruida que conocida, dijere, será contando llanamente lo que en su antigüedad tuvo de su idolatría, ritos, sacrificios y ceremonias, y en su gobierno, leyes y costumbres, en paz y en guerra, sin comparar cosa alguna de éstas a otras semejantes que en las historias divinas y humanas se hallan, ni al gobierno de nuestros tiempos, porque toda comparación es odiosa. El que las leyere podrá cotejarlas a su gusto, que muchas hallará semejantes a las antiguas, así de la Santa Escritura, como de las profanas y fábulas de la gentilidad antigua: muchas leyes y costumbres verá que parecen a las de nuestro siglo; otras muchas oirá en todo contrarias: de mi parte he hecho lo que he podido, no habiendo podido lo que he deseado. Al discreto lector suplico reciba mi ánimo, que es de darle gusto y contento, aunque las fuerzas, ni la habilidad de un indio, nacido entre los indios, criado entre armas y caballos, no puedan llegar allá.

THE POETRY OF THE INCAS

No les faltó habilidad a los amautas, que eran los filósofos, para componer comedias y tragedias, que en días y fiestas solemnes representaban delante de sus reyes y de los señores que asistían en la corte. Los representantes no eran viles, sino Incas y gente noble, hijos de curacas, y los mismos curacas y capitanes hasta maestres de campo; porque los autos de las tragedias se representasen al propio; cuyos argumentos siempre eran de hechos militares, de triunfos y victorias de las hazañas y grandezas de los reyes pasados, y de otros heroicos varones. Los argumentos de las comedias eran de agricultura, de hacienda, de cosas caseras y familiares. Los representantes, luego que se acababa la comedia, se sentaban en sus lugares conforme a su calidad y oficios. No hacían entremeses deshonestos, viles y bajos: todo era de cosas graves y honestas, con sentencias y donaires permitidos en tal lugar. A los que se aventajaban en la gracia del representar les daban joyas y favores de mucha estima.

De la poesía alcanzaron otra poca porque supieron hacer versos cortos y largos con medida de sílabas: en ellos ponían sus cantares amorosos con tonadas diferentes, como se ha dicho. También componían en verso las hazañas de sus reyes, y de otros famosos Incas, y curacas principales, y los enseñaban a sus descendientes por tradición para que se acordasen de los buenos hechos de sus pasados y los imitasen: los versos eran pocos porque la memoria los guardase; empero muy compendiosos, como cifras. No usaron de consonante[22] en los versos, todos eran sueltos. Por la mayor parte semejaban a la natural compostura española que llaman redondillas. Una canción amorosa compuesta en cuatro versos me ofrece la memoria; por ellos se verá el artificio de la compostura y la significación abreviada compendiosa de lo que en su rusticidad

---

21. desta república: *of this state.* The term *república* does not have here its modern connotation of representative government.
22. consonante: *rhyme*

querían decir. Los versos amorosos hacían cortos porque fuesen más fáciles de tañer en la flauta. Holgara poner también la tonada en puntos de canto de órgano para que se viera lo uno y lo otro, mas la impertinencia me excusa del trabajo.

La canción es la que se sigue y su traducción en castellano:

Caylla llapi		Al cántico
Puñunqui	⎰ quiere ⎱	dormirás
Chaupituta	⎱ decir ⎰	media noche
Samusac		yo vendré

Y más propiamente dijera, veniré, sin el pronombre yo, haciendo tres sílabas del verbo, como las hace el indio que no nombra a la persona, sino que la incluye en el verbo por la medida del verso. Otras muchas maneras de versos alcanzaron los Incas poetas, a los cuales llamaban harávec, que en propia significación quiere decir inventador. En los papeles del P. Blas Valera [23] hallé otros versos que él llama spondaicos, todos son de a cuatro sílabas, a diferencia de estos otros que son de a cuatro y a tres. Escríbelos en indio y en latín; son en materia de astrología. Los incas poetas los compusieron filosofando las causas segundas que Dios puso en la región del aire para los truenos, relámpagos y rayos, y para el granizar, nevar y llover, todo lo cual dan a entender en los versos, como se verá. Hiciéronlos conforme a una fábula que tuvieron, que es la que se sigue. Dicen que el Hacedor puso en el cielo una doncella, hija de un rey, que tiene un cántaro lleno de agua para derramarla cuando la tierra la ha menester, y que un hermano de ella le quiebra a sus

tiempos, y que del golpe se causan los truenos, relámpagos y rayos. Dicen que el hombre los causa porque son hechos de hombres feroces, y no de mujeres tiernas. Dicen que el granizar, llover y nevar lo hace la doncella, porque son hechos de más suavidad y blandura, y de tanto provecho: dicen que un Inca poeta y astrólogo hizo y dijo los versos loando las excelencias y virtudes de la dama, y que Dios se las había dado para que con ellas hiciese bien a las criaturas de la tierra.

La fábula y los versos, dice el P. Blas Valera, que halló en los ñudos y cuentas de unos anales antiguos que estaban en hilos de diversos colores, y que la tradición de los versos y de la fábula se la dijeron los indios contadores que tenían cargo de los ñudos y cuentas historiales, y que, admirado de que los amautas hubiesen alcanzado tanto, escribió los versos y los tomó de memoria para dar cuenta de ellos. Yo me acuerdo haber oído esta fábula en mis niñeces, con otras muchas que me contaban mis parientes; pero como niño y muchacho no les pedí la significación, ni ellos me la dieron. Para los que no entienden indio ni latín, me atreví a traducir los versos en castellano, arrimándome más a la significación de la lengua que mamé en la leche, que no a la ajena latina, porque lo poco que de ella sé lo aprendí en el mayor fuego de las guerras de mi tierra, entre armas y caballos, pólvora y arcabuces, de que supe más que de letras. El P. Blas Valera imitó en su latín las cuatro sílabas del lenguaje indio en cada verso; y está muy bien imitado. Yo salí

23. Padre Blas Valera (1540–1596), a Jesuit priest, and like the Inca, a mestizo, was the author of a manuscript history of the Inca empire to part of which Garcilaso had access (Cf. Book I, Chapter VI of the Comentarios reales), but which has since been lost.

de ellas, porque en castellano no se pueden guardar, que habiendo de declarar por entero la significación de las palabras indias, en unas son menester más sílabas y en otras menos. *Ñusta*, quiere decir doncella de sangre real y no se interpreta con menos; que, para decir doncella de las comunes, dicen *tazque; china* llaman a la doncella muchacha de servicio. *Illapántac* es verbo; incluye en su significación la de tres verbos, que son tronar, relampaguear y caer rayos; y así los puso en dos versos el P. M. Blas Valera, porque el verso anterior, que es *cunuñunun*, significa hacer estruendo, y no lo puso aquel autor por declarar las tres significaciones del verbo *illapántac; unu*, es agua; *pára*, es llover; *chichi*, es granizar; *riti*, nevar; *Pachacámac* quiere decir el que hace con el universo lo que el alma con el cuerpo. *Viracocha* es nombre de un dios moderno que adoraban, cuya historia veremos adelante muy a la larga. *Chura* quiere decir poner. *Cama* es dar alma, vida, ser y sustancia. Conforme a esto diremos lo menos mal que supiéremos, sin salir de la propia significación del lenguaje indio; los versos son los que se siguen en las tres lenguas:

Cumac Ñusta	Pulchra Nimpha	Hermosa doncella,
Toralláyquim	Frater tuus	aquese tu hermano,
Puyñuy quita	Urnam tuam	el tu cantarillo
Paquir cayan	Nunc infrigit	lo está quebrantando,
Hina mántara	Cujus ictus	y de aquesta causa
Cunuñunun	Tonat fulget	truena y relampaguea;
Illa pántac	Fulminatque	también caen rayos.
Camri Ñusta	Sed tu Nimpha	Tu, real doncella,
Unuy quita	Tuam limpham	tus muy lindas aguas
Para munqui	Fundens pluis	nos darás lloviendo,
May ñimpiri	Interdumque	también a las veces
Chichi munqui	Grandinem, seu	granizar nos has,
Riti munqui	Nivem mittis	nevarás asimismo,
Pacha rúrac	Mundi Factor	el Hacedor del mundo,
Pachacámac	Pachacamac	el Dios que le anima,
Viracocha	Viracocha	el gran Viracocha
Cay hinápac	Ad hoc munus	para aqueste oficio
Churasunqui	Te sufficit	ya te colocaron
Camasunqui.	Ac praefecit.	y te dieron alma.

Esto puse aquí por enriquecer mi pobre historia, porque cierto sin lisonja alguna, se puede decir que todo lo que el P. Blas Valera tenía escrito, eran perlas y piedras preciosas: no mereció mi tierra verse adornada de ellas. * * *

THE TEMPLE OF TITICACA

Entre otros templos famosos que en el Perú había dedicados al sol que en ornamento y riqueza de oro y plata podían competir con el del Cuzco, hubo uno en la isla llamada Titicaca, que quiere decir sierra de plomo; es compuesto de *Titi*, que es plomo, y de *Caca*, que es sierra.[24] Hanse de pronunciar ambas sílabas, Caca en lo interior de la garganta, porque pronunciadas como suenan las letras españolas, quiere decir, tío, hermano de madre. El lago llamado Titicaca, donde está la isla, tomó el mismo nombre de ella, la cual está de tierrafirme poco más de dos tiros de arcabuz. Tiene de circuito de cinco a seis mil pasos, donde dicen los Incas que el sol puso aquellos sus dos hijos, varón y mujer, cuando los envió a la tierra para que doctrinasen y enseñasen la vida humana a la gente barbarísima que entonces había en aquella tierra. A esta fábula añaden otra de siglos más antiguos. Dicen que después del diluvio vieron los rayos del sol en aquella isla y en aquel gran lago primero que en otra parte alguna. El cual tiene por partes setenta y ochenta brazas de fondo, y ochenta leguas de contorno. De sus propiedades y causas, porque no admita barcos que anden encima de sus aguas, escribía el P. Blas Valera, en lo cual yo no me entremeto, porque dice que tiene mucha piedra imán.

El primer Inca Manco Cápac, favorecido de esta fábula antigua y de su buen ingenio, inventiva y sagacidad, viendo que los indios la creían y tenían el lago y la isla por lugar sagrado, compuso la segunda fábula, diciendo que él y su mujer eran hijos del sol, y que su padre los había puesto en aquella isla para que de allí fuesen por toda la tierra doctrinando aquellas gentes, como al principio de esta historia se dijo largamente. Los

Incas amautas, que eran los filósofos y sabios de su república, reducían la primera fábula a la segunda, dándosela por pronóstico o profecía, si así se puede decir. Decían que el haber echado el sol en aquella isla sus primeros rayos para alumbrar el mundo, había sido señal y promesa de que en el mismo lugar pondría sus dos primeros hijos para que enseñasen y alumbrasen aquellas gentes, sacándolas de las bestialidades en que vivían, como lo habían hecho después aquellos reyes. Con estas invenciones y otras semejantes, hechas en su favor, hicieron los Incas creer a los demás indios que eran hijos del sol, y con sus muchos beneficios lo confirmaron. Por estas dos fábulas tuvieron los Incas, y todos los de su imperio, aquella isla por lugar sagrado, y así mandaron hacer en ella un riquísimo templo, todo aforrado con tablones de oro, dedicado al sol, donde universalmente todas las provincias sujetas al Inca ofrecían cada año mucho oro y plata, y piedras preciosas, en hacimiento de gracias al sol por los dos beneficios que en aquel lugar les había hecho.

Aquel templo tenía el mismo servicio que el templo del Cuzco. De las ofrendas de oro y plata había tanta cantidad amontonada en la isla, fuera de lo que para el servicio del templo estaba labrado, que lo que dicen los indios acerca de esto más es para admirar que para lo creer. El P. Blas Valera, hablando de la riqueza de aquel templo, y de lo mucho que fuera de él había sobrado y amontonado, dice que los indios trasplantados (que llaman Mitmac) que viven en Copacabana le cer-

---

24. This island is, of course, in Lake Titicaca, on the Peruvian-Bolivian border. It is elsewhere claimed that the name is derived from *Titi*, wildcat, and *Kaka*, rock. Hence the name could mean "Wildcat Rock."

tificaron que era tanto lo que había sobrado de oro y plata, que pudieran hacer de ello otro templo desde los fundamentos hasta la cumbre, sin mezcla de otro material; y que luego que los indios supieron la entrada de los españoles en aquella tierra, y que iban tomando para sí cuanta riqueza hallaban, la echaron toda aquella en aquel gran lago.

Otro cuento semejante se me ofrece, y es que en valle de Orcos, que está seis leguas al Sur del Cuzco, hay una laguna pequeña que tiene menos de media legua de circuito, empero [25] muy honda y rodeada de cerros altos. Es fama que los indios echaron en ella mucho tesoro de lo que había en el Cuzco, luego que supieron la ida de los españoles; y que entre otras riquezas echaron la cadena de oro que Huayna Cápac mandó hacer, de la cual diremos en su lugar. Doce o trece españoles moradores del Cuzco, no de los vecinos que tienen indios,[26] sino de los mercaderes y tratantes, movidos de esta fama hicieron compañía a pérdida o ganancia para desaguar aquella laguna y gozar de su tesoro. Sondáronla y hallaron que tenía veinte y tres o veinte y cuatro brazas de agua, sin el cieno, que era mucho. Acordaron hacer una mina por parte del Oriente de la laguna, por do pasa el río llamado Yucay, porque por aquella parte está la tierra más baja que el suelo de la laguna, por do podía correr el agua, y quedar en seco la laguna, y por las otras partes no podían desaguarla porque está rodeada de sierras. No

abrieron el desaguadero a tajo abierto desde lo alto (que quizá les fuera mejor), por parecerles más barato entrar por debajo de tierra con el socavón. Empezaron su obra el año de mil y quinientos y cincuenta y siete, con grandes esperanzas de haber el tesoro, y entrados ya más de cincuenta pasos por el cerro adelante, toparon con una peña; y aunque se esforzaron a romperla, hallaron que era de pedernal, y porfiando con ella, vieron que sacaban más fuego que piedra, por lo cual, gastados muchos ducados de su caudal, perdieron sus esperanzas y dejaron la empresa. Yo entré por la cueva dos o tres veces cuando andaban en la obra. Así que hay fama pública como la tuvieron aquellos españoles de haber escondido los indios infinito tesoro en lagos, cuevas y en montañas, sin que haya esperanza de que se pueda cobrar.[27]

Los reyes Incas, además del templo y su gran ornamento, ennoblecieron mucho aquella isla por ser la primera tierra que sus primeros progenitores, viniendo del cielo, habían pisado, como ellos decían. Allanáronla todo lo que se pudo, quitándole peñas y peñascos; hicieron andenes, los cuales cubrieron con tierra buena y fértil, traída de lejos para que pudiese llevar maíz, porque en toda aquella región, por ser tierra muy fría, no se coge de ninguna manera. En aquellos andenes lo sembraban con otras semillas, y, con los muchos beneficios que le hacían, cogían algunas mazorcas en poca cantidad, las cuales llevaban al rey por

25. empero = aunque
26. vecinos ... indios: *encomenderos*, or Spaniards to whom the privilege of collecting tribute, often in the form of personal services, from a group of Indians in exchange for their conversion and education, was given
27. Many similar attempts down to recent times have been made by private individuals and companies to locate the treasure of the Incas.

cosa sagrada, y él las llevaba al templo del sol, y de ellas enviaba a las vírgenes escogidas, que estaban en el Cuzco, y mandaba que se llevasen a otros conventos y templos que por el reino había; un año a unos, y otro año a otros, para que todos gozasen de aquel grano, que era como traído del cielo. Sembraban de ello en los jardines de los templos del sol, y de las casas de las escogidas en las provincias donde las había, y lo que se cogía se repartía por los pueblos de las tales provincias. Echaban algunos granos en los graneros del sol y en los del rey, y en los pósitos de los concejos para que, como cosa divina, guardase, aumentase y librase de corrupción el pan, que para el sustento común allí estaba recogido. Y el indio que podía haber un grano de aquel maíz o de cualquiera otra semilla para echarlo en sus orones, creía que no le había de faltar pan en toda su vida: tan supersticiosos como esto fueron en cualquiera cosa que tocaba a sus Incas.

THE LIFE OF THE MARRIED WOMEN

La vida de las mujeres casadas en común era con perpetua asistencia de sus casas. Entendían en hilar y tejer lana en las tierras frías y algodón en las calientes. Cada una hilaba y tejía para sí y para su marido y sus hijos. Cosían poco, porque los vestidos que vestían, así hombres como mujeres, eran de poca costura. Todo lo que tejían era torcido, así algodón como lana. Todas las telas, cualesquiera que fuesen, las sacaban de cuatro orillos. No las urdían más largas de como las habían menester para cada manta o camiseta. Los vestidos no eran cortados, sino enterizos, como la tela salía del telar; porque antes que la tejiesen, le daban el ancho y largo que había de tener más o menos.

No hubo sastres, ni zapateros, ni calceteros entre aquellos indios. ¡Oh qué de cosas de las que por acá hay no hubieron menester, que se pasaban sin ellas! Las mujeres cuidaban del vestido de sus casas y los varones del calzado que, como dijimos, en el armarse caballeros, lo habían de saber hacer; y aunque los Incas de la sangre real y los curacas y la gente rica tenían criados que hacían de calzar, no se desdeñaban ellos de ejercitarse de cuando en cuando en hacer un calzado y cualquier género de armas que su profesión les mandaba que supiesen hacer, porque se preciaron mucho de cumplir sus estatutos. Al trabajo del campo acudían todos hombres y mujeres para ayudarse unos a otros.

En algunas provincias muy apartadas del Cuzco, que aún no estaban bien cultivadas por los reyes Incas, iban las mujeres a trabajar al campo, y los maridos quedaban en casa a hilar y tejer. Mas yo hablo de aquella corte y de las naciones que la imitaban, que eran casi todas las de su imperio, que esas otras por bárbaras merecían quedar en olvido. Las indias eran tan amigas de hilar y tan enemigas de perder cualquier pequeño espacio de tiempo que, yendo o viniendo de las aldeas a la ciudad, y aun pasando de un barrio a otro a visitarse en ocasiones forzosas, llevaban recaudo para dos maneras de hilado, quiero decir para hilar y torcer. Por el camino iban torciendo lo que llevaban hilado por ser oficio más fácil, y en sus visitas sacaban la rueca del hilado, y hilaban en buena conversación. Esto de ir hilando o torciendo por los caminos era de la gente común; mas las pallas, que eran las de la sangre real, cuando se visitaban unas o otras llevaban sus hilados y labores con sus criadas; y así las que iban a visitar como las visitadas estaban en su conversación ocupadas por no estar ociosas. Los husos hacen de caña, como en España los de hierro; échanles torteros, mas no les hacen huecas a la punta; con la hebra que van hilando les echan una lazada y al hilar sueltan el huso como cuando tuercen, hacen la hebra cuan larga pueden; recógenla en los dedos mayores de la mano izquierda para meterla en el huso. La rueca traen en la mano izquierda, y no en la cinta. Es de una cuarta de largo, tiénenla con los dedos menores, acuden con ambas manos a delgazar la hebra y quitar las motas; no la llevan a la boca porque en mis tiempos no hilaban lino, que no lo había, sino lana y algodón. Hilan poco, porque es con las prolijidades que hemos dicho.

THE INCA POST

Chasqui llamaban a los correos que había puestos por los caminos para llevar con brevedad los mandatos del rey y traer las nuevas y avisos que por sus reinos y provincias, lejos o cerca, hubiese de importancia. Para lo cual tenían a cada cuarto de legua cuatro o seis indios mozos y ligeros, los cuales estaban en dos chozas para repararse de las inclemencias del cielo. Llevaban los recaudos por su vez, ya los de una choza, ya los de la otra; los unos miraban a la una parte del camino, y los otros a la otra, para descubrir los mensajeros antes que llegasen a ellos, y apercibirse para tomar el recaudo, porque no se perdiese tiempo alguno. Y para esto ponían siempre las chozas en alto, y también las ponían de manera que se viesen las unas a las otras. Estaban a cuarto de legua, porque decían que aquello era lo que un indio podía correr con ligereza y aliento sin cansarse.

Llamáronlos *chasqui*, que quiere decir trocar, o dar y tomar, que es lo mismo, porque trocaban, daban y tomaban de uno en otro, y de otro en otro, los recaudos que llevaban. No les llamaron *cacha*, que quiere decir mensajeros, porque este nombre lo daban al embajador o mensajero propio que personalmente iba de un príncipe al otro, o del señor al súbdito. El recaudo o mensaje que los chasquis llevaban era de palabra, porque los indios del Perú no supieron escribir. Las palabras eran pocas, y muy concertadas y corrientes, por que no se trocasen, y por ser muchas no se olvidasen. El que venía con el mensaje daba voces, llegando a la vista de la choza, para que se apercibiese el que había de ir, como hace el correo en tocar su bocina, para que le tengan ensillada la posta; y en llegando donde le podían entender, daba su recaudo, repitiéndolo dos y tres, y cuatro veces, hasta que lo entendía el que lo había de llevar; y si no lo entendía, aguardaba a que llegase y diese muy en forma su recaudo; y de esta manera pasaba de uno en otro hasta donde había de llegar.

Otros recaudos llevaban, no de palabra, sino por escrito, digámoslo así, aunque hemos dicho que no tuvieron letras, las cuales eran *ñudos*, dados en diferentes hilos de diversos colores, que iban puestos por su orden, mas no siempre de una misma manera, sino unas veces antepuesto el un color al otro, y otras veces trocados al revés; y esta manera de recaudos eran cifras, por las cuales se entendían el Inca y sus gobernadores, para lo que había de hacer, y los *ñudos* y las colores [28] de los hilos significaban el número de gente, armas, o vestidos, o bastimento, o cualquiera otra cosa que se hubiese de hacer, enviar o aprestar. A estos hilos añudados llamaban los indios *quipu* (que quiere decir añudar, y *ñudo*, que sirve de nombre y verbo), por los cuales se entendían en sus cuentas. En otra parte, capítulo de por sí, diremos largamente cómo eran y de

qué servían. Cuando había priesa [29] de mensajes, añadían correos, y ponían en cada posta ocho, y diez, y doce indios chasquis. Tenían otra manera de dar aviso por estos correos, y era haciendo ahumadas de día de uno en otro, y llamaradas de noche. Para lo cual tenían siempre los chasquis apercibido el fuego y los hachos, y velaban perpetuamente de noche y de día por su rueda, para estar apercibidos para cualquier suceso que se ofreciese. Esta manera de aviso por los fuegos era solamente cuando había algún levantamiento y rebelión de reino o provincia grande, y hacíase para que el Inca lo supiese dentro de dos o tres horas cuando mucho (aunque fuese de quinientas o seiscientas leguas de la corte), y mandase apercibir lo necesario para cuando llegase la nueva cierta de cuál provincia o reino era el levantamiento. Éste era el oficio de los chasquis y los recaudos que llevaban.

THE FORTRESS OF CUZCO

Maravillosos edificios hicieron los Incas, reyes del Perú, en fortalezas, en templos, en casas reales, en jardines, en pósitos y en caminos, y otras fábricas de grande excelencia, como se muestran hoy por las ruinas que de ellas han quedado; aunque mal se puede ver por los cimientos lo que fué todo el edificio.

La obra mayor y más soberbia, que mandaron hacer para mostrar su poder y majestad, fué la fortaleza del Cuzco, cuyas grandezas son increíbles a quien no las ha visto, y al que las ha visto y mirado con atención, le hacen ima-

ginar, y aun creer, que son hechas por vía de encantamiento, y que las hicieron demonios y no hombres; porque la multitud de las piedras, tantas y tan grandes, como las que hay puestas en las tres cercas (que más son peñas que piedras) causa admiración imaginar, cómo las pudieron cortar de las canteras de donde se sacaron, porque los indios no tuvieron hierro ni acero para las cortar ni labrar; pues pensar cómo las trajeron al edificio, es dar en otra dificultad no menor, porque no tuvieron bueyes, ni supieron hacer carros, ni hay carros que las puedan

28. Note that the noun *color* was both masculine and feminine in the Inca Garcila-

so's time.

29. priesa = prisa

sufrir, ni bueyes que basten a tirarlas. Llevábanlas arrastrando a fuerza de brazos con gruesas maromas; ni los caminos por donde las llevaban eran llanos, sino sierras muy ásperas, con grandes cuestas por do las subían y bajaban a pura fuerza de hombres. Muchas de ellas llevaron de diez, doce, quince leguas, particularmente la piedra, o por mejor decir la peña, que los indios llaman Saycusca, que quiere decir cansada (porque no llegó al edificio), se sabe que la trajeron de quince leguas de la ciudad, y que pasó el río de Yucay, que es poco menor que Guadalquivir por Córdoba. Las que llevaron de más cerca fueron de Muyna, que está cinco leguas del Cuzco; pues pasar adelante con la imaginación, y pensar cómo pudieron ajustar tanto unas piedras tan grandes, que apenas pueden meter la punta de un cuchillo por ellas, es nunca acabar. * * * Tampoco supieron hacer grúas, ni garruchas, ni otro ingenio alguno que les ayudara a subir y bajar las piedras, siendo ellas tan grandes que espantan, como lo dice el M. R. P. José de Acosta, hablando de esta misma fortaleza que yo, por tener la precisa medida del grandor de muchas dellas, me quiero valer de la autoridad de este gran varón, que, aunque la he pedido a los condiscípulos, y me la han enviado, no ha sido la relación tan clara y distinta como yo la pedía de los tamaños de las piedras mayores, que quisiera la medida por varas y ochavas, y no por brazas, como me la enviaron. Quisiérala con testimonios de escribanos, porque lo más maravilloso de aquel edificio es la increíble grandeza de las piedras, por el incomportable trabajo que era menester para las alzar y bajar hasta ajustarlas y ponerlas como están; porque no se alcanza cómo se pudo hacer con no más ayuda de costa que la de los brazos. Dice, pues, el P. Acosta, libro sexto, capítulo catorce:

"Los edificios y fábricas que los Incas hicieron en fortalezas, en templos, en caminos, en casas de campo y otras, fueron muchos y de excesivo trabajo, como lo manifiestan el día de hoy las ruinas y pedazos que han quedado, como se ven en el Cuzco, y en Tiahuanaco, y en Tambo, y en otras partes donde hay piedras de inmensa grandeza, que no se puede pensar cómo se cortaron, y trajeron, y asentaron donde están; para todos estos edificios y fortalezas que el Inca mandaba hacer en el Cuzco, y en diversas partes de su reino, acudía grandísimo número de todas las provincias, porque la labor es extraña y para espantar, y no usaban de mezcla, ni tenían hierro ni acero para cortar y labrar las piedras, ni máquinas, ni instrumentos para traerlas; y con todo eso están tan sólidamente labradas, que en muchas partes apenas se ve la juntura de unas con otras. Y son tan grandes muchas piedras de éstas, como está dicho, que sería cosa increíble si no se viese. En Tiahuanaco medí yo una piedra de treinta y ocho pies de largo y de diez y ocho de ancho, y el grueso sería de seis pies; y en la muralla de la fortaleza del Cuzco, que es de mampostería, hay muchas piedras de mucha mayor grandeza; y lo que más admira es que, no siendo cortadas éstas que digo de la muralla por regla, sino entre sí muy desiguales en el tamaño y en la facción, encajan unas con otras con increíble juntura, sin mezcla. Todo esto se hacía a poder de mucha gente, y con gran sufrimiento en el labrar, porque para encajar una piedra con otra era forzoso probarla muchas veces, no estando las más de ellas iguales ni llanas, etc."

Todas son palabras del P. M. Acosta, sacadas a la letra, por las cuales se verá la dificultad y el trabajo con que hicieron aquella fortaleza, porque no tuvieron instrumentos ni máquinas de que ayudarse.

Los Incas, según lo manifiesta aquella su fábrica, parece que quisieron mostrar por ella la grandeza de su poder, como se ve en la inmensidad y majestad de la obra, la cual se hizo más para admirar que no para otro fin. También quisieron hacer muestra del ingenio de sus maestros y artífices, no sólo en la labor de la cantería pulida (que los españoles no acaban de encarecer), mas también en la obra de la cantería tosca, en la cual no mostraron menos primor que en la otra. Pretendieron asimismo mostrarse hombres de guerra en la traza del edificio, dando a cada lugar lo necesario para defensa contra los enemigos.

La fortaleza edificaron en un cerro alto, que está al Septentrión de la ciudad, llamado Sacsahuaman, de cuyas faldas empieza la población del Cuzco, y se tiende a todas partes por gran espacio. Aquel cerro (a la parte de la ciudad) está derecho, casi perpendicular, de manera que está segura la fortaleza de que por aquella banda la acometan los enemigos en escuadrón formado, ni de otra manera, ni hay sitio por allí donde puedan plantar artillería, aunque los indios no tuvieron noticia de ella hasta que fueron los españoles. Por la seguridad que por aquella banda tenía, les pareció que bastaba cualquiera defensa, y así echaron solamente un muro grueso de cantería de piedra, ricamente labrada por todas cinco partes, si no era por el *trasdós* [30] como dicen los albañiles. Tenía aquel muro más de doscientas brazas de largo. Cada hilada de piedra era de diferente altor, y todas las piedras de cada hilada muy iguales, y asentadas por hilo con muy buena trabazón, y tan ajustadas unas con otras por todas cuatro partes, que no admitían mezcla. Verdad es que no se la echaban de cal ni arena, porque no supieron hacer cal; empero echaban por mezcla una lechada de un barro colorado, que hay muy pegajoso, para que hinchase y llenase las picaduras que al labrar la piedra se hacían. En esta cerca mostraron fortaleza y policía, porque el muro era grueso, y la labor muy pulida a ambas partes.

30. trasdós (extrados): *the exterior curve of an arch*

Press, 1945) and by Walter Owen (*La araucana*, New York, 1945; Buenos Aires, 1945). Part I has appeared in a prose translation by Charles M. Lacroix from the poem . . . (Spanish language into . . .

Alonso de Ercilla y Zúñiga

1533-1594

THE DISTINCTION of composing the first poem of genuine literary merit on the American continent belongs to a young Spanish officer, an active participant in campaigns against the Araucanian Indians of Chile, Alonso de Ercilla, whose epic of thirty-seven cantos and about two thousand seven hundred *octavas*, entitled *La araucana*, is one of the greatest in the Spanish language. Even more than the valor of the conquerors it sings of the courage and the heroic resistance of the Indians in defending their native soil. The vivid descriptions of this verse narrative and the verve with which incidents are related won the poem and its author extraordinary popularity in the sixteenth century, and *La araucana* became a model for a school of imitators, none of whom equalled the inspiration and skill of Ercilla. The following fragments of this great epic are mainly descriptive of the hardy Indians and their leaders of central and southern Chile whose gallantry won the respect and admiration of their Spanish foes. In his dedication of the poem to Philip II, Ercilla declared that all of it was historically true, and he mentioned the interesting fact that he had often composed parts of it while in the field against the Indians, where for lack of paper he had written many fragments down in fine handwriting on pieces of leather. Other fragments had been written on scraps of paper so small that they would hold only five or six lines.

LA ARAUCANA

The English poet William Hayley (1745–1820) translated large parts of the poem into excellent English verse in his *Essay on Epic Poetry; in Five Epistles* (London, 1782, Third Epistle, Note X, pp. 207–273). More recently the entire poem has been translated by C. M. Lancaster and P. T. Manchester (*The Araucaniad*, Nashville, Tenn., Vanderbilt Univ.

Press, 1945) and by Walter Owen (*La araucana, the Epic of Chile*, Buenos Aires, 1945. Only Part I has as yet been published).

Ercilla begins the poem with a ringing introduction:

> No las damas, amor, no gentilezas
> de caballeros canto enamorados;
> ni las muestras, regalos y ternezas
> de amorosos afectos y cuidados;
> mas el valor, los hechos, las proezas   5
> de aquellos españoles esforzados,
> que a la cerviz de Arauco, no domada,
> pusieron duro yugo por la espada. * * * 1

DESCRIPTION OF THE ARAUCANIANS

> Son de gestos robustos, desbarbados,[2]
> bien formados los cuerpos y crecidos,
> espaldas grandes, pechos levantados,
> recios miembros, de nervios bien fornidos,
> ágiles, desenvueltos, alentados,   5

1. Hayley's translation of this verse is as follows:
> I sing not love of ladies, nor of sights
> devised for gentle dames by courteous knights;
> nor feasts, nor tourneys, nor that tender care
> which prompts the Gallant to regale the Fair:
> but the bold deeds of Valor's favorite train,
> those undegenerate sons of warlike Spain,
> who made Arauco their stern laws embrace,
> and bent beneath their yoke her untamed race.

In canto XV Ercilla makes an about face from his opening statement that he was not going to write of love. He not only praises the gentle passion, but expresses his debt to certain authors who have ennobled the theme.

> ¿Qué cosa puede haber sin amor buena?
> ¿Qué verso sin amor dará contento?
> ¿Dónde jamás se ha visto rica vena
> que no tenga de amor el nacimiento?
> No se puede llamar materia llena   5
> la que de amor no tiene fundamento;
> los contentos, los gustos, los cuidados,
> son, si no son de amor, como pintados.

> Amor de un juicio rústico y grosero
> rompe la dura y áspera corteza;   10
> produce ingenio y gusto verdadero,
> y pone cualquier cosa en más fineza;
> Dante, Ariosto, Petrarca y el Ibero
> amor los trujo a tanto delgadeza,
> que la lengua más rica y más copiosa,   15
> si no trata de amor, es disgustosa.

El Ibero to whom Ercilla refers was probably Garcilaso de la Vega.

2. desbarbados: *beardless*

animosos, valientes, atrevidos,
duros en el trabajo, y sufridores
de fríos mortales, hambres y calores.

No ha habido rey Jamás que sujetase
esta soberbia gente libertada,
ni extranjera nación que se jactase
de haber dado en sus términos pisada;
ni comarcana tierra que se osase
mover en contra y levantar espada:
siempre fué exenta, indómita, temida,
de leyes libre y de cerviz erguida. * * *

ALMAGRO AND VALDIVIA

Pues don Diego de Almagro,[3] adelantado,
que en otras mil conquistas se había visto,
por sabio en todas ellas reputado,
animoso, valiente, franco y quisto,[4]
a Chile caminó, determinado
de extender y ensanchar la fe de Cristo;
pero, en llegando al fin de este camino,
dar en breve la vuelta le convino.

A sólo el de Valdivia [5] esta victoria
con justa y gran razón le fué otorgada,
y es bien que se celebre su memoria,
pues pudo adelantar tanto su espada;
éste alcanzó en Arauco aquella gloria
que de nadie hasta allí fuera alcanzada:
la altiva gente al grave yugo trujo [6]
y en opresión la libertad redujo. * * *

Vióse en el largo y áspero camino
por la hambre, sed y frío en gran estrecho;
pero, con la constancia que convino,
puso al trabajo el animoso pecho;
y el diestro hado y próspero destino
en Chile le metieron, a despecho
de cuantos estorbarlo procuraron,
que en su daño las armas levantaron. * * *

3. Diego de Almagro (1475–1538), the companion of Pizarro in the conquest of Peru, to whom much of the territory to the south, including Chile, was assigned. Almagro later rebelled against Pizarro and was put to death by his former comrade in arms.

4. quisto = bienquisto

5. Pedro de Valdivia (ca. 1510–1569), the first conqueror of Chile, who founded the cities of Santiago de Chile and Concepción. He met death by torture at the hands of the Araucanian Indians.

6. trujo = trajo

VANITY OF THE SPANIARDS

El felice [7] suceso, la victoria,
la fama y posesiones que adquirían
los trujo a tal soberbia y vanagloria,
que en mil leguas diez hombres no cabían; [8]
sin pasarles jamás por la memoria   5
que en siete pies de tierra al fin habían
de venir a caber sus hinchazones,
su gloria vana y vanas pretensiones.

Crecían los intereses y malicia,
a costa del sudor y daño ajeno,   10
y la hambrienta y mísera codicia
con libertad paciendo iba sin freno:
la ley, derecho, el fuero y la justicia
era lo que Valdivia había por bueno,
remiso en graves culpas y piadoso,   15
y en los casos livianos riguroso.

Así el ingrato pueblo castellano,
en mal y estimación iba creciendo,
y siguiendo el soberbio intento vano
tras su fortuna próspera corriendo;   20
pero el Padre del cielo soberano
atajó este camino, permitiendo
que aquél a quien él mismo puso el yugo
fuese el cuchillo y áspero verdugo.

El estado araucano acostumbrado   25
a dar leyes, mandar y ser temido,
viéndose de su trono derribado,
y de mortales hombres oprimido;
de adquirir libertad determinado,
reprobando el subsidio [9] padecido,   30
acude al ejercicio de la espada,
ya por la paz ociosa desusada.[10] * * *

---

7. felice = feliz
8. The reference here is to the inordinate
vanity and swelled-headedness of the Spanish soldier, which were so great that in a
thousand leagues there was not room enough
for a mere ten men. Ercilla goes on to point

out the crass stupidity of this attitude in the
face of that certain democracy of the grave-
yard, under which they will each occupy a
small plot of seven feet.
9. subsidio: *tribute*
10. desusada: *unused*

ARAUCANIAN POW-WOW

Por dioses, como dije, eran tenidos
de los indios los nuestros; pero olieron
que de mujer y hombre eran nacidos
y todas sus flaquezas entendieron:
viéndolos a miserias sometidos,   5
el error ignorante conocieron,
ardiendo en viva rabia avergonzados
por verse de mortales conquistados.

No queriendo a más plazo diferirlo,
entre ellos comenzó luego a tratarse   10
que, para en breve tiempo concluírlo
y dar el modo y orden de vengarse,
se junten en consulta a definirlo,
do venga la sentencia a pronunciarse,
dura, ejemplar, cruel, irrevocable,   15
horrenda a todo el mundo y espantable.

Iban ya los caciques ocupando
los campos con la gente que marchaba,
y no fué menester general bando,
que el deseo de guerra los llamaba   20
sin promesas ni pagas, deseando
el esperado tiempo, que tardaba
por el decreto y áspero castigo,
con muerte y destrucción del enemigo. ° ° °

SPEECH OF COLOCOLO

At the great pow-wow of Araucanian chiefs there were heated disputes over the selection of a leader in the war against the Spaniards. Ill feeling, stimulated by the customary heavy drinking on such occasions, was flaming into bloody conflict when the aged and venerated Indian chief, Colocolo, arose and addressed the assemblage as follows:

Caciques, del estado defensores,
codicia del mandar no me convida
a pesarme de veros pretensores
de cosa que a mí tanto era debida:
porque, según mi edad, ya veis, señores,   5
que estoy al otro mundo de partida;
mas el amor que siempre os he mostrado
a bien aconsejaros me ha incitado.

¿Por qué cargos honrosos pretendemos,[11]
y ser en opinión grande tenidos,   10
pues que negar al mundo no podemos
haber sido sujetos y vencidos?
Y en esto averiguarnos no queremos,
estando aun de españoles oprimidos:
mejor fuera esa furia ejecutalla [12]   15
contra el fiero enemigo en la batalla.

¿Qué furor es el vuestro ¡oh araucanos!
que a perdición os lleva sin sentillo? [13]
¿Contra vuestras entrañas tenéis mano
y no contra el tirano en resistillo? [14]   20
¿Teniendo tan a golpe a los cristianos
volvéis contra vosotros el cuchillo?
Si gana de morir os ha movido,
no sea en tan bajo estado y abatido.

Volved las armas y ánimo furioso   25
a los pechos de aquellos que os han puesto
en dura sujeción, con afrentoso
partido, a todo el mundo manifiesto:
lanzad de vos el yugo vergonzoso;
mostrad vuestro valor y fuerza en esto;   30
no derraméis la sangre del estado
que para redimirnos ha quedado.

No me pesa de ver la lozanía
de vuestro corazón, antes me esfuerza;
mas temo que esta vuestra valentía,   35
por mal gobierno el buen camino tuerza:
que, vuelta entre nosotros la porfía,

11. Hayley's translation of this stanza runs as follows:
                Why should we now for marks of glory jar?
                Why wish to spread our martial name afar?
                Crushed as we are by Fortune's cruel stroke,
                and bent beneath an ignominious yoke,
                ill can our minds such noble pride maintain,
                while the fierce Spaniard holds our galling chain.
                Your generous fury here ye vainly show;
                ah! rather pour it on the embattled foe!
Voltaire, in his "Essay on Epic Poetry" compares this speech of Colocolo with that of
Nestor in the first book of the *Iliad*, and declares that Ercilla's lines are finer than those
of Homer. However, he was of the opinion that the rest of the poem was "as barbarous
as the nations of which it treats."

12. ejecutalla = ejecutarla   14. resistillo = resistirlo
13. sentillo = sentirlo

degolléis nuestra Patria con su fuerza:
cortad, pues, si ha de ser de esa manera,
esta vieja garganta la primera. * * * 40

Pares sois en valor y fortaleza,
el cielo os igualó en el nacimiento;
de linaje, de estado y de riqueza
hizo a todos igual repartimiento;
y en singular por ánimo y grandeza 45
podéis tener del mundo el regimiento:
que este precioso don, no agradecido,
nos ha al presente término traído.

En la virtud de vuestro brazo espero
que puede en breve tiempo remediarse,
mas ha de haber un capitán primero 50
que todos por él quieran gobernarse:
éste será quien más un gran madero
sustentare en el hombro sin pararse;
y pues que sois iguales en la suerte
procure cada cual ser el más fuerte. * * * 55

THE CONTEST

Accepting Colocolo's advice, a huge log was brought and various candidates submitted themselves to the test of bearing this great weight on their shoulders. Paicabí supported the great log six hours, Elicura, nine hours, Purén, half a day, Ongolmo, more than half a day, Tucapel, fourteen hours, and finally, Lincoya held it for twenty-four hours.

No se vió allí persona en tanta gente
que no quedase atónita de espanto,
creyendo no haber hombre tan potente
que la pesada carga sufra tanto.
La ventaja le daban, juntamente 5
con el gobierno, mando y todo cuanto
a digno general era debido,
hasta allí justamente merecido.

Ufano andaba el bárbaro y contento
de haberse más que todos señalado;
cuando Caupolicán a aquel asiento 10
sin gente a la ligera había llegado.
Tenía un ojo sin luz de nacimiento

como un fino granate [15] colorado;
pero lo que en la vista le faltaba,
en la fuerza y esfuerzo le sobraba.

Era este noble mozo de alto hecho,
varón de autoridad, grave y severo,
amigo de guardar todo derecho,
áspero, riguroso, justiciero,
de cuerpo grande y relevado pecho,
hábil, diestro, fortísimo y ligero,
sabio, astuto, sagaz, determinado,
y en casos de repente reportado.[16] * * *

Con un desdén y muestra confiada
asiendo del troncón duro y nudoso,
como si fuera vara delicada,
se le pone en el hombro poderoso:
la gente enmudeció, maravillada
de ver el fuerte cuerpo tan nervioso;
la color a Lincoya se le muda,
poniendo en su victoria mucha duda.

El bárbaro sagaz despacio andaba,
y a toda prisa entraba el claro día,
el sol las largas sombras acortaba,
mas él nunca decrece en su porfía:
al ocaso la luz se retiraba,
ni por esto flaqueza en él había:
las estrellas se muestran claramente
y no muestra flaqueza aquel valiente.

Salió la clara luna a ver la fiesta
del tenebroso albergue húmedo y frío,
desocupando el campo y la floresta
de un negro velo lóbrego y sombrío:
Caupolicán no afloja de su apuesta,
antes, con nueva fuerza y mayor brío,
se mueve y representa de manera
como si peso alguno no trajera. * * *

Era salido el sol cuando el enorme
peso de las espaldas despedía,
y un salto dió en lanzándole disforme,[17]

15
20
25
30
35
40
45
50

15. granate: *garnet, a precious red stone
collected*
16. en casos, ... reportado: *in cases where
others would act impulsively, he was cool and*
17. un salto ... disforme: *he took a huge
jump in throwing it off his shoulders*

mostrando que aún más ánimo tenía.
El circunstante pueblo en voz conforme
pronunció la sentencia y le decía:
"Sobre tan firmes hombros descargamos   55
el peso y grave carga que tomamos."

Al nuevo juego y pleito definido,
con las más ceremonias que supieron
por sumo capitán fué recibido,
y a su gobernación se sometieron.   60
Creció en reputación, fué tan temido,
y en opinión tan grande le tuvieron,
que ausentes muchas leguas de él temblaban
y casi como a rey le respetaban. * * *

BATTLE WITH THE ARAUCANIANS

Like Ariosto, the style of whose *Orlando Furioso* he frequently follows,
Ercilla often begins his cantos with reflections or moralizations like the
following. The brief description of the battle which follows is only one
of many such encounters described in *La araucana*.

¡Oh incurable mal! ¡oh gran fatiga [18]
con tanta diligencia alimentada!

18. Hayley's translation of this and of several following stanzas is heroic poetry at its best:
Oh cureless malady! Oh fatal pest!
Embraced with ardor and with pride caressed;
thou common vice, thou most contagious ill,
bane of the mind, and frenzy of the will!
Thou foe to private and to public health;   5
thou dropsy of the soul that thirsts for wealth,
insatiate Avarice!—'tis from thee we trace
the various misery of our mortal race.

The steady pikemen of the savage band,
waiting our hasty charge, in order stand;
but when the advancing Spaniard aimed his stroke,   10
their ranks, to form a hollow square, they broke;
an easy passage to our troop they leave,
and deep within their lines their foes receive;
their files resuming then the ground they gave,   15
bury the Christians in that closing grave.

As the keen crocodile, who loves to lay
his silent ambush for his finny prey,
hearing the scaly tribe with sportive sound
advance, and cast a muddy darkness round,   20
opens his mighty mouth, with caution, wide,
and when the unwary fish within it glide,
closing with eager haste his hollow jaw,
thus satiates with their lives his ravenous maw.

¡Vicio común y pegajosa liga,
voluntad sin razón desenfrenada,
del provecho y bien público enemiga,   5
sedienta bestia, hidrópica, hinchada,
principio y fin de todos nuestros males,
oh insaciable codicia de mortales! * * *

The Spanish advance guard now attacks and is annihilated.

La piquería del bárbaro calada
a los pocos soldados atendía;   10
pero al tiempo del golpe levantada
abriendo un gran portillo se desvía:
dales sin resistencia franca la entrada,
y en medio el escuadrón los recogía;
las hileras abiertas se cerraron,   15
y dentro a los cristianos sepultaron.

Como el caimán hambriento, cuando siente
el escuadrón de peces, que cortando
viene con gran bullicio la corriente,
el agua clara en torno alborotando;   20
que abriendo la gran boca cautamente
recoge allí el pescado, y apretando
las cóncavas quijadas lo deshace,
y al insaciable vientre satisface;

Pues de aquella manera recogido   25
fué el pequeño escuadrón del homicida,
y en breve espacio consumido
sin escapar cristiano con la vida.
Ya el araucano ejército movido
por la ronca trompeta obedecida,   30
con gran estruendo y pasos ordenados
cerraba sin temor por todos lados. * * *

Salen los españoles de tal suerte,
los dientes y las lanzas apretando,
que de cuatro escuadrones al más fuerte   35
le van un largo trecho retirando:
hieren, dañan, tropellan, dan la muerte,
piernas, brazos, cabezas cercenando:
los bárbaros por esto no se admiran,
antes cobran el campo y los retiran.   40

Sobre la vida y muerte se contiende,
perdone Dios a aquel que allí cayere;
del un bando y del otro así se ofende
que de ambas partes mucha gente muere:
bien se estima la plaza y se defiende,   45
volver un paso atrás ninguno quiere,
cubre la roja sangre todo el prado,
tornándole de verde colorado. * * *

El enemigo hierro riguroso
todo en color de sangre lo convierte,   50
siempre el acometer es más furioso,
pero ya el combatir es menos fuerte:
ninguno allí pretende otro reposo
que el último reposo de la muerte,
el más medroso atiende con cuidado   55
a sólo procurar morir vengado.

La rabia de la muerte y fin presente
crió en los nuestros fuerza tan extraña,
que con deshonra y daño de la gente
pierden los araucanos la campaña;   60
al fin dan las espaldas claramente,
suenan voces: "Victoria, España, España,"
mas el incontrastable y duro hado
dió un extraño principio a lo ordenado. * * *

The strange incident referred to is that of Lautaro, an Indian page of
Valdivia, who, on seeing his countrymen flee, is suddenly seized with
patriotic fervor and, deserting the Spaniards, rallies the scattered Araucanians. Caupolicán re-groups his forces and with Lautaro's aid resumes
battle. The latter's heroism turns the day in the Indians' favor, and the
Spaniards are soundly beaten. Valdivia manages to escape temporarily
but is pursued, captured, and finally killed. Despite this and many other
brave battles the Indians eventually lose the war and Caupolicán is
captured.

The poet states that he has grown tired of depicting scenes of the war,
and after briefly sketching some of the rigors of the campaign during
which his main sustenance had been mouldy biscuits and rain-water, he
relates what happened one night when he was on watch struggling man-
fully against "the all-oppressive weight of sleep."

¿Todo ha de ser batallas y asperezas,   65
discordia, fuego, sangre, enemistades,

odios, rencores, sañas y bravezas,[19]
desatino, furor, temeridades,
rabias, iras, venganzas y fierezas,
muertes, destrozos, rizas,[20] crueldades,   70
que al mismo Marte[21] ya pondrán hastío,
agotando un caudal mayor que el mío? * * *

La negra noche a más andar cubriendo
la tierra que la luz desamparaba,[22]
se fué toda la gente recogiendo   75
según y en el lugar que le tocaba;
la guardia y centinelas repartiendo,
que el tiempo estrecho a nadie reservaba,
me cupo el cuarto de la prima en suerte
en un bajo recuesto junto al fuerte;[23]   80

Donde con el trabajo de aquel día,
y no me haber en quince desarmado,
el importuno sueño me afligía,
hallándome molido y quebrantado;
mas con nuevo ejercicio resistía,   85
paseándome de este y de aquel lado
sin parar un momento: tal estaba
que de mis propios pies no me fiaba.

No el manjar[24] de sustancia vaporoso,
ni vino muchas veces trasegado,   90
ni el hábito y costumbre de reposo
me habían el grave sueño acarreado:
que bizcocho negrísimo y mohoso,
por medida de escasa mano dado,
y la agua llovediza desabrida,   95
era el mantenimiento de mi vida.

Y a veces la ración se convertía
en dos tasados puños de cebada,[25]
que cocida con hierbas nos servía,
por la falta de sal, la agua salada;   100

19. sañas y bravezas: *acts of rage and
ferocity*
20. rizas: *destruction, desolation*
21. Marte: Mars, God of War
22. La negra noche . . . desamparaba: *the
black night quickly covering the earth which
was abandoned by the light*
23. el tiempo . . . fuerte: *the danger was so
critical that no one was spared, and it fell to*
me to stand watch from eight to eleven in a
small hollow near the fort
24. No el manjar . . . : the idea here is that
the poet's painful sleepiness was not caused
(*acarreado*) by any habit of repose nor indeed by any intemperance in eating the
skimpy rations or drinking the often weak-
ened wine.
25. cebada: *barley*

la regalada cama en que dormía
era la húmida tierra empantanada,[26]
armado siempre y siempre en ordenanza,[27]
la pluma ora en la mano, ora la lanza.

Andando pues así, con el molesto   105
sueño que me aquejaba porfiando,[28]
y en gran silencio el encargado puesto
de un canto al otro canto paseando,
vi que estaba el un lado del recuesto
lleno de cuerpos muertos blanqueando;   110
que nuestros arcabuces aquel día
habían hecho gran riza y batería. * * *

The poet is startled by a faint sound which seems to be moving from
body to body across the dark field. He creeps forward and on reaching the
spot is suddenly confronted by an Indian girl who begs for mercy. She is
Tegualda, daughter of a native chieftain, and is looking for the body of her
dead husband. Ercilla learns the story of her life and in some detail dwells
on the depth of her love which he compares to that of other women
famous in classical literature. On the following day he is a witness to her
anguish when the husband's corpse is encountered.

¿Quién de amor hizo prueba tan bastante?
¿Quién vió tal muestra y obra tan piadosa
como la que tenemos hoy delante   115
desta infelice bárbara hermosa?
La fama engrandeciéndola levante
mi baja voz en alta y sonorosa;
dando noticia de ella eternamente
corra de lengua en lengua y gente en gente.   120

Cese el uso dañoso y ejercicio
de las mordaces lenguas ponzoñosas
que tienen de costumbre y por oficio
ofender las mujeres virtuosas;
pues mirándolo bien, sólo este indicio,[29]   125

26. empantanada: *marshy*
27. en ordenanza: *on duty, on the alert*
28. me aquejaba porfiando: *persistently goaded me*
29. indicio: this habit of slandering virtuous women, even without taking into account so many other things against these persons ... Ercilla here makes himself out to be the de-

fender of womankind. In cantos XXXII and XXXIII he digresses from his main story of the Araucanian War in order to tell "the true story of Queen Dido" whom he also defends against "the calumnies of Virgil." It is the Spanish *punto de honor* coming to the fore as it did in so many Siglo de Oro dramas.

sin haber en contrario tantas cosas,
confunde su malicia, y las condena
a duro freno y vergonzosa pena. * * *

After this episode the poet returns to his narrative of the War. There
is one extremely furious battle in which the Araucanians under Caupoli-
can, Galvarino, Tucupel, and other chieftains, almost win a decisive victory. The Spanish reserves, among whom Ercilla is stationed, arrive just
in time and manage to recover the field. The poet moralizes:

> Nadie puede llamarse venturoso
> hasta ver de la vida el fin incierto,   130
> ni está libre del mar tempestuoso
> quien surto [30] no se ve dentro del puerto;
> venir un bien tras otro es muy dudoso,
> y un mal tras otro mal es siempre cierto:
> jamás próspero tiempo fué durable,   135
> ni dejó de durar el miserable.

> El ejemplo tenemos en las manos,
> y nos muestra bien claro aquí la historia
> cuán poco les duró a los araucanos
> el nuevo gozo y engañosa gloria;   140
> pues llevando derrota a los cristianos,
> y habiendo ya cantado la victoria,
> de los contrarios hados rebatidos
> quedaron vencedores los vencidos. * * *

CAUPOLICÁN'S CAPTIVITY

After a long digression about Queen Dido, Ercilla returns to the fate
of Caupolicán. One of the prisoners of the Spaniards is tempted by bribes
to betray his chief, and leads a party of Spanish soldiers to the Indian
leader's retreat. The place is quickly surrounded and Caupolicán is taken
prisoner. He is sentenced to be impaled and shot to death with arrows.
His wife Fresia and their infant son are also captured, and when she
sees her husband as prisoner she taunts him for what she believes has
been his cowardice. Caupolicán is led in chains, his hands tied behind
his back, to the scaffold where he displays a calm contempt of death.

> No reventó con llanto la gran pena,
> ni de flaca mujer dió allí la muestra:

30. surto: *anchored safely*

antes, de furia y viva rabia llena,
con el hijo delante se le muestra,
diciendo: "La robusta mano ajena
que así ligó tu afeminada diestra,
más clemencia y piedad contigo usara,
si ese cobarde pecho atravesara.

¿Eres tú aquel varón que en pocos días
hinchó la redondez de sus hazañas,
que, con sólo la voz, temblar hacías
las remotas naciones más extrañas?
¿Eres tú el capitán que prometías
de conquistar en breve las Españas
y someter el ártico hemisferio
al yugo y ley del araucano imperio?

¡Ay de mí! ¡Cómo andaba yo engañada
con mi altivez y pensamiento ufano,
viendo que, en todo el mundo, era llamada
Fresia, mujer del gran Caupolicano!
Y ahora, miserable y desdichada,
todo en un punto me ha salido vano,
viéndote prisionero en un desierto,
pudiendo haber honradamente muerto.

¿Qué son de aquellas pruebas peligrosas,
que así costaron tanta sangre y vidas:
las empresas difíciles, dudosas,
por ti con tanto esfuerzo acometidas?
¿Qué es de aquellas victorias gloriosas
de esos atados brazos adquiridas?
¿Todo, al fin, ha parado y se ha resuelto
en ir con esa gente infame envuelto?

Dime ¿faltóte esfuerzo, faltó espada
para triunfar de la mudable diosa?
¿No sabes que una breve muerte honrada
hace inmortal la vida y gloriosa?
Miraras a esta prenda desdichada,
pues que de ti no queda ya otra cosa,
que yo, apenas la nueva me viniera,
cuando muriendo alegre te siguiera.

Toma, toma tu hijo, que era el nudo
con que el lícito amor me había ligado;

que el sensible dolor y golpe agudo
estos fértiles pechos han secado:
cría, críalo tú, que ese membrudo   45
cuerpo en sexo de hembra se ha trocado:
que yo no quiero título de madre
del hijo infame del infame padre."

Diciendo esto, colérica y rabiosa
el tierno niño le arrojó delante,   50
y con ira frenética y furiosa
se fué por otra parte en el instante:
en fin, por abreviar, ninguna cosa
de ruegos ni amenazas fué bastante
a que la madre, ya cruel, volviese   55
y el inocente hijo recibiese. * * *

TORTURE OF CAUPOLICÁN

Descalzo, destocado,[31] a pie desnudo,
dos pesadas cadenas arrastrando,
con una soga al cuello y grueso nudo
de la cual el verdugo iba tirando,
cercado en torno de armas, y el menudo   5
pueblo detrás, mirando y remirando
si era posible aquello que pasaba,
que visto por los ojos aún dudaba.

De esta manera, pues, llegó al tablado
que estaba un tiro de arco del asiento,   10
media pica del suelo levantado,
de todas partes a la vista exento;
donde, con el esfuerzo acostumbrado,
sin mudanza y señal de sentimiento,
por la escala subió tan desenvuelto   15
como si de prisiones fuera suelto.

Puesto ya en lo más alto, revolviendo
a un lado y otro la serena frente,
estuvo allí parado un rato viendo
el gran concurso y multitud de gente,   20
que el increíble caso y estupendo
atónita miraba atentamente,
teniendo a maravilla y gran espanto
haber podido la fortuna tanto.

31. destocado: *bare-headed*

Llegóse él mismo al palo donde había   25
de ser la atroz sentencia ejecutada,
con un semblante tal que parecía
tener aquel terrible trance en nada,
diciendo: "Pues el hado y suerte mía
me tienen esta muerte aparejada,   30
venga, que yo la pido, yo la quiero,
que ningún mal hay grande si es postrero."

Luego llegó el verdugo diligente,
que era un negro gelofo,[32] mal vestido,
el cual viéndole el bárbaro presente   35
para darle la muerte prevenido,
bien que con rostro y ánimo paciente
las afrentas demás había sufrido,
sufrir no pudo aquélla, aunque postrera,
diciendo en alta voz de esta manera: 40

"¿Cómo? que en cristiandad y pecho honrado
cabe cosa tan fuera de medida
que a un hombre como yo tan señalado,
le dé muerte una mano así abatida?
Basta, basta morir al más culpado,   45
que, al fin, todo se paga con la vida,
y es usar deste término conmigo
inhumana venganza y no castigo.

¿No hubiera alguna espada aquí de cuantas
contra mí se arrancaron a porfía,   50
que, usada a nuestras míseras gargantas,
cercenara de un golpe aquésta mía?
que, aunque ensaye su fuerza en mí de tantas
maneras la fortuna en este día,
acabar no podrá que bruta mano   55
toque al gran general Caupolicano."

Esto dicho, y alzando el pie derecho,
(aunque de las cadenas impedido),
dió tal coz al verdugo que gran trecho
lo echó rodando abajo mal herido: 60
reprehendido el impaciente hecho,
y él del súbito enojo reducido,
le sentaron después con poca ayuda
sobre la punta de la estaca aguda.

32. gelofo: *Jolof, Wolof,* negro tribesman from vicinity of Senegal, Africa

No el aguzado palo penetrante,   65
por más que las entrañas le rompiese,
barrenándole el cuerpo, fué bastante
a que al dolor intenso se rindiese:
que, con sereno término y semblante,
sin que labio ni ceja retorciese,   70
sosegado quedó de la manera
que si asentado en tálamo estuviera.

En esto seis flecheros señalados
que, prevenidos para aquello, estaban
treinta pasos de trecho desviados   75
por orden y despacio le tiraban:
y, aunque en toda maldad ejercitados,
al despedir la flecha vacilaban,
temiendo poner mano en un tal hombre,
de tanta autoridad y tan gran nombre.   80

Mas fortuna cruel, que ya tenía
tan poco por hacer y tanto hecho,
si tiro alguno avieso [33] allí salía,
forzando el curso le traía derecho:
y en breve, sin dejar parte vacía,   85
de cien flechas quedó pasado el pecho,
por do aquel grande espíritu echó fuera,
que por menos heridas no cupiera. * * *

Paréceme que siento enternecido
al más cruel y endurecido oyente   90
deste bárbaro caso referido
al cual, señor, no estuve yo presente,
que a la nueva conquista había partido
de la remota y nunca vista gente;
que si yo a la sazón allí estuviera   95
la cruda ejecución se suspendiera.

Quedó abiertos los ojos, y de suerte
que por vivo llegaban a mirarle,
que la amarilla y afeada muerte
no pudo aún puesto allí desfigurarle: 100
era el miedo en los bárbaros tan fuerte
que no osaban dejar de respetarle;
ni allí se vió en alguno tal denuedo
que, puesto cerca dél, no hubiese miedo. * * *

33. tiro . . . avieso: *cruel fate even turned the badly aimed arrows straight toward him*

The Spaniards enter the southern part of Chile where white men had never been before. Ercilla describes some of the difficulties of the passage, then he comments on the nature of the inhabitants. He reflects for a moment on the consequences of the great epic clash between the primitive goodness of the natives and the more powerful civilized cupidity of the Spaniards which had been the main subject of his poem.

Pasamos adelante descubriendo
siempre más arcabucos y breñales,[34]
la cerrada espesura y paso abriendo
con hachas, con machetes y destrales:
otros con pico y azadón [35] rompiendo
las peñas y arraigados matorrales,
do el caballo hostigado y receloso
afirmase seguro el pie medroso. 105   110

Nunca con tanto estorbo a los humanos
quiso impedir el paso la natura,
y que así de los cielos soberanos
los árboles midiesen el altura,
ni entre tantos peñascos y pantanos
mezcló tanta maleza y espesura
como en este camino defendido
de zarzas, breñas y árboles tejido. 115   120

También el cielo en contra conjurado,
la escasa y turbia luz nos encubría,
de espesas nubes lóbregas cerrado,
volviendo en tenebrosa noche el día,
y de granizo y tempestad cargado,
con tal furor el paso defendía,
que era mayor del cielo ya la guerra
que el trabajo y peligro de la tierra. 125

Unos presto socorro demandaban
en las hondas malezas sepultados;
otros, ¡ayuda! ¡ayuda! voceaban,
en húmidos pantanos atascados [36];
otros iban trepando, otros rodaban,
los pies, manos y rostros desollados,[37]
oyendo aquí y allí voces en vano,
sin poderse ayudar ni dar la mano. 130   135

34. arcabucos y breñales: *craggy spots filled with brambles*

35. destrales ... pico y azadón: different kinds of pickaxes

36. pantanos atascados: *mired down in the swamps*

37. desollados: *with the skin stripped off*

Era lástima oír los alaridos,
ver los impedimentos y embarazos,
los caballos sin ánimo caídos,
destroncados los pies, rotos los brazos.   140
Nuestros sencillos débiles vestidos
quedaban por las zarzas a pedazos,
descalzos y desnudos, sólo armados,[38]
en sangre, lodo y en sudor bañados.

Y demás del trabajo incomportable,   145
faltando ya el refresco y bastimento,
la aquejadora hambre miserable
las cuerdas apretaba del tormento;
y el bien dudoso y daño indubitable
desmayaba la fuerza y el aliento,   150
cortando un dejativo sudor frío
de los cansados miembros todo el brío. * * *

Siete días perdidos anduvimos
abriendo a hierro el impedido paso,
que en todo aquel discurso no tuvimos   155
do poder reclinar el cuerpo laso [39]:
al fin una mañana descubrimos
de Ancud el espacioso y fértil raso,[40]
y al pie del monte y áspera ladera
un estendido lago y gran ribera.   160

Era un ancho archipiélago poblado
de innumerables islas deleitosas,
cruzando por el uno y otro lado
góndolas y piraguas [41] presurosas:
marinero jamás desesperado   165
en medio de las olas fluctuosas
con tanto gozo vió el vecino puerto
como nosotros el camino abierto. * * *

La sincera bondad y la caricia
de la sencilla gente de estas tierras   170
daban bien a entender que la codicia
aun no había penetrado aquellas sierras,
ni la maldad, el robo y la injusticia,
alimento ordinario de las guerras,
entrada en esta parte habían hallado,   175
ni la ley natural inficionado.

38. sólo armados: *clothed only in our*
armor
39. laso: worn out

40. raso: *level land*
41. piragua: *dugout*

Pero luego nosotros destruyendo
todo lo que tocamos de pasada,
con la usada insolencia el paso abriendo
les dimos lugar ancho y ancha entrada [42];   180
y la antigua costumbre corrompiendo
de los nuevos insultos estragada,
plantó aquí la codicia su estandarte
con más seguridad que en otra parte. * * *

In his final Canto (XXXVII) Ercilla commences to discuss the right of Philip II to be sovereign of Portugal, but he soon loses heart in the subject and decides to leave it to others. His last stanzas are a sort of general religious confession to God "who forgets the offence but not the service."
Then the poet concludes with these words:

Y yo, que tan sin rienda al mundo he dado   185
el tiempo de mi vida más florido,
y siempre por camino despeñado
mis vanas esperanzas he seguido:
visto ya el poco fruto que he sacado,
y lo mucho que a Dios tengo ofendido,   190
conociendo mi error, de aquí adelante
será razón que llore y que no cante.

42. les dimos ... entrada: the antecedents here are *maldad, robo, injusticia,* from the preceding stanza.

Sor Juana Inés de la Cruz
1651-1695

THE GREATEST lyric poet of the colonial period was the Mexican Creole nun, Sor Juana Inés de la Cruz, much of whose poetry is marked by a simplicity and beauty which stand in sharp contrast to the pompous literature of her time, when affectation and artificiality of form were often exalted above substance and content. Sor Juana did not escape entirely from the prevailing gongoristic influences, but a large part of her verse is remarkably clear and outspoken, and her themes are varied. Her finest poems deal with religious or profane love, some of them clearly marking her as the foremost feminist of her age. In addition to these she composed many occasional pieces, sacred plays, and *comedias;* and some examples of her prose indicate an exceptional talent in that direction also.

DE LA RESPUESTA A SOR FILOTEA DE LA CRUZ

Of especial interest for the biographical details offered, and a typical example of Sor Juana's prose, is the candid epistle entitled *Respuesta a Sor Filotea de la Cruz,* some fragments of which are given below. It is dated at the Convent of Nuestro Padre San Jerónimo in Mexico City, March 1, 1691. "Sor Filotea de la Cruz" is said to be a pseudonym of the Bishop of Puebla de los Ángeles, Fernández de Santa Cruz.

The circumstances under which this letter was written were these: Sor Juana had written a critical study of a sermon by a well-known Jesuit, Padre Vieyra, and the Bishop of Puebla was so impressed by this criticism and Sor Juana's show of erudition that he had the study printed. When he sent her a copy of the printed criticism, he accompanied it with a letter, signed "Sor Filotea de la Cruz," in which he lauded her knowledge but urged her to dedicate herself entirely to religious writings. Sor Juana answered with the following letter, which is a mixture of biographical notes and a defense of her intellectual life.

El escribir nunca ha sido dictamen propio, sino fuerza ajena, que les pudiera decir con verdad: *Vos me coegisteis*.[1] Lo que sí es verdad, que no negaré (lo uno porque es notorio a todos; y lo otro porque, aunque sea contra mí, me ha hecho Dios la merced de darme grandísimo amor a la verdad) que, desde que me rayó la primera luz de la razón, fué tan vehemente y poderosa la inclinación a las letras, que ni ajenas reprehensiones (que he tenido muchas), ni propias reflejas (que he hecho no pocas) han bastado a que[2] deje de seguir este natural impulso que Dios puso en mí, su Majestad sabe por qué y para qué. Y sabe que le he pedido que apague la luz de mi entendimiento,[3] dejando sólo lo que baste para guardar su Ley, pues lo demás sobra (según algunos) en una mujer; y aun hay quien diga que daña. Sabe también su Majestad que no consiguiendo esto, he intentado sepultar con mi nombre mi entendimiento, y sacrificársele sólo a quien me lo dió y, que no otro motivo me entró en la Religión, no obstante que, al desembarazo y quietud que pedía mi estudiosa intención, eran repugnantes los ejercicios y compañía de una comunidad. Después en ella, sabe el Señor, y lo sabe en el mundo quien sólo lo debió saber,[4] lo que intenté en orden a esconder mi nombre, y que no me lo permitió, diciendo que era tentación: y sí sería. Si yo pudiera pagaros algo de lo que os debo (señora mía) creo que sólo os pagara en contaros esto, pues no ha salido de mi boca jamás, excepto para quien debió salir. Pero quiero que, con haberos franqueado de par en par las puertas de mi corazón, haciéndoos patente sus más sellados secretos, conozcáis que no desdice de mi confianza, lo que debo a vuestra venerable persona y excesivos favores.

Prosiguiendo en la narración de mi inclinación (de que os quiero dar entera noticia), digo que no había cumplido los tres años de mi edad cuando, enviando mi madre a una hermana mía, mayor que yo, a que se enseñase a leer en una de las que llaman *Amigas*,[5] me llevó a mí tras ella el cariño y la travesura. Viendo que le daban lecciones, me encendí yo de manera en el deseo de saber leer que, engañando, a mi parecer, a la maestra, le dije: "Que mi madre ordenaba me diese lección."

Ella no lo creyó, porque no era creíble; pero, por complacer al donaire, me la dió. Proseguí yo en ir y ella prosiguió en enseñarme, ya no de burlas, porque la desengañó la experiencia, y supe leer en tan breve tiempo, que ya sabía, cuando lo supo mi madre, a quien la maestra lo ocultó, por darle el gusto por entero, y recibir el galardón por junto. Yo lo callé, creyendo que me azotarían por haberlo hecho sin orden. Aún vive la que me enseñó, Dios la guarde, y puede testificarlo. Acuérdome que, en estos tiempos, siendo mi golosina la que es ordinaria en aquella edad, me abstenía de comer queso, porque oí

1. Vos me coegisteis. (Latin): *You compelled me.* In Sor Juana's time and later a liberal sprinkling of appropriate Latin quotations in one's prose was a mark of learning and culture.

2. a que = para que

3 Sor Juana's real interest had been in secular rather than religious learning, and she was by nature an intellectual rather than a mystic.

4. Possibly her confessor, Father Antonio Núñez

5. Amigas: *schools for small children*

decir que hacía rudos y podía conmigo más el deseo de saber que el de comer, siendo éste tan poderoso en los niños.

Teniendo yo después como seis o siete años, y sabiendo ya leer y escri-[5] bir, con todas las otras habilidades de labores y costuras que aprenden las mujeres, oí decir que había Universidad y Escuelas, en que se estudiaban las ciencias, en México. Apenas oído,[10] cuando empecé a matar a mi madre con instantes e importunos ruegos sobre que, mudándome el traje,[6] me enviase a México, en casa de unos deudos que tenía, para estudiar, y[15] cursar la universidad. Ella no lo quiso hacer (y hizo muy bien), pero yo despiqué el deseo en leer muchos libros varios, que tenía mi abuelo, sin que bastasen castigos, ni reprehen-[20] siones a estorbarlo; de manera que, cuando vine a México, se admiraban, no tanto del ingenio cuanto de la memoria y noticias, que tenía en edad que parecía que apenas había tenido[25] tiempo para aprender a hablar.

Empecé a aprender Gramática,[7] en que creo no llegaron a veinte las lecciones que tomé; y era tan intenso mi cuidado que, siendo así que en las[30] mujeres (y más en tan florida juventud) es tan apreciable el adorno natural del cabello, yo me cortaba de él cuatro o seis dedos, midiendo hasta donde llegaba antes, e imponiéndome[35] ley de que, si cuando volviese a crecer hasta allí, no sabía tal o tal cosa que me había propuesto aprender, en tanto que crecía, me lo había de volver a cortar en pena de la rudeza. Sucedía así[40] que él crecía y yo no sabía lo pro-

puesto, porque el pelo crecía aprisa y yo aprendía despacio, y con efecto le cortaba, en pena de la rudeza; porque no me parecía razón que estuviese vestida de cabellos cabeza que estaba tan desnuda de noticias, que era más apetecible adorno.

Entréme religiosa porque, aunque conocía que tenía el estado cosas (de las accesorias hablo, no de las formales) muchas repugnantes a mi genio, con todo, para la total negación que tenía al matrimonio,[8] era lo menos desproporcionado y lo más decente que podía elegir, en materia de la seguridad que deseaba de mi salvación: a cuyo primer respeto (como, al fin, más importante) cedieron y sujetaron la cerviz todas las impertinencillas de mi genio, que eran: de querer vivir sola; de no querer tener ocupación obligatoria que embarazase la libertad de mi estudio, ni rumor de comunidad que impidiese el sosegado silencio de mis libros. Esto me hizo vacilar algo en la determinación hasta que, alumbrándome personas doctas, de que era tentación, la vencí con el favor divino, y tomé el estado que tan indignamente tengo. Pensé yo que huía de mí misma; pero ¡miserable de mí! trájeme a mí conmigo y traje mi mayor enemigo en esta inclinación, porque no sé determinar si, por prenda o castigo, me dió el Cielo, pues de apagarse, o embarazarse con tanto ejercicio que la Religión tiene, reventaba, como pólvora, y se verificaba en mí el *privatio est causa appetitus*.[9] * * *

Yo confieso que me hallo muy distante de los términos de la sabiduría

6. mudándome el traje: *dressing me in boy's clothes*

7. Gramática here means *Latin*. Her teacher was a Martín de Olivas.

8. con todo, . . . matrimonio: *notwithstand-*

ing, considering my complete disinclination to marriage

9. privatio est causa appetitus (Latin): *deprivation is the cause of appetite*

y que la he deseado seguir, aunque a *longe*.[10] Pero todo ha sido acercarme más al fuego de la persecución, al crisol del tormento; y ha sido con tal extremo que han llegado a solicitar que se me prohiba el estudio. Una vez lo consiguieron con una Prelada muy santa y muy cándida que creyó que el estudio era cosa de Inquisición,[11] y me mandó que no estudiase; yo la obedecí (unos tres meses que duró el poder ella mandar), en cuanto a no tomar libro, que en cuanto a no estudiar absolutamente, como no cae debajo de mi potestad no lo pude hacer porque, aunque no estudiaba en los libros, estudiaba en todas las cosas que Dios crió, sirviéndome ellas de letras, y de libro toda esta máquina universal. Nada veía sin refleja, nada oía sin consideración, aun en las cosas más menudas y materiales. * * *

The following sonnets, *décimas*, *romances*, and quatrains are representative of the poetic muse of Sor Juana Inés de la Cruz.

SONETOS

I

A SU RETRATO

Éste, que ves, engaño colorido,
que del arte ostentando los primores,
con falsos silogismos de colores
es cauteloso engaño del sentido:
    éste en quien la lisonja ha pretendido   5
excusar de los años los horrores,
y, venciendo del tiempo los rigores,
triunfar de la vejez y del olvido:
    es un vano artificio del cuidado;
es una flor al viento delicada;   10
es un resguardo inútil para el hado;
    es una necia diligencia errada;
es un afán caduco; y bien mirado,
es cadáver, es polvo, es sombra, es nada.

II

Que no me quiera Fabio, al verse amado,
es dolor, sin igual, en mi sentido;

10. a longe: *at a distance*
11. cosa de Inquisición: *a thing which ought to be punished by the Inquisition.* As a matter of fact, two years before her death Sor Juana did abandon study completely, and sold all her books (about 4,000 volumes), maps, scientific and musical instru-ments. She then underwent a sustained period of extreme penance to which she gave herself with such zeal that her confessor had to ask her to be more moderate. It was also reported that she wrote two protestations of faith in her own blood.

mas, que me quiera Silvio aborrecido,
es menor mal, mas no menor enfado.

   ¿Qué sufrimiento no estará cansado,   5
si siempre le resuenan al oído,
tras la vana arrogancia de un querido,
el cansado gemir de un desdeñado?

   Si de Silvio me cansa el rendimiento,
a Fabio canso con estar rendida;   10
si de éste busco el agradecimiento,

   a mí me busca el otro agradecida;
por activa y pasiva es mi tormento,
pues padezco en querer y en ser querida.

III

   Esta tarde, mi bien, cuando te hablaba,
como en tu rostro y tus acciones vía [12]
que con palabras no te persuadía,
que el corazón me vieses deseaba.

   Y amor, que mis intentos ayudaba,   5
venció lo que imposible parecía;
pues entre el llanto que el dolor vertía
el corazón deshecho destilaba.

   Baste ya de rigores, mi bien, baste,
no te atormenten más celos tiranos,   10
ni el vil recelo tu quietud contraste

   con sombras necias, con indicios vanos;
pues ya en líquido humor viste y tocaste
mi corazón deshecho entre tus manos.

IV

   Rosa divina que, en gentil cultura,
eres con tu fragante sutileza
magisterio purpúreo en la belleza,
enseñanza nevada a la hermosura.

   Amago de la humana arquitectura,   5
ejemplo de la vana gentileza,
en cuyo ser unió naturaleza
la cuna alegre y triste sepultura.

   ¡Cuán altiva en tu pompa, presumida,
soberbia, el riesgo de morir desdeñas;   10
y luego, desmayada y encogida,

12. vía = veía

de tu caduco ser das mustias señas!
¡Conque, con docta muerte y necia vida,
viviendo engañas y muriendo enseñas!

V

ENTRE ENCONTRADAS CORRESPONDENCIAS
VALE MÁS AMAR QUE ABORRECER

Al que ingrato me deja, busco amante;
al que amante me sigue, dejo ingrata;
constante adoro a quien mi amor maltrata;
maltrato a quien mi amor busca constante.
Al que trato de amor hallo diamante,   5
y soy diamante al que de amor me trata;
triunfante quiero ver al que me mata,
y mato al que me quiere ver triunfante.
Si a éste pago, padece mi deseo;
si ruego a aquél, mi pundonor enojo;   10
de entrambos modos infeliz me veo.
Pero yo por mejor partido escojo,
de quien no quiero, ser violento empleo,
que, de quien no me quiere, vil despojo.

VI

MUESTRA SE DEBE ESCOGER ANTES EL MORIR QUE
EXPONERSE A LOS ULTRAJES DE LA VEJEZ

Miró Celia una rosa, que en el prado
ostentaba feliz la pompa vana,
y con afeites de carmín y grana
bañaba alegre el rostro delicado;
y dijo:—Goza sin temor del hado   5
el curso breve de tu edad lozana;
pues no podrá la muerte de mañana
quitarte lo que hubieres hoy gozado.
Y aunque llega la muerte presurosa,
y tu fragante vida se te aleja,   10
no sientas el morir tan bella y moza:
mira que la experiencia te aconseja,
que es fortuna morirte siendo hermosa,
y no ver el ultraje de ser vieja.

VII

A PORCIA

¿Qué pasión, Porcia, qué dolor tan ciego
te obliga a ser de ti fiera homicida?
¿O en qué te ofende tu inocente vida
que así le das batalla a sangre y fuego?

Si la fortuna airada al justo ruego   5
de tu esposo se muestra endurecida;
bástale el mal de ver su acción perdida:
no acabes con tu vida su sosiego.

Deja las brasas, Porcia, que mortales
impaciente tu amor elegir quiere;   10
no al fuego de tu amor el fuego iguales;

porque, si bien de tu pasión se infiere,
mal morirá a las brasas materiales
quien a las llamas del amor no muere.

VIII

EFECTOS MUY PENOSOS DE AMOR, Y QUE NO POR GRANDES IGUALAN CON LAS PRENDAS DE QUIEN LE CAUSA

¿Vesme, Alcino, que atada a la cadena
de Amor, paso, en sus hierros aherrojada
mísera esclavitud, desesperada,
de libertad y de consuelo ajena?

¿Ves de dolor y angustia el alma llena,   5
de tan fieros tormentos lastimada,
y entre las vivas llamas abrasada,
juzgarse por indigna de su pena?

¿Vesme seguir sin alma un desatino,
que yo misma condeno por extraño?   10
¿Vesme derramar sangre en el camino,

siguiendo los vestigios de un engaño?
Muy admirado estás. ¿Pues, ves, Alcino?
Más merece la causa de mi daño.

IX

Detente, sombra de mi bien esquivo,
imagen del hechizo que más quiero,
bella ilusión por quien alegre muero,
dulce ficción por quien penosa vivo.

    Si al imán de tus gracias atractivo   5
sirve mi pecho de obediente acero,
¿para qué me enamoras lisonjero,
si has de burlarme luego fugitivo?
    Mas blasonar no puedes satisfecho
de que triunfa de mí tu tiranía;   10
que, aunque dejas burlado el lazo estrecho,
    que tu forma fantástica ceñía,
poco importa burlar brazos y pecho
si te labra prisión mi fantasía.

DÉCIMAS

¿Ves de tu candor que apura
al alba el primer albor?
Pues tanto el riesgo es mayor,
cuanto es mayor la hermosura.
No vivas de ello segura,   5
que si consientes errada
que te corte mano osada
por gozar beldad y olor,
en perdiéndose el color,
también serás desdichada.   10

¿Ves a aquel que más indicia
de seguro en su fineza?
Pues no estima la belleza
más de en cuanto la codicia.
Huye la astuta caricia,   15
que si necia y confiada
te aseguras en lo amada,
te hallarás después corrida;
que,[13] en llegando a poseída,
también serás desdichada.   20

A ninguno tu beldad
entregues, que es sin razón
que sirva tu perfección
de triunfo a su vanidad.
Goza la celebridad   25
común, sin verte empleada
en quien, después de lograda,
no te acierte a venerar;
que [14] en siendo particular,
también serás desdichada.   30

REDONDILLAS

CONTRA LAS INJUSTICIAS DE LOS HOMBRES AL HABLAR DE LAS MUJERES

Hombres necios, que acusáis
a la mujer sin razón
sin ver que sois la ocasión
de lo mismo que culpáis.

Si con ansia sin igual   5
solicitáis su desdén,
¿por qué queréis que obren bien
si las incitáis al mal?

13. que = porque

14. See note 13

Combatís su resistencia,
y luego con gravedad   10
decís que fué liviandad
lo que hizo la diligencia. * * *

Queréis con presunción necia
hallar a la que buscáis,
para pretendida, Tais [15]   15
y en la posesión, Lucrecia.[16]

¿Qué humor puede ser más raro
que el que, falto de consejo,
el mismo empaña el espejo
y siente que no esté claro?   20

Con el favor y el desdén
tenéis condición igual,
quejándoos si os tratan mal,
burlándoos si os quieren bien.

Opinión ninguna gana,   25
pues la que más se recata,
si no os admite, es ingrata,
y si os admite, es liviana.

Siempre tan necios andáis,
que, con desigual nivel,   30
a una culpáis por cruel,
de fácil a otra culpáis.

Pues ¿cómo ha de estar templada
la que vuestro amor pretende,
si la que es ingrata ofende,   35
y la que es fácil enfada?

Mas entre el enfado y pena
que vuestro gusto refiere,
bien haya la que no os quiere,
y quejaos enhorabuena.   40

Dan vuestras amantes penas
a sus libertades alas;
y después de hacerlas malas,
las queréis hallar muy buenas.

¿Cuál mayor culpa ha tenido   45
en una pasión errada?
¿La que cae de rogada
o el que ruega de caído?

O ¿cuál es más de culpar,
aunque cualquiera mal haga,   50
la que peca por la paga
o el que paga por pecar?

Pues ¿para qué os espantáis
de la culpa que tenéis?
Queredlas cual las hacéis,   55
o hacedlas cual las buscáis.

Dejad de solicitar,
y después, con más razón,
acusaréis la afición
de la que os fuere a rogar.   60

Bien con muchas armas fundo
que lidia vuestra arrogancia,
pues en promesa e instancia,
juntáis diablo, carne y mundo.

EN QUE DESCRIBE RACIONALMENTE LOS EFECTOS IRRACIONALES DEL AMOR

Este amoroso tormento,
que en mi corazón se ve,
sé que lo siento, y no sé
la causa por que lo siento.

Siento una grave agonía   5
por lograr un devaneo,
que empieza como deseo,
y para en melancolía.

Y cuando, con más terneza,
mi infeliz estado lloro,   10
sé que estoy triste, e ignoro

la causa de mi tristeza.

Siento un anhelo tirano,
por la ocasión a que aspiro,
y cuando cerca la miro,   15
yo mismo aparto la mano. * * *

Con poca causa ofendida
suelo, en mitad de mi amor,
negar un leve favor
a quien le diera la vida.   20

Ya sufrida, ya irritada
con contrarias penas lucho,

15. A famous Greek courtesan
16. A Roman lady who killed herself after

being violated; her name is synonymous with
virtuous womanhood.

que por él sufriré mucho,
y con él, sufriré nada.

No sé en qué lógica cabe,   25
el que tal cuestión se pruebe,
que por él, lo grave es leve,
y con él, lo leve es grave.

Sin bastantes fundamentos
forman mis tristes cuidados,   30
de conceptos engañados,
un monte de sentimientos. * * *

Cuando por soñada culpa
con más enojo me incito,
yo le acrimino el delito,   35

y le busco la disculpa. * * *

Nunca hallo gusto cumplido,
porque entre alivio y dolor,
hallo culpa en el amor,
y disculpa en el olvido.   40

Esto de mi pena dura
es algo del dolor fiero,
y mucho más no refiero,
porque pasa de locura.

Si acaso me contradigo   45
en este confuso error,
aquel que tuviere amor
entenderá lo que digo.

ROMANCE

EN QUE EXPRESA LOS EFECTOS DEL AMOR DIVINO

Mientras la gracia me excita
por elevarme a la esfera,
más me abate hasta el profundo
el peso de mis miserias.

La virtud y la costumbre   5
en el corazón pelean;
y el corazón agoniza,
en tanto que lidian ellas.

Y, aunque es la virtud tan fuerte,
temo que tal vez la venzan;   10
que es muy grande la costumbre,
y está la virtud muy tierna.

Obscurécese el discurso
entre confusas tinieblas;
pues ¿quién podrá darme luz,   15
si está la razón a ciegas?

De mí misma soy verdugo,
y soy cárcel de mí mesma,
¿quién vió que pena y penante
una propia cosa sean?   20

Hago disgusto a lo mismo
que más agradar quisiera;
y del disgusto que doy,
en mí resulta la pena.

Amo a Dios, y siento en Dios;   25
y hace mi voluntad mesma
de lo que es alivio, cruz,

del mismo puerto, tormenta.
    Padezca, pues Dios lo manda;
mas de tal manera sea,   30
que si son penas mis culpas,
que no sean culpas las penas.

AUTO SACRAMENTAL DEL DIVINO NARCISO
(FRAGMENTO)

    Ovejuela perdida,
de tu dueño olvidada
¿adónde vas errada?
Mira que dividida
de mí, también te apartas de tu vida.   5
    Por las cisternas viejas
bebiendo turbias aguas,
tu necia sed enjuagas
y con sordas orejas,
de las aguas vivíficas te alejas.   10
    En mis finezas piensa:
verás que siempre amante
te guardo vigilante,
te libro de la ofensa,
y que pongo la vida en tu defensa.   15
    De la escarcha y la nieve
cubierto voy siguiendo
tus necios pasos, viendo
que ingrata no te mueve
ver que dejo por ti noventa y nueve.   20
    Mira que mi hermosura
de todas es amada,
de todas es buscada,
sin reservar criatura,
y sola a ti te elige tu ventura.   25
    Por sendas horrorosas
tus pasos voy siguiendo,
y mis plantas hiriendo
de espinas dolorosas,
que estas selvas producen escabrosas.   30
    Yo tengo de buscarte,
y aunque tema perdida,
por buscarte, la vida,
no tengo de dejarte,
que antes quiero perderla, por hallarte.   35

Juan del Valle y Caviedes

1652-1695?

THE PERNICIOUS effect of gongorism reduced much of colonial verse to mere verbal gymnastics and pedantic exhibitionism. The barbed satire, the blunt language, and the picaresque, sometimes vulgar, themes of a Lima shopkeeper-poet, Juan del Valle y Caviedes, offer a welcome contrast to the artificial, pompous and often meaningless verse of his contemporaries. His satiric poems, besides humor, have the ring of sincerity, and much more realism is discernible in the exaggerated caricatures of viceregal types and manners than in the more refined verse of his time. Little of Caviedes' poetry found its way into print until the nineteenth century, but there are indications that it circulated widely in manuscript form in his own time and later. His inspiration was not solely iconoclastic, however, for there have survived several poems revealing a deeply religious sentiment and a feeling for beauty.

Like many satirists before, during and after his time, Caviedes directed many of his darts at medical quacks who, as practitioners of the undeveloped science of medicine, were legion, and most of his poems in the collection called *Diente del Parnaso* harp almost monotonously on this theme. The two selections immediately following are representative of his humor and satire on this subject.

DIENTE DEL PARNASO

COLOQUIO QUE TUVO CON LA MUERTE UN MÉDICO MORIBUNDO

El mundo todo es testigo,
Muerte de mi corazón,
que no has tenido razón
de portarte así conmigo.
Repara que soy tu amigo,   5

y que de tus tiros tuertos
en mí tienes los aciertos;
excúsame la partida,
que por cada mes de vida
te daré treinta y un muertos.   10

73

¡Muerte! Si los labradores
dejan siempre que sembrar
¿cómo quieres agotar
la semilla de doctores?
Frutos te damos mayores;   15
pues, con purgas y con untos,
damos a tu hoz asuntos
para que llenes las trojes,
y por cada doctor coges
diez fanegas de difuntos.   20

No seas desconocida
ni contigo uses rigores,
pues la Muerte sin doctores
no es muerte, que es media vida.
Pobre, ociosa y desvalida   25
quedarás en esta suerte,
sin que tu aljaba [1] concierte,
siendo en tan grande mancilla
una pobre muertecilla
o Muerte de mala muerte.   30

Muerte sin médico es llano
que será por lo que infiero,
mosquete sin mosquetero,
espada o puñal sin mano.
Este concepto no es vano   35

porque, aunque la muerte sea
tal, que todo cuanto vea
se lo lleve por delante,
que a nadie mata es constante
si el doctor no la menea.   40

¡Muerte injusta! Tú también
me tiras por la tetilla; [2]
mas ya sé no es maravilla
pagar mal el servir bien.
Por Galeno [3] juro, a quien   45
venero que, si el rigor
no conviertes en amor,
sanándome de repente,
y muero de este accidente,
que no he de ser más doctor.   50

Mira que, en estos afanes,
si así a los médicos tratas,
han de andar después a gatas
los curas y sacristanes.
Porque soles ni desmanes, [4]   55
la suegra y suegro peor,
fruta y nieve [5] sin licor,
bala, estocadas y canto,
no matan al año tanto
como el médico mejor. * * *   60

A MI MUERTE PRÓXIMA

Que no moriré de viejo,
que no llego a los cuarenta,
pronosticado me tiene
de físicos la caterva.[6]
Que una entraña hecha gigote [7]   5
al otro mundo me lleva,
y el día menos pensado
tronaré como arpa vieja.[8]

Nada me dicen de nuevo;
sé que la muerte me espera,   10
y pronto; pero no piensen
que he de cambiar de bandera.
Odiando las medicinas
como viví, así perezca;
que siempre el buen artillero   15
al pie del cañón revienta.

1. aljaba: *quiver*
2. ¡Muerte . . . tetilla: *Unjust Death, now you are easing me out, too*
3. Galeno: Claudius Galen (131–201), a Greek physician and ancient authority on medicine
4. Porque . . . desmanes: *For neither sunstrokes, nor excesses*
5. nieve: Snow was brought down to the capital from the nearby Andes to chill beverages; the latter were considered detrimental to health.
6. de físicos la caterva: *the swarm of doctors*
7. gigote = jigote
8. y el día . . . vieja: (colloquial) *and pretty soon I'll bust up like an old harp.*

Mátenme de sus palabras
pero no de sus recetas,
que así matarme es venganza
pero no muerte a derechas. 20
Para morirme a mi gusto
no recurriré a la ciencia
de matalotes idiotas
que por la ciudad pasean.[9]
¿Yo a mi *Diente del Parnaso* 25
por miedo traición hiciera?
¡Cuál rieran del cronista
las edades venideras!
Jesucristo unió el ejemplo
a la doctrina, y quien piensa 30

predicando ser apóstol,
de sus obras no reniega.
¡Me moriré! buen provecho.
¡Me moriré! en hora buena;[10]
pero sin médicos cuervos 35
junto de mi cabecera.
Un amigo, si esta *avis*[11]
rara mi fortuna encuentra,
y un franciscano que me hable
de las verdades eternas, 40
y venga lo que viniere,
que apercibido me encuentra
para reventar lo mismo
que cargada camareta.[12]

In the following selection Caviedes flays with sardonic humor the vanities and types of viceregal society in Peru.

The other two poems reveal somewhat different moods.

¿TÍTULO, COCHE O MUJER?

Título o coche en que andar
o mujer puedo escoger,
si me quiero acomodar;
veamos lo que he de tomar
coche, título o mujer. 5
   Conde, es dulce fantasía,
marido, sabrosa red;
no sé qué preferiría,
si al conde la señoría
o a la novia la merced. 10
   Marido, es nunca acabar;
conde, continuo moler;
y vendré el tiempo a gastar
si soy conde, en preguntar,
si marido, en responder. 15
   Si soy marido cabal
temeré cualquier run-rún,[13]
y cátate, por mi mal,

---

9. Para ... pasean: *To die comfortably I'll not call upon the science of old fool killers* (i.e., *doctors*) *who hang about the city.*

10. ¡Me moriré! buen ... buena: *I'm going to die! well and good. I'm going to die! All right, then*

11. avis (Latin): *bird,* avis rara (meaning any *rare thing*)

12. que apercibido ... camareta: *he'll find me ready to 'go off' just like a loaded gun.*

13. run-rún: *gossip, rumor*

hecho enemigo especial;
y si soy conde, común.[14]   20
    Conde con pelo es un ruido;
marido y mujer son dos;
y lo que yo he conocido
es, que no me llama Dios
por conde ni por marido.   25
    A coche es la inclinación
de mi natural primero,
y pues es mi vocación
discurro en suposición
que no he de tener cochero.   30
    ¿Qué es coche? Una invención es
en que va uno descansado
de la cabeza a los pies,
y además, ¿qué acomodado
no es duque, conde o marqués?   35
    ¿Qué hago en el coche? Desdeño
los cetros y las coronas,
y para cualquier empeño
las cuatro mulas y el dueño
ya somos cinco personas.   40
    ¿Qué puedo en el coche hacer?
Ver a todos sin apodos.
¿Y con mi mujer? Temer
lo que hay de mirar a todos,
o todos a mi mujer.   45
    ¿Qué hace un conde? No repara,
habla mucho y nada pesa
el cofre,[15] cosa no rara.
El coche, en queriendo, para;
pero el conde nunca cesa.   50
    ¿Qué es coche? Firme mansión.
¿Y mujer? Veleta al viento.
Luego acierto en la elección,
si en mi mujer no hay asiento [16]
y en el coche hay almohadón.   55
    ¿Qué hace el coche? Nada apenas.
Las faltas del dueño encubre,
y a veces las tiene buenas.
Y ¿qué hace un conde? Descubre
las suyas y las ajenas.   60

---

14. común = igual   16. A play on two meanings of *asiento,*
15. nada ... cofre: *doesn't have any* i.e., *seat* and *prudence.*
money

¿Qué hace el coche? Vuelve en rosas
espinas de la fortuna,
que sin él fueran penosas.
¿Para qué es? Para mil cosas.
¿Y la mujer? Para una. 65

   ¿Qué más hace? Me mantiene
con gente de humilde trato,
pues le presto a quien conviene;
y el conde que no lo tiene
ni presta, ni da barato. 70

   ¿Qué riesgo puedo tener
en prestarle? No hay querella,
según mi leal entender;
y si presto mi mujer
se pueden quedar con ella. 75

   Luego, en buena economía,
el coche escoger me manda
la sana filosofía,
coche que no tenga anda
y para él la Academia. 80

   Y habiendo mirado bien
mi conveniencia esta noche,
les suplico que me den
aquí estufa y después coche,
por siempre jamás amén. 85

PRIVILEGIOS DEL POBRE

El pobre es tonto, si calla;
y si habla es un majadero;
si sabe, es un hablador;
y si afable, es embustero;
si es cortés, entrometido; 5
cuando no sufre, soberbio;
cobarde, cuando es humilde;
y loco, cuando es resuelto;
si valiente, es temerario;
presumido, si es discreto; 10
adulador, si obedece;
y si se excusa, grosero;
si pretende, es atrevido;
si merece, es sin aprecio;
su nobleza es nada vista, 15
y su gala, sin aseo;
si trabaja, es codicioso,
y por el contrario extremo
un perdido, si descansa . . .
¡Miren si son privilegios! 20

LAMENTACIONES SOBRE LA VIDA EN PECADO

¡Ay mísero de mí! ¡Ay, desdichado!
que, sujeto al pecado,
vivido he tanto tiempo orgullecido,
si es vivir el pecado en que he vivido.

¿Cómo puedo vivir en tal tormento   5
sin dar velas al mar del sentimiento?

    Nace el ave ligera,
de rizado plumaje, y la esfera,
irguiéndose veloz y enriquecida,
a Dios está rendida.   10
Y yo, con libertad, en tanta calma,
nunca, Señor, os he ofrecido el alma.

    Nace el bruto espantoso
de riza crin, de cerdas mar undoso,
y, al mirarse de todos respetado,   15
siempre venera al Ser que lo ha creado.
Sólo yo, con terrible desvarío,
nunca os postré, Señor, el albedrío.

    Nace la flor lucida,
ya rubí, ya esmeralda engrandecida,   20
y, al ver su color roja,
por dar a su Autor gracias se deshoja.
Y yo, con libertad, en tanta calma
nunca, Señor, os he ofrecido el alma.

    Nace el arroyo de cristal o plata,   25
y, apenas entre flores se desata,
cuando, en sonoro estilo, guijas mueve,
y a Dios alaba con su voz de nieve.
Sólo yo, con terrible desvarío,
nunca os postré, Señor, el albedrío.   30

    Nace el soberbio monte,
cuya alteza registra el horizonte,
y, en su tosca belleza,
ensalza más a Dios con su rudeza.
Y yo, con libertad, en tanta calma   35
nunca, Señor, os he ofrecido el alma.

    Nace el pez adornado
de un vestido de conchas escamado,
y, apenas gira en centro tan profundo,
cuando respeta al Creador del mundo.   40
Sólo yo, con terrible desvarío,
nunca os postré, Señor, el albedrío.

Al fin, mi Dios, si os ama reverente
cuanto vi de animado y de viviente,
¿no he de estar de mí mismo avergonzado, 45
viendo os han alabado
al tiempo que he pecado, disoluto,
arroyo, monte, pez, flor, ave y bruto? [17]

CUATRO CONTRAS QUE HA DE TENER EL ENTENDIDO PARA SERLO

Contra médicos es todo entendido,
contra vulgo y sus falsas opiniones,
contra hipócritas y viles santurrones,[18]
y contra la astrología si ha mentido.
Porque el médico en nada es advertido, 5
el vulgo se compone de ficciones,
el santurrón de engaños e ilusiones,
y el pronóstico es hurto conocido.
Cuando el médico alguno desahuciare [19]
di tú que vive; cuando la beata 10
las cosas por venir te revelare,
entiende que, al presente, quiere plata,
que el astro luego miente en cuanto hablare,
y que la voz del vulgo es patarata.[20]

17. Recent investigations suggest that the true author of this poem was not Juan del Valle Caviedes but a contemporary Spaniard, Juan Martínez Cuellar, by name. See Emilio Carilla: "Restituciones a la lírica española" (*Revista de fisiología hispánica,* año 8, nos. 1–2 (enero-junio, 1946), 148–150.
18. santurrones: *canting hypocrites, false zealots*
19. desahuciare: *declares a patient past recovery* (fut. subj.)
20. patarata: *idle talk*

Carlos de Sigüenza y Góngora

1645-1700

THE NOVEL as a literary form is almost entirely absent in colonial literature for reasons that are obscure, particularly in view of the fact that reading of this type of literature imported from Spain was general. The absence of any authentic novels written in the colonies is doubtless attributable in part to the disapproval of the clergy, as the influence of the Church on intellectual life was dominant, and also to the monopolistic policies which characterized the commercial relations of Spain and its former possessions, and which extended even to the book trade. There were, however, numerous works published in colonial Spanish America which contained novelistic elements and offered, therefore, the germ of the later novel. Among these forerunners is a narrative of adventure, purporting to be factual, entitled *Infortunios de Alonso Ramírez*. Told in the first person, the account of an adventurous journey around the world in the late seventeenth century by a youthful Puerto Rican, betrays some influence of the picaresque tales for which the literature of Spain is famous. The style of writing is relatively simple and unaffected and this short work with its sometimes vivid narrative contrasts, both in content and form, with the dullness and heaviness characteristic of the prose of the time.

INFORTUNIOS DE ALONSO RAMÍREZ

The hero, a thirteen year old Puerto Rican lad, went to New Spain or Mexico in quest of a relative who disclaimed any connection with him. After various incidents Ramírez embarked for the Philippine islands, then a part of the Viceroyalty of New Spain. The lure of strange ports in the Far East led him to follow the sea and while on a small, inter-island craft in the Philippines, he was captured by English pirates. The latter carried him from place to place, subjecting him to many indignities, and finally, after reaching the Atlantic ocean, set him and seven companions, a Creole of Puebla, Mexico, two Filipinos, two Chinese, a native of Malabar, and Ramírez' personal slave, a Negro named Pedro, adrift in a small frigate off the coast of Brazil. Sailing without charts and uncertain of their position, they anchored off an unknown coast which proved to be that of Yucatan. A heavy wind rose, broke their cables and drove their tiny craft aground. The waves broke over with such fury that the ship threatened to break up. In despair Ramírez seized a rope and swam to the barren shore and, with this line as a ferry, his companions finally reached the beach in safety.

SED, HAMBRE, ENFERMEDADES, MUERTES CON QUE FUERON ATRIBULADOS EN ESTA COSTA; HALLAN INOPINADAMENTE GENTE CATÓLICA Y SABEN ESTAR EN TIERRA FIRME DE YUCATÁN EN LA SEPTENTRIONAL AMÉRICA

Tendría de ámbito la peña que terminaba esta punta como doscientos pasos, y por todas partes la cercaba el mar y aun, tal vez por la violencia con que la hería, se derramaba por toda ella con gran ímpetu.

No tenía árbol ni cosa alguna a cuyo abrigo pudiésemos repararnos contra el viento que soplaba vehementísimo y destemplado; pero, haciéndole a Dios Nuestro Señor repetidas súplicas y promesas y persuadidos a que estábamos en parte donde jamás saldríamos, se pasó la noche.

Perseveró el viento y, por el consiguiente, no se sosegó el mar hasta de allí a tres días. Pero, no obstante, después de haber amanecido, reconociendo su cercanía, nos cambiamos a tierra firme, que distaría de nosotros como cien pasos y no pasaba de la cintura el agua donde más hondo.

Estando todos muertos de sed, y no habiendo agua dulce en cuanto se pudo reconocer en algún espacio, posponiendo mi riesgo al alivio y conveniencia de aquellos míseros,[1] determiné ir a bordo. Encomendándome con todo afecto a María Santísima de Guadalupe,[2] me arrojé al mar y llegué al navío, de donde saqué un hacha para cortar y cuanto me pareció necesario para hacer fuego.

Hice segundo viaje y, a empellones, o por mejor decir, milagrosamente, puse un barrilete de agua en la misma playa. No atreviéndome aquel día a tercer viaje, después que apagamos todos nuestra ardiente sed, hice que comenzasen los más fuertes[3] a destrozar palmas de las muchas que allí había para comer los cogollos y, encendiendo candela, se pasó la noche.

Halláronse el día siguiente unos charcos de agua (aunque algo salobre) entre aquellas palmas y, mientras

1. posponiendo ... míseros: *subordinating my own danger to the relief and comfort of those poor wretches*
2. Guadalupe: A national shrine to the Virgin of Guadalupe is located in a town just

outside of Mexico City, now called Guadalupe-Hidalgo.
3. los más fuertes = los compañeros más fuertes

se congratulaban los compañeros por este hallazgo, acompañándome Juan de Casas, pasé al navío de donde, en el cayuco [4] que allí traíamos (siempre con riesgo por el mucho mar y la vehemencia del viento), sacamos a tierra el velacho, las dos velas del trinquete y gavia,[5] y pedazos de otras.

Sacamos también escopetas, pólvora y municiones y cuanto nos pareció por entonces más necesario para cualquier accidente.

Dispuesta una barraca en que cómodamente cabíamos todos, no sabiendo a qué parte de la costa se había de caminar para buscar gente, elegí, sin motivo especial, la que corre al sur. Fué conmigo Juan de Casas y, después de haber caminado aquel día como cuatro leguas, matamos dos puercos monteses. Escrupulizando el que se perdiese aquella carne en tanta necesidad, cargamos con ellos para que los lograsen los compañeros.[6]

Repetimos lo andado a la mañana siguiente hasta llegar a un río de agua salada, cuya ancha y profunda boca nos atajó los pasos y, aunque por haber descubierto unos ranchos antiquísimos hechos de paja, estábamos persuadidos a que dentro de breve se hallaría gente, con la imposibilidad de pasar adelante, después de cuatro días de trabajo nos volvimos tristes.

Hallé a los compañeros con mucho mayores aflicciones que las que yo traía, porque los charcos de donde se proveían de agua se iban secando, y todos estaban tan hinchados que parecían hidrópicos.

Al segundo día de mi llegada se acabó el agua y, aunque por el término de cinco días se hicieron cuantas diligencias nos dictó la necesidad para conseguirla, excedía a la de la mar en la amargura la que se hallaba.

A la noche del quinto día, postrados todos en tierra, y más con los afectos que con las voces por sernos imposible el articularlas, le pedimos a la Santísima Virgen de Guadalupe el que, pues era fuente de aguas vivas para sus devotos, compadeciéndose de lo que ya casi agonizábamos con la muerte, nos socorriese como a hijos,[7] protestando no apartar jamás de nuestra memoria beneficio tanto, para agradecérselo. Bien sabéis, Madre y Señora mía amantísima, el que así pasó.

Antes de que se acabase la súplica, viniendo por el sueste la turbonada, cayó un aguacero tan copioso sobre nosotros que, refrigerando los cuerpos y dejándonos provisión bastante en el cayuco y en cuantas vasijas allí teníamos, nos dió las vidas.

Era aquel sitio no sólo estéril y falto de agua sino muy enfermo y, aunque así lo reconocían los compañeros, por temor de morir en el camino, no había modo de convencerlos para que lo dejásemos. Pero quiso Dios que lo que no recabaron mis súplicas, lo consiguieron los mosquitos (que también allí había) con su molestia. Ellos eran,

---

4. cayuco: *small craft, tender, dinghy*

5. sacamos ... gavia: *we brought ashore the fore-topsail, the two foresails, and the main topsail*

6. Escrupulizando ... compañeros: *Hesitating whether to waste that meat in such a state of dire need as ours, we loaded ourselves up with them so that our companions might have them to eat.*

7. le pedimos ... hijos: *we prayed the Most Holy Virgin of Guadalupe, since she is a fountain of living waters for her devotees, to take pity on us who were already in the very shadows of death and to succour us like children*

sin duda alguna los que en parte les habían causado las hinchazones, que he dicho, con sus picadas.

Treinta días se pasaron en aquel puesto, comiendo chachalacas,[8] palmi- 5 tos y algún marisco. Antes de salir de él, por no omitir diligencia, pasé al navío que hasta entonces no se había escatimado y, cargando con bala toda la artillería, la disparé dos veces. Fué 10 mi intento el que, si acaso había gente la tierra adentro, podía ser que el estruendo les moviese a saber la causa y que, acudiendo allí, se acabasen nuestros trabajos con su venida.

Con esta esperanza me mantuve hasta el siguiente día, en cuya noche (no sé cómo), tomando fuego un cartucho que tenía en la mano, no sólo me la abrasó, sino que me maltrató 20 un muslo, parte del pecho, toda la cara y me voló el cabello. Curado como mejor se pudo con ungüento blanco que se había hallado en la caja de medicina que me dejó el Condestable,[9] 25 salí de allí la subsecuente mañana, dándoles a los compañeros el aliento de que yo, más que ellos, necesitaba.

Quedóse (¡ojalá la pudiéramos haber traído con nosotros, aunque fuera a 30 cuestas, por lo que adelante diré!) quedóse, digo, la fragata que, en pago de lo mucho que yo y los míos servimos a los ingleses, nos dieron graciosamente. Era (y no sé si todavía lo es) 35 de treinta y tres codos de quilla y con tres aforros, los palos y vergas de

excelentísimo pino, la fábrica toda de lindo gálibo y tanto que corría ochenta leguas por singladura con viento fresco.[10] Se quedaron en ella y en las playas nueve piezas de artillería de hierro, con más de dos mil balas de a cuatro, de a seis y de a diez,[11] y todas de plomo; cien quintales, por lo menos, de este metal; cincuenta barras de estaño; sesenta arrobas de hierro; ochenta barras de cobre del Japón; muchas tinajas de la China; siete colmillos de elefante; tres barriles de pólvora; cuarenta cañones de escopetas; diez llaves; una caja de medicinas, y muchas herramientas de cirujano.

Bien provisionados de pólvora y municiones y no otra cosa, y cada uno de nosotros con escopeta, comenzamos a caminar por la misma marina la vuelta del norte, pero muy despacio por la debilidad y flaqueza de los compañeros. Al llegar a un arroyo de agua dulce pero bermeja, que distaría del primer sitio menos de cuatro leguas, se pasaron dos días.

La consideración de que, a este paso sólo podíamos acercarnos a la muerte y con mucha prisa, me obligó a que, valiéndome de las más suaves palabras que me dictó el cariño, les propusiese el que, pues ya no les podía faltar el agua y, como veíamos que acudía allí mucha volatería que les aseguraba el sustento, tuviesen a bien el que yo, acompañado de Juan de Casas, me adelantase hasta hallar poblado.[12] De

---

8. chachalacas: a sort of Guinea hen

9. Earlier in the narrative Alonso Ramírez tells of a friendly member of the English pirate crew that had captured him, a mastergunner whom he called "Condestable Nicpat."

10. Era . . . fresco: It had (I don't know whether it still has) a keel thirty-three cubits long and with three layers of sheathing; its masts and yardarms were of the finest pine,

and the whole framework was of such excellent construction that, with a fresh breeze, it could cover eighty leagues in a single day's run.

11. dos . . . diez: *two thousand cannonballs, four, six and ten pounders*

12. La consideración . . . poblado: *The fact that, at this slow pace, we could only get nearer death that much faster, forced me to suggest, using the gentlest words inspired*

allí, yo protestaba, volvería cargado de refresco para sacarlos de allí. Respondieron a esta proposición con tan lastimeras voces y copiosas lágrimas que me las sacaron de lo más tierno del corazón en mayor raudal.

Abrazándose de mí, me pedían con mil amores y ternuras que no les desamparase y pareciéndoles imposible en lo natural poder vivir el más robusto ni aun cuatro días y la demora, por lo tanto, tan corta, pedían que yo quisiese, como padre que era de todos, darles mi bendición en sus postreras boqueadas; después pudiese proseguir, muy enhorabuena, a buscar el descanso que a ellos les negaba su infelicidad y desventura en tan extraños climas.[13] Me convencieron sus lágrimas a que así lo hiciese pero, pasados seis días sin que mejorasen y, reconociendo el que yo me iba hinchando y que mi falta les aceleraría la muerte, y temiendo ante todas cosas la mía, conseguí el que, aunque fuese muy poco a poco, se prosiguiese el viaje.

Iba yo y Juan de Casas descubriendo lo que habían de caminar los que me seguían. Era el último, como más enfermo, Francisco de la Cruz, sangley,[14] a quien, desde el trato de cuerda que le dieron los ingleses antes de llegar a Caponiz, le sobrevinieron mil males, siendo el que ahora le quitó la vida dos hinchazones en los pechos y otra en el medio de las espaldas que le llegaba al cerebro.

Habiendo caminado como una legua, hicimos alto y, siendo la llegada de cada uno según sus fuerzas, aun después de las nueve de la noche no estaban juntos, porque este Francisco de la Cruz no había llegado todavía. En espera suya se pasó la noche y, dándole orden a Juan de Casas que prosiguiera el camino antes de que amaneciese, volví en su busca. Lo hallé a cosa de media legua, ya casi boqueando pero en su sentido. Deshecho en lágrimas y con mal articuladas razones porque me las embargaba el sentimiento, le dije lo que me pareció a propósito para que muriese, conformándose con la voluntad de Dios y en gracia suya. Poco antes del medio día rindió el espíritu.

Pasadas como dos horas, hice un profundo hoyo en la misma arena y, pidiéndole a la Divina Majestad el descanso de su alma, lo sepulté y, levantando una cruz (hecha de dos toscos maderos) en aquel lugar, me volví a los míos. Los hallé alojados delante de donde habían salido como otra legua y a Antonio González, el otro sangley, casi moribundo. No habiendo regalo que poder hacerle, ni medicina alguna con que esforzarlo, mientras estaba consolándolo, o de triste o de cansado, me quedé dormido. Dispertándome el cuidado a muy breve rato, lo hallé difunto. Le dimos sepultura entre todos el siguiente día y, tomando por asunto una y otra muerte, los exhorté a que caminásemos cuanto más pudiésemos, persuadidos a que así sólo se salvarían las vidas.

by my sympathetic regard for them, that they should look with favor on my going ahead with Juan de Casas until we reached a settlement, inasmuch as there was no longer any lack of water and, as we could see, a lot of birds flocked there thus assuring them food.

13. después . . . climas: *then, I could continue happily on my way in search of the haven which their unhappiness and misfortune denied them in such strange lands.* It will be remembered that the companions of Ramírez and Juan de Casas were all Asiatics, except the Negro slave, Pedro.

14. sangley: a Chinese trader of the Philippines

Se anduvieron aquel día como tres leguas, y en los tres siguientes se granjearon quince. La causa fué que, con el ejercicio del caminar, al paso que se sudaba, se revolvían las hinchazones y se nos aumentaban las fuerzas.[15] Se halló aquí un río de agua salada muy poco ancho y en extremo hondo. Aunque retardó por todo un día un manglar muy espeso el llegar a él, fué reconocido el río y, después de sondearlo, se halló que faltaba vado. Con palmas que se cortaron se le hizo puente y se fué adelante, sin que el hallarme en esta ocasión con calentura me fuese estorbo.

Al segundo día que salimos de allí, precediendo a todos yo y Juan de Casas, atravesó por el camino que llevábamos un disforme oso. No obstante el haberlo herido con la escopeta, se vino para mí y, aunque me defendía yo con el mocho como mejor podía, siendo pocas mis fuerzas y muchas las suyas, a no acudir a ayudarme mi compañero, me hubiera muerto. Lo dejamos allí tendido y se pasó de largo.

Cinco días después de este suceso, llegamos a una punta de piedra de donde me parecía imposible pasar con vida por lo mucho que me había postrado la calentura. Ya entonces estaban notablemente recobrados todos o, por decir mejor, con salud perfecta. Hecha mansión [16] y mientras entraban en el monte adentro a buscar comida, me recogí a un rancho que, con una manta que llevábamos, al abrigo de una peña me habían hecho; quedó en guardia mi esclavo, Pedro. Entre las muchas imaginaciones que me ofreció el desconsuelo en esta ocasión, fué la más molesta el que sin duda estaba en las costas de la Florida en la América

y que, siendo cruelísimos en extremo sus habitadores, por último habíamos de rendir las vidas en sus sangrientas manos.

Interrumpióme estos discursos mi muchacho con grandes gritos, diciéndome que descubría gente por la costa y que venía desnuda. Me levanté asustado y, tomando en la mano la escopeta, me salí fuera y, encubierto de la peña a cuyo abrigo estaba, reconocí dos hombres desnudos con cargas pequeñas a las espaldas y haciendo ademanes con la cabeza como quien busca algo. No me pesó de que viniesen sin armas y, por estar a tiro mío, les salí al encuentro. Turbados ellos mucho más sin comparación que lo que yo lo estaba, lo mismo fué verme que arrodillarse y, puestas las manos, comenzaron a dar voces en castellano y a pedir cuartel.

Arrojé yo la escopeta y, llegándome a ellos, los abracé. Me respondieron a las preguntas que inmediatamente les hice. Me dijeron que eran católicos y que, acompañando a su amo que venía atrás y se llamaba Juan González y era vecino del pueblo de Tejozuco, andaban por aquellas playas buscando ámbar; dijeron también el que era aquella costa la que llamaban de Bacalal en la Provincia de Yucatán.

Se siguió a estas noticias tan en extremo alegres, y más en ocasión en que la vehemencia de mi tristeza me ideaba muerto entre gentes bárbaras, el darle a Dios y a su Santísima Madre repetidas gracias. Disparando tres veces, que era contraseña para que acudiesen los compañeros, con su venida, que fué inmediata y acelerada, fué común entre todos el regocijo. * * *

---

15. La causa ... fuerzas: *The reason* (for this greater progress) *was that as we perspired with the exercise of walking, our swellings went down and our strength increased.*

16. Hecha mansión: *Having made a stop*

Calixto Bustamente Carlos Inga, "Concolorcorvo"

Middle of eighteenth century

STILL unsolved is the mystery of the identity of the realistic author of *El lazarillo de ciegos caminantes,* an elaborate guide-book of viceregal Peru describing the towns, roads, resources, customs, and manners, along with the privations and dangers of an arduous journey from Montevideo and Buenos Aires across the plains and mountains of South America to Lima. Concolorcorvo, as he called himself, appears to have been in Montevideo and Buenos Aires about 1749 and subsequently to have accompanied a postal commissioner, Alonso Carrió de La Vandera, possibly the true author of the narrative, on the long trek back to the viceregal capital of Peru. Later this entertaining account, some of which appears as a dialogue, was written. The systematically organized material, the picturesque details, the clearness of the descriptions, the many light touches and the picaresque humor of this undetermined writer all combine to make this work one of the best and most readable accounts of travel in eighteenth century Peru.

EL LAZARILLO DE CIEGOS CAMINANTES

The following selection is taken from Chapter VIII of the book in which the author describes some of the province of Tucumán, now the extreme northwest of the Republic of Argentina. While depicting the fortunate conditions of this particular section, Concolorcorvo gives us an intimate glimpse of some of the gay customs of the happy-go-lucky inhabitants of this favored region. These *gauderios* were the forerunners of the wild, free and colorful *gauchos* who subsequently lent so much color to the political and cultural life of Argentina and who have since inspired so much of the best of Argentine literature and art.

86

Acaso en todo el mundo no habrá igual territorio unido más a propósito para producir con abundancia todo cuanto se sembrase. Se han contado 12 especies de abejas, que todas pro- [5] ducen miel de distinto gusto. La mayor parte de estos útiles animalitos hacen sus casas en los troncos de los árboles, en lo interior de los montes, que son comunes, y regularmente se pierde un [10] árbol cada vez que se recoge miel y cera, porque la buena gente que se aplica a este comercio, por excusar alguna corta prolijidad, hace a boca de hacha unos cortes que aniquilan al [15] árbol.[1] Hay algunas abejas que fabrican sus casas bajo de la tierra, y algunas veces inmediato a las casas, de cuyo fruto se aprovechan los muchachos y criados de los pasajeros.[2] Hemos visto que las abejas no defienden la miel y cera con el rigor que en la Europa, ni usan de artificio alguno para conservar una especie tan útil; ni tampoco hemos visto colmenas ni [25] prevención alguna para hacerlas caseras y domesticarlas, proviniendo este abandono y desidia de la escasez de poblaciones grandes para consumir estas especies y otras infinitas, como la [30]

grana y añil,[3] y la seda de gusano y araña, con otras infinitas producciones. Y así el corto número de colonos se contenta con vivir rústicamente, manteniéndose de un trozo de vaca y bebiendo sus alojas,[4] que hacen muchas veces dentro de los montes, a la sombra de los coposos árboles que producen la algarroba.

Allí tienen sus bacanales, dándose cuenta unos gauderios[5] a otros, como a sus campestres cortejos, que al son de la mal encordada y destemplada guitarrilla cantan y se echan unos a [15] otros sus coplas, que más parecen pullas.[6] Si lo permitiera la honestidad, copiaría algunas muy extravagantes sobre amores, todas de su propio numen, y después de calentarse con la [20] aloja y recalentarse con la post aloja, aunque este postre no es común entre la gente moza.[7]

Los principios de sus cantos son regularmente concertados, respecto de [25] su modo bárbaro y grosero, porque llevan sus coplas estudiadas y fabricadas en la cabeza de algún tunante chusco. Cierta tarde que el visitador[8] quiso pasearse a caballo, nos guió con [30] su baqueano[9] a uno de estos montes

---

1. por excusar . . . árbol: *not bothering to take any care, they make slashing blows with the ax which destroy the tree*
2. los pasajeros: *passing travelers*
3. la grana y añil: *cochineal and indigo* (for dyes)
4. alojas: a beverage made from the juice of the *algarrobo* or carob-tree
5. gauderios: "The *gauderios* were happy-go-lucky, thieving, guitar-strumming roamers of the Uruguayan plain at that time [1750] almost a desert solitude." (Henry A. Holmes, *Martín Fierro, an Epic of the Argentine*, New York, 1923, p. 19). The term was of equal application to the same type in Tucumán.
6. que al son . . . pullas: *to the accompaniment of poorly strung and badly tuned little guitars they alternate in singing* [improvised] *couplets which seem more like*

witty repartee. The Argentine critic and writer, Ricardo Rojas, cites this description of Concolorcorvo in proof of the early manifestation of popular lyric customs associated with the *gaucho* of the nineteenth century (*La literatura argentina. Los gauchescos*, I, p. 343–4.)
7. todas . . . moza: *all of their own inspiration and after warming up with a drink and still more with another drink, though this dessert is not usual among the young people.* Concolorcorvo liked to pun as in this case with *post*, meaning *after* and *postre*, meaning *dessert*.
8. el visitador: the postal commissioner, Alonso Carrió de La Vandera, Concolorcorvo's companion on the overland journey from Buenos Aires to Lima
9. baqueano: *guide-scout*

espesos, a donde estaba una numerosa cuadrilla de gauderios de ambos sexos, y nos advirtió que nos riéramos con ellos sin tomar partido, por las resultas de algunos bolazos.[10] El visitador, como más baqueano,[11] se acercó el primero a la asamblea, que saludó a su modo, y pidió licencia para descansar un rato a la sombra de aquellos coposos árboles, juntamente con sus compañeros, que venían fatigados del sol. A todos nos recibieron con agrado y con el mate de aloja [12] en la mano. Bebió el visitador de aquella zupia [13] y todos hicimos lo mismo, bajo de su buena fe y crédito. Desocuparon cuatro jayanes [14] un tronco en que estaban sentados, y nos lo cedieron con bizarría. Dos mozas rollizas se estaban columpiando sobre dos lazos fuertemente amarrados a dos gruesos árboles. Otras, hasta completar como doce, se entretenían en exprimir la aloja y proveer los mates y rebanar sandías. Dos o tres hombres se aplicaron a calentar en las brasas unos trozos de carne entre fresca y seca, con algunos caracúes,[15] y finalmente otros procuraban aderezar sus guitarrillas, empalmando las rozadas cuerdas. Un viejo, que parecía de sesenta años y gozaba de vida 104,

estaba recostado al pie de una coposa haya,[16] desde donde daba sus órdenes, y pareciéndole que ya era tiempo de la merienda, se sentó y dijo a las mujeres que para cuándo esperaban darla a sus huéspedes; y las mozas respondieron que estaban esperando de sus casas algunos quesillos y miel para postres. El viejo dijo que le parecía muy bien.

El visitador, que no se acomoda a calentar mucho su asiento,[17] dijo al viejo con prontitud que aquella expresión le parecía muy mal. "Y así, señor Gorgonio, sírvase Vd. mandar a las muchachas y mancebos que canten algunas coplas de gusto, al son de sus acordados instrumentos." "Sea enhorabuena," dijo el honrado viejo, "y salga en primer lugar a cantar *Cenobia y Saturnina, con Espiridión y Horno de Babilonia.*" Se presentaron muy gallardos y preguntaron al buen viejo si repetirían las coplas que habían cantado en el día o cantarían otras de su cabeza.[18] Aquí el visitador dijo: "Estas últimas son las que me gustan, que desde luego serán muy saladas." Cantaron hasta veinte horrorosas coplas, como las llamaba el buen viejo, y habiendo entrado en el instante la madre Nazaria con sus hijas Capracia

---

10. sin . . . bolazos: *without joining in for fear that it may end up in a fight with 'bolas.'* The *bolas* or *boleadoras,* a weapon of Indian origin, usually consisted of three separate balls of stone or heavy material encased in leather and tied to the ends of three connected thongs. This was swung around the head and then turned loose in the direction of fleeing horses or cattle who were thus entangled or stunned and captured. It was a standard part of the equipment of a *gauderio* and later the *gaucho.* Evidently the *bolas* came into use in brawls and fights.
11. Here the word baqueano is used in the adjectival sense of *crafty, wise.*

12. mate de aloja: *mate* usually refers to the *yerba mate* or Paraguayan tea, a popular beverage in the rural districts of Argentina, Uruguay and Paraguay. (Cf. p. 90.) Here it applies to a gourd or vessel containing *aloja.*
13. zupia: *foul drink*
14. jayanes: *burly fellows*
15. caracúes: a word from the Guaraní language of Paraguay, here referring to bones containing marrow
16. haya: *beech-tree*
17. El visitador . . . asiento: *The commissioner, who didn't like to sit around waiting*
18. de su cabeza: *improvised*

y Clotilde, recibieron mucho gusto
Pantaleón y Torcuato,[19] que corrían
con la chamuscada carne. Ya el visitador había sacado su reloj dos veces,
por lo que conocimos todos que se 5
quería ausentar, pero el viejo, que lo
conoció, mandó a Rudesinda y a Nemesio que cantasen tres o cuatro coplitas de las que había hecho el fraile
que había pasado por allí la otra se- 10
mana. El visitador nos previno que
estuviésemos con atención y que cada
uno tomásemos de memoria una copla
que fuese más de nuestro agrado. Las
primeras que cantaron, en la realidad, 15
no contenían cosa que de contar
fuese.[20] Las dos últimas me parece que
son dignas de imprimirse, por ser extravagantes, y así las voy a copiar,
para perpetua memoria. 20

Dama: Ya conozco tu ruín trato
y tus muchas trafacías,[21]
comes las buenas sandías
y nos das liebre por gato.[22] 25

Galán: Déjate de pataratas,[23]
con ellas nadie me obliga,
porque tengo la barriga
pelada de andar a gatas.

"Ya escampa, dijo el visitador, y antes que lluevan bolazos, ya que no hay
guijarros, vámonos a la tropa," [24] con
que nos despedimos con bastante dolor, porque los muchachos deseábamos
la conclusión de la fiesta, aunque ve-
lásemos toda la noche; pero el visitador no lo tuvo por conveniente, por las
resultas del trago sesenta y nueve.[25]
El chiste de liebre por gato nos pareció invención del fraile, pero el visitador nos dijo que, aunque no era muy
usado en el Tucumán, era frase corriente en el Paraguay y pampas de
Buenos Aires, y que los versos de su
propio numen eran tan buenos como
los que cantaron los antiguos pastores
de la Arcadia, a pesar de las pondera-
ciones de Garcilaso y Lope de Vega [26] * * *

Concolorcorvo then discusses the backward state of these people living in the sparsely inhabited districts of a potentially prosperous
country.

Si la centésima parte de los pequeños y míseros labradores que hay
en España, Portugal y Francia, tuvieran perfecto conocimiento de este

país, abandonarían el suyo y se tras-
ladarían a él: el cántabro español,[27]
de buena gana; el lusitano, en boahora; y el francés tres volontiers,[28] con

19. Nazaria, Capracia, Clotilde, Pantaleón, Torcuato, etc.: apparently the names
of members of the families of the gauderios
20. no . . . fuese: contained nothing worth
mentioning
21. trafacías: tricks, wiles
22. y nos . . . gato: you deceive us (colloquial, 'you pull a fast one on us'), a common
expression in Spanish
23. pataratas: nonsense
24. ya . . . tropa: "Things are getting hot
now," said the commissioner, "and, before
they go too far, let's get back to the wagons"

25. por . . . nueve: because of the effect of
too many drinks
26. (1501?–1536), the great Spanish
lyric poet who wrote several églogas or pas-
toral poems. The great Spanish dramatist,
Lope de Vega (1562–1635), wrote a novel
entitled Arcadia dealing with the love of the
shepherds Anfriso and Belisarda.
27. el cántabro español: the Spaniard of
northern Spain
28. boahora, tres volontiers: Portuguese
and French expressions meaning gladly

tal que el Gran Carlos, nuestro Monarca,[29] les costeara el viaje con los instrumentos de la labor del campo y se les diera por cuenta de su real erario una ayuda de costas, que sería muy [5] corta, para comprar cada familia dos yuntas de bueyes, un par de vacas y dos jumentos, señalándoles tierras para la labranza y pastos de ganados bajo de unos límites estrechos y pro- [10] porcionados a su familia, para que trabajasen bien, y no como actualmente sucede. Pues un solo hacendado tiene doce leguas de circunferencia, no pudiendo trabajar con su familia [15] dos, de que resulta, como lo he visto prácticamente, que alojándose en los términos de su hacienda, una o dos familias cortas se acomodan en unos estrechos ranchos, que fabrican de la [20] mañana a la noche, y una corta ramada para defenderse de los rigores del sol. Preguntándoles que por qué no hacían casas más cómodas y desahogadas respecto de tener abundantes [25] maderas, respondieron que para que no los echasen del sitio o hiciesen pagar un crecido arrendamiento cada año de cuatro a seis pesos, para esta gente inasequible pues, aunque vendan algunos pollos, huevos o corderos [30] a algún pasajero, no les alcanza su valor para proveerse de aquel vestuario que no fabrican sus mujeres, y para zapatos y alguna yerba del Paraguay que beben en agua hirviendo sin [35] azúcar por gran regalo.[30]

No conoce esta miserable gente en tierra tan abundante más regalo que la yerba del Paraguay y tabaco, azúcar y aguardiente, y así piden de [40] limosna estas especies, como para socorrer enfermos, no rehusando dar por ellas sus gallinas, pollos y terneras, mejor que por la plata sellada. Para comer no tienen hora fija, y cada individuo de estos rústicos campestres, no siendo casado, se asa su carne, que es principio, medio y postre. A las orillas del río Cuarto hay hombre que, no teniendo con qué comprar unas polainas y calzones, mata todos los días una vaca o novillo para mantener de siete a ocho personas, principalmente si es tiempo de lluvias. Voy a explicar cómo se consume esta res. Salen dos o tres mozos al campo a rodear su ganado, y a la vuelta traen una vaca o novillo de los más gordos que encierran en el corral y matan a cuchillo después de liado de pies y manos; y medio muerto le desuellan mal; sin hacer caso más que de los cuatro cuartos y tal vez del pellejo y lengua, cuelgan cada uno en los cuatro ángulos del corral, que regularmente se compone de cuatro troncos fuertes de aquel inmortal guarango.[31] De ellos corta cada individuo el trozo necesario para desayunarse, y queda el resto colgado y expuesto a la lluvia, caranchos y multitud de moscones. A las cuatro de la tarde ya aquella familia encuentra aquella carne roída y con algunos gusanos, y les es preciso descarnarla bien para aprovecharse de la que está cerca de los huesos, que con ellos arriman a sus grandes fuegos y aprovechan los caracúes. Al día siguiente se ejecuta la misma tragedia que se representa de enero a enero.[32] Toda esta grandeza, que acaso asombrará a toda Europa, se reduce a ocho reales de gasto de valor intrínseco, respecto de la abundancia y situación del país. * * *

29. Charles III of Spain, who reigned from 1759 to 1788.
30. por gran regalo: *as a great luxury*
31. guarango: *acacia tree*

32. This description applies equally well to the life and customs of the later *gauchos* on the Argentine and Uruguayan plains.

Fernán González de Eslava

1534?-1601?

A SIXTEENTH CENTURY dramatist who is acquiring the status of a classic of early Spanish American literature is the Mexican González de Eslava, author of sixteen *coloquios* and an *entremés*. These *coloquios* resemble *autos sacramentales,* sacred plays, though only a few deal primarily with sacred themes. Usually allegorical, their characters are both symbolical and popular, the latter drawn from local types. The dialogue is often lively and natural with passages of lyric verse in the purest Castilian and others with popular expressions then current in Mexico. In these latter the influences of Andalusian Spanish and of the Indian language are discernible. The dramatic writings of this sixteenth century poet have value today not only for the lover of verse, but for the student of linguistics. From these plays the historian also may glean much knowledge and insight into the life, customs and manners of Mexico a half century and more after the Conquest.

ENTREMÉS DEL AHORCADO

González de Eslava's humor is particularly evident in this brief skit in which one rascal, pretending to have hung himself, thus avoiding another rascal's vengeance, listens, while feigning death, to the boastful speech of his enemy; after the second rascal's departure, the first rises, removes the rope about his neck, and wittily parodies the discourse of the first.

Entre dos rufianes, que el uno había dado al otro un bofetón, y el que le había recibido venía a buscar al otro para vengarse. El agresor, viendo venir de lejos a su contrario, se fingió ahorcado; y viéndole así afrentado, dijo lo siguiente:

Mi espada y mi brazo fuerte,
mi tajo con mi revés,[1]
en blanco salió esta suerte,[2]

1. mi tajo ... revés: *my backstroke cut* (with a sword)

2. en blanco salió: *missed the mark this time*

pues éste se os fué por pies [3]
a la cueva de la muerte.

Porque juro al mar salado,
no se me hubiera [4] escapado
en vientre de la ballena,
que allí le diera carena,[5]
si no se hubiera ahorcado.

Estoy por ir a sacallo [6]
del infierno, cueva esquiva,
y esto no por remediallo,[7]
sino por hacer que viva,
y vivo, después matallo.[8]

Y esto fuera al desdichado
pena y tormento doblado
verse puesto en mi presencia.
Hiciéralo,[9] en mi conciencia,
si no se hubiera ahorcado.

Repartiera como pan
al hijo de la bellaca,
los brazos en Coyoacán,[10]
y las piernas en Oaxaca,
y la panza en Michoacán.[11]

Y lo que queda sobrado
ante mí fuera quemado,
y fuera poco castigo.
Yo hiciera lo que digo,
si no se hubiera ahorcado.

De mis hechos inhumanos
éste ha dado testimonio,
pues tuvo por más livianos
los tormentos del demonio
que los que doy con mis manos.
Él hizo como avisado,
porque lo hubiera pringado,[12]
o hecho cien mil añicos

y quebrado los hocicos,
si no se hubiera ahorcado.

Cada vez que acaba de glosar "Si
no estuviera ahorcado," acometía a
darle una estocada, y el que le ahorcó,
le tenía el brazo, diciéndole: "No en-
sucie vuesa merced su espada en un
hombre muerto, porque no es valentía." Y, habiéndose ido el rufián agra-
viado, el otro se desenlazó y dijo al
que estaba presente: "Oiga vuesa merced cómo le voy glosando la letra."

Aquel bellaco putillo,
más menguado que la mengua,[13]
me huyó. Quiero seguillo
para sacalle [14] la lengua
por detrás del colodrillo.[15]
Aquel bellaco azotado,
sucio, puerco y apocado,
puso lengua en mi persona.
Hiciérale la mamona,[16]
si no estuviera ahorcado.
El brazo y el pie derecho
con que me hizo ademanes,
le cortara y, esto hecho,
los echara en el estrecho
que llaman de Magallanes.
Y, estando aquí arrodillado,
le diera un tajo volado [17]
que le cortara por medio.
Hiciéralo sin remedio,
si no estuviera ahorcado.
Las barbas, por más tormento,

3. pues . . . pies: *because this chap fled from you.* The *os* refers to *mi espada y mi brazo fuerte* to which the *rufián* addresses his first remarks.

4. hubiera escapado: The *-ra* form of the imperfect subjunctive is used for the conditional tense throughout the *entremés.*

5. le diera carena: *I'd lay him out there* (*even in a whale's belly*)

6. sacallo = sacarlo
7. remediallo = remediarlo
8. matallo = matarlo

9. Hiciéralo: cf. note 4
10. A suburb of Mexico City
11. Oaxaca, Michoacán: states in the southern part of Mexico
12. Él . . . pringado: *He acted wisely for I would have stuck him full of holes*
13. bellaco . . . mengua: *loutish pimp, lowest of the low*
14. seguillo, sacalle: cf. note 6
15. colodrillo: *nape of the neck*
16. mamona: *a mocking gesture*
17. tajo volado: *a quick slash*

una a una le pelara,
y después, por mi contento,
por escobas [18] las tomara,
y barriera mi aposento. 65

Y no quedara vengado
con velle [19] barbipelado,
que en ellas, por vida mía,
escupiera cada día,
si no estuviera ahorcado. 70

¿Éste, dicen, que es valiente?

¿y anda conmigo en consejas?
Si estuviera aquí presente,
le cortara las orejas,
y las clavara en su frente. 75

Y así quedara afrentado,
de todos vituperado,
y después de esto hiciera
que en viernes se las comiera,
si no estuviera ahorcado. 80

18. escobas: *broom straws*

19. velle: cf. note 6

SECTION B

The Period of Struggle For Independence
1808-1826

José Joaquín Olmedo

1790-1847

THE BATTLES of Junín (August 6, 1824) and Ayacucho (December 9, 1824), both fought in the central valleys of Perú, were the crucial victories which decided the final outcome of the War of Independence in South America. Bolívar's heroism at Junín awakened the muse of Olmedo, who was in Guayaquil at the time, and there he composed the original form of his famous poem *La victoria de Junín; canto a Bolívar*. It apparently included only about three hundred verses and probably terminated with the line: "*¡Triunfo a Colombia; y a Bolívar gloria!*" (page 104). After the much more important victory of Ayacucho, the poet determined to continue his ode so that it might embrace the greater battle: "*. . . el canto quedaría defectuoso, manco, incompleto, sin anunciar la segunda victoria, que fué la decisiva,*" Olmedo writes in a letter to Bolívar.

There were certain difficulties in his path. The hymn to Junín was an artistic unit in its primitive form. The addition of another battle would disturb this unity of theme as well as the unity of place, so sacred to neoclassical precept. Moreover, since his idea was to glorify the Liberator and since not Bolívar but Sucre was in command at Ayacucho, it was necessary to avoid the risk of relegating the figure of Bolívar to the background. A solution occurred to Olmedo which he himself considered "*grande y bello*"; the shade of the great Inca, Huaina-Cápac, would appear to the victorious troops at Junín and, with prophetic vision and abundant praise for the Liberator, would depict the action at Ayacucho. This device lengthened the poem to its final form of some nine hundred verses. The poet himself confesses that the confusing prolixity of the poem is its principal defect. Without essentially altering the general plan of the composition, we have excised more than 430 lines in the present text.

Bolívar was the first of a number of critics who have harshly criticized Olmedo's introduction of the Inca. Apparently the General's pride was piqued, for he complained that Huaina-Cápac "... *cubre con su sombra a los demás personajes ... parece que es el asunto del poema.*" Furthermore, he notes that the Inca speaks out-of-character and is "*un poco hablador y embrollón.*" Other critics (notably M. A. Caro) have remarked on the unconvincing and even absurd elements in the apparition, insisting that the way of life for which the revolting colonists fought had nothing in common with the vanished Inca empire.

On the whole, however, the poem pleased Bolívar and is generally considered the finest example of heroic poetry in the classical style written in America. Olmedo's knowledge and love of the Roman poets is evident throughout the poem—in his classical allusions, his syntax and phraseology.

The first edition of the poem, made in Guayaquil in 1825, is defective; the definitive edition appeared in London and Paris in 1826, and contained three curious engravings, one of the Inca's appearance in the clouds. (See A. Coester, "Olmedo y Miguel Antonio Caro," *Revista de las Indias*, Oct., 1939, pp. 397–403.) The present text, with some modifications of the punctuation, is based on that of the London edition.

LA VICTORIA DE JUNÍN: CANTO A BOLÍVAR

> El trueno horrendo que en fragor revienta
> y sordo retumbando [1] se dilata
> por la inflamada esfera,
> al Dios anuncia que en el cielo impera.
>
> Y el rayo que en Junín rompe y ahuyenta   5
> la hispana muchedumbre
> que más feroz que nunca amenazaba
> a sangre y fuego eterna servidumbre:
> y el canto de victoria
> que en ecos mil discurre ensordeciendo   10
> el hondo valle y enriscada cumbre,
> proclaman a Bolívar en la tierra
> árbitro de la paz y de la guerra.
>
> Las soberbias pirámides que al cielo
> el arte humano osado levantaba   15
> para hablar a los siglos y naciones;

1. Note the onomatopoetic effect of these lines: the abundance of rolled "r's" imitates the thunder.

templos, do esclavas manos
deificaban en pompa a sus tiranos,
ludibrio son del tiempo, que con su ala
débil las toca, y las derriba al suelo,   20
después que en fácil juego el fugaz viento
borró sus mentirosas inscripciones;
y bajo los escombros confundido
entre la sombra del eterno olvido,
¡oh de ambición y de miseria ejemplo!   25
el sacerdote yace, el Dios y el templo;

mas los sublimes montes, cuya frente
a la región etérea se levanta,
que ven las tempestades a su planta
brillar, rugir, romperse, disiparse;   30
los Andes . . . las enormes, estupendas
moles sentadas sobre bases de oro,[2]
la tierra con su peso equilibrando,[3]
jamás se moverán. Ellos burlando
de ajena envidia y del protervo tiempo   35
la furia y el poder, serán eternos
de Libertad y de Victoria heraldos,[4]
que con eco profundo
a la postrema edad dirán del mundo: [5]
"Nosotros vimos de Junín el campo;   40
vimos que al desplegarse
del Perú y de Colombia [6] las banderas
se turban las legiones altaneras,
huye el fiero español despavorido,
o pide paz rendido.   45
Venció Bolívar: el Perú fué libre;
y en triunfal pompa Libertad sagrada
en el templo del Sol [7] fué colocada." * * * [8]
¿Quién es aquel que el paso lento mueve

2. bases de oro: refer to the rich Andean gold-mines

3. La tierra . . . equilibrando: "Los físicos han procurado explicar el equilibrio que guarda la tierra a pesar de la diferencia de masas en sus dos hemisferios. ¿El enorme peso de los Andes no podrá ser uno de los datos para resolver este curioso problema?" (Olmedo's note; an indication of the late eighteenth century interest in science, stimulated in Spanish America by the reading of the French *philosophes*.)

4. La furia . . . heraldos = serán eternos heraldos de libertad

5. A la postrema . . . mundo = dirán a la postrema edad del mundo

6. Colombia: It should be recalled that Colombia at this time included the present republics of Venezuela, Colombia and Ecuador.

7. The sun was the principal deity of the Incas.

8. 43 lines omitted. They give the customary classical invocation to the muse. Olmedo compares his martial muse to that of Pindar.

sobre el collado que a Junín domina?   50
¿que el campo desde allí mide, y el sitio
del combatir y del vencer designa?
¿que la hueste contraria observa, cuenta,
y en su mente la rompe y desordena,
y a los más bravos a morir condena,   55
cual águila caudal que se complace
del alto cielo en divisar su presa
que entre el rebaño mal segura [9] pace?
¿Quién el que ya desciende
pronto y apercibido a la pelea?   60
Preñada en tempestades le rodea
nube tremenda; el brillo de su espada
es el vivo reflejo de la gloria;
su voz un trueno; su mirada un rayo.
¿Quién, aquel que al trabarse la batalla,   65
ufano como nuncio de victoria,
un corcel impetuoso fatigando
discurre sin cesar por toda parte . . . ?
¿Quién, sino el hijo de Colombia y Marte? [10]

Sonó su voz: "Peruanos,   70
mirad allí los duros opresores
de vuestra patria. Bravos colombianos,
en cien crudas batallas vencedores,
mirad allí los enemigos fieros
que buscando venís desde Orinoco: [11]   75
suya es la fuerza, y el valor es vuestro:
vuestra será la gloria;
pues lidiar con valor y por la patria
es el mejor presagio de victoria.
Acometed: que siempre   80
de quien se atreve más el triunfo ha sido:
quien no espera vencer, ya está vencido."

Dice; y al punto cual fugaces carros,[12]
que dada la señal, parten, y en densos
de arena y polvo torbellinos ruedan; [13]   85
arden los ejes; se estremece el suelo;

---

9. mal segura: *uneasily*

10. el hijo . . . Marte: Bolívar was born in Caracas, which at this time was part of *la Gran Colombia*.

11. desde [el] Orinoco: Bolívar's army had begun its victorious liberation of Colombia and Ecuador from his stronghold in the Orinoco valley (1819).

12. The poet compares the movement of the troops to battle to a chariot race.

13. y en densos . . . ruedan = y ruedan en densos torbellinos de arena y polvo

estrépito confuso asorda el cielo;
y en medio del afán cada cual teme
que los demás adelantarse puedan;
así los ordenados escuadrones   90
que del iris reflejan los colores
o la imagen del sol en sus pendones,[14]
se avanzan a la lid. ¡Oh! ¡Quién temiera,
quién, que su ímpetu mismo los perdiera! [15]

¡Perderse! No, jamás; que en la pelea   95
los arrastra y anima e importuna
de Bolívar el genio y la fortuna.
Llama improviso al bravo Necochea; [16]
y mostrándole el campo,
partir, acometer, vencer le manda,   100
y el guerrero esforzado,
otra vez vencedor, y otra cantado,
dentro en el corazón por Patria jura
cumplir la orden fatal; y a la victoria
o a noble y cierta muerte se apresura.   105

Ya el formidable estruendo
del atambor en uno y otro bando;
y el son de las trompetas clamoroso,
y el relinchar del alazán fogoso,
que erguida la cerviz y el ojo ardiendo,   110
en bélico furor salta impaciente
do más se encruelece la pelea;
y el silbo de las balas,[17] que rasgando
el aire, llevan por doquier la muerte;
y el choque asaz horrendo   115
de selvas densas de ferradas picas;
y el brillo y estridor de los aceros
que al sol reflectan sanguinosos visos;
y espadas, lanzas, miembros esparcidos
o en torrentes de sangre arrebatados,   120

14. "El pabellón [bandera] de Colombia lleva los principales colores del Iris [yellow, blue, red]; el del Perú lleva un Sol en el centro." (Olmedo's note.)

15. "El primer encuentro de nuestra caballería con la enemiga en el campo de Junín, nos fué sumamente desfavorable." (Olmedo's note.)

16. Necochea: an Argentine general in Bolívar's army who had distinguished himself at the battle of Chacabuco in Chile

17. General O'Leary's description of the battle makes it out to be mainly a cavalry engagement and disagrees somewhat with the poet's lines: "Not a shot was fired: the awful silence was only broken by the shrill voice of the bugle, the clash of steel, the stamping of horses, the muttered curses of the vanquished, the moans of the wounded and dying." Quoted by M. A. Caro, *Obras completas,* Bogotá, 1921, III, p. 15.

y el violento tropel de los guerreros
que más feroces mientras más heridos,
dando y volviendo el golpe redoblado,
mueren, mas no se rinden . . . Todo anuncia
que el momento ha llegado,   125
en el gran libro del Destino escrito,
de la venganza al pueblo americano,
de mengua y de baldón al castellano. * * * 18

Ora mi lira resonar debía
del nombre y las hazañas portentosas   130
de tantos capitanes que este día
la palma del valor se disputaron,
digna de todos . . . Carbajal . . . y Silva . . .
y Suárez . . . y otros mil 19 . . . Mas de improviso
la espada de Bolívar aparece,   135
y a todos los guerreros,
como el sol a los astros, obscurece.

Yo acaso más osado le cantara,
si la meonia Musa 20 me prestara
la resonante trompa que otro tiempo   140
cantaba al crudo Marte entre los Traces,21
bien animando las terribles haces,
bien 22 los fieros caballos, que la lumbre
de la égida de Palas 23 espantaba.

Tal el héroe brillaba   145
por las primeras filas discurriendo.
Se oye su voz, su acero resplandece
do más la pugna y el peligro crece.
Nada le puede resistir . . . Y es fama,
¡oh portento inaudito!   150
que el bello nombre de Colombia escrito
sobre su frente en torno despedía
rayos de luz tan viva y refulgente
que deslumbrado el español desmaya,
tiembla, pierde la voz, el movimiento: 155
sólo para la fuga tiene aliento.

18. 81 lines omitted. The poet continues to recount the horrors of the battle, emphasizing the heroism of Generals Necochea and Miller and the valor of the Peruvian troops, in spite of their reputation for soft living. In this regard they resemble ancient Achilles.

19. In a note, Olmedo regrets the omission of many other valiant officers and enumerates their names.

20. la meonia Musa: the Homeric (epic) muse

21. los Traces = tracios: *Thracians*

22. bien . . . bien: *now . . . now*

23. la lumbre de la égida de Palas: *the glare from Minerva's shield* (adorned with a horrible Medusa's head)

Así cuando en la noche algún malvado
va a descargar el brazo levantado;
si de improviso lanza un rayo el cielo,
se pasma, y el puñal trémulo suelta;   160
hielo mortal a su furor sucede;
tiembla, y horrorizado retrocede.
Ya no hay más combatir. El enemigo
el campo todo y la victoria cede.

Huye cual ciervo herido; y adonde huye   165
allí encuentra la muerte. Los caballos
que fueron su esperanza en la pelea,
heridos, espantados, por el campo
o entre las filas vagan, salpicando
el suelo en sangre que su crin gotea;   170
derriban al jinete, lo atropellan,
y las catervas van despavoridas,
o unas con otras con terror se estrellan.
Crece la confusión, crece el espanto;
y al impulso del aire, que vibrando   175
sube en clamores y alaridos lleno,
tremen las cumbres que respeta el trueno.
Y discurriendo el vencedor en tanto
por cimas de cadáveres y heridos
postra al que huye, perdona a los rendidos.   180

¡Padre del universo! ¡Sol radioso!
¡Dios del Perú! ¡Modera omnipotente
el ardor de tu carro impetüoso,
y no escondas tu luz indeficiente . . .
una hora más de luz! [24] . . . Pero esta hora   185
no fué la del Destino. El Dios oía
el voto de su pueblo; y de la frente
el cerco de diamantes desceñía.
En fugaz rayo el horizonte dora;
en mayor disco menos luz ofrece,   190
y veloz tras los Andes se obscurece.

Tendió su manto lóbrego la noche;
y las reliquias del perdido bando,
con sus tristes y atónitos caudillos,

---

24. "La acción de Junín empezó a las cinco de la tarde: la noche sobreviniendo tan pronto impidió la completa destrucción del ejército real." (Olmedo's note.) At night the officers of both sides got together and chatted amicably, but resumed the fight on the following day.

corren sin saber dónde espavoridas,[25]   195
y de su sombra misma se estremecen.
Y al fin, en las tinieblas ocultando
su afrenta y su pavor, desaparecen.
¡Victoria por la Patria! ¡oh Dios! ¡Victoria!
¡Triunfo a Colombia; y a Bolívar gloria!   200

Ya el ronco parche y el clarín sonoro
no a presagiar batalla y muerte suena,
ni a enfurecer las almas; mas se estrena
en alentar el bullicioso coro
de vivas y patrióticas canciones.   205
Arden cien pinos [26]; y a su luz las sombras
huyeron, cual poco antes desbandadas
huyeron de la Espada de Colombia
las vandálicas huestes debeladas.[27]

En torno de la lumbre,   210
el nombre de Bolívar repitiendo
y las hazañas de tan claro día,
los jefes, y la alegre muchedumbre
consumen en acordes libaciones
de Baco y Ceres los celestes dones.[28]   215

"Victoria, paz, clamaban,
paz para siempre. Furia de la guerra,
húndete al hondo averno [29] derrocada;
ya cesa el mal y el llanto de la tierra.
Paz para siempre. La sanguínea espada,   220
o cubierta de orín ignominioso,
o en el útil arado trasformada,
nuevas leyes dará. Las varias gentes
del mundo, que a despecho de los cielos
y del ignoto ponto proceloso,   225
abrió a Colón su audacia o su codicia,
todas ya para siempre recobraron
en Junín libertad, gloria y reposo."

Gloria, *mas no reposo:* de repente
clamó una voz de lo alto de los cielos;   230

25. espavoridas: modifies *reliquias* (l. 193)

26. pinos: *torches of pine pitch*

27. las ... debeladas: *the conquered hosts of the invaders.* The Vandals were a Germanic tribe which invaded Spain in the fifth century.

28. consumen ... dones: *drink moderately the heavenly gifts of Bacchus and Ceres.* Bacchus was the god of wine and Ceres the goddess of grain, from which are made such alcoholic beverages as *chicha.*

29. averno: infierno

y a los ecos los ecos por tres veces
Gloria, mas no reposo, respondieron.
El suelo tiembla; y cual fulgentes faros
de los Andes las cúspides ardieron;
y de la noche el pavoroso manto   235
se trasparenta, y rásgase, y el éter
allá lejos purísimo aparece,
y en rósea luz bañado resplandece;
cuando improviso [30] veneranda sombra
en faz serena y ademán augusto   240
entre cándidas nubes se levanta.
Del hombro izquierdo nebuloso manto
pende, y su diestra aéreo cetro rige;
su mirar noble, pero no sañudo;
y nieblas figuraban a su planta   245
penacho, arco, carcax, flechas y escudo.
Una zona de estrellas
glorificaba en derredor su frente
y la borla imperial de ella pendiente.

Miró a Junín; y plácida sonrisa   250
vagó sobre su faz. "Hijos, decía,
generación del Sol afortunada,
que con placer yo puedo llamar mía,
yo soy Huaina Cápac; [31] soy el postrero
del vástago sagrado: 255
dichoso rey, mas padre desgraciado.
De esta mansión de paz y luz he visto
correr las tres centurias
de maldición, de sangre y servidumbre,
y el Imperio regido por las Furias.   260

No hay punto en estos valles y estos cerros
que no mande tristísimas memorias.
Torrentes mil de sangre se cruzaron
aquí y allí; las tribus numerosas
al ruido del cañon se disiparon;   265
y los restos mortales de mi gente
aun a las mismas rocas fecundaron.
Más allá un hijo [32] expira entre los hierros
de su sagrada majestad indignos ...

30. improviso = de improviso: *suddenly*
31. Huaina-Cápac: emperor of the Incas who died (1525) shortly before Pizarro's invasion. "Después de Huaina-Cápac reinaron algunos Incas; pero él fué el último que poseyó íntegro el imperio." (Olmedo's note.) He divided the empire between two sons, Huascar and Atahualpa; both of them were deposed by Pizarro.
32. un hijo: Atahualpa

un insolente y vil aventurero   270
y un iracundo sacerdote fueron [33]
de un poderoso rey los asesinos ...
¡tantos horrores y maldades tantas
por el oro que hollaban nuestras plantas! * * * [34]

"¡Guerra al usurpador!—¿Qué le debemos?   275
¿Luces, costumbres, religión o leyes? ...
¡si ellos fueron estúpidos, viciosos,
feroces, y por fin supersticiosos!
¿Qué religión? ¿la de Jesús? ... ¡Blasfemos!
Sangre, plomo veloz, cadenas fueron   280
los sacramentos santos que trajeron.
¡Oh religión! ¡Oh fuente pura y santa
de amor y de consuelo para el hombre!
¡Cuántos males se hicieron en tu nombre!
¿Y qué lazos de amor? ... Por los oficios   285
de la hospitalidad mas generosa
hierros nos dan; por gratitud, suplicios;
todos, sí, todos, menos uno solo;
el mártir del amor americano,
de paz, de caridad apóstol santo;   290
divino Casas,[35] de otra patria digno.
Nos amó hasta morir.[36]—Por tanto ahora
en el empíreo entre los Incas mora." * * * [37]

          El Inca esclarecido
iba a seguir; mas de repente queda   295
en éxtasis profundo embebecido:
atónito en el cielo
ambos ojos inmóviles ponía,
y en la improvisa inspiración absorto
la sombra de una estatua parecía.   300

     Cobró la voz al fin. "Pueblos, decía,
     la página fatal ante mis ojos

33. Pizarro and Fray Valverde; the latter aided and justified the conquistador's crime.

34. 17 lines omitted. The Inca laments the evil fate of his son Huascar and recalls the equally sad cases of the Mexicans, Cuauhtémoc and Montezuma.

35. divino Casas: Bartolomé de las Casas (1470–1556) was an idealistic missionary who spent his life attempting to restrain the brutality of the conquistadors toward the Indians.

36. The Colombian critic, Caro, says of these lines: "Tratar a 'todos, sí todos' ... de 'estúpidos, viciosos y feroces' ... hacer solamente una excepción en favor del nombre de las Casas, condenando a olvido o a ignominia la multitud de varones apostólicos que evangelizaron la tierra americana ... es un rasgo de flagrante injusticia e ingratitud." (*Obras*, III, p. 29.)

37. 13 lines omitted. The Inca proceeds to apostrophize Bolívar as the avenger of the downtrodden Indians.

desenvolvió el Destino, salpicada
toda en purpúrea sangre; mas en torno
también en bello resplandor bañada.   305
Jefe de mi nación, nobles guerreros,
oíd cuanto mi oráculo os previene,
y requerid los ínclitos aceros,
y en vez de cantos nueva alarma suene;
que en otros campos de inmortal memoria   310
la Patria os pide, y el Destino os manda
otro afán, nueva lid, mayor victoria." 38 * * * 39

"Allí Bolívar, en su heroica mente
mayores pensamientos revolviendo,
el nuevo triunfo trazará, y haciendo   315
de su genio y poder un nuevo ensayo,
al joven Sucre 40 prestará su rayo,
al joven animoso,
a quien del Ecuador montes y ríos
dos veces aclamaron victorioso.   320
Ya se verá en la frente del guerrero
toda el alma del Héroe 41 reflejada,
que él le quiso infundir de una mirada.

"Como torrentes desde la alta cumbre
al valle en mil raudales despeñados,   325
vendrán los hijos de la infanda Iberia,
soberbios en su fiera muchedumbre,
cuando a su encuentro volará impaciente
tu juventud, Colombia belicosa,
y la tuya, ¡oh Perú! de fama ansiosa,   330
y el caudillo impertérrito a su frente. * * * 42

"Tuya será, Bolívar, esta gloria;
tuya romper el yugo de los reyes,
y a su despecho entronizar las leyes;
y la discordia en áspides crinada,43   335

38. nueva . . . victoria: the battle of Ayacucho
39. 32 lines omitted. Hearing the prophecy of the coming battle, the troops stir with
excitement. The Inca warns that the struggle will be hard.
40. Antonio José de Sucre, who had distinguished himself in the liberation of Ecuador (1821–1822), was named commander-
in-chief at Ayacucho and planned the strategy of the battle.

41. Héroe: Bolívar
42. 163 lines omitted. The prophetic apparition continues his description of the coming battle, giving full praise to the various
commanders and especially to Sucre. Of
course, Bolívar is again lauded as the Liberator.
43. en . . . crinada: In Greek mythology
the Gorgons, three monstrous sisters per-
sonifying discord, perversity, etc., were
snaky-haired.

por tu brazo en cien nudos aherrojada,
ante los Haces [44] santos confundidas
harás temblar las armas parricidas.

"Ya las hondas entrañas de la tierra
en larga vena ofrecen el tesoro   340
que en ellas guarda el sol; y nuestros montes
los valles regarán con lava de oro;
y el pueblo primogénito dichoso [45]
de libertad, que sobre todos tanto
por su poder y gloria se enaltece,   345
como entre sus estrellas
la estrella de Virginia [46] resplandece,
nos da el ósculo santo
de amistad fraternal. Y las naciones
del remoto hemisferio celebrado,   350
al contemplar el vuelo arrebatado
de nuestras musas y artes,
como iguales amigos nos saludan,
con el tridente abriendo la carrera
la reina de los mares [47] la primera.   355

"Será perpetua, oh pueblos, esta gloria
y vuestra libertad incontrastable
contra el poder y liga detestable [48]
de todos los tiranos conjurados,
si en lazo federal de polo a polo   360
en la guerra y la paz vivís unidos.
Vuestra fuerza es la unión. [49] ¡Unión, oh pueblos,
para ser libres y jamás vencidos!
Esta unión, este lazo poderoso
la gran cadena de los Andes sea,   365
que en fortísimo enlace se dilatan
del uno al otro mar. Las tempestades

44. Haces: fasces, a bundle of rods which was the symbol of civil law and order in the Roman Republic

45. el pueblo ... dichoso: the United States. "Nuestros hermanos del Norte han sido los primeros en reconocer la independencia de los Pueblos del Sur, a la que los excitaron con su ejemplo y ayudaron con su amistad." (Olmedo's note.) Colombia was recognized by the United States in 1822.

46. "El Estado de Virginia tiene sobre todos la gloria de ser la patria de Wáshington." (Olmedo's note.)

47. la reina ... mares: England was the first great European nation to recognize the independence of the Spanish American states. Britannia is conventionally represented with the three-pronged spear, the attribute of Neptune.

48. liga detestable: the Holy Alliance of reactionary European powers which threatened to assist in crushing the independence movement

49. Vuestra ... unión: Olmedo here echoes in part Bolívar's dream of uniting the Spanish American states (see his *Carta de Jamaica*). But Bolívar was opposed to "el lazo federal" (l. 360).

del cielo ardiendo en fuego se arrebatan;
erupciones volcánicas arrasan
campos, pueblos, vastísimas regiones,   370
y amenazan horrendas convulsiones
el globo destrozar desde el profundo:
ellos,[50] empero, firmes y serenos
ven el estrago funeral del mundo.

"Ésta es, Bolívar, aun mayor hazaña   375
que destrozar el férreo cetro a España.
Y es digna de ti solo. En tanto triunfa...
ya se alzan los magníficos trofeos.
Y tu nombre aclamado
por las vecinas y remotas gentes   380
en lenguas, voces, metros diferentes,
recorrerá la serie de los siglos
en las alas del canto arrebatado...
Y en medio del concento numeroso
la voz del Guayas [51] crece   385
y a las más resonantes enmudece.

"Tú la salud y honor de nuestro pueblo
serás viviendo, y ángel poderoso
que lo proteja cuando
tarde al empíreo el vuelo arrebatares,   390
y entre los claros Incas
a la diestra de Manco [52] te sentares.

"Así place al destino. ¡Oh! ved al cóndor,[53]
al peruviano rey del pueblo aerio,
a quien ya cede el águila el imperio,   395
vedle cual desplegando en nuevas galas
las espléndidas alas
sublime a la región del sol se eleva
y el alto augurio que os revelo aprueba.

"Marchad, marchad guerreros,
y apresurad el día de la gloria;   400

50. ellos: los Andes
51. la...Guayas: Olmedo himself. The Guayas is a river flowing by Guayaquil, where Olmedo composed this ode.
52. "Manco-Cápac fué el primer Inca [emperor]...descendido del cielo y venerado siempre como una divinidad." (Olmedo's note.) Caro mocks these lines: "Lo más gracioso es que en aquella morada de los justos Bolívar se habría de hallar entre incas e indígenas peruanos...¡Pobre Bolívar en semejante cielo!" (Obras, II, p. 29.)
53. The condor has become symbolic of the western republics of South América, as was the eagle (l. 395) of imperial Spain.

que en la fragosa margen de Apurímac [54]
con palmas os espera la Victoria."

Dijo el Inca. Y las bóvedas etéreas
de par en par se abrieron,   405
en viva luz y resplandor brillaron
y en celestiales cantos resonaron.

Era el coro de cándidas vestales,
las vírgenes del sol, que rodeando
al Inca como a sumo sacerdote,   410
en gozo santo y ecos virginales
en torno van cantando
del sol las alabanzas inmortales:

"Alma eterna del mundo,
Dios santo del Perú, padre del Inca,   415
en tu giro fecundo
gózate sin cesar, luz bienhechora,
viendo ya libre el pueblo que te adora.
La tiniebla de sangre y servidumbre
que ofuscaba la lumbre   420
de tu radiante faz pura y serena
se disipó, y en cantos se convierte
la querella de muerte
y el ruido antiguo de servil cadena. * * * [55]

"¡Oh Padre, oh claro sol! no desampares   425
este suelo jamás, ni estos altares. * * * [56]
Fecunda ¡oh Sol! tu tierra,
y los males repara de la guerra.
Da a nuestros campos frutos abundosos
aunque niegues el brillo a los metales;   430
da naves a los puertos,
pueblos a los desiertos,
a las armas victoria,
alas al genio y a las musas gloria.
Dios del Perú, sostén, salva, conforta   435
el brazo que te venga, [57]
no para nuevas lides sanguinosas,
que miran con horror madres y esposas,

---

54. Apurímac: a river in Peru which flows
near Ayacucho.
55. 11 lines omitted. The Vestals of the
Sun praise the land as a refuge for liberty.

56. A dozen lines of praise to the sun are
omitted.
57. que te venga: *which avenges you*

sino para poner a olas civiles
límites ciertos, y que en paz florezcan
de la alma paz [58] los dones soberanos;   440
y arredre a sediciosos y a tiranos.

"Brilla con nueva luz, Rey de los cielos,
brilla con nueva luz en aquel día
del triunfo que magnífica prepara   445
a su libertador la patria mía.
¡Pompa digna del Inca y del imperio
que hoy de su ruina a nuevo ser revive! * * * [59]

"El sol suspenso en la mitad del cielo
aplaudirá esta pompa.—¡Oh Sol, oh Padre,   450
tu luz rompa y disipe
las sombras del antiguo cautiverio;
tu luz nos dé el imperio;
tu luz la libertad nos restituya;
tuya es la tierra, y la victoria es tuya!"   455

Cesó el canto. Los cielos aplaudieron,
y en plácido fulgor resplandecieron.
Todos quedan atónitos. Y en tanto,
tras la dorada nube el Inca santo
y las santas Vestales se escondieron.   460

*   *   *   *   *

Mas ¿cuál audacia te elevó a los cielos,
humilde Musa mía? ¡Oh! no reveles
a los seres mortales
en débil canto arcanos celestiales;
y ciñan otros la apolínea rama [60]   465
y siéntense a la mesa de los dioses,
y los arrulle la parlera fama,
que es la gloria y tormento de la vida.
Yo volveré a mi flauta conocida
libre vagando por el bosque umbrío   470
de naranjos y opacos tamarindos,
o entre el rosal pintado y oloroso
que matiza la margen de mi río,
o entre risueños campos do en pomposo

---

58. de la alma paz: *of cherished peace*
59. 46 lines omitted. The Sun Virgins
conclude their song with a vision of Bolívar's
triumphant reception in Lima.
60. la apolínea rama: *the wreath of Apollo*
(the god of music and poetry)

trono piramidal y alta corona   475
la Piña ostenta el cetro de Pomona.[61]
Y me diré [62] feliz si mereciere,
al colgar esta lira en que he cantado
en tono menos digno
la gloria y el destino   480
del venturoso pueblo americano.
Yo me diré feliz si mereciere
por premio a mi osadía,
una mirada tierna de las Gracias,
y el aprecio y amor de mis hermanos,   485
una sonrisa de la Patria mía,
y el odio y el furor de los tiranos.

61. "Esta descripción alude a la forma de la planta que produce la piña." (Olmedo's note.) Pomona was the ancient Italian goddess of the fruits.

62. me diré: *I shall consider myself*

Andrés Bello

1781-1865

PUBLISHED for the first time in Bello's London periodical, *El repertorio americano* (1826), the poem *Silva a la agricultura de la zona tórrida* is one of the best known in nineteenth century Spanish American letters. Together with the poet's *Alocución a la poesía*, it was originally written to form part of an ambitious epic poem, *América*, which was never finished.

The *Silva a la agricultura* may be divided into six sections: The first is a poetic description of the typical products of tropical America; it reflects Bello's interest in botany and geography which was probably awakened early in his life by the visit of the German naturalist, Humboldt, to Caracas in 1799. The second section warns the inhabitants of the New World of the enervating evils of city life, while the third exalts the virtues of life in the country. It is here that Bello's debt to Virgil is especially evident (see Book II of the *Georgics*). The remaining sections are also didactic, being an exhortation to the Spanish Americans to return to agricultural pursuits and a prayer for divine blessing on their labors. The subject matter of the *Silva*, as well as its majestic, calm style, moved Menéndez y Pelayo to call Bello "the most Virgilian of our poets."

SILVA A LA AGRICULTURA DE LA ZONA TÓRRIDA

¡Salve, fecunda zona,
que al sol enamorado circunscribes
el vago curso, y cuanto ser se anima
en cada vario clima,
acariciada de su luz, concibes! [1]   5
Tú tejes al verano su guirnalda

1. Que al sol . . . concibes! = Que circunscribes el vago curso al sol enamorado, y, acariciada [refers to zona] de su [del sol] luz, concibes cuanto ser (*every living being* that) se anima en cada vario clima. Because of the great variation in altitudes the American tropics provide habitat for the widest variety of plants and animals.

113

de granadas espigas; tú la uva
das a la hirviente cuba;
no de purpúrea fruta, o roja, o gualda,
a tus florestas bellas   10
falta matiz alguno; y bebe en ellas
aromas mil el viento;
y greyes van sin cuento
paciendo tu verdura, desde el llano
que tiene por lindero el horizonte,   15
hasta el erguido monte
de inaccesible nieve siempre cano.

   Tú das la caña hermosa,
de do la miel se acendra,
por quien [2] desdeña el mundo los panales;   20
tú en urnas de coral cuajas la almendra
que en la espumante jícara rebosa;
bulle carmín viviente [3] en tus nopales,
que afrenta fuera al múrice de Tiro
y de tu añil la tinta generosa   25
émula es de la lumbre del zafiro;
el vino es tuyo, que la herida agave [4]
para los hijos vierte
del Anáhuac [5] feliz; y la hoja es tuya,
que cuando de süave   30
humo en espiras vagarosas huya,
solazará el fastidio al ocio inerte.
Tú vistes de jazmines
el arbusto sabeo,[6]
y el perfume le das que en los festines   35
la fiebre insana templará a Lieo,[7]
para tus hijos la procera palma [8]

---

2. por quien: *quien* instead of *la que* is
used here because *la miel* is personified in a
poetic sense. The usage is archaic.

3. carmín viviente: refers to the brilliant
red dye obtained from the dried cochineal, a
scale insect native to Mexico and Central
America and which is found on the cactus
(*nopal*). According to Bello, cochineal dye
is finer than the scarlet obtained in ancient
times from the Murex, a shell-fish.

4. The *agave* (maguey or century plant)
is the source of *pulque*, a mildly alcoholic
beverage which is very common in Mexico.

5. Anáhuac was the Aztec name for the

valley of Mexico, later extended to include
the central plateau.

6. arbusto sabeo: the coffee plant. It is
called Sabean because the best coffee used to
come from the ancient Arabian kingdom of
Saba (the Biblical Sheba).

7. Lieo: Bacchus, the god of wine; the
poet means that coffee checks the intemper-
ate use of alcohol.

8. "Ninguna familia de vegetales puede
competir con las palmas en la variedad de
productos útiles al hombre: pan, leche, vino,
fruta, hortaliza, cera, leña, cuerdas, vestido,
etc." (Bello's note.)

su vario feudo cría,
y el ananás [9] sazona su ambrosía;
su blanco pan la yuca,[10]   40
sus rubias pomas la patata educa;
y el algodón despliega al aura leve
las rosas de oro [11] y el vellón de nieve.
Tendida para ti la fresca parcha [12]
en enramadas de verdor lozano,   45
cuelga de sus sarmientos trepadores
nectáreos globos y franjadas flores;
y para ti el maíz, jefe altanero
de la espigada tribu, hincha su grano;
y para ti el banano   50
desmaya al peso de su dulce carga;
el banano, primero
de cuantos concedió bellos presentes [13]
providencia a las gentes
del ecuador feliz con mano larga.   55
No ya de humanas artes obligado
el premio rinde opimo;
no es a la podadera, no al arado
deudor de su racimo;
escasa industria bástale, cual puede   60
hurtar a sus fatigas mano esclava:
crece veloz, y cuando exhausto acaba,
adulta prole en torno le sucede.

    Mas ¡oh! ¡si cual no cede
el tuyo, fértil zona, a suelo alguno,   65
y como de natura esmero ha sido,
de tu indolente habitador lo fuera!
¡Oh! ¡Si al falaz ruïdo
la dicha al fin supiese verdadera
anteponer, que del umbral le llama   70
del labrador sencillo,
lejos del necio y vano
fasto, el mentido brillo,

---

9. ananás: *pineapple* (usually called *piña*)

10. yuca: *cassava*; a plant grown in the tropics for its edible root-stocks. The flour made from it is a staple article of diet for poor folks in many parts of Latin America.

11. rosas de oro: The blossom of the cotton plant is yellow when it first blooms.

12. parcha: *passion-flower* (Amer.); a great number of species of *Passiflora* grow in the tropics; some of them yield delicious fruit.

13. Read: de cuantos bellos presentes concedió

el ocio pestilente ciudadano! [14]
¿Por qué ilusión funesta   75
aquellos que fortuna hizo señores
de tan dichosa tierra y pingüe y varia,
al cuidado abandonan
y a la fe mercenaria
las patrias heredades,   80
y en el ciego tumulto se aprisionan
de míseras ciudades,
do la ambición proterva
sopla la llama de civiles bandos,
o al patriotismo la desidia enerva;   85
do el lujo las costumbres atosiga,
y combaten los vicios
la incauta edad en poderosa liga?
No allí con varoniles ejercicios
se endurece el mancebo a la fatiga;   90
mas la salud estraga en el abrazo
de pérfida hermosura,
que pone en almoneda los favores;
mas pasatiempo estima
prender aleve en casto seno el fuego   95
de ilícitos amores;
o embebecido le hallará la aurora
en mesa infame de ruinoso juego.
En tanto a la lisonja seductora
del asiduo amador fácil oído   100
da la consorte: [15] crece
en la materna escuela
de la disipación y el galanteo
la tierna virgen, y al delito espuela
es antes el ejemplo que el deseo.[16]   105
¿Y será que se formen de ese modo
los ánimos heroicos denodados
que fundan y sustentan los estados?
¿De la algazara del festín beodo,
o de los coros de liviana danza,   110
la dura juventud saldrá, modesta,

14. Mas . . . ciudadano: *But if indeed thy soil, oh fertile zone, is inferior to none and has been Nature's special care, would that it might also be the special care of the indolent dweller therein. If only he be wise enough to disregard the deceptive shouting which calls him from his threshold and prefer the true happiness of the simple farmer, far from the stupid, vain pomp, the false brilliance, and the enervating leisure of the city!*

15. a la lisonjera . . . consorte = la consorte (*the married woman*) da fácil oído a la lisonja seductora del asiduo amador (amante)

16. y al delito . . . deseo: *and (bad) example, rather than her own desire, spurs her on to sin*

orgullo de la patria y esperanza?
¿Sabrá con firme pulso
de la severa ley regir el freno;
brillar en torno aceros homicidas 115
en la dudosa lid verá sereno; [17]
o animoso hará frente al genio altivo
del engreído mando en la tribuna,
aquel que ya en la cuna
durmió al arrullo del cantar lascivo, 120
que riza el pelo, y se unge, y se atavía
con femenil esmero,
y en indolente ociosidad el día,
o en criminal lujuria, pasa entero?
No así trató la triunfadora Roma 125
las artes de la paz y de la guerra;
antes fió las riendas del estado
a la mano robusta
que tostó el sol y encalleció el arado;
y bajo el techo humoso campesino 130
los hijos educó, que el conjurado
mundo allanaron al valor latino.

¡Oh! ¡Los que, afortunados poseedores,
habéis nacido de la tierra hermosa
en que reseña hacer de sus favores, 135
como para ganaros y atraeros,
quiso naturaleza bondadosa! [18]
romped el duro encanto
que os tiene entre murallas prisioneros.
El vulgo de las artes laborioso, 140
el mercader, que necesario al lujo,
al lujo necesita,
los que anhelando van tras el señuelo
del alto cargo y del honor ruidoso,
la grey de aduladores parasita,[19] 145
gustosos pueblen ese infecto caos:
el campo es vuestra herencia: en él gozaos.
¿Amáis la libertad? El campo habita,
no allá donde el magnate
entre armados satélites se mueve, 150
y de la moda, universal señora,

17. brillar ... sereno = ¡Verá sereno [serenamente] aceros [*swords*] homicidas brillar en torno en la dudosa lid?
18. en que ... bondadoso! = En que [la] naturaleza bondadosa quiso hacer reseña (*make a pageant*) de su favores, como para
19. *parásita* is the preferred form in contemporary Spanish

va la razón al triunfal carro atada,[20]
y a la fortuna la insensata plebe,
y el noble al aura popular adora.
¿O la virtud amáis? ¡Ah! ¡Que el retiro,　　155
la solitaria calma
en que, juez de sí misma, pasa el alma
a las acciones muestra,[21]
es de la vida la mejor maestra.
¿Buscáis durables goces,　　160
felicidad, cuanta es al hombre dada
y a su terreno asiento, en que vecina
está la risa al llanto, y siempre, ¡ah! siempre
donde halaga la flor, punza la espina?
Id a gozar la suerte campesina;　　165
la regalada paz, que ni rencores
al labrador, ni envidias acibaran;
la cama que mullida le preparan
el contento, el trabajo, el aire puro;
y el sabor de los fáciles manjares,　　170
que dispendiosa gula no le aceda; [22]
y el asilo seguro
de sus patrios hogares
que a la salud y al regocijo hospeda.
El aura respirad de la montaña,　　175
que vuelve al cuerpo laso
el perdido vigor, que a la enojosa
vejez retarda el paso,
y el rostro a la beldad tiñe de rosa.
¿Es allí menos blanda por ventura　　180
de amor la llama, que templó el recato?
¿o menos aficiona la hermosura
que de extranjero ornato
y afeites impostores no se cura? [23]
¿o el corazón escucha indiferente　　185
el lenguaje inocente
que los afectos sin disfraz expresa
y a la intención ajusta la promesa?
no del espejo al importuno ensayo
la risa se compone, el paso, el gesto; [24]　　190
ni falta allí carmín al rostro honesto

20. y de la moda ... atada = y la razón va atada al triunfal carro de la moda, universal señora

21. en que ... muestra: *where the soul, as its own judge, passes its deeds in review*

22. *which are not spoiled for him by a pampered appetite*

23. no se cura: *pays no heed*

24. no ... gesto: *nor are smiles, gestures and steps wearily rehearsed in front of the mirror*

que la modestia y la salud colora;
ni la mirada que lanzó al soslayo
tímido amor, la senda al alma ignora.
¿Esperaréis que forme   195
más venturosos lazos himeneo,
do el interés barata,
tirano del deseo,
ajena mano y fe por nombre o plata,
que do conforme gusto, edad conforme,   200
y elección libre y mutuo ardor los ata? [25]

Allí también deberes
hay que llenar: cerrad, cerrad las hondas
heridas de la guerra; [26] el fértil suelo,
áspero ahora y bravo,   205
al desacostumbrado yugo torne
del arte humana, y le tribute esclavo.[27]
Del obstruido estanque y del molino
recuerden ya las aguas el camino;
el intrincado bosque el hacha rompa,   210
consuma el fuego; abrid en luengas calles
la obscuridad de su infructuosa pompa.
Abrigo den los valles
a la sedienta caña;
la manzana y la pera   215
en la fresca montaña
el cielo olviden de su madre España;
adorne la ladera
el cafetal; ampare
a la tierna teobroma en la ribera   220
la sombra maternal de su bucare; [28]
aquí el verjel, allá la huerta ría...
¿Es ciego error de ilusa fantasía?
Ya dócil a tu voz, agricultura,
nodriza de las gentes, la caterva   225
servil [29] armada va de corvas hoces:

25. ¿Esperaréis ... ata = ¿Esperaréis que [el] himeneo (*marriage*) forme más venturosos lazos do el interés, tirano del deseo, barata (*barters*) ajena mano y fe por nombre o plata, que do conforme (*similar*) gusto, conforme edad, y elección libre y mutuo ardor ata [los lazos]?

26. guerra: the Spanish American wars of independence (1810–1826)

27. y le ... esclavo: *and let it* (the soil) *pay tribute as a slave*

28. "El cacao (Theobroma cacao, Latín) suele plantarse en Venezuela a la sombra de árboles corpulentos llamados *bucares*." (Bello's note.)

29. caterva servil: *troops of workers*. Here begins a graphic description of how the jungle is cleared for planting. Bello's classicism is evident in his interest in the jungle as a source of human well-being rather than as a romantic retreat, unspoiled by human hands.

mírola ya que invade la espesura
de la floresta opaca; oigo las voces;
siento el rumor confuso; el hierro suena;
los golpes el lejano   230
eco redobla; gime el ceibo [30] anciano,
que a numerosa tropa
largo tiempo fatiga:
batido de cien hachas se estremece,
estalla al fin, y rinde el ancha copa.   235
Huyó la fiera: deja el caro nido,
deja la prole implume
el ave, y otro bosque no sabido
de los humanos, va a buscar doliente ...
¿Qué miro? Alto torrente   240
de sonorosa llama
corre, y sobre las áridas ruïnas
de la postrada selva se derrama.
El raudo incendio a gran distancia brama,
y el humo en negro remolino sube,   245
aglomerando nube sobre nube.
Ya de lo que antes era
verdor hermoso y fresca lozanía,
sólo difuntos troncos,
sólo cenizas quedan, monumento   250
de la dicha mortal, burla del viento.
Mas al vulgo bravío
de las tupidas plantas montaraces
sucede ya el fructífero plantío
en muestra ufana de ordenadas haces.   255
Ya ramo a ramo alcanza,
y a los rollizos tallos hurta el día; [31]
ya la primera flor desvuelve el seno,
bello a la vista, alegre a la esperanza:
a la esperanza,[32] que riendo enjuga   260
del fatigado agricultor la frente,
y allá a lo lejos el opimo fruto
y la cosecha apañadora pinta,[33]
que lleva de los campos el tributo,
colmado el cesto, y con la falda en cinta,   265
y bajo el peso de los largos bienes

30. ceibo: a tree of the American tropics notable for its brilliant red flowers

31. Ya ramo ... día: *The branches touch and hide the sturdy stalks from the sunlight*

32. Esperanza (l. 260) is the logical subject of *enjuga*, (l. 260) *pinta* (l. 263), *lleva* (l. 264), *acude* (l. 267) and *hace* (l. 268).

33. apañadora pinta: *paints in brilliant raiment*

con que al colono acude,
hace crujir los vastos almacenes.

¡Buen Dios! no en vano sude,
mas a merced y a compasión te mueva   270
la gente agricultora
del ecuador, que del desmayo triste
con renovado aliento vuelve ahora,
y tras tanta zozobra, ansia, tumulto,
tantos años de fiera   275
devastación y militar insulto,
aun más que tu clemencia antigua implora.
Su rústica piedad, pero sincera,
halle a tus ojos gracia: no el risueño
porvenir que las penas le aligera,   280
cual de dorado sueño
visión falaz, desvanecido llore: [34]
intempestiva lluvia no maltrate
el delicado embrión: [35] el diente impío
de insecto roedor no lo devore: 285
sañudo vendaval no lo arrebate,
ni agote al árbol el materno jugo
la calorosa sed de largo estío.[36]
Y pues al fin te plugo,
árbitro de la suerte soberano,   290
que suelto el cuello de extranjero yugo
irguiese al cielo el hombre americano,
bendecida de ti se arraigue y medre
su libertad: en el más hondo encierra
de los abismos la malvada guerra,   295
y el miedo de la espada asoladora
al suspicaz cultivador no arredre
del arte bienhechora,
que las familias nutre y los estados:
la azorada inquietud deje las almas,   300
deje la triste herrumbre los arados.
Asaz de nuestros padres malhadados
expiamos la bárbara conquista.
¿Cuántas doquier la vista
no asombran erizadas soledades,[37]   305

34. no el risueño . . . llore = [que] no llore
[la gente agricultora] el risueño porvenir que
le aligera las penas, desvanecido [ahora]
cual visión falaz de dorado sueño
35. embrión: *young seedling*
36. estío: In the equatorial regions, where temperature does not depend on the seasons but on altitude, "summer" simply means a comparatively dry season.
37. ¿Cuántas . . . soledades = ¿Cuántas erizadas soledades no asombran la vista doquier [en todas partes]

do cultos campos fueron, do ciudades?
De muertes, proscripciones,
suplicios, orfandades,
¿quién contará la pavorosa suma?
Saciadas duermen ya de sangre ibera   310
las sombras de Atahualpa y Motezuma.[38]
¡Ah! Desde el alto asiento
en que escabel te son alados coros
que velan en pasmado acatamiento
la faz ante la lumbre de tu frente   315
(si merece por dicha una mirada
tuya la sin ventura humana gente),
el ángel nos envía,[39]
el ángel de la paz, que al crudo ibero
haga olvidar la antigua tiranía,   320
y acatar reverente el que a los hombres
sagrado diste, imprescriptible fuero; [40]
que alargar le haga al injuriado hermano
(¡ensangrentóla asaz!) la diestra inerme;
y si la innata mansedumbre duerme,   325
la despierte en el pecho americano.
El corazón lozano
que una feliz obscuridad desdeña,
que en el azar sangriento del combate
alborozado late,   330
y codicioso de poder o fama,
nobles peligros ama;
baldón estime [41] sólo y vituperio
el prez que de la patria no reciba,
la libertad más dulce que el imperio,   335
y más hermosa que el laurel la oliva.
Ciudadano el soldado,
deponga de la guerra la librea;
el ramo de victoria
colgado al ara de la patria sea,   340
y sola adorne al mérito la gloria.
De su trïunfo entonces, patria mía,
verá la paz el suspirado día;
la paz, a cuya vista el mundo llena [42]

38. Atahualpa was the last of the Inca princes, strangled by Pizarro's order in 1533. On Motezuma (usually written Moctezuma) see pp. 8–10.

39. nos envía = envíanos

40. y acatar ... fuero: *and look with reverence upon that inalienable right (to freedom) which thou didst bestow upon man as a sacred gift*

41. The subject of *estime* is *el corazón lozano* (l. 327).

42. la paz ... llena: *peace, at the sight of which life-giving tranquility and joy fills the world. Alma is a purely poetic adjective.*

alma serenidad y regocijo, 345
vuelve alentado el hombre a la faena,
alza el ancla la nave, a las amigas
auras encomendándose animosa,
enjámbrase el taller, hierve el cortijo,
y no basta la hoz a las espigas. 350

¡Oh jóvenes naciones, que ceñida
alzáis sobre el atónito occidente
de tempranos laureles la cabeza! [43]
Honrad el campo, honrad la simple vida
del labrador, y su frugal llaneza. 355
Así tendrán en vos perpetuamente
la libertad morada,
y freno la ambición, y la ley templo.
Las gentes a la senda
de la inmortalidad, ardua y fragosa, 360
se animarán, citando vuestro ejemplo.
Lo emulará celosa
vuestra posteridad y nuevos nombres
añadiendo la fama
a los que ahora aclama, 365
"Hijos son éstos, hijos
(pregonará a los hombres)
de los que vencedores superaron
de los Andes la cima;
de los que en Boyacá, los que en la arena 370
de Maipó, y en Junín, y en la campaña
gloriosa de Apurima,[44]
postrar supieron al león de España."

LA ORACIÓN POR TODOS

IMITACIÓN DE VÍCTOR HUGO

This poem, in part a translation and in part an adaptation of Victor
Hugo's *La prière pour tous* (from *Les feuilles d'automne*), was written
when Bello was fifty-three years old, during his residence in Chile. In
spite of his tirades against the Romantic theories of the Argentine exiles

43. que ceñida ... la cabeza = que alzáis sobre el atónito occidente la cabeza ceñida de tempranos laureles
44. Boyacá (1819), Junín (1824), and Apurima (1824) were decisive victories of Bolívar's forces in the northern struggle for independence. Maipó (1818) was a battle won in Chile by San Martín. Note that this is the only important reference in the poem to the martial glory of the Revolution. Contrast the poem by Olmedo, *A la victoria de Junín.*

in Chile, Bello in his later years shows certain Romantic touches in such poems as this. The strophe forms are the *octava italiana* and the *octavilla italiana,* both widely used in Spanish Romantic poetry. Hugo's poem contains six more cantos than Bello's adaptation, and is rather wordy.

1

Ve a rezar, hija mía. Ya es la hora
de la conciencia y del pensar profundo.
Cesó el trabajo afanador, y al mundo
la sombra va a colgar su pabellón.
Sacude el polvo el árbol del camino   5
al soplo de la noche, y en el suelto
manto de la sutil neblina envuelto,
se ve temblar el viejo torreón.

¡Mira! Su ruedo [45] de cambiante nácar
el Occidente más y más angosta;   10
y enciende sobre el cerro de la costa
el astro de la tarde su fanal.
Para la pobre cena aderezado
brilla el albergue rústico, y la tarda
vuelta del labrador la esposa aguarda   15
con su tierna familia en el umbral.

Brota del seno de la azul esfera
uno tras otro fúlgido diamante;
y ya apenas de un carro vacilante
se oye a distancia el desigual rumor.   20
Todo se hunde en la sombra: el monte, el valle,
y la iglesia, y la choza, y la alquería;
y a los destellos últimos del día
se orienta en el desierto el viajador.[46]

Naturaleza toda gime; el viento   25
en la arboleda, el pájaro en el nido,
y la oveja en su trémulo balido,
y el arroyuelo en su correr fugaz.
El día es para el mal y los afanes.
¡He aquí la noche plácida y serena!   30
El hombre tras la cuita y la faena
quiere descanso y oración y paz.

---

45. ruedo: *horizon;* object of the verb, *angosta*   46. viajador = viajero (poetic)

Sonó en la torre la señal. Los niños
conversan con espíritus alados;
y los ojos al cielo levantados
invocan de rodillas al Señor.   35
Las manos juntas y los pies desnudos,
fe en el pecho, alegría en el semblante,
con una misma voz, a un mismo instante,
al Padre Universal piden amor.   40

Y luego dormirán; y en leda [47] tropa
sobre la cuna volarán ensueños,
ensueños de oro, diáfanos, risueños.
Visiones que imitar no osó el pincel.
Y ya sobre la tersa frente posan,   45
ya beben el aliento a las bermejas
bocas como lo chupan las abejas
a la fresca azucena y al clavel.

Como para dormirse, bajo el ala
esconde su cabeza la avecilla;
tal la niñez en su oración sencilla   50
adormece su mente virginal.
¡Oh dulce devoción, que reza y ríe!
¡de natural piedad primer aviso!
¡fragancia de la flor del paraíso!   55
¡preludio del concierto celestial!

2

Ve a rezar, hija mía. Y ante todo
ruega a Dios por tu madre; por aquella
que te dió el ser, y la mitad más bella
de su existencia ha vinculado en él;
que en su seno hospedó tu joven alma,   5
de una llama celeste desprendida;
y haciendo dos porciones de la vida,
tomó el acíbar y te dió la miel.

Ruega después por mí. ¡Más que tu madre
lo necesito yo! . . . Sencilla, buena,
modesta como tú, sufre la pena,   10
y devora en silencio su dolor.
A muchos compasión, a nadie envidia
la vi tener en mi fortuna escasa;

47. leda: *happy* (poetic)

como sobre el cristal la sombra, pasa   15
sobre su alma el ejemplo corruptor.

No le son conocidos . . . ni lo sean
a ti jamás . . . los frívolos azares
de la vana fortuna, los pesares
ceñudos que anticipan la vejez;   20
de oculto oprobio el torcedor,[48] la espina
que punza a la conciencia delincuente,
la honda fiebre del alma, que la frente
tiñe con enfermiza palidez.

Mas yo la vida por mi mal conozco,   25
conozco el mundo y sé su alevosía;
y tal vez de mi boca oirás un día
lo que valen las dichas que nos da.
Y sabrás lo que guarda a los que rifan
riquezas y poder, la urna aleatoria,[49]   30
y que tal vez la senda que a la gloria
guiar parece, a la miseria va.

Viviendo, su pureza empaña el alma,
y cada instante alguna culpa nueva
arrastra en la corriente que la lleva   35
con rápido descenso al ataúd.
La tentación seduce; el juicio engaña:
en los zarzales del camino deja
alguna cosa cada cual: la oveja
su blanca lana, el hombre su virtud.   40

Ve, hija mía, a rezar por mí, y al cielo
pocas palabras dirigir te baste:
"Piedad, Señor, al hombre que criaste;
eres grandeza; eres bondad. ¡Perdón!"
Y Dios te oirá; que cual del ara santa   45
sube el humo a la cúpula eminente,
sube del pecho cándido, inocente,
al trono del Eterno la oración.

Todo tiende a su fin; a la luz pura
del sol, la planta; el cervatillo atado,   50
a la libre montaña; el desterrado,
al caro suelo que le vió nacer;

---

48. torcedor: *anguish*   49. la urna aleatoria: *the bowl of chance;*
                                 subject of *guarda*

y la abejilla en el frondoso valle,
de los nuevos tomillos al aroma;
y la oración en alas de paloma   55
a la morada del Supremo Ser.

Cuando por mí se eleva a Dios tu ruego,
soy como el fatigado peregrino,
que su carga a la orilla del camino
deposita y se sienta a respirar.   60
Porque de tu plegaria el dulce canto
alivia el peso a mi existencia amarga,
y quita de mis hombros esta carga
que me agobia, de culpa y de pesar.

Ruega por mí, y alcánzame que vea [50]   65
en esta noche de pavor, el vuelo
de un ángel compasivo, que del cielo
traiga a mis ojos la perdida luz.
Y pura, finalmente, como el mármol
que se lava en el templo cada día,   70
arda en sagrado fuego el alma mía,
como arde el incensario ante la cruz.

3

Ruega, hija, por tus hermanos,
los que contigo crecieron,
y un mismo seno exprimieron,
y un mismo techo abrigó.
No por los que te amen sólo   5
el favor del cielo implores;
por justos y pecadores
Cristo en la cruz expiró.

Ruega por el orgulloso
que ufano se pavonea,   10
y en su dorada librea
funda insensata altivez;
y por el mendigo humilde
que sufre el ceño mezquino
de los que beben el vino   15
porque [51] le dejen la hez;

Por el que de torpes vicios
sumido en profundo cieno,
hace aullar el canto obsceno
de nocturna bacanal;   20
y por la velada virgen
que en su solitario lecho,
con la mano hiriendo el pecho,
reza el himno sepulcral.

Por el hombre sin entrañas,   25
en cuyo pecho no vibra
una simpática fibra
al pesar y a la aflicción;
que no da sustento al hambre,
ni a la desnudez vestido,   30
ni da la mano al caído,
ni da a la injuria perdón;

50. alcánzame que vea: *make it possible for me to see*

51. porque = para que

Por el que en mirar se goza
su puñal en sangre rojo,
buscando el rico despojo   35
y la venganza cruel;
y por el que en vil libelo
destroza una fama pura,.
y en la aleve mordedura
escupe asquerosa hiel;   40

Por el que surca animoso
la mar, de peligros llena;
por el que arrastra cadena,
y por su duro señor;

por la razón [52] que leyendo   45
en el gran libro, vigila;
por la razón que vacila,
por la que abraza el error.

Acuérdate, en fin, de todos
los que penan y trabajan;   50
y de todos los que viajan
por esta vida mortal.
Acuérdate aún del malvado
que a Dios blasfemando irrita.
La oración es infinita.   55
Nada agota su caudal.

4

Hija, reza también por los que cubre
la soporosa piedra de la tumba,
profunda sima adonde se derrumba
la turba de los hombres mil a mil:
abismo en que se mezcla polvo a polvo,   5
y pueblo a pueblo; cual se ve a la hoja
de que al añoso bosque Abril despoja,
mezclar las suyas otro y otro Abril.[53]

Arrodilla, arrodíllate en la tierra
donde segada en flor yace mi Lola,[54]   10
coronada de angélica aureola;
do helado duerme cuanto fué mortal;
donde cautivas almas piden preces
que las restauren a su ser primero,
y purguen las reliquias del grosero   15
vaso, que las contuvo, terrenal.

Hija, cuando tú duermes, te sonríes,
y cien apariciones peregrinas
sacuden retozando tus cortinas;
travieso enjambre, alegre, volador;   20
y otra vez a la luz abres los ojos,
al mismo tiempo que la aurora hermosa
abre también sus párpados de rosa,
y da a la tierra el deseado albor.

52. razón: *mind, thinker*
53. cual ... Abril: *just as each succeeding April mingles its leaves with those which (this) April plucks from the ancient forest.*

In Chile, where Bello composed this poem, April is an autumn month.
54. Lola: one of Bello's daughters

¡Pero esas pobres almas [55]! . . . ¡Si supieras   25
qué sueño duermen! . . . Su almohada es fría,
duro su lecho; angélica armonía
no regocija nunca su prisión,
no es reposo el sudor que las abruma;
para su noche no hay albor temprano,   30
y la conciencia, velador gusano,
les roe inexorable el corazón.

Una plegaria, un solo acento tuyo,
hará que gocen pasajero alivio,
y que de luz celeste un rayo tibio   35
logre a su obscura estancia penetrar;
que el atormentador remordimiento
una tregua a sus víctimas conceda,
y del aire, y el agua, y la arboleda,
oigan el apacible susurrar.   40

Cuando en el campo, con pavor secreto
la sombra ves que de los cielos baja,
la nieve que las cumbres amortaja,
y del ocaso el tinte carmesí;
en las quejas del aura y de la fuente   45
¿no te parece que una voz retiña,
una doliente voz que dice: "Niña,
cuando tú reces, ¿rezarás por mí?"

Es la voz de las almas. A los muertos
que oraciones alcanzan, no escarnece   50
el rebelado arcángel, y florece
sobre su tumba perennal tapiz.
Mas ¡ay! a los que yacen olvidados
cubre perpetuo horror; hierbas extrañas
ciegan su sepultura; a sus entrañas   54
árbol funesto enreda la raíz.

Y yo también (no dista mucho el día)
huésped seré de la morada obscura,
y el ruego invocaré de un alma pura,
que a mi largo penar consuelo dé.   60
Y dulce entonces me será que vengas,
y para mí la eterna paz implores,
y en la desnuda losa esparzas flores,
simple tributo de amorosa fe.

55. esas pobres almas: souls in Purgatory

¿Perdonarás a mi enemiga estrella, 65
si disipadas fueron una a una
las que mecieron tu mullida cuna
esperanzas de alegre porvenir? [56]
Sí, le perdonarás; y mi memoria
te arrancará una lágrima, un suspiro 70
que llegue hasta mi lóbrego retiro
y haga mi helado polvo rebullir.

56. Las que . . . porvenir = Las esperanzas de alegre porvenir que mecieron tu mullida cuna

José María Heredia
1803-1839

By some critics this quiet poem of evocation, *En el teocalli de Cholula*,[1] is considered Heredia's most lyrical piece. It is not marred by the false and emphatic rhetoric which characterizes some of his poetry and that of the neo-classical school as a whole. Two elements which are typical of Heredia's best work are notable here: his skill in expressing nature's moods in relation to his own, and his humanitarianism, a heritage which he and many Spanish American writers of the period derived from the eighteenth century French thinkers. It is evident in this poem in his condemnation of a tyranny of superstition. The poem was written when the author was but seventeen years old and while he was studying law at the University of Mexico.

Heredia was one of the first Romantic poets of the Spanish language. His best poems are characterized by a strong and sensitive awareness of the American landscape, deep melancholy and introspection.

EN EL TEOCALLI DE CHOLULA

¡Cuánto es bella la tierra que habitaban
los aztecas valientes! En su seno
en una estrecha zona concentrados
con asombro se ven todos los climas [2]
que hay desde el polo al ecuador. Sus llanos   5
cubren a par de las doradas mieses
las cañas deliciosas. El naranjo
y la piña y el plátano sonante,
hijos del suelo equinoccial, se mezclan
a la frondosa vid, al pino agreste,   10

1. The *teocalli* or pyramid of Cholula is an immense mound located eight miles from the city of Puebla. Now crowned by a lovely church, it once was a temple pyramid sacred to Quetzalcoatl, the bird-god of the Toltecs.

2. todos los climas: The Aztec empire reached from the tropical gulf coast to the snow-clad peaks of the central *meseta*.

131

y de Minerva al árbol majestuoso.[3]
Nieve eternal corona las cabezas
de Iztaccíhual [4] purísimo, Orizaba
y Popocatepec; [5] sin que el invierno
toque jamás con destructora mano   15
los campos fertilísimos, do ledo
los mira el indio en púrpura ligera
y oro teñirse, reflejando el brillo
del sol en occidente, que sereno
en hielo eterno y perennal verdura   20
a torrentes vertió su luz dorada,
y vió a naturaleza conmovida,
con su dulce calor hervir en vida.

Era la tarde: su ligera brisa
las alas en silencio ya plegaba   25
y entre la hierba y árboles dormía,
mientras el ancho sol su disco hundía
detrás de Iztaccíhual. La nieve eterna,
cual disuelta en mar de oro, semejaba
temblar en torno de él; un arco inmenso   30
que del empíreo en el cenit finaba
como espléndido pórtico del cielo
de luz vestido y centellante gloria,
de sus últimos rayos recibía
los colores riquísimos. Su brillo   35
desfalleciendo fué: la blanca luna
y de Venus la estrella solitaria
en el cielo desierto se veían.
¡Crepúsculo feliz! Hora más bella
que la alba noche y el brillante día,   40
¡cuánto es dulce tu paz al alma mía!

Hallábame sentado en la famosa
Choluteca pirámide. Tendido
el llano inmenso que ante mí yacía,
los ojos a espaciarse convidaba.   45
¡Qué silencio! ¡qué paz! ¡Oh! ¿quién diría
que en estos bellos campos reina alzada
la bárbara opresión,[6] y que esta tierra

3. The olive tree was especially sacred to Minerva.

4. Iztaccíhual (Iztaccíhuatl): a volcanic mountain about 17,000 feet high some forty miles southeast of Mexico City near Cholula; Orizaba: Mexico's highest peak (18,205 feet), about 150 miles from Mexico City

5. Popocatepec (Popocatépetl): a volcano near Iztaccíhuatl; 17,784 feet high; popularly called "Popo"

6. At the time this poem was written (1820), Iturbide was crushing the early liberal revolution against Spain in the name of the clerical-conservative elements.

brota mieses tan ricas, abonada
con sangre de hombres, en que fué inundada   50
por la superstición y por la guerra? . . .

    Bajó la noche en tanto. De la esfera
el leve azul, obscuro y más obscuro
se fué tornando: la movible sombra
de las nubes serenas, que volaban   55
por el espacio en alas de la brisa,
era visible en el tendido llano.
Iztaccíhual purísimo volvía
del argentado rayo de la luna
el plácido fulgor, y en el oriente   60
bien como puntos de oro centellaban
mil estrellas y mil . . . ¡Oh! os saludo,
fuentes de luz, que de la noche umbría
ilumináis el velo,
y sois del firmamento poesía.   65

    Al paso que la luna declinaba,
y al ocaso fulgente descendía
con lentitud, la sombra se extendía
del Popocatepec, y semejaba
fantasma colosal. El arco obscuro   70
a mí llegó, cubrióme, y su grandeza
fué mayor y mayor, hasta que al cabo
en sombra universal veló la tierra.

    Volví los ojos al volcán sublime,
que velado en vapores transparentes,   75
sus inmensos contornos dibujaba
de occidente en el cielo.
¡Gigante del Anáhuac! [7] ¿cómo el vuelo
de las edades rápidas no imprime
alguna huella en tu nevada frente?   80
Corre el tiempo veloz, arrebatando
años y siglos, como el norte fiero
precipita ante sí la muchedumbre
de las olas del mar. Pueblos y reyes
viste hervir a tus pies, que combatían   85
cual hora [8] combatimos, y llamaban
eternas sus ciudades, y creían
fatigar a la tierra con su gloria.

7. Anáhuac: see p. 114 n. 5   8. cual hora = como ahora

Fueron: [9] de ellos no resta ni memoria.
¿Y tú eterno serás? Tal vez un día   90
de tus profundas bases desquiciado
caerás; abrumará tu gran ruïna
al yermo Anáhuac; alzaránse en ella
nuevas generaciones y orgullosas
que fuiste negarán ...
                        Todo perece   95
por ley universal. Aun este mundo
tan bello y tan brillante que habitamos,
es el cadáver pálido y deforme
de otro mundo que fué ...

        En tal contemplación embebecido   100
sorprendióme el sopor. Un largo sueño
de glorias engolfadas y perdidas
en la profunda noche de los tiempos,
descendió sobre mí. La agreste pompa
de los reyes aztecas desplegóse   105
a mis ojos atónitos. Veía
entre la muchedumbre silenciosa
de emplumados caudillos levantarse
el déspota salvaje en rico trono,
de oro, perlas y plumas recamado;   110
y al son de caracoles [10] belicosos
ir lentamente caminando al templo
la vasta procesión, do la aguardaban
sacerdotes horribles, salpicados
con sangre humana rostros y vestidos.   115
Con profundo estupor el pueblo esclavo
las bajas frentes en el polvo hundía,
y ni mirar a su señor osaba,
de cuyos ojos férvidos brotaba
la saña del poder.
                    Tales ya fueron   120
tus monarcas, Anáhuac, y su orgullo:
su vil superstición y tiranía
en el abismo del no ser [11] se hundieron.
Sí, que la muerte, universal señora,
hiriendo al par al déspota y esclavo,   125
escribe la igualdad sobre la tumba.
Con su manto benéfico el olvido

---

9. fueron: *they are no more;* a latinism;
cf. fuit Ilium (*Aeneid* II, 325): *Troy is no
more.*

10. caracoles: *horns made from conch
shells*

11. no ser: *annihilation*

tu insensatez oculta y tus furores
a la raza presente y la futura.
Esta inmensa estructura   130
vió la superstición más inhumana
en ella entronizarse. Oyó sus gritos
de agonizantes víctimas, en tanto
que el sacerdote, sin piedad ni espanto,
les arrancaba el corazón sangriento;   135
miró el vapor espeso de la sangre
subir caliente al ofendido cielo
y tender en el sol fúnebre velo,
y escuchó los horrendos alaridos
con que los sacerdotes sofocaban   140
el grito del dolor.
              Muda y desierta
ahora te ves, pirámide. ¡Más vale
que semanas de siglos yazcas yerma,
y la superstición a quien serviste
en el abismo del infierno duerma!   145
A nuestros nietos últimos, empero,
sé lección saludable; y hoy que el hombre
al cielo, cual Titán,[12] truena orgulloso,
sé ejemplo ignominioso
de la demencia y del furor humano.   150

EN UNA TEMPESTAD

Nature in her more savage moods was a common Romantic theme. Some of the more violent poets undoubtedly saw in the wild wind and the barren peaks a reflection of their own chaotic emotions; moreover, such scenes emphasized their sense of lonely isolation: *"El huracán y yo solos estamos."* These verses were composed in Matanzas, Cuba, a coastal town where Heredia must have felt the full force of many a tropical storm.

Huracán, huracán, venir te siento,
y en tu soplo abrasado
respiro entusiasmado
del señor de los aires el aliento.

En las alas del viento suspendido   5
vedle rodar por el espacio inmenso,
silencioso, tremendo, irresistible,

12. Titán: In Greek mythology the Titans were primitive deities who waged war against the gods of Olympus and were defeated.

en su curso veloz. La tierra en calma
siniestra, misteriosa,
contempla con pavor su faz terrible.   10
¿Al toro no miráis? El suelo escarban
de insoportable ardor sus pies heridos:
la frente poderosa levantando,
y en la hinchada nariz fuego aspirando,
llama la tempestad con sus bramidos.   15

   ¡Qué nubes! ¡qué furor! El sol temblando
vela en triste vapor su faz gloriosa,
y su disco nublado sólo vierte
luz fúnebre y sombría,
que no es noche ni día . . .   20
¡Pavoroso color, velo de muerte!
Los pajarillos tiemblan y se esconden
al acercarse el huracán bramando,
y en los lejanos montes retumbando
le oyen los bosques, y a su voz responden.   25

   Llega ya . . . ¿No le veis? ¡Cuál desenvuelve
su manto aterrador y majestuoso! . . .
¡Gigante de los aires, te saludo! . . .
En fiera confusión el viento agita
las orlas de su parda vestidura . . .   30
¡Ved! . . . ¡En el horizonte
los brazos rapidísimos enarca,
y con ellos abarca
cuanto alcanzo a mirar de monte a monte!

   ¡Obscuridad universal! . . . ¡Su soplo   35
levanta en torbellinos
el polvo de los campos agitado! . . .
En las nubes retumba despeñado
el carro del Señor, y de sus ruedas
brota el rayo veloz, se precipita,   40
hiere y aterra al suelo,
y su lívida luz inunda al cielo.

   ¿Qué rumor? ¿Es la lluvia? . . . Desatada
cae a torrentes, obscurece al mundo,
y todo es confusión, horror profundo.   45
Cielo, nubes, colinas, caro bosque,
¿dó estáis? . . . os busco en vano.
Desparecisteis . . . La tormenta umbría

en los aires revuelve un océano
que todo lo sepulta . . .   50
Al fin, mundo fatal, nos separamos.
El huracán y yo solos estamos.

¡Sublime tempestad! ¡Cómo en tu seno,
de tu solemne inspiración henchido,
al mundo vil y miserable olvido,   55
y alzo la frente, de delicia lleno!
¿Dó está el alma cobarde
que teme tu rugir? . . . Yo en ti me elevo
al trono del Señor; oigo en las nubes
el eco de su voz; siento a la tierra   60
escucharle y temblar. Ferviente lloro
desciende por mis pálidas mejillas,
y su alta majestad trémulo adoro.

NIÁGARA

For two years (1823–1825) Heredia was an exile in the United States, residing in Boston and New York. He visited Niagara Falls in June, 1824, and, while sitting spellbound by the Canadian Falls, he wrote his famous poem. Filled with emotion as they are, these lines, Heredia says, "*sólo expresan débilmente una parte de mis sensaciones.*" The poem first appeared in a small collection of his verses published in New York in 1825. In a second edition of Heredia's poems, published in 1832 in Toluca, Mexico, *Niágara* was included in a somewhat revised form with a number of changes in phraseology. The text presented in the present volume is the retouched version.

Niágara well illustrates the Romantic note in Heredia's character. Like Byron, he was attracted by the violent grandeur of nature, which leads him to melancholy reflections on his own emotional states. "*Me parecía ver en aquel torrente la imagen de mis pasiones y de las borrascas de mi vida,*" he writes. It is worth remembering that the poem was written when the author was only twenty-one years old.

Templad mi lira, dádmela, que siento
en mi alma estremecida y agitada
arder la inspiración. ¡Oh! ¡cuánto tiempo
en tinieblas pasó, sin que mi frente
brillase con su luz! . . . Niágara undoso,
tu sublime terror solo podría

tornarme el don divino, que ensañada
me robó del dolor la mano impía.[13]

Torrente prodigioso, calma, calla
tu trueno aterrador; disipa un tanto   10
las tinieblas que en torno te circundan;
déjame contemplar tu faz serena,
y de entusiasmo ardiente mi alma llena.
Yo digno soy de contemplarte: siempre
lo común y mezquino desdeñando,   15
ansié por lo terrífico y sublime.
Al despeñarse el huracán furioso,[14]
al retumbar sobre mi frente el rayo,
palpitando gocé. Vi al Océano,
azotado por austro proceloso,   20
combatir mi bajel, y ante mis plantas
vórtice hirviente abrir, y amé el peligro.
Mas del mar la fiereza
en mi alma no produjo
la profunda impresión que tu grandeza.   25

Sereno corres, majestuoso; y luego,
en ásperos peñascos quebrantado,
te abalanzas violento, arrebatado,
como el destino irresistible y ciego.
¿Qué voz humana describir podría   30
de la sirte rugiente
la aterradora faz? El alma mía
en vago pensamiento se confunde
al mirar esa férvida corriente,
que en vano quiere la turbada vista   35
en su vuelo seguir al borde obscuro
del precipicio altísimo. Mil olas,
cual pensamiento rápidas pasando,
chocan, y se enfurecen,
y otras mil y otras mil ya las alcanzan,   40
y entre espuma y fragor desaparecen.

¡Ved! ¡llegan, saltan! El abismo horrendo
devora los torrentes despeñados:
crúzanse en él mil iris, y asordados

---

13. del dolor . . . impía: A year previous to
writing this poem, Heredia had been forced
to leave Cuba because of alleged participa-
tion in a conspiracy against the Spanish government. He was ill and unhappy in the
United States.

14. el huracán furioso: cf. his poem, *En
una tempestad*

vuelven los bosques el fragor tremendo.   45
En las rígidas peñas
rómpese el agua: vaporosa nube
con elástica fuerza
llena el abismo en torbellino, sube,
gira en torno, y al éter   50
luminosa pirámide levanta,
y por sobre los montes que le cercan
al solitario cazador espanta.

Mas ¿qué en ti busca mi anhelante vista
con inútil afán? ¿Por qué no miro   55
alrededor de tu caverna inmensa
las palmas ¡ay! las palmas deliciosas,
que en las llanuras de mi ardiente patria
nacen del sol a la sonrisa, y crecen,
y al soplo de las brisas del océano   60
bajo un cielo purísimo se mecen? [15]

Este recuerdo a mi pesar me viene . . .
Nada ¡oh Niágara! falta a tu destino,
ni otra corona que el agreste pino
a tu terrible majestad conviene.   65
La palma y mirto y delicada rosa
muelle placer inspiren y ocio blando
en frívolo jardín: a ti la suerte
guardó más digno objeto, más sublime.
El alma libre, generosa, fuerte,   70
viene, te ve, se asombra,
el mezquino deleite menosprecia,
y aun se siente elevar cuando te nombra.

¡Omnipotente Dios! En otros climas
vi monstruos execrables,[16]   75
blasfemando tu nombre sacrosanto,
sembrar error y fanatismo impío,
los campos inundar en sangre y llanto,
de hermanos atizar la infanda guerra,
y desolar frenéticos la tierra.   80
Vílos, y el pecho se inflamó a su vista

15. Heredia's nostalgia for Cuba's palms and sun is also evident in his poem, *Al Sol;* read the lines beginning "*¡Mi patria! ¡Oh, Sol! Mi suspirada Cuba . . .*"

16. In the following lines the poet apparently condemns both the reactionary Spanish rule in Cuba ("*fanatismo impío*") and certain liberal Spanish and Spanish American revolutionaries whose faith in divine revealed religion had been corrupted by reading the French *philosophes* ("*mentidos filósofos*").

en grave indignación. Por otra parte
vi mentidos filósofos, que osaban
escrutar tus misterios, ultrajarte,
y de impiedad al lamentable abismo   85
a los míseros hombres arrastraban.
Por eso te buscó mi débil mente
en la sublime soledad; ahora
entera se abre a ti, tu mano siente
en esta inmensidad que me circunda,   90
y tu profunda voz hiere mi seno
de este raudal en el eterno trueno.

   ¡Asombroso torrente!
¡Cómo tu vista el ánimo enajena,
y de terror y admiración me llena!   95
¿Dó tu origen está? ¿Quién fertiliza
por tantos siglos tu inexhausta fuente?
¿Qué poderosa mano
hace que al recibirte
no rebose en la tierra el Océano?   100

   Abrió el Señor su mano omnipotente,
cubrió tu faz de nubes agitadas,
dió su voz a tus aguas despeñadas,
y ornó con su arco [17] tu terrible frente.
¡Ciego, profundo, infatigable corres,   105
como el torrente obscuro de los siglos
en insondable eternidad! . . . ¡Al hombre
huyen así las ilusiones gratas,
los florecientes días,
y despierta al dolor! . . . ¡Ay! agostada   110
yace mi juventud; mi faz, marchita;
y la profunda pena que me agita
ruga mi frente de dolor nublada.

   Nunca tanto sentí como este día
mi soledad y mísero abandono   115
y lamentable desamor . . . ¿Podría
en edad borrascosa
sin amor ser feliz? ¡Oh! ¡si una hermosa
mi cariño fijase, [18]
y de este abismo al borde turbulento   120
mi vago pensamiento

---

17. arco = arco iris
18. si . . . fijase: In the first edition this line is somewhat clearer: ¡Si una hermosa digna de mí me amase!

y ardiente admiración acompañase!
¡Cómo gozara, viéndola cubrirse
de leve palidez, y ser más bella
en su dulce terror, y sonreírse 125
al sostenerla mis amantes brazos . . . !
Delirios de virtud . . . ¡Ay! Desterrado,
sin patria, sin amores,
sólo miro ante mí llanto y dolores!

   ¡Niágara poderoso! 130
¡Adiós! ¡adiós! Dentro de pocos años
ya devorado habrá la tumba fría
a tu débil cantor. ¡Duren mis versos
cual tu gloria inmortal! ¡Pueda piadoso,
viéndote algún viajero, 135
dar un suspiro a la memoria mía! [19]
y al abismarse Febo [20] en occidente,
feliz yo vuele do el Señor me llama,
y al escuchar los ecos de mi fama,
alce en las nubes la radiosa frente. 140

AL SOL

It was tragic and ironic that Heredia, who loved the tropical sun of his native Cuba, should have been forced to spend the greater part of his life in the relatively cold climates of the Mexican central plateau and of New York. Typical of Heredia's manner and that of the Spanish neo-classical school was their insistence on mingling lyrical material with moral and philosophical reflections. Thus, a poem to the sun becomes in the last stanza a moral judgment of the Spanish *conquistadores* in Peru.

Yo te amo, Sol: tú sabes cuán gozoso,
cuando en las puertas del oriente asomas,
siempre te saludé. Cuando tus rayos
nos arrojas fogoso
desde tu trono en el desierto cielo, 5
del bosque hojoso entre la sombra grata
me deleito al bañarme en la frescura
que los céfiros vierten en su vuelo;
y me abandono a mil cavilaciones
de inefable dulzura 10

19. ¡Pueda . . . mía!: *May some pious traveller sigh in memory of me when he sees thee!* 20. Febo: *Apollo; the sun*

cuando reclinas la radiosa frente
en las trémulas nubes de occidente.

Empero el opulento en su delirio
sólo de vicios y maldad ansioso,
rara vez alza a ti su faz ingrata.   15
Tras el festín nocturno crapuloso
tu luz sus ojos lánguidos maltrata,
y tu fuego le ofende,
tu fuego puro, que en tu amor me enciende.
¡Oh! si el oro fatal cierra las almas   20
a admirar y gozar, yo le desprecio;
disfruten otros su letal riqueza,
y yo contigo mi feliz pobreza.

¡Oh! ¡Cuánto en el Anáhuac
por tu ardor suspiré! Mi cuerpo helado   25
mirábase encorvado
hacia la tumba obscura.
En el invierno rígido, inclemente,[21]
me viste, al contemplar tu tibio rayo,
triste acordarme del fulgor de mayo,   30
y alzar a ti la moribunda frente.
"¡Dadme," clamaba, "dadme un sol de fuego
y bajo el agua, sombras y verduras,
y me veréis feliz! . . ." Tú, Sol, tú solo
mi vida conservaste; mis dolores   35
cual humo al aquilón desaparecieron,
cuando en Cuba tus rayos bienhechores
en mi pálida faz resplandecieron.

¡Mi patria! . . . ¡Oh Sol! Mi suspirada Cuba,
¿a quién debe su gloria,   40
a quién su eterna virginal belleza?
sólo a tu amor. Del capricornio al cáncer
en giro eterno recorriendo el cielo,
jamás de ella [22] te apartas, y a tus ojos
de cocoteros cúbrese y de palmas,   45
y naranjos preciosos, cuya pompa
nunca destroza el inclemente hielo.
Tus rayos en sus vegas

21. Although there is considerable difference in climate between the highlands of
Mexico (Anáhuac) and Cuba, it is something
of a poetic exaggeration to describe Mexico's
winter as "*rígido, inclemente.*" Heredia spent
a good part of his life in Mexico.

22. de ella: de Cuba; a tus ojos: *through
thy warmth*

desenvuelven los lirios y las rosas,
maduran la más dulce de las plantas,[23]
y del café las sales deliciosas.   50
Cuando en tu ardor vivífico la [24] viertes
larga fuente de vida y de ventura,
¿no te gozas ¡oh Sol! en su hermosura?

Mas a veces también por nuestras cumbres   55
truena la tempestad. Entristecido
velas tu pura faz, mientras las nubes
sus negras olas por el aire ardiente
revuelven con furor, y comprimido
ruge el rayo impaciente,   60
estalla, luce, hiere, y un diluvio
de viento y agua y fuego se desata
sobre la tierra trémula, y el caos
amenaza tornar . . . Mas no, que lanzas
¡oh Sol! tu dardo irresistible, y rompe   65
la confusión de nubes, y a la tierra
llega a dar esperanza. Ella con ansia
le [25] recibe, sonríe, y rebramando
huye ante ti la tempestad. Más puro
centella tu ancho disco en occidente.   70
Respira el mundo paz: bosque y pradera
se ornan de nuevas galas,
mientras al cielo con la tierra uniendo
el iris tiende sus brillantes alas.

¡Alma de la creación! Cuando el Eterno   75
del primitivo caos
con imperiosa voz sacó la tierra,
¿qué fué sin tu presencia? yermo triste,
do inmóviles reinaban
frialdad, silencio, obscuridad . . . Empero   80
la voz omnipotente
dijo: ¡*Enciéndase el Sol!* y te encendiste,
y brotaste la luz, que en raudo vuelo
pobló los campos del desierto cielo.

¡Oh! ¡Cuán ardiente, al recibir la vida,   85
al curso eterno te lanzaste luego!
¡Cómo, al sentir tu delicioso fuego,
se animó la creación estremecida!

23. la . . . plantas: *sugar cane*   25. le = tu dardo
24. la: *upon her* (Cuba)

La sombra de los bosques,
el cristal de las aguas,   90
las brisas y las flores,
y el rutilante cielo y sus colores
a una mirada tuya parecieron,
y el placer y la vida
su germen inmortal desenvolvieron.   95

Y esos planetas, tu feliz corona,
te obedecen también: raudos giraban
sin órbita ni centro
del éter en las vastas soledades.
El Creador soberano sujetólos   100
a tu poder, y les pusiste rienda,
a tu fuerte atracción los enlazaste,
y en derredor de ti los obligaste
a que siguiesen inerrable senda.

Y tú sigues la tuya, que eres sólo   105
criatura, como yo, y estrella débil,
(como las que arden por la noche umbría
en el cielo sin nubes) en presencia
de tu Hacedor y mi Hacedor, que eterno,
omniscio, onmipotente, dirigiendo   110
con designios profundos
tantos millones férvidos de mundos,
reina en el corazón del universo.

Espejo ardiente en que el Señor se mira,
ya nos dé [26] vida en tu fulgor sereno,   115
ya con el rayo y espantoso trueno
al mundo lance su terrible ira;
gloria del universo,
del empíreo señor, padre del día,
¡Sol! oye: si mi mente   120
alta revelación no iluminara,
en mi entusiasmo ardiente
a ti, rey de los astros, adorara.

Así en los campos de la antigua Persia [27]
resplandeció tu altar; así en el Cuzco [28]   125
los Incas y su pueblo te acataban.

26. ya nos dé = dénos ya
27. The ancient Persian deity, Mithra, was usually identified with the sun.

28. Cuzco, more than 11,000 feet up in the Peruvian Andes, was the capital of the vast empire of the sun-worshipping Incas.

¡Los Incas! ¿Quién, al pronunciar su nombre,
si no nació perverso,
podrá el llanto frenar? . . . Sencillo y puro,
de sus criaturas en la más sublime   130
adorando al autor del universo
aquel pueblo de hermanos,[29]
alzaba a ti sus inocentes manos.

¡Oh dulcísimo error! ¡Oh Sol! Tú viste
a tu pueblo inocente   135
bajo el hierro inclemente [30]
como pálida mies gemir segado.
Vanamente sus ojos moribundos
por venganza o favor a ti se alzaban.
Tú los desatendías,   140
y tu carrera eterna proseguías,
y sangrientos y yertos expiraban.

---

29. pueblo de hermanos: so-called because of the primitive, cooperative socialism
of the Incas

30. bajo . . . inclemente: *under the pitiless
sword* (of the Spaniards)

José Joaquín Fernández de Lizardi

1776-1827

El Periquillo Sarniento, first published in 1816, is a picaresque novel in which the author satirizes Mexican middle-class society at the end of the colonial period. It has most of the virtues and defects of the genre. In the main the characters are conventionalized types, intended to be representative of a group; as such they lack psychological subtlety. Following the Spanish picaresque tradition of *Lazarillo de Tormes, Guzmán de Alfarache,* and countless others, the novel has no plot except a loosely related series of episodes which befall the main character. The unity of the tale is marred by long moralizing passages expounding Lizardi's ideas about pedagogy and social justice. Many of these ideas were derived from the eighteenth century French *philosophes* and from the Spanish thinker, Padre Benito Feijóo. Since some parts of the novel are more or less faithful reproductions of the popular speech of various social classes and trades, the modern reader is occasionally harassed by bits of difficult jargon and numerous *mexicanismos.*

El Periquillo Sarniento is in many respects an autobiographical novel. Its sincerity, frank social criticism, abundant humor, and graphic pictures of social life make it one of the most readable books written during the revolutionary period. Professor J. R. Spell's brief résumé of the novel's four volumes will provide a setting for the selection included in this Anthology:

"... he (Periquillo) was sent as a gentleman's son to the university, although he had neither an inclination for study nor any real desire to engage in a learned profession. After obtaining the degree of *bachiller,* Periquillo cast about for the profession requiring the least amount of preparation. As theology best met this requirement, he began to prepare for the priesthood; but he wasted his time, and evil companions diverted him from his studies. The threat of his father to apprentice him to a trade drove him in desperation to entering a monastery, for anything, he thought, was preferable to tarnishing his honor by engaging in a trade ...

The rigorous life held few charms, and his stay within the walls was short. A small inheritance left on the death of his father a few months later was quickly squandered. An escapade followed which led to his imprisonment. His release was obtained by an unscrupulous notary whose only purpose was to secure Periquillo's services as a clerk. After freeing himself from this master, our hero passed from one adventure to another, suffered dire poverty, enjoyed to the fullest such wealth as came through occasional turns of fortune, and, with it all, ran the whole gamut of masters usually found in a picaresque novel... In the end, in contrast to the typical Spanish *pícaro*, he mended his ways and died a respected citizen." (J. R. Spell, *The Life and Works of José Fernández de Lizardi*, Philadelphia, 1931, pp. 74–75.)

The following excerpt from chapter two of the third volume is a satire on the charlatanism of the medical profession. Such satire is part of a long tradition which counted among its best exponents Francisco Gómez de Quevedo and Padre Feijóo in Spain, Molière and Rabelais in France. The direct prototype of Dr. Purgante in Lizardi's novel is Dr. Sangredo in *Gil Blas*, by the French novelist, Lesage.

An excellent but somewhat abbreviated English translation of *El Periquillo Sarniento* with an introduction by Katherine Anne Porter appeared in 1942. The English title is *The Itching Parrot*, and the book contains a very fine study on Fernández y Lizardi.

EL PERIQUILLO SARNIENTO

EN EL QUE REFIERE PERIQUILLO CÓMO SE ACOMODÓ CON EL DOCTOR PURGANTE; LO QUE APRENDIÓ A SU LADO; EL ROBO QUE LE HIZO; SU FUGA, Y LAS AVENTURAS QUE LE PASA- RON EN TULA, DONDE SE FINGIÓ MÉDICO [1]

"Ninguno diga quién es, que sus obras lo dirán." Este proloquio es tan antiguo como cierto; todo el mundo está convencido de su infalibilidad; y así ¿qué tengo yo que ponderar mis malos procederes cuando con referirlos se ponderan? Lo que apeteciera, hijos míos, sería que no leyerais mi vida como quien lee una novela, sino que pararais la consideración más allá de la cáscara de los hechos, advirtiendo los tristes resultados de la holgaza- ₅nería, inutilidad, inconstancia y demás vicios que me afectaron; haciendo análisis de los extraviados sucesos de mi vida, indagando sus causas,

1. Periquillo: the diminutive of Perico which, in turn, is a diminutive of Pedro: *little Pete*. Periquillo also means parrot; the protagonist was so nicknamed because he first appeared at school dressed in green and yellow clothes.

temiendo sus consecuencias y dese-
chando los errores vulgares que veis
adoptados por mí y por otros; em-
papándoos en las sólidas máximas de
la sana y cristiana moral que os presentan a la vista mis reflexiones, y en
una palabra, desearía que penetrarais
en todas sus partes la substancia de
la obra; que os divirtierais con lo
ridículo; que conocierais el error y el
abuso para no imitar el uno ni abrazar
el otro, y que donde hallarais algún
hecho virtuoso os enamorarais de su
dulce fuerza y procurarais imitarlo.
Esto es deciros, hijos míos, que de-
seara que de la lectura de mi vida
sacarais tres frutos, dos principales y
uno accesorio: amor a la virtud, aborrecimiento al vicio y diversión. Ése
es mi deseo, y por esto, más que por
otra cosa, me tomo la molestia de
escribiros mis más escondidos crímenes y defectos; si no lo consiguiere,[2] moriré al menos con el consuelo de que mis intenciones son
laudables. Basta de digresiones, que
está el papel caro.

Quedamos en que fuí a ver al doctor Purgante,[3] y en efecto, lo hallé
una tarde después de siesta en su
estudio, sentado en una silla poltrona,
con un libro delante y la caja de polvos[4] a un lado. Era este sujeto alto,
flaco de cara y piernas, y abultado de
panza, trigueño y muy cejudo, ojos
verdes, nariz de caballete,[5] boca
grande y despoblada de dientes, cal-

vo, por cuya razón usaba en la calle
peluquín con bucles. Su vestido,
cuando lo fuí a ver, era una bata hasta
los pies, de aquellas que llaman de
quimones, llena de flores y ramaje, y
un gran birrete muy tieso de almidón
y relumbroso[6] de la plancha.

Luego que entré me conoció y me
dijo:

—¡Oh, Periquillo, hijo! ¿por qué
extraños horizontes has venido a visitar este tugurio?[7]

No me hizo fuerza[8] su estilo, porque
ya sabía yo que era muy pedante, y así
le iba a relatar mi aventura con intención de mentir en lo que me pareciera;
pero el doctor me interrumpió, diciéndome:

—Ya, ya sé la turbulenta catástrofe
que te pasó con tu amo, el farma-
céutico. En efecto, Perico, tú ibas a
despachar en un instante el pacato[9]
paciente del lecho al féretro impro-
visadamente, con el trueque del arsénico por la magnesia. Es cierto que
tu mano trémula y atolondrada tuvo
mucha parte de la culpa, mas no la
tiene menos tu preceptor, el fármaco,[10]
y todo fué por seguir su capricho. Yo
le documenté[11] que todas estas drogas nocivas y venenáticas[12] las encu-
briera bajo una llave bien segura que
sólo tuviera el oficial más diestro, y con
esta asidua diligencia se evitarían estos
equívocos mortales; pero a pesar de
mis insinuaciones, no me respondía
más sino que eso era particularizarse[13]

2. consiguiere; the future subjunctive. The
form in modern Spanish would be *consigo*.

3. Doctor Purgante: The name recalls
Monsieur Purgon, one of the burlesqued doctors in Molière's *Le malade imaginaire*.

4. caja de polvos: *snuff-box*

5. nariz de caballete: *beaked nose*

6. relumbroso: *shiny*

7. tugurio: *poor hut;* a somewhat pedantic
word befitting the doctor's character

8. No me hizo fuerza: *had no effect on me*

9. pacato: *quiet, mild*

10. fármaco: The meaning here must be
druggist, although the only meaning recognized by the dictionaries is *drug;* an example
of the doctor's pseudo-erudition.

11. documenté: *I proved*

12. venenáticas: (a coined word) *poisonous*

13. particularizarse: *being crotchety*

e ir contra la escuela de los *fármacos,* sin advertir que es propio del sabio mudar de parecer, *sapientis* [14] *est mutare consilium,* y que la costumbre es otra naturaleza, *consuetudo est altera natura.* Allá se lo haya.[15] Pero dime, ¿qué te has hecho tanto tiempo? Porque si no han fallado las noticias que en alas de la fama han penetrado mis *aurículas,*[16] ya días hace que te lanzaste a la calle de la oficina de Esculapio.[17]

—Es verdad, señor,—le dije,—pero no había venido de vergüenza, y me ha pesado porque en estos días he vendido para comer mi capote, chupa y pañuelo.

—¡Qué estulticia!—exclamó el doctor;—la *verecundia* [18] es muy buena, *optime bona,* cuando la origina crimen de *cogitatis;* mas no cuando se comete *involuntaria,* pues si en aquel *hic te nunc,* esto es, en aquel acto, supiera el individuo que hacía mal, *absque dubio,*[19] se abstendría de cometerlo. En fin, hijo carísimo, ¿tú quieres quedarte en mi servicio y ser mi *consodal in perpetuum,* para siempre?

—Sí, señor—le respondí.

—Pues bien. En este *domo,* casa, tendrás desde luego, o en primer lugar, *in primis,* el *panem nostrum quotidianum,* el pan de cada día; a más de esto, *aliunde,* lo potable necesario; [20]

tertio, la cama, *sic vel sic,* según se proporcione; *quarto,* los tegumentos exteriores heterogéneos de tu materia física; [21] *quinto,* asegurada la parte de la higiene que apetecer puedes, pues aquí se tiene mucho cuidado con la dieta y con la observancia de las seis cosas naturales y de las seis no naturales prescritas por los hombres más luminosos de la facultad médica; *sexto,* beberás la ciencia de Apolo [22] *ex ore meo ex visu tuo* y *ex bibliotheca nostra,* de mí boca, de tu vista y de esta librería; por último, *postremo,* contarás cada mes para tus *surrupios* o para *quodcumque velis,* esto es, para tus cigarros o lo que se te antoje, quinientos cuarenta y cuatro maravedís limpios de polvo y paja,[23] siendo tu obligación solamente hacer los mandamientos de la señora mi hermana; observar *modo naturalistarum,* al modo de los naturalistas, cuando estén las aves *gallináceas* para *oviparar* y recoger los albos huevos, o por mejor decir, los pollos por ser, o *in fieri;* [24] servir las viandas a la mesa, y finalmente, y lo que más te encargo, cuidar de la refacción [25] ordinaria y *puridad* de mi mula, a quien deberás atender y servir con más prolijidad [26] que a mi persona.

He aquí ¡oh caro Perico! todas tus obligaciones y comodidades en *sinop-*

---

14. sapientis, etc.; In satire, physicians are conventionally represented as interlarding their speech with Latinisms to give themselves a learned air (cf. Molière). Lizardi translated most of these *latinajos* in his text. If the reader is something of a Latin scholar, he may observe that the doctor's Latin is fairly shoddy.

15. Allá se lo haya: *Well, that's his affair.*

16. aurículas (popular Latin) = orejas

17. te . . . Esculapio: *you started out to be a doctor.* Asclepius, son of Apollo, was the Greek god of medicine.

18. verecundia (Latin) = vergüenza

19. absque dubio (Latin) = sin duda

20. lo potable necesario: *enough to drink*

21. los tegumentos . . . física: *your clothes*

22. Apolo: The Greek god, Apollo, was the patron of the healing arts, as well as of poetry, etc.

23. limpios . . . paja: *absolutely clear*

24. cuando . . . in fieri: *when the chickens are about to lay, and gather the white eggs, or rather the chicks-to-be*

25. refacción: *nourishment;* puridad: *cleanliness*

26. prolijidad: *attention*

sium o compendio. Yo, cuando te invité con mi pobre *tugurio* y consorcio, tenía el deliberado ánimo de poner un laboratorio de química y botánica; pero los continuos desembolsos que he sufrido me han reducido a la pobreza, *ad inopiam*, y me han frustrado mis primordiales designios; sin embargo, te cumplo la palabra de admisión,[27] y tus servicios los retribuiré justamente, porque *dignus est operarius mercede sua*, el que trabaja es digno de la paga.

Yo, aunque muchos terminotes no entendí, conocí que me quería para criado entre de escalera abajo y de arriba;[28] advertí que mi trabajo no era demasiado; que la conveniencia no podía ser mejor y, que yo estaba en el caso de admitir cosa menos;[29] pero no podía comprender a cuánto llegaba mi salario; por lo que le pregunté, que por fin cuánto ganaba cada mes. A lo que el doctorete,[30] como enfadándose me respondió: —¿Ya no te dije *claris verbis*, con claridad, que disfrutarías quinientos cuarenta y cuatro maravedís?

—Pero, señor—insté yo,—¿cuánto montan en dinero efectivo quinientos cuarenta y cuatro maravedís?[31] Porque a mí me parece que no merece mi trabajo tanto dinero.

—Sí merece, *stultissime famule*, mozo atontadísimo, pues no importan esos centenares más que dos pesos.

—Pues bien, señor doctor—le dije,—no es menester incomodarse; ya sé que tengo dos pesos de salario, y me doy por muy contento, sólo por estar en compañía de un caballero tan *sapiente*[32] como usted, de quien sacaré más provecho con sus lecciones que no[33] con los polvos y mantecas de don Nicolás.[34]

—Y como que sí,[35] dijo el señor Purgante, pues yo te abriré, como te apliques, los palacios de Minerva, y será esto premio superabundante a tus servicios, pues sólo con mi doctrina conservarás tu salud luengos años, y acaso, acaso, te contraerás algunos intereses y estimaciones.

Quedamos corrientes desde ese instante, y comencé a cuidar de lisonjearlo, igualmente que a su señora hermana, que era una vieja beata, Rosa, tan ridícula como mi amo, y aunque yo quisiera lisonjear a Manuelita, que era una muchachilla de catorce años, sobrina de los dos y bonita como una plata, no podía, porque la vieja condenada la cuidaba más que si fuera de oro, y muy bien hecho.[36]

Siete u ocho meses permanecí con mi viejo, cumpliendo con mis obligaciones perfectamente; esto es, sirviendo la mesa, mirando cuándo ponían las gallinas, cuidando la mula y haciendo los mandados. La vieja y el hermano me tenían por un santo, porque en las horas que no tenía qué hacer me estaba en el estudio, según las sólitas concedidas,[37] mirando las

27. te cumplo la palabra de admisión: *I shall keep our agreement*
28. criado . . . arriba: *a boy of all work*
29. yo estaba . . . menos: *I was so hard-up that I would have taken a much worse position*
30. doctorete: *quack*
31. maravedí: the smallest Spanish coin used in the colonies and worth only a small fraction of a common silver *peso*

32. sapiente = sabio
33. no: redundant; omit in translation
34. don Nicolás: a druggist for whom Periquillo had worked before coming to Dr. Purgante's house (Book II, Chap. XI)
35. Y como que sí: *Why, of course*
36. y muy bien hecho: *and it's a good thing she did*
37. según . . . concedidas: *since permission was granted to do so*

estampas anatómicas del Porras,[38] del Willis y otras, y entreteniéndome de cuando en cuando con leer aforismos de Hipócrates, algo de Boerhave y de Van Swieten; el Etmulero, el Tissot, el Buchan, el Tratado de tabardillos, por Amar, el Compendio anatómico de Juan de Dios López, la Cirugía de La Faye, el Lázaro Riverio y otros libros antiguos y modernos, según me venía la gana de sacarlos de los estantes.

Esto, las observaciones que yo hacía de los remedios que mi amo recetaba a los enfermos pobres que iban a verlo a su casa, que siempre eran a poco más o menos,[39] pues llevaba como regla el trillado refrán de "como te pagan vas," [40] y las lecciones verbales que me daba, me hicieron creer que yo sabía medicina, y un día que me riñó ásperamente, y aun me quiso dar de palos porque se me olvidó darle de cenar a la mula, prometí vengarme de él y mudar de fortuna de una vez.

Con esta resolución, esa misma noche le dí a doña mula ración doble de maíz y cebada, y cuando estaba toda la casa en lo más pesado de su sueño, la ensillé con todos sus arneses, sin olvidarme de la gualdrapa; hice un lío en el que escondí catorce libros, unos truncos, otros en latín y otros en castellano; porque yo pensaba que a

los médicos y a los abogados los suelen acreditar los muchos libros, aunque no sirvan o no los entiendan; guardé en el dicho maletón la capa de golilla y la golilla misma de mi amo, juntamente con una peluca vieja de pita,[41] un formulario de recetas, y lo más importante, sus títulos de bachiller en medicina y la carta de examen, cuyos documentos los hice míos a favor de una navajita y un poquito de limón, con lo que raspé y borré lo bastante para mudar los nombres y las fechas.

No se me olvidó habilitarme de monedas, pues aunque en todo el tiempo que estuve en la casa no me habían pagado nada de salario, yo sabía en dónde tenía la señora hermana una alcancía [42] en la que rehundía lo que cercenaba del gasto, y acordándome de aquello de que quien roba al ladrón, etc.,[43] le robé la alcancía diestramente; la abrí y ví con la mayor complacencia que tenía muy cerca de cuarenta duros, aunque para hacerlos caber por la estrecha rendija de la alcancía los puso blandos.[44]

Con este viático tan competente, emprendí mi salida de la casa a las cuatro y media de la mañana, cerrando el zaguán y dejándoles la llave por debajo de la puerta.

A las cinco o seis del día me entré en un mesón, diciendo que en el que estaba había tenido una mohina [45] la

---

38. del Porras, etc. = del tratado médico de Porras y de Willis. These names and those following are of physicians and writers on medical subjects, mostly of the seventeenth and eighteenth centuries. Hippocrates, of course, was a renowned Greek physician (460–357 B.C.) who has become the patron saint of the medical profession. Buchan and Amar seem to be unknown to medical historians.

39. que . . . menos: *who always were of little importance to him*

40. "como te pagan vas": *give them only what they pay for*
41. pita: *sisal,* a kind of white fiber obtained from the maguey or century plant
42. alcancía: *money-box*
43. quien roba al ladrón (tiene cien años de perdón)
44. los puso blandos: *she had packed them in so tightly that she nearly mashed them.*
45. había . . . mohina: *I had had some trouble*

noche anterior y quería mudar de posada.

Como pagaba bien, se me atendía puntualmente. Hice traer café, y que se pusiera la mula en caballeriza, para que almorzara harto.

En todo el día no salí del cuarto, pensando a qué pueblo dirigiría mi marcha y con quién, pues ni yo sabía caminos ni pueblos, ni era decente aparecerse un médico sin equipaje ni mozo.

En estas dudas, dió la una del día, hora en que me subieron de comer, y en esta diligencia estaba cuando se acercó a la puerta un muchacho a pedir por Dios un bocadito.

Al punto que lo vi y lo oí, conocí que era Andrés, el aprendiz de casa de don Agustín,[46] muchacho, no sé si lo he dicho, como de catorce años, pero de estatura de diez y ocho. Luego luego[47] lo hice entrar, y a pocas vueltas de la conversación me conoció, y le conté como era médico y trataba de irme a algún pueblecillo a buscar fortuna, porque en México había más médicos que enfermos; pero que me detenía carecer de un mozo fiel que me acompañara y que supiera de algún pueblo donde no hubiera médico.

El pobre muchacho se me ofreció y aún me rogó que lo llevara en mi compañía, que él había ido a Tepejí del Río[48] en donde no había médico y no era pueblo corto, y que si nos iba mal allí, nos iríamos a Tula[49] que era pueblo más grande.

Me agradó mucho el desembarazo de Andrés, y habiéndole mandado subir que comer,[50] comió el pobre con bastante apetencia, y me contó[51] cómo se estuvo escondido en un zaguán, y me vió salir corriendo de la barbería, y a la vieja tras de mí con el cuchillo; que yo pasé por el mismo zaguán donde estaba, y a poco de que la vieja se metió a su casa, corrió a alcanzarme, pero que no le fué posible; y no lo dudo; ¡tal corría yo cuando me espoleaba el miedo!

Díjome también Andrés, que él se fué a su casa y contó todo el pasaje; que su padrastro lo regañó y lo golpeó mucho, y después lo llevó con una corma a casa de don Agustín; que la maldita vieja, cuando vió que yo no parecía, se vengó con él levantándole tantos testimonios que se irritó el maestro demasiado, y dispuso darle un novenario de azotes, como lo verificó, poniéndolo en los nueve días hecho una lástima,[52] así por los muchos y crueles azotes que le dió, como por los ayunos que le hicieron sufrir al traspaso;[53] que así que se vengó a su satisfacción la inicua vieja, lo puso en libertad quitándole la corma, echándole su buen sermón, y concluyendo con aquello de *cuidado con otra*; pero que él, luego que tuvo ocasión, se

---

46. don Agustín: a barber-surgeon in whose house Periquillo lived for a time (Book II, Chap. XI)

47. Luego luego: repetition for the sake of emphasis

48. Tepejí del Río: a small town in the state of Hidalgo, about 14 miles from Tula

49. Tula (de Allende): a city eighty kilometers from Mexico City; probably the ancient capital of the Toltecs

50. subir que comer: *bring up something to eat*

51. me contó, etc.: The episode to which Andrés refers here appears in the latter part of Chapter XI of Book II. Periquillo spoke ill of the barber's wife and she chased him from the house.

52. poniéndole . . . lástima: *leaving him in a pitiful state after the nine days*. A *novenario* literally is a nine-day period of mourning.

53. al traspaso: *for his sins*

huyó de la casa con ánimo de salirse de México,[54] y para esto se andaba en los mesones pidiendo un bocadito y esperando coyuntura de marcharse con el primero que encontrase.

Acabó Andrés de contarme todo esto mientras comió, y yo le disfracé mis aventuras haciéndole creer que me había acabado de examinar en medicina; que ya le había insinuado que quería salir de esta ciudad, y así que me lo llevaría de buena gana, dándole de comer y haciéndolo pasar por barbero en caso de que no lo hubiera en el pueblo de nuestra ubicación.[55]

—Pero, señor—decía Andrés,—todo está muy bien; pero si yo apenas sé afeitar un perro, ¿cómo me arriesgaré a meterme a lo que no entiendo?

—Cállate—le dije,—no seas cobarde: sábete que *audaces fortuna juvat, timidosque repellit* . . .

—¿Qué dice usted, señor, que no lo entiendo?

—Que a los atrevidos—le respondí, —favorece la fortuna, y a los cobardes los desecha; y así no hay que desmayar; tú serás tan barbero en un mes que estés en mi compañía, como yo fuí médico en el poco tiempo que estuve con mi maestro, a quien no sé bien cuánto le debo a esta hora.

Admirado me escuchaba Andrés, y más lo estaba al oírme disparar mis latinajos con frecuencia, pues no sabía que lo mejor que yo aprendí del doctor Purgante fué su pedantismo y su modo de curar, *methodus medendi*.

En fin, dieron las tres de la tarde y me salí con Andrés al baratillo, en donde compré un colchón, una cubierta de vaqueta para envolverlo, un baúl, una chupa negra y unos calzones verdes con sus correspondientes medias negras, zapatos, sombrero, chaleco encarnado, corbatín y un capotito para mi fámulo y barbero que iba a ser, a quien también le compré seis navajas, una bacía, un espejo, cuatro ventosas, dos lancetas, un trapo para paños, unas tijeras, una jeringa grande y no sé qué otras baratijas; siendo lo más raro que en todo este ajuar apenas gasté veintisiete o veintiocho pesos. Ya se deja entender que todo ello estaba como del baratillo; pero con todo esto, Andrés volvió al mesón contentísimo.

Luego que llegamos, pagué al cargador y acomodamos en el baúl nuestras alhajas. En esta operación vió Andrés que mi haber en plata efectiva apenas llegaba a ocho o diez pesos. Entonces, muy espantado, me dijo:

—¡Ay, señor! ¿Y qué, con ese dinero no más nos hemos de ir?

—Sí, Andrés—le dije,—¿pues y qué no alcanza?

—¿Cómo ha de alcanzar, señor? ¿Pues y quién carga el baúl y el colchón de aquí a Tepejí o a Tula? ¿Qué comemos en el camino? ¿Y por fin, con qué nos mantenemos allí mientras que tomamos crédito? Ese dinero *orita orita*[56] se acaba, y yo no veo que usted tenga ni ropa ni alhajas, ni cosa que lo valga, que empeñar.

No dejaron de ponerme en cuidado las reflexiones de Andrés; pero ya, para no acobardarlo más, y ya porque me iba mucho[57] en salir de México, pues

---

54. de México: from Mexico City, which is nearly always referred to as México or *la capital*
55. de nuestra ubicación: *where we would settle*

56. orita orita (colloquial): *right away;* the use of the diminutive (*ahorita*) and repetition for the sake of emphasis is very common in popular Spanish
57. me iba mucho: *I was very anxious*

yo tenía bien tragado que el médico me andaría buscando como a una aguja (por señas que cuando fuí al baratillo, en un zaguán compré la mayor parte de los tiliches que dije) y temía que si me hallaba, iba yo a dar a la cárcel, y de consiguiente a poder de Chanfaina.[58] Por esto, con todo disimulo y pedantería, le dije a Andrés:

—No te apures, hijo: *Deus providebit.*[59]

—No sé lo que usted me dice—contestó Andrés;—lo que sé es que con ese dinero no hay ni para empezar.

En estas pláticas estábamos, cuando a cosa de las siete de la noche, en el cuarto inmediato oí ruido de voces y pesos. Mandé a Andrés que fuera a espiar qué cosa era. Él fué corriendo y volvió muy contento diciéndome;

—Señor, señor, ¡qué bueno está el juego!

—Pues qué ¿están jugando?

—Sí, señor—dijo Andrés,—están en el cuarto diez o doce payos jugando albures, pero ponen los chorizos de pesos.[60]

Picóme la culebra, y abrí el baúl, cogí seis pesos de los diez que tenía y le di la llave a Andrés diciéndole que la guardara y que aunque se la pidiera y me matara, no me la diera, pues iba a arriesgar aquellos seis pesos solamente, y si se perdían los cuatro que quedaban, no teníamos ni con qué comer, ni con qué pagar el pesebre de la mula al otro día. Andrés, un poco triste y desconfiado, tomó la llave, y yo me fuí a entremeter en la rueda de los tahures.

No eran éstos tan payos como yo los

había menester; estaban más que medianamente instruidos en el arte de la baraja, y así fué preciso irme con tiento. Sin embargo, tuve la fortuna de ganarles cosa de veinticinco pesos, con los que me salí muy contento, y hallé a Andrés durmiéndose sentado.

Lo desperté y le mostré la ganancia, la que guardó muy placentero contándome cómo ya tenía el viaje dispuesto y todo corriente; porque abajo estaban unos mozos de Tula que habían traído un colegial y se iban de vacío; que con ellos había propalado el viaje, y aún se había determinado a ajustarlo en cuatro pesos, y que sólo esperaban los mozos que yo confirmara el ajuste.

—¿Pues no lo he de confirmar, hijo? —le dije a Andrés.—Anda y llama a esos mozos ahora mismo.

Bajó Andrés como un rayo y subió luego luego con los mozos, con quienes quedó en que me habían de madrugar antes del alba, y se fueron a recoger.

A seguida mandé a mi criado que fuera a comprar una botella de aguardiente, queso, bizcochos y chorizones para otro día, y, mientras que él volvía hice subir la cena.

No me cansaba yo de complacerme en mi determinación de hacerme médico, viendo cuán bien se facilitaban todas las cosas, y al mismo tiempo daba gracias a Dios que me había proporcionado un criado tan fiel, vivo y servicial como Andresillo, quien en medio de estas contemplaciones fué entrando cargado con el repuesto.

Cenamos los dos amigablemente, echamos un buen trago y nos fuimos

58. Chanfaina: a crooked lawyer who was Periquillo's first master. Pedro had to leave the lawyer's house because he became involved with the maid-servant. (Book II, Chap. X).

59. Deus providebit (Latin): *The Lord will provide.*
60. chorizos de pesos: *rolls of money;* chorizo in this sense is a Mexicanism

a acostar temprano, para madrugar, despertando a buena hora.

A las cuatro de la mañana ya estaban los mozos tocándonos la puerta. Nos levantamos y desayunamos mientras que los arrieros cargaban.

Luego que se concluyó esta diligencia, pagué el gasto que habíamos hecho yo y mi mula, y nos pusimos en camino.

Yo no estaba acostumbrado a caminar, con esto me cansé pronto y no quise pasar de Cuautitlán,[61] por más que los mozos me porfiaban que fuéramos a dormir a Tula.

Al segundo día llegamos al dicho pueblo, y yo posé o me hospedé en la casa de uno de los arrieros, que era un pobre viejo, sencillote y hombre de bien, a quien llamaban tío Bernabé, con el que me convine en pagar mi plato,[62] el de Andrés y el de la mula, sirviéndole, por vía de gratificación, de médico de cámara para toda su familia, que eran: dos viejas, una su mujer y otra su hermana, dos hijos grandes y una hija pequeña como de doce años.

El pobre admitió[63] muy contento, y cátenme ustedes[64] ya radicado en Tula, y teniendo que mantener al maestro barbero, que así llamaremos a Andrés, a mí y a mi macha;[65] que aunque no era mía, yo la nombraba por tal; bien que siempre que la miraba me parecía ver delante de mí al doctor Purgante con su gran bata y birrete parado, que lanzando fuego por los ojos me decía:

—Pícaro, vuélveme mi mula, mi gualdrapa, mi golilla, mi peluca, mis libros, mi capa y mi dinero, que nada es tuyo.

Tan cierto es, hijos míos, aquel principio de derecho natural que nos dice, que en donde quiera que está la cosa clama por su dueño. *Ubicumque res est, pro domino suo clamat.* ¿Qué importa que el albacea se quede con la herencia de los menores porque éstos no son capaces de reclamarla? ¿qué con que[66] el usurero retenga los lucros? ¿qué con que el comerciante se engrandezca con las ganancias ilícitas? ¿ni qué con que otros muchos, valiéndose de su poder o de la ignorancia de los demás, disfruten procazmente los bienes que les usurpan? Jamás los gozarán sin zozobras, ni por más que disimulen podrán acallar su conciencia, que incesantemente les gritará: Esto no es tuyo, esto es mal habido; restitúyelo o perecerás eternamente.

Así me sucedía con lo que le hurté a mi pobre amo; pero como los remordimientos interiores rara vez se conocen en la cara, procuré asentar mi conducta de buen médico en aquel pueblo, prometiendo interiormente restituirle al doctor todos sus muebles en cuanto tuviera proporción. Bien que en esto no hacía yo más que ir con la corriente.

Como no se me habían olvidado aquellos principios de urbanidad que me enseñaron mis padres, a los dos días, luego que descansé, me informé de quiénes eran los sujetos principales del pueblo, tales como el cura y sus vicarios, el subdelegado y su director, el alcabalero, el administrador de correos, tal cual tendero y otros señores

61. Cuautitlán: a town 28 kilometers from Mexico City on the way to Tula
62. plato: *board*
63. admitió: *accepted* (my proposition).
This verb is not usually intransitive.
64. cátenme ustedes: *there I was*
65. macha: *mule*
66. ¿qué con que = ¿qué importa que

decentes; y a todos ellos envié recado con el bueno de mi patrón [67] y Andrés, ofreciéndoles mi persona e inutilidad.

Con la mayor satisfacción recibieron todos la noticia, correspondiendo corteses a mi cumplimiento, y haciéndome mis visitas de estilo,[68] las que yo también les hice de noche, vestido de ceremonia, quiero decir, con mi capa de golilla, la golilla misma, y mi peluca encasquetada, porque no tenía traje mejor ni peor; siendo lo más ridículo que mis medias eran blancas, todo el vestido de color y los zapatos abotinados, con lo que parecía más bien alguacil que médico; y para realzar mejor el cuadro de mi ridiculez, hice andar conmigo a Andrés con el traje que le compré, que os acordaréis que era chupa y medias negras, calzones verdes, chaleco encarnado, sombrero blanco y su capotillo azul rabón y remendado.

Ya los señores principales me habían visitado, según dije, y habían formado de mí el concepto que quisieron; pero no me había visto el común del pueblo vestido de punta en blanco [69] ni acompañado de mi escudero; mas el domingo que me presenté en la iglesia vestido a mi modo entre médico y corchete,[70] y Andrés entre tordo y perico, fué increíble la distracción del pueblo, y creo que nadie oyó misa por mirarnos; unos burlándose de nuestras extravagantes figuras, y otros admirándose de semejantes trajes. Lo cierto es que, cuando volví a mi posada, fuí

acompañado de una multitud de muchachos, mujeres, indios, indias y pobres rancheros que no cesaban de preguntar a Andrés quiénes éramos. Y él muy mesurado les decía:

—Este señor es mi amo, se llama el señor doctor don Pedro Sarniento, y médico como él no lo ha parido el reino de Nueva España; [71] y yo soy su mozo; me llamo Andrés Cascajo y soy maestro barbero, y muy capaz de afeitar a un capón, de sacarle sangre a un muerto y desquijar a un león si trata de sacarse alguna muela.

Estas conversaciones eran a mis espaldas; porque yo, a fuer de amo, no iba lado a lado con Andrés, sino por delante y muy gravedoso y presumido, escuchando mis elogios; pero por poco me echo a reír a dos carrillos [72] cuando oí los despropósitos de Andrés y advertí la seriedad con que los decía, y la sencillez de los muchachos y gente pobre que nos seguía colgados de la lengua de mi lacayo.

Llegamos a la casa entre la admiración de nuestra comitiva, a la que despidió el tío Bernabé con buen modo, diciéndoles que ya sabían dónde vivía el señor doctor para cuando se les ofreciera.[73] Con esto se fueron retirando todos a sus casas y nos dejaron en paz.

De los mediecillos que me sobraron compré, por medio del patrón, unas cuantas varas de *pontiví*,[74] y me hice una camisa y otra a Andrés, dándole a la vieja casi el resto para que nos dieran

---

67. el bueno . . . patrón: *my good host*
68. mis . . . estilo: *formal visits to me;* the usual expression is: *visitas de cumplido*
69. de . . . blanco: *in full regalia*
70. entre . . . corchete: *partly like a doctor and partly like a village constable*
71. y médico . . . España: *and the Kingdom of New Spain* [Mexico] *has never pro-*
duced *a better doctor than he*
72. por poco . . . carrillos: *I almost burst out into loud guffaws*
73. para . . . ofreciera: *whenever he could be of service to them*
74. pontiví: a kind of cloth originally made at Pontivy, France

de comer algunos días, sin embargo del primer ajuste.

Como en los pueblos son muy noveleros, lo mismo que en las ciudades, al momento corrió por toda aquella comarca la noticia de que había médico y barbero en la cabecera, y de todas partes iban a consultarme sobre sus enfermedades.

Por fortuna, los primeros que me consultaron fueron de aquellos que sanan aunque no se curen, pues les bastan los auxilios de la sabia naturaleza, y otros padecían porque o no querían o no sabían sujetarse a la dieta que les interesaba. Sea como fuere, ellos sanaron con lo que les ordené, y en cada uno labré un clarín a mi fama.

A los quince o veinte días, ya yo no me entendía de enfermos,[75] especialmente indios, los que nunca venían con las manos vacías, sino cargando gallinas, frutas, huevos, verduras, quesos y cuanto los pobres encontraban. De suerte que el tío Bernabé y sus viejas estaban contentísimos con su huésped. Yo y Andrés no estábamos tristes, pero más quisiéramos monedas; sin embargo de que Andrés estaba mejor que yo, pues los domingos desollaba indios a medio real, que era una gloria, llegando a tal grado su atrevimiento, que una vez se arriesgó a sangrar a uno y por accidente quedó bien. Ello es que con lo poco que había visto y el ejercicio que tuvo, se le agilitó la mano, en términos que un día me dijo: Ora[76] sí,

señor, ya no tengo miedo, y soy capaz de afeitar al Sursum corda.[77]

Volaba mi fama de día en día, pero lo que me encumbró a los cuernos de la luna[78] fué una curación que hice (también de accidente como Andrés) con el alcabalero, para quien una noche me llamaron a toda prisa.

Fuí corriendo, y encomendándome a Dios para que me sacara con bien de aquel trance, del que no sin razón pensaba que pendía mi felicidad.

Llevé conmigo a Andrés con todos sus instrumentos, encargándole en voz baja, porque no lo oyera el mozo, que no tuviera miedo como yo no lo tenía; que para el caso de matar a un enfermo, lo mismo tenía que fuera indio que español,[79] y que nadie llevaba su pelea más segura que nosotros; pues si el alcabalero sanaba, nos pagarían bien y se aseguraría nuestra fama; y si se moría, como de nuestra habilidad se podía esperar, con decir que ya estaba de Dios[80] y que se le había llegado su hora, estábamos del otro lado, sin que hubiera quien nos acusara de homicidio.

En estas pláticas llegamos a la casa, que la hallamos hecha una Babilonia;[81] porque unos entraban, otros salían, otros lloraban y todos estaban aturdidos.

A este tiempo llegó el señor cura y el padre vicario con los santos óleos.

—Malo—dije a Andrés;—ésta es enfermedad ejecutiva, aquí no hay remedio; o quedamos bien o quedamos mal.

75. Ya yo . . . enfermos: *I had so many patients I scarcely knew what to do*

76. Ora = Ahora

77. Sursum corda: "Supuesto personaje anónimo de mucha importancia." *Diccionario de la lengua española* (Academia Española).

78. lo que . . . luna: *what sent my stock sky-high*

79. lo mismo . . . español: *it made no difference whether he was Indian or Spanish*

80. ya . . . Dios: *it was God's will*

81. que . . . Babilonia: *which was like a madhouse*

Vamos a ver cómo nos sale este albur.

Entramos todos juntos a la recámara y vimos al enfermo tirado boca arriba en la cama, privado de sentidos, cerrados los ojos, la boca abierta, el semblante denegrido y con todos los síntomas de un apoplético.

Luego que me vieron junto a la cama, la señora su esposa y sus niñas, se rodearon de mí y me preguntaron, hechas un mar de lágrimas:

—¡Ay, señor! ¿Qué dice usted, se muere mi padre? Yo, afectando mucha serenidad de espíritu y con una confianza de un profeta, les respondí:

—Callen ustedes, niñas, ¡qué se ha de morir! Éstas son efervescencias del humor sanguíneo que oprimiendo los ventrículos del corazón embargan el cerebro, porque cargan con el *pondus* [82] de la sangre sobre la espina medular y la traquearteria; pero todo esto se quitará en un instante, pues si *evaquatio fit, recedet pletora,* con la evacuación nos libraremos de la plétora.

Las señoras me escuchaban atónitas, y el cura no se cansaba de mirarme de hito en hito, sin duda mofándose de mis desatinos, los que interrumpió diciendo:

—Señoras, los remedios espirituales nunca dañan ni se oponen a los temporales. Bueno será absolver a mi amigo por la bula y olearlo, y obre Dios.

—Señor cura—dije yo con toda la pedantería que acostumbraba, que era tal que no parecía sino que la había aprendido con escritura;—señor cura, usted dice bien, y yo no soy capaz de introducir mi hoz en mies ajena; pero, *venia tanti,* [83] digo que esos remedios espirituales, no sólo son buenos, sino necesarios, *necesitate medii y necesitate praecepti in articulo mortis: sed sic est,* [84] que no estamos en ese caso; *ergo,* etc.

El cura, que era harto prudente e instruído, no quiso hacer alto [85] en mis charlatanerías, y así me contestó:

—Señor doctor, el caso en que estamos no da lugar a argumentos, porque el tiempo urge; yo sé mi obligación y esto importa.

Decir esto y comenzar a absolver al enfermo, y el vicario a aplicarle el santo sacramento de la unción, todo fué uno. [86] Los dolientes, como si aquellos socorros espirituales fueran el fallo cierto de la muerte del deudo, comenzaron a aturdir la casa a gritos. Luego que los señores eclesiásticos concluyeron sus funciones, se retiraron a otra pieza, cediéndome el campo y el enfermo.

Inmediatamente me acerqué a la cama, le tomé el pulso, miré a las vigas del techo por largo rato; después le tomé el otro pulso haciendo mil monerías, como eran arquear las cejas, arrugar la nariz, mirar al suelo, morderme los labios, mover la cabeza a uno y otro lado y hacer cuantas mudanzas pantomímicas me parecieron oportunas para aturdir a aquellas pobres gentes que, puestos los ojos en mí, guardaban un profundo silencio, teniéndome sin duda por un segundo

---

82. pondus (Latin): *weight*
83. venia tanti (bad Latin): *with your permission*
84. necesitate ... est (exceptionally bad Latin): *such procedure is necessary when the patient is near death; but the fact is;*

ergo: *therefore*
85. hacer alto: *pay any attention*
86. Decir ... uno: *No sooner had he said this than he began to absolve the sick man and the vicar started to administer the last sacraments.*

Hipócrates; a lo menos ésa fué mi intención, como también ponderar el gravísimo riesgo del enfermo y lo difícil de la curación, arrepentido de haberles dicho que no era cosa de [5] cuidado.

Acabada la tocada del pulso, le miré el semblante atentamente, le hice abrir la boca con una cuchara para verle la lengua, le alcé los párpados, le toqué [10] el vientre y los pies, e hice dos mil preguntas a los asistentes sin acabar de ordenar ninguna cosa, hasta que la señora, que ya no podía sufrir mi cachaza, me dijo:

—Por fin, señor, ¿qué dice usted de mi marido, es de vida o de muerte?

—Señora—le dije,—no sé de lo que será; sólo Dios puede decir que es de vida y resurrección como lo fué *Laza-* [20] *rum quem resuscitavit a monumento foetidum,*[87] y si lo dice, vivirá aunque esté muerto. *Ego sum resurrectio et vita, qui credit in me, etiam si mortuus fuerit, vivet.*[88] [25]

—¡Ay, Jesús! gritó una de las niñas, ya se murió mi padrecito.

Como ella estaba junto al enfermo, su grito fué tan extraño y doloroso, y cayó privada [89] de la silla, pensamos [30] todos que en realidad había espirado, y nos rodeamos de la cama.

El señor cura y el vicario, al oír la bulla, entraron corriendo, y no sabían a quién atender, si al apoplético o a la [35] histérica, pues ambos estaban privados. La señora ya medio colérica, me dijo:

—Déjese usted de latines, y vea si cura o no cura a mi marido. ¿Para qué me dijo, cuando entró, que no era cosa de cuidado y me aseguró que no se [5] moría?

—Yo lo hice, señora, por no afligir a usted—le dije,—pero no había examinado al enfermo *methodice vel juxta artis nostrae praecepta,* esto, con mé-[10] todo o según las reglas del arte; pero encomiéndese usted a Dios y vamos a ver. Primeramente que se ponga una olla grande de agua a calentar.

—Esto sobra—dijo la cocinera.

—Pues bien, maestro Andrés—con-[15] tinué yo,—usted, como buen flebotomiano,[90] déle luego luego un par de sangrías de la vena cava.[91]

Andrés, aunque con miedo y sa-[20] biendo tanto como yo de venas cavas, le ligó los brazos y le dió dos piquetes que parecían puñaladas, con cuyo auxilio, al cabo de haberse llenado dos borcelanas [92] de sangre, cuya profusión [25] escandalizaba a los espectadores, abrió los ojos el enfermo, y comenzó a conocer a los circunstantes y a hablarles.

Inmediatamente hice que Andrés aflojara las vendas y cerrara las cisuras, [30] lo que no costó poco trabajo, tales fueron de prolongadas.

Después hice que se le untase vino blanco en el cerebro y pulsos, que se le confortara el estómago por dentro con [35] atole de huevos y por fuera con una tortilla de los mismos, condimentada con aceite rosado, vino, culantro y cuantas porquerías se me antojaron;

---

87. Lazarum ... foetidum (Latin): *Lazarus whom he [Jesus] raised from a tomb of corruption* (cf. *John,* XII:1)

88. Ego ... vivet (Latin): *I am the resurrection and the life: he that believeth in me, though he were dead, yet shall he live.* (*John,* XI:25).

89. privada [de sentido]: *unconscious*

90. flebotomiano: *phlebotomist, bloodletter*

91. vena cava: one of two large trunk veins which lead directly to the heart. The idea of piercing them, as suggested here, is representative of Periquillo's medical ignorance.

92. borcelanas (Mexicanism): *small basins*

encargando mucho que no lo resupinaran.[93]

—¿Qué es eso de resupinar, señor
doctor?—preguntó la señora. Y el cura,
sonriéndose, le dijo:

—Que no lo tengan boca arriba.

—Pues tatita,[94] por Dios—siguió la
matrona,—hablemos en lengua que
nos entendamos como la gente.[95]

A ese tiempo, ya la niña había vuelto
de su desmayo y estaba en la conversación, y luego que oyó a su madre, dijo:

—Sí, señor, mi madre dice muy bien;
sepa usted que por eso me privé endenantes,[96] porque como empezó a rezar aquello [97] que los padres les cantan
a los muertos cuando los entierran,
pensé que ya se había muerto mi padrecito y que usted le cantaba la vigilia.

Rióse el cura de gana por la sencillez
de la niña y los demás lo acompañaron,
pues ya todos estaban contentos al ver
al señor alcabalero fuera de riesgo, tomando su atole y platicando muy sereno como uno de tantos.

Le prescribí su régimen para los días
sucesivos, ofreciéndome a continuar su
curación hasta que estuviera enteramente bueno.

Me dieron todos las gracias, y al des-
pedirme, la señora me puso en la
mano una onza de oro, que yo la juz-
gué peso en aquel acto,[98] y me daba al
diablo de ver mi acierto tan mal pagado; y así se lo iba diciendo a Andrés,
el que me dijo:

—No, señor; no puede ser plata,
sobre que a mí me dieron cuatro pesos.

—En efecto, dices bien—le contesté. Y acelerando el paso llegamos
a la casa donde vi que era una onza
de oro amarilla como un azafrán refino.

93. no lo resupinaran: *should not lay him
on his back.*

94. tatita (American Spanish): *daddy;*
used here as a term of qualified respect

95. que . . . gente: *so that we can un-*
derstand each other like ordinary people.

96. endenantes (American Spanish and
archaic) = antes

97. aquello: i.e. Ego sum resurrectio, etc.

98. en aquel acto: *at that moment*

Simón Bolívar

1783-1830

This selection, *Carta a un caballero que tomaba gran interés en la causa republicana en la América del Sur,* is an extract from one of Bolívar's most remarkable documents, a letter written September 6, 1815 while he was on the British island of Jamaica, seeking arms and men for the revolutionary cause. It is probable that the letter was addressed to the Duke of Manchester, governor of Jamaica. The first part of the epistle outlines the situation of the revolting colonies in 1815 and indicates the historical antecedents of the struggle, emphasizing the inadequate preparation for self-government given by the Spanish colonial system. Then follows the section presented here, which attempts a prophecy of the political future of Spanish America as a whole and of each of its regions. Considering Bolívar's insufficient data, the prophecy has an uncanny accuracy which testifies to the Liberator's amazing historical intuition.

CARTA A UN CABALLERO QUE TOMABA GRAN INTERÉS EN LA CAUSA REPUBLICANA EN LA AMÉRICA DEL SUR

En tanto que nuestros compatriotas no adquieran los talentos y las virtudes políticas que distinguen a nuestros hermanos del Norte,[1] los sistemas enteramente populares, lejos de sernos favorables, temo mucho que vengan a ser nuestra ruina. Desgraciadamente, estas cualidades parecen estar muy distantes de nosotros, en el grado que se requiere; y, por el contrario, estamos dominados de los vicios que se contraen bajo la dirección de una nación como la española, que sólo ha sobresalido en fiereza, ambición, venganza y codicia.

"Es más difícil, dice Montesquieu,[2] sacar un pueblo de la servidumbre, que subyugar uno libre." Esta verdad está comprobada por los anales de todos los tiempos, que nos muestran las más de las naciones libres, sometidas al yugo, y muy pocas de las esclavas recobrando su libertad. A pesar de este convencimiento, los meridionales de este continente han manifestado el conato de conseguir instituciones liberales y aun perfectas, sin duda por efecto del instinto que tienen todos los hombres de aspirar a la mayor felicidad posible, la que se alcanza infaliblemente en las sociedades civiles, cuando ellas están fundadas sobre las bases de la justicia, de la libertad, y de la igualdad.[3] Pero, ¿seremos nosotros capaces de mantener en su verdadero equilibrio la difícil carga de una república? ¿Se puede concebir que un pueblo, recientemente desencadenado, se lance a la esfera de la libertad, sin que, como a Icaro,[4] se le deshagan las alas y recaiga en el abismo? Tal prodigio es inconcebible, nunca visto. Por consiguiente, no hay un raciocinio verosímil que nos halague con esta esperanza.

Yo deseo, más que otro alguno, ver formar en América la más grande nación del mundo, menos por su extensión y riquezas que por su libertad y gloria. Aunque aspiro a la perfección del gobierno de mi patria, no puedo persuadirme que el Nuevo Mundo sea, por el momento, regido por una gran república; como es imposible, no me atrevo a desearlo, y menos deseo una monarquía universal de América, porque este proyecto, sin ser útil, es también imposible. Los abusos que actualmente existen no se reformarían y nuestra regeneración sería infructuosa. Los estados americanos han menester de los cuidados de gobiernos paternales que curen las llagas y las heridas del despotismo y la guerra. La metrópoli,[5] por ejemplo, sería Méjico, que es la única que puede serlo por su poder intrínseco, sin el cual no hay metrópoli. Supongamos que fuese el istmo de Panamá, punto céntrico para todos los extremos de este vasto continente, ¿no continuarían éstos en la languidez y aun en el desorden actual? Para que un solo Gobierno dé vida, anime, ponga en acción todos los resortes de la prosperidad pública, corrija, ilustre y perfeccione al Nuevo Mundo, sería necesario que tuviese las facultades de un Dios, y cuando menos las luces y virtudes de todos los hombres.

El espíritu de partido, que al presente agita a nuestros estados, se encendería entonces con mayor encono, hallándose ausente la fuente del poder, que únicamente puede reprimirlo. Además, los magnates de las capitales[6] no sufrirían la preponderancia de los metropolitanos, a quienes considerarían como a otros tantos tiranos; sus celos llegarían hasta el punto de comparar a éstos con los odiosos españoles. En fin, una monarquía semejante sería un coloso deforme, que su propio peso desplomaría a la menor convulsión.

M. de Pradt[7] ha dividido sabiamente a la América en quince a diecisiete estados independientes entre sí, gobernados por otros tantos monar-

---

3. la que ... la igualdad: a good example of the optimistic theory of progress which Bolívar inherited from eighteenth century French thought

4. Icaro: in Greek mythology, Icarus fled from the Cretan labyrinth with wings stuck on with wax. When he flew too near the sun, the wax melted, the wings dropped off, and Icarus tumbled into the sea.

5. metrópoli: *the capital* (of a single, united Spanish America)

6. las capitales: the provincial capitals of the Union

7. Dominique-Georges-Frédéric etc. de Pradt (1759–1837) was a French churchman who had interested himself in Bolívar's cause and had predicted his triumph.

cas. Estoy de acuerdo en cuanto a lo primero, pues la América comporta la creación de diecisiete naciones; en cuanto a lo segundo, aunque es más fácil conseguirlo, es menos útil, y así no soy de la opinión de las monarquías americanas.

He aquí mis razones:

El interés bien entendido de una república se circunscribe en la esfera de su conservación, prosperidad y gloria. No ejerciendo la libertad imperio, porque es precisamente su opuesto, ningún estímulo excita a los republicanos a extender los términos de su nación, en detrimento de sus propios medios, con el único objeto de hacer participar a sus vecinos de una constitución liberal. Ningún derecho adquieren, ninguna ventaja sacan venciéndolos, a menos que los reduzcan a colonias, conquistas o aliados, siguiendo el ejemplo de Roma. Máximas y ejemplos tales están en oposición directa con los principios de justicia de los sistemas republicanos, y aun diré más, en oposición manifiesta con los intereses de sus ciudadanos, porque un estado demasiado extenso en sí mismo o por sus dependencias, al cabo viene en decadencia y convierte su forma libre en otra tiránica, relaja los principios que deben conservarla y recurre, por último, al despotismo.

El distintivo de las pequeñas repúblicas es la permanencia; el de las grandes es vario, pero siempre se inclina al imperio. Casi todas las primeras han tenido una larga duración; de las segundas sólo Roma se mantuvo algunos siglos, pero fué porque era república la capital y no lo era el resto de sus dominios, que se gobernaban por leyes e instituciones diferentes.

Muy contraria es la política de un rey, cuya inclinación constante se dirige al aumento de sus posesiones, riquezas y facultades; con razón, porque su autoridad crece con estas adquisiciones, tanto con respecto a sus vecinos, como a sus propios vasallos, que temen en él un poder tan formidable cuanto es su imperio, que se conserva por medio de la guerra y de las conquistas. Por estas razones pienso que los americanos, ansiosos de paz, ciencias, artes, comercio y agricultura, preferirían las repúblicas a los reinos, y me parece que estos deseos se conforman con las miras de la Europa.

No convengo en el sistema federal, entre los populares y representativos, por ser demasiado perfecto y exigir virtudes y talentos políticos muy superiores a los nuestros; por igual razón rehuso la monarquía mixta de aristocracia y democracia que tan fortuna y esplendor ha procurado a la Inglaterra. No siéndonos posible lograr entre las repúblicas y monarquías lo más perfecto y acabado, evitemos caer en anarquías demagógicas, o en tiranías monócratas.[8] Busquemos un medio entre extremos opuestos que nos conducirían a los mismos escollos, a la infelicidad y al deshonor.

Voy a arriesgar el resultado de mis cavilaciones sobre la suerte futura de la América, no la mejor, sino la que sea más asequible.

Por la naturaleza de las localidades, riquezas, población y carácter de los mejicanos, imagino que intentarán al principio establecer una república representativa, en la cual tenga grandes atribuciones el Poder Ejecutivo, concentrándolo en un individuo, que si desempeña sus funciones con acierto

---

8. tiranías monócratas: *the tyrannical rule of one man.*

y justicia, casi naturalmente vendrá a conservar una autoridad vitalicia. Si su incapacidad o violenta administración excita una conmoción popular que triunfe, este mismo Poder Ejecutivo quizá se difundirá en una asamblea. Si el partido preponderante es militar o aristocrático, exigirá, probablemente, una monarquía que, al principio, será limitada y constitucional, y después, inevitablemente, declinará en absoluta,[9] pues debemos convenir en que nada hay más difícil en el orden político que la conservación de una monarquía mixta, y también es preciso convenir en que sólo un pueblo tan patriota como el inglés, es capaz de contener la autoridad de un rey, y de sostener el espíritu de libertad bajo un cetro y una corona.

Los estados del istmo de Panamá, hasta Guatemala, formarán, quizás, una asociación.[10] Esta magnífica posición entre los dos mares, podrá ser, con el tiempo, el emporio del universo; sus canales acortarán las distancias del mundo, estrecharán los lazos comerciales de Europa, América y Asia, traerán a tan feliz región los tributos de las cuatro partes del globo. Acaso sólo allí podrá fijarse algún día la capital de la tierra, como pretendió Constantino que fuese Bizancio la del antiguo hemisferio.

La Nueva Granada [11] se unirá con Venezuela, si llegan a convenir en formar una república central, cuya capital sea Maracaibo o una nueva ciudad que con el nombre de Las Casas, en honor de este héroe de la filantropía, se funde entre los confines de ambos países, en el soberbio puerto de Bahíahonda.[12] Esta posición, aunque desconocida, es más ventajosa por todos respectos. Su acceso es fácil y su situación tan fuerte, que puede hacerse inexpugnable. Posee un clima puro y saludable, un territorio tan propio para la agricultura como para la cría de ganado, y una grande abundancia de maderas de construcción. Los salvajes que la habitan serían civilizados, y nuestras posesiones se aumentarían con la adquisición de la Goagira. Esta nación se llamaría Colombia, como un tributo de justicia y gratitud al creador de nuestro hemisferio. Su gobierno podrá imitar al inglés, con la diferencia de que en lugar de un rey habrá un poder ejecutivo electivo, cuando más vitalicio,[13] y jamás hereditario si se quiere república, una cámara o senado legislativo hereditario que en las tempestades políticas se interponga entre las olas populares y los rayos del gobierno, y un cuerpo legislativo, de libre elección, sin otras restricciones que las de la cámara baja de Inglaterra. Esta cons-

9. Si el partido ... absoluta: These lines should be compared with the facts concerning Iturbide's short reign as Emperor of Mexico (1822–1823).
10. una asociación: "The ideal of uniting Central America under one government has been one of the strongest forces which have influenced internal politics and international relations in the Isthmus from the declaration of independence to the present day." Dana G. Munro, *The Five Republics of Central America.* Quoted in Williams, *People and Politics of Latin America,* p. 419.

11. Nueva Granada: the present-day Colombia. Nueva Granada and Venezuela were united by Bolívar as the Republic of Colombia in 1819. Ecuador later was included. The union fell apart in 1830.
12. Bahíahonda: a bay situated on the Goajira peninsula, the northeastern tip of Colombia. The dream city of Las Casas was never founded.
13. vitalicio: Bolívar himself was elected president of *la Gran Colombia* and wielded almost regal power.

titución [14] participaría de todas las formas y yo deseo que no participe de todos los vicios. Como ésta es mi patria, tengo un derecho incontestable para desearla lo que en mi opinión es mejor. Es muy posible que la Nueva Granada no convenga en el reconocimiento de un Gobierno central, porque es en extremo adicta a la federación, [15] y entonces formaría por sí sola un estado que, si subsiste, podrá ser muy dichoso por sus grandes recursos de todo género.

Poco sabemos de las opiniones que prevalecen en Buenos Aires, Chile y el Perú. Juzgando por lo que se trasluce y por las apariencias, en Buenos Aires habrá un gobierno central, en que los militares se lleven la primacía, por consecuencia de sus divisiones intestinas y guerras externas. Esta constitución degenerará, necesariamente, en una oligarquía o una monocracia, [16] con más o menos restricciones, y cuya denominación nadie puede adivinar. Sería doloroso que tal cosa sucediese, porque aquellos habitantes son acreedores a la más espléndida gloria.

El reino de Chile [17] está llamado, por la naturaleza de su situación, por las costumbres inocentes y virtuosas de sus moradores, por el ejemplo de sus vecinos, los fieros republicanos del Arauco, [18] a gozar de las bendiciones que derraman las justas y dulces leyes de una república. Si alguna permanece largo tiempo en América, me inclino a pensar que será la chilena. Jamás se ha extinguido allí el espíritu de libertad; los vicios de la Europa y el Asia llegarán tarde o nunca a corromper las costumbres de aquel extremo del universo. Su territorio es limitado; estará siempre fuera del contacto inficionado del resto de los hombres, no alterará sus leyes, usos y prácticas, preservará su uniformidad en opiniones políticas y religiosas. En una palabra, Chile puede ser libre.

El Perú, por el contrario, encierra dos elementos enemigos de todo régimen justo y liberal: oro y esclavos. El primero, lo corrompe todo; el segundo, está corrompido por sí mismo. El alma de un siervo rara vez alcanza a apreciar la sana libertad: se enfurece en los tumultos o se humilla en las cadenas. Aunque estas reglas serían aplicables a toda la América, creo que con más justicia las merece Lima, por los conceptos que he expuesto y por la cooperación que ha prestado a sus señores contra sus propios hermanos, los ilustres hijos de Quito, Chile y Buenos Aires. Es constante que el que aspira a obtener la libertad, a lo menos lo intenta. Supongo que en Lima [19] no tolerarán los ricos la democracia, ni los

---

14. esta constitución; cf. Bolívar's *Discurso ante el congreso en Angostura* in which he outlines in fuller detail his ideal of a republic

15. adicta . . . federación: In fact, Colombia's history during the nineteenth century is a confused tale of conflict between centralized power and an ingrained regionalistic spirit (federalism or *federación*).

16. monocracia: cf. the dictatorship of Rosas (1835–1852)

17. El . . . Chile etc.: It is a matter of historical record that Chile was one of the first Latin American republics to achieve political and economic stability.

18. los fieros . . . Arauco: The Araucanian Indians had been famed for their tenacious love of liberty since the bloody days of the conquistadors.

19. Supongo que en Lima etc.: A modern Peruvian commentator says: "The evolution of Peru proved the profound truth of this statement. The oligarchy accepted military dictators, who upheld property and preserved peace." F. García Calderón, *Latin America; Its Rise and Progress*, p. 78.

esclavos y pardos libertos la aristocracia; los primeros preferirán la tiranía de uno solo, por no padecer las persecuciones tumultuarias y por establecer un orden siquiera pacífico. Mucho hará si consigue recobrar su independencia.

De todo lo expuesto, podemos deducir estas consecuencias: las provincias americanas se hallan lidiando por emanciparse, al fin obtendrán el suceso; algunas se constituirán de un modo regular en repúblicas federales y centrales; se fundarán monarquías casi inevitablemente en las grandes secciónes, y algunas serán tan infelices que devorarán sus elementos, ya en la actual, ya en las futuras revoluciones. Una gran monarquía, no será fácil consolidar; una gran república, imposible.

Es una idea grandiosa pretender formar de todo el Mundo Nuevo una sola nación con un solo vínculo que ligue sus partes entre sí y con el todo. Ya que tiene un origen, una lengua, unas costumbres y una religión, debería, por consiguiente, tener un solo gobierno que confederase los diferentes estados que hayan de formarse; mas no es posible, porque climas remotos, situaciones diversas, intereses opuestos, caracteres desemejantes dividen a la América. ¡Qué bello sería que el istmo de Panamá fuese para nosotros lo que el de Corinto para los griegos! ¡Ojalá que algún día tengamos la fortuna de instalar allí un augusto Congreso [20] de los representantes de las repúblicas, reinos e imperios, a tratar y discutir sobre los altos intereses de la paz y de la guerra, con las naciones de las otras tres partes del mundo! Esta especie de corporación podrá tener lugar en alguna época dichosa de nuestra regeneración; otra esperanza es infundada, semejante a la del abate Saint-Pierre,[21] que concibió el laudable delirio de reunir un Congreso europeo para decidir de la suerte y de los intereses de aquellas naciones.

20. un augusto Congreso: Nine years after this letter was written, Bolívar, as president of Colombia, invited the new American nations to participate in an international Congress in Panama (held in 1826). While grandiose plans for a league of the nations of the Hemisphere were discussed, the meeting was a practical failure, mainly for the very reasons expressed by Bolívar in this letter.

21. el abate Saint-Pierre: Charles Irénée Castel, Abbé de Saint-Pierre (1658–1734), was an acute critic of social institutions whose ideas greatly influenced Rousseau. His proposal for a union of European powers is found in his *Projet de paix perpétuelle.*

SECTION C

The Nineteenth Century
Before Modernism

1826-1888

Esteban Echeverría

1805-1851

ESTEBAN ECHEVERRÍA discovered that he wanted to be a poet during the four years that he spent in France from 1826 to 1830. Romanticism was then at its height in Paris. Victor Hugo had reached the summit of his fame; Alfred de Musset had published his first verses. All Europe was reading the works of Byron and of Walter Scott. Echeverría was a Romantic by taste and temperament and became an enthusiastic apostle of Romantic ideals in poetry and life. After circumstances forced him to return home to Buenos Aires, he began to publish his verses, first under a pseudonym in *La gaceta mercantil,* later under his own name in two modest volumes, *Elvira o la novia del Plata* (1832) and *Los consuelos* (1834). In 1837 his book of *Rimas* appeared. This contained, in addition to some lyric poems, *La cautiva,* the first poetic *leyenda* or verse-romance in Spanish America to treat of native themes and native scenes. It remained Echeverría's greatest poem.

Echeverría was the founder, also, of the political association of young Argentines who opposed the dictatorship of the tyrant Rosas and he wrote for the club its program, which was later published as *El dogma socialista.* Echeverría died in exile in Montevideo a year before the defeat of Rosas. He left a posthumous work, *El matadero,* a vigorous and realistic short story.

La cautiva is written in simple octosyllables in contrast to the sonorous alexandrines of the neo-classic poets. It discarded their classical figures and allusions and their cosmopolitanism, and became homely, local, Argentine.

The modern reader cannot appreciate the melancholy nature of *La cautiva* as did the readers of Echeverría's day.

LA CAUTIVA

EL DESIERTO

Ils vont. L'espace est grand.[1]
Victor Hugo

En todo clima el corazón de la mujer
es tierra fértil en afectos generosos; ellas
en cualquier circunstancia de la vida saben, como la Samaritana, prodigar el óleo
y el vino.   Byron

Era la tarde, y la hora
en que el sol la cresta dora
de los Andes. El desierto [2]
inconmensurable, abierto
y misterioso a sus pies   5
se extiende, triste el semblante,
solitario y taciturno
como el mar, cuando un instante,
al crepúsculo nocturno,
pone rienda a su altivez.   10

Gira en vano, reconcentra
su inmensidad, y no encuentra
la vista, en su vivo anhelo,
do fijar su fugaz vuelo,
como el pájaro en el mar.   15
Doquier campos y heredades [3]
de ave y bruto guaridas; [4]
doquier cielo y soledades
de Dios sólo conocidas,
que Él sólo puede sondar. * * *   20

Sólo a ratos, altanero
relinchaba un bruto fiero
aquí o allá, en la campaña;

bramaba un toro de saña,
rugía un tigre feroz,   25
o las nubes contemplando,
como extático gozoso,
el yajá,[5] de cuando en cuando,
turbaba el mudo reposo
con su fatídica voz.   30

Se puso el sol; parecía
que el vasto horizonte ardía:
la silenciosa llanura
fué quedando más obscura,
más pardo el cielo, y en él,   35
con luz trémula brillaba
una que otra estrella, y luego
a los ojos se ocultaba,
como vacilante fuego
en soberbio chapitel.   40

El crepúsculo, entretanto,
con su claroscuro manto,
veló la tierra; una faja,
negra como una mortaja,
el occidente cubrió,   45
mientras la noche bajando

1. The two epigraphs give the *Leitmotifs* of the poem: the vastness of the pampas; the nobility of a courageous woman.
2. Él desierto: the uncultivated pampa, vast as a desert, but green, not arid
3. heredades: *pieces of ground*
4. guaridas: *haunts*
5. yajá: this bird (the modern form of his name is *chajá*) is described by Padre Guevara in his history of Paraguay as follows: "El yahá justamente lo podemos llamar el volador y centinela. Es grande de cuerpo y

de pico pequeño. El color es ceniciento, con un collarín de plumas blancas que le rodean. Las alas están armadas de un espolón colorado, duro y fuerte, con que pelea . . . En su canto repite estas voces: *yahá, yahá,* que significa en guaraní 'vamos, vamos,' de donde se les impuso el nombre. El misterio y significación es que estos pájaros velan de noche, y en sintiendo ruido de gente que viene, empiezan a repetir *yahá,* como si dijeran: 'Vamos, vamos, que hay enemigos, y no estamos seguros de sus asechanzas.'"

lenta venía, la calma
que contempla suspirando
inquieta a veces el alma,
con el silencio reinó.   50

Entonces, como el ruido
que suele hacer el tronido
cuando retumba lejano,
se oyó en el tranquilo llano
sordo y confuso clamor;   55
se perdió . . . y luego violento,
como baladro [6] espantoso
de turba inmensa, en el viento
se dilató sonoroso,
dando a los brutos pavor.   60

Bajo la planta sonante
del ágil potro arrogante
el duro suelo temblaba,
y envuelto en polvo cruzaba
como animado tropel,   65
velozmente cabalgando.
Veíanse lanzas agudas,
cabezas, crines ondeando;
y como formas desnudas
de aspecto extraño y cruel.   70

¿Quién es? ¿Qué insensata turba
con su alarido perturba
las calladas soledades
de Dios, do las tempestades
sólo se oyen resonar?   75
¿Qué humana planta orgullosa
se atreve a hollar el desierto
cuando todo en él reposa?
¿Quién viene seguro puerto
en sus yermos [7] a buscar?   80

¡Oíd! Ya se acerca el bando
de salvajes, atronando
todo el campo convecino.
¡Mirad! Como torbellino

hiende el espacio veloz;   85
el fiero ímpetu no enfrena
del bruto que arroja espuma;
vaga al viento su melena,
y con ligereza suma
pasa en ademán atroz.   90

¿Dónde va? ¿De dónde viene?
¿De qué su gozo proviene?
¿Por qué grita, corre, vuela,
clavando al bruto la espuela,
sin mirar alrededor?   95
¡Ved! que las puntas ufanas
de sus lanzas por despojos
llevan cabezas humanas,
cuyos inflamados ojos
respiran aún furor.   100

Así el bárbaro hace ultraje
al indomable coraje
que abatió su alevosía,
y su rencor todavía
mira, con torpe placer,   105
las cabezas que cortaron
sus inhumanos cuchillos,
exclamando: —Ya pagaron
del cristiano los caudillos
el feudo a nuestro poder.   110

Ya los ranchos [8] do vivieron
presa de las llamas fueron,
y muerde el polvo abatida
su pujanza tan erguida.
¿Dónde sus bravos están?   115
Vengan hoy del vituperio
sus mujeres, sus infantes,
que gimen en cautiverio,
a libertar, y como antes,
nuestras lanzas probarán.   120

Tal decía, y bajo el callo [9]
del indómito caballo

6. baladro: *scream, cry of fright*
7. yermos: *desert wastes*

8. ranchos: (straw-thatched) *huts*
9. callo: part of horse-shoe; here *hoof*

crujiendo el suelo temblaba;
hueco y sordo retumbaba
su grito en la soledad;
mientras la noche, cubierto

el rostro en manto nubloso,
echó en el vasto desierto 125
su silencio pavoroso,
su sombría majestad. 130

EL FESTÍN

> . . . orribile favelle,
> parole di dolor, accenti d'ira,
> voci alte e fioche, e suon di man con elle
> facevan un tumulto . . .[10]
>
> Dante

Noche es el vasto horizonte,
noche el aire, cielo y tierra.
Parece haber apiñado
el genio de las tinieblas,
para algún misterio inmundo, 5
sobre la llanura inmensa,
la lobreguez del abismo
donde inalterable reina.
Sólo inquietos divagando,
por entre las sombras negras, 10
los espíritus foletos
con viva luz reverberan,
se disipan, reaparecen,
vienen, van, brillan, se alejan,
mientras el insecto chilla, 15
y en fachinales [11] o cuevas
los nocturnos animales
con triste aullido se quejan.

La tribu aleve, entretanto,
allá en la pampa desierta, 20
donde el cristiano atrevido
jamás estampa la huella,
ha reprimido del bruto
la estrepitosa carrera;
y campo tiene fecundo 25
al pie de una loma extensa,
lugar hermoso do a veces
sus tolderías asienta.

Feliz la maloca [12] ha sido
rica y de estima la presa 30
que arrebató a los cristianos:
caballos, potros y yeguas,
bienes que en su vida errante
ella más que el oro aprecia;
muchedumbre de cautivas, 35
todas jóvenes y bellas. * * *

Arden en medio del campo
con viva luz las hogueras;
sopla el viento de la pampa
y el humo y las chispas vuelan. 40
A la charla interrumpida,
cuando el hambre está repleta,
sigue el cordial regocijo,
el beberaje y la gresca,
que apetecen los varones 45
y las mujeres detestan.
El licor espirituoso
en grandes vacías [13] echan,
y, tendidos de barriga
en derredor, la cabeza 50
meten sedientos, y apuran
el apetecido néctar
que bien pronto los convierte
en abominables fieras.

Cuando algún indio, medio ebrio, 55
tenaz metiendo la lengua

10. This passage is in Canto III of the *Inferno. Strange tongues, horrible utterances, words of woe, accents of anger, voices high and faint and sounds of hands with them were making a tumult*

11. fachinales: colloquial for *moist lowlands covered with weeds*
12. maloca: *sortie, expedition, foray*
13. vacías: *open vessels*

sigue en la preciosa fuente,
y beber también no deja
a los que aguijan furiosos,
otro viene, de las piernas 60
lo agarra, tira y arrastra
y en lugar suyo se espeta.
Así bebe, ríe, canta,
y al regocijo sin rienda
se da la tribu: aquel ebrio 65
se levanta, bambolea,
a plomo cae, y gruñendo
como animal se revuelca.
Éste chilla, algunos lloran,

y otros a beber empiezan. 70

De la chusma toda al cabo
la embriaguez se enseñorea
y hace andar en remolino
sus delirantes cabezas.
Entonces empieza el bullicio 75
y la algazara tremenda,
el infernal alarido
y las voces lastimeras,
mientras sin alivio lloran
las cautivas miserables 80
y los ternezuelos niños,
al ver llorar a sus madres.

EL PUÑAL

Yo iba a morir es verdad
entre bárbaros crueles,
y allí el pensar me mataba
de morir, mi bien, sin verte.
A darme la vida tú
saliste, hermosa, y valiente.
Calderón

Yace en el campo tendida,
cual si estuviera sin vida,
ebria la salvaje turba,
y ningún ruido perturba
su sueño o sopor mortal. 5
Varones y hembras mezclados,
todos duermen sosegados.
Sólo, en vano tal vez, velan
los que libertarse anhelan
del cautiverio fatal. 10

Paran la oreja bufando
los caballos, que vagando
libres despuntan la grama;
y a la moribunda llama
de las hogueras se ve, 15
se ve sola y taciturna,
símil a sombra nocturna,
moverse una forma humana,
como quien lucha y se afana,
y oprime algo bajo el pie. * * * 20

Silencio: ya el paso leve
por entre la hierba mueve,
como quien busca y no atina,
y temerosa camina
por ser vista o tropezar, 25
una mujer; en la diestra
un puñal sangriento muestra,
sus largos cabellos flotan
desgreñados, y denotan
de su ánimo el batallar. 30

Ella va. Toda es oídos
sobre salvajes dormidos
va pasando; escucha, mira,
se para, apenas respira,
y vuelve de nuevo a andar. * * * 35

Un instinto poderoso
un afecto generoso
la impele y guía segura,

como luz de estrella pura,
por aquella obscuridad.   40

Su corazón de alegría
palpita. Lo que quería,
lo que buscaba con ansia
su amoroso vigilancia
encontró gozosa al fin.   45
Allí, allí está su universo,
de su alma el espejo terso,
su amor, esperanza y vida;
allí contempla embebida
su terrestre serafín. * * *   50

Allí está su amante herido,
mirando al cielo, y ceñido
el cuerpo con duros lazos,
abiertos en cruz los brazos,
ligadas manos y pies.   55
Cautivo está, pero duerme;
inmoble, sin fuerza, inerme
yace su brazo invencible;
de la pampa el león terrible
preso de los buitres es. * * *   60

Allí está; silenciosa ella,
como tímida doncella,
besa su entreabierta boca,
cual si dudara le toca
por ver si respira aún.   65
Entonces las ataduras,
que sus carnes roen duras,
corta, corta velozmente
con su puñal obediente,
teñido en sangre común.   70

Brian despierta; su alma fuerte,
conforme ya con su suerte,
no se conturba, ni azora;
poco a poco se incorpora,
mira sereno y cree ver   75
un asesino: echan fuego
sus ojos de ira; mas luego
se siente libre, y se calma,
y dice:—¿Eres alguna alma
que pueda y deba querer?   80

¿Eres espíritu errante,
ángel bueno, o vacilante
parto de mi fantasía?
—Mi vulgar nombre es María,
ángel de tu guarda soy;   85
y mientras cobra pujanza
ebria la feroz venganza
de los bárbaros, segura,
en aquesta noche obscura,
velando a tu lado estoy. * * *   90

Levanta, mi Brian, levanta,
sigue, sigue mi ágil planta;
huyamos de esta guarida
donde la turba se anida
más inhumana y fatal.   95

—¿Pero a dónde, a dónde iremos?
¿Por fortuna encontraremos
en la pampa algún asilo,
donde nuestro amor tranquilo
logre burlar su furor?   100
¿Podremos, sin ser sentidos,
escapar, y desvalidos,
caminar a pie, y jadeando,
con el hambre y sed luchando,
el cansancio y el dolor?   105

—Sí, el anchuroso desierto
más de un abrigo encubierto
ofrece, y la densa niebla,
que el cielo y la tierra puebla,
nuestra fuga ocultará.   110
Brian, cuando aparezca el día,
palpitantes de alegría,
lejos de aquí ya estaremos
y el alimento hallaremos
que el cielo al infeliz da.   115

—Tu podrás, querida amiga,
hacer rostro a la fatiga,
mas yo, llagado y herido,
débil, exangüe, abatido,
¿cómo podré resistir?   120
Huye tú, mujer sublime,
y del oprobio redime

tu vivir predestinado;
deja a Brian infortunado,
solo, en tormentos morir.   125

—No, no, tú vendrás conmigo
o pereceré contigo.
De la amada patria nuestra
escudo fuerte es tu diestra,
y, ¿qué vale una mujer?   130
Huyamos, tú de la muerte,
yo de la oprobiosa suerte
de los esclavos; propicio
el cielo este beneficio
nos ha querido ofrecer.   135

No insensatos lo perdamos.
Huyamos, mi Brian, huyamos;
que en el áspero camino

mi brazo y poder divino
te servirán de sostén.   140
—Tu valor me infunde fuerza,
y de la fortuna adversa
amor, gloria o agonía
participar con María
yo quiero. Huyamos; ven, ven—   145

dice Brian y se levanta;
el dolor traba su planta,
mas devora el sufrimiento,
y ambos caminan a tiento
por aquella obscuridad.   150
Tristes van, de cuando en cuando,
la vista al cielo llevando,
que da esperanza al que gime.
¿Qué busca su alma sublime,
la muerte o la libertad? * * *   155

LA ALBORADA

> Già la terra e coperta d'uccisi;
> tutta e sangue la vasta pianura . . .[14]
>   Manzoni

Todo estaba silencioso:
la brisa de la mañana
recién la hierba lozana
acariciaba, y la flor;
y en el oriente nubloso,   5
la luz apenas rayando,
iba el campo matizando
de claroscuro verdor.

Posaba el ave en su nido:
ni del pájaro se oía   10
la variada melodía
música que el alba da;
y sólo al ronco bufido
de algún potro que se azora,
mezclaba su voz sonora   15
el agorero yajá.

En el campo de la holganza,
so la techumbre del cielo,

libre, ajena de recelo
dormía la tribu infiel;   20
mas la terrible venganza
de su constante enemigo
alerta estaba, y castigo
le preparaba cruel.

Súbito, al trote asomaron   25
sobre la extendida loma
dos jinetes, como asoma
el astuto cazador;
al pie de ella divisaron
la chusma quieta y dormida,   30
y volviendo atrás la brida
fueron a dar el clamor

de alarma al campo cristiano.
Pronto en brutos altaneros

14. *Now the earth is covered with dead; the vast plain is all blood* . . .

un escuadrón de lanceros   35   y en hileras dividido
trotando allí se acercó,   al indio, no apercibido,
con acero y lanza en mano;   en doble muro encerró.   40

Entonces el grito "Cristiano, cristiano"
     resuena en el llano,
"Cristiano" repite confuso clamor.
La turba que duerme despierta turbada
     clamando azorada   45
"Cristiano nos cerca, cristiano traidor."

Niños y mujeres, llenos de conflito,
     levantan el grito;
sus almas conturba la tribulación;
los unos pasmados, al peligro horrendo   50
     los otros huyendo,
corren, gritan, llevan miedo y confusión.

Quien salta al caballo que encontró primero,
     quien toma el acero,
quien corre su potro querido a buscar;   55
mas ya la llanura cruzan desbandadas,
     yeguas y manadas,
que el canto enemigo las hizo espantar.

En trance tan duro los carga el cristiano,
     blandiendo en su mano   60
la terrible lanza que no da cuartel.
Los indios más bravos luchando resisten,
     cual fieras embisten;
el brazo sacude la matanza cruel.

El sol aparece; las armas agudas   65
     relucen desnudas,
horrible la muerte se muestra doquier.
En lomos del bruto, la fuerza y coraje,
     crece del salvaje,
sin su apoyo, inerme se deja vencer.   70

Pie en tierra poniendo la fácil victoria,
     que no le da gloria
prosigue el cristiano lleno de rencor.
Caen luego caciques, soberbios caudillos;
     los fieros cuchillos   75
degüellan, degüellan, sin sentir horror.

Los ayes, los gritos, clamor del que llora,
gemir del que implora,
puesto de rodillas, en vano piedad,
todo se confunde: del plomo el silbido,   80
del hierro el crujido,
que ciego no acata ni sexo, ni edad.

Horrible, horrible matanza
hizo el cristiano aquel día;
ni hembra, ni varón, ni cría   85
de aquella tribu quedó.
La inexorable venganza
siguió el paso a la perfidia,
y en no cara y breve lidia
su cerviz al hierro dió.   90

Vióse la hierba teñida
de sangre hedionda, y sembrado
de cadáveres el prado
donde resonó el festín.

Y del sueño de la vida   95
al de la muerte pasaron
los que poco antes holgaron
sin temer aciago fin.

Las cautivas derramaban
lágrimas de regocijo;   100
una al esposo, otra al hijo
debió allí la libertad;
pero ellos tristes estaban,
porque ni vivo ni muerto
halló a Brian en el desierto,   105
su valor y su lealtad.

Meanwhile Brian, supported and tended by María, has made his way across the pampa to a *pajonal,* a fertile, moist oasis in that grassy desert. Here Brian faints, exhausted from his wounds. María finds a spring of water with which she revives him. But when night falls and they can safely proceed on their journey without fear of discovery by the Indians, he is still too weak to stand. Suddenly María sees a luminous streak on the horizon.

LA QUEMAZÓN

> Mirad, ya en torrente se extiende la llama.
>
> Lamartine

El aire estaba inflamado;
turbia la región suprema,
envuelto el campo en vapor;
rojo el sol, y coronado
de parda oscura diadema,   5
amarillo resplandor
en la atmósfera esparcía.
El bruto, y el pájaro huía,
y agua la tierra pedía
sedienta y llena de ardor.   10

Soplando a veces el viento
limpiaba los horizontes,
y de la tierra, brotar
de humo rojo y ceniciento
se veían como montes,   15
y en la llanura ondear,
formando espiras doradas
como lenguas inflamadas,
o melenas encrespadas
de ardiente, agitado mar.   20

Cruzándose nubes densas,
por la esfera dilataban,
como cuando hay tempestad,
sus negras alas inmensas;
y más y más aumentaban   25
el pavor y oscuridad.
El cielo entenebrecido,
el aire, el humo encendido,
eran, con el sordo ruido,
signo de calamidad.   30

El pueblo de lejos
contempla asombrado
los turbios reflejos,
del día enlutado
la ceñuda faz.   35
El humilde llora;
el piadoso implora;
se turba y azora
la malicia audaz.

Quien cree ser indicio   40
fatal, estupendo,
del día del juicio,
del día tremendo
que anunciado está.
Quien piensa que al mundo,   45
sumido en lo inmundo,
el cielo iracundo
pone a prueba ya.

Era la plaga que cría
la devorante sequía   50
para estrago y confusión;
de la chispa de una hoguera
que llevó el viento ligera,
nació grande, cundió fiera,
la terrible quemazón.   55

Ardiendo sus ojos
relucen, chispean;
en rubios manojos
sus crines ondean,
flameando también.   60
La tierra gimiendo,

los brutos rugiendo,
los hombres huyendo,
confusos la ven.

Sutil se difunde,   65
camina, se mueve,
penetra, se infunde;
cuanto toca en breve
reduce a tizón.
Ella era; y pastales,   70
densos pajonales,
cardos y animales,
ceniza, humo son.

Raudal vomitando
venía de llama,   75
que hirviendo, silbando,
se enrosca y derrama
con velocidad.
Sentada María
con su Brian la vía.   80
—¡Dios mío!—decía,—
¡de nos ten piedad!

Piedad María imploraba,
y piedad necesitaba
de potencia celestial.   85
Brian caminar no podía,
y la quemazón cundía
por el vasto pajonal.

Allí pábulo encontrando,
como culebra serpeando,   90
velozmente caminó;
y agitando desbocada,
su crin de fuego erizada,
gigante cuerpo tomó.

Lodo, paja, restos viles   95
de animales y reptiles,
quema el fuego vencedor,
que el viento iracundo atiza.
Vuelan el humo y ceniza,
y el inflamado vapor   100

al lugar donde, pasmados,
los cautivos desdichados,
con despavoridos ojos
están, su hervidero oyendo,
y las llamaradas viendo   105
subir en penachos rojos.

No hay cómo huir; no hay efugio
esperanza ni refugio.
¿Dónde auxilio encontrarán?
Postrado Brian yace inmoble   110
como el orgulloso roble
que derribó el huracán.

Para ellos no existe el mundo.
Detrás, arroyo profundo,
ancho se extiende; y delante,   115
formidable y horroroso,
alza la cresta furioso
mar de fuego devorante.

—Huye presto—Brian decía
con voz débil a María,—   120
déjame solo morir.
Este lugar es un horno.
Huye ¿no miras en torno
vapor cárdeno subir?

Ella calla, o le responde: 125
—Dios largo tiempo no esconde
su divina protección.
¿Crees tú nos haya olvidado?
Salvar tu vida he jurado
o morir mi corazón.   130

Pero del cielo era juicio
que en tan horrendo suplicio
no debían perecer;
y que otra vez de la muerte
inexorable, amor fuerte   135
triunfase, amor de mujer.

Súbito ella se incorpora;
de la pasión que atesora
el espíritu inmortal

brota en su faz la belleza,   140
estampando fortaleza
de criatura celestial

no sujeta a ley humana.
Y como cosa liviana
carga el cuerpo amortecido   145
de su amante, y con él junto,
sin cejar, se arroja al punto
en el arroyo extendido.

Cruje el agua, y suavemente
surca la mansa corriente   150
con el tesoro de amor.
Semejante a Ondina [15] bella,
su cuerpo airoso descuella,
y hace, nadando, rumor.

Los cabellos atezados,   155
sobre sus hombros nevados,
sueltos, reluciendo van;
boga con un brazo lenta,
y con el otro sustenta,
a flor, el cuerpo de Brian.   160

Aran la corriente unidos,
como dos cisnes queridos
que huyen de águila cruel,
cuya garra siempre lista,
desde la nube se alista   165
a separar su amor fiel.

La suerte injusta se afana
en perseguirlos. Ufana
en la orilla opuesta el pie
pone María triunfante,   170
y otra vez libre a su amante
de horrenda agonía ve.

¡Oh del amor maravilla!
En sus bellos ojos brota
del corazón gota a gota,   175
el tesoro sin mancilla,
celeste, inefable unción;
sale en lágrimas deshecho

15. Ondina: Undine, a water sprite, a favorite figure of the Romanticists

su heroico amor satisfecho;
y su formidable cresta   180
sacude, enrosca y enhiesta
la terrible quemazón.

Calmó después el violento
soplar del airado viento;

el fuego a paso más lento   185
surcó por el pajonal
sin tocar ningún escollo;
y a la orilla de un arroyo
a morir al cabo vino,
dejando en su ancho camino   190
negra y profunda señal.

The following day Brian becomes delirious from the fever caused by his
wounds. His reason returns to him, but with it the realization that his
death is near. He accepts his fate with manly fortitude, speaks words of
comfort to María and bids her live for their child. After his death María
starts out alone across the plains. After she has wandered for two days the
cry of a *yajá* warns her that human beings are approaching.

MARÍA

* * * Pero nada ella divisa,
ni el feliz reclamo escucha;
y caminando va aprisa.
El demonio con que lucha
la turba, impele y amaga.   5
Turbios, confusos y rojos
se presentan a sus ojos
cielo, espacio, sol, verdura,
quieta insondable llanura
donde sin brújula vaga.   10

Mas, ¡ah!, que en vivos corceles
un grupo de hombres armados
se acerca. ¿Serán infieles,
enemigos? No, soldados
son del desdichado Brian.   15
Llegan; su vista se pasma;
ya no es la mujer hermosa,
sino pálido fantasma;

mas reconocen la esposa
de su fuerte capitán.   20

¡Creíanla cautiva o muerta!
Grande fué su regocijo.
Ella los mira, y despierta:
—¿No sabéis qué es de mi hijo?—
con toda el alma exclamó.   25
Tristes mirando a María
todos el labio sellaron.
Mas luego una voz impía:
—Los indios le degollaron—
roncamente articuló.   30

Y al oír tan crudo acento,
como quiebra el seco tallo
el menor soplo de viento
o como herida del rayo
cayó la infeliz allí. * * *   35

EPÍLOGO

¿Eres, plácida luz, el alma de ellos?
Lamartine

¡Oh, María! Tu heroísmo,
tu varonil fortaleza,
tu juventud y belleza
merecieran fin mejor.

Ciegos de amor el abismo   5
fatal tus ojos no vieron,
y sin vacilar se hundieron
en él ardiendo en amor.

De la más cruda agonía
salvar quisiste a tu amante,   10
y lo viste delirante
en el desierto morir.
¡Cuál tu congoja sería!
¡Cuál tu dolor y amargura!
Y no hubo humana criatura   15
que te ayudase a sentir.

Se malogró tu esperanza;
y cuando sola te viste,
también mísera caíste
como árbol cuya raíz   20
en la tierra ya no afianza
su pompa y florido ornato.
Nada supo el mundo ingrato
de tu constancia infeliz.

Naciste humilde y oculta   25
como diamante en la mina;
la belleza peregrina
de tu noble alma quedó.
El desierto la sepulta,
tumba sublime y grandiosa,   30
do el héroe también reposa
que la gozó y admiró.* * *

Hoy, en la vasta llanura,
inhospitable morada
que no siempre sosegada   35
mira el astro de la luz,
descollando en una altura,
entre agreste flor y hierba,
hoy el caminante observa
una solitaria cruz.   40

Fórmale grata techumbre
la copa extensa y tupida
de un ombú donde se anida
la altiva águila real;
y la varia muchedumbre   45
de aves que cría el desierto
se posa en ella a cubierto
del frío y sol estival.

Nadie sabe cúya mano
plantó aquel árbol benigno,   50
ni quién a su sombra el signo
puso de la redención.
Cuando el cautivo cristiano
se acerca a aquellos lugares,
recordando sus hogares,   55
se postra a hacer oración.

Fama es que la tribu errante,
si hasta allí llega embebida
en la caza apetecida
de la gama y avestruz,   60
al ver del ombú gigante
la verdosa cabellera,
suelta al potro la carrera
gritando: "¡Allí está la cruz!"

Y revuelve atrás la vista,   65
como quien huye aterrado,
creyendo se alza el airado,
terrible espectro de Brian.
Pálido el indio exorcista
el fatídico árbol nombra;   70
ni a hollar se atreven su sombra
los que de camino van.

También el vulgo asombrado
cuenta que en la noche obscura
suelen en aquella altura   75
dos luces aparecer;
que salen y habiendo errado
por el desierto tranquilo,
juntas a su triste asilo
vuelven al amanecer.   80

Quizá mudos habitantes
serán del páramo aerio;
quizá espíritus, ¡misterio!
visiones del alma son.
Quizá los sueños brillantes   85
de la inquieta fantasía
forman coro en la armonía
de la invisible creación.

Gertrudis Gómez de Avellaneda

1814-1873

GERTRUDIS GÓMEZ DE AVELLANEDA began to write verses while she was still a very young girl. In her native town of Puerto Príncipe (Cuba) she was called upon to compose and recite a poem for every local occasion. But her strong willed and passionate nature could not be satisfied with the easily won admiration of a small town. Her father's dream had always been to take his family back to his home in Spain. After he died and her mother married again—this time a Spanish officer who was also unwilling to spend his life in the colonies—Gertrudis and her stepfather finally prevailed upon her mother to leave Cuba. Of their departure Gertrudis wrote:

El día 9 de abril de 1836 nos embarcamos para Burdeos en una fragata francesa, y sentidas y lloradas abandonamos ingratas aquel país querido . . .

Yo había conseguido por fin el constante anhelo de mi corazón. Mas al dejar para siempre aquellos lugares de mi infancia, a los objetos de mis primeros afectos, al sepulcro sagrado de mi padre, sentí anublarse mis bellas esperanzas y llenarse de amargura mi corazón . . .

Era una hermosísima noche . . . cuando de pie sobre la fragata Bellochan, que zarpaba de la bahía de Santiago de Cuba para emprender su rumbo hacia la Francia, resonando todavía en mis oídos los tiernos adioses de mis amigos, que se volvían a tierra en botes y lanchas, y los dolorosos suspiros de mi madre, a par que las alegres canciones de los marineros franceses, que desplegaban las velas a los suavísimos soplos de las brisas tropicales, compuse, o mejor dicho, improvisé, el *Soneto a Cuba,* que encabezó mi primer volumen de poesías, publicado en Madrid cinco años después.

The first years of her stay in Spain were turbulent ones. Her stepfather's relatives in Galicia proved uncongenial and Gertrudis and her brother went to pay a visit of indefinite length to their own father's people in Andalusia. But here Gertrudis offended her uncle by refusing to marry an estimable and prosperous suitor, so the two young people left their uncle's home and went to Seville (1839) where they had to get along on a very meager allowance. In Seville Gertrudis met and lost her heart to the man who has been called her evil genius, the *Él* of two of her most famous poems, Don Ignacio de Cepeda y Alcalde, an unimaginative and faint-hearted youth who was attracted by her beauty, but frightened at the warmth of her passion and not at all inclined to risk his future by marrying a girl with only a small dowry. At last he told her with brutal frankness that he wished to break off their friendship. Gertrudis, heartbroken, but proud, left Seville to live in the capital. In the following year (1841) the first volume of her poems was published. It contained all the following selections except the last three, though the first poem *A Él* and the sonnet to Washington were extensively revised in later editions.

Except where noted, the text of the poems as given here is that of the centennial edition: *Obras de la Avellaneda. Edición nacional del centenario. Tomo I. Poesías líricas.* (Habana, Imprenta de Aurelio Miranda, 1914, 6 vols.).

AL PARTIR

Soneto

¡Perla del mar! ¡Estrella de Occidente!
¡Hermosa Cuba! Tu brillante cielo
la noche cubre con su opaco velo
como cubre el dolor mi triste frente.

¡Voy a partir! ... La chusma diligente   5
para arrancarme del nativo suelo
las velas iza, y pronta a su desvelo
la brisa acude de tu zona ardiente.

¡Adiós, patria feliz, edén querido!
¡Doquier que el hado en su furor me impela,   10
tu dulce nombre halagará mi oído!

¡Adiós! ... ¡Ya cruje la turgente vela ...
el ancla se alza ... el buque, estremecido,
las olas corta y silencioso vuela!

A LA POESÍA

¡Oh tú, del alto cielo
precioso don al hombre concedido!
¡Tú, de mis penas íntimo consuelo,

de mis placeres manantial querido!
¡Alma del orbe, ardiente Poesía,
dicta el acento de la lira mía!

Díctalo, sí; que enciende
tu amor mi seno, y sin cesar ansío
la poderosa voz—que espacios hiende—
para aclamar tu excelso poderío;
y en la naturaleza augusta y bella
buscar, seguir y señalar tu huella.

¡Mil veces desgraciado
quien—al fulgor de tu hermosura ciego—
en su alma inerte y corazón helado
no abriga un rayo de tu dulce fuego;
que es el mundo, sin ti, templo vacío,
cielo sin claridad, cadáver frío!

Mas yo doquier te miro;
doquier el alma, estremecida, siente
tu influjo inspirador. El grave giro
de la pálida luna, el refulgente
trono del sol, la tarde, la alborada ...
todo me habla de ti con voz callada.

En cuanto ama y admira
te halla mi mente. Si huracán violento
zumba, y levanta al mar, bramando de ira;
si con rumor responde soñoliento
plácido arroyo al aura que suspira ...
tú alargas para mí cada sonido
y me explicas su místico sentido.

Al férvido verano,
a la apacible y dulce primavera,
al grave otoño y al invierno cano
me embellece tu mano lisonjera;
que alcanzan, si los pintan tus colores,
calor el hielo, eternidad las flores.

¿Qué a tu dominio inmenso
no sujetó el Señor? En cuanto existe
hallar tu ley y tus misterios pienso.
El universo tu ropaje viste,

5

10

15

20

25

30

35

40

y en su conjunto armónico demuestra
que tú guiaste la hacedora diestra.

¡Hablas! ¡Todo renace!
Tu creadora voz los yermos puebla;   45
espacios no hay que tu poder no enlace;
y rasgando del tiempo la tiniebla,
de lo pasado al descubrir rüinas,
con tu mágica luz las iluminas.

Por tu acento apremiados,   50
levántanse del fondo del olvido,
ante tu tribunal, siglos pasados;
y el fallo que pronuncias—trasmitido
por una y otra edad en rasgos de oro—
eterniza su gloria o su desdoro.   55

Tu genio independiente
rompe las sombras del error grosero;
la verdad preconiza; de su frente
vela con flores el rigor severo;
dándole al pueblo, en bellas creaciones,   60
de saber y virtud santas lecciones.

Tu espíritu sublime
ennoblece la lid; tu épica trompa
brillo eternal en el laurel imprime;
al triunfo presta inusitada pompa   65
y los ilustres hechos que proclama
fatiga son del eco de la fama.

Mas si entre gayas flores
a la beldad consagras tus acentos;
si retratas los tímidos amores;   70
si enalteces sus rápidos contentos;
a despecho del tiempo, en tus anales,
beldad, placer y amor son inmortales. * * *

Cuando las frescas galas
de mi lozana juventud se lleve   75
el veloz tiempo en sus potentes alas,
y huyan mis dichas, como el humo leve,
serás aún mi sueño lisonjero,
y veré hermoso tu favor primero.

Dame que pueda entonces,   80
¡Virgen de paz, sublime Poesía!
no trasmitir en mármoles ni en bronces
con rasgos tuyos la memoria mía;
sólo arrullar, cantando, mis pesares,
a la sombra feliz de tus altares.   85

A ÉL [1]

Era la edad lisonjera
en que es un sueño la vida,
era la aurora hechicera
de mi juventud florida
en su sonrisa primera   5

cuando contenta vagaba
por el campo, silenciosa,
y en escuchar me gozaba
la tórtola que entonaba
su querella lastimosa.   10

Melancólico fulgor
blanca luna repartía,
y el aura leve mecía
con soplo murmurador
la tierna flor que se abría.   15

¡Y yo gozaba! El rocío,
nocturno llanto del cielo,
el bosque espeso y umbrío,
la dulce quietud del suelo,
el manso correr del río,   20

y de la luna el albor,
y el aura que murmuraba
acariciando a la flor,

y el pájaro que cantaba . . .
todo me hablaba de amor.   25

Y trémula, palpitante,
en mi delirio extasiada,
miré una visión brillante,
como el aire perfumada
como las nubes flotante.   30

Ante mí resplandecía
como un astro brillador,
y mi loca fantasía
al fantasma seductor
tributaba idolatría.   35

Escuchar pensé su acento
en el canto de las aves;
eran las auras su aliento
cargadas de aromas suaves,
y su estancia el firmamento.   40

¿Qué ser divino era aquél?
¿Era un ángel o era un hombre?
¿Era un Dios o era Luzbel?
¿Mi visión no tiene nombre?
¡Ah! nombre tiene . . . ¡Era Él!   45

El alma guardaba su imagen divina
y en ella reinabas, ignoto señor,
que instinto secreto tal vez ilumina
la vida futura que espera el amor.

1. The text of this first poem to Cepeda is given here as it appeared in the edition of 1841. The poem underwent two revisions— one in 1850 and one in 1869—losing in its later forms some of the spontaneous emotion that can be felt in the earlier version.

Al sol que en el cielo de Cuba destella   50
del trópico ardiente brillante fanal
tus ojos eclipsan, tu frente descuella,
cual se alza en la selva la palma real.

Del genio la aureola radiante sublime,
ciñendo contemplo tu pálida sien,   55
y al verte mi pecho palpita y se oprime
dudando si formas mi mal o mi bien.

Que tú eres, no hay duda, mi sueño adorado,
el ser que vagando mi mente buscó;
mas ¡ay! que mil veces el hombre arrastrado   60
por fuerza enemiga, su mal anheló.

Así vi a la mariposa
inocente, fascinada,
en torno a la luz amada
revoltear con placer.   65

Insensata se aproxima
y le acaricia insensata,
hasta que la luz ingrata
devora su frágil ser.

Y es fama que allá en los bosques   70
que adornan mi patria ardiente,
nace y crece una serpiente
de prodigioso poder.

Que exhala en torno su aliento
y la ardilla palpitante,   75
fascinada, delirante,
corre ... ¡y corre a perecer!

¿Hay una mano de bronce,
fuerza, poder o destino,

que nos impele al camino   80
que a nuestra tumba trazó? ...

¿Dónde van, dónde, esas nubes
por el viento compelidas? ...
¿Dónde esas hojas perdidas
que del árbol arrancó? ...   85

Vuelan, vuelan resignadas,
y no saben dónde van,
pero siguen el camino
que les traza el huracán.

Vuelan, vuelan en sus alas   90
nubes y hojas a la par,
ya a los cielos las levante
ya las sumerja en el mar.

¡Pobres nubes! ¡pobres hojas
que no saben dónde van! ...   95
Pero siguen el camino
que les traza el huracán.

A LA MUERTE DEL CÉLEBRE POETA CUBANO
DON JOSÉ MARÍA DE HEREDIA [2]

Le poète est semblable aux oiseaux de passage,
qui ne bâtissent point leur nid sur le rivage.[3]
Lamartine

Voz pavorosa en funeral lamento
desde los mares de mi patria vuela
a las playas de Iberia [4]; tristemente
en son confuso la dilata el viento;
el dulce canto en mi garganta hiela,   5
y sombras de dolor viste a mi mente.
 ¡Ay! que esa voz doliente,
con que su pena América denota
y en estas playas lanza el Océano,
"Murió," pronuncia, "el férvido patriota . . ."   10
"Murió," repite, "el trovador cubano;"
y un eco triste en lontananza gime,
"Murió el cantor del Niágara [5] sublime."

 ¿Y es verdad? ¿Y es verdad? . . . ¿La muerte impía
apagar pudo con su soplo helado   15
el generoso corazón del vate,
do tanto fuego de entusiasmo ardía?
¿No ya en amor se enciende, ni agitado
de la santa virtud al nombre late? . . .
 Bien cual cede al embate   20
del aquilón sañoso el roble erguido,
así en la fuerza de su edad lozana
fué por el fallo del destino herido . . .
Astro eclipsado en su primer mañana,
sepúltanle las sombras de la muerte,   25
y en luto Cuba su placer convierte.

 ¡Patria! ¡numen feliz! ¡nombre divino!
¡ídolo puro de las nobles almas!
¡objeto dulce de su eterno anhelo!
ya enmudeció su cisne peregrino . . .   30

2. Heredia died May 7, 1839, an exile in Mexico. In the edition of 1850 the poem is dated November, 1840.

3. *The poet is like birds of passage which do not build their nests upon the shore*. Alphonse Lamartine (1790–1869) was one of Gertrudis's favorite poets. In the 1841 edition of her *Poesías* she published translations of two of his poems and in several of her original works she imitated his metrical arrangements.

4. A . . . Iberia: The poetess was residing in Andalusia when word reached her of Heredia's death.

5. el . . . Niágara: For Heredia's poem to Niagara see pages 137–141.

¿Quién cantará tus brisas y tus palmas,
tu sol de fuego, tu brillante cielo? . . .
   Ostenta, sí, tu duelo;
que en ti rodó su venturosa cuna,
por ti clamaba en el destierro impío,[6]   35
y hoy condena la pérfida fortuna
a suelo extraño [7] su cadáver frío,
do tus arroyos ¡ay! con su murmullo
no darán a su sueño blando arrullo.

   ¡Silencio! De sus hados la fiereza   40
no recordemos en la tumba helada
que lo defiende de la injusta suerte.
Ya reclinó su lánguida cabeza
—de genio y desventuras abrumada—
en el inmóvil seno de la muerte.   45
   ¿Qué importa al polvo inerte,
que torna a su elemento primitivo,
ser en este lugar o en otro hollado?
¿Yace con él el pensamiento altivo? . . .
Que el vulgo de los hombres, asombrado,   50
tiemble al alzar la eternidad su velo;
mas la patria del genio está en el cielo.

   Allí jamás las tempestades braman,
ni roba al sol su luz la noche oscura,
ni se conoce de la tierra el lloro . . .   55
Allí el amor y la virtud proclaman
espíritus vestidos de luz pura,
que cantan el Hosanna en arpas de oro.
   Allí el raudal sonoro
sin cesar corre de aguas misteriosas,   60
para apagar la sed que enciende al alma;
—sed que en sus fuentes pobres, cenagosas,
nunca este mundo satisface o calma.
Allí jamás la gloria se mancilla,
y eterno el sol de la justicia brilla.   65

   ¿Y qué, al dejar la vida, deja el hombre?
El amor inconstante; la esperanza,
engañosa visión que lo extravía;
tal vez los vanos ecos de un renombre
que con desvelos y dolor alcanza;   70

6. por . . . impío: From his exile Heredia
wrote a famous poem *Himno del desterrado.*   7. a . . . extraño: Heredia died in Mexico
in 1839.

el mentido poder; la amistad fría;
  y el venidero día
—cual el que expira breve y pasajero—
al abismo corriendo del olvido . . .
y el placer, cual relámpago ligero,   75
de tempestades y pavor seguido . . .
y mil proyectos que medita a solas,
fundados ¡ay! sobre agitadas olas.

De verte ufano, en el umbral del mundo
el ángel de la hermosa Poesía   80
te alzó en sus brazos y encendió tu mente,
y ora lanzas, Heredia, el barro inmundo
que tu sublime espíritu oprimía,
y en alas vuelas de tu genio ardiente.
  No más, no más lamente   85
destino tal nuestra ternura ciega,
ni la importuna queja al cielo suba . . .
¡Murió! . . . A la tierra su despojo entrega,
su espíritu al Señor, su gloria a Cuba;
¡que el genio, como el sol, llega a su ocaso,   90
dejando un rastro fúlgido su paso!

A WASHINGTON [8]

No en lo pasado a tu virtud modelo,
ni copia al porvenir dará la historia,
ni otra igual en grandeza a tu memoria
difundirán los siglos en su vuelo.
  Miró la Europa ensangrentar su suelo   5
al genio de la guerra y la victoria [9] . . .
Pero le cupo a América la gloria
de que al genio del bien [10] le diera el cielo.
  Que audaz conquistador goce en su ciencia,
mientras al mundo en páramo [11] convierte,   10
y se envanezca cuando a siervos mande;
  ¡mas los pueblos sabrán en su conciencia
que el que los rige libres sólo es fuerte,
que el que los hace grandes sólo es grande!

8. This poem was written and published
in 1841 in the first volume of *Poesías*. It was
revised to its present form some years later
after Gertrudis had visited Washington's
tomb at Mount Vernon.
  9. al . . . victoria: Napoleon
  10. al . . . bien: Washington
  11. páramo: *cold, desolate waste*

A ÉL [12]

No existe lazo ya; todo está roto;
plúgole al cielo así; ¡bendito sea!
Amargo cáliz con placer agoto;
mi alma reposa al fin: nada desea.

Te amé, no te amo ya; piénsolo al menos;   5
¡nunca, si fuere error, la verdad mire!
Que tantos años de amarguras llenos
trague el olvido: el corazón respire.

Lo has destrozado sin piedad; mi orgullo
una vez y otra vez pisaste insano . . .   10
Mas nunca el labio exhalará un murmullo
para acusar tu proceder tirano . . .

De graves faltas vengador terrible,
dócil llenaste tu misión; ¿lo ignoras?
No era tuyo el poder que irresistible   15
postró ante ti mis fuerzas vencedoras.

Quísolo Dios y fué; ¡gloria a su nombre!
Todo se terminó; recobro aliento.
¡Ángel de las venganzas! ya eres hombre . . .
Ni amor ni miedo al contemplarte siento.   20

Cayó tu cetro, se embotó tu espada . . .
mas ¡ay! ¡cuán triste libertad respiro!
Hice un mundo de ti, que hoy se anonada
y en honda y vasta soledad me miro.

¡Viva dichoso tú! Si en algún día   25
ves este adiós que te dirijo eterno,
sabe que aún tienes en el alma mía
generoso perdón, cariño tierno.

12. Written to Cepeda after the break in their relationship. The two poems, A Él, form a significant contrast in the emotions they express.

A DIOS

Cántico de gratitud

¡Tú que huellas
las estrellas
y tu sombra muestras en el sol
cuando brilla
sin mancilla   5
entre nácar y oro y arrebol!

¡Tú que enfrenas
con arenas
las potentes olas de la mar
dando al viento   10
son violento
al hacerlo a tu placer volar!

¡Tú que doras
las auroras
y las ornas con tan gran primor,   15
dando al ave
voz suave
con que cante su primer albor!

¡Tú que hiciste
grave y triste   20
de las noches la solemne faz,
y en los sueños
sus beleños
haces viertan lisonjera paz!

¡Ser inmenso   25
que el incienso
de natura miras en tu altar!

¡Tú a quien aman
y proclaman
sol y cielo, viento, tierra y mar!   30

de mi lira
que hoy suspira
dulces ecos de placer y amor,
yo te pido
que el sonido   35
grata acoja tu bondad, Señor.

Ora aliento
y ardimiento
a mi pecho tu favor le da,
y en ti alcanza   40
mi esperanza
nuevas alas que despliega ya.

Así al prado
ya agostado
fresca lluvia mandas, bienhechor,   45
y restauras
con las auras
leves hojas de marchita flor.

¡Que bendito
¡oh infinito!   50
siempre sea tu feliz poder
y a tu nombre
rinda el hombre
culto eterno de verdad doquier!

A DIOS

Soneto

¿No es delirio, Señor? Tú, el absoluto
en belleza, poder, inteligencia;
Tú, de quien es la perfección esencia
y la felicidad santo atributo;

Tú, a mí—que nazco y muero como el bruto—   5
Tú, a mí—que el mal recibo por herencia—
Tú, a mí—precario ser, cuya impotencia
sólo estéril dolor tiene por fruto . . .

¿Tú me buscas ¡oh Dios! Tú el amor mío
te dignas aceptar como victoria   10
ganada por tu amor a mi albedrío? . . .

¡Sí! no es delirio; que a la humilde escoria,
digno es de tu supremo poderío
hacer capaz de acrecentar tu gloria.

José Mármol

1817-1871

José Mármol was one of the most intense and most romantic of the young Argentines who suffered imprisonment and exile during the dictatorship of Juan Manuel Rosas (1835–1852). For thirteen years a proscript and a wanderer, he gave expression in his poems to the loneliness, the resentment, the insecurity of the man without a country. Naturally enough, Byron was one of his heroes, and his longest poem, *El peregrino*, published in Montevideo in 1847, was an imitation of *Childe Harold*. His hatred of the tyrant proved to be the most fruitful source of his inspiration. It gave birth to his famous novel *Amalia* (1851, Part II, 1855) and to the poems of eloquent invective which earned for him the title of "*verdugo poético de Rosas.*" His poems were collected into a volume called *Armonías*, which was also published in Uruguay in 1851. After the defeat of Rosas, Mármol returned to Buenos Aires where he was appointed to several responsible positions in the government.

ROSAS

El 25 de Mayo [1] de 1850

¡Rosas! ¡Rosas! un genio sin segundo
formó a su antojo tu destino extraño:
después de Satanás, nadie en el mundo,
cual tú, hizo menos bien ni tanto daño.

Abortado de un crimen, has querido
que se hermanen tus obras con tu origen;
y, jamás del delito arrepentido,
sólo las horas de quietud te afligen.

5

1. The 25th of May, 1810, is looked upon by the Argentines as the birthday of their country. On that day, twelve days after the word reached the colony that Seville had fallen before Napoleon's troops, a bloodless revolution took place and a *Junta*, or Council, took over the administrative duties formerly reserved to the Spanish crown.

Con las llamas del Tártaro [2] encendidas
una nube de sangre te rodea;   10
y en todo el horizonte de tu vida
sangre, ¡bárbaro!, y sangre, y sangre humea.

Tu mano conmoviera como el rayo
los cimientos de un templo, y, de repente,
desde el altar los ídolos de Mayo   15
vertieron sangre de su rota frente.

La Justicia se acerca religiosa
a llamar en la tumba de Belgrano; [3]
y ese muerto inmortal le abre su losa,
alzando al cielo su impotente mano.   20

La Libertad se escapa con la Gloria
a esconderse en las grietas de los Andes;
reclamando a los hielos la memoria
de aquellos tiempos en que fueron grandes.

Los ídolos y el tiempo desparecen;   25
se apagan los radiantes luminares,
y en sangre inmaculada se enrojecen
los fragmentos de piras y de altares.

Gloria, nombre, virtud, patria argentina,—
todo perece do tu pie se estampa,   30
todo hacen polvo, en tu ambición de ruina,
bajo el casco los potros de tu pampa.

Y bien, Rosas, ¿después? Tal es—atiende—
la pregunta de Dios y de la historia:
ese *después* que acusa o que defiende   35
en la ruina de un pueblo o en su gloria.

Ese *después* fatal a que te reta
sobre el cadáver de la patria mía,
en mi voz inspirada de poeta,
la voz tremenda del que alumbra el día.   40

Habla, y, en pos la destrucción, responde:
¿Dó están las obras que brotó tu mano?
¿Dónde tu creación? ¿Las bases dónde
de grande idea o pensamiento vano?

2. Tártaro: Tartarus, a region of Hell
3. Manuel Belgrano (1770–1820), Argentine general, one of the heroes of the War
of Independence

¿Qué mente hubiste en tu sangriento insomnio   45
que a tanto crimen te impeliese tanto?
¡Aparta, aparta, aborto del demonio,
que haces el mal para gozar del llanto!

La raza humana se horroriza al verte,
hiena del Indo transformada en hombre;   50
mas ¡ay de ti, que un día al comprenderte
no te odiará, despreciará tu nombre!

El tiempo sus monumentos te ha ofrecido;
la fortuna ha rozado tu cabeza;
y, bárbaro y no más, tú no has sabido   55
ni ganar tiempo, ni ganar grandeza.

Tumbaste una república, y tu frente
con diadema imperial no elevas ledo;
murió la libertad y, omnipotente,
esclavo vives de tu propio miedo.   60

Quieres ser rey, y temes se convierta
en la corona de Milán [4] la tuya;
quieres ser grande, y tu ánima no acierta
cómo elevarte de la esfera suya.

Tu reino es el imperio de la muerte;   65
tu grandeza, el terror por tus delitos;
y tu ambición, tu libertad, tu suerte
abrir sepulcros y formar proscritos.

Gaucho salvaje de la pampa ruda,
eso no es gloria, ni valor, ni vida;   70
eso sólo es matar porque desnuda
te dieron una espada fratricida.

Y, grande criminal en la memoria
del mundo entero, de tu crimen lleno,
serás reptil que pisará la historia   75
con asco de tu forma y tu veneno.

Nerón da fuego a Roma, y la contempla,
y hay no sé qué de heroico en tal delito;
mas tú, con alma que el demonio templa,
cuanto haces lleva tu miseria escrito.   80

4. In 1848 the city of Milán had risen in insurrection against the Austrian troops stationed there and renounced all allegiance to the Austrian crown.

Ningún Atrida [5] al peligrar vacila,
y tú, más que ellos para el mal, temblaste;
y más sangriento que el sangriento Atila,
jamás la sangre de la lid miraste.

En todas esas águilas que asieron   85
la humanidad, y en fiebre carnicera
con sus garras metálicas la hirieron,
cupo alguna virtud: valor siquiera.

Pero tu corazón sólo rebosa
de miserias y crímenes y vicios,   90
con una sed estúpida y rabiosa
de hacer el mal y de inventar suplicios.

Ni siquiera te debes el destino
con que tu sed de sangre has apagado;
tigre que te encontraste en el camino   95
un herido león que has devorado.

Espíritu del mal nacido al mundo,
no has sido bueno ni contigo mismo;
y sólo dejarás un nombre inmundo
al descender a tu primer abismo.   100

Te nombrarán las madres a sus hijos
cuando asustarlos en la cuna quieran;
y ellos, temblando y en tu imagen fijos,
se dormirán soñando que te vieran.

Los trovadores pagarán tributo   105
a los cuentos que invente tu memoria;
y execrando tus crímenes sin fruto,
rudo y vulgar te llamará la historia.

¡Ah, que casi tus crímenes bendigo,
ante el enojo de la patria mía,   110
porque sufras tan bárbaro castigo
mientras alumbre el luminar del día!

Porque mientras el sol brille en el Plata
aquel castigo sufrirás eterno;
nunca a tu nombre la memoria ingrata;   115
nunca a tu maldición el pecho tierno;

5 Atrida: the sons of Atreus, Agamemnonand Menelaus, heroes of the Trojan War

y por último azote de tu suerte,
verás al expirar que se levanta
bello y triunfante y poderoso y fuerte
el pueblo que ultrajaste con tu planta.   120

Pues no habrá en él, de tus aleves manos,
más que una mancha sobre el cuello apenas;
que tú no sabes, vulgo de tiranos,
ni dejar la señal de tus cadenas.

Manuel Acuña

1849-1873

WHEN Manuel Acuña, a young student of medicine in Mexico City, put an end to his life, he left behind a few poems of unusual distinction. These were later collected and published by his friends. The two most famous of them are *Ante un cadáver* and *Nocturno a Rosario*.

The text of the poems given here is that of the edition of 1885: *Poesías de Manuel Acuña con un prólogo de D. Fernando Soldevilla* (Paris, Garnier).

RASGO DE BUEN HUMOR [1]

Y ¿qué? ¿Será posible que nosotros
tanto amemos la gloria y sus fulgores,
la ciencia y sus placeres,
que olvidemos por eso los amores,
y más que los amores, las mujeres?   5

¿Seremos tan ridículos y necios
que por no darle celos a la ciencia,
no hablemos de los ojos de Dolores,
de la dulce sonrisa de Clemencia
y de aquella que, tierna y seductora,   10
aun no hace un cuarto de hora todavía,
con su boca de aurora,

"No te vayas tan pronto," nos decía?
¿Seremos tan ingratos y tan crueles,
y tan duros y esquivos con las bellas,   15
que no alcemos la copa
brindando a la salud de todas ellas?

---

1. This early anacreontic poem of Acuña's is included for the contrast between its light, jolly mood and the serious melancholy of the more profound and more famous poems.

199

Yo, a lo menos por mí, protesto y juro
que si al irme trepando en la escalera
que a la gloria encamina   20
la gloria me dijera:
—Sube, que aquí te espera
la que tanto te halaga y te fascina;
y a la vez una chica me gritara
—Baje usted, que lo aguardo aquí en la esquina;   25
lo juro, lo protesto y lo repito,
si sucediera semejante historia,
a riesgo de pasar por un bendito,
primero iba a la esquina que a la gloria.

Porque será muy tonto   30
cambiar una corona por un beso;
mas como yo de sabio no presumo,
me atengo a lo que soy, de carne y hueso,
y prefiero los besos y no el humo,
que al fin, al fin, la gloria no es más que eso.   35

ANTE UN CADAVER

¡Y bien! aquí estás ya . . . sobre la plancha
donde el gran horizonte de la ciencia
la extensión de sus límites ensancha.

Aquí donde la rígida experiencia
viene a dictar las leyes superiores   5
a que está sometida la existencia.

Aquí donde derrama sus fulgores
ese astro a cuya luz desaparece
la distinción de esclavos y señores.

Aquí donde la fábula enmudece   10
y la voz de los hechos se levanta
y la superstición se desvanece.

Aquí donde la ciencia se adelanta
a leer la solución de ese problema
cuyo sólo enunciado nos espanta.   5

Ella que tiene la razón por lema
y que en tus labios escuchar ansía
la augusta voz de la verdad suprema.

Aquí estás ya ... tras de la lucha impía
en que romper al cabo conseguiste   20
la cárcel que al dolor te retenía.

La luz de tus pupilas ya no existe,
tu máquina vital descansa inerte
y a cumplir con su objeto se resiste.

¡Miseria y nada más! dirán al verte   25
los que creen que el imperio de la vida
acaba donde empieza el de la muerte.

Y suponiendo tu misión cumplida
se acercarán a ti, y en su mirada
te mandarán la eterna despedida.   30

Pero, ¡no! ... tu misión no está acabada,
que ni es la nada el punto en que nacemos
ni el punto en que morimos es la nada.

Círculo es la existencia, mal hacemos
cuando al querer medirla le asignamos   35
la cuna y el sepulcro por extremos.

La madre es sólo el molde en que tomamos
nuestra forma, la forma pasajera
con que la ingrata vida atravesamos.

Pero ni es esa forma la primera   40
que nuestro ser reviste, ni tampoco
será su última forma cuando muera.

Tú sin aliento ya, dentro de poco
volverás a la tierra y a su seno
que es de la vida universal el foco.   45

Y allí, a la vida en apariencia ajeno,
el poder de la lluvia y del verano
fecundará de gérmenes tu cieno.

Y al ascender de la raíz al grano,
irás del vegetal a ser testigo   50
en el laboratorio soberano.

Tal vez para volver cambiado en trigo,
al triste hogar donde la triste esposa
sin encontrar un pan sueña contigo.

En tanto que las grietas de tu fosa   55
verán alzarse de su fondo abierto
la larva convertida en mariposa,

que en los ensayos de su vuelo incierto
irá al lecho infeliz de tus amores
a llevarle tus ósculos de muerto.   60

Y en medio de esos cambios interiores
tu cráneo lleno de una nueva vida,
en vez de pensamientos dará flores,

en cuyo cáliz brillará escondida
la lágrima, tal vez, con que tu amada   65
acompañó al adiós de tu partida.

La tumba es el final de la jornada,
porque en la tumba es donde queda muerta
la llama en nuestro espíritu encerrada.

Pero en esa mansión a cuya puerta   70
se extingue nuestro aliento hay otro aliento
que de nuevo a la vida nos despierta.

Allí acaban la fuerza y el talento,
allí acaban los goces y los males,
allí acaban la fe y el sentimiento.   75

Allí acaban los lazos terrenales,
y mezclados el sabio y el idiota,
se hunden en la región de los iguales.

Pero allí donde el ánimo se agota,
y perece la máquina, allí mismo   80
el ser que muere es otro ser que brota.

El poderoso y fecundante abismo
del antiguo organismo se apodera
y forma y hace de él otro organismo.

Abandona a la historia justiciera   85
un nombre, sin cuidarse, indiferente,
de que ese nombre se eternice o muera.

Él recoge la masa únicamente,
y cambiando las formas y el objeto,
se encarga de que viva eternamente.   90

La tumba sólo guarda un esqueleto,
mas la vida en su bóveda mortuoria
prosigue alimentándose en secreto.

Que al fin de esta existencia transitoria
a la que tanto nuestro afán se adhiere,   95
la materia, inmortal como la gloria
cambia de formas, pero nunca muere.[2]

NOCTURNO A ROSARIO [3]

¡Pues bien! yo necesito
  decirte que te adoro,
decirte que te quiero
  con todo el corazón;
que es mucho lo que sufro,   5
  que es mucho lo que lloro,
que ya no puedo tanto,
  y al grito en que te imploro
te imploro y te hablo en nombre
  de mi última ilusión.   10

Yo quiero que tú sepas
  que ya hace muchos días
estoy enfermo y pálido
  de tanto no dormir;
que ya se han muerto todas   15
  las esperanzas mías,
que están mis noches negras,
  tan negras y sombrías,
que ya no sé ni dónde
  se alzaba el porvenir.   20

De noche, cuando pongo
  mis sienes en la almohada
y hacia otro mundo quiero
  mi espíritu volver,
camino mucho, mucho,   25
  y al fin de la jornada
las formas de mi madre
  se pierden en la nada
y tú de nuevo vuelves
  en mi alma a aparecer.   30

Comprendo que tus besos
  jamás han de ser míos,
comprendo que en tus ojos
  no me he de ver jamás,
y te amo, y en mis locos   35
  y ardientes desvaríos
bendigo tus desdenes,
  adoro tus desvíos,
y en vez de amarte menos,
  te quiero mucho más.   40

2. cambia ... muere: It is interesting to compare Acuña's conception of the immortality of the body with that of Elinor Wylie in "This Corruptible" (*Angels and Earthly Creatures*, New York, 1929, p. 37):

"You, the unlucky slave,
Are the lily on the grave;
The wave that runs above the bones a-whitening;
You are the new-mown grass;
And the wheaten bread of the Mass;
And the fabric of the rain, and the lightning ..."

3. Rosario de la Peña (1847–1924), to whom the poem is addressed, was never betrothed to Acuña, as the poem implies. "Her two love affairs, both unfortunate, are well known: the first was with Juan Espinosa y Gorostiza, who was killed in a duel, and the second, the great love of her life, with the celebrated Manuel M. Flores, who died poor and blind. Despite persistent popular belief, Rosario was in no way responsible for the suicide of Acuña." (Weisinger, *Spanish American Readings*, Boston, Heath, 1929, p. 260.)

A veces pienso en darte
  mi eterna despedida,
borrarte en mis recuerdos
  y hundirte en mi pasión;
mas si es en vano todo   45
  y el alma no te olvida
¿qué quieres tú que yo haga,
  pedazo de mi vida?
¿qué quieres tú que yo haga
  con este corazón?   50

Y luego que ya estaba
  concluido tu santuario,
la lámpara encendida,
  tu velo en el altar,
el sol de la mañana   55
  detrás del campanario,
chispeando las antorchas,
  humeando el incensario,
y abierta allá a lo lejos
  la puerta del hogar ...   60

¡Qué hermoso hubiera sido
  vivir bajo aquel techo,
los dos unidos siempre
  y amándonos los dos;
tú siempre enamorada,   65
  yo siempre satisfecho,
los dos una sola alma,
  los dos un solo pecho,
y en medio de nosotros
  mi madre como un Dios!   70

¡Figúrate qué hermosas
  las horas de esa vida!
¡qué dulce y bello el viaje
  por una tierra así!
Y yo soñaba en eso,   75
  mi santa prometida;
y al delirar en eso,
  con la alma estremecida,
pensaba yo en ser bueno
  por ti, no más por ti.   80

¡Bien sabe Dios que ése era
  mi más hermoso sueño,
mi afán y mi esperanza,
  mi dicha y mi placer;
bien sabe Dios que en nada   85
  cifraba yo mi empeño,
sino en amarte mucho
  bajo el hogar risueño
que me envolvió en sus besos
  cuando me vió nacer!   90

Ésa era mi esperanza;
  mas ya que a sus fulgores
se opone el hondo abismo
  que existe entre los dos,
¡adiós por la vez última,   95
  amor de mis amores,
la luz de mis tinieblas,
  la esencia de mis flores,
mi lira del poeta,
  mi juventud, adiós!   100

Olegario Victor Andrade

1839-1882

OLEGARIO VICTOR ANDRADE began to earn his living as a newspaper writer when he was only seventeen years old. His poems are, however, not the work of his youth, but of his maturity. The first and greatest of them, *El nido de cóndores*, was published in 1877; his other major works—*Prometeo* (1877), *San Martín* (1878), *Victor Hugo* (1881), and *Atlántida* (1881)— and some twenty-odd minor poems all appeared during the last five years of his life.

Andrade was a great patriot and champion of democracy. He had a noble vision of his country's destiny which forms the prevailing theme of his works. His style is often grandiloquent and declamatory and justifies Menéndez y Pelayo's unflattering estimate of him as a *"poeta efectista que escribió para ser leído en voz alta y resonante, y para ser aplaudido a cañonazos,"* but at his best he is a sincere and eloquent prophet of liberty and justice.

Andrade worshipped two heroes—the poet Victor Hugo and the general José de San Martín. *El nido de cóndores,* with its vision of the glorious campaign in which San Martín crossed the Andes and won independence for Chile, has aptly been called a "lyric monument raised to San Martín's glory."

EL NIDO DE CÓNDORES

FANTASÍA

1

En la negra tiniebla se destaca,
como un brazo extendido hacia el vacío
para imponer silencio a sus rumores,
un peñasco sombrío.

205

Blanca venda de nieve lo circunda,   5
de nieve que gotea
como la negra sangre de una herida
abierta en la pelea.

¡Todo es silencio en torno! Hasta las nubes
van pasando calladas,   10
como tropas de espectros que dispersan
las ráfagas heladas

¡Todo es silencio en torno! Pero hay algo
en el peñasco mismo,
que se mueve y palpita cual si fuera   15
el corazón enfermo del abismo.

Es un nido de cóndores, colgado
de su cuello gigante,
que el viento de las cumbres balancea
como un pendón flotante.   20

Es un nido de cóndores andinos,
en cuyo negro seno,
parece que fermentan las borrascas,
y que dormita el trueno.

Aquella negra masa se estremece   25
con inquietud extraña:
es que sueña con algo que lo agita
el viejo morador de la montaña.

No sueña con el valle, ni la sierra,
de encantadoras galas;   30
ni menos con la espuma del torrente
que humedeció sus alas.

No sueña con el pico inaccesible
que en la noche se inflama
despeñando por riscos y quebradas   35
sus témpanos de llama.

No sueña con la nube voladora
que pasó en la mañana
arrastrando en los campos del espacio
su túnica de grana.   40

Muchas nubes pasaron a su vista,
holló muchos volcanes,
su plumaje mojaron y rizaron
torrentes y huracanes.

Es algo más querido lo que causa
su agitación extraña:
un recuerdo que bulle en la cabeza
del viejo morador de la montaña.

En la tarde anterior, cuando volvía
vencedor inclemente,
trayendo los despojos palpitantes
en la garra potente,

bajaban dos viajeros presurosos
la rápida ladera;
un niño y un anciano de alta talla
y blanca cabellera.

Hablaban en voz alta, y el anciano
con acento vibrante:
"Vendrá, exclamaba, el héroe predilecto,
de esta cumbre gigante."

El cóndor, al oírlo, batió el vuelo;
lanzó ronco graznido,
y fué a posar el ala fatigada
sobre el desierto nido.

Inquieto, tembloroso, como herido
de fúnebre congoja,
pasó la noche, y sorprendiólo el alba
con su pupila roja.

2

Enjambre de recuerdos punzadores
pasaban en tropel por su memoria,
recuerdos de otro tiempo de esplendores,
        de otro tiempo de gloria,
en que era breve espacio a su ardimiento
la anchurosa región del vago viento.

Blanco el cuello y el ala reluciente,
iba en pos de la niebla fugitiva,
dando caza a las nubes en Oriente;
    o con mirada altiva   10
en la garra pujante se apoyaba,
cual se apoya un titán sobre su clava.

Una mañana [1]—¡inolvidable día!
ya iba a soltar el vuelo soberano
para surcar la inmensidad sombría   15
    y descender al llano,
a celebrar con ansia convulsiva
su sangriento festín de carne viva,—

cuando sintió un rumor nunca escuchado
en las hondas gargantas de Occidente;   20
el rumor del torrente desatado,
    la cólera rugiente
del volcán que en horrible paroxismo
se revuelca en el fondo del abismo.

Choque de armas y cánticos de guerra   25
resonaron después. Relincho agudo
lanzó el corcel de la argentina tierra
    desde el peñasco mudo;
y vibraron los bélicos clarines,
del Ande gigantesco en los confines.   30

Crecida muchedumbre se agolpaba
cual las ondas del mar en sus linderos;
infantes y jinetes avanzaban
    desnudos los aceros,
y atónita al sentirlos la montaña,   35
bajó la frente, y desgarró su entraña.

¿Dónde van? ¿dónde van? ¡Dios los empuja!
Amor de patria y libertad los guía;
donde más fuerte la tormenta ruja,
    donde la onda bravía   40
más ruda azote el piélago profundo,
van a morir o libertar un mundo.

1. Una mañana: The march of San Martín's army over the Andes began in January 1817

3

Pensativo a su frente, cual si fuera
en muda discusión con el destino,
iba el héroe inmortal que en la ribera
del gran río argentino
al león hispano asió de la melena 5
y lo arrastró por la sangrienta arena.

El cóndor lo miró, voló del Ande
a la cresta más alta, repitiendo
con estridente grito: ¡Éste es el grande!
Y San Martín oyendo, 10
cual si fuera el presagio de la historia,
dijo a su vez: ¡Mirad! ¡Ésa es mi gloria!

4

Siempre batiendo el ala silbadora,
cabalgando en las nubes y en los vientos,
lo halló la noche y sorprendió la aurora;
y a sus roncos acentos,
tembló de espanto el español sereno 5
en los umbrales del hogar ajeno.

Un día . . . se detuvo; había sentido
el estridor de la feroz pelea;
viento de tempestad llevó a su oído
rugidos de marea; 10
y descendió a la cumbre de una sierra,
la corva garra abierta, en son de guerra.

¡Porfiada era la lid! [2]—por las laderas
bajaban los bizarros batallones
y penachos, espadas y cimeras, 15
cureñas y cañones,
como heridos de un vértigo tremendo
en la cima fatal iban cayendo.

¡Porfiada era la lid! En la humareda,
la enseña de los libres ondeaba 20
acariciada por la brisa leda

2. ¡Porfiada . . . lid! San Martín's troops descending unexpectedly from the mountains caught the Spaniards by surprise and routed them near Chacabuco (February 12, 1817).

que sus pliegues hinchaba:
y al fin entre relámpagos de gloria,
vino a alzarla en sus brazos la victoria.

Lanzó el cóndor un grito de alegría,   25
grito inmenso de júbilo salvaje;
y desplegando en la extensión vacía
su vistoso plumaje,
fué esparciendo por sierras y por llanos
jirones de estandartes castellanos.   30

5

Desde entonces, jinete del vacío,
cabalgando en nublados y huracanes
en la cumbre, en el páramo sombrío,
    tras hielos y volcanes,
fué siguiendo los vívidos fulgores   5
de la bandera azul de sus amores.

La vió al borde del mar, que se empinaba
para verla pasar, y que en la lira
de bronce de sus olas entonaba,
    como un grito de ira,   10
el himno con que rompe las cadenas
de su cárcel de rocas y de arenas.

La vió en Maipú,[3] en Junín [4] y hasta en aquella
noche de maldición,[5] noche de duelo,
en que desapareció como una estrella   15
    tras las nubes del cielo;
y al compás de sus lúgubres graznidos
fué sembrando el espanto en los dormidos.

¡Siempre tras ella, siempre! hasta que un día
la luz de un nuevo sol alumbró al mundo;   20
el sol de la libertad que aparecía
    tras nublado profundo,
y envuelto en su magnífica vislumbre
tornó soberbio a la nativa cumbre.

3. The victory at Maipú (near Santiago), April 5, 1818, secured the independence of Chile.

4. Argentine troops fought under Bolívar in the campaign in Peru and defeated the Spaniards at Junín. See pages 98–105.

5. aquella ... maldición: The Spaniards surprised San Martín's forces at Cancha Rayada on March 19, 1818 and defeated them.

6

¡Cuántos recuerdos despertó el viajero
en el calvo señor de la montaña!
Por eso se agitaba entre su nido
    con inquietud extraña;
y al beso de la luz del sol naciente   5
volvió otra vez a sacudir las alas
y a perderse en las nubes del Oriente.

¿A dónde va? ¿Qué vértigo lo lleva?
¿Qué engañosa ilusión nubla sus ojos?
Va a esperar del Atlántico en la orilla   10
    los sagrados despojos [6]
de aquel gran vencedor de vencedores,
a cuyo solo nombre se postraban
    tiranos y opresores.

Va a posarse en la cresta de una roca,   15
batida por las ondas y los vientos,
allá, donde se queja la ribera
    con amargo lamento,
porque sintió pasar planta extranjera
y no sintió tronar el escarmiento.   20

¡Y allá estará! cuando la nave asome
portadora del héroe y de la gloria,
cuando el mar patagón alce a su paso
    los himnos de victoria,
volverá a saludarlo como un día   25
en la cumbre del Ande,
para decir al mundo: ¡Éste es el grande!

6. los ... despojos: San Martín died in France in Boulogne-sur-Mer, August 17, 1850. His remains were finally brought back to Argentina in the year 1880 and placed in the cathedral in Buenos Aires, where they still rest.

Juan Zorrilla de San Martín

1855-1931

THROUGHOUT a long and serene life as poet, lawyer and diplomat, Juan Zorrilla de San Martín devoted his talents to the highest service of his country, Uruguay. In writing *Tabaré* (1886) he set himself the task of creating an epic which should record the struggle between the two great races which inhabited its soil—the aboriginal Charrúas and the conquering Spaniards. A Romanticist by temperament, Zorrilla's poem is less epic than elegiac in mood. His hero is the sentimental savage whom the Romanticists delighted to portray, but he is made more credible than some of the Romantic heroes by the fact that he is a mestizo whose conflicting heritages of barbarism and Christian sentiment make him an essentially tragic figure. Throughout the poem the present is haunted by the past, and the future is only a threatening dream of extinction. The memories of the dead live in the forest; the sighs and secret tears of forgotten generations give it voice.

Zorrilla gave up the traditional epic meter (used by Ercilla in *La araucana*), the *octavo real*, and used, in the narrative portions of the poem, an assonating, four-lined stanza of hendecasyllables and heptasyllables, a verse pattern used by Bécquer and more naturally adapted to the lyric than to the epic.

In order to make his work authentic in background, Zorrilla studied carefully the history of the early colonists and familiarized himself with the flora of the *selva* and with the idiom of the Indians.

He believed sincerely in the moral purpose of art and wrote in his prologue to *Tabaré:*

El arte contribuye al mejoramiento social, porque, por medio de él, el común de las gentes participa de la visión de los hombres excepcionales, y se eleva y ennoblece en la contemplación de aquello cuya existencia no conocería si el poeta no le dijera:—Levanta la frente; sube conmigo a las regiones de la belleza; la atmósfera es pura porque acaba de atravesarla la tempestad del genio que, como las tempestades de la tierra, purifica el ambiente.

The text of the poem given here is taken from: *Tabaré. Novísima edición corregida por el autor.* (Montevideo, Imprenta Nacional Colorada, 1930, 331 pp. *Obras completas*, Vol. XVI.)

TABARÉ

INTRODUCCIÓN

Levantaré la losa de una tumba
    e, internándome en ella,
encenderé en el fondo el pensamiento
que alumbrará la soledad inmensa.

Dadme la lira, y vamos: la de hierro,   5
    la más pesada y negra;
ésa, la de apoyarse en las rodillas,
y sostenerse con la mano trémula

mientras la azota el viento temeroso
    que silba en las tormentas,   10
y al golpe del granizo restallando
sus acordes difunde en las tinieblas;

la de cantar, sentado entre las ruinas,
    como el ave agorera;
la que, arrojada al fondo del abismo,   15
del fondo del abismo nos contesta.

Al desgranarse las potentas notas
    de sus heridas cuerdas,
despertarán los ecos que han dormido
sueño de siglos en la obscura huesa;   20

y formarán la estrofa que revele
    lo que la muerte piensa:
resurrección de voces extinguidas,
extraño acorde que en mi mente suena.

Vosotros, los que amáis los imposibles,   25
los que vivís la vida de la idea,
los que sabéis de ignotas muchedumbres,
que los espacios infinitos pueblan,

y de esos seres que entran en las almas
y mensajes obscuros les revelan,   30
desabrochan las flores en el campo
y encienden en el cielo las estrellas;

los que escucháis quejidos y palabras
en el triste rumor de la hoja seca,
y algo más que la idea del invierno   35
próximo y frío a vuestra mente llega,

al mirar que los vientos otoñales
los árboles desnudan, y los dejan
ateridos, inmóviles, deformes,
como esqueletos de hermosuras muertas;   40

seguidme, hasta saber de esas historias
que el mar, y el cielo, y el dolor nos cuentan;
que narran el ombú [1] de nuestras lomas,
el verde canelón [2] de las riberas,

la palma centenaria, el camalote,   45
el ñandubay, los talas y las ceibas; [3]
la historia de la sangre de un desierto,
la triste historia de una raza muerta.

Y vosotros aun más, bardos amigos,
trovadores galanos de mi tierra,   50
vírgenes de mi patria y de mi raza,
que templáis el laúd de los poetas;

seguidme juntos, a escuchar las notas
de una elegía que en la patria nuestra
el bosque entona cuando queda solo,   55
y todo duerme entre sus ramas quietas.

Crecen laureles, hijos de la noche,
que esperan liras, para asirse a ellas,
allá en la obscuridad en que aun palpita
el grito del desierto y de la selva. * * *   60

1. ombú: a tree indigenous to the river
Plate countries; it grows to a height of 50 to
60 feet. Zorrilla says of it: "Es el árbol de
nuestras ruinas y de nuestras soledades."

2. canelón: (myrsina floribunda, Latin)
a tree also called capororoca
3. ñandubay . . . talas . . . ceibas: trees native to the region

LIBRO PRIMERO: CANTO I

El Uruguay y el Plata
vivían su salvaje primavera;
la sonrisa de Dios de que nacieron
aun palpita en las aguas y en las selvas;

    aun viste al espinillo [4]   5
su amarillo *tipoy;* [5] aun en la yerba
engendra los vapores temblorosos,
y a la calandria en el ombú despierta;

    aun dibuja misterios
en el *mburucuyá* [6] de las riberas,   10
anuncia el día, y por la tarde enciende
su último beso en la primera estrella;

    aun alienta en el viento
que cimbra blandamente en las palmeras,
que remece los juncos de la orilla   15
y las hebras del sauce balancea;

    y hasta el río dormido
baja, en el rayo de las lunas llenas,
para enhebrar diamantes en las olas,
y resbalar o retorcerse en ellas.   20

Serpiente azul, de escamas luminosas
que, sin dejar sus ignoradas cuevas,
se enrosca entre las islas, y se arrastra
sobre el regazo virgen de la América

el Uruguay arranca a las montañas   25
    los troncos de sus ceibas,
que, entre espumas e inmensos camalotes,
al río como mar y al mar entrega.

---

4. espinillo: a species of acacia tree, tall and with yellow blossoms

5. tipoy: blouse worn by the natives of Paraguay

6. mburucuyá: the native Indian word for a vine (*pasiflora coerulea*) which grows in the provinces of Entrerríos and Corrientes. Its flowers are of various colors, principally blue, and so designed that the symbols of the passion of Our Lord—the nails and the crown of thorns—may be recognized in them.

El himno de sus olas
resbala melodioso en sus arenas,   30
mezclando sus solemnes pensamientos
con el del blando acorde de la selva;

y al grito temeroso
que lanzan en los aires sus tormentas,
contesta el grito de una raza humana,   35
que aparece desnuda en las riberas.

Es la raza *chàrrúa*,[7]
de la que el nombre apenas
han guardado las ondas y los bosques,
para entregar sus notas al poema;   40

nombre que aun reproduce
la tempestad lejana, que se acerca
formando los fanales del relámpago
con las pesadas nubes cenicientas.

Es la raza indomable,   45
que alentó en una tierra,
patria de los amores y las glorias,
que al Uruguay y al Plata se recuesta;

la patria, cuyo nombre
es canción en el arpa del poeta,   50
grito en el corazón, luz en la aurora,
fuego en la vida, y en el cielo estrella. * * *

A las tribus lejanas
convocan las hogueras
que encendió *Caracé* sobre las lomas   55
como gritos de fuego y de pelea;

Caracé, en cuyo cuerpo
las heridas se cuentan
como las manchas en la piel del tigre,
y por eso le prestan obediencia.   60

Caracé, en cuyo toldo
las pieles y sangrientas cabelleras
de los caciques *yaros* y *bohanes* [8]
que su brazo arrancó, prueban su fuerza;

---

7. raza charrúa: The *Charrúas* were one of the most warlike of the tribes of the *Guaranís.* They fought the Spaniards until their race was extinct.

8. yaros y bohanes: Indian tribes hostile to the *Charrúas*

que tiene diez mujeres   65
que aguzan las espinas de sus flechas,
y los fuegos encienden de su toldo,
y el jugo de las palmas le fermentan. * * *

¿Por qué el viejo cacique
a las tribus congrega,   70
toma la maza y apercibe el arco
que nadie sino él cimbrar intenta?

¿Por qué bajo sus párpados
brilla con luz siniestra
la pupila pequeña y prolongada   75
en que se encienden sus miradas fieras? * * *

Lo que hace que el cacique
ciña a su frente estrecha
las plumas de avestruz, y ajuste el arco,
y al par del fuego, su mirada encienda,   80

es que tendido estaba
en la playa desierta,
cuando vió que cruzaba por las islas
del *Paraná-Guazú*, piragua inmensa

que, como garza enorme   85
flotaba entre la niebla
dando a los aires las extrañas alas,
y volando con rumbo a la ribera.

El Uruguay en vano
sale a su encuentro y ladra bajo de ella;   90
en vano, con sus olas encrespadas,
sus costados airado abofetea.

La nave avanza altiva;
lanza un grito del cielo que retiembla;
llega a la costa y, agarrando al río   95
por la erizada crin, en él se sienta.

A *Caracé*, el cacique,
han rodeado las tribus más guerreras;
y, entre el espeso matorral del río,
como banda escondida de luciérnagas   100

los ojos de los indios fosforecen,
   al ver, sobre la arena,
cómo descienden, de la extraña nave,
los hombres blancos de la raza nueva;

   y cómo, dando al viento   105
y clavando en el suelo su bandera,
se agrupan en su torno, y con sus voces
la sorprendida soledad atruenan.

   ¡Extraños seres! Brillan
a los rayos del sol. Nada recelan.   110
Y las lomas los miran, y el barranco;
y el Uruguay se empina, y los observa.

   Y los indios ocultos
   mutuamente se muestran,
con los brazos desnudos extendidos,   115
el grupo extraño que al jaral se acerca.

   Entre inmenso alarido,
una lluvia rabiosa de saetas
parte del matorral, y de salvajes
un enjambre fantástico tras ellas.   120

   La bola arrojadiza
silba y choca del blanco en la cabeza.
Muere el caído, y queda para siempre
amortajado en su armadura negra.

   Y los que no cayeron,   125
huyen despavoridos por las breñas,
dejando sangre en la salvaje playa,
y una mujer en la sangrienta arena.

   Parece flor de sangre;
sonrisa de un dolor; es la primera   130
gota de llanto que, entre sangre tanta,
derramó España en nuestra virgen tierra.

   Pálida como el lirio,
sola con vida entre los muertos queda.
Caracé, que a su lado se detiene,   135
con avidez felina la contempla,

mientras los rudos golpes
de las hachas de piedra
del postrado español en la armadura
y en los cráneos inmóviles resuenan.   140

—De los guerreros muertos
vuestra será la hermosa cabellera;
su blanca piel ajuste vuestros arcos,
y sus dientes adornen vuestras tiendas;

y sus extrañas armas,   145
que brillan como el astro, serán vuestras;
y los *tipoys* que sus espaldas cubren,
como las rojas flores a la ceiba.

Caracé sólo quiere
en su toldo a la blanca prisionera,   150
que de su techo encenderá los fuegos,
los fuegos del amor y de la guerra.

Tal hablaba el cacique,
en sus brazos llevando a Magdalena
al bosque solitario de los talas,   155
en que tiene su oculta madriguera. ° ° °

LIBRO PRIMERO: CANTO II

¡Cayó la flor al río!
Los temblorosos círculos concéntricos
balancearon los verdes camalotes,
y en el silencio del juncal murieron.

Las aguas se han cerrado;   5
las algas despertaron de su sueño,
y a la flor abrazaron, que moría,
falta de luz, en el profundo légamo ...

Las grietas del sepulcro
han engendrado un lirio amarillento;   10
tiene el perfume de la flor caída,
su misma palidez ... ¡La flor ha muerto!

Así el himno sonaba
de los lejanos ecos;
así cantaba el *urutí* [9] en las ceibas,   15
y se quejaba en el sauzal el viento.

9. urutí: a small bird of many colors

Siempre llorar la vieron los charrúas;
    siempre mirar al cielo,
y más allá ... Miraba lo invisible,
con los ojos azules y serenos.   20

El cacique a su lado está tendido.
    Lo domina el misterio.
Hay luz en la mirada de la esclava,
luz que alumbra sus lágrimas de fuego,

y ahuyenta al indio, al derramar en ellas   25
    ese blanco reflejo
de que se forma el nimbo de los mártires,
la diáfana sonrisa de los cielos.

Siempre llorar la vieron los charrúas,
    y así pasaba el tiempo.   30
Vedla sola en la playa. En esa lágrima
rueda por sus mejillas un recuerdo.

Sus labios las sonrisas olvidaron.
    Sólo salen de entre ellos
las plegarias, vestidas de elegías,   35
como coros de vírgenes de un templo.

Un niño llora. Sus vagidos se oyen,
    del bosque en el secreto,
unidos a las voces de los pájaros
que cantan en las ramas de los ceibos.   40

Le llaman *Tabaré*. Nació una noche,
    bajo el obscuro techo
en que el indio guardaba a la cautiva
a quien el niño exprime el dulce seno.

Le llaman *Tabaré*. Nació en el bosque   45
    de *Caracé* el guerrero;
ha brotado, en las grietas del sepulcro,
    un lirio amarillento. * * *

El indio niño en las pupilas tiene
    el azulado cerco   50
que entre sus hojas pálidas ostenta
la flor del cardo en pos de un aguacero.

Los charrúas, que acuden a mirarlo,
   clavan sus ojos negros
en los ojos azules de aquel niño 55
que se reclina en el materno seno,

y lo oyen y lo miran asombrados
   como a un pájaro nuevo
que, unido a las calandrias y zorzales,
ensaya entre las ramas sus gorjeos. 60

Mira el niño a la madre. Ésta llorando
   lo mira y mira al cielo,
y envía en su mirada al infinito
un amor que en el mundo es extranjero. ° ° °

Duerme, hijo mío. Mira: entre las ramas 65
   está dormido el viento,
el tigre en el flotante camalote,
y en el nido los pájaros pequeños.

Ya no se ven los montes de las islas;
   también están durmiendo. 70
Han salido las nutrias de sus cuevas;
se oye apenas la voz del teru-tero.[10] ° ° °

Cayó la flor al río,
   se ha marchitado, ha muerto.
Ha brotado en las grietas del sepulcro 75
   un lirio amarillento.

La madre ya ha sentido
   mucho frío en los huesos;
la madre tiene, en torno de los ojos,
   amoratado cerco; 80

y en el alma la angustia,
y el temblor en los miembros,
y en los brazos el niño que sonríe,
y en los labios un cántico y un ruego.

Duerme, hijo mío. Mira: entre las ramas 85
   está dormido el viento,
el tigre en el flotante camalote,
y en el nido los pájaros pequeños.

---

10. téru-tero: a bird with iridescent feathers, white, black and brown; called *güerequeque* in some parts of America

Los párpados del niño se cerraban.
　　Las sonrisas, entre ellos　　　　　　　　　　　90
asomaban apenas, como asoman
las últimas estrellas a lo lejos.

Los párpados caían de la madre
　　que, con esfuerzo lento,
pugnaba en vano porque no llegaran　　　　　　95
de su pupila al agrandado hueco.

Pugnaba por mirar al indio niño
　　una vez más al menos;
pero el niño, para ella, poco a poco,
en un nimbo sutil se iba perdiendo. * * *　　100

LIBRO SEGUNDO: CANTOS I–II

A Spanish settlement stands on the banks of the San Salvador, a tributary of the Uruguay, like a bold adventurer defying the forest.

In the wars with their enemies many of the old chieftains have fallen in battle. The Indians who are left go more cautiously now through the forests.

Don Gonzalo de Orgaz commands the Spanish settlement. He is a noble, brave and good man, proud of his lineage. With him are his wife, doña Luz, and his orphaned sister, Blanca.

From one of his forays against the Indians Gonzalo and his soldiers return with some captives.

　　Era una hermosa tarde.
Huía la sonrisa de los cielos
en los labios del sol que la llevaba
a iluminar la faz de otro hemisferio.

　　De su excursión al bosque　　　　　　　　5
tornan Gonzalo y diez arcabuceros.
Fué eficaz la batida: un grupo de indios
viene sombrío, caminando entre ellos.

　　Otros muchos quedaron
tendidos en el campo; al viento fresco　　　　10
la sangre orea en las hispanas armas,
y en la piel de los indios prisioneros.

No son tigres, aunque algo
del ademán siniestro
del dueño de las selvas se refleja   15
en el andar de aquellos hombres. Vedlos.

Son el *hombre-charrúa,*
la sangre del desierto,
¡la desgraciada estirpe que agoniza,
sin hogar en la tierra ni en el cielo!   20

Se estrechan, se revuelven,
las frentes sobre el pecho,
en los ojos obscuros el abismo,
y en el abismo luz, luz y misterio.

Parece que en el fondo   25
de esos ojos, a intervalos,
un monstruo luminoso se moviera
sus anillos flexibles revolviendo.

Con rápidos espasmos
se sacuden sus miembros;   30
sus músculos, elásticos y duros,
al salto y la carrera están dispuestos.

La sangre apresurada
circula bajo de ellos,
como corre callado, entre las breñas,   35
un rebaño de fieras que va huyendo.

No hay en su rostro inmóvil
ni siquiera un reflejo
del espíritu extraño y concentrado
que, al parecer, lo anima desde lejos.   40

Se advierte en su mirada
un constante recelo,
y una impasible languidez que tiene
algo de triste, mucho de siniestro.

Son esbeltas sus formas,   45
duros sus movimientos,
la tez cobriza, el pómulo saliente,
negros los ojos, como el odio negros.

Sobre los fuertes hombros
se derrama el cabello
en crenchas lacias, rígidas y obscuras,   50
que enlutan más aquel huraño aspecto.

Pupila prolongada
que prolongó el acecho;
dilatada nariz, y estrecha frente   55
a que se ajusta, enhiesto,

un erizado matorral de plumas
de colores diversos,
que parecen brotar de la cabeza,
como brotan de un tronco los renuevos.   60

Jamás mira de frente;
jamás alza la voz; muere en silencio;
jamás un signo de dolor se posa
entre sus labios pálidos y gruesos.

No borra ni el suplicio   65
su ademán de desprecio;
sólo el combate, en su fragor, arranca
estridente alarido de su pecho.

Entonces, semejantes
a los colmillos del jaguar sediento,   70
brillan entre los labios taladrados
los dientes blancos, con horrible gesto.

Son el *hombre-charrúa,*
la sangre del desierto,
la desgraciada estirpe que agoniza   75
sin hogar en la tierra ni en el cielo.

Among the prisoners is one with blue eyes who stands apart from the group and, unlike the others who give no sign of emotion, sighs as his eyes meet those of Blanca when she comes running out to greet her brother.

Cayó una flor al río.
Los temblorosos círculos concéntricos
balancearon los verdes camalotes,
y entre los brazos del juncal murieron.   80

Las grietas del sepulcro
han engendrado un lirio amarillento.
Guarda el perfume de la flor caída.
La flor no existe: ha muerto.

Así el himno cantaban   85
los desmayados ecos;
así lloraba el *urutí* en las ceibas
y se quejaba en el sauzal el viento.

¿Quién es ese charrúa que suspira?
¿Quién es el prisionero   90
que es capaz de alumbrar, con luz del alma,
esos sus ojos de color de cielo?

Tabaré lo apellidan los charrúas,
o *el hijo de los ceibos* ...
¡Hijo de mi dolor!—una española   95
le decía llorando ha mucho tiempo. * * *

El pánico del indio
duró sólo un momento.
Sombrío, confundido entre los otros,
se ha alejado de Blanca; pero entre ellos,   100

entre el grupo cobrizo, se destacan
las líneas de su cuerpo,
de una amarilla palidez. La niña
lo sigue con los ojos largo tiempo.

After Blanca and Padre Esteban have interceded for Tabaré, Gonzalo decides to spare his life and keep him in the village to see if one of his race is capable of human emotion and redemption.

LIBRO SEGUNDO: CANTO III

For a month Tabaré has lived in the settlement—silent, sleepless, unfathomable. The Spanish soldiers think that he is crazy. He alternately seeks out and avoids Blanca, whose eyes awaken in his memory dreams of his mother. One day Blanca speaks to him and asks him why he avoids her.

El indio alzó la frente: miró a Blanca
de un modo fijo, iluminado, intenso.
Había en su actitud indescifrable
terror, adoración, reproche, ruego.

—¡Tú hablas al indio! ¡Tú, que de las lunas   5
    tienes la claridad!
¿Por qué lo hieres con tu voz tranquila,
tranquila como el canto del *sabiá?*

Si tienes en los ojos, de las lunas   10
    la transparente luz,
¿por qué tu alma para el indio es negra,
negra como las plumas del *urú?* [11]

¿Por qué lo hieres en el alma obscura?
    ¡Deja al indio morir!
Tú tienes odio negro para el indio,   15
para el triste cacique guaraní.

Blanca sintió una lágrima en los ojos
y una amargura insólita en el pecho:
—Yo no tengo odio para ti, charrúa,—
dijo al cacique, con acento ingenuo.   20

Las pupilas azules del salvaje
brillaban asombradas; en sus nervios
vibraba el alma. Tabaré sentía
el abismo sonar en su cerebro.

Habla por vez primera a la española;   25
sus palabras, sin orden ni concierto,
brotan de entre sus labios, como informe
tropel de sombras, luces y reflejos;

—¡Oh, sí! Yo sé que acechas
    mis horas de dolor;   30
sé que remedas alas de jilgueros
    donde yo estoy.

    Yo sé que tú el secreto
    conoces de mi sér,
y sé que tú te escondes en las nieblas . . .   35
    ¡Todo lo sé!

11. sabiá . . . urú: birds native to the river Plate country

que gimes en el viento,
que nadas en la luz,
que ríes en la risa de las aguas
    del *Iguazú;*   40

que miras en las altas
    hogueras de *Tupá* [12]
y en las lunas de fuego, fugitivas,
    que brillan al pasar.

Tú, como el algarrobo,   45
    sueño das a beber;
y das la sombra hermosa que envenena,
    como el *ahué.*[13]

Yo, temiendo tu sombra,
    tiemblo y huyo de tí,   50
y tú, en el despertar de mis memorias,
    vas tras de mí.

Mis nervios que eran fuertes,
    fuertes como el ñandubay,
blandos como el retoño más temprano   55
    del ombú [14] están . . .

No ha pasado una luna
    después que yo te ví;
¡mira cómo está enfermo el indio bravo
    sólo por ti!   60

La súplica, el reproche,
    la imprecación, el ruego,
se sucedían en la voz del indio,
y en su ademán nervioso y altanero.

Él, que se había alejado,   65
con la frente inclinada sobre el pecho,
como impulsado por interna fuerza,
hacia la niña se volvió de nuevo.

La miró un breve espacio,
y señaló sus ojos con el dedo,   70
cual si, del fondo obscuro de su alma,
envuelto en luz, brotara un pensamiento.

12. Tupá: Guaraní name for God
13. ahué: a tree whose shade is supposed
to be noxious

14. ñandubay . . . ombú: The wood of the
ñandubay is very hard and resistant to decay;
that of the *ombú,* soft and pithy.

—Era así como tú ... blanca y hermosa;
    era así ... como tú.
Miraba con tus ojos, y en tu vida   75
    puso su luz.

Yo la vi, sobre el cerro de las sombras,
    pálida y sin color.
El indio niño no besó a su madre ...
    ¡No la lloró!   80

Las avispas de fuego de las nubes,
    ellas brillaron más;
pero el hogar del indio se apagaba,
    su dulce hogar.

Han pasado más fríos que dos veces   85
    mis manos y mis pies ...
Sólo en las horas lentas yo la veo,
    como *cuerpo que fué.*

Hoy vive en tu mirada transparente,
    y en el espacio azul ...   90
Era así como tú, la madre mía,
blanca y hermosa ... ¡pero no eres tú! ° ° °

Doña Luz, who has seen Tabaré and Blanca talking together, warns her sister-in-law to have nothing to do with the Indian.

LIBRO SEGUNDO: CANTOS IV–VII

The Spanish soldiers talk of an apparition which wanders at night through the settlement. One of them believes that it comes as a warning of disaster. They decide to challenge it.

One night only the sentinel and the missionary, Padre Esteban, who lives in Gonzalo's house, are awake. The priest hopes that he may yet find in the blue-eyed Indian the means of redeeming the savage race, but he still has not been able to break through the Indian's reserve.

He sees an Indian approach the house, goes to the window and opens it noisily. The Indian, Tabaré, takes fright at the sound and flees toward the river.

The soldiers who have been lying in wait on the river bank for the "apparition" surround Tabaré and question him. At bay, Tabaré breaks the lance of the man who threatens him. The priest arrives and makes his way through the soldiers, holding out his arms to the Indian. Tabaré, sick and exhausted from the violence of his emotions, falls to the ground.

Since his encounter with the soldiers Tabaré feels his craving for freedom and revenge reawakened. Of his two natures eternally in conflict with each other, the savage now has the upper hand.

Doña Luz persuades her husband, against his will, that Tabaré should leave the settlement. Blanca pleads for the Indian.

Tabaré is summoned and questioned about his purposes the night before. He remains silent. Gonzalo then tells him that he must return to his people. He may go in peace, but henceforth he will be considered and treated as the enemy of the Spaniards.

The soldiers are angry at his release.

LIBRO TERCERO: CANTOS I–II

Tabaré returns to his native forest. He is delirious with fever. The earth seems to upbraid him for no longer being an Indian. The air cries out to him that death has come to the forest. Suffering and exhausted, he falls to the ground on his mother's grave, which has been marked by a cross.

War fires announce to the Charrúas the death of their old chief. They assemble and perform the death rites, shouting, drinking and dancing.

> ¡Ahú! ¡Ahú! ¡Ahú! Por todos lados
>   los indios atraviesan;
> aúllan, corren, saltan jadeantes,
> dando al aire las rígidas melenas.
>
> Hacen silbar las bolas, agitadas   5
>   en torno a sus cabezas,
> chocan las lanzas, los cerrados puños
> con feroz ademán al aire elevan,
>
> y forman un acorde indescriptible
>   que en los aires revienta: 10
> ebullición de gritos y clamores,
> golpes, imprecaciones y carreras.* * *
>
> ¡Ahú! ¡Dejad al muerto!
>   ¡Dejad al *tubichá!* 15
> ¿Por qué sopláis la lumbre de sus fuegos?   15
>   ¡Dejad al muerto, *Añang!* 16

15. tubichá: *chieftain*   16. Añang: *Evil Spirit, Devil*

—¡No le cerréis los ojos!
—¡Ahú! ¡ahú! ¡ahú!
—¿Sentís ladrar las sombras? Han salido
del tronco del ombú.   20

—¡Corred, seguid aquella
que se revuelve allá!
Sacude la maleza con las alas,
y agita el *ñapindá.*[17]

¿A quién lleva el fantasma   25
de rápido correr?
Va fugitivo, y en sus hombros lleva
al *cacique que fué.*

—¡Cómo gritan los árboles!
¡Ahú! ¡ahú! ¡ahú!   30
—El aire zumba; son los moscardones
que corre *Añanguazú.*[18]

—¡Persiguiendo la luna,
los perros negros van!
¡los perros negros que a beber comienzan   35
su tibia claridad!

¡Cómo mira esa sombra
con sus ojos de luz!
—¡Y cómo se retuercen y se alargan
sus alas de *ñandú!* [19]   40

—¡El viento! ¡El viento negro!
¡Allá va! ¡Allá va!
¿Quién zumba en él? ¡Las moscas, que conduce
gruñendo el *mamangá!* [20]

Las sombras de la noche   45
vienen volando, en caravana aérea,
y luchan con las llamas, las sacuden,
y, en torno del hogar, revolotean.

Las llamas las rechazan,
y las detienen en aureola negra,
en cuyo seno los añosos árboles   50
cobran formas variables y quiméricas.

17. ñapindá: a tree   19. ñandú: ostrich found in Uruguay
18. Añanguazú: See Añang, note 16   20. mamangá: a kind of bumble-bee

Los ojos del cadáver,
horriblemente abiertos, parpadean.
Parece que sus miembros se estremecen   55
al avivarse el fuego que lo cerca,

o que el rígido cuerpo
nada en el aire, flota en las tinieblas,
y se hunde, y reaparece, y se transforma,
cuando la inquieta llamarada amengua,   60

formando un fondo negro
lleno de líneas vagas y revueltas;
un medio en que se esfuman y se mueven
formas abigarradas e incompletas.

El viento se ha callado entre los aires;   65
   los salvajes jadean;
se apoyan en sus lanzas o en los troncos,
o se dejan caer sobre la hierba.

La grita se enrarece; por el aire
   las voces se dispersan.   70
Suenan acá los llantos de mujeres;
allá los magullados aún se quejan.

Los fuegos no avivados languidecen;
   sus oscilantes lenguas
se mueven como el indio que borracho   75
lleva de un hombro a otro la cabeza.

Corre entre aquellas voces un silencio
   semejante al que reina
sobre la onda del río, cuando acaba
de pasar por el aire la tormenta.   80

Lo rompe un joven indio que, saltando,
   desaforado llega;
da un grito clamoroso, y con su lanza
pasa de un viejo tronco la corteza.

Habla a voces, furioso sacudiendo   85
   la cabellera negra.
Sus palabras parecen alaridos,
de una ruda y fantástica elocuencia;

y salta como el tigre, y con la maza
    el cuerpo se ensangrienta,   90
y, sobre el negro matorral de plumas,
la bola agita atada a su muñeca.

Son de hierro sus miembros; nadie excede
    su talla gigantesca;
ramas de sauce negro, los cabellos   95
sobre el rostro y los hombros, se despeñan.

Y en sus ojos pequeños y escondidos,
    las miradas chispean,
como las aguas negras y profundas,
tocadas por el rayo de una estrella.   100

Es el cacique *Yamandú*. Los indios
    se alzan, y lo rodean.
¿Qué quiere *Yamandú*? Reclama el mando,
mostrando sus heridas y su fuerza. * * *

—¿Queréis matar al extranjero? Entonces,   105
    seguid a *Yamandú*.
Yo sé matarlo, como al gato bravo
    de los bosques del *Hum*.

Los cráneos de los pálidos guerreros
    al indio servirán   110
para beber la chicha de algarrobas
    y el jugo del palmar.

Sus rayos no me ofenden; en su sangre
    se hundirán nuestros pies;
sus cabelleras, en las lanzas nuestras,   115
    el viento ha de mover.

Vírgenes blancas, que en los ojos tienen
    hermosa claridad,
encenderán en nuestros libres valles,
    nuestro salvaje hogar. * * *   120

¡Vamos! ¡Seguidme! ¡El extranjero duerme,
    duerme en el Uruguay!
¡El sueño, que en sus ojos se ha sentado.
    no se levantará! * * *

Un alarido inmenso, pavoroso,   125
   en los aires revienta.
Nadie, a fauces humanas, esos gritos,
al escucharlos de noche, atribuyera.

Un águila tranquila, que pasaba
   sobre la selva aquella   130
el vuelo aceleró, cambió de rumbo,
y se perdió en la soledad inmensa;

y el tigre, bajo el párpado apagando
de su enorme pupila la lumbrera,
y barriendo la tierra con la cola   135
y tendiendo hacia atrás la aguda oreja,

a largo paso y con temor, cambiando
   de sitio en la maleza,
se revolvió tres veces, para hundirse
y quedar más oculto entre las breñas.   140

¡Yamandú tubichá! ¡Yamandú enciende
   los fuegos de la guerra!
¡Al río! ¡Al río! ¡El extranjero blanco
tendido duerme en su cerrada tienda!

¡Ahú! ¡ahú! ¡ahú! ¡Vamos, cacique,   145
   lanza al aire tu flecha,
para que al astro de los indios llegue,
y con presagios de victoria vuelva!

Y la flecha del indio, por el aire
   tiende las alas muertas ...   150
¡Ahú! ¡ahú! ¡ahú! Volvió del astro,
volvió del astro y se clavó en la tierra.

¡Recta como las palmas de las islas!
   ¡El astro habló con ella!
¡Al río! ¡Al río! ¡Al Uruguay! ¡Al río!   155
¡Cacique *Yamandú!* ¡Fuegos de guerra!

En pos de *Yamandú* corre la tribu.
   Su negra silueta
se ve, a lo lejos, tramontar las lomas,
como obscuro rebaño de culebras. * * *   160

LIBRO TERCERO: CANTOS III–IV

Into the Spanish settlement creep the silent Indians while the sentinel
and all the soldiers are asleep. A war cry! and they attack the Spaniards.
Gonzalo, roused from his sleep, throws on his armor and rushes out to give
them battle. His wife flees from the house, but Blanca faints and is lying
unconscious, alone and unprotected when Yamandú enters the house and
carries her off into the forest. When she comes to herself she gives a cry
of horror and fear. A few minutes pass. Then she hears behind her the
sound of breaking branches.

¿Qué pasa allí? La niña sólo siente
    dos rugidos que estallan,
dos cuerpos que a su lado se desploman,
y un grito sofocado a sus espaldas.

Después, por un instante, sólo escucha   5
las hojas que se hablan en voz baja ...
Alguien también respira junto a ella ...
¿Quién es? Nadie la ofende, todo calla. * * *

El indio *Yamandú* yace en el suelo.
    En los ojos y el alma   10
tiene la noche; su salvaje risa
está en sus labios para siempre helada.

¿Quién es ese indio pálido y convulso
    que entre la hierba se alza
después que entre sus dedos ha estrujado   15
de *Yamandú* el cacique la garganta? * * *

Es él, es Tabaré, que hasta aquel bosque
llevado fué por una fuerza extraña,
y al despertar de su sopor, en brazos
de la cruz de la selva solitaria   20

sintió muy cerca, entre el rumor confuso
    de ramas agitadas,
el grito que la virgen española
al distinguir a *Yamandú* lanzaba.

Saltó como mordido por el aire: 25
    saltó, y en la garganta
del indio *Yamandú* clavó sus manos
que sacudió con fuerza extraordinaria,

hasta sentir la muerte entre sus dedos
    crispados por la rabia.   30
Dejó el cuerpo del indio estrangulado,
se alzó y miró . . . la virgen allí estaba.

LIBRO TERCERO: CANTOS V–VI

Tabaré helps Blanca back to the Spanish settlement.

Don Gonzalo, accompanied by Padre Esteban and the soldiers, have
searched the woods for his sister in vain. Padre Esteban tries to comfort
Gonzalo and bids him trust in God and not despair.

At this Gonzalo's fury finds voice and he blames the missionary for his
misfortune. Had he not, on Padre Esteban's advice, treated the Indian
with kindness, this tragedy would not have happened.

In his desperate anger he orders his men to take the priest to the forest
and kill him. When they hesitate to carry out so cruel and unjust an order
he starts to fall upon the old man himself, but the soldiers cry out in
protest and draw their swords to protect the priest.

    —¡Capitán!,—gritó el uno,—
¡Cuidad de no tocarle, por el Cielo!
—¡No le toquéis!—clamaron los soldados,—
¡Por vuestra vida, capitán, teneos!

    —¡Ah, turba miserable!—   5
el hidalgo gritó retrocediendo;
—¿me amenazáis, ralea de villanos,
gente soez de corazón de cieno?

    ¡Me amenazáis, cobardes!
Ya os mostraré cómo se aplasta el cuello   10
a la víbora inmunda, que se arrastra
para morder la planta a un caballero.

    Los soldados esperan,
con la espada desnuda, y con resuelto
y ya duro ademán, el de Gonzalo   15
temido ataque, que el hidalgo es fiero.

    En su mano la espada
se veía temblar, cual si en el hierro
continuase la vida y lo animara
del corazón y el brazo del guerrero.   20

El primer rudo golpe
ha sonado del hierro contra el hierro;
Gonzalo apoya la nervuda espalda
en el tronco del árbol, y de nuevo

  alza el armado brazo.   25
Se adelanta el anciano a detenerlo,
cuando clama una voz:
        —¡Por entre el bosque!
 —¡Un indio!
      —¡El indio!   30
        —¡Por el bosque! ¡Vedlo!

    —¡Dónde!—grita Gonzalo,
los encendidos ojos revolviendo,
—¡Atraviesa aquel llano!
        —¡Llega al soto! 35
¿Lo veis? ¡Es él! . . .
       —¡Es Blanca, vive el Cielo!

   Por allá, entre los árboles,
   apareció un momento
Tabaré conduciendo a la española,   4
y en la espesura se internó de nuevo.

   De Blanca se escuchaban
   los débiles lamentos.
Aún vierte, sobre el hombro del charrúa,
el llanto aquel que reventó en su pecho.   45

   El indio va callado,
   sigue, sigue corriendo,
siempre empujado por la fuerza aquella
que sacudió sus ateridos miembros.

   Va insensible, agobiado,   5ⁿ
   y en dirección al pueblo;
siempre dejando de su sangre fría,
las gotas que aún le quedan, en el suelo.

   Grito de rabia y júbilo
lanzó Gonzalo al verlo,   55
y, como empuja el arco a la saeta,
de su ciega pasión lo empujó el vértigo.

Los ruidos de su arnés y de sus armas,
al chocar con los árboles, se oyeron
internarse saltando entre las breñas,   60
y despertando los dormidos ecos.

    Han seguido al hidalgo
el monje y los soldados. Allá adentro
se va apagando el ruido de sus pasos;
el aire está y los árboles suspensos . . .   65

    Un grito sofocado
resuena a poco tiempo;
tras él, clamores de dolor y angustia
turban del bosque el funeral silencio . . .

    ¡Cayó la flor al río!   70
Los temblorosos círculos concéntricos
balancearon los verdes camalotes,
y entre los brazos del juncal murieron.

    Las grietas del sepulcro
engendraron un lirio amarillento,   75
tuvo el perfume de la flor caída,
su misma extrema palidez . . . ¡Ha muerto! * * *

    Cuando al fondo del soto
el anciano llegó con los guerreros,
Tabaré, con el pecho atravesado,   80
yacía inmóvil en su sangre envuelto.

    La espada del hidalgo
goteaba sangre que regaba el suelo;
Blanca lanzaba clamorosos gritos . . .
Tabaré no se oía . . . Del aliento   85

    de su vida quedaba
un estertor apenas, que sus miembros
extendidos en tierra recorría,
y que en breve cesó . . . Pálido, trémulo,

    inmóvil, Don Gonzalo,   90
que aún oprimía el sanguinoso acero,
miraba a Blanca que, poblando el aire
de gritos de dolor, contra su seno

estrechaba al charrúa
que dulce la miró, pero de nuevo   95
tristemente cerró, para no abrirlos,
los apagados ojos en silencio.

El indio oyó su nombre,
al derrumbarse en el instante eterno.
Blanca, desde la tierra, lo llamaba;   100
lo llamaba, por fin, pero de lejos . . .

Ya *Tabaré*, a los hombres,
ese postrer ensueño
no contará jamás . . . Está callado,
callado para siempre, como el tiempo   105

como su raza,
como el desierto,
como tumba que el muerto ha abandonado.
¡Boca sin lengua, eternidad sin cielo! * * *

Domingo Faustino Sarmiento

1811-1888

DOMINGO FAUSTINO SARMIENTO's *Facundo*, perhaps the greatest work of Argentine prose, was first printed in Chile, the first book by a young exile from the tyranny of the dictator Rosas. Sarmiento's home was in San Juan, one of the provinces which had suffered most from the cruelties of Rosas's rival *caudillo*, Facundo Quiroga. Sarmiento had taken active part in the Civil Wars against the dictators and was dividing the months of his enforced absence from his native land between teaching and writing newspaper articles. *Facundo* was written in haste and in the heat of his anger against the tyrant. It was begun in the early months of 1845 and its first installment appeared in the feuilleton section of *El progreso* of Santiago on May 2nd of that year. The publication was completed by the end of July and the work reissued in book form. The title of the first edition read: *Civilización i barbarie.—Vida de Juan Facundo Quiroga i aspecto, físico, costumbres, i abitos de la republica arjentina por Domingo F. Sarmiento.* It became the object of venomous attacks by the political enemies which its author's strong convictions and plain speech had already gained for him in Chile. Sarmiento, discouraged by the criticism, obtained a leave of absence from the paper and started for Europe, stopping on the way at Montevideo, where his book was enjoying a much more cordial reception from the "proscripted" intellectual refugees, and finally reaching Paris, where a very favorable review of the work in the *Revue des deux mondes* first introduced it to an international audience. After some years in Europe and in the United States Sarmiento returned to South America to take part in the overthrow of Rosas and to become a great statesman, the champion of popular education in Argentina, and the second president of the republic. He wrote prolifically on political and social problems. His complete works fill 53 volumes. But his literary fame rests upon *Facundo* and his charming autobiographical account of his youth, *Recuerdos de provincia* (1850).

Facundo is difficult to classify. It is a heterogeneous work, composed of three distinct parts: (1) a study of the history of Argentine customs and types; (2) a biography of the gaucho caudillo Facundo Quiroga; and (3) a political diatribe against the Rosas government. The first part has probably the most universal and permanent appeal. The second and third parts contain dramatic reporting of stirring events, keen insight into human motives and human character, but also some statistics and comments on contemporary happenings whose interest has waned with their timeliness. The two chapters making up the third part were omitted entirely from the second and third editions, but restored again in the fourth, which bore the title: *Facundo o civilizacion i barbarie en las pampas argentinas por Domingo F. Sarmiento.* This has been the basis for subsequent editions.

The text from which the following chapters were taken is that of the edition in the *Biblioteca de clásicos argentinos* (Buenos Aires, Estrada, 1940) and follows that of the *Edición crítica de la Universidad Nacional de la Plata.* The orthography and punctuation have been modernized.

FACUNDO

Capítulo I

ASPECTO FÍSICO DE LA REPÚBLICA ARGENTINA, Y CARACTERES, HÁBITOS E IDEAS QUE ENGENDRA

> L'étendue des pampas est si prodigieuse qu'au nord elles son bornées par des bosquets de palmiers, et au midi par des neiges éternelles.[1]
>
> Head

El continente americano termina al sur de una punta en cuya extremidad se forma el Estrecho de Magallanes. Al oeste y a corta distancia del Pacífico se extienden, paralelos a la costa, los Andes chilenos. La tierra que queda al oriente de aquella cadena de montañas, y al occidente del Atlántico, siguiendo el Río de la Plata hacia el interior por el Uruguay arriba, es el territorio que se llamó Provincias Unidas del Río de la Plata, y en la que aun se derrama sangre por denominarlo República Argentina o Confederación Argentina.[2] Al norte están el Paraguay y Bolivia, sus límites presuntos.

1. *The extent of the pampas is so enormous that they are bounded on the north by groves of palms and on the south by eternal snows.*

2. Confederación Argentina: On July 9, 1816, at the Congress of Tucumán, the *Provincias Unidas del Río de la Plata* declared themselves independent of Spain. In this they were following the lead of the province of Buenos Aires which had severed its connections with the mother country six years earlier. For nearly half a century thereafter the question of where the supreme authority should be placed—whether there should be a strong, centralized government in Buenos Aires or whether each individual province should have complete sovereignty—divided

La inmensa extensión de país que está en sus extremos es enteramente despoblada, y ríos navegables posee que no ha surcado aún el frágil barquichuelo. El mal que aqueja a la República Argentina es la extensión; el desierto la rodea por todas partes, se le insinúa en las entrañas; la soledad, el despoblado sin una habitación humana, son, por lo general, los límites incuestionables entre unas y otras provincias. Allí, la inmensidad por todas partes; inmensa la llanura, inmensos los bosques, inmensos los ríos, el horizonte siempre incierto, siempre confundiéndose con la tierra entre celajes y vapores tenues, que no dejan en la lejana perspectiva señalar el punto en que el mundo acaba y principia el cielo. Al sur y al norte acéchanla los salvajes, que aguardan las noches de luna para caer, cual enjambre de hienas, sobre los ganados que pacen en los campos y en las indefensas poblaciones. En la solitaria caravana de carretas que atraviesa pesadamente las pampas, y que se detiene a reposar por momentos, la tripulación [3] reunida en torno del escaso fuego, vuelve maquinalmente la vista hacia el sur al más ligero susurro del viento que agita las hierbas secas, para hundir sus miradas en las tinieblas profundas de la noche en busca de los bultos siniestros de la horda salvaje que puede sorprenderla desapercibida de un momento a otro.

Si el oído no escucha rumor alguno, si la vista no alcanza a calar el velo oscuro que cubre la callada soledad, vuelve sus miradas, para tranquilizarse del todo, a las orejas de algún caballo que está inmediato al fogón,[4] para observar si están inmóviles y negligentemente inclinadas hacia atrás. Entonces continúa la conversación interrumpida, o lleva a la boca el tasajo de carne medio sollamado [5] de que se alimenta.

Si no es la proximidad del salvaje lo que inquieta al hombre del campo, es el temor de un tigre que lo acecha, de una víbora que puede pisar. Esta inseguridad de la vida, que es habitual y permanente en las campañas, imprime, a mi parecer, en el carácter argentino cierta resignación estoica para la muerte violenta, que hace de ella uno de los percances inseparables de la vida, una manera de morir como cualquiera otra; y puede quizá explicar en parte la indiferencia con que dan y reciben la muerte, sin dejar en los que sobreviven impresiones profundas y duraderas.

La parte habitada de este país, privilegiado en dones y que encierra todos los climas, puede dividirse en tres fisonomías distintas, que imprimen a la población condiciones diversas, según la manera como tiene que entenderse con la naturaleza que la rodea. Al norte, confundiéndose con el Chaco, un espeso bosque cubre con su impenetrable ramaje extensiones que llamáramos inauditas si en formas colosales hubiese nada inaudito en toda la extensión de la América. Al centro, y en una zona paralela, se disputan largo tiempo el terreno la pampa y la selva; domina en partes el bosque, se degrada en matorrales enfermizos y espinosos, preséntase de nuevo la selva a merced de algún río

---

3. tripulación: *the "crew" of the caravan*
4. fogón: *bonfire*
5. tasajo . . . sollamado: *piece of dried beef slightly broiled*

que la favorece, hasta que al fin, al sur, triunfa la pampa y ostenta su lisa y velluda frente infinita, sin límite conocido, sin accidente notable; es la imagen del mar en la tierra; la tierra como en el mapa; la tierra aguardando todavía que se la mande producir las plantas y toda clase de simiente.

Pudiera señalarse como un rasgo notable de la fisonomía de este país la aglomeración de ríos navegables que al este se dan cita de todos los rumbos del horizonte, para reunirse en el Plata, y presentar dignamente su estupendo tributo al Océano, que lo recibe en sus flancos no sin muestras visibles de turbación y respeto. Pero estos inmensos canales excavados por la solícita mano de la naturaleza, no introducen cambio ninguno en las costumbres nacionales. El hijo de los aventureros españoles que colonizaron el país, detesta la navegación, y se considera como aprisionado en los estrechos límites del bote o la lancha. Cuando un gran río le ataja el paso, se desnuda tranquilamente, apresta su caballo y lo endilga nadando a algún islote que se divisa a lo lejos; arriba a él, descansan caballo y caballero, y de islote en islote, se completa al fin la travesía.

De este modo, el favor más grande que la Providencia depara a un pueblo, el gaucho argentino lo desdeña, viendo en él más bien un obstáculo opuesto a sus movimientos, que el medio más poderoso de facilitarlos; de este modo la fuente del engrandecimiento de las naciones, lo que hizo la felicidad remotísima del Egipto, lo que engrandeció a la Holanda, y es la causa del rápido desenvolvimiento de Norte América, la navegación de los ríos o la canalización, es un elemento muerto, inexplotado por el habitante de las márgenes del Bermejo, Pilcomayo, Paraná, Paraguay y Uruguay.[6] Desde el Plata remontan aguas arriba algunas navecillas tripuladas por italianos y carcamanes;[7] pero el movimiento sube unas cuantas leguas y cesa casi de todo punto. No fué dado a los españoles el instinto de la navegación, que poseen en tan alto grado los sajones del Norte. Otro espíritu se necesita que agite esas arterias en que hoy se estagnan los flúidos vivificantes de una nación. De todos esos ríos que debieran llevar la civilización, el poder y la riqueza hasta profundidades más recónditas del continente, y hacer de Santa Fe, Entre Ríos, Corrientes, Córdoba, Salta, Tucumán y Jujuy, otros tantos pueblos nadando en riquezas y rebosando población y cultura, sólo uno hay que es fecundo en beneficios para los que moran en sus riberas: el Plata, que los resume a todos juntos.

En su embocadura están situadas dos ciudades: Montevideo y Buenos Aires, cosechando hoy alternativamente las ventajas de su envidiable posición. Buenos Aires está llamada a ser un día la ciudad más gigantesca de ambas Américas. Bajo un clima benigno, señora de la navegación de cien ríos que fluyen a sus pies, reclinada muellemente sobre un inmenso territorio, y con trece provincias interiores que no conocen otra salida para sus productos, fuera ya la Babilonia americana,[8] si el espíritu de la pampa no hubiese so-

---

6. Bermejo, Pilcomayo, Paraná, Paraguay and Uruguay are the principal rivers of northern Argentina, tributaries of the Río de la Plata.

7. carcamanes: *French*

8. Babilonia americana: Ancient Babylon in the Euphrates valley was once (in the 6th century B. C.) the center of the world's commerce, the richest and most prosperous city of antiquity.

plado sobre ella y si no ahogase en sus fuentes el tributo de riqueza que los ríos y las provincias tienen que llevarla siempre. Ella sola, en la vasta extensión argentina, está en contacto con las naciones europeas; ella sola explota las ventajas del comercio extranjero; ella sola tiene poder y rentas. En vano le han pedido las provincias que les deje pasar un poco de civilización, de industria y de población europea; una política estúpida y colonial[9] se hizo sorda a estos clamores. Pero las provincias se vengaron mandándole en Rosas,[10] mucho y demasiado de la barbarie que a ellas les sobraba.

Harto caro la han pagado los que decían: "La República Argentina acaba en el Arroyo del Medio".[11] Ahora llega desde los Andes hasta el mar; la barbarie y la violencia bajaron a Buenos Aires, más allá del nivel de las provincias. No hay que quejarse de Buenos Aires, que es grande y lo será más, porque así le cupo en suerte. Debiéramos antes quejarnos de la Providencia y pedirle que rectifique la configuración de la tierra. No siendo esto posible, demos por bien hecho lo que de mano de Maestro está hecho. Quejémonos de la ignorancia de ese poder brutal que esteriliza, para sí y para las provincias, los dones que natura prodigó al pueblo que extravía. Buenos Aires, en lugar de mandar ahora luces, riqueza y prosperidad al interior, mándale sólo cadenas, hordas exterminadoras y tiranuelos subalternos. ¡También se venga del mal que las provincias le hicieron con prepararle a Rosas!

He señalado esta circunstancia de la posición monopolizadora de Buenos Aires, para mostrar que hay una organización del suelo, tan central y unitaria en aquel país, que aunque Rosas hubiera gritado de buena fe "¡Federacion o muerte!" habría concluido por el sistema unitario que hoy ha establecido. Nosotros, empero, queríamos la unidad en la civilización y en la libertad, y se nos ha dado la unidad en la barbarie y en la esclavitud. Pero otro tiempo vendrá en que las cosas entren en su cauce ordinario. Lo que por ahora interesa conocer, es que los progresos de la civilización se acumulan sólo en Buenos Aires; la pampa es un malísimo conductor para llevarla y distribuirla en las provincias, y ya veremos lo que de aquí resulta.

Pero por sobre todos estos accidentes peculiares a ciertas partes de aquel territorio predomina una facción general, uniforme y constante; ya sea que la tierra esté cubierta de la lujosa y colosal vegetación de los trópicos, ya sea que arbustos enfermizos, espinosos y desapacibles revelen la escasa porción de humedad que les da vida, en fin, que la pampa ostente su despejada y monótona faz, la superficie de la tierra es generalmente llana y unida, sin que basten a interrumpir esta continuidad sin límites las sierras de San Luis y Córdoba en el centro, y algunas ramificaciones avanzadas de los Andes al norte; nuevo elemento de unidad para

9. política . . . colonial: The Spanish colonial commercial policy gave to Buenos Aires the exclusive rights of export and import for the entire viceroyalty. Even after their separation from Spain, Buenos Aires kept this monopoly on the trade of the provinces.

10. Juan Manuel Rosas, the Federalist dictator. See pages 194–198.

11. Arroyo del Medio: This is the natural boundary between the provinces of Buenos Aires and Santa Fe. The statement is equivalent to saying "The republic ends with the province of Buenos Aires."

la nación que pueble un día aquellas grandes soledades, pues que es sabido que las montañas que se interponen entre unos y otros países, y los demás obstáculos naturales, mantienen el aislamiento de los pueblos y conservan sus peculiaridades primitivas.

Norte América está llamada a ser una federación, menos por la primitiva independencia de las plantaciones, que por su ancha exposición al Atlántico y las diversas salidas que al interior dan el San Lorenzo al norte, el Misisipí al sur y las inmensas canalizaciones al centro. La República Argentina es una e indivisible.

Muchos filósofos han creído también que las llanuras preparaban las vías al despotismo, del mismo modo que las montañas prestaban asidero a las resistencias de la libertad. Esta llanura sin límites que desde Salta a Buenos Aires, y de allí a Mendoza, por una distancia de más de setecientas leguas permite rodar enormes y pesadas carretas, sin encontrar obstáculo alguno, por caminos en que la mano del hombre apenas ha necesitado cortar algunos árboles y matorrales, esta llanura constituye uno de los rasgos más notables de la fisonomía interior de la República.

Para preparar vías de comunicación basta sólo el esfuerzo del individuo y los resultados de la naturaleza bruta; si el arte quisiera prestarle su auxilio, si las fuerzas de la sociedad intentaran suplir la debilidad del individuo, las dimensiones colosales de la obra arre-

drarían a los más emprendedores, y la incapacidad del esfuerzo lo haría inoportuno.

Así, en materia de caminos, la naturaleza salvaje dará la ley por mucho tiempo, y la acción de la civilización permanecerá débil e ineficaz.

Esta extensión de las llanuras imprime, por otra parte, a la vida del interior cierta tintura asiática que no deja de ser bien pronunciada. Muchas veces, al salir la luna tranquila y resplandeciente por entre las hierbas de la tierra, la he saludado maquinalmente con estas palabras de Volney en su descripción de las Ruinas: "La pleine lune a l'Orient s'élevait sur un fond bleuâtre aux plaines rives de l'Euphrate." [12] Y en efecto, hay algo en las soledades argentinas que trae a la memoria las soledades asiáticas; alguna analogía encuentra el espíritu entre la pampa y las llanuras que median entre el Tigris y el Eufrates; [13] algún parentesco en la tropa de carretas solitarias que cruza nuestras soledades para llegar, al fin de una marcha de meses, a Buenos Aires, y la caravana de camellos que se dirige hacia Bagdad o Esmirna.[14] Nuestras carretas viajeras son una especie de escuadra de pequeños bajeles, cuya gente tiene costumbres, idiomas y vestidos peculiares que la distinguen de los otros habitantes, como el marino se distingue de los hombres de tierra.

Es el capataz [15] un caudillo, como en Asia el jefe de la caravana; necesítase para este destino una voluntad de hie-

---

12. *The full moon was rising in the east on a blue ground over the plains of the Euphrate.* The quotation is from the first chapter of C. F. Volney's *Les ruines; ou méditation sur les révolutions des empires, Paris,* 1792.
13. el Tigris y el Eufrates: Between these rivers lies Irak, the ancient Mesopotamia.
14. Bagdad: the ancient capital of Mesopotamia on the Tigris river; Esmirna: Smyrna, the former capital of Turkey in Asia
15. capataz: *foreman in charge of a group of workers*

rro, un carácter arrojado hasta la temeridad, para contener la audacia y turbulencia de los filibusteros de tierra que ha de gobernar y dominar él solo en el desamparo del desierto. A la menor señal de insubordinación, el capataz enarbola su *chicote* de fierro,[16] y descarga sobre el insolente golpes que causan contusiones y heridas; si la resistencia se prolonga, antes de apelar a las pistolas, cuyo auxilio por lo general desdeña, salta del caballo con el formidable cuchillo en mano y reivindica bien pronto su autoridad por la superior destreza con que sabe manejarlo.

El que muere en estas ejecuciones del capataz no deja derecho a ningún reclamo, considerándose legítima la autoridad que lo ha asesinado.

Así es como en la vida argentina empieza a establecerse por estas peculiaridades el predominio de la fuerza brutal, la preponderancia del más fuerte, la autoridad sin límites y sin responsabilidad de los que mandan, la justicia administrada sin formas y sin debate. La tropa de carretas lleva además armamento, un fusil o dos por carreta, y a veces un cañoncito giratorio en la que va a la delantera. Si los bárbaros la asaltan, forma un círculo atando unas carretas con otras, y casi siempre resiste victoriosamente a la codicia de los salvajes ávidos de sangre y de pillaje.

La árrea de mulas[17] cae con frecuencia indefensa en manos de estos beduínos americanos, y rara vez los troperos escapan de ser degollados. En estos largos viajes, el proletario argentino adquiere el hábito de vivir lejos de la sociedad y de luchar individualmente con la naturaleza, endurecido en las privaciones, y sin contar con otros recursos que su capacidad y maña personal para precaverse de todos los riesgos que'le cercan de continuo.

El pueblo que habita estas extensas comarcas, se compone de dos razas diversas, que mezclándose forman medios tintes imperceptibles, españoles e indígenas. En las campañas de Córdoba y San Luis predomina la raza española pura, y es común encontrar en los campos pastoreando ovejas, muchachas tan blancas, tan rosadas y hermosas, como querrían serlo las elegantes de una capital. En Santiago del Estero el grueso de la población campesina habla aún el quichua,[18] que revela su origen indio. En Corrientes los campesinos usan un dialecto español muy gracioso: "Dame, general, un chiripá,"[19] decían a Lavalle sus soldados.

En la campaña de Buenos Aires se reconoce todavía el soldado andaluz, y en la ciudad predominan los apellidos extranjeros. La raza negra, casi extinta ya, excepto en Buenos Aires, ha dejado sus zambos[20] y mulatos, habitantes de las ciudades, eslabón que liga al hombre civilizado con el palurdo;[21] raza inclinada a la civilización, dotada de talento y de los más bellos instintos de progreso.

Por lo demás, de la fusión de estas tres familias ha resultado un todo homogéneo, que se distingue por su amor

---

16. chicote de fierro (hierro): *iron lash*
17. árrea de mulas: *train of mules*
18. quichua: the language of the Indians indigenous to Bolivia and the northern provinces of Argentina; formerly that of the Incas of Peru
19. chiripá: loose garment worn by the gaucho in place of trousers
20. zambos: progeny of Indian and negro
21. palurdo: *country person, "boor"*

a la ociosidad e incapacidad industrial, cuando la educación y las exigencias de una posición social no vienen a ponerle espuela y sacarla de su paso habitual. Mucho debe haber contribuido a producir este resultado desgraciado la incorporación de indígenas que hizo la colonización. Las razas americanas viven en la ociosidad, y se muestran incapaces, aun por medio de la compulsión, para dedicarse a un trabajo duro y seguido. Esto sugirió la idea de introducir negros en América, que tan fatales resultados ha producido. Pero no se ha mostrado mejor dotada de acción la raza española cuando se ha visto en los desiertos americanos abandonada a sus propios instintos.

Da compasión y vergüenza en la República Argentina comparar la colonia alemana o escocesa del sur de Buenos Aires, y la villa que se forma en el interior; en la primera las casitas son pintadas, el frente de la casa siempre aseado, adornado de flores y arbustillos graciosos; el amueblado sencillo, pero completo, la vajilla de cobre o estaño, reluciendo siempre, la cama con cortinillas graciosas, y los habitantes en un movimiento y acción continuos. Ordeñando vacas, fabricando mantequilla y queso, han logrado algunas familias hacer fortunas colosales y retirarse a la ciudad a gozar de las comodidades.

La villa nacional es el reverso indigno de esta medalla; niños sucios y cubiertos de harapos viven con una jauría de perros; hombres tendidos por el suelo en la más completa inacción, el desaseo y la pobreza por todas partes, una mesita y petacas por todo amueblado, ranchos miserables por habitación, y un aspecto general de barbarie y de incuria los hacen notables.

Esta miseria que ya va desapareciendo, y que es un accidente de las campañas pastoras, motivó sin duda las palabras que el despecho y la humillación de las armas inglesas arrancaron a Walter Scott. "Las vastas llanuras de Buenos Aires—dice—no están pobladas sino por cristianos salvajes conocidos bajo el nombre de 'huachos' (por decir 'gauchos'), cuyo principal amueblado consiste en cráneos de caballos, cuyo alimento es carne cruda y agua, y cuyo pasatiempo favorito es reventar caballos en carreras forzadas. Desgraciadamente—añade el buen gringo—, prefirieron su independencia nacional a nuestros algodones y muselinas." [22] ¡Sería bueno proponerle a la Inglaterra, por ver no más, cuántas varas de lienzo y cuántas piezas de muselina daría por poseer estas llanuras de Buenos Aires!

Por aquella extensión sin límites, tal como la hemos descrito, están esparcidas aquí y allá catorce ciudades capitales de provincia, que, si hubiéramos de seguir el orden aparente, clasificaríamos por su colocación geográfica: Buenos Aires, Santa Fe, Entre Ríos y Corrientes a las márgenes del Paraná; Mendoza, San Juan, La Rioja, Catamarca, Tucumán, Salta y Jujuy, casi en línea paralela con los Andes chilenos; Santiago, San Luis y Córdoba, al centro.

Pero esta manera de enumerar los pueblos argentinos no conduce a ninguno de los resultados sociales que voy solicitando. La clasificación que hace a mi objeto, es la que resultó de los medios de vivir del pueblo de las cam-

---

22. *"Life of Napoleon Buonaparte,* tomo II, capítulo I." (Sarmiento's note.)

pañas, que es lo que influye en su carácter y espíritu. Ya he dicho que la vecindad de los ríos no imprime modificación alguna, puesto que no son navegados sino en una escala insignificante y sin influencia. Ahora, todos los pueblos argentinos, salvo San Juan y Mendoza, viven de los productos del pastoreo; Tucumán explota, además, la agricultura, y Buenos Aires, a más de un pastoreo de millones de cabezas de ganado, se entrega a las múltiples y variadas ocupaciones de la vida civilizada.

Las ciudades argentinas tienen la fisonomía regular de casi todas las ciudades americanas: sus calles cortadas en ángulos rectos, su población diseminada en una ancha superficie, si se exceptúa a Córdoba, que, edificada en corto y limitado recinto, tiene todas las apariencias de una ciudad europea, a que dan mayor realce la multitud de torres y cúpulas de sus numerosos y magníficos templos. La ciudad es el centro de la civilización argentina, española, europea; allí están los talleres de las artes, las tiendas del comercio, las escuelas y colegios, los juzgados, todo lo que caracteriza, en fin, a los pueblos cultos.

La elegancia en los modales, las comodidades del lujo, los vestidos europeos, el frac y la levita, tienen allí su teatro y su lugar conveniente. No sin objeto hago esta enumeración trivial. La ciudad capital de las provincias pastoras existe algunas veces ella sola sin ciudades menores y no falta alguna en que el terreno inculto llegue hasta ligarse con las calles. El desierto las circunda a más o menos distancia, las cerca, las oprime; la naturaleza salvaje las reduce a unos estrechos oasis de civilización enclavados en un llano inculto de centenares de millas cuadradas, apenas interrumpido por una que otra villa de consideración. Buenos Aires y Córdoba son las que mayor número de villas han podido echar sobre la campaña, como otros tantos focos de civilización y de intereses municipales; ya esto es un hecho notable.

El hombre de la ciudad viste el traje europeo, vive de la vida civilizada tal como la conocemos en todas partes; allí están las leyes, las ideas de progreso, los medios de instrucción, alguna organización municipal, el gobierno regular, etc. Saliendo del recinto de la ciudad, todo cambia de aspecto: el hombre de campo lleva otro traje, que llamaré americano, por ser común a todos los pueblos; sus hábitos de vida son diversos, sus necesidades peculiares y limitadas; parecen dos sociedades distintas, dos pueblos extraños uno de otro. Aun hay más: el hombre de la campaña, lejos de aspirar a semejarse al de la ciudad, rechaza con desdén su lujo y sus modales corteses; y el vestido del ciudadano, el frac, la capa, la silla, ningún signo europeo puede presentarse impunemente en la campaña. Todo lo que hay de civilizado en la ciudad está bloqueado por allí, proscrito afuera; y el que osara mostrarse con levita, por ejemplo, y montado en silla inglesa, atraería sobre sí las burlas y las agresiones brutales de los campesinos.

Estudiemos ahora la fisonomía exterior de las extensas campañas que rodean las ciudades, y penetremos en la vida interior de sus habitantes. Ya he dicho que en muchas provincias el límite forzoso es un desierto intermedio y sin agua. No sucede así por lo general con la campaña de una provincia, en la que reside la mayor parte de su población. La de Córdoba, por ejemplo, que cuenta ciento sesenta mil almas, apenas veinte de éstas están dentro del recinto de la aislada ciudad; todo el grueso de la población está en los campos, que así como por lo común son llanos, casi por todas partes son pastosos, ya estén cubiertos de bosques, ya desnudos de vegetación mayor, y en algunos con tanta abundancia y de tan exquisita calidad, que el prado artificial no llegaría a aventajarles. Mendoza, y San Juan sobre todo, se exceptúan de esta peculiaridad de la superficie inculta, por lo que sus habitantes viven principalmente de los productos de la agricultura. En todo lo demás, abundando los pastos, la cría de ganado es, no la ocupación de los habitantes, sino su medio de subsistencia. Ya la vida pastoril nos vuelve impensadamente a traer a la imaginación el recuerdo del Asia, cuyas llanuras nos imaginamos siempre cubiertas aquí y allá de las tiendas del calmuco,[23] del cosaco o del árabe. La vida primitiva de los pueblos, la vida eminentemente bárbara y estacionaria, la vida de Abraham, que es la del beduino de hoy, asoma en los campos argentinos, aunque modificada por la civilización de un modo extraño.

La tribu árabe que vaga por las soledades asiáticas, vive reunida bajo el mando de un anciano de la tribu o un jefe guerrero; la sociedad existe, aunque no esté fija en un punto determinado de la tierra; las creencias religiosas, las tradiciones inmemoriales, la invariabilidad de las costumbres, el respeto a los ancianos, forman, reunidos, un código de leyes, de usos y prácticas de gobierno, que mantiene la moral, tal como la comprenden, el orden y la asociación de la tribu. Pero

el progreso está sofocado, porque no puede haber progreso sin la posesión permanente del suelo, sin la ciudad, que es la que desenvuelve la capacidad industrial del hombre, y le permite extender sus adquisiciones.

En las llanuras argentinas no existe la tribu nómada; el pastor posee el suelo con títulos de propiedad, está fijo en un punto que le pertenece; pero para ocuparlo, ha sido necesario disolver la asociación y derramar las familias sobre una inmensa superficie. Imaginaos una extensión de dos mil leguas cuadradas cubierta toda de población, pero colocadas las habitaciones a cuatro leguas de distancia unas de otras, a ocho a veces, a dos las más cercanas. El desenvolvimiento de la propiedad mobiliaria no es imposible, los goces del lujo no son del todo incompatibles con este aislamiento: puede levantar la fortuna un soberbio edificio en el desierto; pero el estímulo falta, el ejemplo desaparece, la necesidad de manifestarse con dignidad que se siente en las ciudades, no se hace sentir allí en el aislamiento y la soledad. Las privaciones indispensables justifican la pereza natural, y la frugalidad en los goces trae en seguida todas las exterioridades de la barbarie. La sociedad ha desaparecido completamente; queda sólo la familia feudal aislada, reconcentrada; y no habiendo sociedad reunida, toda clase de gobierno se hace imposible; la municipalidad no existe, la policía no puede ejercerse y la justicia civil no tiene medios de alcanzar a los delincuentes.

Ignoro si el mundo moderno presenta un género de asociación tan monstruoso como éste. Es todo lo con-

23. calmuco: native of a district of Mongolia

trario del municipio romano, que reconcentraba en un recinto toda la población y de allí salía a labrar los campos circunvecinos. Existía, pues, una organización social fuerte, y sus benéficos resultados se hacen sentir hasta hoy y han preparado la civilización moderna. Se asemeja a la antigua slobada esclavona,[24] con la diferencia que aquélla era agrícola y por tanto más susceptible de gobierno; el desparramo[25] de la población no era tan extenso como éste. Se diferencia de la tribu nómada, en que aquélla anda en sociedad siquiera, ya que no se posesiona del suelo. Es, en fin, algo parecida a la feudalidad de la Edad Media, en que los barones residían en el campo, y desde allí hostilizaban las ciudades y asolaban las campañas; pero aquí faltan el barón y el castillo feudal. Si el poder se levanta en el campo, es momentáneamente, es democrático: ni se hereda, ni puede conservarse, por falta de montañas y poblaciones fuertes. De aquí resulta que aun la tribu salvaje de la pampa está organizada mejor que nuestras campañas, para el desarrollo moral.

Pero lo que presenta de notable esta sociedad en cuanto a su aspecto social, es su afinidad con la vida antigua, con la vida espartana o romana, si por otra parte no tuviese una desemejanza radical. El ciudadano libre de Esparta o de Roma echaba sobre sus esclavos el peso de la vida material, el cuidado de proveer a la subsistencia, mientras que él vivía libre de cuidados en el foro, en la plaza pública, ocupándose exclusivamente de los intereses del Estado, de la paz, la guerra, las luchas de partido. El pastoreo proporciona las mismas ventajas, y la función inhumana del ilota[26] antiguo la desempeña el ganado. La procreación espontánea forma y acrece indefinidamente la fortuna; la mano del hombre está por demás; su trabajo, su inteligencia, su tiempo, no son necesarios para la conservación y aumento de los medios de vivir. Pero, si nada de esto necesita para lo material de la vida, las fuerzas que economiza no puede emplearlas como el romano; fáltale la ciudad, el municipio, la asociación íntima, y por tanto, fáltale la base de todo desarrollo social; no estando reunidos los estancieros, no tienen necesidades públicas que satisfacer: en una palabra, no hay *res pública*.

El progreso moral, la cultura de la inteligencia descuidada en la tribu árabe o tártara, es aquí no sólo descuidada, sino imposible. ¿Dónde colocar la escuela para que asistan a recibir lecciones los niños diseminados a diez leguas de distancia en todas direcciones? Así, pues, la civilización es del todo irrealizable, la barbarie es normal,[27] y gracias si las costumbres domésticas conservan un corto depósito de moral. La religión sufre las consecuencias de la disolución de la sociedad; el curato es nominal, el púlpito no tiene auditorio, el sacerdote huye de la capilla solitaria, o se desmoraliza en la inacción y en la soledad; los vicios, el simoniaquismo, la barbarie normal, penetran en su celda, y convierten su superioridad moral en elementos de fortuna y de ambición, porque al fin

---

24. slobada esclavona: *Slavonic settlement*
25. desparramo: *dispersion*
26. ilota: *Spartan serf*
27. "El año 1826, durante una residencia de un año en la sierra de San Luis, enseñé a leer a seis jóvenes de familias pudientes, el menor de los cuales tenía veintidós años." (Sarmiento's note.)

concluye por hacerse caudillo de partido.

Yo he presenciado una escena campestre digna de los tiempos primitivos del mundo anteriores a la institución del sacerdocio. Hallábame en 1838 en la sierra de San Luis, en casa de un estanciero cuyas dos ocupaciones favoritas eran rezar y jugar. Había edificado una capilla en la que los domingos por la tarde rezaba él mismo el rosario, para suplir al sacerdote, y el oficio divino de que por años habían carecido. Era aquél un cuadro homérico: el sol llegaba al ocaso, las majadas que volvían al redil hendían el aire con sus confusos balidos; el dueño de la casa, hombre de sesenta años, de una fisonomía noble, en que la raza europea pura se ostentaba por la blancura del cutis, los ojos azulados, la frente espaciosa y despejada, hacía coro, a que contestaban una docena de mujeres y algunos mocetones, cuyos caballos, no bien domados aún, estaban amarrados cerca de la puerta de la capilla. Concluido el rosario, hizo un fervoroso ofrecimiento. Jamás he oído voz más llena de unción, fervor más puro, fe más firme, ni oración más bella, más adecuada a las circunstancias que la que recitó. Pedía en ella a Dios lluvias para los campos, fecundidad para los ganados, paz para la República, seguridad para los caminantes... Yo soy muy propenso a llorar, y aquella vez lloré hasta sollozar, porque el sentimiento religioso se había despertado en mi alma con exaltación y con una sensación desconocida, porque nunca he visto escena más religiosa; creía estar en los tiempos de Abraham, en su presencia, en la de Dios y de la naturaleza que lo revela;

la voz de aquel hombre, candorosa e inocente, me hacía vibrar todas las fibras, y me penetraba hasta la médula de los huesos.

He aquí a lo que está reducida la religión en las campañas pastoras, a la religión natural; el cristianismo existe, como el idioma español, en clase de tradición que se perpetúa, pero corrompido, encarnado en supersticiones groseras, sin instrucción, sin culto y sin convicciones. En casi todas las campañas apartadas de las ciudades ocurre que, cuando llegan comerciantes de San Juan o de Mendoza, les presentan tres o cuatro niños de meses y de un año para que los bauticen, satisfechos de que por su buena educación podrán hacerlo de un modo válido; y no es raro que a la llegada de un sacerdote, se le presenten mocetones que vienen domando un potro, a que les ponga el óleo y administre el bautismo *sub conditione*.

A falta de todos los medios de civilización y de progreso, que no pueden desenvolverse sino a condición de que los hombres estén reunidos en sociedades numerosas, ved la educación del hombre del campo. Las mujeres guardan la casa, preparan la comida, trasquilan las ovejas, ordeñan las vacas, fabrican los quesos y tejen las groseras telas de que se visten; todas las ocupaciones domésticas, todas las industrias caseras, las ejerce la mujer; sobre ella pesa casi todo el trabajo; y gracias, si algunos hombres se dedican a cultivar un poco de maíz para el alimento de la familia, pues el pan es inusitado como mantención ordinaria.[28] Los niños ejercitan sus fuerzas y se adiestran por placer en el manejo del lazo y de las boleadoras, con que

28. mantención ordinaria: *staple food*

molestan y persiguen sin descanso a las terneras y cabras; cuando son jinetes, y esto sucede luego de aprender a caminar, sirven a caballo en algunos quehaceres; más tarde, y cuando ya son fuertes, recorren los campos cayendo y levantando, rodando a designio en las vizcacheras, salvando precipicios y adiestrándose en el manejo del caballo; cuando la pubertad asoma, se consagran a domar potros salvajes y la muerte es el castigo menor que les aguarda, si un momento les faltan las fuerzas o el coraje. Con la juventud primera viene la completa independencia y la desocupación.

Aquí principia la vida pública, diré, del gaucho, pues que su educación está ya terminada. Es preciso ver a estos españoles, por el idioma únicamente y por las confusas nociones religiosas que conservan, para saber apreciar los caracteres indómitos y altivos que nacen de esta lucha del hombre aislado con la naturaleza salvaje, del racional con el bruto; es preciso ver estas caras cerradas de barba, estos semblantes graves y serios, como los de los árabes asiáticos, para juzgar del compasivo desdén que les inspira la vista del hombre sedentario de las ciudades, que puede haber leído muchos libros, pero que no sabe aterrar un toro bravío y darle muerte, que no sabrá proveerse de caballo a campo abierto, a pie y sin auxilio de nadie; que nunca ha parado un tigre, y recibídolo con el puñal en una mano y el poncho envuelto en la otra, para meterlo en la boca, mientras le traspasa el corazón y lo deja tendido a sus pies. Este hábito de

triunfar de las resistencias, de mostrarse siempre superior a la naturaleza, de desafiarla y vencerla, desenvuelve prodigiosamente el sentimiento de la importancia individual y de la superioridad. Los argentinos, de cualquier clase que sean, civilizados o ignorantes, tienen una alta conciencia de su valer como nación; todos los demás pueblos americanos les echan en cara esta vanidad, y se muestran ofendidos de su presunción y arrogancia. Creo que el cargo no es del todo infundado, y no me pesa de ello. ¡Ay del pueblo que no tiene fe en sí mismo! ¡Para ése no se han hecho las grandes cosas! ¿Cuánto no habrá podido contribuir a la independencia de una parte de la América la arrogancia de estos gauchos argentinos que nada han visto bajo el sol mejor que ellos, ni el hombre sabio ni el poderoso? El europeo es para ellos el último de todos, porque no resiste a un par de corcovos [29] del caballo.[30] Si el origen de esta vanidad nacional en las clases inferiores es mezquino, no son por eso menos nobles las consecuencias, como no es menos pura el agua de un río porque nazca de vertientes cenagosas e infectas. Es implacable el odio que les inspiran los hombres cultos, e invencible su disgusto por sus vestidos, usos y maneras. De esta pasta están amasados los soldados argentinos, y es fácil imaginarse lo que hábitos de este género pueden dar en valor y sufrimiento para la guerra. Añádase que desde la infancia están habituados a matar las reses y que este acto de crueldad necesaria los familiariza con el derramamiento de sangre y en-

29. corcovos: *capers*
30. "El general Mansilla decía en la Sala durante el bloqueo francés: '¿Y qué nos han de hacer esos europeos que no saben galo-

parse una noche?' Y la inmensa barra plebeya ahogó la voz del orador con el estrépito de los aplausos." (Sarmiento's note.)

durece su corazón contra los gemidos de las víctimas.

La vida del campo, pues, ha desenvuelto en el gaucho las facultades físicas, sin ninguna de las de la inteligencia. Su carácter moral se resiente de su hábito de triunfar de los obstáculos y del poder de la naturaleza: es fuerte, altivo, enérgico. Sin ninguna instrucción, sin necesitarla tampoco, sin medios de subsistencia como sin necesidades, es feliz en medio de su pobreza y de sus privaciones, que no son tales para el que nunca conoció mayores goces, ni extendió más altos sus deseos. De manera que, si en esta disolución de la sociedad radica hondamente la barbarie por la imposibilidad y la inutilidad de la educación moral e intelectual, no deja, por otra parte, de tener sus atractivos. El gaucho no trabaja; el alimento y el vestido lo encuentra preparado en su casa; uno y otro se lo proporcionan sus ganados, si es propietario; la casa

del patrón o del pariente, si nada posee. Las atenciones que el ganado exige, se reducen a correrías y partidas de placer. La hierra,[31] que es como la vendimia de los agricultores, es una fiesta cuya llegada se recibe con transportes de júbilo; allí es el punto de reunión de todos los hombres de veinte leguas a la redonda; allí la ostentación de la increíble destreza en el lazo.

El gaucho llega a la hierra al paso lento y mesurado de su mejor *parejero*,[32] que detiene a distancia apartada; y para gozar mejor del espectáculo, cruza la pierna sobre el pescuezo del caballo. Si el entusiasmo lo anima, desciende lentamente del caballo, desarrolla su lazo y lo arroja sobre un toro que pasa con la velocidad del rayo a cuarenta pasos de distancia; lo ha cogido de una uña, que era lo que se proponía, y vuelve tranquilo a enrollar su *cuerda*.[33]

Capítulo II

ORIGINALIDAD Y CARACTERES ARGENTINOS.—EL RASTREADOR.—
EL BAQUIANO.—EL GAUCHO MALO.—EL CANTOR.

> Ainsi que l'océan, les steppes remplissent l'esprit du sentiment de l'infini.[34]
>
> Humboldt

Si de las condiciones de la vida pastoril, tal como la han constituido la colonización y la incuria, nacen graves dificultades para una organización política cualquiera, y muchas más para el triunfo de la civilización europea, de sus instituciones y de la riqueza y libertad, que son sus con-

secuencias, no puede, por otra parte, negarse que esta situación tiene su costado poético, frases dignas de la pluma del romancista. Si un destello de literatura nacional puede brillar momentáneamente en las nuevas sociedades americanas, es el que resultará de la descripción de las grandio-

---

31. hierra: *branding*
32. parejero: *swift, trained horse*
33. cuerda: *lasso*

34. *Like the ocean, the steppes fill the soul with a sense of infinity.*

sas escenas naturales, y, sobre todo, de la lucha entre la civilización europea y la barbarie indígena, entre la inteligencia y la materia; lucha imponente en América, y que da lugar a escenas tan peculiares, tan características y tan fuera del círculo de ideas en que se ha educado el espíritu europeo, porque los resortes dramáticos se vuelven desconocidos fuera del país donde se toman, los usos sorprendentes, y originales los caracteres.

El único romancista norteamericano que haya logrado hacerse un nombre europeo, es Fenimore Cooper,[35] y eso, porque transportó la escena de sus descripciones fuera del círculo ocupado por los plantadores al límite entre la vida bárbara y la civilizada, al teatro de la guerra en que las razas indígenas y la raza sajona están combatiendo por la posesión del terreno.

No de otro modo nuestro joven poeta Echeverría ha logrado llamar la atención del mundo literario español con su poema titulado *La cautiva*. Este bardo argentino dejó a un lado a Dido y Argia, que sus predecesores los Varela[36] trataron con maestría clásica y estro poético, pero sin suceso y sin consecuencia, porque nada agregaban al caudal de nociones europeas, y volvió sus miradas al desierto, y allá en la inmensidad sin límites, en las soledades en que vaga el salvaje, en la lejana zona de fuego que el viajero ve acercarse cuando los campos se incendian, halló las inspiraciones que proporciona a la imaginación el espectáculo de una naturaleza solemne, grandiosa, inconmensurable, callada, y entonces el eco de sus versos pudo hacerse oír con aprobación aun por la península española.

Hay que notar de paso un hecho que es muy explicativo de los fenómenos sociales de los pueblos. Los accidentes de la naturaleza producen costumbres y usos peculiares a estos accidentes, haciendo que donde estos accidentes se repiten, vuelvan a encontrarse los mismos medios de parar a ellos, inventados por pueblos distintos. Esto me explica por qué la flecha y el arco se encuentran en todos los pueblos salvajes, cualesquiera que sean su raza, su origen y su colocación geográfica. Cuando leía en *El último de los Mohicanos,* de Cooper, que Ojo de Halcón[37] y Uncas habían perdido el rastro de los Mingos en un arroyo, dije: "Van a tapar el arroyo." Cuando en *La pradera*, el Trampero[38] mantiene la incertidumbre y la agonía mientras el fuego los amenaza, un argentino habría aconsejado lo mismo que el Trampero sugiere, al fin, que es limpiar un lugar para guarecerse, e incendiar a su vez, para poderse retirar del fuego que invade sobre las cenizas del que se ha encendido. Tal es la práctica de los que atraviesan la pampa para salvarse de los incendios del pasto. Cuando los fugitivos de *La pradera* encuentran un río, y Cooper describe la misteriosa operación del Pawnie con el cuero de búfalo que recoge: "Va a hacer la *pelota*," [39]

35. James Fenimore Cooper (1789–1851)
36. los Varela: The brothers Florencio and Juan Cruz Varela, though liberal in politics and among Rosas's "proscripts," were neoclassical in literary taste. Juan Cruz Varela's two tragedies were entitled respectively: *Dido* and *Argia*.

37. Ojo de Halcón: Hawkeye, Uncas, and the Mingos are characters in Cooper's *Last of the Mohicans.*
38. el Trampero: The Trapper is a character in Cooper's *The Prairie.*
39. la pelota: a kind of tub made of hide which can be pulled across a narrow stream

me dije a mí mismo; "lástima es que no haya una mujer que la conduzca, que entre nosotros son las mujeres las que cruzan los ríos con la *pelota* tomada con los dientes por un lazo." El procedimiento para asar una cabeza de búfalo en el desierto es el mismo que nosotros usamos para *batear*[40] una cabeza de vaca o un lomo de ternera. En fin, mil otros accidentes que omito, prueban la verdad de que modificaciones análogas del suelo traen análogas costumbres, recursos y expedientes. No es otra la razón de hallar en Fenimore Cooper descripciones de usos y costumbres que parecen plagiadas de la pampa; así, hallamos en los hábitos pastoriles de la América, reproducidos hasta los trajes, el semblante grave y hospitalidad árabes.

Existe, pues, un fondo de poesía que nace de los accidentes naturales del país y de las costumbres excepcionales que engendra. La poesía, para despertarse, (porque la poesía es, como el sentimiento religioso, una facultad del espíritu humano) necesita el espectáculo de lo bello, del poder terrible, de la inmensidad, de la extensión, de lo vago, de lo incomprensible; porque sólo donde acaba lo palpable y vulgar, empiezan las mentiras de la imaginación, el mundo ideal. Ahora, yo pregunto: ¿Qué impresiones ha de dejar en el habitante de la República Argentina el simple acto de clavar los ojos en el horizonte, y ver ... no ver nada? Porque cuanto más hunde los ojos en aquel horizonte incierto, vaporoso, indefinido, más se aleja, más lo fascina, lo confunde y lo sume en la contemplación y la duda. ¿Dónde termina aquel mundo que quiere en vano penetrar? ¡No lo sabe! ¿Qué hay más allá de lo que ve? La soledad, el peligro, el salvaje, la muerte. He aquí ya la poesía. El hombre que se mueve en estas escenas se siente asaltado de temores e incertidumbres fantásticas, de sueños que lo preocupan despierto.

De aquí resulta que el pueblo argentino es poeta por carácter, por naturaleza. ¿Y cómo ha de dejar de serlo, cuando en medio de una tarde serena y apacible, una nube torva y negra se levanta sin saber de dónde, se extiende sobre el cielo mientras se cruzan dos palabras, y de repente el estampido del trueno anuncia la tormenta que deja frío al viajero, y reteniendo el aliento por temor de atraerse un rayo de dos mil que caen en torno suyo? La oscuridad sucede después a la luz; la muerte está por todas partes; un poder terrible, incontrastable, le ha hecho en un momento reconcentrarse en sí mismo, y sentir su nada en medio de aquella naturaleza irritada; sentir a Dios, por decirlo de una vez, en la aterrante magnificencia de sus obras. ¿Qué más colores para la paleta de la fantasía? Masas de tinieblas que anublan el día, masas de luz lívida, temblorosa, que ilumina un instante las tinieblas y muestra la pampa a distancias infinitas, cruzándolas vivamente el rayo, en fin, símbolo del poder. Estas imágenes han sido hechas para quedarse hondamente grabadas. Así, cuando la tormenta pasa, el gaucho se queda triste, pensativo, serio, y la sucesión de luz y tinieblas se continúa en su imaginación, del mismo modo que, cuando miramos fijamente el sol, nos queda por largo tiempo su disco en la retina. Preguntadle al gaucho a quién ma-

---

40. batear (bautizar): baste the roast with salt water before eating it

tan con preferencia los rayos, y os introducirá en un mundo de idealizaciones morales y religiosas, mezcladas de hechos naturales, pero mal comprendidos, de tradiciones supersticiosas y groseras. Añádase que si es cierto que el flúido eléctrico entra en la economía de la vida humana, y es el mismo que llaman flúido nervioso, el cual, excitado, subleva las pasiones y enciende el entusiasmo, muchas disposiciones debe tener para los trabajos de la imaginación el pueblo que habita bajo una atmósfera recargada de electricidad hasta el punto que la ropa frotada chisporrotea como el pelo contrariado del gato.

¿Cómo no ha de ser poeta el que presencia estas escenas imponentes?

"Gira en vano, reconcentra
su inmensidad, y no encuentra
la vista en su vivo anhelo
do fijar su fugaz vuelo,
como el pájaro en la mar.
Doquier campo y heredades
del ave y bruto guaridas;
doquier cielo y soledades
de Dios sólo conocidas,
que Él sólo puede sondar." [41]

¿O el que tiene a la vista esta naturaleza engalanada?

"De las entrañas de América
dos raudales se desatan:
el Paraná, faz de perlas,
y el Uruguay, faz de nácar.
Los dos entre bosques corren
o entre floridas barrancas,
como dos grandes espejos

entre marcos de esmeraldas.
Salúdanlos en su paso
la melancólica pava,
el picaflor y jilguero,
el zorzal y la torcaza.[42]
Como ante reyes se inclinan
ante ellos ceibos y palmas,
y le arrojan flor del aire,
aroma y flor de naranja.
Luego en el Guazú se encuentran
y reuniendo sus aguas,
mezclando nácar y perlas,
se derraman en el Plata." [43]

Pero ésta es la poesía culta, la poesía de la ciudad; hay otra que hace oír sus ecos por los campos solitarios: la poesía popular, candorosa y desaliñada del gaucho.

También nuestro pueblo es músico. Ésta es una predisposición nacional que todos los vecinos le reconocen. Cuando en Chile se anuncia por la primera vez un argentino en una casa, lo invitan al piano en el acto, o le pasan una vihuela,[44] y si se excusa diciendo que no sabe pulsarla, lo extrañan, y no le creen, "porque siendo argentino—dicen—debe ser músico." Ésta es una preocupación popular que acusa nuestros hábitos nacionales. En efecto, el joven culto de las ciudades toca el piano o la flauta, el violín o la guitarra; los mestizos se dedican casi exclusivamente a la música, y son muchos los hábiles compositores e instrumentistas que salen de entre ellos. En las noches de verano se oye sin cesar la guitarra en la puerta de las tiendas, y, tarde de la noche, el sueño es dulcemente inte-

41. Cf. page 170, lines 11–20.
42. picaflor (*humming bird*) ... jilguero (*linnet*) ... zorzal (*thrush*) ... torcaza (*wild pigeon*): all birds indigenous to America

43. These lines were written by Luis L. Dominguez (1819–1862) an Argentine poet, one of the proscripts of 1839.
44. vihuela: musical instrument shaped like a large guitar with six strings

rrumpido por las serenatas y los conciertos ambulantes.

El pueblo campesino tiene sus cantares propios.

El *triste,* que predomina en los pueblos del norte, es un canto frigio, plañidero, natural al hombre en él estado primitivo de barbarie, según Rousseau.

La *vidalita,* canto popular con coros, acompañado de la guitarra y un tamboril,[45] a cuyos redobles se reune la muchedumbre y va engrosando el cortejo y el estrépito de las voces; este canto me parece heredado de los indígenas, porque lo he oído en una fiesta de indios en Copiapó,[46] en celebración de la Candelaria,[47] y como canto religioso, debe ser antiguo, y los indios chilenos no lo han de haber adoptado de los españoles argentinos. La *vidalita* es el metro popular en que se cantan los asuntos del día, las canciones guerreras; el gaucho compone el verso que canta, y lo populariza por las asociaciones que su canto exige.

Así, pues, en medio de la rudeza de las costumbres nacionales, estas dos artes que embellecen la vida civilizada y dan desahogo a tantas pasiones generosas, están honradas y favorecidas por las masas mismas que ensayan su áspera musa en composiciones líricas y poéticas. El joven Echeverría residió algunos meses en la campaña en 1840, y la fama de sus versos sobre la pampa le había precedido ya; los gauchos lo rodeaban con respeto y afición, y cuando un

recién venido mostraba señales de desdén hacia el *cajetilla,*[48] alguno le insinuaba al oído: "Es poeta," y toda prevención hostil cesaba al oír este título privilegiado.

Sabido es, por otra parte, que la guitarra es el instrumento popular de los españoles, y que es común en América. En Buenos Aires, sobre todo, está todavía muy vivo el tipo popular español, el *majo.*[49] Descúbresele en el compadrito de la ciudad y en el gaucho de la campaña. El *jaleo* español vive en el *cielito;* los dedos sirven de castañuelas. Todos los movimientos del compadrito revelan al majo; el movimiento de los hombros, los ademanes, la colocación del sombrero, hasta la manera de escupir por entre los colmillos, todo es un andaluz genuino.

Del centro de estas costumbres y gustos generales se levantan especialidades notables, que un día embellecerán y darán un tinte original al drama y al romance nacional. Yo quiero sólo notar aquí algunos que servirán para completar la idea de las costumbres, para trazar en seguida el carácter, causas y efectos de la guerra civil.

EL RASTREADOR

El más conspicuo de todos, el más extraordinario, es el *rastreador.* Todos los gauchos del interior son rastreadores. En llanuras tan dilatadas en donde las sendas y caminos se cruzan en todas direcciones, y los campos en que pacen o transitan las bestias son

---

45. tamboril: *small drum played with one stick*

46. Copiapó: city in the province of Atacama, Chile

47. Candelaria: Candlemas Day, a religious festival which falls on February 2nd. The candles to be used during the year are blessed on this day.

48. cajetilla: *weakling,* the gaucho's disdainful epithet for a city man

49. majo: type of fellow something like our "sport"

abiertos, es preciso saber seguir las huellas de un animal, y distinguirlas de entre mil; conocer si va despacio o ligero, suelto o tirado, cargado o de vacío. Ésta es una ciencia casera y popular. Una vez caía yo de un camino de encrucijada al de Buenos Aires, y el peón que me conducía echó, como de costumbre, la vista al suelo. "Aquí va—dijo luego—una mulita mora muy buena...; ésta es la tropa de don N. Zapata..., es de muy buena silla..., va ensillada..., ha pasado ayer"... Este hombre venía de la sierra de San Luis, la tropa volvía de Buenos Aires, y hacía un año que él había visto por última vez la mulita mora cuyo rastro estaba confundido con el de toda una tropa en un sendero de dos pies de ancho. Pues esto, que parece increíble, es, con todo, la ciencia vulgar; éste era un peón de arrea,[50] y no un rastreador de profesión.

El rastreador es un personaje grave, circunspecto, cuyas aseveraciones hacen fe en los tribunales inferiores. La conciencia del saber que posee, le da cierta dignidad reservada y misteriosa. Todos lo tratan con consideración; el pobre, porque puede hacerle mal, calumniándolo o denunciándolo; el propietario, porque su testimonio puede fallarle. Un robo se ha ejecutado durante la noche; no bien se nota, corren a buscar una pisada del ladrón, y encontrada, se cubre con algo para que el viento no la disipe. Se llama en seguida al rastreador, que ve el rastro, y lo sigue sin mirar sino de tarde en tarde el suelo, como si sus ojos vieran de relieve esta pisada que para otro es imperceptible. Sigue el curso de las calles, atraviesa los huertos, entra en una casa, y, señalando un hombre que encuentra, dice fríamente: "¡Éste es!" El delito está probado, y raro es el delincuente que resiste a esta acusación. Para él, más que para el juez, la deposición del rastreador es la evidencia misma; negarla sería ridículo, absurdo. Se somete, pues, a este testigo que considera como el dedo de Dios que lo señala. Yo mismo he conocido a Calíbar, que ha ejercido en una provincia su oficio durante cuarenta años consecutivos. Tiene ahora cerca de ochenta años; encorvado por la edad, conserva, sin embargo, un aspecto venerable y lleno de dignidad. Cuando le hablan de su reputación fabulosa, contesta: "Ya no valgo nada; ahí están los niños." Los niños son sus hijos, que han aprendido en la escuela de tan famoso maestro. Se cuenta de él que durante un viaje a Buenos Aires le robaron una vez su montura de gala. Su mujer tapó el rastro con una artesa.[51] Dos meses después Calíbar regresó, vió el rastro ya borrado e imperceptible para otros ojos, y no se habló más del caso. Año y medio después Calíbar marchaba cabizbajo por una calle de los suburbios, entra en una casa, y encuentra su montura ennegrecida ya, y casi inutilizada por el uso. ¡Había encontrado el rastro de su raptor después de dos años! El año 1830, un reo condenado a muerte se había escapado de la cárcel. Calíbar fué encargado de buscarlo. El infeliz, previendo que sería rastreado, había tomado todas las precauciones que la imagen del cadalso le sugirió. ¡Precauciones inútiles! Acaso sólo sirvieron para perderle;

50. peón de arrea: peon who drives cattle from place to place

51. artesa: *kneading trough*

porque, comprometido Calíbar en su reputación, el amor propio ofendido le hizo desempeñar con calor una tarea que perdía a un hombre, pero que probaba su maravillosa vista.

El prófugo aprovechaba todas las desigualdades del suelo para no dejar huellas; cuadras enteras había marchado pisando con la punta del pie; trepábase en seguida a las murallas bajas, cruzaba un sitio, y volvía atrás. Calíbar lo seguía sin perder la pista; si le sucedía momentáneamente extraviarse, al hallarla de nuevo exclamaba: "¡Dónde te *mi as dir!*"[52] Al fin llegó a una acequia de agua en los suburbios, cuya corriente había seguido aquél para burlar al rastreador... ¡Inútil! Calíbar iba por las orillas, sin inquietud, sin vacilar. Al fin se detiene, examina unas hierbas, y dice: "¡Por aquí ha salido; no hay rastro, pero estas gotas de agua en los pastos lo indican!" Entra en una viña; Calíbar reconoció las tapias que la rodeaban, y dijo: "Adentro está." La partida de soldados se cansó de buscar, y volvió a dar cuenta de la inutilidad de la pesquisa. "No ha salido" fué la breve respuesta que sin moverse, sin proceder a nuevo examen, dió el rastreador. No había salido, en efecto, y al día siguiente fué ejecutado. En 1831, algunos presos políticos intentaban una evasión: todo estaba preparado, los auxiliares de afuera prevenidos. En el momento de efectuarla, uno dijo: "¿Y Calíbar?"— "¡Cierto!—contestaron los otros anonadados, aterrados,—¡Calíbar!"

Sus familias pudieron conseguir de Calíbar que estuviese enfermo cuatro días contados desde la evasión, y así pudo efectuarse sin inconveniente.

¿Qué misterio es este del rastreador? ¿Qué poder microscópico se desenvuelve en el órgano de la vista de estos hombres? ¡Cuán sublime criatura es la que Dios hizo a su imagen y semejanza!

EL BAQUEANO

Después del rastreador, viene el *baqueano,* personaje eminente y que tiene en sus manos la suerte de los particulares de las provincias. El baqueano es un gaucho grave y reservado, que conoce a palmo[53] veinte mil leguas cuadradas de llanuras, bosques y montañas. Es el topógrafo más completo; es el único mapa que lleva un general para dirigir los movimientos de su campaña. El baqueano va siempre a su lado. Modesto y reservado como una tapia; está en todos los secretos de la campaña; la suerte del ejército, el éxito de una batalla, la conquista de una provincia, todo depende de él.

El baqueano es casi siempre fiel a su deber; pero no siempre el general tiene en él plena confianza. Imaginaos la posición de un jefe condenado a llevar un traidor a su lado, y a pedirle los conocimientos indispensables para triunfar. Un baqueano encuentra una sendita que hace cruz con el camino que lleva: él sabe a qué aguada remota conduce; si encuentra mil, y esto sucede en un espacio de cien leguas, él las conoce todas, sabe de dónde vienen y adónde van. El sabe el vado oculto que tiene un río, más arriba o más abajo del paso ordinario, y esto en cien ríos o arroyos; él conoce en los ciénagos[54] extensos un sendero

---

52. mi as dir = me has de ir
53. a palmo: *intimately*

54. ciénagos (ciénagas): *marshes, moors*

por donde pueden ser atravesados sin inconveniente, y esto en cien ciénagos distintos.

En lo más oscuro de la noche, en medio de los bosques o en las llanuras sin límites, perdidos sus compañeros, extraviados, da una vuelta en círculo de ellos, observa los árboles; si no los hay, se desmonta, se inclina a tierra, examina algunos matorrales y se orienta de la altura en que se halla; monta en seguida, y les dice para asegurarlos: "Estamos en dereceras de [55] tal lugar, a tantas leguas de las habitaciones; el camino ha de ir al sur"; y se dirige hacia el rumbo que señala, tranquilo, sin prisa de encontrarlo, y sin responder a las objeciones que el temor o la fascinación sugiere a los otros.

Si aún esto no basta, o si se encuentra en la pampa y la oscuridad es impenetrable, entonces arranca pastos de varios puntos, huele la raíz y la tierra, las masca, y después de repetir este procedimiento varias veces, se cerciora de la proximidad de algún lago, o arroyo salado, o de agua dulce, y sale en su busca para orientarse fijamente. El general Rosas, dicen, conoce por el gusto el pasto de cada estancia del sur de Buenos Aires.

Si el baqueano lo es de la pampa donde no hay caminos para atravesarla, y un pasajero le pide que lo lleve directamente a un paraje distante cincuenta leguas, el baqueano se para un momento, reconoce el horizonte, examina el suelo, clava la vista en un punto y se echa a galopar con la rectitud de una flecha, hasta que cambia de rumbo por motivos que sólo él sabe, y galopando día y noche, llega al lugar designado.

El baqueano anuncia también la proximidad del enemigo; esto es, diez leguas,[56] y el rumbo por donde se acerca, por medio del movimiento de los avestruces, de los gamos y guanacos que huyen en cierta dirección. Cuando se aproxima, observa los polvos; y por su espesor cuenta la fuerza: "Son dos mil hombres—dice—, quinientos," "doscientos," y el jefe obra bajo este dato, que casi siempre es infalible. Si los cóndores y cuervos revolotean en un círculo del cielo, él sabrá decir si hay gente escondida, o es un campamento recién abandonado, o un simple animal muerto. El baqueano conoce la distancia que hay de un lugar a otro; los días y las horas necesarias para llegar a él, y a más, una senda extraviada e ignorada por donde se puede llegar de sorpresa y en la mitad del tiempo; así es que las partidas de montoneras emprenden sorpresas sobre pueblos que están a cincuenta leguas de distancia, que casi siempre las aciertan. ¿Creeráse exagerado? ¡No! El general Rivera,[57] de la Banda Oriental, es un simple baqueano que conoce cada árbol que hay en toda la extensión de la República del Uruguay. No la hubieran ocupado los brasileños sin su auxilio, y no la hubieran libertado sin él los argentinos. Oribe,[58] apoyado por Ro-

55. en dereceras de: *near* (derecera = derechura)
56. esto ... leguas: eliptical expression equivalent to: *cuando éste se halla a diez leguas*
57. General José Fructuoso Rivera was the first constitutional president of the Banda

Oriental (Uruguay) after it won its independence (1830). He fought on the side of Brazil against Artigas; then joined with the Argentine forces against Brazil.
58. Manuel Oribe, Uruguayan minister of war under Rivera, quarreled with him and went over to Rosas in 1838.

sas, sucumbió después de tres años de lucha con el general baqueano, y todo el poder de Buenos Aires, hoy con sus numerosos ejércitos, que cubren toda la campaña del Uruguay, puede desaparecer destruido a pedazos por una sorpresa hoy, por una fuerza cortada mañana, por una victoria que él sabrá convertir en su provecho, por el conocimiento de algún caminito que cae a retaguardia del enemigo, o por otro accidente inadvertido o insignificante.

El general Rivera principió sus estudios del terreno el año 1804, y haciendo la guerra a las autoridades, entonces como contrabandista, a los contrabandistas después como empleado, al rey en seguida como patriota, a los patriotas más tarde como montonero, a los argentinos como jefe brasileño, a éstos como general argentino, a Lavalleja [59] como presidente, al presidente Oribe como jefe proscrito, a Rosas, en fin, aliado de Oribe, como general oriental, ha tenido sobrado tiempo para aprender un poco de la ciencia del baqueano.

EL GAUCHO MALO

Éste es un tipo de ciertas localidades, un *outlaw*, un *squatter*, un misántropo particular. Es el *Ojo del Halcón*, el *Trampero* de Cooper, con toda su ciencia del desierto, con toda su aversión a las poblaciones de los blancos; pero sin su moral natural y sin sus conexiones con los salvajes. Llámanle el *Gaucho Malo*, sin que este epíteto le desfavorezca del todo. La justicia lo persigue desde muchos años; su nombre es temido, pronunciado en voz baja, pero sin odio y casi con respeto. Es un personaje misterioso; mora en la pampa; son su albergue los cardales; [60] vive de perdices y *mulitas;* [61] si alguna vez quiere regalarse con una lengua, enlaza una vaca, la voltea solo, la mata, saca su bocado predilecto, y abandona lo demás a las aves mortecinas. De repente se presenta el Gaucho Malo en un pago de donde la partida [62] acaba de salir; conversa pacíficamente con los buenos gauchos, que lo rodean y lo admiran; se provee *de los vicios,*[63] y si divisa la partida, monta tranquilamente en su caballo, y lo apunta hacia el desierto, sin prisa, sin aparato,[64] desdeñando volver la cabeza. La partida rara vez lo sigue; mataría inútilmente sus caballos, porque el que monta el Gaucho Malo es un parejero *pangaré* [65] tan célebre como su amo. Si el acaso lo echa alguna vez de improviso entre las garras de la justicia, acomete a lo más espeso de la partida, y a merced de cuatro tajadas que con su cuchillo ha abierto en la cara o en el cuerpo de los soldados, se hace paso por entre ellos, y tendiéndose sobre el lomo del caballo para substraerse a la acción de las balas que lo persiguen, endilga [66] hacia el desierto, hasta que, poniendo espacio conveniente entre él y sus perseguidores, refrena su trotón y marcha tranquilamente. Los poetas de los alrededores agregan esta nueva hazaña a la biografía del héroe

59. Juan Antonio Lavalleja, a Uruguayan patriot
60. cardales: land covered with weeds and thistles
61. mulitas: *armadillos*
62. la partida: an armed band representing the law (like the Canadian mounted police, or the rangers)
63. vicios: tobacco and alcohol
64. sin aparato: *without ostentation*
65. pangaré: *tawny*
66. endilga: *starts off*

del desierto, y su nombradía vuela por toda la vasta campaña. A veces se presenta a la puerta de un baile campestre con una muchacha que ha robado; entra en baile con su pareja, confúndese en las mudanzas del *cielito*, y desaparece sin que nadie lo advierta. Otro día se presenta en la casa de la familia ofendida, hace descender de la grupa a la niña que ha seducido, y desdeñando las maldiciones de los padres que lo siguen, se encamina tranquilo a su morada sin límites.

Este hombre divorciado con la sociedad, proscrito por las leyes; este salvaje de color blanco, no es en el fondo un ser más depravado que los que habitan las poblaciones. El osado prófugo que acomete una partida entera es inofensivo para con los viajeros. El Gaucho Malo no es un bandido, no es un salteador [67]; el ataque a la vida no entra en su idea, como el robo no entraba en la idea del *Churriador*; roba, es cierto, pero ésta es su profesión, su tráfico, su ciencia. Roba caballos. Una vez viene al real [68] de una tropa del interior; el patrón propone comprarle un caballo de tal pelo extraordinario, de tal figura, de tales prendas, con una estrella blanca en la paleta. El gaucho se recoge, medita un momento, y después de un rato de silencio, contesta: "No hay actualmente caballo así." ¿Qué ha estado pensando el gaucho? En aquel momento ha recorrido en su mente mil estancias de la pampa, ha visto y examinado todos los caballos que hay en la provincia, con sus marcas, color,

señas particulares, y convencídose de que no hay ninguno que tenga una estrella en la paleta; unos la tienen en la frente, otros una mancha blanca en el anca.

¿Es sorprendente esta memoria? ¡No! Napoleón conocía por sus nombres doscientos mil soldados, y recordaba, al verlos, todos los hechos que a cada uno de ellos se referían. Si no se le pide, pues, lo imposible, el día señalado, en un punto dado del camino, entregará un caballo tal como se le pide, sin que el anticiparle el dinero sea un motivo de faltar a la cita. Tiene sobre este punto el honor de los tahures sobre la deuda. Viaja a veces a la campaña de Córdoba, a Santa Fe. Entonces se le ve cruzar la pampa con una tropilla de caballos por delante; si alguno lo encuentra, sigue su camino sin acercársele, a menos que él lo solicite.

EL CANTOR

Aquí tenéis la idealización de aquella vida de revueltas, de civilización, de barbarie y de peligros. El gaucho cantor es el mismo bardo, el vate, el trovador de la Edad Media, que se mueve en la misma escena, entre las luchas de las ciudades y del feudalismo de los campos, entre la vida que se va y la vida que se acerca. El cantor anda de pago en pago, "de tapera [69] en galpón," [70] cantando sus héroes de la pampa perseguidos por la justicia, los llantos de la viuda a quien los indios robaron sus hijos en un malón [71] reciente, la derrota y la muerte del valiente Rauch,[72]

---

67. salteador: *highwayman*
68. real: *camping place*
69. tapera: *abandoned cabin*
70. galpón: *shed*

71. malón: *raid*
72. A colonel in charge of a division under Lavalle, killed at Las Vizcacheras (1829)

la catástrofe de Facundo Quiroga y la suerte que cupo a Santos Pérez.[73] El cantor está haciendo candorosamente el mismo trabajo de crónica, costumbres, historia, biografía, que el bardo de la Edad Media, y sus versos serían recogidos más tarde como los documentos y datos en que habría de apoyarse el historiador futuro, si a su lado no estuviese otra sociedad culta con superior inteligencia de los acontecimientos, que la que el infeliz despliega en sus rapsodias ingenuas. En la República Argentina se ven a un tiempo dos civilizaciones distintas en un mismo suelo: una naciente, que sin conocimiento de lo que tiene sobre su cabeza, está remedando los esfuerzos ingenuos y populares de la Edad Media; otra, que sin cuidarse de lo que tiene a sus pies, intenta realizar los últimos resultados de la civilización europea. El siglo XIX y el siglo XII viven juntos: el uno dentro de las ciudades, el otro en las campañas.

El cantor no tiene residencia fija; su morada está donde la noche lo sorprende; su fortuna en sus versos y en su voz. Dondequiera que el *cielito* enreda sus parejas sin tasa,[74] dondequiera que se apure una copa de vino, el cantor tiene su lugar preferente, su parte escogida en el festín. El gaucho argentino no bebe, si la música y los versos no lo excitan,[75] y cada pulpería tiene su guitarra para poner en manos del cantor, a quien el grupo de caballos estacionados a la puerta anuncia a lo lejos dónde se necesita el concurso de su gaya ciencia.

El cantor mezcla entre sus cantos heroicos la relación de sus propias hazañas. Desgraciadamente, el cantor, con ser el bardo argentino, no está libre de tener que habérselas con[76] la justicia. También tiene que dar la cuenta de sendas puñaladas que ha distribuido, una o dos *desgracias* (muertes) que tuvo y algún caballo o alguna muchacha que robó. En 1840, entre un grupo de gauchos y a orillas del majestuoso Paraná, estaba sentado en el suelo y con las piernas cruzadas un cantor que tenía azorado y divertido a su auditorio con la larga y animada historia de sus trabajos y aventuras. Había ya contado lo del rapto de la querida, con los trabajos que sufrió; lo de la *desgracia* y la disputa que la motivó; estaba refiriendo su encuentro con la partida y las puñaladas que en su defensa dió, cuando el tropel y los gritos de los soldados le avisaron que esta vez estaba cercado. La partida, en efecto, se había cerrado en forma de herradura; la abertura quedaba

73. Captain of the band which held up the stagecoach and killed Facundo Quiroga at Barranca Yaco (Feb. 16, 1835). Cf. pages 285–291.

74. sus ... tasa: *its couples, however many.* Any number of couples could take part in the *cielito*, as in our "Paul Jones." Other dances were limited to a certain number of dancers, a "set."

75. "No es fuera de propósito recordar aquí las semejanzas notables que representan los argentinos con los árabes. En Argel, en Orán, en Máscara y en los aduares del desierto, vi siempre a los árabes reunidos en cafés, por estarles completamente prohibido el uso de los licores, apiñados en derredor del cantor, generalmente dos, que se acompañan de la vihuela a dúo, recitando canciones nacionales plañideras como nuestros tristes. La rienda de los árabes es tejida de cuero y con azotera como las nuestras; el freno que usamos es el freno árabe y muchas de nuestras costumbres revelan el contacto de nuestros padres con los moros de la Andalucía. De las fisonomías no se hable: algunos árabes he conocido que jurara haberlos visto en mi país." (Sarmiento's note to the edition of 1851.)

76. tener ... con: *having to reckon with*

hacia el Paraná, que corría veinte varas más abajo: tal era la altura de la barranca. El cantor oyó la grita sin turbarse, viósele de improviso sobre el caballo, y echando una mirada escudriñadora sobre el círculo de soldados con las tercerolas [77] preparadas, vuelve el caballo hacia la barranca, le pone el poncho en los ojos y clávale las espuelas. Algunos instantes después se veía salir de las profundidades del Paraná, el caballo sin freno, a fin de que nadase con más libertad, y el cantor, tomado de la cola, volviendo la cara quietamente, cual si fuera en un bote de ocho remos, hacia la escena que dejaba en la barranca. Algunos balazos de la partida no estorbaron que llegase sano y salvo al primer islote que sus ojos divisaron.

Por lo demás, la poesía original del cantor es pesada, monótona, irregular, cuando se abandona a la inspiración del momento. Más narrativa que sentimental, llena de imágenes tomadas de la vida campestre, del caballo y las escenas del desierto, que la hacen metafórica y pomposa. Cuando refiere sus proezas o las de algún afamado malévolo, parécese al improvisador napolitano, desarreglado, prosaico de ordinario, elevándose a la altura poética por momentos, para caer de nuevo al recitado insípido y casi sin versificación. Fuera de esto, el cantor posee su repertorio de poesías populares, quintillas, décimas y octavas, diversos géneros de versos octosílabos. Entre éstos hay muchas composiciones de mérito, y que descubren inspiración y sentimiento.

Aun podría añadir a estos tipos originales muchos otros igualmente curiosos, igualmente locales, si tuviesen, como los anteriores, la peculiaridad de revelar las costumbres nacionales, sin lo cual es imposible comprender nuestros personajes políticos, ni el carácter primordial y americano de la sangrienta lucha que despedaza a la República Argentina. Andando esta historia, el lector va a descubrir por sí solo dónde se encuentra el rastreador, el baqueano, el gaucho malo, el cantor. Verá en los caudillos cuyos nombres han traspasado las fronteras argentinas, y aun en aquellos que llenan el mundo con el horror de su nombre, el reflejo vivo de la situación interior del país, sus costumbres, su organización.

Capítulo III

ASOCIACIÓN.—LA PULPERÍA.

> Le *Gaucho* vit de privations, mais son luxe est la liberté. Fier d'une indépendance sans bornes, ses sentiments, sauvages, comme sa vie, sont pourtant nobles et bons.[78]
>
> Head

En el capítulo primero hemos dejado al campesino argentino en el momento en que ha llegado a la edad viril, tal cual lo ha formado la natu-

---

77. tercerolas: *short rifles*
78. The gaucho lives a life of privations, but his luxury is liberty. Proud of his unbounded independence, his sentiments, like his life, though savage (barbarous) are nevertheless noble and good.

raleza y la falta de verdadera sociedad en que vive. Lo hemos visto hombre, independiente de toda necesidad, libre de toda sujeción, sin ideas de gobierno, porque todo orden regular y sistemado se hace de todo punto imposible. Con estos hábitos de incuria, de independencia, va a entrar en otra escala de la vida campestre que, aunque vulgar, es el punto de partida de todos los grandes acontecimientos que vamos a ver desenvolverse muy luego.

No se olvide que hablo de los pueblos esencialmente pastores; que en éstos tomo la fisonomía fundamental dejando las modificaciones accidentales que experimentan para indicar a su tiempo los efectos parciales.

Hablo de la asociación de estancias que, distribuidas de cuatro en cuatro leguas más o menos, cubren la superficie de una provincia.

Las campañas agrícolas subdividen y diseminan también la sociedad, pero en una escala muy reducida; un labrador colinda con otro, y los aperos de la labranza y la multitud de instrumentos, aparejos, bestias que ocupa; lo variado de sus productos y las diversas artes que la agricultura llama en su auxilio, establecen relaciones necesarias entre los habitantes de un valle, y hacen indispensable un rudimento de villa que les sirva de centro. Por otra parte, los cuidados y faenas que la labranza exige, requieren tal número de brazos, que la ociosidad se hace imposible, y los varones se ven forzados a permanecer en el recinto de la heredad. Todo lo contrario sucede en esta singular asociación. Los límites de la propiedad no están marcados; los ganados, cuanto más numerosos son, menos brazos ocupan; la mujer se en-

carga de todas las faenas domésticas y fabriles; el hombre queda desocupado, sin goces, sin ideas, sin atenciones forzosas; el hogar doméstico le fastidia, lo expele, digámoslo así. Hay necesidad, pues, de una sociedad ficticia para remediar esta desasociación normal. El hábito contraído desde la infancia de andar a caballo, es un nuevo estímulo para dejar la casa. Los niños tienen el deber de echar caballos al corral apenas sale el sol; y todos los varones, hasta los pequeñuelos, ensillan su caballo, aunque no sepan qué hacerse. El caballo es una parte integrante del argentino de los campos; es para él lo que la corbata para los que viven en el seno de las ciudades. El año 41, el Chacho,[79] caudillo de los Llanos, emigró a Chile. "¿Cómo le va, amigo?—le preguntaba uno.—¡Cómo me ha de ir!—contestó con el acento del dolor y de la melancolía—¡en Chile y a pie!" Sólo un gaucho argentino sabe apreciar todas las desgracias y todas las angustias que estas dos frases expresan.

Aquí vuelve a aparecer la vida árabe, tártara. Las siguientes palabras de Víctor Hugo parecen escritas en la Pampa: "No podría combatir a pie; no hace sino una sola persona en su caballo. Vive a caballo; trata, compra y vende a caballo; bebe, come, duerme y sueña a caballo."

Salen, pues, los varones sin saber fijamente adónde. Una vuelta a los ganados; una visita a una cría o a la querencia de un caballo predilecto, invierte una pequeña parte del día; el resto lo absorbe una reunión en una venta o *pulpería*. Allí concurre cierto número de parroquianos de los alrede-

79. el Chacho: the nickname of Vicente Peñaloza

dores; allí se dan y adquieren las noticias sobre los animales extraviados; trázanse en el suelo las marcas del ganado; sábese dónde caza el tigre, dónde se le han visto los rastros al león; allí se arman las carreras, se reconocen los mejores caballos; allí, en fin, está el cantor; allí se fraterniza por el circular de la copa y las prodigalidades de los que poseen.

En esta vida tan sin emociones, el juego sacude los espíritus enervados, el licor enciende las imaginaciones adormecidas. Esta asociación accidental de todos los días, viene, por su repetición, a formar una sociedad más estrecha que la de donde partió cada individuo; y en esta asamblea sin objeto público, sin interés social, empiezan a echarse los rudimentos de las reputaciones que más tarde, y andando los años, van a aparecer en la escena política. Ved cómo.

El gaucho estima, sobre todas las cosas, las fuerzas físicas, la destreza en el manejo del caballo, y, además, el valor. Esta reunión, este *club* diario, es un verdadero circo olímpico en que se ensayan y comprueban los quilates[80] del mérito de cada uno.

El gaucho anda armado del cuchillo, que ha heredado de los españoles; esta peculiaridad de la Península, este grito característico de Zaragoza: "¡Guerra a cuchillo!" es aquí más real que en España. El cuchillo, a más de un arma, es un instrumento que le sirve para todas sus ocupaciones; no puede vivir sin él; es como la trompa del elefante, su brazo, su mano, su dedo, su todo. El gaucho, a la par de jinete, hace alarde de valiente, y el cuchillo brilla a cada momento, describiendo círculos en el aire, a la menor provocación, o sin provocación alguna, sin otro interés que medirse con un desconocido; juega a las puñaladas, como jugaría a los dados. Tan profundamente entran estos hábitos pendencieros en la vida íntima del gaucho argentino, que las costumbres han creado sentimientos de honor y una esgrima que garantiza la vida. El hombre de la plebe de los demás países toma el cuchillo para matar, y mata; el gaucho argentino lo desenvaina para pelear, y hiere solamente. Es preciso que esté muy borracho, es preciso que tenga instintos verdaderamente malos, o rencores muy profundos, para que atente contra la vida de su adversario. Su objeto es sólo *marcarlo*, darle una tajada en la cara, dejarle una señal indeleble. Así, se ve a estos gauchos llenos de cicatrices que rara vez son profundas. La riña, pues, se traba por brillar, por la gloria del vencimiento, por amor a la reputación. Ancho círculo se forma en torno de los combatientes, y los ojos siguen con pasión y avidez el centelleo de los puñales, que no cesan de agitarse un momento. Cuando la sangre corre a torrentes, los espectadores se creen obligados en conciencia a separarlos. Si sucede alguna *desgracia*, las simpatías están por el que desgració; el mejor caballo le sirve para salvarse a parajes lejanos, y allí lo acoge el respeto o la compasión. Si la justicia le da alcance, no es raro que haga frente, y si *corre a la partida*, adquiere un renombre desde entonces, que se dilata sobre una ancha circunferencia. Transcurre el tiempo, el juez ha sido mudado y ya puede presentarse de nuevo en su pago sin que se proceda a ulteriores

---

80. quilates: *degree of perfection*

persecuciones; está absuelto. Matar es una desgracia, a menos que el hecho se repita tantas veces, que inspire horror el contacto del asesino. El estanciero don Juan Manuel Rosas, antes de ser hombre público, había hecho de su residencia una especie de asilo para los homicidas, sin que jamás consintiese en su servicio a los ladrones; preferencias que se explicarían fácilmente por su carácter de gaucho propietario, si su conducta posterior no hubiese revelado afinidades que han llenado de espanto al mundo.

En cuanto a los juegos de equitación, bastaría indicar uno de los muchos en que se ejercitan, para juzgar del arrojo que para entregarse a ellos se requiere. Un gaucho pasa a todo escape por enfrente de sus compañeros. Uno le arroja un tiro de bolas, que en medio de la carrera maniata el caballo. Del torbellino de polvo que levanta éste al caer vese salir al jinete corriendo seguido del caballo, a quien el impulso de la carrera interrumpida hace avanzar obedeciendo a las leyes de la física. En este pasatiempo se juega la vida y a veces se pierde.

¿Creeráse que estas proezas, la destreza y la audacia en el manejo del caballo, son las bases de las grandes ilustraciones que han llenado con su nombre la República Argentina, y cambiado la faz del país? Nada es más cierto, sin embargo. No es mi ánimo persuadir que el asesinato y el crimen hayan sido siempre una escala de ascenso. Millares son los valientes que han parado en bandidos oscuros; pero pasan de centenares los que a estos hechos han debido su posición.

En todas las sociedades despotizadas las grandes dotes naturales van a perderse en el crimen; el genio romano que conquistara el mundo, es hoy el terror de los Lagos Pontinos,[81] y los Zumalacárregui,[82] los Mina,[83] españoles, se encuentran a centenares en Sierra Leona. Hay una necesidad tal para el hombre de desenvolver sus fuerzas, su capacidad y ambición, que cuando faltan los medios legítimos, él se forja un mundo con su moral y sus leyes aparte, y en él se complace en mostrar que había nacido Napoleón o César.

Con esta sociedad, pues, en que la cultura del espíritu es inútil e imposible, donde los negocios municipales no existen, donde el bien público es una palabra sin sentido, porque no hay público, el hombre dotado eminentemente se esfuerza por producirse, y adopta para ello los medios y los caminos que encuentra. El gaucho será un malhechor o un caudillo, según el rumbo que las cosas tomen en el momento en que ha llegado a hacerse notable.

Costumbres de este género requieren medios vigorosos de represión, y para reprimir desalmados se necesitan jueces más desalmados aún. Lo que al principio dije del capataz de carretas, se aplica exactamente al juez de campaña. Ante toda otra cosa, necesita valor; el terror de su nombre es más poderoso que los castigos que aplica. El juez es naturalmente algún famoso de tiempo atrás a quien la edad y la familia han llamado a la vida ordenada. Por supuesto, que la justicia que administra, es de todo punto arbitra-

81. Lagos Pontinos: Pontine Lakes, south of Rome
82. Carlist leader of guerrilla troops during the Civil Wars in Spain (1833–37)
83. Spanish general who fought in the war against Napoleon and in the Carlist Wars

ria; su conciencia o sus pasiones lo guían, y sus sentencias son inapelables.

A veces suele haber jueces de estos, que lo son de por vida, y que dejan una memoria respetada. Pero la conciencia de estos medios ejecutivos y lo arbitrario de las penas, forman ideas en el pueblo sobre el poder de la *autoridad,* que más tarde vienen a producir sus efectos. El juez se hace obedecer por su reputación de audacia temible, su autoridad, su juicio sin formas, su sentencia, un "yo lo mando" y sus castigos, inventados por él mismo. De este desorden, quizá por mucho tiempo inevitable, resulta que el caudillo que en las revueltas llega a elevarse, posee sin contradicción y sin que sus secuaces duden de ello, el poder amplio y terrible que sólo se encuentra hoy en los pueblos asiáticos.

El caudillo argentino es un Mahoma,[84] que pudiera a su antojo cambiar la religión dominante y forjar una nueva. Tiene todos los poderes; su injusticia es una desgracia para su víctima, pero no un abuso de su parte, porque él puede ser injusto; más todavía, él ha de ser injusto necesariamente, siempre lo ha sido.

Lo que digo del juez es aplicable al comandante de campaña.[85] Éste es un personaje de más alta categoría que el primero, y en quien han de reunirse en más alto grado las cualidades de reputación y antecedentes de aquél. Todavía una circunstancia nueva agrava, lejos de disminuir, el mal. El gobierno de las ciudades es el que da el título de comandante de campaña; pero como la ciudad es débil en el campo, sin influencia y sin adictos, el gobierno echa mano de los hombres que más temor le inspiran, para encomendarles este empleo, a fin de tenerlos en su obediencia; manera muy conocida de proceder de todos los gobiernos débiles, y que alejan el mal del momento presente, para que se produzca más tarde en dimensiones colosales. Así, el gobierno papal hace transacciones con los bandidos, a quienes da empleos en Roma, estimulando con esto el bandidaje, y creándole un porvenir seguro; así el Sultán concedía a Mehemet-Alí la investidura de bajá [86] de Egipto, para tener que reconocerlo más tarde rey hereditario, a trueque de que no lo destronase. Es singular que todos los caudillos de la revolución argentina han sido comandantes de campaña; López [87] e Ibarra,[88] Artigas [89] y Güemes,[90] Facundo y Rosas. Es el punto de partida para todas las ambiciones. Rosas, cuando hubo apoderádose de la ciudad, exterminó a todos los comandantes que lo habían elevado, entregando este influyente cargo a hombres vulgares, que no pudiesen seguir el camino que él había traído: Pajarito, Celarrayán, Arbolito, Pancho el Ñato, Molina, eran otros tantos bandidos comandantes de que Rosas purgó el país.

---

84. Mohamed (571–632): founder of the Mohammedan religion

85. comandante de campaña: *commander of the militia*

86. bajá: *pasha*

87. Estanislao López: *caudillo* and later governor of Santa Fe (1818)

88. Juan Felipe Ibarra (1787–1851): *caudillo* of Santiago del Estero

89. José Gervasio Artigas (1774–1850): revolutionary general of the Banda Oriental, revered by Uruguayans as their hero of independence

90. Martín Güemes (1785–1821): *caudillo* and later governor of Salta. He held the Spanish forces back from invading Argentina in 1815.

Doy tanta importancia a estos pormenores, porque ellos servirán para explicar todos nuestros fenómenos sociales y la revolución que se ha estado obrando en la República Argentina, revolución que está desfigurada por las palabras del diccionario civil, que la disfrazan y ocultan, creando ideas erróneas; de la misma manera que los españoles, al desembarcar en América, daban un nombre europeo conocido a un animal nuevo que encontraban, saludando con el terrible de león, que trae al espíritu la idea de la magnanimidad y fuerza del rey de las bestias, al miserable gato llamado puma, que huye a la vista de los perros, y tigre al jaguar de nuestros bosques. Por deleznables e innobles que parezcan estos fundamentos que quiero dar a la guerra civil, la evidencia vendrá luego a mostrar cuán sólidos e indestructibles son.

La vida de los campos argentinos, tal como la he mostrado, no es un accidente vulgar; es un orden de cosas, un sistema de asociación característico, normal, único a mi juicio en el mundo, y él solo basta para explicar toda nuestra revolución. Había antes de 1810 en la República Argentina dos sociedades distintas, rivales e incompatibles; dos civilizaciones diversas: la una española, europea, civilizada, y la otra bárbara, americana, casi indígena; y la revolución de las ciudades sólo iba a servir de causa, de móvil, para que estas dos maneras distintas de ser de un pueblo se pusiesen en presencia una de otra, se acometiesen y después de largos años de lucha, la una absorbiese a la otra. He indicado la asociación normal de la campaña, la desasociación, peor mil veces que la tribu nómada; he mostrado la asociación ficticia, en la desocupación; en la formación de las reputaciones gauchas: valor, arrojo, destreza, violencias y oposición a la justicia regular, a la justicia civil de la ciudad. Este fenómeno de organización social existía en 1810, existe aún, modificado en muchos puntos, modificándose lentamente en otros e intacto en muchos aún. Estos focos de reunión de gauchaje valiente, ignorante, libre y desocupado, estaban diseminados a millares en la campaña. La revolución de 1810 llevó a todas partes el movimiento y el rumor de las armas. La vida pública, que hasta entonces había faltado a esta asociación árabe-romana, entró en todas las ventas, y el movimiento revolucionario trajo al fin la asociación bélica en la *montonera* provincial, hija legítima de la venta y de la estancia, enemiga de la ciudad y del ejército patriota revolucionario. Desenvolviéndose los acontecimientos, veremos las montoneras provinciales con sus caudillos a la cabeza; en Facundo Quiroga, últimamente triunfante en todas partes, la campaña sobre las ciudades, y dominadas éstas en su espíritu, gobierno, civilización, formarse al fin el gobierno central, unitario, despótico, del estanciero don Juan Manuel Rosas, que clava en la culta Buenos Aires el cuchillo del gaucho y destruye la obra de los siglos, la civilización, las leyes y la libertad.

Capítulo IV

REVOLUCIÓN DE 1810

> Cuando la batalla empieza, el tártaro da un grito terrible, llega, hiere, desaparece y vuelve como el rayo.
>
> Víctor Hugo

He necesitado andar todo el camino que dejo recorrido para llegar al punto en que nuestro drama comienza. Es inútil detenerse en el carácter, objeto y fin de la revolución de la independencia. En toda la América fueron los mismos, nacidos del mismo origen, a saber: el movimiento de las ideas europeas. La América obraba así porque así obran todos los pueblos. Los libros, los acontecimientos, todo llevaba a la América a asociarse a la impulsión que a la Francia habían dado Norteamérica y sus propios escritores; a la España, la Francia y sus libros. Pero lo que necesito notar para mi objeto es que la revolución, excepto en su símbolo exterior, independencia del rey, era sólo interesante e inteligible para las ciudades argentinas, extraña y sin prestigio para las campañas. En las ciudades había libros, ideas, espíritu municipal, juzgados, derecho, leyes, educación, todos los puntos de contacto y de mancomunidad que tenemos con los europeos; había una base de organización, incompleta, atrasada, si se quiere; pero precisamente porque era incompleta, porque no estaba a la altura de lo que ya se sabía que podía llegar, se adoptaba la revolución con entusiasmo. Para las campañas la revolución era un problema; substraerse a la autoridad del rey era agradable, por cuanto era substraerse a la autoridad. La campaña pastora no podía mirar la cuestión bajo otro aspecto. Libertad, responsabilidad del poder, todas las cuestiones que la revolución se proponía resolver, eran extrañas a su manera de vivir, a sus necesidades. Pero la revolución le era útil en este sentido, que iba a dar objeto y ocupación a ese exceso de vida que hemos indicado, y que iba a añadir un nuevo centro de reunión, mayor que el tan circunscrito a que acudían diariamente los varones en toda la extensión de las campañas.

Aquellas constituciones espartanas, aquellas fuerzas físicas tan desenvueltas, aquellas disposiciones guerreras que se malbarataban en puñaladas y tajos entre unos y otros, aquella desocupación romana a que sólo faltaba un Campo de Marte [91] para ponerse en ejercicio activo, aquella antipatía a la autoridad, con quien vivían en continua lucha, todo encontraba, al fin, camino por donde abrirse paso y salir a la luz, ostentarse y desenvolverse.

Empezaron, pues, en Buenos Aires los movimientos revolucionarios, y todas las ciudades del interior respondieron con decisión al llamamiento.

Las campañas pastoras se agitaron y adhirieron al impulso. En Buenos Aires empezaron a formarse ejércitos, pasablemente disciplinados, para acudir al Alto Perú y a Montevideo, donde se hallaban las fuerzas españolas mandadas por el general Vigodet. El ge-

91. Campo de Marte: the field outside Rome where the citizen army was drilled

neral Rondeau puso sitio a Montevideo con un ejército disciplinado. Concurría al sitio Artigas, caudillo célebre, con algunos millares de gauchos. Artigas había sido contrabandista temible hasta 1804, en que las autoridades civiles de Buenos Aires pudieron ganarlo y hacerle servir en carácter de comandante de campaña en apoyo de esas mismas autoridades a quienes había hecho la guerra hasta entonces. Si el lector no se ha olvidado del baqueano y de las cualidades generales que constituyen el candidato para la comandancia de campaña, comprenderá fácilmente el carácter e instintos de Artigas.

Un día Artigas, con sus gauchos, se separó del general Rondeau y empezó a hacerle la guerra. La posición de éste era la misma que hoy tiene Oribe sitiando a Montevideo y haciendo a retaguardia frente a otro enemigo. La única diferencia consistía en que Artigas era enemigo de los patriotas y de los realistas a la vez. Yo no quiero entrar en la averiguación de las causas o pretextos que motivaron este rompimiento; ni tampoco quiero darle nombre ninguno de los consagrados en el lenguaje de la política, porque ninguno le conviene. Cuando un pueblo entra en revolución, dos intereses opuestos luchan al principio: el revolucionario y el conservador; entre nosotros se han denominado los partidos que los sostenían, patriotas y realistas. Natural es que después del triunfo, el partido vencedor se subdivida en fracciones de moderados y exaltados; los unos que querrían llevar la revolución en todas sus consecuencias, los otros que querrían mantenerla en ciertos límites. También es del carácter de las revoluciones que el partido vencido primitivamente vuelva a reorganizarse y triunfar a merced de la división de los vencedores. Pero, cuando en una revolución, una de las fuerzas llamadas en su auxilio, se desprende inmediatamente, forma una tercera entidad, se muestra indiferentemente hostil a unos y otros combatientes, a realistas y patriotas; esta fuerza que se separa es heterogénea; la sociedad que la encierra no ha conocido hasta entonces su existencia, y la revolución sólo ha servido para que se muestre y desenvuelva.

Éste era el elemento que el célebre Artigas ponía en movimiento; instrumento ciego, pero lleno de vida, de instintos hostiles a la civilización europea y a toda organización regular; adverso a la monarquía como a la república, porque ambas venían de la ciudad, y traían aparejado un orden y la consagración de la autoridad. ¡De este instrumento se sirvieron los partidos diversos de las ciudades cultas, y principalmente el menos revolucionario, hasta que, andando el tiempo, los mismos que lo llamaron en su auxilio, sucumbieron, y con ellos la ciudad, sus ideas, su literatura, sus colegios, sus tribunales, su civilización!

Este movimiento espontáneo de las campañas pastoriles fué tan ingenuo en sus primitivas manifestaciones, tan genial y tan expresivo de su espíritu y tendencias, que abisma hoy el candor de los partidos de las ciudades que lo asimilaron a su causa y lo bautizaron con los nombres políticos que a ellos los dividían. La fuerza que sostenía a Artigas en Entre Ríos era la misma que en Santa Fe a López, en Santiago a Ibarra, en los Llanos a Facundo. El individualismo constituía su esencia, el caballo su arma exclusiva, la pampa inmensa su teatro. Las hordas beduinas que hoy importunan con sus algaradas y depredaciones las fronteras de la Argelia [92] dan una idea exacta de la montonera argentina, de que se han servido hombres sagaces o malvados insignes. La misma lucha de civilización y barbarie, de la ciudad y el desierto existe hoy en África; los mismos personajes, el mismo espíritu, la misma estrategia indisciplinada, entre la horda y la montonera. Masas inmensas de jinetes vagando por el desierto, ofreciendo el combate a las fuerzas disciplinadas de las ciudades, si se sienten superiores en fuerza; disipándose como las nubes de cosacos, en todas direcciones, si el combate es igual siquiera, para reunirse de nuevo, caer de improviso sobre los que duermen, arrebatarles los caballos, matar a los rezagados y a las partidas avanzadas; presentes siempre, intangibles por su falta de cohesión, débiles en el combate, pero fuertes e invencibles en una larga campaña en que al fin la fuerza organizada, el ejército, sucumbe diezmado por los encuentros parciales, las sorpresas, la fatiga, la extenuación.

La montonera, tal como apareció en los primeros días de la República bajo las órdenes de Artigas, presentó ya ese carácter de ferocidad brutal, y ese espíritu terrorista que al inmortal bandido,[93] al estanciero de Buenos Aires, estaba reservado convertir en un sistema de legislación aplicado a la sociedad culta, y presentarlo, en nombre de la América avergonzada, a la contemplación de la Europa. Rosas no ha inventado nada; su talento ha consistido sólo en plagiar a sus antecesores, y hacer de los instintos brutales de las masas ignorantes un sistema meditado y coordinado fríamente. La correa de cuero sacada al coronel Maciel y de que Rosas se ha hecho una *manea* [94] que enseña a los agentes extranjeros, tiene sus antecedentes en Artigas y los demás caudillos bárbaros, tártaros. Las montoneras de Artigas *enchalecaban* [95] a sus enemigos; esto es, los cosían dentro de un retobo de cuero fresco, y los dejaban así abandonados en los campos. El lector suplirá todos los horrores de esta muerte lenta. El año 36 se ha repetido este horrible castigo con un coronel del ejército. El ejecutar con el cuchillo, *degollando* y no fusilando, es un instinto de carnicero que Rosas ha sabido aprovechar para dar todavía a la muerte formas gauchas, y al asesino placeres horribles; sobre todo, para cambiar las formas *legales* y admitidas en las sociedades cultas, por otras que él llama americanas y en nombre de las cuales invita a la América a que salga a su defensa, cuando los sufrimientos del Brasil, del Paraguay y del Uruguay invocan la alianza de los poderes europeos, a fin de que les ayuden a librarse de ese caníbal que ya los invade con sus hordas sanguinarias. ¡No es posible mantener la tranquilidad de espíritu necesaria para investigar la verdad histórica, cuando se tropieza a cada paso con la idea de que ha podido engañarse a la América y a la Europa tanto tiempo con un sistema de asesinatos y crueldades, tolerables tan sólo en Ashanthy [96] o Dahomey,[97] en el interior de África!

92. Argelia: Algiers
93. al . . . bandido: Rosas
94. manea: *hobble*
95. enchalecaban: *"jacketed"*

96. Ashanthy: former Negro kingdom, now British colony on the Gold Coast of Africa
97. Dahomey: French colony in West Africa

Tal es el carácter que presenta la montonera desde su aparición: género singular de guerra y enjuiciamiento que sólo tiene antecedentes en los pueblos asiáticos que habitan las llanuras, y que no han debido confundirse con los hábitos, ideas y costumbres de las ciudades argentinas, que eran, como todas las ciudades americanas, una continuación de la Europa y de España. La montonera sólo puede explicarse examinando la organización íntima de la sociedad de donde procede. Artigas, baqueano, contrabandista, esto es, haciendo la guerra a la sociedad civil, a la ciudad, comandante de campaña por transacción, caudillo de las masas de a caballo, es el mismo tipo que con ligeras variantes continúa reproduciéndose en cada comandante de campaña que ha llegado a hacerse caudillo. Como todas las guerras civiles en que profundas desemejanzas de educación, creencias y objetos dividen a los partidos, la guerra interior de la República Argentina ha sido larga, obstinada, hasta que uno de los elementos ha vencido. La guerra de la revolución argentina ha sido doble: 1°, guerra de las ciudades, iniciada en la cultura europea, contra los españoles, a fin de dar mayor ensanche a esa cultura; 2°, guerra de los caudillos contra las ciudades, a fin de librarse de toda sujeción civil, y desenvolver su carácter y su odio contra la civilización. Las ciudades triunfan de los españoles, y las campañas de las ciudades. He aquí explicado el enigma de la revolución argentina, cuyo primer tiro se disparó en 1810 y el último aun no ha sonado todavía.

No entraré en todos los detalles que requeriría este asunto; la lucha es más o menos larga; unas ciudades sucumben primero, otras después. La vida de Facundo Quiroga nos proporcionará ocasión de mostrarlos en toda su desnudez. Lo que por ahora necesito hacer notar, es que con el triunfo de estos caudillos, toda forma *civil*, aun en el estado en que la usaban los españoles, ha desaparecido totalmente en unas partes; en otras de un modo parcial, pero caminando visiblemente a su destrucción. Los pueblos en masa no son capaces de comparar distintivamente unas épocas con otras; el momento presente es para ellos el único sobre el cual se extienden sus miradas; así es como nadie ha observado hasta ahora la destrucción de las ciudades y su decadencia; lo mismo que no prevén la barbarie total a que marchan visiblemente los pueblos del interior.

Buenos Aires es tan poderosa en elementos de civilización europea, que concluirá al fin por educar a Rosas, y contener sus instintos sanguinarios y bárbaros. El alto puesto que ocupa, las relaciones con los gobiernos europeos, la necesidad en que se ha visto de respetar a los extranjeros, la de mentir por la prensa y negar las atrocidades que ha cometido, a fin de salvarse de la reprobación universal que lo persigue, todo, en fin, contribuirá a contener sus desafueros, como ya se está sintiendo; sin que eso estorbe que Buenos Aires venga a ser, como la Habana, el pueblo más rico de América, pero también el más subyugado y más degradado. * * *

Para hacer sensible la ruina y decadencia de la civilización y los rápidos progresos que la barbarie hace en el interior, necesito tomar dos ciudades;

una ya aniquilada, la otra caminando sin sentirlo a la barbarie: La Rioja y San Juan. La Rioja no ha sido en otro tiempo una ciudad de primer orden; pero, comparada con su estado presente, la desconocerían sus mismos hijos. Cuando principió la revolución de 1810, contaba con crecido número de capitalistas y personajes notables, que han figurado de un modo distinguido en las armas, en el foro, en la tribuna, en el púlpito. * * *

Pues bien: veamos el estado de La Rioja, según las soluciones dadas a uno de los muchos interrogatorios que he dirigido para conocer a fondo los hechos sobre que fundo mis teorías. Aquí es una persona respetable la que habla, ignorando siquiera el objeto con que interrogo sus recientes recuerdos, porque sólo hace cuatro meses que dejó La Rioja.[98]

¿A qué número ascenderá aproximadamente la población actual de la ciudad de La Rioja?

R.[99] Apenas mil quinientas almas. Se dice que sólo hay quince varones residentes en la ciudad.

¿Cuántos ciudadanos notables residen en ella?

R. En la ciudad serán seis u ocho.

¿Cuántos abogados tienen estudio abierto?

R. Ninguno.

¿Cuántos médicos asisten a los enfermos?

R. Ninguno.

¿Qué jueces letrados hay?

R. Ninguno.

¿Cuántos hombres visten frac?

R. Ninguno.

¿Cuántos jóvenes riojanos están estudiando en Córdoba o Buenos Aires?

R. Sólo sé de uno.

¿Cuántas escuelas hay y cuántos niños asisten?

R. Ninguna.

¿Hay algún establecimiento público de caridad?

R. Ninguno, ni escuela de primeras letras. El único religioso franciscano que hay en aquel convento, tiene algunos niños.

¿Cuántos templos arruinados hay?

R. Cinco; sólo la Matriz sirve de algo.

¿Se edifican casas nuevas?

R. Ninguna, ni se reparan las caídas.

¿Se arruinan las existentes?

R. Casi todas, porque las avenidas de las calles son tantas . . .

¿Cuántos sacerdotes se han ordenado?

R. En la ciudad sólo dos mocitos, uno es clérigo cura, otro es religioso de Catamarca. En la privincia, cuatro más.

¿Hay grandes fortunas de a cincuenta mil pesos? ¿Cuántas de a veinte mil?

R. Ninguna; todos pobrísimos.

¿Ha aumentado o disminuido la población?

R. Ha disminuido más de la mitad.

¿Predomina en el pueblo algún sentimiento de terror?

R. Máximo. Se teme aún hablar lo inocente.

La moneda que se acuña, ¿es de buena ley?

R. La provincial es adulterada.

---

98. "El doctor don Manuel Ignacio Castro Barros, canónigo de la Catedral de Córdoba." (Sarmiento's note.)

99. R. = respuesta

Aquí los hechos hablan con toda su horrible y espantosa severidad. Sólo la historia de la conquista de los mahometanos sobre la Grecia [100] presenta ejemplos de una barbarización, de una destrucción tan rápida. ¡Y esto sucede en América en el siglo XIX! ¡Es la obra sólo de veinte años, sin embargo! Lo que conviene a La Rioja es exactamente aplicable a Santa Fe, a San Luis, a Santiago del Estero, esqueletos de ciudades, villorrios decrépitos y devastados. En San Luis hace diez años que sólo hay un sacerdote, y que no hay escuelas, ni una persona que lleve frac. Pero vamos a juzgar en San Juan la suerte de las ciudades que han escapado a la destrucción, pero que van barbarizándose insensiblemente.

San Juan es una provincia agrícola y comerciante exclusivamente; el no tener campaña la ha librado por largo tiempo del dominio de los caudillos. Cualquiera que fuese el partido dominante, gobernador y empleados eran tomados de la parte educada de la población hasta el año 1833, en que Facundo Quiroga colocó a un hombre vulgar en el gobierno. Éste, no pudiéndose substraer a la influencia de las costumbres civilizadas que prevalecían a despecho del poder, se entregó a la dirección de la parte culta, hasta que fué vencido por Brizuela, jefe de los riojanos, sucediéndolo el general Benavides, que conserva el mando hace nueve años, no ya como una magistratura periódica, sino como propiedad suya. San Juan ha crecido en población a causa de los progresos de la agricultura y de la emigración de La Rioja y San Luis, que huye del hambre y la miseria. Sus edificios se han aumentado sensiblemente; lo que prueba toda la riqueza de aquellos países, y cuánto podrían progresar si el gobierno cuidase de fomentar la instrucción y la cultura, únicos medios de elevar a un pueblo.

El despotismo de Benavides es blando y pacífico, lo que mantiene la quietud y la calma en los espíritus. Es el único caudillo de Rosas que no se ha hartado de sangre; pero la influencia barbarizadora del sistema actual no se hace sentir menos por eso.

En una población de cuarenta mil habitantes reunidos en una ciudad, no hay un solo abogado hijo del país ni de las otras provincias.

Todos los tribunales están desempeñados por hombres que no tienen el más leve conocimiento del derecho, y que son, además, hombres estúpidos en toda la extensión de la palabra. No hay establecimiento ninguno de educación pública. Un colegio de señoras fué cerrado en 1840; tres de hombres han sido abiertos y cerrados sucesivamente del 40 al 43, por la indiferencia y aun hostilidad del gobierno.

Sólo tres jóvenes se están educando fuera de la provincia.

Sólo hay un médico sanjuanino.

No hay tres jóvenes que sepan el inglés, ni cuatro que hablen el francés.

Uno solo hay que ha cursado matemáticas.

Un solo joven hay que posee una instrucción digna de un pueblo culto, el señor Rawson, distinguido ya por sus talentos extraordinarios. Su padre

---

100. conquista ... Grecia: The struggle between the Mohammedans (Turkey) and the Greeks in the early nineteenth century was, however, finally decided in favor of Greece by the treaty of Adrianople signed in 1829.

es norteamericano, y a esto ha debido que reciba educación.

No hay diez ciudadanos que sepan más que leer y escribir.

No hay un militar que haya servido en los ejércitos de línea fuera de la República.

¿Creeráse que tanta mediocridad es natural a una ciudad del interior? ¡No! Ahí está la tradición para probar lo contrario. Veinte años atrás, San Juan era uno de los pueblos más cultos del interior, y ¿cuál no debe ser la decadencia y postración de una ciudad americana para ir a buscar sus épocas brillantes veinte años atrás del momento presente?

El año 1831 emigraron a Chile doscientos ciudadanos, jefes de familia, jóvenes, literatos, abogados, militares, etc. Copiapó, Coquimbo, Valparaíso y el resto de la República, están llenos aún de estos nobles proscritos, capitalistas algunos, mineros inteligentes otros, comerciantes y hacendados muchos, abogados, médicos varios. Como en la dispersión de Babilonia, todos éstos no volvieron a ver la tierra prometida.

¡Otra emigración ha salido, para no volver, en 1840! * * *

Ésta es la historia de las ciudades argentinas. Todas ellas tienen que reivindicar glorias, civilización y notabilidades pasadas. Ahora el nivel barbarizador pesa sobre todas ellas. La barbarie del interior ha llegado a penetrar hasta las calles de Buenos Aires. Desde 1810 hasta 1840, las provincias que encerraban en sus ciudades tanta civilización, fueron demasiado bárbaras, empero, para destruir con su impulso la obra colosal de la revolución de la independencia. Ahora que nada les queda de lo que en hombres, luces e instituciones tenían, ¿qué va a ser de ellas? La ignorancia y la pobreza, que es la consecuencia, están como las aves mortecinas, esperando que las ciudades del interior den la última boqueada, para devorar su presa, para hacerlas campo, estancia. Buenos Aires puede volver a ser lo que fué, porque la civilización europea es tan fuerte allí, que a despecho de las brutalidades del gobierno se ha de sostener. Pero en las provincias, ¿en qué se apoyará? Dos siglos no bastarán para volverlas al camino que han abandonado, desde que la generación presente educa a sus hijos en la barbarie que a ella le ha alcanzado. Pregúntasenos ahora: ¿por qué combatimos? Combatimos por volver a las ciudades su vida propia.

Capítulo V

VIDA DE JUAN FACUNDO QUIROGA

> Au surplus, ces traits appartiennent au caractère originel du genre humain. L'homme de la nature et qui n'a pas encore appris à contenir ou déguiser ses passions, les montre dans toute leur énergie, et se livre à toute leur impétuosité.[101]
>
> Alix, *Histoire de l'empire ottoman*

INFANCIA Y JUVENTUD

Media entre las ciudades de San Luis y San Juan un dilatado desierto que, por su falta completa de agua, recibe el nombre de *travesía*.[102] El aspecto de aquellas soledades es por lo general triste y desamparado, y el viajero que viene de oriente no pasa la última *represa*[103] o aljibe de campo, sin proveer sus *chifles*[104] de suficiente cantidad de agua. En esta travesía tuvo una vez lugar la extraña escena que sigue. Las cuchilladas, tan frecuentes entre nuestros gauchos, habían forzado a uno de ellos a abandonar precipitadamente la ciudad de San Luis y ganar la travesía a pie, con la montura al hombro, a fin de escapar de las persecuciones de la justicia. Debían alcanzarlo dos compañeros tan luego como pudieran robar caballos para los tres.

No eran por entonces sólo el hambre o la sed los peligros que le aguardaban en el desierto aquel, que un tigre *cebado* andaba hacía un año siguiendo los rastros de los viajeros, y pasaban ya de ocho los que habían sido víctimas de su predilección por la carne humana. Suele ocurrir a veces en aquellos países, en que la fiera y el hombre se disputan el dominio de la naturaleza, que éste cae bajo la garra sangrienta de aquélla; entonces el tigre empieza a gustar de preferencia su carne, y se llama *cebado* cuando se ha dado a este nuevo género de caza, la caza de hombres. El juez de la campaña inmediata al teatro de sus devastaciones convoca a los varones hábiles para la correría, y bajo su autoridad y dirección se hace la persecución del tigre *cebado*, que rara vez escapa a la sentencia que lo pone fuera de la ley.

Cuando nuestro prófugo había caminado cosa de seis leguas, creyó oír bramar el tigre a lo lejos, y sus fibras se estremecieron. Es el bramido del tigre un gruñido como el del cerdo, pero agrio, prolongado, estridente, y sin que haya motivo de temor, causa un sacudimiento involuntario en los nervios, como si la carne se agitara, ella sola, al anuncio de la muerte.

Algunos minutos después, el bramido se oyó más distinto y más cer-

101. *Moreover these traits belong to the original character of the human race. The natural man, who has not yet learned to restrain or disguise his passions, shows them in all their force and gives himself up to their* full impetuosity.

102. travesía: *desert, "bad lands"*
103. represa: *reservoir, well*
104. chifles: cattle skins used to carry water

cano; el tigre venía ya sobre el rastro, y sólo a una larga distancia se divisaba un pequeño algarrobo. Era preciso apretar el paso, correr, en fin, porque los bramidos se sucedían con más frecuencia, y el último era más distinto, más vibrante que el que le precedía.

Al fin, arrojando la montura a un lado del camino, dirigióse el gaucho al árbol que había divisado, y no obstante la debilidad de su tronco, felizmente bastante elevado, pudo trepar a su copa y mantenerse en una continua oscilación, medio oculto entre el ramaje. Desde allí pudo observar la escena que tenía lugar en el camino: el tigre marchaba a paso precipitado, oliendo el suelo, y bramando con más frecuencia a medida que sentía la proximidad de su presa. Pasa adelante del punto en que aquél se había separado del camino, y pierde el rastro; el tigre se enfurece, remolinea, hasta que divisa la montura, que desgarra de un manotón esparciendo en el aire sus prendas. Más irritado aún con este chasco, vuelve a buscar el rastro, encuentra al fin la dirección en que va, y levantando la vista divisa a su presa, haciendo con el peso balancearse el algarrobillo, cual la frágil caña cuando las aves se posan en sus puntas.

Desde entonces ya no bramó el tigre; acercábase a saltos, y en un abrir y cerrar de ojos, sus poderosas manos estaban apoyándose a dos varas del suelo sobre el delgado tronco, al que comunicaban un temblor convulsivo que iba a obrar sobre los nervios del mal seguro gaucho. Intentó la fiera un salto impotente; dió vuelta en torno del árbol midiendo su altura con ojos enrojecidos por la sed de sangre, y al fin, bramando de cólera, se acostó en el suelo, batiendo sin cesar la cola, los ojos fijos en su presa, la boca entreabierta y reseca. Esta escena horrible duraba ya dos horas mortales; la postura violenta del gaucho y la fascinación aterrante que ejercía sobre él la mirada sanguinaria, inmóvil, del tigre, del que por una fuerza invencible de atracción no podía apartar los ojos, habían empezado a debilitar sus fuerzas, y ya se veía próximo el momento en que su cuerpo extenuado iba a caer en su ancha boca, cuando el rumor lejano de galope de caballos le dió esperanza de salvación.

En efecto, sus amigos habían visto el rastro del tigre, y corrían sin esperanza de salvarlo. El desparramo de la montura les reveló el lugar de la escena, y volar a él, desenrollar sus lazos, echarlos sobre el tigre *empacado* [105] y ciego de furor, fué la obra de un segundo. La fiera estirada a los lazos, no pudo escapar a las puñaladas repetidas con que en venganza de su prolongada agonía le traspasó el que iba a ser su víctima. "Entonces supe lo que era tener miedo," decía el general don Juan Facundo Quiroga, contando a un grupo de oficiales este suceso.

También a él le llamaron *Tigre de los Llanos,* y no le sentaba mal esta denominación, a fe. La frenología o la anatomía comparadas han demostrado, en efecto, las relaciones que existen entre las formas exteriores y las disposiciones morales, entre la fisonomía del hombre y de algunos animales a quienes se asemeja en su carácter. Facundo, porque así le lla-

---

105. empacado: *stubbornly resisting, "balking"*

maron largo tiempo los pueblos del interior; el general don Facundo Quiroga, el excelentísimo brigadier general don Facundo Quiroga, todo eso vino después, cuando la sociedad lo recibió en su seno y la victoria lo hubo coronado de laureles; Facundo, pues, era de estatura baja y fornida; sus anchas espaldas sostenían sobre un cuello corto una cabeza bien formada, cubierta de pelo espesísimo, negro y ensortijado. Su cara, poco ovalada, estaba hundida en medio de un bosque de pelo, a que correspondía una barba igualmente espesa, igualmente crespa y negra, que subía hasta los pómulos, bastante pronunciados, para descubrir una voluntad firme y tenaz.

Sus ojos negros, llenos de fuego y sombreados por pobladas cejas, causaban una sensación involuntaria de terror en aquellos en quienes alguna vez llegaban a fijarse, porque Facundo no miraba nunca de frente, y por hábito, por arte, por deseo de hacerse siempre temible, tenía de ordinario la cabeza siempre inclinada, y miraba por entre las cejas, como el Alí Bajá de Montvoisin.[106] El Caín que representa la famosa compañía Ravel, me despierta la imagen de Quiroga, quitando las posiciones artísticas de la estatuaria, que no le convienen. Por lo demás, su fisonomía era regular, y el pálido moreno de su tez sentaba bien a las sombras espesas en que quedaba encerrada.

La estructura de su cabeza revelaba, sin embargo, bajo esta cubierta selvática, la organización privilegiada de los hombres nacidos para mandar. Quiroga poseía esas cualidades naturales que hicieron del estudiante de Brienne [107] el genio de la Francia, y del mameluco oscuro [108] que se batía con los franceses en las Pirámides, el virrey de Egipto. La sociedad en que nacen da a estos caracteres la manera especial de manifestarse; sublimes, clásicos, por decirlo así, van al frente de la humanidad civilizada en unas partes; terribles, sanguinarios y malvados, son en otras su mancha, su oprobio.

Facundo Quiroga fué hijo de un sanjuanino de humilde condición, pero que, avecindado en los Llanos de La Rioja, había adquirido en el pastoreo una regular fortuna. En 1799 fué enviado Facundo a la patria de su padre,[109] a recibir la educación limitada que podía adquirirse en las escuelas: leer y escribir. Cuando un hombre llega a ocupar las cien trompetas de la fama con el ruido de sus hechos, la curiosidad o el espíritu de investigación van hasta rastrear la insignificante vida del niño, para anudarla a la biografía del héroe; y no pocas veces entre fábulas inventadas por la adulación, se encuentran ya en germen en ella los rasgos característicos del personaje histórico.

Cuéntase de Alcibíades [110] que, jugando en la calle, se tendía a lo largo en el pavimento para contrariar a un cochero que le prevenía que se quitase del paso a fin de no atropellarlo; de Napoleón, que dominaba a sus

---

106. Montvoisin: French painter who emigrated to South America in 1842 and founded a school of painting in Chile
107. estudiante de Brienne: Napoleon
108. mameluco oscuro: Mehemet Alí. Cf.
page 267, line 19.
109. la patria . . . padre: his father's birthplace, San Juan
110. Alcibiades: Athenian general and politician (450–404 B. C.)

condiscípulos y se atrincheraba en su cuarto de estudiante para resistir a un ultraje. De Facundo se refieren hoy varias anécdotas, muchas de las cuales lo revelan todo entero.

En la casa de sus huéspedes,[111] jamás se consiguió sentarlo a la mesa común; en la escuela era altivo, huraño y solitario; no se mezclaba con los demás niños sino para encabezar actos de rebelión, y para darles de golpes. El *magister*,[112] cansado de luchar con este carácter indomable, se provee una vez de un látigo nuevo y duro, y enseñándolo a los niños aterrados: "Éste es—les dice—para estrenarlo en Facundo." Facundo, de edad de once años, oye esta amenaza, y al día siguiente la pone a prueba. No sabe la lección, pero pide al maestro que se la tome en persona, porque el pasante[113] le quiere mal. El maestro condesciende; Facundo comete un error, comete dos, tres, cuatro; entonces el maestro hace uso del látigo; y Facundo, que todo lo ha calculado, hasta la debilidad de la silla en que su maestro está sentado, dale una bofetada, vuélcalo de espaldas, y entre el alboroto que esta escena suscita, toma la calle y va a esconderse en ciertos parrones de una viña, de donde no se le saca sino después de tres días. ¿No es ya el caudillo que va a desafiar más tarde a la sociedad entera?

Cuando llega a la pubertad, su carácter toma un tinte más pronunciado. Cada vez más sombrío, más imperioso, más selvático, la pasión del juego, la pasión de las almas rudas que necesitan fuertes sacudimientos para salir del sopor que las adormeciera, domínalo irresistiblemente a la edad de quince años. Por ella se hace una reputación en la ciudad; por ella se hace intolerable en la casa en que se hospeda; por ella, en fin, derrama por un balazo dado a Jorge Peña, el primer reguero de sangre que debía entrar en el ancho torrente que ha dejado marcado su paso por la tierra.

Desde que llega a la edad adulta, el hilo de su vida se pierde en un intrincado laberinto de vueltas y revueltas por los diversos pueblos vecinos: oculto unas veces, perseguido siempre, jugando, trabajando en clase de peón, dominando todo lo que se le acerca y distribuyendo puñaladas. * * *

Lo más ordenado que de esta vida oscura y errante he podido recoger, es lo siguiente: Hacia el año 1806 vino a Chile con un cargamento de grano, de cuenta de sus padres. Jugólo con la tropa y los troperos, que eran esclavos de su casa. Solía llevar a San Juan y Mendoza arreos de ganado de la estancia paterna, que tenían siempre la misma suerte, porque en Facundo el juego era una pasión feroz, ardiente, que le resecaba las entrañas. Estas adquisiciones y pérdidas sucesivas debieron cansar las larguezas paternales, porque al fin interrumpió toda relación amigable con su familia. Cuando era ya el terror de la República, preguntábale uno de sus cortesanos: "¿Cuál es, general, la parada más grande que ha hecho en su vida?"—"Sesenta pesos"—contestó Quiroga con indiferencia—; acababa de ganar, sin embargo, una de dos-

---

111. en . . . huéspedes = en su casa de huéspedes: *in the boarding house where he lived*

112. magister = maestro
113. pasante: *assistant teacher*

cientas onzas. Era, según lo explicó después, que en su juventud, no teniendo sino sesenta pesos, los había perdido juntos a una sota.

Pero este hecho tiene su historia [5] característica. Trabajaba de peón en Mendoza, en la estancia de una señora, sita aquélla en el Plumerillo.[114] Facundo se hacía notar hacía un año por su puntualidad en salir al trabajo [10] y por la influencia y predominio que ejercía sobre los demás peones. Cuando éstos querían hacer falla para dedicar el día a una borrachera, se entendían con Facundo, quien lo avi-[15] saba a la señora, prometiéndole responder de la asistencia de todos al día siguiente, la que era siempre puntual. Por esta intercesión llamábanle los peones "el padre." [20]

Facundo al fin de un año de trabajo asiduo, pidió su salario, que ascendía a sesenta pesos; montó en su caballo sin saber adónde iba, vió gente en una pulpería, desmontóse y alargando la [25] mano sobre el grupo que rodeaba al tallador,[115] puso sus sesenta pesos a una carta; perdiólos y montó de nuevo, marchando sin dirección fija, hasta que a poco andar, un juez, Toledo, [30] que acertaba a pasar a la sazón, lo detuvo para pedirle su papeleta de conchavo.[116]

Facundo aproximó su caballo en ademán de entregársela, afectó buscar [35] algo en su bolsillo, y dejó tendido al juez de una puñalada. ¿Se vengaba en el juez de la reciente pérdida? ¿Quería sólo saciar el encono de gau-

cho malo contra la autoridad civil y añadir este nuevo hecho al brillo de su naciente fama? Lo uno y lo otro. Estas venganzas sobre el primer objeto que se presentaba, son frecuentes en su vida. Cuando se apellidaba general y tenía coroneles a sus órdenes, hacía dar en su casa en San Juan doscientos azotes a uno de ellos por haberle ganado mal, decía; a un joven, doscientos azotes por haberse permitido una chanza en momentos en que él no estaba para chanzas; a una mujer, en Mendoza, que le había dicho al paso "adiós, mi general," cuando él iba enfurecido porque no había conseguido intimidar a un vecino tan pacífico, tan juicioso, como era valiente y gaucho, doscientos azotes.

Facundo reaparece después en Buenos Aires, donde en 1810 es enrolado como recluta en el regimiento de *Arribeños*,[117] que manda el general Ocampo,[118] su compatriota, después presidente de Charcas. La carrera gloriosa de las armas se abría para él con los primeros rayos del sol de mayo [119]; y no hay duda que con el temple de alma de que estaba dotado, con sus instintos de destrucción y carnicería, Facundo, moralizado por la disciplina y ennoblecido por la sublimidad del objeto de la lucha, habría vuelto un día del Perú, Chile o Bolivia, uno de los generales de la República Argentina, como tantos otros valientes gauchos que principiaron su carrera desde el humilde puesto de soldado. Pero el alma re-

---

114. Settlement a short distance from Mendoza
115. tallador: the *banker* in a card game
116. papeleta de conchavo: *identification card issued to workers*
117. Arribeños: a battalion first created in 1806 at the threat of an English invasion. It

was composed of men born in the provinces of the interior.
118. Francisco Antonio Ortiz de Ocampo was also a native of La Rioja.
119. primeros ... mayo: Buenos Aires's declaration of independence was proclaimed May 25, 1810.

belde de Quiroga no podía sufrir el yugo de la disciplina, el orden del cuartel, ni la demora de los ascensos. Se sentía llamado a mandar, a surgir de un golpe, a crearse él solo, a despecho de la sociedad civilizada, en hostilidad con ella, una carrera a su modo, asociando el valor y el crimen, el gobierno y la desorganización. Más tarde fué reclutado para el ejército de los Andes, y enrolado en los *Granaderos a caballo;* [120] un teniente García lo tomó de asistente, y bien pronto la deserción dejó un vacío en aquellas gloriosas filas. Después, Quiroga, como Rosas, como todas esas víboras que han medrado a la sombra de los laureles de la patria, se ha hecho notar por su odio a los militares de la Independencia, en los que uno y otro han hecho una horrible matanza.

Facundo, desertando de Buenos Aires, se encamina a las provincias con tres compañeros. Una partida le da alcance; hace frente, libra una verdadera batalla, que permanece indecisa por algún tiempo, hasta que, dando muerte a cuatro o cinco, puede continuar su camino, abriéndose paso todavía a puñaladas por entre otras partidas que hasta San Luis le salen al paso. * * *

Facundo reaparece en los Llanos, en la casa paterna. A esta época se refiere un suceso que está muy valido y del que nadie duda. Sin embargo, en uno de los manuscritos que consulto, interrogado su autor sobre este mismo hecho, contesta: "Que no sabe que Quiroga haya tratado nunca de arrancar a sus padres dinero por la fuerza;" y contra la tradición constante, contra el asentimiento general, quiero atenerme a este dato contradictorio. ¡Lo contrario es horrible! Cuéntase que habiéndose negado su padre a darle una suma de dinero que le pedía, acechó el momento en que padre y madre dormían la siesta, para poner aldaba [121] a la pieza donde estaban, y prender fuego al techo de pajas con que están cubiertas, por lo general, las habitaciones de los Llanos.[122]

Pero lo que hay de averiguado es que su padre pidió una vez al gobierno de La Rioja que lo prendieran para contener sus demasías, y que Facundo antes de fugar de los Llanos fué a la ciudad de La Rioja, donde a la sazón se hallaba aquél, y cayendo de improviso sobre él le dió una bofetada diciéndole: "¿Usted me ha mandado prender? ¡Tome, mándeme prender ahora!", con lo cual montó en su caballo y partió a galope para el campo. Pasado un año, preséntase de nuevo en la casa paterna, échase a los pies del anciano ultrajado, confunden ambos sus sollozos, y entre las protestas de enmienda del hijo y las reconvenciones del padre, la paz queda restablecida, aunque sobre base tan deleznable y efímera.

Pero su carácter y hábitos desordenados no cambian, y las carreras y el juego, las correrías del campo, son el

---

120. Granaderos a caballo: a unit created by San Martín for crossing the Andes

121. aldaba: *bolt*

122. "Después de escrito lo que precede, he recibido de persona fidedigna la aseveración de haber el mismo Quiroga contado en Tucumán, ante señoras que viven aún, la historia del incendio de la casa. Toda duda desaparece ante deposiciones de este género. Más tarde he obtenido la narración circunstanciada de un testigo presencial y compañero de infancia de Facundo Quiroga, que le vió a éste dar a su padre una bofetada y huir; pero estos detalles contristan sin aleccionar, y es deber impuesto por el decoro apartarlos de la vista." (Sarmiento's note.)

teatro de nuevas violencias, de nuevas puñaladas y agresiones, hasta llegar al fin a hacerse intolerable para todos e insegura su posición. Entonces un gran pensamiento viene a apoderarse [5] de su espíritu, y lo anuncia sin empacho. El desertor de los *Arribeños,* el soldado de *Granaderos a caballo* que no ha querido inmortalizarse en Chacabuco [123] y en Maipú,[124] resuelve [10] ir a reunirse a la montonera de Ramírez,[125] vástago de la de Artigas, y cuya celebridad en crímenes y en odio a las ciudades a que hace la guerra ha llegado hasta los Llanos y tiene [15] llenos de espanto a los gobiernos. Facundo parte a asociarse a aquellos filibusteros de la Pampa, y acaso la conciencia que deja de su carácter e instintos y de la importancia del re- [20] fuerzo que va a dar a aquellos destructores alarma a sus compatriotas, que instruyen a las autoridades de San Luis, por donde debía pasar, del designio infernal que lo guía. Dupuy, [25] gobernador entonces (1818), lo hace prender y por algún tiempo permanece confundido entre los criminales vulgares que las cárceles encierran. Esta cárcel de San Luis, empero, de- [30] bía ser el primer escalón que había de conducirlo a la altura a que más tarde llegó. San Martín había hecho conducir a San Luis un gran número de oficiales españoles, de todas gra- [35] duaciones, de los que habían sido tomados prisioneros en Chile. Sea hostigados por las humillaciones y sufrimientos, sea que previesen la posibilidad de reunirse de nuevo a los [40] ejércitos españoles, el depósito de pri-

sioneros se sublevó un día y abrió la puerta de los calabozos a los reos ordinarios, a fin de que le prestasen ayuda para la común evasión. Facundo era uno de estos reos, y no bien se vió desembarazado de las prisiones, cuando enarbolando el *macho* [126] de los grillos, abre el cráneo al español mismo que se los había quitado, y yendo por entre el grupo de los amotinados, deja una ancha calle sembrada de cadáveres en el espacio que ha querido recorrer. Dícese que el arma de que usó fué una bayoneta, y que los muertos no pasaron de tres; Quiroga, empero, hablaba siempre del *macho* de los grillos y de catorce muertos.

Acaso es ésta una de esas idealizaciones con que la imaginación poética del pueblo embellece los tipos de la fuerza brutal que tanto admira; acaso la historia de los grillos es una traducción argentina de la quijada de Sansón, el hércules hebreo; pero Facundo la aceptaba como un timbre de gloria, según su bello ideal, y *macho* de grillos o bayoneta, él, asociándose a otros soldados y presos, a quienes su ejemplo alentó, logró sofocar el alzamiento y reconciliarse por este acto de valor con la sociedad y ponerse bajo la protección de la patria, consiguiendo que su nombre volase por todas partes ennoblecido y lavado, aunque con sangre, de las manchas que lo afeaban. Facundo, cubierto de gloria, mereciendo bien de la patria, y con una credencial que acredita su comportación, vuelve a La Rioja y ostenta en los Llanos, entre

---

123. Chacabuco: One of San Martín's great victories in Chile Feb. 12, 1817

124. Maipú: cf. p. 123, n. 44 and p. 210, n. 3.

125. Francisco Ramírez, a gaucho *caudillo*

from Entre Ríos, who fought in the civil wars on the side of Artigas

126. macho: *"pin,"* cylindrical piece of iron with which the chains were fastened

los gauchos, los nuevos títulos que justifican el terror que ya empieza a inspirar su nombre; porque hay algo de imponente, algo que subyuga y domina, en el premiado asesino de catorce hombres a la vez.

Aquí termina la vida privada de Quiroga, de la que he omitido una larga serie de hechos que sólo pintan el mal carácter, la mala educación y los instintos feroces y sanguinarios de que estaba dotado. Sólo he hecho uso de aquellos que explican el carácter de la lucha, de aquellos que entran en proporciones distintas, pero formados de elementos análogos, en el tipo de los caudillos de las campañas que han logrado al fin sofocar la civilización de las ciudades, y que, últimamente, han venido a completarse en Rosas, el legislador de esta civilización tártara, que ha ostentado toda su antipatía a la civilización europea en torpezas y atrocidades sin nombre aún en la historia.

Pero aun queda algo por notar en el carácter y espíritu de esta columna de la Federación. Un hombre literato, un compañero de infancia y de juventud de Quiroga, que me ha suministrado muchos de los hechos que dejo referidos, me incluye en su manuscrito, hablando de los primeros años de Quiroga, estos datos curiosos: "—que no era ladrón antes de figurar como hombre público; que nunca robó, aun en sus mayores necesidades; que no sólo gustaba de pelear, sino que pagaba por hacerlo, y por insultar al más pintado; *que tenía mucha aversión a los hombres decentes;* que no sabía tomar licor nunca; que de joven era muy reservado, y no sólo quería infundir miedo, sino aterrar, para lo que hacía entender a los hombres de su confianza que tenía agoreros o era adivino; que con los que tenía relación los trataba como esclavos; que jamás se ha confesado, rezado, ni oído misa; que cuando estuvo de general, lo vió una vez en misa; que él mismo le decía que no creía en nada." El candor con que estas palabras están escritas revela su verdad.

Toda la vida pública de Quiroga me parece resumida en estos datos. Veo en ellos el hombre grande, el hombre genio, a su pesar, sin saberlo él, el César, el Tamerlán,[127] el Mahoma. Ha nacido así y no es culpa suya; descenderá en las escalas sociales para mandar, para dominar, para combatir el poder de la ciudad, la partida de la policía. Si le ofrecen una plaza en los ejércitos, la desdeñará, porque no tiene paciencia para aguardar los ascensos, porque hay mucha sujeción, muchas trabas puestas a la independencia individual, hay generales que pesan sobre él, hay una casaca que oprime el cuerpo y una táctica que regla los pasos; ¡todo esto es insufrible! La vida de a caballo, la vida de peligros y emociones fuertes, han acerado su espíritu y endurecido su corazón; tiene odio invencible, instintivo, contra las leyes que lo han perseguido, contra los jueces que lo han condenado, contra toda esa sociedad y esa organización a que se ha sustraído desde la infancia, y que lo mira con prevención y menosprecio. Aquí se eslabona insensiblemente el lema de este capítulo: "Es el hombre de la naturaleza que no ha aprendido aún a contener o a disfrazar sus pasiones; que las muestra en toda su energía, entregándose a

127. Tamerlán: Tamerlain, the Tartar conqueror of Persia

toda su impetuosidad." Ése es el carácter del género humano, y así se muestra en las campañas pastoras de la República Argentina. Facundo es un tipo de la barbarie primitiva; no conoció sujeción de ningún género; su cólera era la de las fieras; la melena de sus renegridos y ensortijados cabellos caía sobre su frente y sus ojos en guedejas, como las serpientes de la cabeza de Medusa; su voz se enronquecía, sus miradas se convertían en puñaladas.

Dominado por la cólera, mataba a patadas, estrellándole los sesos a N. por una disputa de juego; arrancaba ambas orejas a su querida porque le pedía una vez treinta pesos para celebrar un matrimonio consentido por él; abría a su hijo Juan la cabeza de un hachazo porque no había forma de hacerle callar; daba de bofetadas en Tucumán a una linda señorita, a quien ni seducir ni forzar podía. En todos sus actos mostrábase el hombre bestia aún, sin ser por eso estúpido, y sin carecer de elevación de miras. Incapaz de hacerse admirar o estimar, gustaba de ser temido; pero este gusto era exclusivo, dominante, hasta el punto de arreglar todas las acciones de su vida a producir el terror en torno suyo, sobre los pueblos como sobre los soldados, sobre la víctima que iba a ser ejecutada, como sobre su mujer y sus hijos. En la incapacidad de manejar los resortes del gobierno civil, ponía el terror como expediente para suplir el patriotismo y la abnegación; ignorante, rodeándose de misterios y haciéndose impenetrable, valiéndose de una sagacidad natural, una capacidad de observación no común y de la credulidad del vul-

go, fingía una presciencia de los acontecimientos, que le daba prestigio y reputación entre las gentes vulgares.

Es inagotable el repertorio de anécdotas de que está llena la memoria de los pueblos con respecto a Quiroga; sus dichos, sus expedientes, tienen un sello de originalidad que le daban ciertos visos orientales, cierta tintura de sabiduría salomónica [128] en el concepto de la plebe. ¿Qué diferencia hay, en efecto, entre aquel famoso expediente de mandar partir en dos el niño disputado, a fin de descubrir la verdadera madre, y este otro para encontrar un ladrón? Entre los individuos que formaban una compañía habíase robado un objeto, y todas las diligencias practicadas para descubrir al ladrón habían sido infructuosas. Quiroga forma la tropa, hace cortar tantas varitas de igual tamaño cuantos soldados había; hace en seguida que se distribuyan a cada uno, y luego, con voz segura, dice: "Aquél cuya varita amanezca mañana más grande que las demás, ése es el ladrón." Al día siguiente fórmase de nuevo la tropa, y Quiroga procede a la verificación y comparación de las varitas. Un soldado hay, empero, cuya vara aparece más corta que las otras. "¡Miserable!—le grita Facundo con voz aterrante,—tú eres!..." Y, en efecto, él era; su turbación lo dejaba conocer demasiado. El expediente es sencillo: el crédulo gaucho, creyendo que efectivamente creciese su varita, le había cortado un pedazo. Pero se necesita cierta superioridad y cierto conocimiento de la naturaleza humana para valerse de estos medios.

Habíanse robado algunas prendas de la montura de un soldado, y todas

---

128 salomónica: *of Solomon*

las pesquisas habían sido inútiles para descubrir al ladrón. Facundo hace formar la tropa y que desfile por delante de él, que está con los brazos cruzados, la mirada fija, escudriñadora, terrible. Antes ha dicho: "Yo sé quién es," con una seguridad que nada desmiente. Empiezan a desfilar, desfilan muchos, y Quiroga permanece inmóvil; es la estatua de Júpiter Tonante, es la imagen del dios del Juicio Final. De repente se abalanza sobre uno, lo agarra del brazo, le dice con voz breve y seca: "¿Dónde está la montura?"—"Allí, señor," contesta, señalando un bosquecillo. "Cuatro tiradores," grita entonces Quiroga. ¿Qué revelación era ésta? La del terror y la del crimen hecha ante un hombre sagaz.

Estaba otra vez un gaucho respondiendo a los cargos que se le hacían por un robo; Facundo le interrumpe diciendo: "Ya este pícaro está mintiendo; ¡a ver . . . , cien azotes!" Cuan-do el reo hubo salido, Quiroga dijo a alguno que se hallaba presente: "Vea, patrón: cuando un gaucho al hablar esté haciendo marcas con el pie, es señal que está mintiendo." Con los azotes, el gaucho contó la historia como debía de ser; esto es, que se había robado una yunta de bueyes.

Necesitaba otra vez y había pedido un hombre resuelto, audaz, para confiarle una misión peligrosa. Escribía Quiroga cuando le trajeron el hombre; levanta la cara después de habérselo anunciado varias veces, lo mira y dice, continuando de escribir: "¡Eh! . . . ¡Ése es un miserable; pido un hombre valiente y arrojado!" Averiguóse, en efecto, que era un patán.

De estos hechos hay a centenares en la vida de Facundo, y que, al paso que descubren un hombre superior, han servido eficazmente para labrarle una reputación misteriosa entre hombres groseros que llegaban a atribuirle poderes sobrenaturales.

Capítulo XIII

¡ ¡ ¡BARRANCA-YACO! ! !

* * * En estas transacciones [129] se hallaba la ciudad de Buenos Aires y Rosas, cuando llega la noticia de un desavenimiento entre los gobiernos de Salta, Tucumán y Santiago del Estero, que podía hacer estallar la guerra. * * *

Invítase a Facundo a ir a interponer su influencia, para apagar las chispas que se han levantado en el norte de la República; nadie sino él está llamado para desempeñar esta misión de paz. Facundo resiste, vacila; pero se decide al fin. El 18 de diciembre de 1835 sale de Buenos Aires, y al subir a la galera [130] dirige, en presencia de varios amigos, sus adioses a la ciudad. "Si salgo bien—dice, agitando la mano—te volveré a ver; si no, ¡adiós para siempre!" ¿Qué siniestros presentimientos vienen a asomar en aquel momento a su faz lívida, en el ánimo de este hombre impávido? ¿No recuerda el lector algo

129. En . . . transacciones: Rosas had been asked to serve as governor of Buenos Aires and had said that he would accept only on condition that the term of office be extended from three years to five and that he be given "supreme" power.

130. la galera: *stagecoach*

parecido a lo que manifestaba Napoléon al partir de las Tullerías, para la campaña que debía terminar en Waterloo?

Apenas ha andado media jornada, encuentra un arroyo fangoso que detiene la galera. El vecino maestre de posta acude solícito a pasarla: se pone nuevos caballos, se apuran todos los esfuerzos, y la galera no avanza. Quiroga se enfurece, y hace uncir[131] a las varas al mismo maestre de posta. La brutalidad y el terror vuelven a aparecer desde que se halla en el campo, en medio de aquella naturaleza y aquella sociedad semibárbara. Vencido aquel primer obstáculo, la galera sigue cruzando la pampa, como una exhalación;[132] camina todos los días hasta las dos de la mañana, y se pone en marcha, de nuevo, a las cuatro. Acompáñanle el doctor Ortiz, su secretario, y un joven conocido, a quien a su salida, encontró inhabilitado de ir adelante, por la fractura de las ruedas de su vehículo. En cada posta a que llega, hace preguntar inmediatamente: "¿A qué hora ha pasado un chasque[133] de Buenos Aires? —Hace una hora. —¡Caballos sin pérdida de momento!"—grita Quiroga. Y la marcha continúa. Para hacer más penosa la situación, parecía que las cataratas del cielo se habían abierto; durante tres días, la lluvia no cesa un momento, y el camino se ha convertido en un torrente.

Al entrar en la jurisdicción de Santa Fe la inquietud de Quiroga se aumenta, y se torna en visible angustia, cuando en la posta de Pavón sabe que no hay caballos, y que el maestre de posta está ausente. El tiempo que pasa antes de procurarse nuevos tiros,[134] es una agonía mortal para Facundo, que grita a cada momento: "¡Caballos! ¡Caballos!" Sus compañeros de viaje nada comprenden de este extraño sobresalto, asombrados de ver a este hombre, el terror de los pueblos, asustadizo ahora y lleno de temores, al parecer quiméricos. Cuando la galera logra ponerse en marcha, murmura en voz baja, como si hablara consigo mismo: "Si salgo del territorio de Santa Fe, no hay cuidado por lo demás." En el paso del Río Tercero[135] acuden los gauchos de la vecindad a ver al famoso Quiroga, y pasan[136] la galera punto menos que[137] a hombros.

Últimamente llega a la ciudad de Córdoba a las nueve y media de la noche, y una hora después del arribo del chasque de Buenos Aires, a quien ha venido pisando desde su salida. Uno de los Reinafé[138] acude a la posta donde Facundo está aún en la galera pidiendo caballos, que no hay en aquel momento; salúdalo con respeto y efusión, suplícale que pase la noche en la ciudad donde el gobierno se prepara a hospedarlo dignamente. "¡Caballos necesito!" es la breve respuesta de Quiroga; "¡Caballos!" replica a cada nueva manifestación de interés o de solicitud de parte de Reinafé, que se retira al fin humillado, y Facundo parte para su destino a las doce de la noche.

La ciudad de Córdoba, entretanto,

---

131. uncir: *harness*
132. exhalación: *streak of lightning*
133. chasque: *special post*
134. tiros: *horses*
135. Río Tercero: also called Cacaraná, a tributary of the Paraná

136. pasan: *carry over* (the ford)
137. punto menos que: *almost*
138. los Reinafé: Cordoban leaders who were implicated with Rosas in the conspiracy to "liquidate" Quiroga

estaba agitada por los más extraños rumores; los amigos del joven que ha venido por casualidad en compañía de Quiroga, y que queda en Córdoba, su patria, van en tropel a visitarlo. Se admiran de verlo vivo, y le hablan del peligro inminente de que se ha salvado. Quiroga debía ser asesinado en tal punto; los asesinos son N. y N.; las pistolas han sido compradas en tal almacén; han sido vistos N. y N., para encargarse de la ejecución y se han negado. Quiroga los ha sorprendido con la asombrosa rapidez de su marcha, pues no bien llega el chasque que anuncia su próximo arribo, cuando se presenta él mismo y hace abortar todos los preparativos. Jamás se ha premeditado un atentado con más descaro; toda Córdoba está instruida de los más mínimos detalles del crimen que el Gobierno intenta, y la muerte de Quiroga es el asunto de todas las conversaciones.

Quiroga, en tanto, llega a su destino, arregla la diferencia entre los gobernantes hostiles y regresa por Córdoba, a despecho de las reiteradas instancias de los gobernadores de Santiago y Tucumán, que le ofrecen una gruesa escolta para su custodia, aconsejándole tomar el camino de Cuyo para regresar. ¿Qué genio vengativo cierra su corazón y sus oídos y le hace obstinarse en volver a desafiar a sus enemigos, sin escolta, sin medios adecuados de defensa? ¿Por qué no toma el camino de Cuyo, desentierra sus inmensos depósitos de armas a su paso por La Rioja y arma las ocho provincias que están bajo su influencia? Quiroga lo sabe todo; aviso tras aviso ha recibido en Santiago del Estero; sabe el peligro de que su diligencia lo ha salvado; sabe el nuevo y más inminente que le aguarda, porque no han desistido sus enemigos del concebido designio. "¡A Córdoba!", grita a los postillones al ponerse en marcha, como si Córdoba fuese el término de su viaje.[139]

Antes de llegar a la posta del Ojo de Agua,[140] un joven sale del bosque y se dirige hacia la galera, requiriendo al postillón que se detenga, Quiroga asoma la cabeza por la portezuela y le pregunta lo que se le ofrece: "Quiero hablar con el doctor Ortiz." Desciende éste y sabe lo siguiente: "En las inmediaciones del lugar llamado Barranca-Yaco está apostado Santos Pérez con una partida; al arribo de la galera deben hacerle fuego de ambos lados, y matar en seguida

---

139. "En la causa criminal seguida contra los cómplices en la muerte de Quiroga, el reo Cabanillas declaró en un momento de efusión, de rodillas en presencia del doctor Maza—degollado por los agentes de Rosas—que él no se había propuesto sino salvar a Quiroga; que el 24 de diciembre había escrito a un amigo de éste, un francés, que le hiciese decir a Quiroga que no pasase por el monte de San Pedro, donde él estaba aguardándole con veinticinco hombres, para asesinarlo por orden de su Gobierno; que Toribio Junco—un gaucho de quien Santos Pérez decía: 'Hay otro más valiente que yo: es Toribio Junco'—había dicho al mismo Cabanillas que, observando cierto desorden en la conducta de Santos Pérez, empezó a acecharlo, hasta que un

día lo encontró arrodillado en la capilla de la Virgen de Tulumba, con los ojos arrasados de lágrimas: que preguntándole la causa de su quebranto, le dijo: 'Estoy pidiéndole a la Virgen me ilumine sobre si debo matar a Quiroga, según me lo ordenan; pues me presentan este acto como convenido entre los gobernadores López de Santa Fé, y Rosas de Buenos Aires, único medio de salvar la República.' " (Sarmiento's note to the edition of 1851.) Cabanillas was one of the men who carried out the assassination. Santos Pérez, an enthusiastic adherent of the Reinafés, was captain of the band which was appointed to kill Quiroga.

140. Ojo de Agua: village in the province of Córdoba, also called Tiopujio

de postillón arriba; [141] nadie debe escapar; ésta es la orden. El joven, que ha sido en otro tiempo favorecido por el doctor Ortiz, ha venido a salvarlo; tiénele caballo allí mismo para que monte y se escape con él; su hacienda está inmediata. El secretario, asustado, pone en conocimiento de Facundo lo que acaba de saber, y le insta para que se ponga en seguridad. Facundo interroga de nuevo al joven Sandivaras, le da las gracias por su buena acción, pero lo tranquiliza sobre los temores que abriga. "No ha nacido todavía—le dice con voz enérgica,—el hombre que ha de matar a Facundo Quiroga. A un grito mío, esa partida mañana se pondrá a mis órdenes y me servirá de escolta hasta Córdoba. Vaya usted, amigo, sin cuidado."

Estas palabras de Quiroga, de que yo no he tenido noticia hasta este momento, explican la causa de su extraña obstinación en ir a desafiar la muerte. El orgullo y el terrorismo, los dos grandes móviles de su elevación, lo llevan maniatado a la sangrienta catástrofe, que debe terminar con su vida. Tiene a menos evitar el peligro y cuenta con el terror de su nombre para hacer caer las cuchillas levantadas sobre su cabeza. Esta explicación me la daba a mí mismo antes de saber que sus propias palabras la habían hecho inútil.

La noche que pasaron los viajeros de la posta del Ojo de Agua es de tal manera angustiosa para el infeliz secretario, que va a una muerte cierta e inevitable, y que carece del valor y de la temeridad que anima a Quiroga, que creo no deber omitir ninguno de sus detalles, tanto más, cuanto que, siendo por fortuna sus pormenores tan auténticos, sería criminal descuido no conservarlos; porque, si alguna vez un hombre ha apurado todas las heces de la agonía, si alguna vez la muerte ha debido parecer horrible, es aquella en que un triste deber, el de acompañar a un amigo temerario, nos la impone, cuando no hay infamia ni deshonor en evitarla.[142]

El doctor Ortiz llama aparte al maestre de posta y lo interroga encarecidamente sobre lo que sabe acerca de los extraños avisos que han recibido, asegurándole no abusar de su confianza. ¡Qué pormenores va a oír! Santos Pérez ha estado allí con su partida de treinta hombres una hora antes de su arribo; van todos armados de tercerola y sable; están ya apostados en el lugar designado; deben morir todos los que acompañan a Quiroga; así lo ha dicho Santos Pérez al mismo maestre de posta. Esta confirmación de la noticia recibida de antemano no altera en nada la determinación de Quiroga, que, después de tomar una taza de chocolate, según su costumbre, se duerme profundamente.

El doctor Ortiz también gana la cama, no para dormir, sino para acordarse de su esposa, de sus hijos, a quienes no volverá a ver más. Y todo ¿por qué? Por no arrostrar el enojo de un terrible amigo; por no incurrir

---

141. de postillón arriba: *everyone from the postilion up*
142. "Tuve estos detalles del malogrado doctor Piñero, muerto en 1846 en Chile, pariente del doctor Ortiz, compañero de viaje de Quiroga desde Buenos Aires hasta Córdoba. Es triste necesidad sin duda no poder citar sino los muertos en apoyo de la verdad." (Sarmiento's note to the edition printed in 1851.)

en la tacha de desleal. A media noche, la inquietud de la agonía le hace insoportable la cama; levántase y va a buscar a su confidente:—"¿Duerme, amigo?—le pregunta en voz baja.— ¡Quién ha de dormir, señor, con esta cosa tan horrible!—¿Conque no hay duda? ¡Qué suplicio el mío!—Imagínese, señor, cómo estaré yo, que tengo que mandar dos postillones, que deben ser muertos también. Esto me mata. Aquí hay un niño que es sobrino del sargento de la partida, y pienso mandarlo; pero el otro... ¿A quién mandaré? ¡a hacerlo morir inocentemente!"

El doctor Ortiz hace un último esfuerzo para salvar su vida y la del compañero; despierta a Quiroga y le instruye de los pavorosos detalles que acaba de adquirir, significándole que él no lo acompaña si se obstina en hacerse matar inútilmente. Facundo, con gesto airado y palabras groseramente enérgicas, le hace entender que hay mayor peligro en contrariarlo allí que el que le aguarda en Barranca-Yaco, y fuerza es someterse sin más réplica. Quiroga manda a su asistente, que es un valiente negro, que limpie algunas armas de fuego que vienen en la galera y las cargue; a esto se reducen todas sus precauciones.

Llega el día, por fin, y la galera se pone en camino. Acompáñanle, a más del postillón que va en el tiro, el niño aquel, dos correos que se han reunido por casualidad y el negro, que va a caballo. Llega al punto final y dos descargas traspasan la galera por ambos lados, pero sin herir a nadie; los soldados se echan sobre ella con los sables desnudos, y en un momento inutilizan los caballos y descuartizan

al postillón, correos y asistente. Quiroga entonces asoma la cabeza, y hace por un momento vacilar a aquella turba. Pregunta por el comandante de la partida, le manda acercarse, y a la cuestión de Quiroga: "¿Qué significa esto?" recibe por toda contestación un balazo en un ojo que le deja muerto.

Entonces Santos Pérez atraviesa repetidas veces con su espada al malaventurado, y manda, concluida la ejecución, tirar hacia el bosque la galera llena de cadáveres con los caballos hechos pedazos y el postillón que, con la cabeza abierta, se mantiene aún a caballo. "¿Qué muchacho es éste?— pregunta viendo al niño de la posta, único que queda vivo.—Éste es un sobrino mío—contesta el sargento de la partida,—yo respondo de él con mi vida." Santos Pérez se acerca al sargento, le atraviesa el corazón de un balazo, y en seguida, desmontándose, toma de un brazo al niño, lo tiende en el suelo y lo degüella, a pesar de sus gemidos de niño que se ve amenazado de un peligro.

Este último gemido del niño es, sin embargo, el único suplicio que martiriza a Santos Pérez. Después, huyendo de las partidas que lo persiguen, oculto en las breñas de las rocas o en los bosques enmarañados, el viento le trae al oído el gemido lastimero del niño. Si a la vacilante luz de las estrellas se aventura a salir de su guarida, sus miradas inquietas se hunden en la obscuridad de los árboles sombríos, para cerciorarse de que no se divisa en ninguna parte el bultito blanquecino del niño; y cuando llega al lugar donde hacen encrucijada dos caminos, lo arredra ver venir por el que él deja, al niño animando su caballo. Facundo decía también que un solo remordimiento lo aquejaba: ¡la muerte de los veintiséis oficiales fusilados en Mendoza!

¿Quién es, mientras tanto, este Santos Pérez? Es el gaucho malo de la campaña de Córdoba, célebre en la sierra y en la ciudad por sus numerosas muertes, por su arrojo extraordinario y por sus aventuras inauditas. Mientras permaneció el general Paz en Córdoba, acaudilló las montoneras más obstinadas e intangibles de la Sierra, y por largo tiempo el pago de Santa Catalina fué una republiqueta adonde los veteranos del ejército no pudieron penetrar. Con miras más elevadas, habría sido el digno rival de Quiroga; con sus vicios, sólo alcanzó a ser su asesino. Era alto de talle, hermoso de cara, de color pálido y barba negra y rizada. Largo tiempo fué después perseguido por la justicia y nada menos que cuatrocientos hombres andaban en su busca.

Al principio, los Reinafé lo llamaron, y en la casa del Gobierno fué recibido amigablemente. Al salir de la entrevista empezó a sentir una extraña descompostura de estómago, que le sugirió la idea de consultar a un médico amigo suyo, quien, informado por él de haber tomado una copa de licor, le dió un elixir que le hizo arrojar oportunamente el arsénico que el licor disimulaba. Más tarde, y en lo más recio de la persecución, el comandante Casanovas,[143] su antiguo amigo, le hizo significar que tenía algo de importancia que comunicarle. Una tarde, mientras que el escuadrón de que el comandante Casanovas era jefe

hacía ejercicio al frente de su casa, Santos Pérez se desmonta y le dice: "Aquí estoy; ¿qué quería decirme?— ¡Hombre! Santos Pérez; pase por acá; siéntese.—¡No! ¿Para qué me ha hecho llamar?" El comandante, sorprendido así, vacila y no sabe qué decir en el momento. Su astuto y osado interlocutor lo comprende, y arrojándole una mirada de desdén y volviéndole la espalda, le dice: "¡Estaba seguro de que quería agarrarme por traición! ¡He venido para convencerme, no más!" Cuando se dió orden al escuadrón de perseguirlo, Santos había desaparecido. Al fin, una noche lo tomaron dentro de la ciudad de Córdoba, por una venganza femenil.

Había dado de golpes a la querida con quien dormía; ésta, sintiéndolo profundamente dormido, se levanta con precaución, le toma las pistolas y el sable, sale a la calle y lo denuncia a una patrulla. Cuando despierta, rodeado de fusiles apuntados a su pecho, echa mano a las pistolas, y, no encontrándolas: "Estoy perdido— dice con serenidad.—¡Me han quitado las pistolas!" El día que lo entraron en Buenos Aires, una muchedumbre inmensa se había reunido en la puerta de la casa del Gobierno.

A su vista gritaba el populacho: "¡Muera Santos Pérez!", y él, meneando desdeñosamente la cabeza y paseando sus miradas por aquella multitud, murmuraba tan sólo estas palabras: "¡Tuviera aquí mi cuchillo!" Al bajar del carro que lo conducía a la cárcel, gritó repetidas veces: "¡Muera el tirano!" y al encaminarse al patíbulo, su talla gigantesca, como

143. Casanovas: commandant appointed to catch the assassins of Quiroga

la de Dantón,[144] dominaba la muchedumbre, y sus miradas se fijaban de vez en cuando en el cadalso como en un andamio de arquitectos.

El Gobierno de Buenos Aires dió un aparato solemne a la ejecución de los asesinos de Juan Facundo Quiroga; la galera ensangrentada y acribillada de balazos estuvo largo tiempo expuesta a examen del pueblo, y el 10 retrato de Quiroga, como la vista del patíbulo y de los ajusticiados, fueron litografiados y distribuidos por millares, como también extractos del proceso, que se dió a luz en un volumen en folio. La Historia imparcial espera todavía datos y revelaciones para señalar con su dedo al instigador de los asesinos.[145]

144. One of the leaders of the French Revolution, later executed by Robespierre as an enemy of the Republic

145. instigador . . . asesinos: Sarmiento implies that this was Rosas.

Bartolomé Mitre

1821-1906

BARTOLOMÉ MITRE was one of those men of universal talent who, though great as men of letters, are even greater as men of deeds. One of Argentina's most distinguished statesmen, the first president of the United Provinces, he was at the same time soldier, archeologist, poet and historian. He himself believed that poetry was his true vocation and regretted that he had been diverted from it by the necessity of defending his country's liberty against the tyranny of Rosas. As a matter of fact, his best poems (and they are not many) were all composed in his youth before he took up the profession of arms. They were collected in a single volume of *Rimas* published in 1854 and dedicated to Sarmiento. Of the five *"Libros"* into which the *Rimas* are divided the only one of lasting significance for the history of literature is the second, *"Armonías de la pampa,"* which contains four *gaucho* poems, including the two following selections. Here the figure of the legendary gaucho, Santos Vega, about whom Hilario Ascasubi had already written some scattered poems, appeared for the first time between the covers of a book.

As an historian Mitre is both erudite and conscientious. In his two major works, *Historia de Belgrano y de la independencia argentina* and *Historia de San Martín y de la emancipación sudamericana* he has set forth with vigor, clarity, and deep understanding the forces which created and preserved the Argentine Republic. His dramatic account of the meeting between the two great heroes of South America, Bolívar and San Martín, has been criticised, however, by some historians, notably those of Colombia, who accuse him of prejudice against the Liberator. Though controversial, the account has been included here because of its extraordinary interest.

The text of the poems presented here is taken from: *Rimas. Texto de la 3a edición (1891) corregida y considerablemente aumentada (por el*

Rte: Jairo Gonzalez
Calle 22 Sur 13508 - Apartado 5589
Cali - Colm:

Sra.
Lena Escondon
6047 Franklin
Omaha . Nebraska   68104
U . S . A .

REPUBLICA DE COLOMBIA

ADMINISTRACION DEL CORREO AEREO

Recibo de

Certificado

V N⁰ 587414

(Sello fechador)

Valor porte $

Destino:

Guarde usted este recibo, sin el no es posible adelantar ninguna averiguación.

Anote usted en el reverso de este recibo el nombre y dirección del remitente y destinatario.

Firma

autor). *Con una introducción de José Cantarell Dart.* (Buenos Aires, La Cultura Argentina, 1916, lviii, 375 pp.) The text of the historical selections is from *Obras completas de Bartolomé Mitre. Edición ordenada por el H. Congreso de la Nación Argentina.* (Buenos Aires, 1938–1940, 5 vols.)

A SANTOS VEGA

Payador argentino [1]

> Cantando me han de enterrar,
> Cantando me he de ir al cielo.
> Santos Vega

Santos Vega, tus cantares
no te han dado excelsa gloria,
mas viven en la memoria
de la turba popular;
y sin tinta ni papel   5
que los salve del olvido,
de padre a hijo han venido
por la tradición oral.

Bardo inculto de la pampa,
como el pájaro canoro   10
tu canto rudo y sonoro
diste a la brisa fugaz;
y tus versos se repiten
en el bosque y en el llano,
por el gaucho americano,   15
por el indio montaraz.

¿Qué te importa, si en el mundo
tu fama no se pregona,
con la rústica corona
del poeta popular?   20
Y es más difícil que en bronce,
en el mármol o granito,

haber sus obras escrito
en la memoria tenaz.

¿Qué te importa? ¡si has vivido   25
cantando cual la cigarra,
al son de humilde guitarra
bajo el ombú colosal!
¡Si tus ojos se han nublado
entre mil aclamaciones,   30
si tus *cielos* [2] y canciones
por tradición vivirán!

Cantando de *pago* [3] en *pago*,
y venciendo payadores,
entre todos los cantores   35
fuiste aclamado el mejor;
pero al fin caíste vencido
en un duelo de armonías,
después de payar dos días;
y moriste de dolor. [4]   40

Como el antiguo guerrero
caído sobre su escudo,
sobre tu instrumento mudo

1. Santos Vega, a gaucho minstrel or *payador*, actually lived and sang in the 1820's and some of his verses, handed down by word of mouth, became part of the Argentine folk-heritage. After his death he underwent a kind of popular apotheosis into the ideal of all gaucho singers.
2. cielos: The *cielo* is a type of folksong which is sung as the accompaniment of a dance.
3. pago: *district*

4. "Histórico. Santos Vega murió de pesar, según tradición, por haber sido vencido por un joven desconocido en el canto que los gauchos llaman de contrapunto, o sea de réplicas improvisadas en verso, al son de la guitarra que pulsa cada uno de los cantores. Cuando la inspiración del improvisador faltó a su mente, su vida se apagó. La tradición popular agrega que aquel cantor desconocido era el diablo, pues sólo él podía haber vencido a Santos Vega." (Mitre's note.)

entregaste tu alma a Dios;
y es fama que al mismo tiempo 45
que tu vida se apagaba
la bordona [5] reventaba
produciendo triste son.

No te hicieron tus paisanos
un entierro majestuoso, 50
ni sepulcro esplendoroso
tu cadáver recibió;
pero un *Pago* [6] te condujo
a caballo hasta la fosa,
y muchedumbre llorosa 55
su última ofrenda te dió.

De noche bajo de un árbol
dice que brilla una llama,
y es tu ánima que se inflama,
¡Santos Vega el Payador! 60
¡Ah! ¡levanta de la tumba!
muestra tu tostada frente,
canta un cielo *derrepente* [7]
o una décima de amor.

Cuando a lo lejos divisan 65
tu sepulcro triste y frío,
oyen del vecino río
tu guitarra resonar.
Y creen escuchar tu voz
en las verdes espadañas, 70
que se mecen cual las cañas,
cual ellas al suspirar.

Y hasta piensan que las aves
dicen al tomar su vuelo:
"¡Cantando me he de ir al cielo; 75
cantando me han de enterrar!"
Y te ven junto al fogón,
sin que nada te arrebate,
saboreando amargo mate
veinticuatro horas payar. 80

Tu alma puebla los desiertos,
y del Sud en la campaña
al lado de una cabaña
se eleva fúnebre cruz;
esa cruz, bajo de un tala [8] 85
solitario, abandonado,
es símbolo venerado
en los campos del Tuyú. [9]

Allí duerme Santos Vega;
de las hojas al arrullo 90
imitar quiere el murmullo
de una fúnebre canción.
No hay pendiente de sus gajos
enlutada y mustia lira,
donde la brisa suspira 95
como un acento de amor.

Pero las ramas del tala
son cual arpas sin modelo,
que formó Dios en el cielo
y arrojó a la soledad. 100
Si el pampero brama airado
y estremece el firmamento,
forman místico concento
el árbol y el vendaval.

Esa música espontánea 105
que produce la natura,
cual tus cantos, sin cultura,
y ruda como tu voz,
tal vez en noche callada,
de blanco cráneo en los huecos, 110
produce los tristes ecos
que oye el pueblo con pavor.

¡Duerme, duerme, Santos Vega!
que mientras en el desierto
se oiga ese vago concierto, 115
tu nombre será inmortal;

5. bordona: *bass string*
6. un Pago: *the whole countryside*
7. derrepente: *improvised*

8. tala: a hard, thorny tree, (*Celtis tala*)
9. Tuyú: a coastal region in the province of Buenos Aires

y lo ha de escuchar el gaucho
tendido en su duro lecho,
mientras en pajizo techo
cante el gallo matinal.

¡Duerme! mientras se despierte
del alba con el lucero
el vigilante tropero
que repita tu cantar,
y que de bosque en laguna,   125
en el repunte o la hierra,[10]

se alce por toda esta tierra
como un coro popular.

120   Y mientras el gaucho errante
al cruzar por la pradera   130
se detenga en su carrera
y baje del alazán,
y ponga el poncho en el suelo
a guisa de pobre alfombra,
y rece bajo esa sombra,   135
¡Santos Vega, duerme en paz!

EL CABALLO DEL GAUCHO

> Mi caballo era mi vida,
> mi bien, mi único tesoro.
> Juan M. Gutiérrez

Mi caballo era ligero
como la luz del lucero
que corre al amanecer;
cuando al galope partía
al instante se veía   5
en los espacios perder.

Sus ojos eran estrellas,
sus patas unas centellas,
que daban chispas y luz:
cuanto lejos divisaba   10
en su carrera alcanzaba,
fuese tigre o avestruz.

Cuando tendía mi brazo
para revolear[11] el lazo
sobre algún toro feroz,   15
si el toro nos embestía,
al fiero animal tendía
de una pechada veloz.[12]

En la guardia de frontera
paraba oreja agorera   20
del indio al sordo tropel,

y con relincho sonoro
daba el alerta mi moro[13]
como centinela fiel.

En medio de la pelea,   25
donde el coraje campea,
se lanzaba con ardor;
y su estridente bufido
cual del clarín el sonido
daba al jinete valor.   30

A mi lado ha envejecido,
y hoy está cual yo rendido
por la fatiga y la edad;
pero es mi sombra en verano,
y mi brújula en el llano,   35
mi amigo en la soledad.

Ya no vamos de carrera
por la extendida pradera,
pues somos viejos los dos.
¡Oh mi moro, el cielo quiera   40
acabemos la carrera
muriendo juntos los dos!

10. repunte ... hierra: *roundup and branding*
11. revolear: *to let fly, throw*

12. de ... veloz: *by swiftly butting him with his chest*
13. mi moro: *my dappled horse*

LA HISTORIA DE SAN MARTÍN

LA ENTREVISTA DE GUAYAQUIL [14]

Consumada de hecho la incorporación de Guayaquil, Bolívar, al contestar la carta de San Martín, que le anunciaba su visita, lo invitaba a verlo en "el suelo de Colombia," o a esperarlo en cualquier otro punto, envolviendo en palabras lisonjeras el punto capital, que era "arreglar de común acuerdo la suerte de la América." Decíale: "Con suma satisfacción, dignísimo amigo, doy a usted por la primera vez el título que mucho tiempo ha mi corazón le ha consagrado. Amigo le llamo y este nombre será el que debe quedarnos por la vida, porque la amistad es el único título que corresponde a hermanos de armas, de empresa y de opinión. Tan sensible me será que no venga a esta ciudad, como si fuéramos vencidos en muchas batallas; pero no, no dejará burlada el ansia que tengo de estrechar en el suelo de Colombia al primer amigo de mi corazón y de mi patria... Yo espero a usted y también iré a encontrarle donde quiera esperarme; pero sin desistir de que nos honre en esta ciudad. Pocas horas, como usted dice, bastan para tratar entre militares; pero no serían bastantes esas mismas para satisfacer la pasión de la amistad que va a empezar a disfrutar de la dicha de conocer el objeto caro que le amaba sólo por la opinión, sólo por la fama."

Al firmar Bolívar esta carta, el 25 de julio de 1822, a las 7 de la mañana, anuncióse que se avistaba en el horizonte una vela a la altura de un islote elevado a la boca del golfo llamado "El Muerto." Poco después, la goleta "Macedonia," conduciendo al Protector, echaba anclas frente a la isla de Puná, y la insignia que flotaba en su mástil señalaba la presencia del gran personaje que traía a su bordo. Anunciada la visita, el Libertador mandó saludarle por medio de dos edecanes, ofreciéndole la hospitalidad. Al día siguiente desembarcó San Martín. El pueblo al divisar la falúa que lo conducía, lo aclamó con entusiasmo a lo largo del malecón de la ribera. Un batallón tendido en carrera le hizo los honores. Al llegar a la suntuosa casa que se le tenía preparada, el Libertador le esperaba de gran uniforme, rodeado de su estado mayor al pie de la escalera, y salió a su encuentro. Los dos grandes hombres de la América del Sud se abrazaron por la primera y por la última vez. "Al fin se cumplieron mis deseos de conocer y estrechar la mano del renombrado general San Martín," exclamó Bolívar. San Martín contestó que los suyos es-

14. The events described here took place on July 26 and 27, 1822. San Martín had been engaged in driving the last Spaniards out of Peru after the country had proclaimed its independence from Spain and conferred upon San Martín the title of "Protector." Meanwhile Bolívar, with his army in the north, had been completing the conquest of Quito and incorporating this territory into Greater Colombia. San Martín wrote to Bolívar asking for a conference in which they might discuss together the strategy to be followed in the war and the kind of governments to be set up in the liberated countries.

taban cumplidos al encontrar al Libertador del Norte. Ambos subieron del brazo las escaleras, saludados por grandes aclamaciones populares.

En el salón de honor el Libertador presentó sus generales al Protector. En seguida empezaron a desfilar las corporaciones que iban a saludar al ilustre huésped, presente el que hacía los honores. Una diputación de matronas y señoritas se presentó a darle la bienvenida en una arenga, que él contestó agradeciendo. En seguida, una joven de diez y ocho años, que era la más radiante belleza del Guayas,[15] se adelantó del grupo y ciño la frente del Libertador del Sud con una corona de laurel de oro esmaltado. San Martín, poco acostumbrado a estas manifestaciones teatrales y enemigo de ellas por temperamento, a la inversa de Bolívar, se ruborizó, y quitándose con amabilidad la corona de la cabeza, dijo que no merecía aquella demostración, a que otros eran mas acreedores que él; pero que conservaría el presente por el sentimiento patriótico que lo inspiraba y por las manos que lo ofrecían, como recuerdo de uno de sus días más felices. Luego que se hubo retirado la concurrencia, los dos grandes representantes de la revolución de la América del Sud quedaron solos. Los dos permanecían de pie. Paseáronse algunos instantes por el salón, cambiando palabras que no llegaban a oídos de los edecanes que ocupaban la antesala. Bolívar parecía inquieto; San Martín estaba sereno y reconcentrado. Cerraron la puerta, y hablaron sin testigos por el espacio de más de hora y media. Abrióse luego la puerta; Bolívar se retiró impenetrable y grave como una esfinge, y San

Martín lo acompañó hasta el pie de la escalera con la misma expresión, despidiéndose ambos amistosamente. Más tarde el Protector pagó al Libertador su visita, que fué de mero aparato y sólo duró media hora.

Al día siguiente (27 de julio), San Martín ordenó que se embarcase su equipaje a bordo de su goleta, anunciando que en esa misma noche pensaba hacerse a la vela, después de un gran baile a que estaba invitado. Señal que no esperaba ya nada de la entrevista. A la una del día se dirigió a la casa del Libertador, y encerrados ambos sin testigos, como la víspera, permanecieron cuatro horas en conferencia secreta.

Todo indica que este fué el momento psicológico de la entrevista.

A las 5 de la tarde sentábanse, uno al lado del otro, a la mesa de un espléndido banquete.

Al llegar el momento de los brindis, Bolívar se puso de pie, invitando a la concurrencia a imitar su ejemplo, y dijo: "Por los dos hombres más grandes de la América del Sud: el general San Martín y Yo."

San Martín, a su torno, contestó modestamente, pero con palabras conceptuosas que parecían responder a una preocupación secreta: "Por la pronta conclusión de la guerra; por la organización de las diferentes repúblicas del continente y por la salud del Libertador de Colombia."

Del banquete pasaron al baile. Bolívar se entregó con juvenil ardor a los placeres del vals, que era una de sus pasiones. El baile fué asumiendo la apariencia de una reunión de campamento llanero, por la poca compostura de la oficialidad del Libertador.

15. Guayas: the province of Ecuador in which Guayaquil is situated

que a veces corregía él con palabras crudas y ademanes bruscos, que imprimían a la escena un carácter algo grotesco.

San Martín permanecía frío espectador sin tomar parte en la animación general, observándolo todo con circunspección; pero parecía estar ocupado por pensamientos más serios. A la una de la mañana llamó a su edecán, el coronel Rufino Guido y le dijo: "Vamos; no puedo soportar este bullicio."

Sin que nadie lo advirtiese un ayudante de servicio le hizo salir por una puerta excusada—según lo convenido con Bolívar, de quien se había despe-dido para siempre—y lo condujo hasta el embarcadero.

Una hora después la goleta "Macedonia" se hacía a la vela conduciendo al Protector.

Al día siguiente levantóse muy temprano. Parecía preocupado y permanecía silencioso. Después del almuerzo, paseándose por la cubierta del buque, exclamó:—"¡El Libertador nos ha ganado de mano!" Y al llegar de regreso al Callao encargaba al general Cruz escribiese a O'Higgins:—"¡El Libertador no es el hombre que pensábamos!" Palabras de vencido y de desengañado, que compendiaban los resultados de la entrevista.

LA RETIRADA DE SAN MARTÍN

La retirada de San Martín del Perú, en medio de la plenitud de su gloria, con elementos bastantes para mantenerse en el poder y luchar contra el enemigo, fué un misterio para los contemporáneos, excepto para Bolívar, y, a última hora, para su amigo Guido. Unos la calificaron de acto de abnegación a la manera de Wáshington. Otros la juzgaron como acto de deserción del hombre de acción desalentado, impotente para gobernar los sucesos. El tiempo ha disipado el misterio, y habilitado a la posteridad para pronunciar con conocimiento de causa el juicio definitivo, a que él mismo apeló, en su proclama de despedida.

San Martín, con su claro buen sentido y con su genial modestia, aunque violentándose a sí mismo según confesión propia, se dió cuenta exacta de la situación y de sus deberes para con ella, y los cumplió con pru-dente abnegación. Se reconoció vencido como hombre de poder eficiente para el bien, y exclamó resignado: "¡El destino lo dispone así!" No se creyó un hombre necesario, y pensó que la causa a que había consagrado su vida podía triunfar mejor sin él que con él. Al sondar su conciencia, debió comprender que no era como Macabeo [16] el caudillo de su propia patria y no tenía el derecho de exigir sacrificios al pueblo en holocausto de su predominio personal. Sin voluntad para ser déspota y sin el suficiente poder material para terminar la lucha con fuerzas eficientes, abdicó, eligiendo su hora, para descender antes de caer empujado por acontecimientos que no estaba en su mano detener. Comprendió que era un obstáculo para la reconcentración de las fuerzas continentales, y se apartó del camino abriendo paso a una ambición absor-

16. Macabeo: The story of Judas Maccabeus is told in the *Apocrypha*, I *Maccabees*, II–IX.

bente, que era una fuerza, y cuya dilatación era indispensable en último caso para el triunfo de la independencia sudamericana. Podía luchar, pero no estaba seguro de triunfar solo. Bolívar tenía en sus manos el rayo que a uno de sus gestos podía fulminar las últimas reliquias del poder colonial de la España en América, pero a condición de no compartir con él ni con nadie su gloria olímpica. Al reconocer el temple de sus armas, vió que le faltaban las fuerzas morales de la opinión, y que su ejército no estaba identificado con su misión de libertador como cuando en Rancagua [17] le confiara su bandera. Al pasar revista a los once mil soldados libertadores por él reunidos en el último campo de batalla de la independencia, calculó que podía tentarse con ellos el último esfuerzo con probabilidades de éxito; pero en previsión de un contraste, a fin de no privar al Perú de la poderosa reserva de Colombia, que en todo caso restablecería el contraste y fijaría la victoria, se retiró, sacrificando estoicamente, como dijo, "hasta su honor militar." Previó que, en término fatal, su gran personalidad se chocaría con la gran personalidad de Bolívar, con escándalo del mundo, retardando el triunfo de la América con

mayores sacrificios inútiles, y se eliminó. Como el centinela que ha cumplido su facción, entregó al vencedor de Boyacá y de Carabobo la espada de Chacabuco y Maipú, para que coronase las grandes victorias de las armas redentoras de las dos hegemonías sudamericanas.

Tal es el significado histórico y el sentido político y moral de lo que se ha llamado la abdicación de San Martín. No fué un acto espontáneo como el de Wáshington, al poner prudente término a su carrera cívica. No tuvo su origen ni en un arranque generoso del corazón, ni en una idea abstracta. Fué una resolución aconsejada por el instinto sano y un acto impuesto por la necesidad, ejecutado con previsión y conciencia. Resultado lógico de una madura reflexión, con el conocimiento de sí mismo y de los hombres y las cosas de su tiempo, lo que tiene de grande es lo que tiene de forzado y de deliberado a la vez. Si no una abdicación voluntaria, fué una cesión de destinos futuros para asegurar mejor el beneficio de los trabajos de ambos libertadores, a ahorrar a la América sacrificios innecesarios, a costa del sacrificio de una ambición personal, que no era ya un factor necesario.

LA MUERTE DE SAN MARTIN

Un año después de expirar Bolívar en Santa Marta, fué atacado San Martín por el cólera, que por aquel tiempo asoló la Europa [18] (octubre de 1832). Vivía en el campo con su hija, y sólo contaba con los pobres recursos

que le había proporcionado la venta de la casa donada por el congreso argentino por la victoria de Maipú. Su destino, según sus propias palabras, era ir a morir en un hospital. Un antiguo compañero de armas suyo

---

17. Rancagua: scene of the defeat of the Chilean army in 1814. It proved to be a turn-

ing point in the morale of the patriot soldiers.
18. Europa: San Martín went to France, a voluntary exile, in 1823.

en la guerra de la península, un español, el opulento banquero Aguado, vino en su auxilio y le salvó la vida, sacándolo de la miseria. Le hizo adquirir la pequeña residencia de campo de Grand Bourg, a orillas del Sena, a inmediaciones del olmo que, según tradición, plantaron los soldados de Enrique IV que sitiaban a París. Allí, en una sencilla habitación rodeada de árboles y flores, en que abundaban las plantas americanas que él mismo cultivaba, vivió largos años triste y concentrado, pero sereno, llevando el peso de su ostracismo voluntario, quejoso a veces de la ingratitud de los hombres y deplorando la triste suerte de los pueblos por cuya independencia tanto había trabajado, aunque sin desesperar de sus destinos. Sólo una vez se reanimó su antiguo entusiasmo, y fué cuando, por un estrecho criterio que estaba en su naturaleza y en sus antecedentes históricos, creyó ver amenazada la independencia y el honor de su patria por las cuestiones de la Francia y la Inglaterra con el tirano Rosas (1845–1849), manifestando con la autoridad de su nombre y de su experiencia militar que la América era inconquistable por la Europa. Sus instintos de criollo despertaban. Consecuente con este modo de ver, legó al tirano de su patria: "el sable que me ha acompañado en toda la guerra de la independencia de la América del Sud," son las palabras de su testamento, "como prueba de la satisfacción que como argentino he tenido al ver la firmeza con que el general Rosas ha sostenido el honor de la República contra las injustas pretensiones de los extranjeros que trataban de humillarla." En presencia de la muerte, como en el curso de su carrera heroica, él no veía ni quería comprender otra cosa que la independencia, que fué la pasión de su vida, a la que sacrificaba todo, no obstante condenar los actos crueles del tirano a quien honraba más allá de sus días. No es posible salir inmaculado en la lucha de la vida, y es desgracia de los grandes hombres sobrevivir a su época cuando ni tienen una misión que llenar en la tierra, y cuando sin la noción de la vida contemporánea, su alma no se agita al soplo de las pasiones que la rodean.

Al fin llegó el término de su trabajada existencia. La muerte empezó por los ojos. La catarata, esa mortaja de la visión, empezó a tejer su tela fúnebre. Cuando el famoso oculista Sichel le prohibió la lectura,—otra de sus pasiones,—su alma se sumergió en la oscuridad de una profunda tristeza. La muerte asestó el último golpe al centro del organismo. La aneurisma que llevó siempre latente en su seno amortiguó las palpitaciones de su gran corazón. Trasladóse a Boulogne-sur-Mer, en busca, como Bolívar, de las brisas vivificantes de la mar, y allí tuvo la conciencia de su próximo fin. El 13 de agosto, hallándose de pie en la playa del canal de la Mancha, con la vista apagada perdida en el nebuloso horizonte, sintió el primer síntoma mortal. Llevó la mano al corazón, y dijo con una pálida sonrisa a su hija que le acompañaba como una Antígona: [19] "C'est l'orage qui mène au port!" [20] El 17 de agosto de 1850 em-

---

19. Antígona: the daughter of Oedipus, who devotedly accompanied her blind father until his death

20. C'est . . . port!: *It is the storm which is driving us into the harbor.*

pezó su agonía. "Ésta es la fatiga de la muerte," exclamó, y expiró en brazos de la hija de su amor, a las tres de la tarde, a la edad de setenta y dos años y seis meses, para renacer a la vida de la inmortalidad. Chile y la República Argentina le levantaron estatuas. El Perú le debe todavía la que le decretó. La Nación Argentina, unida y constituida según sus votos, repatrió sus restos mortales, celebró su apoteosis, y le erigió su monumento fúnebre en la catedral de su metrópoli como al más grande de sus trascendentales hombres de acción consciente.

EL CARÁCTER DE SAN MARTÍN

San Martín concibió grandes planes políticos y militares, que al principio parecieron una locura, y luego se convirtieron en conciencia que él convirtió en hecho. Tuvo la primera intuición del camino de la victoria continental, no para satisfacer designios personales, sino para multiplicar la fuerza humana con el menor esfuerzo posible. Organizó ejércitos poderosos, que pesaron con sus bayonetas en las balanzas del destino, no a la sombra de la bandera pretoriana, no del pendón personal, sino bajo las austeras leyes de la disciplina, inoculándoles una pasión que los dotó de un alma. Tuvo el instinto de la moderación y del desinterés, y antepuso siempre el bien público al interés personal. Fundó repúblicas, no como pedestales de su engrandecimiento, sino para que vivieran y se perpetuaran por sí, según su genialidad libre. Mandó, no por ambición, y solamente mientras consideró que el poder era un instrumento útil para la tarea que el destino le había impuesto. Fué conquistador y libertador, sin fatigar a los pueblos por él redimidos de la esclavitud, con su ambición o su orgullo. Abdicó conscientemente el mando supremo en medio de la plenitud de su gloria, si no de su poder, sin debilidad, sin cansancio y sin enojo, cuando comprendió que su tarea había terminado, y que otro podía continuarla con más provecho para la América. Se condenó deliberadamente al ostracismo y al silencio, no por egoísmo ni cobardía, sino en homenaje a sus principios morales y en holocausto a su causa. Sólo dos veces habló de sí mismo en la vida, y fué pensando en los demás. Pasó sus últimos años en la soledad con estoica resignación, y murió sin quejas cobardes en los labios, sin odios amargos en el corazón, viendo triunfante su obra y deprimida su gloria. Salvador de la independencia de su patria en momentos en que la República Argentina vacilaba sobre sus cimientos, fundó dos repúblicas más,[21] y cooperó directamente a la emancipación de la América del Sud. Es el primer capitán del Nuevo Mundo, y el único que haya suministrado lecciones y ejemplos a la estrategia moderna, en un teatro nuevo de guerra, con combinaciones originales inspiradas sobre el terreno, al través de un vasto continente, marcando su itinerario militar con triunfos matemáticos y con la creación de nuevas naciones que le han sobrevivido.

El carácter de San Martín es uno de aquellos que se imponen a la historia.

21. dos . . . más: Chile and Peru

Su acción se prolonga en el tiempo y su influencia se trasmite a su posteridad como hombre de acción consciente. El germen de una idea por él incubada, que brota de las entrañas de la tierra nativa, se deposita en su alma y es el campeón de esa idea. Como general de la hegemonía argentina primero, y de la chileno-argentina después, es el heraldo de los principios fundamentales que han dado su constitución internacional a la América, cohesión a sus partes componentes y equilibrio a sus estados independientes. Con todas sus deficiencias intelectuales y sus errores políticos, con su genio limitado y meramente concreto; con su escuela militar más metódica que inspirada, y a pesar de sus desfallecimientos en el curso de su trabajada vida, es el hombre de acción deliberada y transcendental más bien equilibrada que haya producido la revolución sudamericana. Fiel a la máxima que regló su vida: "Fué lo que debía ser," y antes que ser lo que no debía, prefirió: "No ser nada." Por eso vivirá en la inmortalidad.

Note on the *Lengua gauchesca*

The *lengua gauchesca*, as transcribed by Del Campo and Hernández, differs from Castilian Spanish chiefly in the following ways:

1. *Accentuation*
   a. Any two adjacent vowels are pronounced as a diphthong with the accent on the more open of the vowels: ái for ahí; cáir for caer; óido for oído.
   b. The personal pronouns in enclitic position are strongly accented; sometimes two accents are thus indicated for the same word: rastriándolé, hágasé.

2. *Vowel Changes*
   a. e and i, o and u frequently take each other's proper places in unaccented syllables: cair for caer, riunidas for reunidas; medecina for medicina, polecía for policía; tuito for todito, aura for ahora; sepoltura for sepultura, coyontura for coyuntura.
   b. e sometimes changes to ie in accented syllables: Prienda for prenda, ausiencia for ausencia; the reverse is also true: cencia for ciencia.

3. *Consonant Changes*
   a. Spelling has been changed in many words to indicate the normal Spanish American pronunciation, thus
   (1) Since the *theta* sound of Castilian is replaced by a sibilant s, the letter s is often substituted for c and z.
   (2) Since the *ll* sound of Castilian is replaced by the sound of consonantal *y* the letter y is often substituted for ll.
   (3) Since x is pronounced like a sibilant s, the letter s is substituted for x.
   (4) Silent h at the beginning of a word or syllable is sometimes omitted: oyo for hoyo.
   (5) The sound of hi appears sometimes as y: yel for hiel, yerras for hierras.
   (6) Final d is silent, so the letter d is omitted and the preceding vowel accented: verdá for verdad, sé for sed.
   (7) The d between two vowels disappears, especially in past participles; hablao for hablado, perdío for perdido.
   (8) Since the sound of b and v are identical, b is often substituted for v: carabanes for caravanes.
   b. Combinations of consonants difficult to pronounce are simplified: istante for instante; acidente for accidente; pato for pacto; osequiar for obsequiar; persine for persigne.

303

  c. Other substitutions are:
(1) g takes the place of b in some words, of h in others: güeno for bueno; güesos for huesos, güerta for huerta.
(2) j takes the place of f in some words, of h in others: juego for fuego, juror for furor; jediendo for hediendo, jedor for hedor.
(3) l and r take each other's places: ploclama for proclama, pelegrinaciones for peregrinaciones; cárculo for cálculo.
(4) l sometimes takes the place of d: alvertir for advertir, almitían for admitían.
(5) ñ sometimes takes the place of n: giñebra for ginebra.
(6) b is sometimes inserted after m: lamber for lamer.
4. *Elisions*
  a. The preposition a is omitted before a word beginning with a.
  b. Short prepositions are made still shorter: pa for para; e for de
5. *Metathesis* of both letters and syllables is frequent: revelar for relevar; redepente for de repente, vedera for vereda
6. *Unorthodox Prefixes* are common: dentrar for entrar, dir for ir; afijo for fijo; (sometimes for emphasis: renegrida *very* black).
7. *Irregularities in verb forms* are made by false analogy to other verbs: creiba for creía, traiban for traían, vía for veía, oiban for oían; haiga for haya.
8. Archaic Forms have been retained: asina and ansi for así; asigún for según; ande for donde; mesmo for mismo, naide for nadie; dende for desde; trujo for trajo; vido for vió.

It should be noted, however, that the poets are not always consistent in their use of these irregularities.

For a fuller discussion of the gaucho dialect see "Advertencia lingüística" by E. F. Tiscornia, in *Martín Fierro* (Buenos Aires, Losada, [1943], pp. 17–20).

Estanislao del Campo

1834-1880

ESTANISLAO DEL CAMPO was a city man, born and bred. He learned to know the gauchos first in the poems of Hilario Ascasubi and then in real life in the wars that followed the collapse of Rosas' regime. In his earliest poems del Campo openly imitated Ascasubi's style and chose as his gaucho pseudonym "Anastasio el Pollo" in flattering tribute to Ascasubi's "Aniceto el Gallo." But del Campo was a more cultured man and a greater poet than Ascasubi. His masterpiece, *Fausto,* is the gayest and jolliest piece of gaucho literature. It describes the gaucho's experiences—not as a soldier in a military camp like Ascasubi's heroes, nor as a hunted exile on the lonely pampa like Martín Fierro, but as a casual visitor to that urban center of culture—the opera house.

On a trip to Buenos Aires "Anastasio el Pollo" has happened by chance to have entered the opera house when a production of Gounod's *Faust* was being given. What took place on the stage he has naïvely accepted as factual events. Back home again, while watering his horse on the riverbank, he meets his friend, "Laguna," and tells him all about the experience.

The understanding and skill with which del Campo has recorded "El Pollo's" impressions, emotions, and language have made this work one of the classics of the *literatura gauchesca.*

FAUSTO

1

En un overo rosao,[1]
flete[2] nuevo y parejito,[3]

cáia[4] al Bajo,[5] al trotecito,
y lindamente sentao,[6]

1. overo rosao (rosado): *piebald* or *calico horse*
2. flete: *horse, steed*
3. parejito: *speedy, fast*

4. cáia (caía): *went down*
5. Bajo: el Bajo is a section of Buenos Aires, formerly a tidal flat
6. sentao (sentado): *mounted*

un paisano [7] del Bragao,[8]
de apelativo [9] Laguna,
mozo jinetazo [10] ¡ahijuna!
como creo que no hay otro,
capaz de llevar un potro [11]
a sofrenarlo en la luna.[12]　　10

¡Ah criollo! si parecía
pegao en el animal
que aunque era medio bagual [13]
a la rienda obedecía
de suerte que se creería　　15
ser no sólo arrocinao,[14]
sino también del recao
de alguna moza pueblera.[15]
¡Ah Cristo! ¡quien lo tuviera! . . .
¡Lindo el overo rosao!　　20

Como que era escarciador [16]
vivaracho y coscojero,[17]
le iba sonando [18] al overo
la plata que era un primor; [19]
pues eran plata el fiador,[20]　　25
pretal,[21] espuelas, virolas,[22]
y en las cabezadas [23] solas
tráia el hombre un Potosí: [24]
¡qué! . . . ¡si tráia, para mí,[25]
hasta de plata las bolas!　　30

5　En fin, como iba a contar,
Laguna al río llegó,
contra una tosca se apió [26]
y empezó a desensillar.[27]
En esto, dentró a orejiar [28]　　35
y a resollar [29] el overo
y jué que vido [30] un sombrero
que del viento se volaba [31]
de entre una ropa,[32] que estaba
más allá, contra un apero.[33]　　40

Dió güelta [34] y dijo el paisano:
—¡Vaya, "Záfiro"! ¿qué es eso?
y le acarició el pescuezo
con la palma de la mano.
Un relincho soberano　　45
pegó [35] el overo que vía [36]
a un paisano que salía
del agua, en un colorao,[37]
que al mesmo overo rosao
nada le desmerecía.[38]　　50

Cuando el flete relinchó,
media güelta dió Laguna,
y ya pegó el grito:—¡Ahijuna!
¿No es el Pollo?
　　　　　—Pollo, no,

7. paisano: *native*
8. Bragao (Bragado): district in the western part of the province of Buenos Aires
9. de apelativo: *by name*
10. jinetazo: *hard riding;* ahijuna: exclamation lending emphasis to the statement
11. llevar un potro: *to manage a young horse*
12. sofrenarlo . . . luna: *to rein him in*
13. bagual: *wild*
14. arrocinao (arrocinado): *tame as an old nag*
15. sino . . . pueblera: *but fitted out to carry a city girl*
16. escarciador (escarceador): *head-tosser*
17. coscojero: *bit-champer*
18. sonando: *jingling*
19. primor: *a beautiful sight*
20. fiador: *collar*
21. pretal: *breast strap*
22. virolas: *check ring*
23. cabezadas: *headstall* (of the bridle)

24. Potosí: the rich old silver city of colonial Peru (now part of Bolivia). Its name became synonymous with "fortune," "wealth."
25. si tráia, para mí; *why, I believe that he had*
26. contra . . . apió: *dismounted beside a limestone flat*
27. desensillar: *unsaddle*
28. dentró de orejiar (orejear): *began to prick up his ears*
29. resollar: *snort*
30. y jué que vido = y fué que vió
31. que . . . volaba: *blown by the wind*
32. una ropa: *a pile of clothes*
33. apero: *riding gear*
34. güelta = vuelta
35. Un relincho . . . pegó: *Gave a loud neigh*
36. vía = veía
37. colorao (colorado): *bay horse*
38. que . . . desmerecía: *which was in no way inferior to the piebald horse*

ese tiempo se pasó,[39] 55
(contestó el otro paisano),
ya soy jaca [40] vieja, hermano,
con las púas como anzuelo,[41]
y a quien ya le niega el suelo
hasta el más remoto grano. 60

Se apió el Pollo y se pegaron
tal abrazo con Laguna,
que sus dos almas en una
acaso se misturaron.[42]
Cuando se desenredaron,[43] 65
después de haber lagrimiao,[44]
el overito rosao
una oreja se rascaba,
visto que la refregaba
en la clin del colorao. 70

—Velay, tienda el cojinillo,[45]
don Laguna, siéntesé
y un ratito aguárdemé
mientras maneo [46] el potrillo,
vaya armando un cigarrillo,[47] 75
si es que el vicio no ha olvidao.
Ahí tiene contra el recao [48]
cuchillo, papel y un naco; [49]
yo siempre pico el tabaco [50]
por no pitarlo aventao.[51] 80

—Vaya, amigo, le haré gasto . . .[52]
—¿No quiere maniar su overo?
—Déjeló a mi parejero [53]
que es como mata de pasto. [54]
Ya una vez, cuando el abasto,[55] 85
mi cuñao se desmayó;
a los tres días volvió
del insulto [56] y, crea, amigo,
peligra lo que le digo: [57]
el flete ni se movió. 90

—¡Bien haiga gaucho embustero! [58]
¿Sabe que no me esperaba
que soltase una guayaba [59]
de ese tamaño, aparcero [60]?
Ya colijo que su overo 95
está tan bien enseñao,[61]
que si en vez de desmayao
el otro hubiera estao muerto,
el fin del mundo, por cierto,
me lo encuentra allí parao.[62] 100

—Vean cómo le buscó
la güelta . . .[63] ¡bien haiga [64] el Pollo!
Siempre larga todo el rollo
de su lazo . . .

      —Y cómo no!
¿O se ha figurao que yo 105

39. Pollo . . . pasó: *I'm no longer a "(spring) chicken"*
40. jaca: *rooster*
41. con . . . anzuela: *with spurs bent over like fishhooks*
42. se misturaron (mixturaron): *blended*
43. desenredaron: *untangled themselves*
44. lagrimiao (lagrimeado): *shed a few tears*
45. Velay . . . cojinillo: *Come, spread out your saddle pad.* The form *Velay* is a contraction from *Vedla ahí,* "Look here now," or more simply, "Come."
46. maneo: *I hobble*
47. vaya . . . cigarillo: *go ahead and roll yourself a cigarette*
48. contra el recao (al lado del recado): *beside the saddle trappings*
49. naco: *a twist of black tobacco*
50. pico el tabaco: *I cut the tobacco fresh* (from the twist)
51. por no pitarlo aventao: *in order not to*

smoke it with the flavor all gone
52. le haré gasto: *I'll take you up on that*
53. parejero: *horse*
54. como . . . pasto: *as a clump of grass* (in that he stands so still)
55. cuando el abasto: *while getting his provisions*
56. del insulto: *from the fainting fit*
57. peligra . . . digo: *hard as it may be to believe what I say*
58. Bien . . . embustero: *What a lying gaucho! (You certainly can tell them!)*
59. guayaba: *tall story, "whopper"*
60. aparcero: *friend, pal*
61. enseñao (enseñado): *trained*
62. el fin . . . parao: *He would, of course, be still standing there at judgment day* (the end of the world), *I suppose*
63. buscó la güelta: *you turned the story on me*
64. bien haiga: *what a . . . !*

ansina no más las trago? [65]
¡Hágasé cargo! . . .[66]
      —¡Ya me hago! . . .
—Prieste el juego.[67]
        —Tómeló.
—Y aura [68] le pregunto yo:
¿Qué anda [69] haciendo en este pa-
go? [70]   110

—Hace como una semana [71]
que he bajao a la ciudá,
pues tengo necesidá
de ver si cobro una lana;[72]
pero me andan con [73] *mañana*   115
y *no hay plata, y venga luego;*
hoy no más [74] cuasi le pego
en las aspas con la argolla [75]
a un gringo,[76] que aunque es de embrolla,[77]
ya le he maliciao el juego.[78]   120

—Con el cuento de la guerra [79]
andan matreros los cobres.[80]
—Vamos a morir de pobres

los paisanos de esta tierra.
Yo cuasi he ganao la sierra [81]   125
de puro desesperao . . .
—Yo me encuentro tan cortao [82]
que a veces se me hace cierto
que hasta ando jediendo a muerto.[83]
—Pues yo me hallo hasta *empeñao.*[84] 130

—¡Vaya un lamentarse! ¡Ahijuna! . . .
Y eso es de vicio, aparcero:
a usté lo ha hecho su ternero
la vaca de la fortuna.[85]
Y no llore, don Laguna,   135
no me lo castigue Dios:
si no, comparémoslós
mis tientos con su chapiao,[86]
y así en limpio habrá quedao
el más pobre de los dos.[87]   140

—¡Vean si es escarbador
este Pollo! [88] ¡Virgen mía!
si es pura chafalonía . . .[89]
—¡Eso sí, siempre pintor! [90]
—Se la gané a un jugador   145

65. O . . . trago: *Or did you think I just swallow them whole?*
66. Hágasé cargo: *Take that into consideration, don't forget it*
67. Prieste el juego (Preste el fuego): *Give me a light.*
68. aura = ahora
69. anda = está
70. en este pago: *hereabouts*
71. Hace . . . semana: *About a week ago*
72. si . . . lana: *if I can collect for some wool*
73. pero me andan con . . . : *but they come at me with:* "*Wait till tomorrow,*" and "*There's no money,*" and "*Come again later on.*'
74. no más: *just*
75. pego . . . argolla: *I hit on the forehead with the ring* (of my lasso); aspas = cuernos
76. gringo: foreign immigrant, usually Italian
77. de embrolla: *looking for trouble*
78. le . . . juego: *I spoiled his game for him*
79. Con . . . guerra: *With this old story about the war.* The war referred to is that between Argentine and Paraguay, 1865–1869.

80. andan . . . cobres: *pennies are pretty scarce*
81. cuasi . . . sierra: *I've been about ready to take to the hills.* The hills of the district of Tandil in the southern part of the province of Buenos Aires were a place of refuge, and offered abundant subsistence to outlaws.
82. cortao (cortado): "*strapped,*" *short of money*
83. jediendo (hediendo) a muerto: *stinking of death.* A proverb runs: "*Hombre pobre hiede a muerto.*"
84. empeñao (empeñado): *in debt*
85. a usté . . . fortuna: *The cow of fortune has made you its calf,* i. e. *You're the very darling of fortune*
86. mis . . . chapiao (chapeado): *my crude straps with your* [silver covered] *trappings*
87. y asi . . . los dos: *and it will be plain,* [which is] *the poorer of us two*
88. ¡Vean . . . Pollo!: *Well if this Chicken isn't some scratcher!*
89. si . . . chafalonía: *Why, it's nothing but old plate*
90. siempre pintor: *always boasting. Don't pretend to be modest!*

que vino a echarla de güeno.[91]
Primero le gané el freno
con riendas y cabezadas,
y en otras cuantas jugadas
perdió el hombre hasta lo ajeno.[92]   150

¿Y sabe lo que decía
cuando se veía en la mala?[93]
El que me ha pelao la chala
debe tener brujería.[94]
A la cuenta[95] se creería   155
que el Diablo y yo...
                        —¡Cállesé!
¿Amigo, no sabe usté
que la otra noche lo he visto
al demonio?
                        —¡Jesucristo!...
—Hace bien, santígüesé,   160

—¡Pues no me he de santiguar!
Con esas cosas no juego;
pero no importa, le ruego
que me dentre a relatar
el cómo llegó a topar[96]   165
con *el malo.*[97] ¡Virgen santa!
Sólo el pensarlo me espanta...
—Güeno, le voy a contar
pero antes voy a buscar
con qué mojar la garganta.   170

El Pollo se levantó
y se jué en su colorao,
y en el overo rosao
Laguna al agua dentró.[98]
Todo el baño que le dió   175
jué dentrada por salida[99]
y a la tosca consabida
don Laguna se volvió,
ande[100] a don Pollo lo halló
con un frasco de bebida.   180

—Lárguesé[101] al suelo, cuñao,[102]
y vaya haciéndosé cargo,
que puede ser más que largo
el cuento que le he ofertao.[103]
Desmanee[104] el colorao,   185
desate su maniador,[105]
y en ancas,[106] haga el favor
de acollararlos...[107]
                        —Al grito.[108]
¿Es manso el coloradito?
—¡Es como trébol de olor![109]   190

—Ya están acollaraditos...[110]
—Déle un beso[111] a esa giñebra;
yo le hice sonar, de una hebra,[112]
lo menos diez golgoritos[113]...
—Pero ésos son muy poquitos   195
para un criollo como usté,

---

91. vino...güeno: *was putting on airs*
92. lo ajeno: *other people's money*
93. en la mala: *out of luck*
94. El que...brujería: *The one who has beaten* (plucked) *me must have used witchcraft.*
95. A la cuenta: *According to his account, to hear him tell it*
96. el...topar: *how you happened to meet*
97. el malo = el diablo
98. dentró = entró
99. jué (fué)...salida: *was to go in and come right out again*
100. ande = donde
101. Lárguesé: *Stretch out*
102. cuñao (cuñado): here no relationship is indicated, simply *friend, pal*

103. ofertao = ofrecido
104. Desmanee: *Unhobble*
105. maniador: *hobble rope* (of leather)
106. en ancas = además: *then, after that*
107. acollararlos: *tether them* (the two horses) *together*
108. al grito = al momento, en seguida
109. trébol de olor: *fragrant clover* (cf. English: *sweet as a daisy*)
110. acollaraditos: *now they are nicely tethered together.* The diminutive is used to express the speaker's pleasure in the action.
111. déle un beso = tome un trago
112. de una hebra = de un golpe, sin interrupción
113. yo le...golgoritos: *I made it give at least ten trills in a row.*

capaz de prendérselé
a una pipa de lejía...[114]
—Hubo un tiempo en que solía...
—Vaya, amigo, lárguesé.   200

2

—Como a eso de la oración [115]
aura [116] cuatro o cinco noches,
vide [117] una fila de coches
contra el tiatro de Colón.[118]

La gente en el corredor,   5
como hacienda amontonada,[119]
pujaba desesperada
por llegar al mostrador.[120]

Allí a juerza [121] de sudar
y a punta de [122] hombro y de codo,   10
hice, amigaso,[123] de modo
que al fin me pude arrimar.[124]

Cuando compré mi dentrada [125]
y di güelta... ¡Cristo mío!
estaba pior el gentío   15
que una mar alborotada.

Era a causa de una vieja
que le había dao el mal...[126]

—Y si es chico ese corral,
¿a qué encierran tanta oveja?   20

—Ahí verá: por fin, cuñao,
a juerza de arrempujón,[127]
salí como mancarrón [128]
que lo sueltan trasijao.[129]

Mis botas nuevas quedaron   25
lo propio que picadillo,[130]
y el fleco del calzoncillo [131]
hilo a hilo me sacaron.

Y para colmo, cuñao,
de toda esta desventura,   30
el puñal, de la cintura
me lo habían refalao.[132]

—Algún gringo como luz
para la uña,[133] ha de haber sido,
—¡Y no haberlo yo sentido!   35
En fin, ya le hice la cruz.[134]

Medio cansao y tristón
por la pérdida, dentré
y una escalera trepé
con ciento y un escalón.   40

Llegué a un alto,[135] finalmente,
ande va la paisanada,[136]

114. capaz...lejía: *capable of drinking a hogshead of lye*
115. Como...oración: *At about the time of the Angelus*
116. aura (ahora) = hace
117. vide = vi
118. contra el tiatro (teatro) de Colón: The Teatro de Colón in Buenos Aires opened its doors April 25, 1857. It served as theater and opera house until September 13, 1888, after which date the building was purchased by the National Bank.
119. como...amontonada: *herded together like cattle*
120. mostrador: *box office, ticket window.* Note that Pollo's description of the opera house is given in terms of the *pulpería.*
121. juerza = fuerza

122. a punta de: *with the help of*
123. amigaso = amigote
124. arrimar: *get near*
125. dentrada (entrada): *admission ticket*
126. que...dao (dado) el mal: *who had had a fainting spell*
127. arrempujón (rempujón): *shoving*
128. mancarrón: *jaded old nag*
129. trasijao (trasijado): *lean, skinny*
130. picadillo: *mincemeat, tatters*
131. el fleco del calzoncillo: *fringe of my drawers*
132. refalao (refalado): *stolen, robbed*
133. como...uña: *swift as light in the theft*
134. le...cruz: *I gave it up as lost*
135. un alto: *a high place* (top gallery)
136. paisanada: *poorer people*

que era la última camada [137]
en la estiba [138] de la gente:

Ni bien me había sentao,   45
rompió de golpe la banda,[139]
que detrás de la baranda
la habían acomodao.[140]

Y ya tamién se corrió
un lienzo grande,[141] de modo   50
que a dentrar con flete y todo
me aventa,[142] créameló.

Atrás de aquel cortinao [143]
un dotor [144] apareció,
que asigún oí decir yo,   55
era un tal Fausto, mentao.[145]

—¿Dotor dice? Coronel [146]
de la otra banda,[147] amigaso;
lo conozco a ese criollaso [148]
porque he servido con él.   60

—Yo tamién lo conocí
pero el pobre ya murió.
¡Bastantes veces montó
un saino [149] que yo le di!

Déjeló al que está en el cielo   65
que es otro Fausto el que digo,

pues bien puede haber, amigo,
dos burros del mesmo pelo.

—No he visto gaucho más quiebra
para retrucar [150] ¡ahijuna! . . .   70
—Déjemé hacer, don Laguna
dos gárgaras de giñebra.[151]

Pues como le iba diciendo,
el Dotor apareció
y, en público, se quejó   75
de que andaba padeciendo.

Dijo que nada podía
con la cencia [152] que estudió,
que él a una rubia quería,
pero que a él la rubia no.   80

Que, al ñudo,[153] la pastoriaba [154]
dende [155] el nacer de la aurora,
pues de noche y a toda hora
siempre tras de ella [156] lloraba.

Que de mañana a ordeñar   85
salía muy currutaca,[157]
que él le maniaba [158] la vaca,
pero pare de contar.[159]

Que cansado de sufrir,

137. la última camada: *the top layer*
138. estiba: *stowage* (of the audience in the theater)
139. rompió . . . banda: *the orchestra (band) suddenly started to play*
140. acomodao (acomodado): *placed*
141. un lienzo grande: *a big tarpaulin* (the curtain)
142. de modo que . . . aventa: *so that it would have knocked me over, horse and all*
143. Atrás . . . cortinao: *Behind that curtained-off place*
144. dotor = doctor
145. mentao (mentado): *named*
146. Laguna tries to correct Pollo, for the only Faust of whom he has heard is the Uruguayan, Colonel Fausto Aguilar, one of the bravest of the anti-Rosas leaders. He later joined the Argentine forces.
147. la otra banda: the Banda Oriental, the former name of the Republic of Uruguay

148. criollaso (criollazo): *worthy creole, fellow-countryman*
149. saino (zaino): *chestnut horse*
150. más . . . retrucar: *"quicker on the take-up"*
151. Déjemé . . . giñebra: *Let me have a couple of swigs of gin.*
152. cencia = ciencia
153. al ñudo: *in vain*
154. la pastoriaba (pastoreaba): *hung around where he could see her;* pastorear = acechar: *to lie in ambush, wait for*
155. dende = desde
156. tras de ella: *for her*
157. salía muy currutaca: *she came out all neatly dressed*
158. maniaba (maneaba): *hobbled*
159. pero . . . contar: *but let me make a long story short*

y cansado de llorar,   90
al fin se iba a envenenar
porque eso no era vivir.

El hombre allí renegó,
tiró contra el suelo el gorro
y, por fin, en su socorro   95
al mesmo Diablo llamó.

¡Nunca lo hubiera llamao!
¡Viera,[160] sustaso,[161] por Cristo!
¡Ahí mesmo jediendo a misto,[162]
se apareció el condenao!   100

Hace bien: persínesé [163]
que lo mesmito hice yo.
—¿Y cómo no disparó?
—Yo mesmo no sé por qué.

¡Viera al Diablo! Uñas de gato,   105
flacón,[164] un sable largote,[165]
gorro con pluma, capote
y una barba de chivato.

Medias hasta la berija,[166]
con cada ojo como un charco,   110
y cada ceja era un arco
para correr la sortija.[167]

"Aquí estoy a su mandao,
cuente con un servidor,"
le dijo el Díablo al Dotor,   115
que estaba medio asonsao.[168]

"Mi Dotor, no se me asuste
que yo lo vengo a servir:
pida lo que ha de pedir
y ordénemé lo que guste."   120

El Dotor, medio asustao,
le contestó que se juese . . .[169]
—Hizo bien: ¿no le parece?
—Dejuramente,[170] cuñao.

Pero el Diablo comenzó   125
a alegar gastos de viaje
y a medio darle coraje
hasta que lo engatusó.

—¿No era un Dotor muy projundo?[171]
¿Cómo se dejó engañar?   130
—Mandinga [172] es capaz de dar
diez güeltas a medio mundo.[173]

El Diablo volvió a decir:
"Mi Dotor, no se me asuste,
ordénemé lo que guste,   135
pida lo que ha de pedir.

"Si quiere plata, tendrá:
mi bolsa siempre está llena,
y más rico que Anchorena,[174]
con decir 'quiero,' será."   140

"No es por la plata que lloro,"
don Fausto le contestó,
"otra cosa quiero yo
mil veces mejor que el oro."

160. Viera: *You should have seen*
161. sustaso (sustazo): *what a shock*
162. Ahí mesmo jediendo (hediendo) a misto: *Right there reeking of sulphur*
163. persínesé (persígnese): *cross yourself*
164. flacón: *very thin, very lean*
165. largote: *quite long*
166. berija (verija): *middle*
167. para . . . sortija: *suitable for use as a ring in the ring game*—a game in which a ring is suspended on a ribbon and the participants ride past at full speed, trying to put their lances through the ring

168. asonsao (azonzado): *stupefied*
169. juese = fuese
170. Dejuramente = Seguramente
171. projundo = profundo
172. *Mandinga* is one of the popular names for the devil, who has already been referred to as *el diablo, el demonio, el malo,* and *el condenao.*
173. capaz de dar . . . mundo: *capable of turning half the world upside down*
174. Anchorena: a millionaire. The Anchorena family was renowned for its wealth in Argentina during the latter part of the 18th and throughout the 19th centuries.

"Yo todo le puedo dar," 145
retrucó el Rey del Infierno,
"Diga: ¿quiere ser Gobierno?
pues no tiene más que hablar."

"No quiero plata ni mando,"
dijo don Fausto, "yo quiero 150
el corazón todo entero
de quien me tiene penando."

No bien esto el Diablo oyó,
soltó una risa tan fiera,
que toda la noche entera 155
en mis orejas sonó.

Dió en el suelo una patada,[175]
una paré [176] se partió,
y el Dotor, fulo,[177] miró
a su prenda idolatrada. 160

—¡Canejo! . . . ¿Será verdá?
¿Sabe que se me hace cuento? [178]
—No crea que yo le miento:
lo ha visto media ciudá.

¡Ah, don Laguna! ¡si viera 165
qué rubia! . . . Créameló:
creí que estaba viendo yo
alguna virgen de cera.

Vestido azul, medio alzao,[179]
se apareció la muchacha; 170
pelo de oro, como hilacha
de choclo recién cortao.

Blanca como una cuajada,[180]
y celeste la pollera; [181]

don Laguna, si aquello era 175
mirar a la Inmaculada.

Era cada ojo un lucero,[182]
sus dientes, perlas del mar,
y un clavel al reventar
era su boca, aparcero. 180

Ya enderezó como loco
el Dotor cuando la vió,
pero el Diablo lo atajó
diciéndole: —"Poco a poco.

"Si quiere hagamos un pato: [183] 185
usté su alma me ha de dar
y en todo lo he de ayudar.
¿Le parece bien el trato?"

Como el Dotor consintió,
el Diablo sacó un papel 190
y le hizo firmar en él
cuanto la gana le dió.[184]

—¡Dotor, y hacer ese trato!
—¿Qué quiere hacerle,[185] cuñao,
si se topó ese abogao 195
con la horma de su zapato? [186]

Ha de saber que el Dotor
era dentrao en edá,[187]
ansina es que estaba ya
bichoco [188] para el amor. 200

Por eso, al dir [189] a entregar
la contrata consabida,
dijo:—"¿Habrá alguna bebida
que me pueda remozar?"

175. Dió . . . patada: *He stamped on the ground*
176. paré = pared
177. fulo: *amazed*
178. ¿Sabe . . . cuento?: *You know it seems like a yarn to me?*
179. medio alzao (alzado): *with skirt above her ankles*
180. cuajada: *curds of milk*
181. pollera: *hooped skirt*
182. lucero: *morning star*

183. pato = pacto
184. cuanto . . . dió: *whatever he wanted him to*
185. ¿Qué quiere hacerle: *What would you expect him to do?*
186. topó . . . zapato: *when that lawyer (Faust) met his match*
187. dentrao en edá (entrado en edad): *along in years*
188. bichoco: an adjective used of a horse which is old and useless
189. dir = ir

Yo no sé qué brujería,   205
misto,[190] mágica o polvito
le echó el Diablo y . . . ¡Dios bendito!
¡Quién demonios lo creería!

¿Nunca ha visto usté a un gusano
volverse una mariposa?   210
Pues allí la mesma cosa
le pasó al Dotor, paisano.[191]

Canas, gorro y casacón [192]
de pronto se vaporaron,[193]
y en el Dotor ver dejaron   215
a un donoso mocetón.[194]

—¿Qué dice? . . . ¡barbaridá! . . .
¡Cristo padre! . . . ¿Será cierto?
—Mire: que me caiga muerto
si no es la pura verdá.   220

El Diablo entonces mandó
a la rubia que se juese,
y que la paré se uniese,
y la cortina cayó.

A juerza de [195] tanto hablar   225
se me ha secao el garguero:
pase el frasco, compañero.
—¡Pues no se lo he de pasar!

3

—Vea los pingos . . .
                          —¡Ah, hijitos!
son dos fletes soberanos.

—¡Como si jueran hermanos
bebiendo la agua juntitos!

—¿Sabe que es linda la mar? [196]   5
—¡La viera de mañanita
cuando a gatas [197] la puntita
del sol comienza a asomar!

Usté ve venir a esa hora,
roncando la marejada,   10
y ve en la espuma encrespada
los colores de la aurora.

A veces con viento en la anca,[198]
y con la vela al solsito,[199]
se ve cruzar un barquito   15
como una paloma blanca.

Otras, usté ve patente
venir boyando un islote,[200]
y es que trai [201] un camalote [202]
cabestriando [203] la corriente.   20

Y con un campo quebrao
bien se puede comparar
cuando el lomo empieza a hinchar
el río medio alterao.

Las olas chicas, cansadas,   25
a la playa a gatas vienen,
y allí en lamber [204] se entretienen
las arenitas labradas.

190. misto (mixto): *mixture, potion*
191. paisano: *compatriot, friend*
192. casacón: *long, loose coat*
193. vaporaron = evaporaron
194. un donoso mocetón: *a gay, young fellow*
195. A juerza de = A fuerza de
196. la mar: the Río de la Plata, which is so wide near Buenos Aires that it seems as limitless as the sea
197. a gatas = apenas: *scarcely, just*
198. en la anca: *astern*
199. al solsito: *toward the sun*
200. islote: *a floating island of vegetation*

201. trai = trae
202. camalote: an aquatic plant with long stalks and broad leaves which grows abundantly along the banks of the upper Paraná and the Uruguay. These plants frequently become entangled with broken branches of trees and bushes and form large compact masses which float down the rivers in "islotes." Sometimes snakes and other animals are found on them.
203. cabestriando (cabestreando): *following*
204. lamber = lamer

Es lindo ver en los ratos
en que la mar ha bajao,   30
cair velando al desplayao [205]
gaviotas, garzas y patos.

Y en las toscas, es divino,
mirar las olas quebrarse,
como al fin viene a estrellarse   35
el hombre con su destino.

Y no sé qué da el mirar
cuando barrosa y bramando,
sierras de agua viene alzando
embravecida la mar.   40

Parece que el Dios del cielo
se amostrase retobao,[206]
al mirar tanto pecao
como se ve en este suelo.

Y es cosa de bendecir,   45
cuando el Señor la serena,
sobre ancha cama de arena
obligándolá a dormir.

Y es muy lindo ver nadando
a flor de agua algún pescao;   50
van, como plata, cuñao,
las escamas relumbrando.

—¡Ah, Pollo! Ya comenzó
a meniar taba: [207] ¿y el caso? [208]
—Dice muy bien, amigaso;   55
seguiré contándoló.

El lienzo otra vez alzaron
y apareció un bodegón,
ande se armó una reunión [209]
en que algunos se mamaron.[210]   60

Un don Valentín, velay,
se hallaba allí en la ocasión,
capitán muy guapetón
que iba a dir al Paraguay.[211]

Era hermano, el ya nombrao,   65
de la rubia y conversaba
con otro mozo que andaba
viendo de hacerlo cuñao.[212]

Don Silverio [213] o cosa así,
se llamaba este individuo,   70
que me pareció medio ido
o sonso cuando lo vi.

Don Valentín le pedía
que a la rubia le sirviera
en su ausencia . . .
                    —¡Pues, sonsera! [214]   75
¡El otro qué más quería!

—El Capitán, con su vaso,
a los presentes brindó,
y en esto se apareció
de nuevo el Diablo, amigaso.   80

Dijo que si lo almitían [215]
también echaría un trago,
que era por no ser del pago
que allí no lo conocían.

205. desplayao (desplayado): *tidal shore, flat, beach*
206. se amostrase retobao = se mostrase enojado
207. a meniar taba: *to talk at large, to wander away from the point*
208. ¿y el caso?: *What about your story?*
209. ande . . . reunión: *where a gathering was being held*. The second act of *Faust* opens with the scene in Auerbach's cellar.
210. se mamaron: *got drunk*
211. que iba a dir (ir) al Paraguay: *who was going to Paraguay*. In August 1866 a number of Argentine contingents were leaving for the war against Uruguay. El Pollo naturally thinks that Valentin must have been bound for this war.
212. viendo . . . cuñao: *trying to become his brother-in-law*
213. Don Silverio: the Siebel of the opera. This part is usually sung by a woman (alto); this explains El Pollo's remarks that he seemed *"medio ido," "only half there,"* and *"sonso"* (zonzo), *"stupid."*
214. sonsera = zoncería
215. almitían = admitían

Dentrando en conversación
dijo el Diablo que era brujo:
pidió un ajenjo, y lo trujo
el mozo del bodegón.

"No tomo bebida sola,"
dijo el Diablo; se subió   90
a un banco y vi que le echó
agua de una cuarterola.²¹⁶

Como un tiro de jusil ²¹⁷
entre ²¹⁸ la copa sonó,
y a echar llamas comenzó   95
como si juera un candil.

Todo el mundo reculó,
pero el Diablo sin turbarse
les dijo: "No hay que asustarse,"
y la copa se empinó.   100

—¡Qué buche! ¡Dios soberano!
—Por no parecer morao ²¹⁹
el Capitán jué, cuñao,
y le dió al Diablo la mano.

Satanás le registró   105
los dedos con grande afán
y le dijo: "Capitán,
pronto muere, créaló."

El Capitán, retobao,²²⁰
peló la lata,²²¹ y Lusbel ²²²   110
no quiso ser menos que él
y peló un amojosao.²²³

85 Antes de cruzar su acero,
el Diablo el suelo rayó: ²²⁴
¡Viera el juego que salió! . . .²²⁵ 115
—¡Qué sable para yesquero! ²²⁶

—¿Qué dice? ¡Había de oler
el jedor que iba largando ²²⁷
mientras estaba chispiando ²²⁸
el sable de Lucifer!   120

No bien a tocarse van
las hojas, ²²⁹ créameló,
la mitá al suelo cayó
del sable del Capitán.

"¡Éste es el Diablo en figura   125
de hombre!" el Capitán gritó,
y, al grito, le presentó
la cruz de la empuñadura.²³⁰

¡Viera al Diablo retorcerse
como culebra, aparcero!   130
—¡Oiganlé! . . .
          —Mordió el acero
y comenzó a estremecerse.

Los otros se aprovecharon
y se apretaron el gorro: ²³¹
sin duda a pedir socorro   135
o a dar parte ²³² dispararon.

En esto don Fausto entró
y conforme al Diablo vido,²³³
le dijo: "¿Qué ha sucedido?"
Pero él se desentendió.   140

216. cuarterola: *quarter cask*
217. jusil = fusil
218. entre = dentro de
219. morao (morado): *boorish*
220. retobao (retobado): *angered*
221. peló la lata: *drew his sword*
222. Lusbel (Luzbel): *Lucifer*
223. un amojosao (enmojecido): *a rusty blade*
224. el suelo rayó: *drew a line on the ground*
225. ¡Viera el juego (fuego) que salió!: *You should have seen the fire that flashed!*
226. yesquero: *tinderbox*

227. el jedor (hedor) . . . largando: *the stench that was given off*
228. chispiando (chispeando); *flashing*
229. No bien . . . las hojas: *No sooner did the blades touch*
230. le . . . empuñadura: *held up to him the cross of the hilt.* According to tradition, the devil loses his power at the sight of the cross.
231. se . . . el gorro: *fled*
232. dar parte: *report* (the event to the police)
233. y conforme . . . vido: *as soon as he saw the devil*

El Dotor volvió a clamar
por su rubia, y Lucifer,
valido [234] de su poder,
se la volvió a presentar.

Pues que golpiando en el suelo   145
en un baile apareció
y don Fausto le pidió
que lo acompañase a un cielo.[235]

No hubo forma que bailara: [236]
la rubia se encaprichó;   150
de valde [237] el Dotor clamó
por que no lo desairara.

Cansao ya de redetirse [238]
le contó al Demonio el caso;
pero él le dijo: "Amigaso,   155
no tiene por qué afligirse.

"Si en el baile no ha alcanzao
el poderla arrocinar,[239]
deje, le hemos de buscar
la güelta por otro lao.[240]   160

"Y mañana, a más tardar,
gozará de sus amores,
que otras, mil veces mejores,
las he visto cabrestiar . . ."

"¡Balsa general!" [241] gritó   165
el bastonero mamao; [242]

pero en esto el cortinao
por segunda vez cayó.

Armemos un cigarrillo [243]
si le parece . . .

         —¡Pues no! [244]   170
—Tome el naco, píqueló,[245]
usté tiene mi cuchillo.

4

Ya se me quiere cansar
el flete de mi relato . . .
—Priéndalé guasca otro rato; [246]
recién comienza a sudar.[247]

—No se apure, aguárdesé: 5
¿cómo anda el frasco? . . .

         —Tuavía [248]
hay con que hacer medio día: [249]
ahí lo tiene, priéndalé.

—¿Sabe que este giñebrón [250]
no es para beberlo solo?   10
Si alvierto, traigo un chicholo
o un cacho de salchichón.[251]

—Vaya, no le ande aflojando,
dele trago y dómeló,
que, a ráiz de las carnes yo   15
me lo estoy acomodando.[252]

234. valido: *availing himself*
235. cielo: a kind of square dance popular in Argentine rural districts until 1850; more commonly called *cielito*
236. No . . . bailara: *There was no way of getting her to dance*
237. de valde = en balde
238. redetirse = derretirse
239. arrocinar: *tame, win*
240. deje, . . . lao: *never mind; we shall have to approach her from another angle*
241. ¡Balsa general! *Everybody waltz!*
242. el . . . mamao: *the drunken dance manager*
243. Armemos un cigarillo: *Let's roll a cigarette*
244. ¡Pues no!: *Why not, of course!*
245. Tome . . . píqueló: *Here's the twist, cut it fine*
246. Priéndalé . . . rato: *Give him the lash again*
247. recién . . . sudar: *he is just beginning to sweat.* The entire expression means simply *"Go ahead, don't stop now!"*
248. Tuavía = todavía
249. hay . . . día: *there is still enough to last half a day*
250. giñebrón = ginebra
251. Si alvierto (advierto), . . . salchichón: *If I had thought of it, I would have brought along a chicholo* (a kind of candy wrapped in a corn husk) *or a slice of sausage.*
252. que a raíz . . . acomodando: *being fat enough, I am getting used to it* (going without eating).

—¿Qué tuavía no ha almorzao?
—Ando en ayunas, don Pollo;
porque, ¿a qué contar un bollo
y un cimarrón aguachao? [253]   20

Tenía hecha la intención
de ir a la fonda de un gringo
después de bañar el pingo...
—Pues vámonós del tirón.

—Aunque ando medio delgao,   25
don Pollo, no le permito
que me merme ni un chiquito
del cuento que ha comenzao.

—Pues entonces allá va.
Otro vez el lienzo alzaron   30
y hasta mis ojos dudaron
lo que vi... ¡barbaridad!

¡Qué quinta! ¡Virgen bendita!
¡Viera, amigaso, el jardín!
Allí se vía el jazmín,   35
el clavel, la margarita,

el toronjil, la retama,
y hasta estatuas, compañero;
al lao de ésa, era un chiquero
la quinta de don Lezama. [254]   40

Entre tanta maravilla
que allí había y, medio a un lao,
habían edificao
una preciosa casilla.

Allí la rubia vivía   45
entre las flores como ella,

allí brillaba esa estrella
que el pobre Dotor seguía.

Y digo *pobre Dotor,*
porque pienso, don Laguna,   50
que no hay desgracia ninguna
como un desdichado amor.

—Puede ser; pero, amigaso,
yo en las cuartas no me enriedo, [255]
y, en un lance en que no puedo,   55
hago de mi alma un cedaso. [256]

Por hembras yo no me pierdo. [257]
La que me empaca su amor
pasa por el cernidor [258]
y... si te vi, no me acuerdo. [259]   60

Lo demás es calentarse
el mate, al divino ñudo... [260]
—¡Feliz quien tenga ese escudo
con que poder rejuardarse! [261]

Pero usté habla, don Laguna,   65
como un hombre que ha vivido
sin haber nunca querido
con alma y vida a ninguna.

Cuando un verdadero amor
se estrella en un alma ingrata,   70
más vale el fierro que mata,
que el fuego devorador.

Siempre ese amor lo persigue
a donde quiera que va:
es una fatalidá   75
que a todas partes lo sigue.

253. ¿a qué... cimarrón aguachao?: *why count a roll and a bitter mate, made very weak?*

254. la... Lezama: the estate of don José Gregorio Lezama, an Argentine millionaire, enclosed the most beautiful park in Buenos Aires. After the death of Lezama it became the property of the city and was made a public park.

255. yo... enriedo (enredo): *I don't get myself tangled up in the traces*

256. cedaso (cedazo): literally *sieve, strainer;* en... cedaso: *I let affairs with which I can't cope pass by without leaving a trace on my spirit.*

257. yo... pierdo: *I don't lose my head*

258. cernidor (cernedor): *sieve*

259. si... acuerdo: The phrase expresses the utter ingratitude of the recipient of former favors.

260. al... ñudo: *for marriage*

261. rejuardarse = resguardarse

Si usté en su rancho se queda,
o si sale para un viaje,
es de valde: no hay paraje
ande olvidarla usté pueda. 80

Cuando duerme todo el mundo,
usté sobre su recao
se da güelta, desvelao,
pensando en su amor profundo.

Y si el viento hace sonar 85
su pobre techo de paja,
cree usté que es ella que baja
sus lágrimas a secar.

Y si en alguna lomada 262
tiene que dormir al raso, 90
pensando en ella, amigaso,
lo hallará la madrugada.

Allí acostao sobre abrojos
o entre cardos, don Laguna,
verá su cara en la luna, 95
y en las estrellas, sus ojos.

¿Qué habrá que no le recuerde
al bien de su alma querido,
si hasta cree ver su vestido
en la nube que se pierde? 100

Ansina sufre en la ausiencia 263
quien sin ser querido quiere:
aura verá cómo muere
de su prenda en la presencia.

Si en frente de esa deidad 105
en alguna parte se halla,
es otra nueva batalla
que el pobre corazón da.

Si con la luz de sus ojos
le alumbra la triste frente, 110

usté, don Laguna, siente
el corazón entre abrojos.

Su sangre comienza a alzarse
a la cabeza, en tropel,
y cree que quiere esa cruel 115
en su amargura gozarse.

Y si la ingrata le niega
esa ligera mirada,
queda su alma abandonada
entre el dolor que la aniega. 120

Y usté, firme en su pasión...
y van los tiempos pasando,
un hondo surco dejando
en su infeliz corazón.

—Güeno, amigo, así será, 125
pero me ha sentao el cuento...
—¡Qué quiere! Es un sentimiento...
tiene razón, allá va:

Pues, señor, con gran misterio,
traindo 264 en la mano una cinta, 130
se apareció entre la quinta
el sonso de don Silverio.

Sin duda alguna saltó
las dos zanjas de la güerta,265
pues esa noche su puerta 135
la mesma rubia cerró.

Rastriándolo 266 se vinieron
el Demonio y el Dotor
y trás del árbol mayor
a aguaitarlo 267 se escondieron. 140

Con las flores de la güerta
y la cinta, un ramo armó
don Silverio, y lo dejó
sobre el umbral de la puerta.

262. lomada: *little hill*
263. ausiencia = ausencia
264. traindo = trayendo
265. güerta = huerta

266. Rastriándoló (rastreándolo): *Trailing him*
267. aguaitarlo: *spy on him*

—¡Que no cairle una centella! [268] 145
—¿A quién? ¿Al sonso?
          —¡Pues digo!...
¡Venir a osequiarla,[269] amigo,
con las mesmas flores de ella!

—Ni bien acomodó el guacho
ya rumbió...[270]
        —¡Miren qué hazaña! 150
Eso es ser más que lagaña [271]
y hasta da rabia, caracho! [272]

—El Diablo entonces salió
con el Dotor y le dijo:
"Esta vez priende de fijo 155
la vacuna, créaló." [273]

Y, el capote haciendo a un lao,
desenvainó allí un baulito [274]
y jué y lo puso juntito
al ramo del abombao.[275] 160

—¡No me hable de ese mulita! [276]
¡Qué apunte para una banca! [277]
¿A que era mágica blanca
lo que trujo en la cajita? [278]

—Era algo más eficaz 165
para las hembras, cuñao;
verá si las ha calao
de lo lindo Satanás.

Tras del árbol se escondieron
ni bien cargaron la mina, 170

y, más que nunca divina,
venir a la rubia vieron.

La pobre, sin alvertir,
en un banco se sentó,
y un par de medias sacó 175
y las comenzó a surcir.[279]

Cinco minutos por junto,
en las medias trabajó,
por lo que carculo [280] yo
que tendrían sólo un punto.[281] 180

Dentró a espulgar un rosal
por la hormiga consumido,
y entonces jué cuando vido
caja y ramo en el umbral.

Al ramo no le hizo caso, 185
y enderezó a la cajita,
y sacó... ¡Virgen bendita!
¡Viera qué cosa, amigaso!

¡Qué anillo, qué prendedor!
¡Qué rosetas soberanas! 190
¡Qué collar! ¡Qué carabanas! [282]
—¡Vea el Diablo tentador!

—¿No le dije, don Laguna?
La rubia allí se colgó
las prendas, y apareció 195
más platiada [283] que la luna.

268. ¡Que... centella!: *If that wasn't a bright idea!* (ironically), *he certainly had a nerve!*

269. osequiarla = obsequiarla

270. Ni bien... rumbió: *No sooner had the sissy arranged them, he started on his way.*

271. lagaña: *slimy, low-down*

272. caracho: *the deuce!* (euphemism for a more vulgar Spanish expression)

273. Esta... créaló: *This time it is surely going to work, believe me.*

274. desenvainó... baulito: *he produced a little casket* (i. e. the jewel casket)

275. abombao: *idiot, "dumbbell"*

276. mulita: *simpleton, "nitwit"*

277. ¡Qué... banca!: *What a stake for a game of "banca"* (*poker*)!

278. ¿A que... trujo (trajo) en la cajita?: *I'll bet what he had in the chest was white magic?*

279. comensó (comenzó) a surcir (zurcir): *began to darn*

280. carculo = calculo

281. punto: *hole*

282. carabanas: *earrings*

283. platiada (plateada): *covered with silver*

En la caja, Lucifer
había puesto un espejo...
—¿Sabe que el Diablo, canejo,
la conoce a la mujer? 200

—Cuando la rubia gastaba
tanto mirarse en la luna,[284]
se apareció, don Laguna,
la vieja que la cuidaba.

¡Viera la cara, cuñao, 205
de la vieja al ver brillar
como reliquias de altar
las prendas del condenao!

"¿Diáonde [285] este lujo sacás?"
la vieja, fula,[286] decía, 210
cuando gritó: "¡Avemaría!" [287]
en la puerta, Satanás.

"¡Sin pecao! ¡Dentre, señor!"
"¿No hay perros?"—"¡Ya los ataron!"
Y ya también se colaron 215
el Demonio y el Dotor.

El Diablo allí comenzó
a enamorar a la vieja
y el Dotorcito a la oreja
de la rubia se pegó. 220

—¡Vea el Diablo haciendo gancho! [288]
—El caso jué que logró
reducirla y la llevó
a que le amostrase un chancho.[289]

—¿Por supuesto, el Dotorcito 225
se quedó allí mano a mano?
—Dejuro,[290] y ya verá, hermano,
la liendre que era el mocito.[291]

Corcobió [292] la rubiecita
pero al fin se sosegó 230
cuando el Dotor le contó
que él era el de la cajita.

Asigún [293] lo que presumo,
la rubia aflojaba laso,[294]
porque el Dotor, amigaso, 235
se le quería ir al humo.[295]

La rubia lo malició
y por entre las macetas
le hizo unas cuantas gambetas
y la casilla ganó.[296] 240

El Diablo tras de un rosal,
sin la vieja apareció...
—¡A la cuenta [297] la largó
jediendo entre algún maizal!

—La rubia, en vez de acostarse, 245
se lo pasó en la ventana
y allí aguardó la mañana
sin pensar en desnudarse.

Ya la luna se escondía
y el lucero se apagaba, 250
y ya también comenzaba
a venir clariando el día.

284. luna: *mirror*
285. Diáonde = De dónde
286. fula: *astonished*
287. ¡Avemaría!: a form of salutation common in rural communities. It is answered by ¡Sin pecado [concebida]! (cf. second verse following.)
288. haciendo gancho: *playing the suitor*
289. chancho: *pig*
290. dejuro = de juro: *of course, certainly*
291. liendre ... mocito: *what a nit the young fellow was*
292. Corcobió (Corcoveó): *cut some capers*
293. Asigún = Según
294. aflojaba laso: *loosened the rope,* cowboy's technical term meaning "tried to keep him at a distance"
295. se ... humo: *wanted to rush matters*
296. la casilla ganó: *entered the house*
297. A la cuenta: *I'll bet*

¿No ha visto usté de un yesquero
loca una chispa salir,
como dos varas seguir   255
y de ahí perderse, aparcero?

Pues de ese modo, cuñao,
caminaban las estrellas
a morir, sin quedar de ellas
ni un triste rastro borrao.   260

De los campos el aliento
como sahumerio venía,
y alegre ya se ponía
el ganao en movimiento.

En los verdes arbolitos,   265
gotas de cristal brillaban,
y al suelo se descolgaban
cantando los pajaritos.

Y era, amigaso, un contento
ver los junquillos doblarse   270
y los claveles cimbrarse
al soplo del manso viento.

Y al tiempo de reventar
el botón de alguna rosa,
venir una mariposa   275
y comenzarlo a chupar.

Y si se pudiera al cielo
con un pingo comparar,
también podría afirmar
que estaba mudando pelo.[298]   280

—¡No sea bárbaro, canejo!
¡Qué comparancia [299] tan fiera!
—No hay tal: pues de saino que era
se iba poniendo azulejo.[300]

¿Cuando ha dao un madrugón [301]   285
no ha visto usté, embelesao,
ponerse blanco-azulao
el más negro ñubarrón? [302]

—Dice bien, pero su caso
se ha hecho medio empacador [303]   290
—Aura viene lo mejor,
pare la oreja,[304] amigaso.

El Diablo dentró a retar [305]
al Dotor y, entre el responso,
le dijo: "¿Sabe que es sonso?   295
¿Pa qué [306] la dejó escapar?

"Áhí la tiene en la ventana:
por suerte no tiene reja
y antes que venga la vieja
aproveche la mañana."   300

Don Fausto ya atropelló [307]
diciendo: "¡Basta de ardiles!" [308]
La cazó de los cuadriles [309]
y ella . . . ¡también lo abrazó!

—¡Oiganlé a la dura!
                    —En esto   305
Bajaron el cortinao.
Aleance el frasco, cuñao.
—A gatas [310] le queda un resto.

5

—Al rato el lienzo subió
y, deshecha y lagrimiando,
contra [311] una máquina hilando
la rubia se apareció.

298. mudando pelo: *changing color*
299. comparancia = comparación
300. de saino (zaino) . . . azulejo: *it was
changing from dun color to a dappled gray*
301. Cuando . . . madrugón: *When you
have risen early*
302. ñubarrón = nubarrón
303. pero . . . empacador: *but your story
has half bogged down*

304. pare la oreja: *prick up your ears*
305. retar: *scold*
306. Pa qué = Para qué
307. atropelló: *burst out*
308. ardiles = ardides
309. La . . . cuadriles: *He put his arm
around her*
310. A gatas = apenas
311. contra = junto a

La pobre dentró a quejarse 5
tan amargamente allí,
que yo a mis ojos sentí
dos lágrimas asomarse.

—¡Qué vergüenza!
                    —Puede ser:
pero, amigaso, confiese 10
que a usted también lo enternece
el llanto de una mujer.

Cuando a usté un hombre lo ofiende,
ya, sin mirar para atrás,
pela el flamenco y ¡sas! ¡tras! [312] 15
dos puñaladas le priende.

Y cuando la autoridá
la partida le ha soltao, [313]
usté en su overo rosao
bebiendo los vientos va. 20

Naides [314] de usté se despega
porque se haiga desgraciao, [315]
y es muy bien agasajao
en cualquier rancho a que llega.

Si es hombre trabajador, 25
ande quiera [316] gana el pan:
para eso con usté van
bolas, lazo y maniador.

Pasa el tiempo, vuelve al pago
y cuanto más larga ha sido 30
su ausiencia, usté es recebido
con más gusto y más halago.

Engaña usté a una infeliz
y, para mayor vergüenza,

va y le cerdea la trenza 35
antes de hacerse perdiz. [317]

La ata, si le da la gana,
en la cola de su overo,
y le amuestra al mundo entero
la trenza de ña Julana. [318] 40

Si ella tuviese un hermano,
y en su rancho miserable
hubiera colgao un sable
juera otra cosa, paisano.

Pero sola y despreciada 45
en el mundo, ¿qué ha de hacer?
¿A quién la cara volver?
¿Ande llevar la pisada?

Soltar al aire su queja
será su solo consuelo, 50
y empapar con llanto el pelo
del hijo que usté le deja.

Pues ese dolor projundo
a la rubia la secaba [319]
y por eso se quejaba 55
delante de todo el mundo.

Aura, confiese, cuñao,
que el corazón más calludo [320]
y el gaucho más entrañudo [321]
allí habría lagrimiao. 60

—¿Sabe que me ha sacudido
de lo lindo el corazón?
Vea, si no, el lagrimón
que al óirlo se me ha salido!

312. pela...¡tras!: *you pull out your knife and zip, bing!*
313. la partida...soltao: *has sent out a posse after you*
314. Naides = Nadie
315. porque se haiga (haya) desgraciado: *because you have been unfortunate* (and have killed or maimed someone)
316. ande quiera = por dondequiera
317. va...perdiz: *you go and cut off her braid before making yourself scarce*
318. ña Julana = doña Fulana
319. la secaba: *was wearing her away*
320. calludo: *calloused*
321. entrañudo: *hard hearted, cruel*

—¡Oiganlé!
　　　—Me ha redotao.[322]　65
—¡No guarde rencor, amigo!
—Si es en broma que le digo ...
Siga su cuento, cuñao.

—La rubia se arrebozó
con un pañuelo cenisa,[323]　70
diciendo que se iba a misa
y puerta ajuera salió.[324]

Y crea usté lo que guste
porque es cosa de dudar ...
¡Quién había de esperar　75
tan grande desbarajuste!

Todo el mundo estaba ajeno
de lo que allí iba a pasar,
cuando el Diablo hizo sonar
como un pito de sereno.　80

Una iglesia apareció
en menos que canta un gallo.[325]
—¡Vea si dentra a caballo! [326]
—¡Me larga,[327] créameló!

Creo que estaban alzando [328]　85
en una misa cantada,
cuando aquella desgraciada
llegó a la puerta llorando.

Allí la pobre cayó
de rodillas sobre el suelo,　90
alzó los ojos al cielo
y cuatro credos rezó.

Nunca he sentido más pena
que al mirar a esa mujer;

amigo, aquello era ver　95
a la mesma Magdalena.

De aquella rubia rosada
ni rastro había quedao:
era un clavel marchitao,
una rosa deshojada.　100

Su frente que antes brilló
tranquila como la luna,
era un cristal, don Laguna,
que la desgracia enturbió.

Ya de sus ojos hundidos　105
las lágrimas se secaban
y entretemblando [329] rezaban
sus labios descoloridos.

Pero el Diablo la uña afila,[330]
cuando está desocupao,　110
y allí estaba el condenao
a una vara de la pila.

La rubia quiso dentrar
pero el Diablo la atajó
y tales cosas le habló　115
que la obligó a disparar.

Cuasi [331] le da el acidente
cuando a su casa llegaba;
la suerte que le quedaba
en la vedera de enfrente.[332]　120

Al rato el Diablo dentró
con don Fausto muy del brazo
y una guitarra, amigaso,
ahí mesmo desenvainó.

322. Me ha redotao (derrotado): *You have broken me down*
323. cenisa (ceniza): *ash-colored*
324. puerta ajuera (afuera) salió: *and out she went*
325. en menos ... gallo: *sooner than a rooster can crow, in an instant*
326. ¡Vea ... caballo!: *Suppose you had gone in on horseback!*

327. Me larga: *He would have thrown me off*
328. alzando: *elevating* (the Host)
329. entretemblando = temblando
330. la uña afila: sharpens his wits
331. Cuasi = Casi
332. la suerte ... vedera (vereda) de enfrente: *luckily it* (her home) *was right across the way*

—¿Qué me dice, amigo Pollo? 125
—Como lo oye, compañero;
el Diablo es tan guitarrero
como el paisano más criollo.

El sol ya se iba poniendo,
la claridá se ahuyentaba 130
y la noche se acercaba
su negro poncho tendiendo.

Ya las estrellas brillantes
una por una salían,
y los montes parecían 135
batallones de gigantes.

Ya las ovejas balaban
en el corral prisioneras,
y ya las aves caseras
sobre el alero ganaban.[333] 140

El toque de la oración
triste los aires rompía
y entre sombras se movía
el crespo sauce llorón.

Ya sobre el agua estancada 145
de silenciosa laguna,
al asomarse, la luna
se miraba retratada.

Y haciendo un estraño ruido
en las hojas trompezaban [334] 150
los pájaros que volaban
a guarecerse en su nido.

Ya del sereno brillando
la hoja de la higuera estaba,
y la lechuza pasaba 155
de trecho en trecho chillando.

La pobre rubia, sin duda,
en llanto se deshacía,
y, rezando, a Dios pedía
que le emprestase [335] su ayuda. 160

Yo presumo que el Dotor,
hostigado por Satanás,
quería otras hojas más
de la desdichada flor.

A la ventana se arrima 165
y le dice al condenao:
"Déle no más, sin cuidao,
aunque reviente la prima." [336]

El Diablo a gatas tocó
las clavijas [337] y, al momento, 170
como un arpa, el istrumento [338]
de tan bien templao sonó.

—Tal vez lo traiba templao
por echarla de baquiano . . .[339]
—Todo puede ser, hermano, 175
pero ¡óyesé al condenao!

Al principio se florió [340]
con un lindo bordoneo [341]
y en ancas de aquel floreo
una décima cantó. 180

No bien llegaba al final
de su canto, el condenao,
cuando el Capitán, armao,
se apareció en el umbral.

—Pues yo en campaña lo hacía . . .[342] 185
—Daba la casualidá [343]
que llegaba a la ciudá
en comisión, ese día.

333. ganaban: *were alighting*
334. trompezaban = tropezaban
335. emprestase = prestase
336. "Déle . . . prima": "*Let her have it now and never mind even if the top string breaks.*"
337. las clavijas: *the keys*
338. istrumento = instrumento

339. por . . . baquiano: *in order to pose as an expert, to show off*
340. florió (floreó): *played a flourish on the guitar*
341. bordoneo: *improvisation*
342. Pues . . . hacía: *Why, I put him (thought him) on campaign duty*
343. Daba la casualidá: *It happened by chance*

—Por supuesto, hubo fandango . . .[344]
—La lata ahí no más peló   190
y al infierno le aventó
de un cintaraso el changango.[345]

—¡Lindo el mozo!
                    —¡Pobrecito!
—¿Lo mataron?
                    —Ya verá:
Peló un corbo [346] el Dotorcito   195
y el Diablo . . . ¡barbaridá!

desenvainó una espadita
como un viento; lo embasó [347]
y allí no más ya cayó
el pobre . . .
                    —¡Ánima bendita!   200

—A la trifulca y al ruido
en montón la gente vino . . .
—¿Y el Dotor y el asesino?
—Se habían escabullido.

La rubia también bajó   205
y viera aflición, paisano,
cuando el cuerpo de su hermano
bañao en sangre miró.

A gatas medio alcanzaron
a darse una despedida,   210
porque en el cielo, sin vida,
sus dos ojos se clavaron.

Bajaron el cortinao,
de lo que yo me alegré . . .
—Tome el frasco, priéndalé.[348]   215
—Sírvasé no más,[349] cuñao.

6

—¡Pobre rubia! Vea usté
cuánto ha venido a sufrir:
se le podía decir:
¡Quién te vido y quién te ve! [350]

—Ansí es el mundo, amigaso;   5
nada dura, don Laguna,
hoy nos ríe la fortuna,
mañana nos da un guascaso.[351]

Las hembras en mi opinión
train [352] un destino más fiero   10
y si quiere, compañero,
le haré una comparación.

Nace una flor en el suelo,
una delicia es cada hoja,
y hasta el rocío la moja   15
como un bautismo del cielo.

Allí está ufana la flor,
linda, fresca y olorosa;
a ella va la mariposa,
a ella vuela el picaflor.   20

Hasta el viento pasajero
se prenda al verla tan bella,
y no pasa por sobre ella
sin darle un beso primero.

¡Lástima causa esa flor   25
al verla tan consentida!
Cree que es tan larga su vida
como fragante su olor.

344. fandango: euphemism for *fight, fracas*
345. La lata . . . changango: *He drew his sword right away and with one blow smashed* (sent to hell) *the guitar.*
346. Peló un corbo: *pulled a curved sword*
347. embasó (envasó): *he ran him through*
348. priéndalé: *drain it*
349. Sírvasé no más: *After you, have some yourself*
350. ¡Quién . . . ve! *To think what you were and what you are now!*
351. guascaso (guascazo): *lashing*
352. train = traen

Nunca vió el rayo que raja
a la renegrida [353] nube, 30
ni ve el gusano que sube,
ni el fuego del sol que baja.

Ningún temor en el seno
de la pobrecita cabe,
pues que se hamaca, no sabe, 35
entre el fuego y el veneno.

Sus tiernas hojas despliega
sin la menor desconfianza,
y el gusano ya la alcanza ...
y el sol de las doce llega ... 40

Se va el sol abrasador
pasa a otra planta el gusano,
y la tarde ... encuentra, hermano,
el cadáver de la flor.

Piense en la rubia, cuñao, 45
cuando entre flores vivía,
y diga si presumía
destino tan desgraciao.

Usté, que es alcanzador,
afíjesé en su memoria 50
y diga: ¿Es igual la historia
de la rubia y de la flor?

—Se me hace tan parecida
que ya más no puede ser.
—Y hay más: le falta que ver 55
a la rubia en la crujida. [354]

—¿Qué me cuenta? ¡Desdichada!
—Por última vez se alzó
el lienzo y apareció
en la cárcel encerrada. 60

—¿Sabe que yo no colijo
el por qué de la prisión?
—Tanto penar, la razón
se le jué y mató al hijo.

Ya la habían sentenciao 65
a muerte, a la pobrecita,
y en una negra camita
dormía un sueño alterao. [355]

Ya redoblaba el tambor
y el cuadro ajuera formaban. 70
cuando al calabozo entraban
el Demonio y el Dotor.

—¡Véaló al Diablo si larga
sus presas así no más!
¿A que andubo Satanás 75
hasta oír sonar la descarga? [356]

—Esta vez se le chingó
el cuete, [357] y ya lo verá ...
—Priéndalé al cuento, [358] que ya
no lo vuelvo a atajar yo. 80

—Al dentrar hicieron ruido,
creo que con los cerrojos;
abrió la rubia los ojos
y allí contra ellos los vido. [359]

La infeliz, ya trastornada 85
a causa de tanta herida,
se encontraba en la crujida
sin darse cuenta de nada.

Al ver venir al Dotor
ya comenzó a disvariar 90
y hasta le quiso cantar
unas décimas de amor.

353. renegrida = negra with intensive prefix, *re: very black*
354. crujida: *prison*
355. alterao (alterado): *troubled*
356. la descarga: *shots* (of the firing squad)
357. Esta ... cuete (cohete): *This time his scheme failed (his rocket didn't go off)*
358. Priéndalé al cuento: *Stick to your story*
359. y allí ... vido: *and there near them (the locks) she saw them*

La pobrecita soñaba
con sus antiguos amores
y créia mirar sus flores   95
en los fierros que miraba.

Ella créia que, como antes,
al dir a regar su güerta,³⁶⁰
se encontraría en la puerta
una caja de diamantes.   100

Sin ver que en su situación
la caja ³⁶¹ que la esperaba,
era la que redoblaba
antes de la ejecución.

Redepente se afijó ³⁶²   105
en la cara de Luzbel:
sin duda al malo vió en él,
pues allí muerta cayó.

Don Fausto al ver tal desgracia
de rodillas cayó al suelo   110
y dentró ³⁶³ a pedir al cielo
le recibiese en su gracia.

Allí el hombre arrepentido
de tanto mal que había hecho,
se daba golpes de pecho   115
y lagrimiaba afligido.

En dos pedazos se abrió
la paré de la crujida,
y no es cosa de esta vida
lo que allí se apareció.   120

Y no crea que es historia:
yo vi entre una nubecita,

la alma de la rubiecita
que se subía a la gloria.

San Miguel, en la ocasión,   125
vino entre nubes bajando
con su escudo y revoliando ³⁶⁴
un sable tirabuzón.³⁶⁵

Pero el Diablo que miró
el sable aquel y el escudo,   130
lo mesmito que un peludo
bajo la tierra ganó.³⁶⁶

Cayó el lienzo finalmente,
y ahí tiene el cuento contao...
Prieste el pañuelo, cuñao: 135
me está sudando la frente.

—Lo que almiro ³⁶⁷ es su firmesa
al ver esas brujerías.
—He andao cuatro o cinco días
atacao de la cabeza.³⁶⁸   140

Ya es güeno dir ensillando... ³⁶⁹
—Tome ese último traguito
y eche el frasco a ese pocito ³⁷⁰
para que quede boyando.

Cuando los dos acabaron   145
de ensillar sus parejeros,
como güenos compañeros,
juntos al trote agarraron.
En una fonda se apiaron
y pidieron de cenar.   150
Cuando ya iban a acabar,
don Laguna sacó un rollo
diciendo: "El gasto del Pollo
de aquí se lo han de cobrar."

360. al dir... güerta = al ir a regar su
huerta
361. caja: a play on the double meaning
of *caja:* "*casket,*" and "*drum*"
362. Redepente se afijó = De repente se fijó
363. dentró: *began*
364. revoliando (revoleando): *waving,
flourishing*
365. un sable tirbuzón: *a sword with a
wavy blade* (like a kris)

366. lo mesmito... ganó: *just like an armadillo went into hiding underground*
367. almiro = admiro
368. He andao... cabeza: *I have been
going around with a headache for four or
five days.*
369. Ya... ensillando: *Well, it's about
time to saddle the horses*
370. pocito (pozito): *puddle*

José Hernández

1834-1886

THE GREATEST of the gaucho poems is the epic *Martín Fierro*. Its author,
José Hernández, spent the formative years of his childhood and adoles-
cence among the gauchos on his father's estate, learning to rope steers,
to throw bolas and to practise all the arts of the plainsmen. He came to
know intimately the gaucho's ways of living and thinking. He shared his
indignation at the injustice and oppression which those in authority visited
upon him. After some years in military service and in politics he founded
in Buenos Aires a newspaper, *El Río de la Plata* (1869), which had as its
program the amelioration of the condition of the gauchos as an act of
justice toward them and a patriotic service to the whole country. Concerning this he wrote:

Para abogar por el alivio de los males que pesan sobre esa clase de la sociedad que la agobian y la abaten por consecuencia de un régimen defectuoso.
existe la tribuna parlamentaria, la prensa periódica, los clubs, el libro, y por
último, el folleto. . .

When his paper had to cease publication after a year because of its
attacks on the government, Hernández turned to another of these agencies
of enlightenment and created in *El gaucho Martín Fierro,* as the first edi
tion (1872) of his poem was called, at once the most eloquent and powerful argument for justice to the gaucho and the first great national American
epic. It became immediately enormously popular. Over 100,000 copies
were sold almost as soon as it appeared. It was stocked by *pulperías* out on
the plains where no other book was sold. Practically every literate Argentine read it. The gaucho found in it the story of his own experiences set
forth in his own language; the cultured reader found in it a sincere work
of art deeply rooted in the life of the nation.

The second part of the poem, *La vuelta de Martín Fierro,* was published
seven years later (1879). It is a little more than twice as long as the first
part. Whereas the first part tells of the hero's suffering at the hands of evil

and envious magistrates and ends with his defiant renunciation of civilized ways and his flight to the camps of the outlaw Indians, the second describes his life with the savages and his eventual resignation and return to civilization.

MARTÍN FIERRO [1]

1

Aquí me pongo a cantar [2]
al compás de la vigüela, [3]
que el hombre que lo desvela
una pena extraordinaria,
como la ave solitaria   5
con el cantar se consuela.

Pido a los santos del cielo
que ayuden mi pensamiento;
les pido en este momento
que voy a contar mi historia   10
me refresquen la memoria
y aclaren mi entendimiento.

Vengan santos milagrosos,
vengan todos en mi ayuda,
que la lengua se me añuda [4]   15
y se me turba la vista;
pido a mi Dios que me asista
en una ocasión tan ruda.

Yo he visto muchos cantores,
con famas bien otenidas,   20
y que después de alquiridas [5]
no las quieren sustentar:

parece que sin largar
se cansaron en partidas. [6]

Mas ande [7] otro criollo pasa   25
Martín Fierro ha de pasar;
nada lo hace recular [8]
ni las fantasmas lo espantan;
y dende [9] que todos cantan
yo también quiero cantar.   30

Cantando me he de morir,
cantando me han de enterrar,
y cantando he de llegar
al pie del Eterno Padre:
dende el vientre de mi madre   35
vine a este mundo a cantar.

Que no se trabe mi lengua [10]
ni me falte la palabra.
El cantar mi gloria labra,
y poniendomé a cantar,   40
cantando me han de encontrar
aunque la tierra se abra.

Me siento en el plan de un bajo [11]
a cantar un argumento;
como si soplara un viento   45
hago tiritar los pastos.

1. "Los nombres puestos en la cabecera de los cantos indican que el nombrado habla." (Hernández's note.)
2. This first line is a conventional formula for the beginning of a poem of this kind, like the "Once upon a time" of our fairy tales.
3. vigüela (vihuela): *guitar*
4. se me añuda: *gets tied into a knot*
5. alquiridas (adquiridas): *attained, acquired*

6. sin ... partidas: *without getting started off in the main race they have tired themselves out on the trials*
7. ande = donde
8. recular: *fall back, give way*
9. dende = desde
10. que ... lengua: *may my tongue not get stuck*
11. en el plan ... bajo: *at the bottom of a hollow*

Con oros, copas y bastos [12]
juega allí mi pensamiento.

Yo no soy cantor letrao; [13]
mas si me pongo a cantar   50
no tengo cuando acabar
y me envejezco cantando.
Las coplas me van brotando
como agua de manantial.

Con la guitarra en la mano   55
ni las moscas se me arriman;
naides me pone el pie encima, [14]
y cuando el pecho se entona, [15]
hago gemir a la prima
y llorar a la bordona. [16]   60

Yo soy toro en mi rodeo [17]
y torazo en rodeo ajeno;
siempre me tuve por güeno, [18]
y si me quieren probar,
salgan otros a cantar   65
y veremos quién es menos.

No me hago al lao de la güeya [19]
aunque vengan degollando; [20]
con los blandos yo soy blando
y soy duro con los duros,   70
y ninguno en un apuro
me ha visto andar tutubiando. [21]

En el peligro, ¡qué Cristos!,
el corazón se me enancha, [22]

pues toda la tierra es cancha, [23]   75
y de esto naides se asombre:
el que se tiene por hombre
donde quiera hace pata ancha. [24]

Soy gaucho, y entiendaló
como mi lengua lo explica: 80
para mí la tierra es chica
y pudiera ser mayor; [25]
ni la víbora me pica
ni quema mi frente el sol.

Nací como nace el peje, [26]   85
en el fondo de la mar;
naides me puede quitar
aquello que Dios me dió:
lo que al mundo truje [27] yo
del mundo lo he de llevar.   90

Mi gloria es vivir tan libre
como el pájaro del cielo;
no hago nido en este suelo,
ande hay tanto que sufrir;
y naides me ha de seguir   95
cuando yo remuento el vuelo. [28]

Yo no tengo en el amor
quien me venga con querellas;
como esas aves tan bellas
que saltan de rama en rama,   100
yo hago en el trébol mi cama
y me cubren las estrellas.

12. Con ... bastos: suits of cards, more or less equivalent to diamonds, hearts and clubs. This is one way to show the diversity of his thoughts.
13. letrao (letrado): *learned, lettered*
14. naides (nadie) ... encima: *nobody gets the best of me*
15. el pecho se entona: *the voice is warmed up, when I get going*
16. prima ... bordona: *first and fourth strings*, the top and bottom of the guitar's range
17. rodeo: *corral*
18. me ... güeno (bueno): *I thought myself pretty good*
19. No me ... lao (lado) de la güeya (huella): *I won't step out of anybody's way*
20. aunque ... degollando: *even if they are slashing heads off*. The expression dates from the time of the civil wars in Argentina and Uruguay.
21. tutubiando (titubeando): *hesitating, stammering*
22. se me enancha (ensancha): *expands, grows bold*
23. cancha: *arena, place of combat*
24. hace ... ancha: *stands firm in the face of danger*
25. y ... mayor: *even if it were larger* (it would still be small to me)
26. peje = pez
27. truje = traje
28. remuento (remonto) el vuelo: *when I take off, depart*

Y sepan cuantos escuchan
de mis penas el relato,
que nunca peleo ni mato   105
sino por necesidá,
y que a tanta alversidá
sólo me arrojó el mal trato.

Y atiendan la relación
que hace un gaucho perseguido,   110
que padre y marido ha sido
empeñoso y diligente,
y sin embargo la gente
lo tiene por un bandido.

2

Ninguno me hable de penas,
porque yo penando vivo,
y naides se muestre altivo
aunque en el estribo esté,
que suele quedarse a pie   5
el gaucho más alvertido.[29]

Junta esperencia en la vida
hasta pa dar y prestar
quien la tiene que pasar
entre sufrimiento y llanto;   10
porque nada enseña tanto
como el sufrir y el llorar.

Viene el hombre ciego al mundo,
cuartiándoló[30] la esperanza,
y a poco andar ya lo alcanzan   15
las desgracias a empujones.
¡La pucha!,[31] que trae liciones[32]
el tiempo con sus mudanzas.

Yo he conocido esta tierra
en que el paisano vivía   20
y su ranchito tenía
y sus hijos y mujer...
Era una delicia el ver
cómo pasaba sus días.

Entonces... cuando el lucero   25
brillaba en el cielo santo
y los gallos con su canto
nos decían que el día llegaba,
a la cocina rumbiaba[33]
el gaucho....que era un encanto.   30

Y sentao junto al jogón[34]
a esperar que venga el día,
al cimarrón[35] le prendía
hasta ponerse rechoncho,[36]
mientras su china[37] dormía   35
tapadita con su poncho.[38]

Y apenas la madrugada
empezaba a coloriar,
los pájaros a cantar
y las gallinas a apiarse,[39]   40
era cosa de largarse
cada cual a trabajar.

Éste se ata las espuelas,
se sale el otro cantando,
uno busca un pellón[40] blando,   45
éste un lazo, otro un rebenque,
y los pingos,[41] relinchando,
los llaman dende el palenque.[42]

29. naides (nadie)...alvertido (advertido): *let no one act too high and mighty even if he is (in the saddle with his feet) in the stirrups, because even the most daring gaucho is liable to get left some time*
30. cuartiándoló: *pulling him along.* The *cuarta* is a thong which the horseman ties to the cart if extra pulling power is needed.
31. ¡La pucha!: gaucho exclamation. *By Golly!* or some similar phrase may translate it.
32. liciones (lecciones): The normal word order would be: "*que el tiempo con sus mudanzas trae lecciones.*"
33. rumbiaba: *went*
34. jogón (fogón): *hearth, stove*
35. cimarrón: *bitter maté*
36. rechoncho: *chubby, fat*
37. china: gaucho term for *sweetheart, girl, woman*
38. tapadita...poncho: *wrapped up snugly in his poncho*
39. apiarse (apearse): *to get off the roost*
40. pellón: *skin of a sheep with the fleece*
41. pingos: *horses*
42. palenque: *stockade, enclosure*

El que era pion domador [43]
enderezaba al corral,   50
ande estaba el animal
bufidos que se las pela [44] ...
y, más malo que su agüela,[45]
se hacía astillas [46] el bagual.

Y allí el gaucho inteligente   55
en cuanto el potro enriendó
los cueros le acomodó,
y se le sentó en seguida,
que el hombre muestra en la vida
la astucia que Dios le dió.   60

Y en las playas corcoviando
pedazos se hacía el sotreta,[47]
mientras él por las paletas [48]
le jugaba las lloronas,[49]
y al ruido de las caronas [50]   65
salía haciéndose gambetas.[51]

¡Ah tiempos! ... ¡Si era un orgullo
ver jinetiar un paisano!
Cuando era gaucho baquiano,[52]
aunque el potro se boliase,[53]   70
no había uno que no parase
con el cabestro en la mano.[54]

Y mientras domaban unos,
otros al campo salían,
y la hacienda [55] recogían,   75

las manadas repuntaban,[56]
y ansí sin sentir pasaban
entretenidos el día.

Y verlos al cair la noche
en la cocina riunidos,   80
con el juego bien prendido [57]
y mil cosas que contar,
platicar muy divertidos
hasta después de cenar.

Y con el buche [58] bien lleno   85
era cosa superior
irse en brazos del amor
a dormir como la gente,[59]
pa empezar aĩ día siguiente
las fainas [60] del día anterior.   90

Ricuerdo, ¡qué maravilla!,
como andaba la gauchada,[61]
siempre alegre y bien montada
y dispuesta pa el trabajo;
pero hoy en el día ..., ¡barajo!,[62]   95
no se la ve de aporriada.[63]

El gaucho más infeliz
tenía tropilla de un pelo; [64]
no le faltaba un consuelo [65]
y andaba la gente lista ...   100
Tendiendo al campo la vista,
sólo vía hacienda y cielo.

43. pión (peón) domador: *bronco-buster*
44. bufidos ... pela: *snorting to beat the band*
45. agüela (abuela): *grandmother.* In Hispanic folklore the grandmother is often represented as the epitome of meanness, like the stepmother of our fairy tales.
46. se hacía astillas: *was bucking wildly*
47. en las playas ... sotreta: *bucking all over the clearing the nag twisted himself into a knot*
48. paletas: *shoulder blades*
49. le ... lloronas: *let the spurs play, dug him with the spurs*
50. caronas: *saddle leather*
51. haciéndose gambetas: *bucking*
52. gaucho baquiano: *seasoned gaucho, "old hand"*
53. se boliase: *rolled over on his back*
54. no ... mano: *there wasn't one who wouldn't come out standing up with the halter in his hand*
55. hacienda: *stock, steers*
56. las manadas repuntaban: *they gathered the loose animals in*
57. con ... prendido: *absorbed in their card game*
58. buche: *stomach, craw*
59. como la gente: *as all good people should*
60. fainas = faenas
61. gauchada: *gauchos, "outfit"*
62. ¡barajo!: *shucks!* (euphemism for a violent exclamation)
63. no ... aporriada (aporreada): *his wretchedness is unspeakable*
64. tropilla de un pelo: *herd of a single color.* Such herds were greatly prized by the gauchos.
65. consuelo: *money enough for a good time*

Cuando llegaban las yerras,[66]
¡cosa que daba calor,
tanto gaucho pialador   105
y tironiador [67] sin yel! [68]
¡Ah tiempos . . . ; pero si en él
se ha visto tanto primor!

Aquello no era trabajo,
más bien era una junción,[69]   110
y después de un güen tirón
en que uno se daba maña,
pa darle un trago de caña
solía llamarlo el patrón.[70]

Pues siempre la mamajuana [71]   115
vivía bajo la carreta,
y aquel que no era chancleta,[72]
en cuanto el goyete vía,
sin miedo se le prendía
como güérfano a la teta.[73]   120

Y ¡qué jugadas se armaban [74]
cuando estábamos riunidos!
Siempre íbamos prevenidos,
pues en tales ocasiones,
a ayudarles a los piones   125
caiban muchos comedidos.[75]

Eran los días del apuro
y alboroto pa el hembraje,[76]

pa preparar los potajes
y osequiar bien a la gente;   130
y ansí, pues, muy grandemente,
pasaba [77] siempre el gauchaje.

Venía la carne con cuero,[78]
la sabrosa carbonada,[79]
mazamorra bien pisada,[80]   135
los pasteles y el güen vino . . .
pero ha querido el destino,
que todo aquello acabara.

Estaba el gaucho en su pago [81]
con toda siguridá,   140
pero aura . . . , ¡barbaridá!,
la cosa anda tan fruncida,[82]
que gasta el pobre la vida
en juir de la autoridá.

Pues si usté pisa en su rancho   145
y si el alcalde lo sabe,
lo caza lo mesmo que ave,
aunque su mujer aborte . . .
¡No hay tiempo que no se acabe
ni tiento [83] que no se corte!   150

Y al punto dése por muerto
si el alcalde lo bolea,[84]
pues áhi no más se le apea

66. yerras (hierras): *branding times*
67. pialador . . . tironiador: the *pialador* lassos the steer on foot, the *tironiador* throws it flat on its side for the branding
68. sin yel (hiel): *cold blooded*
69. junción (función): *party*
70. después . . . patrón: *after* [a gaucho] *had made a good throw and showed off his skill* (maña) *to advantage, the boss* (patrón) *would call him and give him a drink of raw brandy* (caña)
71. mamajuana (damajuana): *demijohn, jug*
72. chancleta: *sissy*
73. en cuanto . . . teta: *as soon as he saw the bottle* (goyete: *bottle's neck*) *he slapped his mouth to it like a starved orphan to a breast*
74. qué . . . armaban: *what practical jokes were pulled!*

75. caiban . . . comedidos: *many obliging fellows dropped in*
76. días . . . hembraje: *days of hard work and fuss for the women folks*
77. muy . . . pasaba: *had a grand good time*
78. carne con cuero: *meat cooked in the hide.* At functions like the branding, the gaucho barbecued his meat, with the hide on it, over live coals.
79. carbonada: *stew* (of meat and rice)
80. mazamorra . . . pisada: *fine ground corn meal*
81. pago: *home place, district*
82. la cosa . . . fruncida: *things are so twisted*
83. tiento: *thong*
84. lo bolea: *gets it in for you, gets you with the bolas*

con una felpa de palos.[85]
Y despúes dicen que es malo 155
el gaucho si los pelea.

Y el lomo le hinchan a golpes
y le rompen la cabeza,
y luego, con ligereza,
ansí lastimao y todo, 160
lo amarran codo con codo
y pa el cepo lo enderiezan.[86]

Áhi comienzan sus desgracias,
áhi principia el pericón; [87]
porque ya no hay salvación, 165
y que usté quiera o no quiera,
lo mandan a la frontera
o lo echan a un batallón.

Ansí empezaron mis males,
lo mesmo que los de tantos. 170
Si gustan ... en otros cantos
les diré lo que he sufrido.
Después que uno está ... perdido
no lo salvan ni los santos.

3

Tuve en mi pago en un tiempo
hijos, hacienda y mujer;
pero empecé a padecer,
me echaron a la frontera,
y ¡qué iba a hallar al volver! 5
tan sólo hallé la tapera.[88]

Sosegao vivía en mi rancho,
como el pájaro en su nido.
Allí mis hijos queridos
iban creciendo a mi lao ... 10
Sólo queda al desgraciao
lamentar el bien perdido.

Mi gala en las pulperías
era cuando había más gente
ponerme medio caliente,[89] 15
pues cuando puntiao [90] me encuentro
me salen coplas de adentro
como agua de la virtiente.[91]

Cantando estaba una vez
en una gran diversión; 20
y aprovechó la ocasión
como quiso el juez de paz.
Se presentó, y áhi no más
hizo una arriada en montón.[92]

Juyeron los más matreros [93] 25
y lograron escapar.
Yo no quise disparar; [94]
soy manso y no había por qué,
muy tranquilo me quedé
y ansí me dejé agarrar. 30

Allí un gringo [95] con un órgano
y una mona que bailaba
haciéndonós rair [96] estaba
cuando le tocó el arreo.[97]
¡Tan grande el gringo y tan feo! 35
¡Lo viera cómo lloraba! [98]

---

85. ahí ... palos: *right there he'll knock you flat, beating you with a stick*
86. lo ... enderiezan: *they tie your elbows together and send you straight off to the stocks*
87. pericón: *dance, party* (used in the adverse sense of *trouble*)
88. tapera: *ruins, shell*
89. medio caliente: *half warmed* (up with liquor)
90. puntiao (puntiado): *half drunk*
91. virtiente (vertiente): *watershed, slope*

92. áhi ... montón: *and right there made a haul of the whole lot*
93. Juyeron (huyeron) ... matreros: *the smartest ones fled*
94. disparar: *run away*
95. gringo: *foreigner.* In Argentina the word refers almost exclusively to Italians.
96. rair = reír
97. arreo: *haul, round-up*
98. ¡Tan grande ... lloraba! *As big and ugly as the Italian was, you just should have seen how he cried!*

Hasta un inglés sanjiador [99]
que decía en la última guerra
que él era de Inca-la-perra [100]
y que no quería servir,   40
tuvo también que juir
a guarecerse en la sierra.

Ni los mirones salvaron
de esa arriada de mi flor; [101]
fué acoyarao [102] el cantor   45
con el gringo de la mona;
a uno solo, por favor,
logró salvar la patrona. [103]

Formaron un contingente
con los que del baile arriaron;   50
con otros nos mesturaron, [104]
que habían agarrao también.
las cosas que aquí se ven
ni los diablos las pensaron.

A mí el juez me tomó entre ojos [105] 55
en la última votación:
me le había hecho el remolón
y no me arrimé ese día, [106]
y él dijo que yo servía
a los de la esposición. [107]   60

Y ansí sufrí ese castigo
tal vez por culpas ajenas,
que sean malas o sean güenas

las listas, siempre me escondo: [108]
yo soy un gaucho redondo   65
y esas cosas no me enllenan. [109]

Al mandarnos nos hicieron
más promesas que a un altar.
El juez nos jué a proclamar
y nos dijo muchas veces: 70
—Muchachos, a los seis meses
los van a ir a revelar. [110]

Yo llevé un moro de número. [111]
¡Sobresaliente el matucho! [112]
Con él gané en Ayacucho   75
más plata que agua bendita.
Siempre el gaucho necesita
un pingo pa fiarle un pucho. [113]

Y cargué sin dar más güeltas [114]
con las prendas que tenía.   80
Jergas, [115] poncho, cuanto había
en casa, tuito lo alcé. [116]
A mi china la dejé
media desnuda ese día.

No me faltaba una guasca; [117]   85
esa ocasión eché el resto: [118]
bozal, maniador, cabresto,
lazo, bolas y manea... [119]
¡El que hoy tan pobre me vea
tal vez no crerá todo esto!   90

---

99. sanjiador: *ditch digger*
100. Inca-la-perra = Inglaterra
101. Ni...flor: *Not even the onlookers escaped from that fine haul*
102. acoyarao (acollarado): *nabbed, harnessed*
103. patrona: *proprietress, boss's wife*
104. mesturaron = mixturaron
105. me...ojos: *got his eyes on me, got it in for me*
106. me...día: *I had played lazy and had not showed up that day*
107. esposición = oposición
108. que...escondo: *for whether the lists of candidates are good or bad, I always hide out* [on voting days]
109. no me enllenan: *do not appeal to me*
110. revelar (relevar): *relieve*
111. moro de número: *a dark horse of the finest kind;* de número = de número uno: *first rate*
112. matucho: *horse, nag*
113. un pingo...pucho: *a horse to assure him a stake (win) at the races*
114. güeltas = vueltas
115. Jergas: *Saddle cloths*
116. tuito (todito) lo alcé: *I packed (picked) it all up, carried it all off*
117. guasca (huasca): *rope, thong*
118. eché el resto: *I packed the rest*
119. bozal...manea: *muzzle, grazing rope, halter, lasso, bolas, and hobble*

Ansí en mi moro escarciando [120]
enderecé a la frontera.
¡Aparcero!,[121] si usté viera
lo que se llama cantón...! [122]
Ni envidia tengo al ratón   95
en aquella ratonera.

De los pobres que allí había
a ninguno lo largaron;
los más viejos rezongaron,[123]
pero a uno que se quejó   100
en seguida lo estaquiaron [124]
y la cosa se acabó.

En la lista [125] de la tarde
el jefe nos cantó el punto,[126]
diciendo:—Quinientos juntos [127]   105
llevará el que se resierte; [128]
lo haremos pitar del juerte; [129]
más bien dése por dijunto.[130]

A naides le dieron armas,
pues toditas las que había   110
el coronel las tenía,
sigún dijo esa ocasión,
pa repartirlas el día
en que hubiera una invasión.

Al principio nos dejaron   115
de haraganes criando sebo; [131]

pero después... no me atrevo
a decir lo que pasaba...
¡Barajo!..., si nos trataban
como se trata a malevos.[132]   120

Porque todo era jugarle
por los lomos con la espada,[133]
y aunque usté no hiciera nada
lo mesmito que en Palermo,[134]
le daban cada cepiada [135]   125
que lo dejaban enfermo.

¡Y qué indios ni qué servicio
si allí no había ni cuartel!
Nos mandaba el coronel
a trabajar en sus chacras,[136]   130
y dejábamos las vacas
que las llevara el infiel.[137]

Yo primero sembré trigo
y después hice un corral,
corté adobe pa un tapial,   135
hice un quincho, corté paja...[138]
¡La pucha, que se trabaja
sin que le larguen ni un rial!

Y es lo pior de aquel enriedo
que si uno anda hinchando el
     lomo [139]   140
se le apean como un plomo...[140]

120. escarciando (escarceando): *bounding*
121. Aparcero: *companion, pal*
122. cantón: *cantonment*
123. rezongaron: *complained*
124. estaquiaron: *tied to stakes.* Four stakes were driven into the ground and the body was stretched out with hands and feet tied to these.
125. lista: *roll call*
126. nos...punto: *put things to us straight from the shoulder*
127. Quinientos (azotes) juntos: *Five hundred lashes*
128. resierte = desierte
129. pitar del juerte (fuerte): *suffer severe punishment*
130. más...dijunto (difunto): *he had as soon be dead* (the punishment will be so harsh)

131. criando sebo: *getting fat, lazing around*
132. malevos: *common criminals*
133. todo...espada: *it was all too common to whack you across the back with a sword*
134. Palermo: ranch of the tyrant Rosas who delighted in extreme punishment
135. cada cepiada: *such a trussing up* (in the stocks for no reason at all)
136. chacras: *farms*
137. dejábamos...infiel: *we let the heathen* (Indian) *drive off the cattle*
138. hice...paja: *I made a corral, cut adobe bricks for a wall, made a wall-frame of reeds, cut thatch*
139. hinchando el lomo: *with his back up, acting rebellious*
140. se...plomo: *they'll knock you flat*

¡Quién aguanta aquel infierno!
Si eso es servir al Gobierno,
a mí no me gusta el cómo.

Más de un año nos tuvieron   145
en esos trabajos duros;
y los indios, le asiguro,
dentraban cuando querían:
como no los perseguían
siempre andaban sin apuro.   150

A veces decía al volver
del campo la descubierta
que estuviéramos alerta,[141]
que andaba adentro la indiada,[142]
porque había una rastrillada [143]   155
o estaba una yegua muerta.

Recién [144] entonces salía
la orden de hacer la riunión
y cáibamos [145] al cantón
en pelos y hasta enancaos,[146]   160
sin armas, cuatro pelaos,[147]
que íbamos a hacer jabón.[148]

Áhi empezaba el afán,
se entiende, de puro vicio,[149]
de enseñarle el ejercicio   165
a tanto gaucho recluta
con un estrutor [150] . . . , ¡qué . . . bru-
        ta! [151]
que nunca sabía su oficio.

Daban entonces las armas
pa defender los cantones,   170
que eran lanzas y latones [152]
con ataduras de tiento.
Las de juego [153] no las cuento
porque no había municiones.

Y chamuscao [154] un sargento,   175
me contó que las tenían,
pero que ellas las vendían
para cazar avestruces;
y ansí, andaban noche y día
déle bala [155] a los ñanduces.   180

Y cuando se iban los indios
con lo que habían manotiao,[156]
salíamos muy apuraos
a perseguirlos de atrás;
si no se llevaban más   185
es porque no habían hallao.

Allí sí se ven desgracias
y lágrimas y afliciones.
Naides le pida perdones
al indio, pues donde entra   190
roba y mata cuanto encuentra
y quema las poblaciones.

No salvan de su juror [157]
ni los pobres angelitos; [158]
viejos, mozos y chiquitos   195
los mata del mesmo modo,
que el indio lo arregla todo
con la lanza y con los gritos.

141. al volver . . . alerta: *the patrol coming back from the fields warned us to be on the look-out*
142. indiada: *Indians*
143. rastrillada: *bunch of tracks*
144. Recién: *Right away*
145. cáibamos (caíamos): *we flocked*
146. en pelos . . . enancaos: *bareback and even two on a horse*
147. cuatro pelaos: *a bunch of clodhoppers. Cuatro* often signifies an indefinite number, "several."

148. hacer jabón: *do nothing*
149. de puro vicio: *just for meanness*
150. estrutor = instructor
151. bruta: exclamation
152. latones: *sabers*
153. juego = fuego
154. chamuscao: [when] *drunk*
155. déle bala: *shooting*
156. manotiao (manoteado): *stolen, snatched*
157. juror = furor
158. angelitos: *tiny infants*

Tiemblan las carnes al verlo
volando al viento la cerda,[159]   200
la rienda en la mano izquierda
y la lanza en la derecha.
Ande enderiesa abre brecha,[160]
pues no hay lanzaso que pierda.

Hace trotiadas tremendas   205
dende el fondo del desierto;
ansí llega medio muerto
de hambre, de sé[161] y de fatiga;
pero el indio es una hormiga
que día y noche está dispierto.   210

Sabe manejar las bolas
como naides las maneja.
Cuanto el contrario se aleja
manda una bola perdida,
y si lo alcanza, sin vida   215
es siguro que lo deja.[162]

Y el indio es como tortuga
de duro para espichar;[163]
si lo llega a destripar[164]
ni siquiera se le encoge;[165]   220
luego, sus tripas recoge,
y se agacha a disparar.[166]

Hacían el robo a su gusto
y después se iban de arriba;[167]
se llevaban las cautivas,   225

y nos contaban que a veces
les descarnaban los pieses,[168]
a las pobrecitas, vivas.

¡Ah, si partía el corazón
ver tantos males, canejo![169]   230
Los perseguíamos de lejos
sin poder ni galopiar;
y ¿qué habíamos de alcanzar
en unos bichocos[170] viejos?

Nos volvíamos al cantón   235
a las dos o tres jornadas[171]
sembrando las caballadas;[172]
y pa que alguno la venda,
rejuntábamos la hacienda[173]
que habían dejao resagada.[174]   240

Una vez, entre otras muchas,
tanto salir al botón,[175]
nos pegaron un malón[176]
los indios, y una lanciada,[177]
que la gente, acobardada   245
quedó dende esa ocasión.

Habían estao escondidos
aguaitando[178] atrás de un cerro...
¡Lo viera a su amigo Fierro
aflojar como un blandito![179]   250
Salieron como maíz frito
en cuanto sonó un cencerro.[180]

159. Tiemblan ... cerda: *It makes the flesh shudder to see him* (the Indian) *riding like a flash with his horse's mane trailing in the wind*
160. brecha: *breach, opening*
161. sé = sed
162. Cuanto ... deja: *No matter how far off his enemy gets, he can throw a loose bola and if it hits him it certainly strikes him dead*
163. espichar (expirar): *to die*
164. destripar; *rip his bowels open*
165. ni ... encoge: *it doesn't faze him*
166. sus tripas ... disparar: *he stuffs them back in, squats low, and flees*
167. de arriba: *with impunity*
168. les ... pieses: *they skin the soles of their* (the captives') *feet*

169. canejo: an exclamation
170. bichocos: *worthless nags*
171. jornadas: *days' journey*
172. sembrando las caballadas: *our horses dropping* (fagged out) *all over the place*
173. rejuntábamos la hacienda: *we rounded up the steers*
174. resagada (rezagada): *behind*
175. al botón: *futilely*
176. nos ... malón: *made a raid on us*
177. lanciada: *attack with lances*
178. aguaitando: *waiting in ambush*
179. ¡Lo ... blandito!: *You should have seen your friend Fierro weaken like a tenderfoot!*
180. Salieron ... cencerro: *They came out in all directions like popcorn at the sound of a bell*

Al punto nos dispusimos,
aunque ellos eran bastantes;
la formamos al istante   255
nuestra gente, que era poca,
y golpiándosé en la boca
hicieron fila adelante.[181]

Se vinieron en tropel
haciendo temblar la tierra.   260
No soy manco pa la guerra,
pero tuve mi jabón,[182]
pues iba en un redomón [183]
que había boliao [184] en la sierra.

¡Qué vocerío!, ¡qué barullo,[185]   265
qué apurar [186] esa carrera!
La indiada todita entera
dando alaridos cargó.
¡Jué pucha! [187] . . . y ya nos sacó
como yeguada matrera.[188]   270

¡Qué fletes [189] traiban los bárbaros,
como una luz de lijeros!
Hicieron el entrevero,[190]
y en aquella mescolanza,
éste quiero, éste no quiero,   275
nos escojían con la lanza.

Al que le dan un chuzaso,[191]
dificultoso es que sane.
En fin, para no echar panes,[192]

salimos por esas lomas   280
lo mesmo que las palomas
al juir de los gavilanes.

Es de almirar [193] la destreza
con que la lanza manejan.
De perseguir nunca dejan,   285
y nos traiban apretaos.
¡Si queríamos, de apuraos,
salirnos por las orejas! [194]

Y pa mejor de la fiesta,
en esa aflición tan suma,   290
vino un indio echando espuma [195]
y con la lanza en la mano
gritando:—Acabau, cristiano,
metau el lanza hasta el pluma.[196]

Tendido en el costillar,[197]   295
cimbrando [198] por sobre el brazo
una lanza como un lazo,
me atropeyó dando gritos.
Si me descuido . . . , el maldito
me levanta de un lanzaso.   300

Si me atribulo o me encojo,[199]
siguro que no me escapo.
Siempre he sido medio guapo; [200]
pero en aquella ocasión
me hacía buya el corazón   305
como la garganta al sapo.[201]

181. la formamos . . . adelante: *we imme-*
diately drew up the few men that we had,
and yelling and hitting their mouths with
their hands they charged ahead
182. tuve mi jabón: *I was frightened*
183. redomón: *half broken horse*
184. boliao (boleado): *caught* (with *bo-*
las)
185. barullo: *din*
186. qué apurar: *how nerve-wracking*
187. Jué pucha: an oath
188. nos . . . matrera: *they made us flee*
like a herd of wild mares. Before 1853 there
were herds of from twenty to seventy thousand mares running wild on the Argentine
pampas.
189. fletes: *horses*
190. entrevero: *charge, contact*
191. chuzaso: *slash, stab*
192. para . . . panes: *in order not to boast*

(and thus keep the record straight)
193. almirar = admirar
194. Si . . . orejas: *Why, we were so hard*
pressed we tried to sail right over the horses'
ears!
195. echando espuma: *in a fury*
196. Acabau . . . pluma: *This is the end,*
Christian (white man), *here goes my lance*
into you up to the feathers. Feathers were attached to the lance about a yard above the
point.
197. Tendido . . . costillar: *Leaning over*
on one side (so as not to expose his entire
body)
198. cimbrando: *brandishing*
199. Si . . . encojo: *If I show fright or*
hesitation
200. medio guapo: *rather daring, tough*
201. me . . . sapo: *my heart rattled like a*
toad's throat

Dios le perdone al salvaje
las ganas que me tenía . . .
Desaté las tres marías [202]
y lo engatusé a cabriolas . . .[203]   310
¡Pucha! . . . , si no traigo bolas
me achura [204] el indio ese día.

Era el hijo de un cacique,
sigún yo lo avirigüé.
La verdá del caso jué   315
que me tuvo apuradazo,[205]
hasta que al fin de un bolazo [206]
del caballo lo bajé.

Áhi no más [207] me tiré al suelo
y lo pisé en las paletas;[208]   320
empezó a hacer morisquetas [209]
y a mezquinar la garganta . . .[210]
pero yo hice la obra santa
de hacerlo estirar la jeta.[211]

Allí quedó de mojón [212]   325
y en su caballo salté;
de la indiada disparé,
pues si me alcanza, me mata,
y, al fin, me les escapé
con el hilo de una pata.[213]   330

4

Seguiré esta relación,
aunque pa chorizo [214] es largo.
El que pueda, hágasé cargo

cómo andaría de matrero [215]
después de salvar el cuero [216]   5
de aquel trance tan amargo.

Del sueldo nada les cuento,
porque andaba disparando.[217]
Nosotros de cuando en cuando
solíamos ladrar de pobres: [218]   10
nunca llegaban los cobres [219]
que se estaban aguardando.

Y andábamos de mugrientos
que el mirarnos daba horror;
les juro que era un dolor   15
ver esos hombres, ¡por Cristo!
en mi perra vida he visto
una miseria mayor.

Yo no tenía ni camisa
ni cosa que se parezca;   20
mis trajos sólo pa yesca
me podían servir al fin . . .
No hay plaga como un fortín
para que el hombre padezca.

Poncho, jergas, el apero,   25
las prenditas,[220] los botones,
todo, amigo, en los cantones
jué quedando poco a poco.
Ya me tenían medio loco
la pobreza y los ratones.   30

Sólo una manta peluda
era cuanto me quedaba;

---

202. Desaté . . . marías: *I let the bolas fly*
203. lo . . . cabriolas: *I tangled him up as he pranced*
204. me achura: *would have cut me to bits*
205. apuradazo: *hard pressed*
206. bolazo: *strike with the bolas*
207. Áhi no más: *Right then and there*
208. lo . . . paletas: *I trampled down his shoulders*
209. hacer morisquetas: *to play tricks*
210. mezquinar la garganta: *cover up his throat*
211. estirar la jeta: *bite the dust* (lay his snout flat)

212. de mojón: *like a pile of filth, marker*
213. con . . . pata: *by the skin of my teeth*
214. pa (para) chorizo: *for a sausage* (for a tale)
215. cómo . . . matrero: *how puffed up I was*
216. después . . . cuero: *after saving my hide*
217. andaba disparando: *it flew away from us, never came near us*
218. solíamos . . . pobres: *we were so poor we barked, we were as wretched as dogs*
219. cobres: *coppers, money*
220. las prenditas: *maté outfit*

la había agenciao a la taba [221]
y ella me tapaba el bulto.[222]
Yaguané que allí ganaba   35
no salía . . . ni con indulto.[223]

Y pa mejor,[224] hasta el moro
se me jué de entre las manos.
No soy lerdo . . . , pero, hermano,
vino el comendante un día   40
diciendo que lo quería
"pa enseñarle a comer grano." [225]

Afiguresé cualquiera
la suerte de este su amigo
a pie y mostrando el umbligo,[226]   45
estropiao, pobre y desnudo.
Ni por castigo se pudo
hacerse más mal conmigo.

Ansí pasaron los meses,
y vino el año siguiente,   50
y las cosas igualmente
siguieron del mesmo modo.
Adrede parece todo
para aburrir a la gente.[227]

No teníamos más permiso   55
ni otro alivio la gauchada
que salir de madrugada,
cuando no había indio ninguno,

campo ajuera, a hacer boliadas,[228]
desocando los reyunos.[229]   60

Y cáibamos [230] al cantón
con los fletes aplastaos;[231]
pero a veces, medio aviaos,[232]
con plumas y algunos cueros,
que áhi no más con el pulpero [233]   65
los teníamos negociaos.

Era un amigo del jefe
que con un boliche [234] estaba;
yerba y tabaco nos daba
por la pluma de avestruz,   70
y hasta le hacía ver la luz
al que un cuero le llevaba.

Sólo tenía cuatro frascos
y unas barricas vacías,
y a la gente le vendía   75
todo cuanto precisaba.[235]
A veces creiba que estaba
allí la proveduría.[236]

¡Ah pulpero habilidoso!
Nada le solía faltar   80
¡aijuna! y para tragar
tenía un buche de ñandú.[237]
La gente le dió en llamar [238]
"El boliche de virtú." [239]

221. la . . . taba: *I had won it shooting
craps* (with *tabas* or sheep's knuckles for
dice)
222. me . . . bulto: *covered my body*
223. Yaguané . . . indulto: *The louse that
once got in there wouldn't leave for hell or
high water* (even with a full pardon).
224. pa mejor: *best of all* (used in the adverse sense: worst of all)
225. Pa . . . grano: Since the prairie horse
in its wild state lives on grass it has to be
taught to eat grain when in captivity. This
is used as the excuse for confiscating Fierro's
horse.
226. mostrando el umbligo (ombligo):
bare-bellied, exposing his navel
227. Adrede . . . gente: *Everything seems
just a scheme to bore people*
228. campo . . . boliadas: *out in the open
country to throw the bolas*

229. desocando los reyunos: *laming the
government horses*. The *reyuno* was a wild
horse from a district under restricted government ownership. Other districts were open to
the public, and horses could be taken freely
from them.
230. cáibamos (caíamos): *we dragged
ourselves back*
231. aplastaos (aplastados): *exhausted*
232. medio aviaos (aviados): *halfway
staked, fairly well supplied*
233. pulpero: *store-keeper*
234. boliche: *store, bar*
235. precisaba: *they needed*
236. proveduría: *purveyor's office*
237. buche de ñandú: *a craw as big as an
ostrich's*
238. le . . . llamar: *got the idea of calling it*
239. El boliche de virtú (virtud): *The
bar of Justice* (a play on words)

Aunque es justo que quien vende 85
algún poquitito muerda,[240]
tiraba tanto la cuerda [241]
que con sus cuatro limetas
el cargaba las carretas
de plumas, cueros y cerda.[242]   90

Nos tenía apuntaos [243] a todos
con más cuentas que un rosario,
cuando se anunció un salario
que iban a dar, o un socorro; [244]
pero sabe Dios qué zorro   95
se lo comió al comisario,[245]

pues nunca lo vi llegar
y al cabo de muchos días,
en la mesma pulpería
dieron una *buena cuenta*,[246]   100
que la gente muy contenta
de tan pobre recebía.

Sacaron unos sus prendas
que las tenían empeñadas;
por sus diudas atrasadas   105
dieron otros el dinero;
al fin de fiesta [247] el pulpero
se quedó con la mascada.[248]

Yo me arrecosté a un horcón [249]
dando tiempo [250] a que pagaran,   110
y poniendo güena cara [251]

estuve haciéndomé el poyo,[252]
a esperar que me llamaran
para recibir mi boyo.[253]

Pero áhi me pude quedar   115
pegao pa siempre al horcón;
ya era casi la oración [254]
y ninguno me llamaba.
La cosa se me ñublaba [255]
y me dentró comezón.   120

Pa sacarme el entripao [256]
vi al mayor,[257] y lo fí [258] a hablar.
Yo me le empecé a atracar,[259]
y como con poca gana
le dije: —Tal vez mañana   125
acabarán de pagar.

—¡Qué mañana ni otro día!— [260]
al punto me contestó,
—La paga ya se acabó,
siempre has de ser animal.[261]   130
Me rái y le dije: —Yo . . .
no he recebido ni un rial.

Se le pusieron los ojos
que se le querían salir,[262]
y áhi no más volvió a decir   135
comiéndomé con la vista:
—Y ¿qué querés recebir
si no has dentrao en la lista? [263]

240. muerda: *take as profit*
241. tiraba . . . cuerda: *he went to such an extreme*
242. cerda: *horsehair* (used for matting)
243. apuntaos (apuntados): *down in the book* (of debtors)
244. un socorro: *an advance*
245. sabe . . . comisario: *God knows what* [fox] *swallowed up the commissioner* (who was to bring our pay)
246. buena cuenta: *final settling of accounts*
247. al . . . fiesta: *after the fun was over*
248. la mascada: *the cash*
249. me . . . horcón: *I stood leaning against a post*
250. dando tiempo: *waiting*
251. poniendo . . . cara: *looking happy, smiling*

252. haciéndomé el poyo (pollo): *acting timid, keeping in the background*
253. boyo (bollo): *cash, silver*
254. oración: *hour of the Angelus, sunset*
255. se me ñublaba (nublaba): *looked bad* (dark) *for me*
256. Pa . . . entripao: *To get it off my chest*
257. mayor: *boss*
258. fí = fuí
259. atracar: *approach*
260. Qué . . . día: *Not tomorrow nor any other day!*
261. siempre . . . animal: *you'll always be a dunce*
262. Se le pusieron . . . salir: *His eyes looked as if they were about to pop* (out of his head)
263. si . . . lista: *if your name isn't entered on the list*

—Esto sí que es amolar;— [264]
dije yo pa mis adentros— 140
van dos años que me encuentro,
y hasta aura he visto ni un grullo; [265]
dentro en todos los barullos.[266]
pero en las listas no dentro.

Vide el plaito mal parao [267] 145
y no quise aguardar más . . .
Es güeno vivir en paz
con quien nos ha de mandar.
Y reculando pa atrás
me le empecé a retirar. 150

Supo todo el comendante
y me llamó al otro día,
diciendomé que quería
averiguar bien las cosas,
que no era el tiempo de Rosas, 155
que aura a naides se debía.[268]

Llamó al cabo y al sargento
y empezó la indagación
si había venido al cantón
en tal tiempo o en tal otro . . . 160
y si había venido en potro,
en reyuno o redomón.[269]

Y todo era alborotar
al ñudo, y hacer papel.[270]
Conocí que era pastel [271]
pa engordar con mi guayaca; [272] 165

mas si voy al coronel
me hacen bramar en la estaca.

¡Ah hijos de una! . . . ¡La codicia
ojalá les ruempa el saco! [273] 170
Ni un pedazo de tabaco
le dan al pobre soldao
y lo tienen de delgao
más ligero que un guanaco.[274]

Pero qué iba a hacerles yo, 175
charabón [275] en el desierto;
más bien me daba por muerto
pa no verme más fundido; [276]
y me les hacía el dormido,[277]
aunque soy medio dispierto. 180

5

Yo andaba desesperao,
aguardando una ocasión
que los indios un malón
nos dieran y entre el estrago
hacérmelés cimarrón [278] 5
y volverme pa mi pago.

Aquello no era servicio
ni defender la frontera:
aquello era ratonera
en que es más gato el más juerte; [279] 10
era jugar a la suerte
con una taba culera.[280]

264. Esto . . . amolar: *This is a real gyp*
265. grullo: *peso*
266. barullos: *fighting, dirty work*
267. Vide . . . parao: *I saw the complaint was futile* (going bad)
268. que no era . . . debía: *that it was not the time of the tyrant Rosas and nobody should fall short, everybody should get what was coming to him*
269. potro . . . reyuno . . . redomón: *colt* [of my own] . . . *a government horse . . . a half-broken wild horse*
270. alborotar . . . papel: *a lot of fuss for nothing and* [only] *to show off*
271. pastel: *scheme*
272. pa . . . guayaca: *to get fat on my money* (leather purse)

273. La codicia . . . saco: *I hope to goodness that greed busts their money-bags wide open*
274. guanaco: a species of South American sheep, very slender in build
275. charabón: *ostrich chick*
276. más . . . fundido: *I might better be dead than be any more wretched*
277. me . . . dormido: *I began to act the sleepy head to them*
278. hacérmelés cimarrón: *to go wild on them, to escape*
279. en . . . juerte* (fuerte): *in which only the strong fellow comes out on top*
280. jugar . . . culera: *to gamble with fate with loaded dice*

Allí tuito va al revés: [281]
los milicos [282] se hacen piones
y andan en las poblaciones   15
emprestaos [283] pa trabajar;
los rejuntan pa peliar
cuando entran indios ladrones.

Yo he visto en esa milonga [284]
muchos jefes con estancia,   20
y piones en abundancia,
y majadas y rodeos;
he visto negocios feos,
a pesar de mi inorancia.

Y colijo [285] que no quieren   25
la barunda componer.[286]
Para eso no ha de tener
el jefe que esté de estable [287]
más que su poncho y su sable,
su caballo y su deber.   30

Ansina, pues, conociendo
que aquel mal no tiene cura,
que tal vez mi sepoltura
si me quedo iba a encontrar,
pensé en mandarme mudar [288]   35
como cosa más sigura.

Y pa mejor,[289] una noche
¡qué estaquiada [290] me pegaron!;
Casi me descoyuntaron [291]

por motivo de una gresca.[292]   40
¡Aijuna!, si me estiraron
lo mesmo que guasca fresca.[293]

Jamás me puedo olvidar
lo que esa vez me pasó:
dentrando una noche yo   45
al fortín, un enganchao [294]
que estaba medio mamao [295]
allí me desconoció.[296]

Era un gringo tan bozal [297]
que nada se le entendía.   50
¡Quién sabe de ande sería!
Tal vez no juera cristiano,
pues lo único que decía
es que era *pa-po-litano*.[298]

Estaba de centinela,   55
y por causa del peludo [299]
verme más claro no pudo
y ésa jué la culpa toda.
El bruto se asustó al ñudo [300]
y fí el pavo de la boda.[301]   60

Cuando me vido [302] acercar:
—¿Quén vívore? [303]—preguntó;
—Qué víboras [304]—dije yo;
—Hagarto [305]—me pegó el grito.
Y yo dije despacito: 65
—Más lagarto serás vos.[306]

---

281. tuito … revés: *everything is backwards*
282. milicos: *soldiers*
283. emprestaos: *farmed out*
284. milonga: *dance*
285. colijo: *I gather, understand*
286. la … componer: *clean up the corruption*
287. el jefe … estable: *permanent boss, commandant*
288. mandarme mudar: *clear out*
289. pa mejor: *to cap the climax*
290. estaquiada: *staking*
291. descoyuntaron: *pulled my joints apart*
292. gresca: *brawl*
293. me … fresca: *they stretched me out like a fresh piece of hide*
294. enganchao: *conscript*
295. mamao: *drunk*
296. desconoció: *didn't recognize*
297. bozal: *stupid*
298. pa-po-litano (napolitano): *Neopolitan*
299. peludo: *drunkenness*
300. al ñudo: *for no reason at all*
301. fí (fuí) … boda: *I paid the piper, I was the victim*
302. vido = vió
303. ¿Quén vívore? (¿Quién vive?): *Who goes there?* This is the phrase with which the sentry challenges anyone who wishes to pass
304. Qué víboras: *What snakes*
305. Hagarto (Haga alto): *Halt*
306. Más … vos: *You're a bigger lizard!* In gaucho slang a thief was called a lagarto (*lizard*). The pun, as well as the insult, is lost in translation.

Áhi no más, ¡Cristo me valga!,
rastrillar el jusil siento; [307]
me agaché, y en el momento
el bruto me largó un chumbo; [308]   70
mamao, me tiró sin rumbo, [309]
que si no, no cuento el cuento.

Por de contao, [310] con el tiro
se alborotó el avispero; [311]
los oficiales salieron   75
y se empezó la junción:
quedó en su puesto el nación, [312]
y yo fí al estaquiadero. [313]

Entre cuatro bayonetas
me tendieron en el suelo.   80
Vino el mayor medio en pedo, [314]
y allí se puso a gritar:
—Pícaro, te he de enseñar
a andar declamando [315] sueldos.

De las manos y las patas   85
me ataron cuatro cinchones. [316]
Les aguanté los tirones [317]
sin que ni un ¡ay! se me oyera,
y al gringo la noche entera
lo harté con mis maldiciones. [318]   90

Yo no sé por qué el Gobierno
nos manda aquí a la frontera

gringada [319] que ni siquiera
se sabe atracar a un pingo. [320]
¡Si crerá al mandar un gringo   95
que nos manda alguna fiera! [321]

No hacen mas que dar trabajo,
pues no saben ni ensillar,
no sirven ni pa carniar, [322]
y yo he visto muchas veces   100
que ni voltiadas las reses
se les querían arrimar. [323]

Y lo pasan sus mercedes
lengüetiando pico a pico, [324]
hasta que viene un milico   105
a servirles el asao...
Y, eso sí, en lo delicaos
parecen hijos de rico.

Si hay calor, ya no son gente, [325]
si yela, todos tiritan; [326]   110
si usté no les da, no pitan [327]
por no gastar en tabaco,
y cuando pescan un naco
unos a otros se lo quitan. [328]

Cuando llueve se acoquinan [329]   115
como perro que oye truenos.
¡Qué diablos!, sólo son güeno
pa vivir entre maricas, [330]

307. rastrillar ... siento: *I hear the gun being cocked*
308. chumbo: *bullet*
309. mamao ... rumbo: *being drunk, he shot and missed me*
310. Por de contao: *Needless to say*
311. se ... avispero: *the wasps' nest began to stir* (that is, the place suddenly came to life)
312. el nación: *the foreigner, the Italian*
313. estaquiadero: *stakes*
314. mayor ... pedo: *boss half drunk*
315. declamando (reclamando): *claiming*
316. cinchones: *straps*
317. aguanté los tirones: *I endured the pullings*
318. al ... maldiciones: *the gringo I cursed the whole night long*
319. gringada: *Gringo* (Italian) *greenhorns*

320. atracar ... pingo: *to get near a horse*
321. ¡Si ... fiera!: *Why, they seem to think that they are sending a fighting monster when they send a gringo!*
322. carniar: *slaughtering a steer*
323. ni ... arrimar: *not even when the steers were flat on the ground did they want to come near them*
324. lengüetiando ... pico: *prattling all together*
325. ya ... gente: *they can't take it like human beings, they can't stand it*
326. si ... tiritan: *if it freezes, they all shiver*
327. no pitan: *they won't smoke*
328. cuando ... quitan: *when they do get a twist of tobacco they try to take it away from each other*
329. se acoquinan: *they go into a huddle*
330. maricas: *sissies*

y nunca se andan con chicas [331]
para alzar ponchos ajenos.[332]   120

Pa vichar [333] son como ciegos:
no hay ejemplo de que entiendan;
ni hay uno solo que aprienda,
al ver un bulto que cruza,
a saber si es avestruza   125
o si es jinete o hacienda.[334]

Si salen a perseguir
después de mucho aparato,[335]
tuitos se pelan al rato [336]
y va quedando el tendal.[337]   130
Esto es como en un nidal
echarle güevos a un gato.[338]

6

Vamos dentrando recién [339]
a la parte más sentida,
aunque es todita mi vida
de males una cadena.
A cada alma dolorida   5
le gusta cantar sus penas.

Se empezó en aquel entonces
a rejuntar caballada,
y riunir la milicada
teniéndola en el cantón.   10

para una despedición [340]
a sorprender a la indiada.

Nos anunciaban que iríamos
sin carretas ni bagajes
à golpiar a los salvajes   15
en sus mesmas tolderías;
que a la güelta pagarían,
licenciándoló al gauchaje.[341]

Que en esta despedición
tuviéramos la esperanza,   20
que iba a venir sin tardanza,
sigún el jefe contó,
un menistro o qué sé yo,[342]
que lo llamaban Don Ganza.[343]

Que iba a riunir el ejército   25
y tuitos los batallones,
y que traiba unos cañones
con más rayas que un cotín.[344]
¡Pucha!, las conversaciones
por allá no tenían fin.   30

Pero esas trampas no enriedan
a los zorros de mi laya; [345]
que el menistro venga o vaya,
poco le importa a un matrero.[346]
Yo también dejé las rayas . . .   35
en los libros del pulpero.[347]

331. nunca . . . chicas: *they don't hold back at all*
332. para . . . ajenos: *when it comes to stealing somebody else's poncho*
333. vichar: *serve as lookouts*
334. al ver . . . hacienda: *when he sees something* (a form) *going by to tell whether it's an ostrich, a horseman, or a steer*
335. aparato: *fuss*
336. tuitos . . . rato: *they are all fighting each other in no time*
337. va . . . tendal: *everything is in confusion*
338. Esto . . . gato: *This is like putting eggs under a cat in a nest* (and expecting her to hatch chickens)
339. Vamos . . . recién: *We are just getting into*

340. despedición = expedición
341. licenciándoló al gauchaje: *giving all the gauchos a furlough*
342. un . . . yo: *a minister or something or other*
343. Don Ganza: *Don Goose*. The name is an allusion to Col. Martín de Gainza, Minister of War under President Sarmiento, 1868–1874.
344. con . . . cotín: *with more stripes* (*rifling in the bore*) *than a cot mattress*
345. esas . . . laya: *those tricks don't fool foxy fellows like me*
346. matrero: *brave gaucho*
347. dejé . . . pulpero: *I left my stripes in the books of the storekeeper*. The gaucho's accounts were kept in this way, since he was often unable to read or write.

Nunca juí gaucho dormido,
siempre pronto, siempre listo.
Yo soy un hombre, ¡qué Cristo!,
que nada me ha acobardao,   40
y siempre salí parao [348]
en los trances que me he visto.

Dende chiquito gané
la vida con mi trabajo,
y aunque siempre estuve abajo   45
y no sé lo que es subir,
también el mucho sufrir
suele cansarnos ¡barajo!

En medio de mi inorancia
conozco que nada valgo;   50
soy la liebre o soy el galgo [349]
asigún [350] los tiempos andan;
pero también los que mandan
debieran cuidarnos algo.

Una noche que riunidos   55
estaban en la carpeta [351]
empinando una limeta
el jefe y el juez de paz,
yo no quise aguardar más,
y me hice humo en un sotreta. [352]   60

Para mí el campo son flores
dende que libre me veo;
donde me lleva el deseo
allí mis pasos dirijo,
y hasta en las sombras, de fijo   65
que a donde quiera rumbeo. [358]

Entro y salgo del peligro
sin que me espante el estrago;
no aflojo al primer amago [354]
ni jamás fí gaucho lerdo;   70
soy pa rumbiar como el cerdo, [355]
y pronto cái [356] a mi pago.

Volvía al cabo de tres años
de tanto sufrir al ñudo,
resertor, [357] pobre y desnudo,   75
a procurar suerte nueva;
y lo mesmo que el peludo [358]
enderecé pa mi cueva. [359]

No hallé ni rastro del rancho;
¡sólo estaba la tapera!   80
¡Por Cristo, si aquello era
pa enlutar el corazón!
Yo juré en esa ocasión
ser más malo que una fiera.

¡Quién no sentirá lo mesmo   85
cuando ansí padece tanto!
Puedo asigurar que el llanto
como una mujer largué.
¡Ay mi Dios!, si me quedé
más triste que Jueves Santo.   90

Sólo se oiban los aullidos
de un gato [360] que se salvó;
el pobre se guareció
cerca, en una vizcachera; [361]
venía como si supiera   95
que estaba de güelta yo.

348. salí parao: *I came out on my feet* (no matter what the difficulty)
349. soy . . . galgo: *I'm the hare or the hound*
350. asigún (a según): *as, according to*
351. en la carpeta: *inside the tavern*
352. me . . . sotreta: *I disappeared on a nag*
353. de fijo . . . rumbeo: *I can go straight to where I want to*
354. amago: *threat, sign of danger*
355. soy . . . cerdo: *when it comes to finding my way I'm like a pig*
356. cái (caí): *I reached*
357. resertor = desertor
358. peludo: *armadillo*
359. enderecé . . . cueva: *I went straight to my hole* (home)
360. se oiban . . . gato: *the meowings of a cat were heard*
361. vizcachera: *hole of a vizcacha* (a burrowing animal of the pampas)

Al dirme [362] dejé ia hacienda,
que era todito mi haber; [363]
pronto debíamos volver,
sigún el juez prometía,   100
y hasta entonces cuidaría
de los bienes la mujer.

Después me contó un vecino
que el campo se lo pidieron,
la hacienda se la vendieron   105
pa pagar arrendamientos, [364]
y qué sé yo cuántos cuentos;
pero todo lo fundieron. [365]

Los pobrecitos muchachos,
entre tantas afliciones   110
se conchabaron [366] de piones.
Mas, ¡qué iban a trabajar,
si eran como los pichones
sin acabar de emplumar! [367]

Por áhi andarán sufriendo   115
de nuestra suerte el rigor.
Me han contado que el mayor
nunca dejaba a su hermano.
Puede ser que algún cristiano
los recoja por favor.   120

¡Y la pobre mi mujer,
Dios sabe cuánto sufrió!
Me dicen que se voló
con no sé qué gavilán, [368]
sin duda a buscar el pan   125
que no podía darle yo.

No es raro que a uno le falte
lo que a algún otro le sobre;
si no le quedó ni un cobre,

sinó de hijos un enjambre,   130
¿qué más iba a hacer la pobre
para no morirse de hambre?

¡Tal vez no te vuelva a ver,
prenda de mi corazón! [369]
Dios te dé su protección,   135
ya que no me la dió a mí.
Y a mis hijos, dende aquí
les echo mi bendición.

Como hijitos de la cuna [370]
andarán por áhi sin madre.   140
Ya se quedaron sin padre,
y ansí la suerte los deja
sin naides que los proteja
y sin perro que les ladre. [371]

Los pobrecitos tal vez   145
no tengan ande abrigarse,
ni ramada [372] ande ganarse,
ni rincón ande meterse,
ni camisa que ponerse,
ni poncho con que taparse.   150

Tal vez los verán sufrir
sin tenerles compasión.
Puede que alguna ocasión,
aunque los vean tiritando,
los echen de algún jogón [373]   155
pa que no estén estorbando.

Y al verse ansina espantaos
como se espanta a los perros,
irán los hijos de Fierro,
con la cola entre las piernas,   160
a buscar almas más tiernas
o esconderse en algún cerro.

362. dirme = irme
363. mi haber: *my worldly possessions*
364. arrendamientos: *rent*
365. fundieron: *they ruined, stole*
366. se conchabaron: *hired themselves out*
367. sin . . . emplumar: *without their full
feathers*
368. se voló . . . gavilán: *she flew off with
some hawk or other*

369. prenda . . . corazón: *my darling*
370. cuna: *foundling home*
371. sin perro . . . ladre: A Spanish proverb runs: *Ni padre, ni madre, ni perro que
le ladre.* It expresses extreme loneliness and
desolation.
372. ramada: *thatched hut*
373. jogón (fogón): *fireside, hearth*

Mas también en este juego
voy a pedir mi bolada; [374]
a naides le debo nada,   165
ni pido cuartel ni doy,
y ninguno dende hoy
ha de llevarme en la armada.[375]

Yo he sido manso primero
y seré gaucho matrero   170
en mi triste circunstancia;
aunque es mi mal tan projundo,
nací y me he criao en estancia,
pero ya conozco el mundo.

Ya le conozco sus mañas,   175
le conozco sus cucañas,[376]
sé cómo hacen la partida,[377]
la enriedan y la manejan.
Deshaceré la madeja,
aunque me cueste la vida.   180

Y aguante el que no se anime
a meterse en tanto engorro,
o si no aprétese el gorro
o para otra tierra emigre; [378]
pero yo ando como el tigre   185
que le roban los cachorros.

Aunque muchos cren que el gaucho
tiene una alma de reyuno,
no se encontrará ninguno
que no lo dueblen las penas; [379]   190
mas no debe aflojar uno
mientras hay sangre en las venas.

7

De carta de más me vía [380]
sin saber a dónde dirme;
mas dijeron que era vago
y entraron a perseguirme.

Nunca se achican los males,   5
van poco a poco creciendo,
y ansina me vide pronto
obligado a andar juyendo.

No tenía mujer ni rancho,
y a más, era resertor;   10
no tenía una prenda güena
ni un peso en el tirador.[381]

A mis hijos, infelices,
pensé volverlos a hallar,
y andaba de un lao al otro   15
sin tener ni qué pitar.[382]

Supe una vez, por desgracia,
que había un baile por allí,
y medio desesperao
a ver la milonga fuí.   20

Riunidos al pericón
tantos amigos hallé,
que alegre de verme entre ellos
esa noche me apedé.[383]

Como nunca, en la ocasión   25
por peliar me dio la tranca,[384]
y la emprendí [385] con un negro
que trujo una negra en ancas.[386]

374. pedir mi bolada: *ask for my throw,
my say*
375. llevarme . . . armada: *catch me in the
noose of the lasso*
376. cucañas: *ugly tricks*
377. la partida: *the game*
378. Y aguante . . . emigre: *And let the
fellow who has no mind to mix in the affray
stick it out, or else pull his cap down tight
and leave for another country*
379. que . . . penas: *who isn't over*
whelmed with troubles
380. De carta . . . vía (veía): *In addition
to all that I found myself*
381. tirador: *money belt*
382. pitar: *smoke*
383. me apedé: *I got drunk*
384. por . . . tranca: *the drunkenness made
me feel like fighting*
385. la emprendí: *I started it*
386. trujo en ancas: *brought on the horse
behind him. Trujo: antiquated form of* **trajo.**

Al ver llegar la morena,
que no hacía caso de naides,   30
le dije con la mamúa: [387]
—Va . . . ca . . . yendo gente al baile.[388]

La negra entendió la cosa
y no tardó en contestarme,
mirándome como a perro: 35
—Más *vaca* será su madre.

Y dentró al baile muy tiesa [389]
con más cola que una zorra,[390]
haciendo blanquiar [391] los dientes
lo mesmo que mazamorra.[392]   40

—Negra linda—dije yo,—
me gusta . . . pa la carona.[393]
Y me puse a talariar [394]
esta coplita fregona: [395]

"A los blancos hizo Dios,   45
a los mulatos, San Pedro,
a los negros hizo el diablo
para tizón del infierno."

Había estao juntando rabia
el moreno dende ajuera: [396]   50
en lo escuro le brillaban
los ojos como linterna.

Lo conocí retobao,[397]
me acerqué y le dije presto:
—Por . . . rudo que un hombre sea,   55
nunca se enoja por esto.

Corcobió el de los tamangos,
y creyendosé muy fijo: [398]
—Más *porrudo* [399] serás vos,
gaucho rotoso [400]—me dijo.   60

Y ya se me vino al humo,[401]
como a buscarme la hebra,[402]
y un golpe le acomodé
con el porrón de giñebra.[403]

Áhi no más pegó el de hollín [404]   65
más gruñidos que un chanchito,[405]
y pelando el envenao [406]
me atropelló dando gritos.

Pegué un brinco y abrí cancha [407]
diciendolés: —Caballeros,   70
dejen venir ese toro;
solo nací . . . , solo muero.

El negro, despés del golpe,
se había el poncho refalao [408]
y dijo: —Vas a saber   75
si es solo o acompañao.

387. con la mamúa: *in my drunkenness*
388. Va . . . ca . . . yendo gente al baile:
This is the kind of double talk which is the
delight of the gauchos. It consists in forming
insulting remarks by means of apparently innocent words. Here the word play is on "va
cayendo gente," i. e. [some] *people are coming,* and "vaca yendo," i. e. [a] *cow going.*
Vaca is an allusion to the large breasts of the
colored woman.
389. tiesa: *stiffly, haughtily*
390. con . . . zorra: *with the tail of her
dress dragging behind her longer than that of
a fox*
391. haciendo blanquiar: *showing the
whiteness of*
392. mazamorra: *fine ground cornmeal*
393. me . . . carona: *I* [would] *like to saddle her*
394. talariar (tararear): *to hum*

395. coplita fregona: *mocking verse*
396. dende ajuera = desde afuera
397. Lo . . . retobao: *I knew that he was
mad*
398. Corcobió . . . fijo: *The fellow with the
sheepskin shoes whirled around feeling very
sure of himself*
399. porrudo: *kinky-headed;* cf. note 388
400. rotoso: *good-for-nothing*
401. se . . . humo: *came at me blindly*
402. hebra: *vital spot*
403. un golpe . . . giñebra (ginebra): *I
gave him a crack with the gin jug*
404. el de hollín: *the sooty boy*
405. chanchito: *little pig*
406. pelando el envenao: *pulling out his
knife*
407. Pegué . . . cancha: *I jumped back and
opened up space for fighting*
408. refalao: *taken off*

Y mientras se arremangó,
yo me saqué las espuelas,
pues malicié que aquel tío
no era de arriar con las riendas.[409]   80

No hay cosa como el peligro
pa refrescar un mamao:
hasta la vista se aclara
por mucho que haiga chupao.[410]

El negro me atropelló   85
como a quererme comer;
me hizo dos tiros seguidos
y los dos le abarajé.[411]

Yo tenía un facón con S [412]
que era de lima de acero; [413]   90
le hice un tiro, lo quitó
y vino ciego el moreno.

Y en el medio de las aspas [414]
un planaso le asenté
que le largué culebriando [415]   95
lo mesmo que buscapié.[416]

Le coloriaron las motas [417]
con la sangre de la herida,
y volvió a venir furioso
como una tigra parida.[418]   100

Y ya me hizo relumbrar
por los ojos el cuchillo,
alcanzando con la punta
a cortarme en un carrillo.

Me hirvió la sangre en las venas   105
y me le afirmé al moreno,
dandolé de punta y hacha [419]
pa dejar un diablo menos.

Por fin en una topada [420]
en el cuchillo lo alcé,   110
y como un saco de güesos
contra un cerco lo largué.

Tiró unas cuantas patadas [421]
y ya cantó pa el carnero.[422]
Nunca me puedo olvidar   115
de la agonía de aquel negro.

En esto la negra vino,
con los ojos como ají,[423]
y empezó, la pobre, allí
a bramar como una loba.   120
Yo quise darle una soba
a ver si la hacía callar;
mas pude reflesionar
que era malo en aquel punto,
y por respeto al dijunto   125
no la quise castigar.

Limpié el facón en los pastos,[424]
desaté mi redomón,
monté despacio y salí
al tranco pa el cañadón.[425]   130

Después supe que al finao
ni siquiera lo velaron,[426]
y retobao [427] en un cuero
sin rezarle lo enterraron.

409. malicié . . . riendas: *I guessed that that fellow was not one to be easily handled*
410. por . . . chupao: *no matter how much one has swallowed*
411. abarajé: *I parried*
412. con S: *with an S-shaped crossguard*
413. lima de acero: the steel of which files are made
414. aspas: *fuzzy mop*
415. un planaso . . . culebriando: *I gave him such a whack that I sent him reeling*
416. buscapié: *serpent fire-cracker, squib cracker*
417. motas: *hair*
418. tigra parida: *a tigress with young*

419. me . . . hacha: *I closed in on the colored fellow jabbing and hacking him*
420. topada: *attack, charge*
421. Tiró . . . patadas: *He kicked a few times*
422. cantó . . . carnero: *he died, was ready for the boneyard*
423. ají: *red pepper*
424. pastos: *grass, weeds*
425. salí . . . cañadón: *I headed slowly for the trail*
426. al finao . . . velaron: *they did not even hold a wake for the deceased*
427. retobao: *wrapped in*

Y dicen que dende entonces, 135
cuando es la noche serena,
suele verse una luz mala [428]
como de alma que anda en pena.

Yo tengo intención a veces,
para que no pene tanto,[429] 140
de sacar de allí los güesos
y echarlos al campo santo.

8

Otra vez, en un boliche
estaba haciendo la tarde; [430]
cayó un gaucho que hacía alarde
de guapo y de peliador.[431]

A la llegada metió 5
el pingo hasta la ramada,
y yo sin decirle nada
me quedé en el mostrador.

Era un terne [432] de aquel pago
que naides lo reprendía, 10
que sus enriedos tenía
con el señor comendante.

Y como era protegido,
andaba muy entonao,[433]
y a cualquiera desgraciao [434] 15
lo llevaba por delante.[435]

¡Ah, pobre, si él mismo creiba
que la vida le sobraba!

Ninguno diría que andaba
aguaitandoló la muerte. 20

Pero ansí pasa en el mundo,
es ansí la triste vida:
pa todos está escondida
la güena o la mala suerte.

Se tiró al suelo; al dentrar 25
le dió un empeyón [436] a un vasco,
y me alargó un medio frasco
diciendo: —Beba, cuñao.
—Por su hermana—contesté,—
que por la mía no hay cuidao.[437] 30

—¡Ah gaucho!—me respondió;—
¿de qué pago será criollo?
Lo andará buscando el hoyo,[438]
deberá tener güen cuero;
pero ande bala este toro [439] 35
no bala ningún ternero.

Y ya salimos trensaos,[440]
porque el hombre no era lerdo;
mas como el tino no pierdo
y soy medio ligerón,[441] 40
le dejé mostrando el sebo [442]
de un revés [443] con el facón.

Y como con la justicia
no andaba bien por allí,
cuanto pataliar lo vi [444] 45
y el pulpero pegó el grito,
ya pa el palenque salí,
como haciéndomé chiquito.[445]

428. luz mala: ignis fatuus (Latin), *will-o'-the-wisp*
429. para . . . tanto: *so that he won't suffer so much torment*
430. haciendo la tarde: *taking a drink*
431. hacía . . . peliador: *was showing off and looking for a fight*
432. terne: *bully*
433. entonao: *puffed up*
434. desgraciao: *poor guy*
435. lo . . . delante: *he would insult*
436. empeyón = empellón
437. Beba . . . cuidao: *"Drink, brother-in-law." "Our relationship must be through your sister," I answered, "for we don't have to worry about mine."*
438. hoyo: *grave*
439. ande . . . toro: *where this bull roars*
440. trensaos: *mixing it up*
441. medio ligerón: *pretty quick*
442. mostrando el sebo: *exposing his fat, guts*
443. revés: *backhand blow*
444. cuanto . . . vi: *as soon as I saw him kicking*
445. como . . . chiquito: *playing innocent*

Monté y me encomendé a Dios,
rumbiando [446] para otro pago;   50
que el gaucho que llaman vago
no puede tener querencia,[447]
y ansí de estrago en estrago [448]
vive llorando la ausencia.

Él anda siempre juyendo,   55
siempre pobre y perseguido;
no tiene cueva ni nido,
como si juera maldito;
porque el ser gaucho . . . ¡barajo!
el ser gaucho es un delito.   60

Es como el patrio de posta: [449]
lo larga éste, aquél lo toma;
nunca se acaba la broma.
Dende chico se parece
al arbolito que crece   65
desamparao en la loma.

Le echan la agua del bautismo
aquel que nació en la selva;
"Buscá madre que te envuelva," [450]
se dice el flaire [451] y lo larga,   70
y dentra a cruzar el mundo
como burro con la carga.

Y se cría viviendo al viento
como oveja sin trasquila,
mientras su padre en las filas   75
anda sirviendo al Gobierno.
Aunque tirite en invierno,
naide lo ampara ni asila.

Le llaman 'gaucho mamao'
si lo pillan divertido,[452]   80

y que es mal entretenido
si en un baile lo sorprienden;
hace mal si se defiende
y si no, se ve . . . fundido.[453]

No tiene hijos, ni mujer,   85
ni amigos, ni protetores;
pues todos son sus señores,
sin que ninguno lo ampare.
Tiene la suerte del güey,
y ¿dónde irá el güey que no are? [454]   90

Su casa es el pajonal,[455]
su guarida es el desierto;
y si de hambre medio muerto
le echa el lazo a algún mamón,[456]
lo persiguen como a plaito [457]   95
porque es un 'gaucho ladrón.'

Y si de un golpe por áhi
lo dan güelta panza arriba,[458]
no hay una alma compasiva
que le rece una oración;   100
tal vez como cimarrón
en una cueva [459] lo tiran.

Él nada gana en la paz
y es el primero en la guerra;
no le perdonan si yerra,   105
que no saben perdonar,
porque el gaucho en esta tierra
sólo sirve pa votar.

Para él son los calabozos,
para él las duras prisiones;   110
en su boca no hay razones [460]
aunque la razón le sobre;

446. rumbiando: *heading*
447. querencia: *favorite haunt, home*
448. de estrago en estrago: *from bad to worse*
449. patrio de posta: *run-down horse*
450. que te envuelva: *who will take you in*
451. flaire (fraile): *friar*
452. si . . . divertido: *if they catch him enjoying himself*
453. fundido: *ruined*

454. ¿dónde . . . are?: *where does the ox go which doesn't plow?* The answer is, of course: *A la carnicería* (slaughter-house).
455. pajonal: *prairie, pampa*
456. mamón: *suckling pig*
457. lo . . . plaito (pleito): *they chase him like a crook*
458. lo . . . arriba: *they lay him out dead*
459. cueva: *hole*
460. razones: *sensible words*

que son campanas de palo [461]
las razones de los pobres.

Si uno aguanta,[462] es gaucho bruto;
si no aguanta, es gaucho malo.   116
¡Déle azote, déle palo
porque es lo que él necesita!
De todo el que nació gaucho
ésta es la suerte maldita.   120

Vamos, suerte, vamos juntos,
dende que juntos nacimos;
y ya que juntos vivimos
sin podernos dividir,
yo abriré con mi cuchillo   125
el camino pa seguir.

9

Matreriando lo pasaba
y a las casas no venía.[463]
Solía arrimarme de día;
mas, lo mesmo que el carancho,[464]
siempre estaba sobre el rancho   5
espiando a la polecía.

Viva el gaucho que ande mal
como zorro perseguido,
hasta que al menor descuido
se lo atarasquen [465] los perros,   10
pues nunca le falta un yerro [466]
al hombre más alvertido.[467]

Y en esa hora de la tarde
en que tuito se adormece,
que el mundo dentrar parece   15
a vivir en pura calma,
con las tristezas del alma
al pajonal enderiece.

Bala el tierno corderito
al lao de la blanca oveja,   20
y a la vaca que se aleja
llama el ternero amarrao; [468]
pero el gaucho desgraciao
no tiene a quien dar su queja.

Ansí es que al venir la noche   25
iba a buscar mi guarida,
pues ande el tigre se anida
también el hombre lo pasa,
y no quería que en las casas
me rodiara la partida.[469]   30

Pues aun cuando vengan ellos
cumpliendo con sus deberes,
yo tengo otros pareceres,
y en esa conduta vivo:
que no debe un gaucho altivo   35
peliar entre las mujeres.

Y al campo me iba solito,
más matrero que el venao,[470]
como perro abandonao,
a buscar una tapera,   40
o en alguna vizcachera
pasar la noche tirao.

Sin punto ni rumbo fijo
en aquella inmensidá,
entre tanta oscuridá   45
anda el gaucho como duende;
allí jamás lo sorpriende
dormido la autoridá.

Su esperanza es el coraje,
su guardia es la precaución,   50
su pingo es la salvación,
y pasa uno en su desvelo

461. campanas de palo: *wooden bells*
(which do not ring)
462. Si . . . aguanta: *If one stands for it*
463. Matreriando . . . venía: *I wandered
about fleeing from the police and did not
come to the ranch*
464. carancho: *vulture, bird of prey which
hovers over its find*

465. atarasquen: *bite*
466. yerro: *slip*
467. alvertido (advertido): *alert, keen*
468. amarrao: *tied to the stake*
469. me . . . partida: *the police should
round me up*
470. más . . . venao: *more sly even than
the stag*

sin más amparo que el cielo
ni otro amigo que el facón.

Ansí me hallaba una noche,   55
contemplando las estrellas,
que le parecen más bellas
cuanto uno es más desgraciao,
y que Dios las haiga criao
para consolarse en ellas.   60

Les tiene el hombre cariño,
y siempre con alegría
ve salir las tres Marías; [471]
que si llueve, cuanto escampa,
las estrellas son la guía   65
que el gaucho tiene en la Pampa.

Aquí no valen dotores,[472]
sólo vale la esperencia;
aquí verían su inocencia
esos que todo lo saben;   70
porque esto tiene otra llave
y el gaucho tiene su cencia.[473]

Es triste en medio del campo
pasarse noches enteras
contemplando en sus carreras   75
las estrellas que Dios cría,
sin tener más compañía
que su soledá y las fieras.

Me encontraba, como digo,
en aquella soledá,   80
entre tanta oscuridá,
echando al viento mis quejas,
cuando el grito del chajá [474]
me hizo parar las orejas.[475]

Como lumbriz me pegué [476]   85
al suelo para escuchar;
pronto sentí retumbar
las pisadas de los fletes,
y que eran muchos jinetes
conocí sin vacilar.   90

Cuando el hombre está en peligro
no debe tener confianza;
ansí, tendido de panza,
puse toda mi atención,
y ya escuché sin tardanza   95
como el ruido de un latón.

Se venían tan calladitos
que yo me puse en cuidao:
tal vez me hubieran bombiao [477]
y me venían a buscar;   100
mas no quise disparar,
que eso es de gaucho morao.[478]

Al punto me santigüé
y eché de giñebra un taco; [479]
lo mesmito que el mataco [480]   105
me arroyé con el porrón.[481]
—Si han de darme pa tabaco,— [482]
dije, —ésta es buena ocasión.

Me refalé [483] las espuelas,
para no peliar con grillos;   110
me arremangué el calzoncillo
y me ajusté bien la faja,
y en una mata de paja [484]
probé el filo del cuchillo.

Para tenerlo a la mano   115
el flete en el pasto até,

---

471. tres Marías: *three stars in the constellation of Orion*
472. dotores (doctores): *scholars with book-learning*
473. cencia (ciencia): *knowledge*
474. chajá: See page 170, note 5.
475. parar las orejas: *prick up my ears*
476. Como . . . pegué: *I stretched out like a worm*
477. bombiao: *tracked*
478. morao: *cowardly*
479. taco: *swallow, snort*
480. mataco: *armadillo*
481. me . . . porrón: *I dove into the jug*
482. Si . . . tabaco: *If they are going to finish me off*
483. me refalé: *I took off*
484. mata de paja: *clump of grass*

la cincha le acomodé,
y en un trance como aquél,
haciendo espaldas en él [485]
quietito los aguardé.   120

Cuando cerca los sentí
y que áhi no más se pararon,
los pelos se me erizaron,
y aunque nada vían mis ojos,
—No se han de morir de antojo— [486] 125
les dije cuanto llegaron.

Yo quise hacerles saber
que allí se hallaba un varón;
les conocí la intención,
y solamente por eso   130
es que les gané el tirón,[487]
sin aguardar voz de preso.[488]

—Vos sos un gaucho matrero—
dijo uno, haciéndosé el güeno.— [489]
Vos matastes un moreno   135
y otro en una pulpería,
y aquí está la polecía,
que viene a justar tus cuentas;
te va a alzar por las cuarenta [490]
si te resistís hoy día.   140

—No me vengan—contesté,—
con relación de dijuntos;
esos son otros asuntos;
vean si me pueden llevar,
que yo no me he de entregar   145
aunque vengan todos juntos.

Pero no aguardaron más,
y se apiaron en montón.[491]
Como a perro cimarrón
me rodiaron entre tantos;   150
yo me encomendé a los santos,
y eché mano a mi facón.

Y ya vide el fogonazo [492]
de un tiro de garabina;
mas quiso la suerte indina [493]   155
de aquel maula [494] que me errase,
y áhi no más lo levantase [495]
lo mesmo que una sardina.

A otro que estaba apurao [496]
acomodando una bola,   160
le hice una dentrada [497] sola
y le hice sentir el fierro,
y ya salió como el perro
cuando le pisan la cola.

Era tanta la aflición   165
y la angurria [498] que tenían,
que tuitos se me venían
donde yo los esperaba:
uno al otro se estorbaba [499]
y con las ganas no vían.   170

Dos de ellos, que traiban sables,
más garifos [500] y resueltos,
en las hilachas [501] envueltos
enfrente se me pararon,
y a un tiempo me atropellaron   175
lo mesmo que perros sueltos.

---

485. haciendo . . . él: *standing with my back against him*
486. No . . . antojo: *You don't have to die of unfulfilled desire.* (What are you fellows waiting for? Let's have it over with!)
487. tirón: *draw, throw*
488. voz de preso: *the cry of "Give yourself up!"* which in Spanish is *"¡Dése preso!"*
489. haciéndosé el güeno: *acting very important*
490. te . . . cuarenta: *is going to finish you off, flatten you out.* "Forty" is the highest bid in the card game of *brisca*.
491. en montón: *all together*
492. fogonazo: *flash*

493. indina = indigna
494. maula: *dirty fighter* (who used a gun instead of his knife)
495. lo levantase: *I speared him*
496. apurao: *busy*
497. dentrada: *thrust*
498. angurria: *eagerness*
499. se estorbaba: *got in the way of*
500. garifos: *bold*
501. hilachas: *ponchos.* In a fight the gaucho wound his *poncho* around his left arm for a shield. At the beginning one end was often left dangling on the ground so that his opponent would step on it in a rush and be spilled over backward when it was jerked up.

Me fuí reculando [502] en falso
y el poncho adelante eché,
y cuanto le puso el pie
uno medio chapetón,[503]   180
de pronto le di el tirón
y de espaldas lo largué.

Al verse sin compañero
el otro se sofrenó;
entonces le dentré yo,   185
sin dejarlo resollar,
pero ya empezó a aflojar
y a la pun ... ta [504] disparó.

Uno que en una tacuara
había atao una tijera,[505]   190
se vino como si juera
palenque de atar terneros;
pero en dos tiros certeros
salió aullando campo ajuera.

Por suerte en aquel momento   195
venía coloriando el alba,
y yo dije: —Si me salva
la Virgen en este apuro,
en adelante le juro
ser más güeno que una malva.[506]   200

Pegué un brinco [507] y entre todos
sin miedo me entreveré; [508]
hecho ovillo [509] me quedé
y ya me cargó una yunta,[510]
y por el suelo la punta   205
de mi facón les jugué.

El más engolosinao [511]
se me apió [512] con un hachazo;
se lo quité con el brazo,
de no, me mata los piojos; [513]   210
y antes de que diera un paso
le eché tierra en los dos ojos;

Y mientras se sacudía
refregandosé la vista,
yo me le fui como lista,[514]   215
y áhi no más me le afirmé [515]
diciendolé: —Dios te asista.—
Y de un revés lo voltié.

Pero en ese punto mesmo
sentí que por las costillas   220
un sable me hacía cosquillas,
y la sangre se me heló.
Dende ese momento yo
me salí de mis casillas.[516]

Di para atrás unos pasos   225
hasta que pude hacer pie; [517]
por delante me lo eché
de punta y tajos [518] a un criollo;
metió la pata en un oyo,[519]
y yo al oyo lo mandé.   230

Tal vez en el corazón
lo tocó un santo bendito
a un gaucho, que pegó el grito,
y dijo: —Cruz no consiente
que se cometa el delito   235
de matar ansí un valiente.

502. me ... reculando: *I gave ground*
503. chapetón: *greenhorn*
504. Cf. note 388. The implication here is not of the sort that is printable.
505. en ... tijera: *had tied the blade of a shears to a reed*
506. ser ... malva: *to be meeker than a mallow flower*
507. Pegué un brinco: *I gave a jump*
508. entre ... entreveré: *I placed myself fearlessly in their midst*
509. hecho ovillo: *all drawn up like a ball*
510. yunta: *pair*

511. engolosinao: *eager*
512. se me apió: *tried to knock me down*
513. me ... piojos: *he would have killed my lice, would have wounded me in the head*
514. me ... lista: *I followed up like a flash*
515. me le afirmé: *I nailed him*
516. me ... casillas: *I was beside myself, I went mad*
517. hacer pie: *get a firm footing*
518. de ... tajos: *with stabs and slashes*
519. oyo (hoyo): *hole, grave*

Y áhi no más se me aparió,[520]
dentrándolé a la partida.
Yo les hice otra embestida
pues entre dos era robo;[521]   240
y el Cruz era como lobo
que defiende su guarida.

Uno despachó al infierno
de dos que lo atropellaron,
los demás remoliniaron,[522]   245
pues íbamos a la fija,[523]
y a poco andar dispararon
lo mesmo que sabandija.[524]

Áhi quedaban largo a largo[525]
los que estiraron la jeta;[526]   250
otro iba como maleta,[527]
y Cruz, de atrás, les decía:
—Que venga otra polecía
a llevarlos en carreta.

Yo junté las osamentas,[528]   255
me hinqué y les recé un bendito;[529]
hice una cruz de un palito
y pedí a mi Dios clemente
me perdonara el delito
de haber muerto tanta gente.   260

Dejamos amontonaos
a los pobres que murieron.
No sé si los recogieron,
porque nos fuimos a un rancho,
o si tal vez los caranchos   265
áhi no más se los comieron.

Lo agarramos mano a mano
entre los dos al porrón.
En semejante ocasión
un trago a cualquiera encanta,   270
y Cruz no era remolón
ni pijotiaba[530] garganta.

Calentamos los gargueros[531]
y nos largamos muy tiesos,[532]
siguiendo siempre los besos   275
al pichel,[533] y, por más señas,
íbamos como cigüeñas,
estirando los pescuezos.[534]

—Yo me voy—le dije,—amigo,
donde la suerte me lleve,   280
y si es que alguno se atreve
a ponerse en mi camino,
yo seguiré mi destino,
que el hombre hace lo que debe.

Soy un gaucho desgraciao,   285
no tengo donde ampararme,
ni un palo donde rascarme,[535]
ni un árbol que me cubije;
pero ni aun esto me aflige,
porque yo sé manejarme.   290

Antes de cair al servicio
tenía familia y hacienda;
cuando volví, ni la prenda[536]
me habían dejao ya.
Dios sabe en lo que vendrá   295
a parar esta contienda.[537]

520. se me aparió: *came over to my side*
521. era robo: *it was easy*
522. remoliniaron: *wheeled off, withdrew*
523. a la fija: *to certain victory*
524. lo . . . sabandija: *like bugs* (scuttling from under a raised log)
525. largo a largo: *laid out flat, full length*
526. los . . . jeta: *those who had bit the dust*
527. iba . . . maleta: *rode off wobbling from side to side* (like a packing case on a horse's back)
528. osamentas: *carcasses*
529. me . . . bendito: *I knelt down and said a prayer for them*
530. ni pijotiaba: *he did not spare*
531. gargueros: *gullets*
532. nos . . . tiesos: *we left very tight*
533. siguiendo . . . pichel: *still kissing the jug*
534. estirando los pescuezos: *stretching out their necks* (to get at the jug)
535. donde rascarme: *to scratch myself on*
536. prenda: *sweetheart, wife*
537. en . . . contienda: *how this strife will end up*

10

CRUZ [538]

Amigazo, pa sufrir
han nacido los varones.
Éstas son las ocasiones
de mostrarse un hombre juerte,
hasta que venga la muerte   5
y lo agarre a coscorrones.[539]

El andar tan despilchao [540]
ningun mérito me quita.
Sin ser un alma bendita,
me duelo del mal ajeno;   :0
soy un pastel con relleno [541]
que parece torta frita.

Tampoco me faltan males
y desgracias, le prevengo;
también mis desdichas tengo,   15
aunque esto poco me aflige;
yo sé hacerme el chancho rengo [542]
cuando la cosa lo esige.

Y con algunos ardiles [543]
voy viviendo, aunque rotoso; [544]   20
a veces me hago el sarnoso [545]
y no tengo ni un granito,
pero al chifle [546] voy ganoso
como panzón [547] al maíz frito.

A mí no me matan penas   25
mientras tenga el cuero sano,
venga el sol en el verano
y la escarcha en el invierno.

Si este mundo es un infierno
¿por qué afligirse el cristiano?   30

Hagamoslé cara fiera [548]
a los males, compañero,
porque el zorro más matrero
suele cair como un chorlito: [549]
viene por un corderito   35
y en la estaca deja el cuero.

Hoy tenemos que sufrir
males que no tienen nombre;
pero esto a naides lo asombre
porque ansina es el pastel; [550]   40
y tiene que dar el hombre
más vueltas que un carretel.[551]

Yo nunca me he de entregar
a los brazos de la muerte;
arrastro mi triste suerte   45
paso a paso y como pueda,
que donde el débil se queda
se suele escapar el juerte.

Y ricuerde cada cual
lo que cada cual sufrió,   50
que lo que es, amigo, yo
hago ansí la cuenta mía:
ya lo pasado pasó,
mañana será otro día.

Yo también tuve una pilcha [552]   55
que me enllenó [553] el corazón;
y si en aquella ocasión
alguien me hubiera buscao,
siguro que me había hallao
más prendido [554] que un botón.   60

538. Cruz is now the one who is talking.
539. lo . . . coscorrones: *cracks him down*
540. despilchao: *ragged*
541. pastel con relleno: *stuffed pastry*
(soft inside though fried outside). This was
the gaucho's favorite dessert.
542. yo . . . rengo: *I know how to put on
an act*
543. ardiles (ardides): *tricks*
544. rotoso: *ragged*
545. me . . . sarnoso: *I pretend to be stupid*
546. chifle: horn of an ox which was used
as a dinner horn
547. panzón: *glutton*
548. Hagamoslé . . . fiera: *Let's face
squarely*
549. chorlito: *curlew*, a bird which is easily caught
550. porque . . . pastel: *for that's the way
it's dished up to us*
551. carretel: *bobbin*
552. pilcha: *girl, sweetheart*
553. enllenó: *filled*
554. más prendido: *more firmly attached*

En la güella [555] del querer
no hay animal que se pierda;
las mujeres no son lerdas,
y todo gaucho es dotor
si pa cantarle el amor   65
tiene que templar [556] las cuerdas.

¡Quién es de un alma tan dura
que no quiera una mujer!
Lo alivia en su padecer;
si no sale calavera [557]   70
es la mejor compañera
que el hombre puede tener.

Si es güena, no lo abandona
cuando lo ve desgraciao;
lo asiste con su cuidao   75
y con afán cariñoso,
y usté tal vez ni un rebozo
ni una pollera [558] le ha dao.

Grandemente lo pasaba [559]
con aquella prenda mía,   80
viviendo con alegría
como la mosca en la miel.
¡Amigo, qué tiempo aquél!
¡La pucha, que la quería!

Era la águila que a un árbol   85
dende las nubes bajó;
era más linda que el alba
cuando va rayando [560] el sol;
era la flor deliciosa
que entre el trebolar [561] creció.   90

Pero, amigo, el comendante
que mandaba la milicia,
como que no desperdicia [562]
se fué refalando [563] a casa.
Yo le conocí en la traza [564]   95
que el hombre traiba malicia.

Él me daba voz de amigo, [565]
pero no le tenía fe.
Era el jefe y, ya se ve,
no podía competir yo;   100
en mi rancho se pegó
lo mesmo que un saguaipé. [566]

A poco andar, [567] conocí
que ya me había desbancao, [568]
y él siempre muy entonao,   105
aunque sin darme ni un cobre,
me tenía de lao a lao
como encomienda de pobre. [569]

A cada rato, de chasque [570]
me hacía dir a gran distancia;   110
ya me mandaba a una estancia,
ya al pueblo, ya a la frontera;
pero él en la comendancia
no ponía los pies siquiera.

Es triste a no poder más   115
el hombre en su padecer
si no tiene una mujer
que lo ampare y lo consuele;
mas pa que otro se la pele [571]
lo mejor es no tener.   120

555. güella (huella): *furrow, groove*
556. templar: *tune*
557. calavera: *loose morally*
558. rebozo . . . pollera: *shawl . . . (hoop) skirt*
559. Grandemente lo pasaba: *I spent my time like a king*
560. rayando: *shining*
561. trebolar: *clover*
562. no desperdicia: *he did not miss a chance*

563. refalando: *sneaking up*
564. traza: *looks*
565. voz de amigo: *friendly words*
566. saguaipé: *liver worm*
567. A . . . andar: *After a while*
568. desbancao: *displaced*
569. me . . . pobre: *he kept me around like a poor serf*
570. chasque: *messenger*
571. pa . . . pele: *so another can filch her*

No me gusta que otro gallo
le cacaree a mi gallina.
Yo andaba ya con la espina,[572]
hasta que en una ocasión
lo solprendí [573] junto al jogón   125
abrazándomé a la china.

Tenía el viejito una cara
de ternero mal lamido,[574]
y al verlo tan atrevido
le dije: —Que le aproveche; [575]   130
que había sido pa el amor
como guacho [576] pa la leche.

Peló [577] la espada y se vino
como a quererme ensartar; [578]
pero yo, sin tutubiar,   135
le volví al punto a decir:
—Cuidao no te vas a pér ... tigo [579]
poné cuarta [580] pa salir.

Un puntaso me largó,
pero el cuerpo le saqué,   140
y en cuanto se lo quité,[581]
para no matar un viejo,
con cuidao, medio de lejo,[582]
un planaso [583] le asenté.

Y como nunca al que manda   145
le falta algun adulón,[584]
uno que en esa ocasión
se encontraba allí presente,
vino apretando los dientes
como perrito mamón.[585]   150

Me hizo un tiro de revuélver [586]
que el hombre creyó siguro;
era confiao,[587] y le juro
que cerquita [588] se arrimaba;
pero siempre en un apuro [589]   155
se desentumen mis tabas.[590]

Él me siguió menudiando,[591]
mas sin poderme acertar;
y yo, déle culebriar,[592]
hasta que al fin le dentré   160
y áhi no más lo despaché
sin dejarlo resollar.

Dentré a campiar [593] en seguida
al viejito enamorao ...
El pobre se había ganao [594]   165
en un noque de lejía.[595]
¡Quién sabe cómo estaría
del susto que había llevao! * * *

Alcé mi poncho y mis prendas
y me largué a padecer   170
por culpa de una mujer
que quiso engañar a dos.
Al rancho le dije *adiós,*
para nunca más volver.

Las mujeres, dende entonces,   175
conocí a todas en una.
Ya no he de probar fortuna
con carta tan conocida:
mujer y perra parida,[596]
no se me acerca ninguna.   180

572. espina: *suspicion*
573. solprendí (sorprendí): *I caught*
574. ternero ... lamido: *badly licked calf*
575. Que le aproveche: *May it agree with you.* This phrase is a customary greeting to people at table.
576. guacho: *motherless lamb*
577. Peló: *He unsheathed, drew*
578. ensartar: *to spear*
579. per ... tigo: an invented term taken from *peer* and *tigo.* Its connotation is distinctly off color.
580. cuarta: *extra rope, thong*
581. el cuerpo ... quité: *I drew my body out of the way and as soon as I had parried his thrust*
582. medio de lejo: *from a safe distance*

583. planaso: *whack* (with the flat of the blade)
584. adulón: *hanger-on, flatterer*
585. perrito mamón: *suckling pup*
586. revúelver = revólver
587. confiao: *sure of himself*
588. cerquita: *very close, too close for comfort*
589. apuro: *tight spot*
590. se ... tabas: *my knees get nimble*
591. menudiando: *shooting*
592. déle culebriar: *twisting like a snake*
593. campiar: *look for*
594. se ... ganao: *had hidden*
595. noque de lejía: *tub for lye*
596. perra parida: *bitch with young*

11

A otros les brotan las coplas
como agua de manantial;
pues a mí me pasa igual,
aunque las mías nada valen;
de la boca se me salen   5
como ovejas del corral.

Que en puertiando [597] la primera,
ya la siguen las demás,
y en montones las de atrás
contra los palos se estrellan,[598]   10
y saltan y se atropellan
sin que se corten jamás.

Y aunque yo por mi inorancia
con gran trabajo me esplico,
cuando llego a abrir el pico,   15
tenganló por cosa cierta:
sale un verso y en la puerta
ya asoma el otro el hocico.

Y empréstemé su atención,
me oirá relatar las penas   20
de que traigo el alma llena,
porque en toda circunstancia
paga el gaucho su inorancia
con la sangre de sus venas.

Después de aquella desgracia   25
me guarecí en los pajales;[599]
anduve entre los cardales
como bicho sin guarida;
pero, amigo, es esa vida
como vida de animales.   30

Y son tantas las miserias
en que me he sabido ver,

que con tanto padecer
y sufrir tanta aflición
malicio [600] que he de tener   35
un callo en el corazón.   ·

Ansí, andaba como guacho
cuando pasa el temporal.
Supe una vez, por mi mal,
de una milonga que había,   40
y ya pa la pulpería
enderecé mi bagual.[601]

Era la casa del baile
un rancho de mala muerte,[602]
y se enllenó de tal suerte   45
que andábamos a empujones:
nunca faltan encontrones
cuando un pobre se divierte.

Yo tenía unas medias botas
con tamaños verdugones; [603]   50
me pusieron los talones
con crestas [604] como los gallos.
¡Si viera mis afliciones
pensando yo que eran callos!

Con gato y con fandanguillo [605]   55
había empezao el changango,
y para ver el fandango
me colé haciéndomé bola; [606]
mas metió el diablo la cola
y todo se volvió pango.[607]   60

Había sido el guitarrero
un gaucho duro de boca.[608]
Yo tengo paciencia poca
pa aguantar cuando no debo.
A ninguno me le atrevo,   65
pero me halla el que me toca.

597. puertiando: *coming through the gate*
598. contra ... estrellan: *they pile up against the fence*
599. pajales: *fields of high grass*
600. malicio: *I suspect*
601. bagual: *horse*
602. de ... muerte: *dilapidated*
603. unas ... verdugones: *half-length boots with big weals on them*
604. crestas: *red combs, raw, red spots*
605. gato ... fandanguillo: types of gaucho dances
606. me ... bola: *I slipped in uninvited*
607. pango: *din, rumpus*
608. duro de boca: *trouble-seeking, troublesome*

A bailar un pericón
con una moza salí,
y cuanto me vido allí,
sin duda me conoció,   70
y estas coplitas cantó,
como por rairse de mí:

   "Las mujeres son todas
      como las mulas.
Yo no digo que todas,   75
      pero hay algunas
que a las aves que vuelan
      les sacan plumas.[609]

   "Hay gauchos que presumen
      de tener damas.   80
No digo que presumen,
      pero se alaban,
y a lo mejor los dejan
      tocando tablas."[610]

Se secretiaron las hembras,   85
y yo ya me encocoré.[611]
Volié la anca[612] y le grité:
—Dejá de cantar . . . chicharra—[613]
y de un tajo a la guitarra
tuitas las cuerdas corté.   90

Al grito[614] salió de adentro
un gringo con un jusil;
pero nunca he sido vil,
poco el peligro me espanta;
ya me refalé la manta   95
y la eché sobre candil.[615]

Gané en seguida la puerta
gritando: —Naides me ataje—[616]
y alborotao el hembraje[617]
lo que todo quedó escuro,   100
empezó a verse en apuro
mesturao con[618] el gauchaje.

El primero que salió
fué el cantor, y se me vino;
pero yo no pierdo el tino   105
aunque haiga tomao un trago,
y hay algunos por mi pago
que me tienen por ladino.

No ha de haber achocao otro;[619]
le salió cara la broma.   110
A su amigo, cuando toma
se le despeja el sentido,[620]
y el pobrecito había sido
como carne de paloma.[621]

Para prestar un socorro   115
las mujeres no son lerdas:
antes que la sangre pierda
lo arrimaron a unas pipas.[622]
Áhi lo dejé con las tripas
como pa que hiciera cuerdas.[623]   120

Monté y me largué a los campos
más libre que el pensamiento,
como las nubes al viento,
a vivir sin paradero;[624]
que no tiene el que es matrero   125
nido, ni rancho, ni asiento.

---

609. hay algunas . . . plumas: the whole connotation here is one of veiled insults. Cruz has *flown* from his home and his woman has *plucked* his honor from him.
  610. tocando tablas: *jilting him, leaving him checkmated*
  611. me encocoré: *I got mad*
  612. Volié la anca: *I faced about*
  613. chicharra: *cicada, chatterbox*
  614. Al grito: *At once*
  615. me . . . candil: *I took off my poncho and threw it over the lamp*
  616. ataje: *head off, try to stop*

617. alborotao el hembraje: *the women folk all stirred up*
  618. mesturao con: *all mixed up amongst*
  619. No . . . otro: *Nothing could have suited me better, he was the right one*
  620. se . . . sentido: *his head clears*
  621. carne de paloma: *tender as a dove, easy game*
  622. pipas: *barrels*
  623. con . . . cuerdas: *with his entrails exposed as if they were to be made into guitar strings*
  624. paradero: *fixed abode*

No hay fuerza contra el destino
que le ha señalao el cielo;
y aunque no tenga consuelo,
aguante el que está en trabajo: 130
¡naides se rasca pa abajo
ni se lonjea contra el pelo! [625]

Con el gaucho desgraciao
no hay uno que no se entone;[626]
la mesma [627] falta lo espone   135
a andar con los avestruces.
Faltan otros con más luces [628]
y siempre hay quien los perdone.

12

Yo no sé qué tantos meses
esta vida me duró;
a veces nos obligó
la miseria a comer potro:
me había acompañao con otros   5
tan desgraciaos como yo.

Mas ¿para qué platicar
sobre esos males, canejo?
Nace el gaucho y se hace viejo
sin que mejore su suerte,   10
hasta que por áhi la muerte
sale a cobrarle el pellejo.

Pero como no hay desgracia
que no acabe alguna vez,
me aconteció que después   15
de sufrir tanto rigor,
un amigo, por favor,
me compuso con [629] el juez.

Le alvertiré que en mi pago
ya no va quedando un criollo;   20

se los ha tragao el hoyo
o juido o muerto en la guerra,
porque, amigo, en esta tierra
nunca se acaba el embrollo.

Colijo [630] que jué por eso   25
que me llamó el juez un día
y me dijo que quería
hacerme a su lao venir,
y que dentrase a servir
de soldao de polecía.   30

Y me largó una ploclama [631]
tratándomé de valiente,
que yo era un hombre decente
y que dende aquel momento
me nombraba de sargento   35
pa que mandara la gente.

Ansí estuve en la partida,
pero ¿qué había de mandar?
Anoche al irlo a tomar
vide güena coyontura,[632]   40
y a mí no me gusta andar
con la lata a la cintura.[633]

Ya conoce, pues, quién soy;
tenga confianza conmigo.
Cruz le dió mano de amigo   45
y no lo ha de abandonar.
Juntos podemos buscar
pa los dos un mesmo abrigo.

Andaremos de matreros
si es preciso pa salvar.   50
Nunca nos ha de faltar
ni un güen pingo para juir,
ni un pajal ande dormir,
ni un matambre [634] que ensartar.

625. naides ... pelo: *nobody scratches downward or cuts hide against the grain*
626. Con ... entone: *Everyone has the upper hand over the outlaw gaucho*
627. mesma: a misprint for *menor*
628. Faltan ... luces: *Others with more pull can err*

629. me ... con: *fixed it up for me with*
630. Colijo: *I suspect*
631. ploclama (proclama): *proclamation*
632. vide ... coyontura: *I saw my chance*
633. con ... cintura: *with a saber at my belt*
634. matambre: *side of beef*

Y cuando sin trapo alguno   55
nos haiga el tiempo dejao,
yo le pediré emprestao
el cuero a cualquier lobo,
y hago un poncho, si lo sobo,⁶³⁵
mejor que poncho engomao.   60

Para mí la cola es pecho
y el espinazo cadera; ⁶³⁶
hago mi nido ande quiera
y de lo que encuentre como;
me echo tierra sobre el lomo   65
y me apeo en cualquier tranquera.⁶³⁷

Y dejo rodar la bola,
que algún día ha'e ⁶³⁸ parar.
Tiene el gaucho que aguantar
hasta que lo trague el hoyo   70
o hasta que venga algún criollo ⁶³⁹
en esta tierra a mandar.

Lo miran al pobre gaucho
como carne de cogote; ⁶⁴⁰
lo tratan al estricote; ⁶⁴¹   75
y si ansí las cosas andan
porque quieren los que mandan,
aguantemos los azotes.

¡Pucha, si usté los oyera
como yo en una ocasión   80
tuita la conversación

que con otro tuvo el juez!
Le asiguro que esa vez
se me achicó el corazón.⁶⁴²

Hablaban de hacerse ricos   85
con campos en la frontera;
de sacarla más ajuera ⁶⁴³
donde había campos baldidos,⁶⁴⁴
y llevar de los partidos ⁶⁴⁵
gente que la defendiera.   90

Todo se güelven ⁶⁴⁶ proyectos
de colonias y carriles,
y tirar la plata a miles
en los gringos enganchaos,⁶⁴⁷
mientras al pobre soldao   95
le pelan la chaucha,⁶⁴⁸ ¡ah viles!

Pero si siguen las cosas
como van hasta el presente,
puede ser que redepente ⁶⁴⁹
véamos el campo desierto   100
y blanqueando solamente
los güesos de los que han muerto.

Hace mucho que sufrimos
la suerte reculativa.⁶⁵⁰
Trabaja el gaucho y no arriba,⁶⁵¹ 105
porque a lo mejor del caso
lo levantan de un sogaso
sin dejarle ni saliva.⁶⁵²

635. si lo sobo: *if I soften it*
636. la cola . . . cadera: *the tail is the breast and the backbone a chuck roast* (I can eat anything)
637. me echo . . . tranquera: *I can toss earth over my back* (like a bull) *or I can alight at any fence* (like a person asking favors), *I can be bold or humble as the occasion requires*
638. ha'e = ha de
639. criollo: *gaucho*. The message of the whole poem is that Argentina should have a government more sympathetic to the gaucho and his problems.
640. carne de cogote: *neck meat of the worst kind*
641. al estricote: *arbitrarily, any way they please*

642. se . . . corazón: *it made my heart shrink*
643. de . . . ajuera (afuera): *to extend it* (the frontier)
644. baldidos: *untilled*
645. partidos: *gaucho bands*
646. se güelven (vuelven): *turns into*
647. los . . . enganchaos: *the Italian conscripts*. The gaucho resented the intrusion of the Italians into his country.
648. le . . . chaucha: *they ruin, fleece*
649. redepente = de repente
650. la . . . reculative: *bad luck, retreating fortune*
651. no arriba: *never gets anywhere*
652. lo levantan . . . saliva: *they raise him up with a hangman's noose without even letting him spit*

De los males que sufrimos
hablan mucho los puebleros; [653]   110
pero hacen como los teros [654]
para esconder sus niditos;
en un lao pegan los gritos
y en otro tienen los güevos.[655]

Y se hacen los que no aciertan   115
a dar con la coyontura; [656]
mientras al gaucho lo apura [657]
con rigor la autoridá,
ellos a la enfermedá
le están errando la cura.   120

13

MARTÍN FIERRO

Ya veo somos los dos
astillas del mesmo palo; [658]
yo paso por gaucho malo
y usté anda del mesmo modo,
y yo, pa acabarlo todo,   5
a los indios me refalo.[659]

Pido perdón a mi Dios,
que tantos bienes me hizo;
pero dende que es preciso
que viva entre los infieles,   10
yo seré cruel con los crueles:
ansí mi suerte lo quiso.

Dios formó lindas las flores,
delicadas como son,
les dió toda perfeción   15
y cuanto él era capaz;
pero al hombre le dió más
cuando le dió el corazón.

Le dió claridá a la luz,
juerza en su carrera al viento,   20
le dió vida y movimiento
dende el águila al gusano;
pero más le dió al cristiano
al darle el entendimiento.

Y aunque a las aves les dió,   25
con otras cosas que inoro,
esos piquitos como oro
y un plumaje como tabla,[660]
le dió al hombre más tesoro
al darle una lengua que habla.   30

Y dende que dió a las fieras
esa juria tan inmensa,
que no hay poder que las venza
ni nada que las asombre,
¿qué menos le daría al hombre   35
que el valor pa su defensa?

Pero tantos bienes juntos
al darle, malicio yo
que en sus adentros pensó
que el hombre los precisaba,   40
que los bienes igualaban
con las penas que le dió.

Y yo, empujao por las mías,
quiero salir de este infierno.
Ya no soy pichón muy tierno   45
y sé manejar la lanza,
y hasta los indios no alcanza
la facultá del Gobierno.[661]

Yo sé que allá los caciques
amparan a los cristianos,   50

653. puebleros: *town people*
654. teros: (teruterus or teruteros) the
Argentine *lapwings*
655. en . . . güevos: *they call from one
spot, but have their eggs in another,* (they
say one thing but do another)
656. Y . . . coyontura: *And those who don't
succeed in finding the crux* (joint) *of the
problem fiddle around*

657. apura: *drives, oppresses*
658. somos . . . palo: *we are chips from
the same block.* Notice that Martín Fierro
is now answering Cruz.
659. me refalo: *I am slipping away*
660. plumaje . . . tabla: *plumage brilliant
as a painting*
661. hasta . . . Gobierno: *the jurisdiction
of the government does not reach as far as
the Indians*

y que los tratan de "hermanos"
cuando se van por su gusto.
¿A qué andar pasando sustos?
Alcemos el poncho y vamos.

En la cruzada [662] hay peligros,   55
pero ni aun esto me aterra;
yo ruedo sobre la tierra
arrastrao por mi destino,
y si erramos el camino . . .
no es el primero que lo erra.   60

Si hemos de salvar o no,
de esto naide nos responde.
Derecho ande el sol se esconde
tierra adentro hay que tirar; [663]
algún día hemos de llegar . . . ,   65
después sabremos adónde.

No hemos de perder el rumbo,
los dos somos güena yunta.
El que es gaucho va ande apunta,[664]
aunque inore ande se encuentra;   70
pa el lao en que el sol se dentra
dueblan los pastos la punta.[665]

De hambre no pereceremos,
pues, sigún otros me han dicho,
en los campos se hallan bichos   75
de lo que uno necesita:
gamas, matacos, mulitas,
avestruces y quirquinchos.[666]

Cuando se anda en el disierto,
se come uno hasta las colas.   80
Lo han cruzado mujeres solas,
llegando al fin con salú,

y ha de ser gaucho [667] el ñandú
que se escape de mis bolas.

Tampoco a la sé le temo,   85
yo la aguanto muy contento,
busco agua olfatiando al viento,
y dende que no soy manco . . .
ande hay duraznillo [668] blanco
cabo [669] y la saco al momento.   90

Allá habrá seguridá,
ya que aquí no la tenemos;
menos males pasaremos
y ha de haber grande alegría
el día que nos descolguemos   95
en alguna toldería.[670]

Fabricaremos un toldo,
como lo hacen tantos otros,
con unos cueros de potro,
que sea sala y sea cocina.   100
¡Tal vez no falte una china
que se apiade de nosotros!

Allá no hay que trabajar,
vive uno como un señor.
De cuando en cuando, un malón,   105
y si de él sale con vida,
lo pasa echao panza arriba
mirando dar güelta el sol.[671]

Y ya que a juerza de golpes
la suerte nos dejó aflús,[672]   110
puede que allá veamos luz
y se acaben nuestras penas.
Todas las tierras son güenas:
vámosnós, amigo Cruz.

662. cruzada: *crossing,* (no-man's-land or frontier between the white and the Indian settlements)
663. Derecho . . . tirar: *We must head inland toward the setting sun*
664. va . . . apunta: *gets where he's going*
665. pa . . . punta: *the grasses bend their tips toward the direction in which the sun rises*
666. gamas . . . quirquinchos: *deer, armadillos.* Matacos, mulitos and quirquinchos are all different species of the armadillo.

667. gaucho: *smart as a gaucho*
668. duraznillo: a variety of peach tree which has a pungent odor and whose root system is supposed to lead directly to watery earth. It grows only in very wet soil.
669. cabo (cavo): *I dig*
670. el día . . . toldería: *the day we reach some Indian tent village*
671. echao . . . sol: *lying on one's back watching the sun*
672. aflús: *without anything*

El que maneja las bolas,   115
el que sabe echar un pial [673]
y sentarse en un bagual
sin miedo de que lo baje,
entre los mesmos salvajes
no puede pasarlo mal.   120

El amor como la guerra
lo hace el criollo con canciones,
a más de eso, en los malones
podemos aviarnos [674] de algo.
En fin, amigo, yo salgo   125
de estas pelegrinaciones.

En este punto [675] el cantor
buscó un porrón pa consuelo,
echó un trago como un cielo,[676]
dando fin a su argumento,   130
y de un golpe el istrumento
lo hizo astillas [677] contra el suelo.

—Ruempo—dijo,— la guitarra,
pa no volverla a templar;
ninguno la ha de tocar,   135
por siguro tenganló,
pues naides ha de cantar
cuando este gaucho cantó.

Y daré fin a mis coplas
con aire de relación.   140
Nunca falta un preguntón
más curioso que mujer,
y tal vez quiera saber
cómo jue la conclusión.

Cruz y Fierro, de una estancia   145
una tropilla se arriaron;
por delante se la echaron,[678]
como criollos entendidos,
y pronto, sin ser sentidos,
por la frontera cruzaron.   150

Y cuando la habían pasao,
una madrugada clara
le dijo Cruz que mirara
las últimas poblaciones,
y a Fierro dos lagrimones   155
le rodaron por la cara.

Y siguiendo el fiel del rumbo [679]
se entraron en el desierto.
No sé si los habrán muerto
en alguna correría,[680]   160
pero espero que algún día
sabré de ellos algo cierto.

Y ya con estas noticias
mi relación acabé.
Por ser ciertas las conté   165
todas las desgracias dichas:
es un telar de desdichas [681]
cada gaucho que usté ve.

Pero ponga su esperanza
en el Dios que lo formó;   170
y aquí me despido yo,
que referí ansí a mi modo
males que conocen todos
pero que naides contó.

673. pial: *rope, lasso*
674. aviarnos: *provide ourselves*
675. "Desde aquí hasta el final de esta primera parte del poema habla el autor." (Hernández's note.)
676. trago . . . cielo: *one great and glorious swallow*
677. lo . . . astillas: *he smashed it to pieces*

678. una tropilla . . . echaron: *rustled a herd; drove it in front of them*
679. el . . . rumbo: *the line of travel, their course*
680. correría: *foray*
681. un . . . desdichas: *a bundle* (loom) *of troubles*

FIN DE LA PRIMERA PARTE

Rafael Obligado

1851-1920

Rafael Obligado included in the first edition of his only volume of *Poesías* (1885) three poems on the Santos Vega theme. The fourth was added in the second edition. In these poems the apotheosis of the gaucho minstrel is complete. Following Hilario Ascasubi, Eduardo Gutiérrez and Bartolomé Mitre, Obligado distilled the essence of the gaucho's story into the simple lines which follow. Obligado was a distinguished scholar and the first Professor of Argentine Literature in the University of Buenos Aires.

SANTOS VEGA

Santos Vega el payador,
aquel de la larga fama,
murió cantando su amor
como el pájaro en la rama.

EL ALMA DEL PAYADOR

Cuando la tarde se inclina
sollozando al occidente,
corre una sombra doliente
sobre la pampa argentina.
Y cuando el sol ilumina 5
con luz brillante y serena
del ancho campo la escena,
la melancólica sombra
huye besando su alfombra
con el afán de la pena. 10

Cuentan los criollos del suelo
que, en tibia noche de luna,
en solitaria laguna,
para la sombra su vuelo;
que allí se ensancha, y un velo 15

va sobre el agua formando,
mientras se goza escuchando
por singular beneficio
el incesante bullicio
que hacen las olas rodando. 20

Dicen que, en noche nublada,
si su guitarra algún mozo
en el crucero del pozo
deja de intento colgada,
llega la sombra callada 25
y, al envolverla en su manto,
suena el preludio de un canto
entre las cuerdas dormidas,
cuerdas que vibran heridas
como por gotas de llanto. 30

370

Cuentan que en noches de aquellas
en que la pampa se abisma
en la extensión de sí misma
sin su corona de estrellas,
sobre las lomas más bellas, 35
donde hay más trébol risueño,
luce una antorcha sin dueño
entre una niebla indecisa,
para que temple la brisa
las blandas alas del sueño. 40

Mas, si trocado el desmayo
en tempestad de su seno,
estalla el cóncavo trueno,
que es la palabra del rayo,
hiere al ombú de soslayo 45
rojiza sierpe de llamas,
que, calcinando sus ramas,
serpea, corre y asciende,
y en la alta copa desprende
brillante lluvia de escamas. 50

Cuando en las siestas de estío
las brillazones remedan
vastos oleajes que ruedan
sobre fantástico río; [1]
mudo, abismado y sombrío, 55

baja un jinete la falda
tinta de bella esmeralda,
llega a las márgenes solas . . .
¡Y hunde su potro en las olas,
con la guitarra a la espalda! 60

Si entonces cruza a lo lejos,
galopando sobre el llano
solitario algún paisano,
viendo al otro en los reflejos
de aquel abismo de espejos, 65
siente indecibles quebrantos,
y, alzando en vez de sus cantos
una oración de ternura,
al persignarse murmura:
"¡El alma del viejo Santos!" 70

Yo, que en la tierra he nacido
donde ese genio ha cantado,
y el pampero he respirado
que el payador ha nutrido,
beso este suelo querido 75
que a mis caricias se entrega,
mientras de orgullo me anega,
la convicción de que es mía
¡la Patria de Echeverría,[2]
la tierra de Santos Vega! 80

LA PRENDA DEL PAYADOR

El sol se oculta; inflamado
el horizonte fulgura,
y se extiende en la llanura
ligero estambre dorado.
Sopla el viento sosegado, 5
y del inmenso circuito
no llega al alma otro grito
ni al corazón otro arrullo,
que un monótono murmullo,
que es la voz del infinito. 10

Santos Vega cruza el llano,
alta el ala del sombrero,
levantada del pampero

al impulso soberano.
Viste poncho americano, 15
suelto en ondas de su cuello,
y chispeando en su cabello
y en el bronce de su frente,
lo cincela el sol poniente
con el último destello. 20

¿Dónde va? Vése distante
de un ombú la copa erguida,
como espiando la partida
de la luz agonizante.
Bajo la sombra gigante 25
de aquel árbol bienhechor,

1. fantástico río: the vision is a mirage   2. Esteban Echeverría: cf. pp. 170–181.

su techo, que es un primor
de reluciente totora,[3]
alza el rancho donde mora
la prenda del payador.   30

Ella, en el tronco sentada,
meditabunda le espera,
y en su negra cabellera,
hunde la mano rosada.
Le ve venir: su mirada,   35
más que la tarde, serena,
se cierra entonces sin pena,
porque es todo un embeleso
que él la despierte de un beso
dado en su frente morena.   40

No bien llega, el labio amado
toca la frente querida,
y vuela un soplo de vida
por el ramaje callado,
un ¡ay! apenas lanzado,   45
como susurro de palma
gira en la atmósfera en calma;
y ella, fingiéndole enojos,
alza a su dueño unos ojos
que son dos besos del alma.   50

Cerró la noche. Un momento
quedó la pampa en reposo,
cuando un rasgueo [4] armonioso
pobló de notas el viento.
Luego en el dulce instrumento   55
vibró una endecha de amor,
y, en el hombro del cantor,
llena de amante tristeza,
ella dobló la cabeza
para escucharlo mejor.   60

"Yo soy la nube lejana
(Vega en su canto decía),

que con la noche sombría
huye al venir la mañana;
soy la luz que en tu ventana   65
filtra en manojos la luna;
la que de niña, en la cuna,
abrió tus ojos risueños;
la que dibuja tus sueños
en la desierta laguna.   70

Yo soy la música vaga
que en los confines se escucha,
esa armonía que lucha
con el silencio, y se apaga;
el aire tibio que halaga   75
con su incesante volar,
que del ombú, vacilar
hace la copa bizarra
¡y la doliente guitarra
que suele hacerte llorar! . . ."   80

Leve rumor de un gemido,
de una caricia llorosa,
hendió la sombra medrosa,
crujió en el árbol dormido.
Después, el ronco estallido   85
de rotas cuerdas se oyó;
un remolino pasó
batiendo el rancho cercano;
y en el circuito del llano
todo en silencio quedó.   90

Luego, inflamando el vacío,
se levantó la alborada,
con esa blanca mirada
que hace chispear el rocío,
y cuando el sol en el río   95
vertió su lumbre primera,
se vió una sombra ligera
en occidente ocultarse,
y el alto ombú balancearse
sobre una antigua tapera.[5]   100

3. totora: a kind of reed used for thatching
roofs

4. rasgueo: *chord on a guitar*
5. tapera: *abandoned dwelling*

EL HIMNO DEL PAYADOR

En pos del alba azulada,
ya por los campos rutila
del sol la grande, tranquila
y victoriosa mirada,
sobre la curva lomada, 5
que asalta el cardo bravío,
y allá en el bajo sombrío
donde el arroyo serpea,
de cada hierba gotea
la viva luz del rocío. 10

De los opuestos confines
de la Pampa, uno tras otro,
sobre el indómito potro
que vuelca y bate las crines,
abandonando fortines, 15
estancias, rancho, mujer,
vienen mil gauchos a ver
si en otro pago distante,
hay quien se ponga delante,
cuando se grita: ¡A vencer! 20

Sobre el inmenso escenario
vanse formando en dos alas,
y el sol reluce en las galas
de cada bando contrario;
puéblase el aire del vario 25
rumor que en torno desata
la brillante cabalgata
que hace sonar, de luz llenas,
las espuelas nazarenas [6]
y las virolas de plata. 30

De entre ellos el más anciano
divide el campo después,
señalando de través,
larga huella por el llano;
y alzando luego en su mano 35
una pelota de cuero
con dos manijas, certero
la arroja al aire, gritando:
—¡Vuela el pato! [7] . . . ¡Va buscando
un valiente verdadero! 40

Y cada bando a correr
suelta el potro vigoroso,
y aquel sale victorioso
que logra asirlo al caer.
Puesto el que supo vencer 45
en medio, la turba calla,
y a ambos lados de la valla
de nuevo parten el llano,
esperando del anciano
la alta señal de batalla. 50

Dala al fin. Hondo clamor
ronco truena en el circuito,
y el caballo salta al grito
de su impávido señor;
y vencido y vencedor, 55
del noble triunfo sedientos,
se atropellan turbulentos
en largas filas cerradas,
cual dos olas encrespadas
que azotan contrarios vientos. 60

Alza en alto la presea
su feliz conquistador,
y su bando en derredor
lo defiende y clamorea.
Uno y otro aguijonea 65
el ágil bruto, y chocando
entre sí, corren dejando
por los inciertos caminos,
polvorosos remolinos
sobre las pampas rodando. 70

Vuela el símbolo del juego
por el campo arrebatado,
de los unos conquistado,
de los otros presa luego;
vense, entre hálitos de fuego, 75
varios jinetes rodar,
otros súbito avanzar
pisoteando los caídos;
y en el aire sacudidos,
rojos ponchos ondear. 80

6. espuelas nazarenas: large spurs
7. ¡Vuela el pato!: The game here described is a kind of basketball played on horseback.

Huyen, en tanto, azoradas,
de las lagunas vecinas,
como vivientes neblinas,
estrepitosas bandadas;
las grandes plumas cansadas   85
tiende el chajá corpulento;
y con veloz movimiento
y con silbido de balas,
bate el carancho las alas
hiriendo a hachazos el viento.   90

Con fuerte brazo les quita
robusto joven la prenda,
y tendido, a toda rienda;
—¡Yo solo me basto!—grita.
En pos de él se precipita,   95
la tierra y cielos asorda
lanzada a escape la horda
tras el audaz desafío,
con la pujanza de un río
que anchuroso se desborda.   100

Y allá van, todos unidos,
y él los azuza y provoca.
Golpeándose la boca,
con salvajes alaridos,
danle caza, y confundidos,   105
todos el cuerpo inclinado
sobre el arzón del recado,
temen que el triunfo les roben,
cuando, volviéndose, el joven,
echa al tropel su tostado...   110

El sol ya la hermosa frente
abatía, y, silencioso,
su abanico luminoso
desplegaba en occidente,
cuando un grito de repente   115
llenó el campo, y al clamor,
cesó la lucha, en honor
de un solo nombre bendito,
que aquel grito era este grito:
"¡Santos Vega, el payador!"   120

Mudos ante él se volvieron,
y, ya la rienda sujeta,
en derredor del poeta,
un vasto círculo hicieron.
Todos el alma pusieron   125
en los atentos oídos,
porque los labios queridos
de Santos Vega cantaban
y en su guitarra zumbaban,
estos vibrantes sonidos: 130

—Los que tengan corazón,
los que el alma libre tengan,
los valientes, esos vengan,
a escuchar esta canción:
nuestro dueño es la nación   135
que en el mar vence la ola,
que en los montes reina sola,
que en los campos nos domina,
y que en la tierra argentina
clavó la enseña española.   140

Hoy, mi guitarra, en los llanos,
cuerda por cuerda, así vibre:
¡Hasta el chimango [8] es más libre
en nuestra tierra, paisanos!
Mujeres, niños, ancianos,   145
el rancho aquel que primero
llenó con sólo un ¡te quiero!
la dulce prenda querida,
¡todo!...¡el amor y la vida,
es de un monarca extranjero!   150

Ya Buenos Aires, que encierra
como las nubes el rayo,
el veinte y cinco de mayo,
clamó de súbito: ¡Guerra!
¡Hijos del llano y la sierra,   155
pueblo argentino! ¿qué haremos?
¿Menos valientes seremos
que los que libres se aclaman?...
¡De Buenos Aires nos llaman,
a Buenos Aires volemos!   160

8. chimango: a species of South American hawk

¡Ah! Si es mi voz impotente
para arrojar, con vosotros,
nuestra lanza y nuestros potros
por el vasto continente;
si jamás independiente 165
veo el suelo en que he cantado,
no me entierren en sagrado
donde una cruz me recuerde.
¡Entiérrenme en campo verde
donde me pise el ganado! 170

Cuando cesó esta armonía
que los conmueve y asombra,
era ya Vega una sombra
que allá en la noche hundía ...
¡Patria! a sus almas decía 175

el cielo, de astros cubierto,
¡Patria! el sonoro concierto
de las lagunas de plata,
¡Patria! la trémula mata [9]
del pajonal del desierto. 180

Y a Buenos Aires volaron,
y el himno audaz repitieron,
cuando a Belgrano [10] siguieron,
cuando con Güemes [11] lucharon,
cuando por fin se lanzaron 185
tras el Andes [12] colosal,
hasta aquel día inmortal
en que un grande americano
batió al sol ecuatoriano
nuestra enseña nacional. 190

LA MUERTE DEL PAYADOR

Bajo el ombú corpulento
de las tórtolas amado,
porque su nido han labrado
allí al amparo del viento;
en el amplísimo asiento 5
que la raíz desparrama,
donde en las siestas la llama
de nuestro sol no se allega,
dormido está Santos Vega,
Aquel de la larga fama. 10

En los ramajes vecinos
ha colgado, silenciosa,
la guitarra melodiosa
de los cantos argentinos.
Al pasar los campesinos 15
ante Vega se detienen;
en silencio se convienen
a guardarle allí dormido;
ya hacen señas no hagan ruido
los que están a los que vienen. 20

El más viejo se adelanta
del grupo inmóvil, y llega
a palpar a Santos Vega,
moviendo apenas la planta.
Una morocha que encanta 25
por su aire suelto y travieso,
causa eléctrico embeleso
porque, gentil y bizarra,
se aproxima a la guitarra
y en las cuerdas pone un beso. 30

Turba entonces el sagrado
silencio que a Vega cerca,
un jinete que acerca
a la carrera lanzado;
retumba el desierto hollado 35
por el casco volador;
y aunque el grupo, en su estupor,
contenerlo pretendía,
llega, salta, lo desvía,
y sacude al payador. 40

9. mata: *a low plant*
10. Belgrano: See page 195, note 3.
11. Güemes: See page 267, note 90.

12. tras el Andes ... americano: The reference is, of course, to San Martín. See pages 205–211.

No bien el rostro sombrío
de aquel hombre mudos vieron,
horrorizados, sintieron
temblar las carnes de frío.
Miró en torno con bravío   45
y desenvuelto ademán,
y dijo: —Entre los que están
no tengo ningún amigo,
pero, al fin, para testigo
lo mismo es Pedro que Juan.   50

Alzó Vega la alta frente,
y lo contempló un instante,
enseñando en el semblante
cierto hastío indiferente.
—Por fin—dijo fríamente   55
el recién llegado,—estamos
juntos los dos, y encontramos
la ocasión, que éstos provocan,
de saber cómo se chocan
las canciones que cantamos.   60

Así diciendo, enseñó
una guitarra en sus manos,
y en los raigones cercanos,
preludiando se sentó.
Vega entonces sonrió,   65
y al volverse al instrumento,
la morocha hasta su asiento
ya su guitarra traía,
con un gesto que decía:
"La he besado hace un momento."   70

Juan Sin Ropa [13] (se llamaba
Juan Sin Ropa el forastero)
comenzó por un ligero
dulce acorde que encantaba,
y con voz que modulaba   75
blandamente los sonidos,
cantó *tristes* [14] nunca oídos,
cantó *cielos* no escuchados,

que llevaba, derramados,
la embriaguez a los sentidos.   80

Santos Vega oyó suspenso
al cantor; y toda inquieta,
sintió su alma de poeta
con un aleteo inmenso,
luego en un preludio intenso,   85
hirió las cuerdas sonoras,
y cantó de las auroras
y las tardes pampeanas,
endechas americanas
más dulces que aquellas horas.   90

Al dar Vega fin al canto,
ya una triste noche oscura
desplegaba en la llanura
las tinieblas de su manto.
Juan Sin Ropa se alzó en tanto,   95
bajo el árbol se empinó,
un verde gajo tocó,
y tembló la muchedumbre,
porque, echando roja lumbre,
aquel gajo se inflamó.   100

Chispearon sus miradas,
y torciendo el talle esbelto,
fué a sentarse, medio envuelto,
por las rojas llamaradas.
¡Oh, qué voces levantadas   105
las que entonces se escucharon!
¡Cuántos ecos despertaron
en la Pampa misteriosa,
a esa música grandiosa
que los vientos se llevaron!   110

Era aquélla esa canción
que en el alma sólo vibra,
modulada en cada fibra
secreta del corazón;
el orgullo, la ambición,   115

13. Juan Sin Ropa: According to popular tradition Santos Vega's opponent was the Devil (cf. page 293, note 4), but the Spanish author and critic, Juan Valera, explained Juan Sin Ropa as the spirit of progress and modern civilization, which is the relentless and invincible enemy of the old gaucho ways.

14. tristes: The *triste* is a type of folksong, usually of a melancholy and erotic strain.

los más íntimos anhelos,
los desmayos y los vuelos
del espíritu genial,
que va, en pos del ideal,
como el cóndor a los cielos.   120

Era el grito poderoso
del progreso, dado al viento;
el solemne llamamiento
al combate más glorioso.
Era, en medio del reposo   125
de la Pampa ayer dormida,
la visión ennoblecida
del trabajo, antes no honrado;
la promesa del arado
que abre cauces a la vida.   130

Como en mágico espejismo,
al compás de ese concierto,
mil ciudades el desierto
levantaba de sí mismo.
Y a la par que en el abismo   135
una edad se desmorona,
al conjuro, en la ancha zona
derramábase la Europa,
que sin duda Juan Sin Ropa
era la ciencia en persona.   140

Oyó Vega embebecido
aquel himno prodigioso,
e inclinado el rostro hermoso
dijo: "Sé que me has vencido."
El semblante humedecido   145
por nobles gotas de llanto,
volvió a la joven, su encanto,
y en los ojos de su amada

clavó una larga mirada,
y entonó su postrer canto.   150

—Adiós, luz del alma mía,
adiós, flor de mis llanuras,
manantial de las dulzuras
que mi espíritu bebía;
adiós, mi única alegría,   155
dulce afán de mi existir;
Santos Vega se va a hundir
en lo inmenso de esos llanos ...
¡Lo han vencido! ¡Llegó, hermanos,
el momento de morir!   160

Aun sus lágrimas cayeron
en la guitarra copiosas,
y las cuerdas temblorosas
a cada gota gimieron;
pero súbito cundieron   165
del gajo ardiente las llamas,
y trocado entre las ramas
en serpiente, Juan Sin Ropa,
arrojó de la alta copa
brillante lluvia de escamas.   170

Ni aun cenizas en el suelo
de Santos Vega quedaron,
y los años dispersaron
los testigos de aquel duelo;
pero un viejo y noble abuelo,   175
así el cuento terminó:
"Y si cantando murió
aquel que vivió cantando,
fué, decía suspirando,
porque el diablo lo venció."   180

Ignacio Manuel Altamirano
1834-1893

IGNACIO MANUEL ALTAMIRANO, a pure-blooded Aztec Indian, because of his unusual precocity and his father's position as *alcalde* of his native village, was classified by the teacher of the rural school as a "rational being" (*ser de razón*), a distinction usually reserved for the children of Spanish parents. As a result, he was permitted to receive an education in the schools of Toluca and Mexico City, which usually were closed to Indian children. A pupil of the famous teacher, Ignacio Ramírez, he preached his master's revolutionary doctrine that the end of education is the formation of good citizens.

Altamirano served his country at home as teacher, soldier, and journalist, and abroad as consul. Appointed to the latter post in 1889, he resided first in Barcelona and later in Paris. He died at San Remo in Italy without again returning to his native land, which, however, repatriated his ashes and, on the centenary of his birth, honored them with a place in the Rotonda de los Hombres Ilustres.

His earliest writings were in the fields of poetry and oratory. For years he was famous as a brilliant and moving speaker. Later he turned to literary and theatrical criticism and to prose fiction. To the latter field his contributions were *cuadros de costumbres,* the novels *Clemencia* (1869) and *El Zarco* (finished in 1888 but not published until 1901) and the delightful little rustic idyll, the novelette *La navidad en las montañas* (1871).

The following selection is one of the best of his *cuadros*. Realistic, ironic, it can bear comparison with the work of the great Spanish *costumbrista* Mariano José de Larra, one of whose most famous essays is on a similar theme. The text is taken from the volume entitled *Aires de México* (*Prosas*); *Prólogo y selección de Antonio Acevedo Escobedo,* (Mexico, Ediciones de la Universidad Nacional Autónoma, 1940).

EL DÍA DE MUERTOS [1]

El funeral clamor de la campana
interrumpe el silencio de la tumba;
al eco que retumba
en la anchurosa bóveda del cielo,
un ¡ay! exhala el corazón doliente
y se inclina tristísima la frente
y se riega con lágrimas el suelo!

Francisco González Bocanegra [2]

En los antiguos tiempos, es decir, antes de la Reforma,[3] México se despertaba el día 2 de noviembre al *funeral clamor de la campana* que doblaba en todas las iglesias, recordando que era el día de la conmemoración de los fieles difuntos.

¡Ah! ¡qué tristeza y que tedio causaba ese incesante y funeral clamoreo que comenzaba en la Catedral y que se repetía en los cien campanarios de los conventos y en todas las iglesias, parroquias, capillas y ermitas que bordaban la ciudad de oriente a poniente y de norte a sur! Era una incesante vibración acompasada, ronca, lúgubre, que daba origen a varios sentimientos pero todos amargos. La tristeza, el pesar, el desaliento, se apoderaban del corazón, como el cortejo pavoroso de los recuerdos del día. Porque ¿quién no había perdido alguna persona amada, cuya memoria venía a evocar la voz de la campana

"mortuos plango?" [4]

¡Era, en fin, ese doble continuo una invitación al recogimiento, al recuerdo, a la plegaria, a las lágrimas, al dolor!

¡Tristes y respetables costumbres cristianas de la piadosa ciudad de México!

Hoy, este año, algo de eso ha pasado; es decir, ha habido dobles, porque de poco tiempo a esta parte, se observa que van volviendo furtivamente y alentadas por una cierta tolerancia, las bellas manifestaciones públicas, los venerandos ruidos del culto católico. Las campanas han elevado su clamor al cielo, han vibrado en el espacio esas notas doloridas y lúgubres con que la iglesia recuerda a los fieles que deben llorar sobre las tumbas y *orar por los muertos para que sean libres,* según el dogma fundado en un texto del libro de los Macabeos.[5]

Y los fieles conmovidos han obedecido hoy, lo mismo que en los antiguos tiempos, al mandato sagrado, porque aunque las campanas habían enmudecido por algunos años y se han dismi-

1. November 2nd, All Souls' Day (*Día de muertos* or *Día de difuntos*) is celebrated in Europe and Latin America as a memorial day for the dead. A comparison between Altamirano's article and the famous one by Larra, *Día de difuntos de 1836,* is inevitable. Altamirano's, in spite of its obvious satirical tone, is actually an *"artículo de costumbres;"* Larra's is a brilliant *"artículo de política."*

2. Francisco González Bocanegra (1824–1861), was the author of the Mexican *Himno nacional* and of a drama, *Vasco Núñez de Balboa.*

3. la Reforma: the reestablishment of the republic in 1867, after the execution of the Emperor Maximilian

4. mortuos plango (Latin): Many church bells were cast with the legend *"Vivos voco ...mortuos plango"* (*I call the living ...I mourn the dead*). Cf. Friedrich Schiller's *Das Lied von der Glocke.*

5. libro ... Macabeos: Prayers for the dead are recommended in the Second Book of *Maccabees,* XII, 44 and 46.

nuido en los presentes, la costumbre piadosa de conmemorar a los difuntos ha permanecido firme, mantenida por la tradición y por la ternura de las familias.

Así, pues, aunque yo conocía ya las costumbres mexicanas en este día, y aunque venciendo la repugnancia que siento por los cementerios de las grandes ciudades, pues cuando quiero meditar sobre el gran problema de la muerte y envolverme en las sombras de la tumba para soñar en ellas, prefiero buscar, como el poeta inglés Gray,[6] el cementerio de las aldeas, me dirigí a visitar los panteones.

—¿Habrán cambiado algo las costumbres piadosas de los mexicanos en este día?—me pregunté—¿Serán otra cosa de lo que eran antes de la Reforma?

Y monté en un carruaje de alquiler, que ese día, como todos los abominables vehículos de su especie, se pagan a peso y a dos pesos la hora. El que yo encontré por casualidad estaba arrastrado por dos jamelgos amarillentos, desiguales, y con un brío capaz de engañar al más listo.

Ya se sabe que en México hay ahora nuevos cementerios[7] y de diversa forma que la usada en otro tiempo: el Cementerio Francés, el de la Piedad en el mismo rumbo, el de Dolores en las colinas de Tacubaya, los dos de Guadalupe, el de San Fernando (cerrado ya para los nuevos pobladores),

el del Campo Florido al sur de la ciudad y el de los Ángeles al noroeste. Allí están sepultados los huesos de los muertos a quienes tienen que llorar los mexicanos.

Pero el de la Piedad y el Francés son los más notables y concurridos.

Allá me dirigí triste, conmovido como debe estarlo todo el que hace una peregrinación a la morada de los muertos.

—¡Ah!—decía yo, olvidando por un momento que conocía las costumbres de esta noble ciudad— ¡Cómo deben sonar en todo este camino los suspiros! ¡Cómo deben oscurecerse las frentes! ¡Cómo deben ir los ojos nublados por las lágrimas!

Es la *vía sacra*,[8] la vía del dolor y de la ternura. Por aquí va el pesar silencioso, caminando a paso lento ...

Interrumpió mi frase melancólica un concierto de alegres carcajadas y de chillidos de regocijo.

Saqué la cabeza por la portezuela, a fin de ver bien. Ya los jamelgos habían pasado la garita de Belén y trotaban en la calzada de la Piedad.[9] A uno y otro lado de la carretera del ferrocarril y bajo la sombra de los chopos y de los álamos que bordan la calzada, caminaba una procesión no interrumpida de gentes alegres y turbulentas, divididas en grupos más o menos grandes. Era el pueblo pedestre de México, que presentaba un aspecto abigarrado y pintoresco. Las familias

6. Gray: the author of the famous *Elegy Written in a Country Churchyard*

7. nuevos cementerios: A guidebook for tourists, *The Blue Book of Mexico* (1901) still listed the following cemeteries in Mexico City and suburbs:
Dolores Cemetery—West of Tacubaya
San Fernando—Plaza de San Fernando (Contains the tomb of Juárez and other patriots)

Spanish Cemetery—Tacuba road
French Cemetery—La Piedad road
Cemeteries in localities of same name: Campo Florido, Salinas, Los Angeles

8. vía sacra (Latin): The ancient *via sacra* was the most famous of the streets of Rome. It led from the Palatine to the Capitoline Hill.

9. Belén ... Piedad: in the southwest part of the city

llevaban juntamente con algunos cirios y crespones o flores negras, ramos de flores naturales, coronas de siempre-viva o de ciprés y cestos con comida y frutas y enormes jarros de pulque.

Pulque por dondequiera. A veces era una mula mezclándose entre la gente y cargando dos grandes odres de pulque, a veces un cargador llevando una *castaña* [10] con el mismo licor, y mujeres y ancianos y niños vestidos de fiesta o cubiertos de andrajos, pero siempre llevando en las manos el embriagante líquido.

Estas gentes eran las que parloteaban, reían, silbaban y formaban una algazara que dominaba las notas lejanas del doble que sonaba en la ciudad.

Aquella era la peregrinación del dolor. A cada paso interrumpían el camino multitud de puestos de comida y de frutas o cantinas surtidas de licores, pero dominando constantemente el pulque.

A poco, alcanzóse un largo tren compuesto de veinte wagones. Era curioso de ver. La gente bien vestida se apiñaba en ellos de un modo increíble. Las señoras iban de pie muchas veces; no cabían; era un mundo.

Parecían arenques en un barril. Aquéllos también eran peregrinos del dolor. Y cien coches particulares y de alquiler atravesaban rápida o lentamente, atascándose en el camino de la Piedad, lleno de charcos y de lodo, a causa de la lluvia del día anterior y de hoyancos y de sinuosidades, a causa del descuido. En esos carruajes también iban peregrinos del dolor.

Llegamos a la Piedad. Hormigueaba la gente; era una feria. Penetramos en el cementerio pobre y triste, el más mal cuidado de los cementerios, que podía estar lleno de árboles y que está erizado de yerba silvestre. Allí se entierra toda clase de gente, pero con particularidad la pobre. Los peregrinos que venían se dispersaban en el laberinto de calles que conducen a los campos de las clases baratas. Allí iban a parar los cirios, las flores, los cestos y el pulque. En la entrada un centenar de indígenas se afanaba haciendo y vendiendo ramilletes de los pobres, porque los ramilletes elegantes se vendían ese día a precios subidos. No describiré las tumbas ¿para qué? No hay obras de arte, ni siquiera sepulcros ricos.

Salimos de ese cementerio y encontré a una gruesa señora de mis conocidas, acompañada de sus jóvenes y pizpiretas hijas que venían emperejiladas como para una tertulia.

—¿Ha ido usted—me preguntó—al Panteón Francés?

—No, señora, allá voy en este momento.

—Sí, vaya usted. ¡Qué lindo está! ¡qué elegantes sepulcros! ¡qué ricos y qué graciosos! Y verá usted muy hermosos trajes, porque allí está lo más elegante de México; es verdad que hay algunas señoras muy ridículas, pero en cambio otras van muy bien ...

—Señora,—repliqué—yo no entiendo una palabra de trajes y de modas, pero veré los sepulcros.

—Sí, sí; vea usted los sepulcros, son de muy buen gusto y muy costosos; yo creo que el de la señora Fulana ha de haber costado lo menos seis mil pesos; pues si el de los Menganos ... figúrese usted, puro mármol, bronce y tiene tibores de doscientos pesos; vaya usted, se divertirá mucho.

10. castaña: *a jug of glass or clay*

Éste es el juicio general que arranca el dolor a los que van a orar por los muertos, según lo manda la Iglesia.

Fuí al Panteón Francés y casi no pude entrar. Me retiré acosado por los empellones del gentío y entre los caballos de los cincuenta carruajes que allí esperaban al mundo elegante, como le llamaba mi gruesa amiga.

Regresé a México, pero en la tarde volví a la Piedad. La gritería que escuché al llegar al cementerio mexicano me anunció que el dolor había llegado a delirio entre los sepulcros.

En efecto, aquella muchedumbre que velaba junto a las tumbas después de haber orado, había tenido que comer; era preciso comer, y las lágrimas debilitan. Se habían tendido los manteles junto a las tumbas, o la misma yerba sepulcral había servido de mesa. Luego había circulado el jarro de pulque; después se habían derramado sobre las lápidas lágrimas de pulque, y luego comenzó la orgía funeral. El blanco licor había exacerbado los pesares: se hablaba recio, se sollozaba, se maldecía, se juraba, se desesperaba; el amor físico se burlaba de la muerte y parece que, en medio de este frenesí, la cólera, los celos, los deseos, todas las furias que pueden agitar al corazón humano, agitaban sus rojas antorchas, eclipsando la tenue luz amarillenta de los cirios y de los sepulcros.

El sol se ponía. Los sauces llorones y los chopos se teñían con el color opalino de la luz de la tarde. Era preciso decir adiós a las cenizas amadas y hacer la última oración y la última libación. Ésta fué terrible.

Después la muchedumbre comenzó a salir, pero no como sale una muchedumbre abatida y llorosa, sino como se desencadenaban las turbas de la antigua Roma, cuando el pontífice pronunciaba en lo alto de las gradas del templo la palabra sacramental "Evohé" [11] que inauguraba las Saturnales.

Los grupos de mujeres desmelenadas aturdían con sus cantares y espantaban con sus gestos; los hombres se agitaban con violencia, reñían o se daban de puñaladas o bamboleaban hasta caer. Los quinientos gendarmes que custodiaban la calzada corrían en sus caballos con el alfanje desnudo. La calzada de la Piedad era un inmenso *pandemonium* y las primeras sombras del crepúsculo envolvían los últimos sacrificios del dolor. ¿Y qué hacía entre tanto el ángel de las tumbas?

En la noche, por todas las calles de la ciudad, circulaban todavía a media noche los animados grupos de los afligidos, cantando y bebiendo.

El extranjero que, asomado a su ventana, hubiera presenciado este espectáculo, no habría podido menos que resumir sus impresiones del día, diciendo:

¡Qué borracho es el pueblo de México y qué mala voz tiene!

11. "Evohé": the interjection with which the God of Wine was invoked by his priests and followers

Juan Montalvo

1832-1889

JUAN MONTALVO used his pen as a weapon of warfare against political corruption and religious bigotry. The greatest of the pamphleteers of his day, he succeeded, by stern self-discipline and intensive study of the best works of ancient and modern literature, in creating for himself a style which is classic in its balanced structure, its rhetoric, and the wealth of its allusions. His philosophy of government was not unlike that of Thomas Paine and the great political pamphleteers of the 18th century in North America.

His first political articles appeared in *El cosmopolita* (1866–1869), a journal of which he was the sole editor. They were directed against García Moreno, the political "boss" of Ecuador, who, upon his assumption of the presidency in 1869, promptly sent Montalvo out of the country for his first and longest exile (1869–1875). Most of this time Montalvo spent in the town of Ipiales just over the border in Colombia, writing, in addition to such anti-Moreno pamphlets as *El antropófago* (1872), *Judas* (1873) and *La dictadura perpetua* (1874), his more philosophical *Siete tratados* (published 1882), *Geometría moral,* and *Capítulos que se le olvidaron a Cervantes,* the ingenious continuation of *Don Quixote.*

When García Moreno was assassinated in 1875 Montalvo returned to Ecuador to publish another paper, *El regenerador* (1876–1877). Then in 1879 he left his fatherland forever. The new dictator, Ignacio Veintimilla, had proved to be as great a tyrant as his predecessor. Montalvo went first to Ipiales, then to France, stopping at Panama where his *Catilinarias* (1880) were being published. This series of twelve essays proved a financial as well as an artistic success, and Montalvo was able on his arrival in Paris to find publishers for his earlier works. In 1886 he brought out a new journal, *El espectador,* which, like its English namesake of the 18th century, was less concerned with politics than with manners and customs.

383

Montalvo died in 1889 after an attack of pneumonia. Sensing the approach of death, he insisted on dressing in formal attire to receive the solemn visitor with fitting ceremony.

The text of the first of the following selections is from *Siete tratados*, (Paris, Garnier, 1912, Vol. II, pp. 148–151); that of the second selection is from *Páginas desconocidas*, (Habana, Cultura, n. d.); that of the third from *Ideario de Montalvo*, (Ambato, 1932).

WÁSHINGTON Y BOLÍVAR

El renombre de Wáshington no finca tanto en sus proezas militares, cuanto en el éxito mismo de la obra que llevó adelante y consumó con tanta felicidad como buen juicio. El de Bolívar trae consigo el ruido de las armas, y a los resplandores que despide esa figura radiosa, vemos caer y huir y desvanecerse los espectros de la tiranía; suenan los clarines, relinchan los caballos, todo es guerrero estruendo en torno al héroe hispanoamericano. Wáshington se presenta a la memoria y la imaginación como gran ciudadano antes que como gran guerrero, como filósofo antes que como general. Wáshington estuviera muy bien en el senado romano al lado del viejo Papirio Cursor,[1] y en siendo monarca antiguo, fuera Augusto, ese varón sereno y reposado que gusta de sentarse en medio de Horacio y Virgilio, en tanto que las naciones todas giran reverentes alrededor de su trono. Entre Wáshington y Bolívar hay de común la identidad de fines, siendo así que el anhelo de cada uno se cifra en la libertad de un pueblo y el establecimiento de la democracia. En las dificultades sin medida que el uno tuvo que vencer, y la holgura con que el otro vió coronarse su obra, ahí está la diferencia de esos dos varones perilustres, ahí la

superioridad del uno sobre el otro. Bolívar, en varias épocas de la guerra, no contó con el menor recurso, ni sabía dónde ir a buscarlo; su amor inapelable hacia la patria, ese punto de honra subido que obraba en su pecho, esa imaginación fecunda, esa voluntad soberana, esa actividad prodigiosa que constituían su carácter, le inspiraban la sabiduría de hacer factible lo imposible; le comunicaban el poder de tornar de la nada al centro del mundo real. Caudillo inspirado por la providencia, hiere la roca con su varilla de virtudes, y un torrente de agua cristalina brota murmurando afuera; pisa con intención, y la tierra se puebla de numerosos combatientes, esos que la patrona de los pueblos oprimidos envía sin que sepamos de dónde. Los americanos del norte eran de suyo ricos, civilizados y pudientes aún antes de su emancipación de la madre Inglaterra: en faltando su caudillo, cien Wáshingtons se hubieran presentado al instante a llenar ese vacío, y no con desventaja. A Wáshington le rodeaban hombres tan notables como él mismo, por no decir más beneméritos: Jefferson, Madison, varones de alto y profundo consejo, Franklin, genio de cielo y de la tierra, que al tiempo que arranca el cetro a los tiranos, arranca el rayo

---

1. Papirio Cursor: Roman consul and dictator, 4th century, B.C.

a las nubes: *Eripuit cœlo fulmen scep-trumque tyrannis.*[2] Y éstos y todos los demás, cuán grandes eran y cuán numerosos se contaban, eran unos en la causa, rivales en la obediencia, poniendo cada cual su contingente en el raudal inmenso que corrió sobre los ejércitos y las flotas enemigas, y destruyó el poder británico. Bolívar tuvo que domar a sus tenientes, que combatir y vencer a sus propios compatriotas, que luchar con mil elementos conjurados contra él y la independencia, al paso que batallaba con las huestes españolas y las vencía o era vencido. La obra de Bolívar es más ardua, y por el mismo caso más meritoria.

Wáshington se presenta más respetable y majestuoso a la contemplación del mundo; Bolívar más alto y resplandeciente. Wáshington fundó una República que ha venido a ser después de poco una de las mayores naciones de la tierra; Bolívar fundó asimismo una gran nación, pero, menos feliz que su hermano primogénito, la vió desmoronarse, y aunque no destruida su obra, por lo menos desfigurada y apocada. Los sucesores de Wáshington, grandes ciudadanos, filósofos y políticos, jamás pensaron en despedazar el manto sagrado de su madre, para echarse cada uno por adorno un jirón de púrpura sobre sus cicatrices; los compañeros de Bolívar todos acometieron a degollar a la real Colombia y tomar para sí la mayor presa posible, locos de ambición y tiranía. En tiempo de los dioses, Saturno devoraba a sus hijos; nosotros hemos visto y estamos viendo a ciertos hijos devorar a su madre. Si Páez,[3] a cuya memoria debemos el más profundo respeto, no tuviera su parte en este crimen, ya estaba yo aparejado para hacer una terrible comparación, tocante a esos asociados del parricidio que nos destruyeron nuestra grande patria; y como había además que mentar a un gusanillo y rememorar el triste fin del héroe de Ayacucho,[4] del héroe de la guerra y las virtudes, vuelvo a mi asunto ahogando en el pecho esta dolorosa indignación mía. Wáshington, menos ambicioso, pero menos magnánimo; más modesto, pero menos elevado que Bolívar; Wáshington, concluida su obra, acepta los casi humildes presentes de sus compatriotas; Bolívar rehusa los millones ofrecidos por la nación peruana. Wáshington rehusa el tercer período presidencial de los Estados Unidos, y cual un patriarca se retira a vivir tranquilo en el regazo de la vida privada, gozando sin mezcla de odio las consideraciones de sus semejantes, venerado por el pueblo, amado por sus amigos; enemigos, no los tuvo, ¡hombre raro y feliz! Bolívar acepta el mando tentador que por tercera vez, y ésta de fuente impura, viene a molestar su espíritu, y muere repelido, perseguido, escarnecido por una buena parte de sus contemporáneos. El tiempo ha borrado esta leve mancha, y no vemos sino el resplandor que circunda al mayor de los sudamericanos. Wáshington y Bolívar, augustos personajes, gloria del Nuevo Mundo, honor del género humano, junto con los varones más insignes de todos los pueblos y de todos los tiempos

---

2. Eripuit . . . tyrannis (Latin): *He snatched fire from heaven and the scepter from the hands of tyrants.*

3. José Antonio de Páez was one of Bolívar's generals who helped in the freeing of Venezuela, but who later as leader of a disgruntled faction, contributed to the disunity of the country for a time.

4. héroe de Ayacucho: Antonio José de Sucre, another general in Bolívar's armies, won the battle of Ayacucho in 1824. He was later assassinated (1830).

LAS FACULTADES EXTRAORDINARIAS [5]

Desperezo de El regenerador

Nuestras previsiones se presentan ahora en forma de hechos: habíamos insinuado al principio que Veintimilla no querría sujetarse a la Constitución y las leyes, aun cuando él las mandase hacer a su antojo. Este hombre no nació para presidente constitucional, sino para dueño del pueblo que por altos juicios de Dios ha venido a caer en sus manos. Muy culpable debe de ser esta miserable nación, si de tiranía en tiranía, de dictadura en dictadura, cuando pensó que iba a redimirse mediante los esfuerzos de gran parte de ella, se encuentra al abrir los ojos presa otra vez de la dictadura. Los pueblos tienen pecados, bien así como los hombres; muchas veces imaginan haber hecho la penitencia necesaria; y en realidad la culpa más negra se halla todavía profundamente imprimida en su alma. Cuando resiste a la amenaza y desprecia el cohecho en las mesas electorales; cuando arrostra sin temblar la pupila envenenada del opresor; cuando se presenta sin miedo, y depone en conciencia lo que sabe; cuando prefiere el fruto del trabajo al estipendio de la infamia; cuando le cobra amor a la escuela y respeto a los planteles de educación superior; cuando no huye abandonando cobarde sus garantías; cuando echa leña al fuego sagrado de la patria; cuando la servidumbre gime encadenada a sus pies, entonces un pueblo está limpio de pecado, tiene derecho a la libertad y es dueño de su suerte.

Virtud es el sufrimiento, virtudes la moderación y la templanza; empero llega el caso en que ellas se convierten en delitos vergonzosos, habiendo perdido el semblante de genios propicios y divinidades apacibles. Sufrir por cobardía no es sufrir, sino aguantar con el aguante despreciable de los animales estúpidos. La paciencia que proviene del miedo, lejos de ser meritoria, es infamante. Los pundonorosos, los valientes sufren y callan, mientras no les ponen el dedo en la honra; pero ¡ay de los atrevidos que los saquen de sus quicios! Los apocados, los ruines sin valor ni pundonor, al contrario, aguantan todo; y ya puede uno más fuerte que ellos darles de bofetones, ya de látigos, como si no hubiera plomo o acero con que igualar las fuerzas. Hablamos de los individuos; los pueblos siempre son más fuertes que sus opresores, porque son grandes en números; si dieran en el secreto de la unión, no hubiera tiranos. La ventaja de éstos consiste en que celos y aborrecimiento andan entre sus esclavos mismos. Si el Espíritu Santo desciende sobre ellos en forma de conciencia pública, amor patrio, libertad, la fuerza que reciben

---

5. Las facultades extraordinarias: After the dictator Gabriel García Moreno, against whom Montalvo had waged war with his pen, had been assassinated in 1875, a weaker man, Antonio Borrero, was elected president of Ecuador. Montalvo came back from Colombia (Ipiales) where he had been spending his exile. Borrero was soon succeeded by Ignacio Veintimilla. On the flimsiest of pretexts Veintimilla petitioned the legislative assembly for unlimited powers (facultades extraordinarias). Montalvo's article is a protest against the granting of such authority.

Montalvo's journal, El regenerador had been discontinued in 1877, but now that he sees a new threat to his country in a new dictator's greed for power, the "Regenerador" arouses himself again.

de esas lenguas divinas es inmensa; nada les resiste: los tronos caen en pedazos, las testas coronadas ruedan al abismo, la soberbia da un aullido y desaparece, el verdugo huye espantado, las prisiones infames se vienen al suelo, los opresores grandes y pequeños están ahí muertos o temblando de rodillas. Tal es el pueblo en ejercicio de su santa cólera. Ejércitos innumerables, armas resplandecientes, esbirros ciegos, tesoros para el salario, cooperación nefanda de los perversos, buena fortuna, nada presta al fin: los gobiernos inicuos se vienen abajo, los malos gobernantes reciben su castigo.

¡Y que nunca hayamos de escarmentar en cabeza ajena! No nos autoricemos ahora con ejemplares antiguos o de pueblos retirados de nosotros con veinte siglos de por medio; no citemos a Sila,[6] comido de gusanos de cuerpo, el alma yéndosele en negros chorros de podredumbre, arrinconado y solitario; no recordamos a César que cae en el Senado a los golpes de los amigos de la libertad; no a Calígula, pálido en su alcázar, oyendo los gritos de Roma enfurecida; no a Nerón[7] abriéndose la garganta con una navaja por no morir en la horca. No veamos tampoco más cerca de nosotros ese pueblo que rompe el sepulcro de un gran monarca,[8] toma su esqueleto, lo sacude colmándole de injurias, y lo echa en polvo fuera de la huesa. No fijemos

los ojos en ese patíbulo donde el verdugo está enseñando al mundo asida por los cabellos la cabeza de otro rey.[9] No vayamos en pos del héroe tirano[10] encadenado contra una roca en medio de los mares. Acerquémonos a nosotros mismos, miremos en nuestras vecindades. Ese criminal de veinte años,[11] harto de carne humana, que sale de un subterráneo, todo trémulo, corre por esa playa cayendo y levantando, y gana un buque extranjero, es un presidente que no ha tenido contrarresto; y huye y muere cubierto de infamia.

Ese miserable[12] que cae con cuatro balas en la cabeza en el zaguán de una casa, tras una puerta de calle, ha sido temible presidente. ¿Por qué viene a morir como perro en las calles de Lima? Por tirano, ladrón ambicioso, borracho; sus compatriotas se levantan, y si no muere en la cuerda, es porque se va de fuga.

Ese cuerpo desnudo[13] que está columpiando en una torre es de uno que se volvió dictador y quiso ser presidente a viva fuerza. El pueblo le baja, le escarnece, le echa sobre un montón de muebles de su propia casa y lo reduce a cenizas, riendo a carcajadas.

Pero éstos son extranjeros todavía. Los que acabamos de citar serán ejemplos que obran en el ánimo de los argentinos, los bolivianos y los peruanos. Nosotros, hijos del Ecuador, ¿qué tenemos que ver con Rosas, Melgarejo ni Gutiérrez? Nada; mas sí puede con-

6. Sila: Lucius Cornelius Scylla (138–78, B.C.), a Roman political leader, abhorred for his crimes
7. Calígula . . . Nerón: the most cruel and base of the Roman emperors
8. ese pueblo . . . monarca: The monarch to whom Montalvo refers is Henry IV of France, whose body was disinterred and thrown into a ditch at the time of the Revolution.
9. la cabeza . . . rey: Charles I of England

10. del héroe tirano: Prometheus
11. Ese criminal . . . años: Rosas
12. Ese miserable: Mariano Melgarejo, a "vain, thievish, bloodthirsty warrior" (cf. Williams, *The People and Politics of Latin America*, p. 573) ruled Bolivia from December, 1864, to January, 1871.
13. Ese . . . desnudo: Antonio Gutiérrez de la Fuente (1796–1878), a Peruvian general and politician

venir que sepamos algo de Flores, García Moreno y Borrero.

Flores,[14] Juan José Flores, soldado de Colombia, valiente de primera clase en la batalla, condecorado por Bolívar; Flores, el héroe de Portete;[15] Flores, sostenido por una legión formidable de jefes venezolanos y negros bebedores de sangre; Flores, dueño del afecto de la aristocracia de Quito; Flores, fundador de la República, lleno de fama, talento, prestigio, valor, se viene abajo miserablemente, por haber querido mandar sin término ni leyes. El pueblo no tiene superior en sus obras lícitas. Libertad, derechos, educación, civilización, obras son, no lícitas solamente, sino también obligatorias y sagradas.

García Moreno,[16] ¡qué hombre! Éste sí, ¡qué hombre! nacido para grande hombre, sin ese desvío lamentable de su naturaleza hacia lo malo. Sujeto de grande inteligencia, tirano sabio, jayán de valor y arrojo increíbles; invencionero, ardidoso, rico en arbitrios y expedientes: imaginación socorrida, voluntad fuerte, ímpetu vencedor, ¡qué lástima! García Moreno hubiera sido el primer hombre de Suramérica si sus poderosas facultades no hubieran estado dedicadas a una obra nefanda —la opresión, la tiranía. García Moreno, adorado de un partido numeroso; apoyado por el clero, este gigante de sotana; temido, querido por la clase militar; hombre raro, ser misterioso para las mujeres; lleno de fuerza, poder, eficacia, con vida física y moral

para muchos años, cae el día menos pensado. El infeliz rueda a patadas por la plaza; un perro no muere más ignominiosamente. Es que en medio de sus prendas, sus altas prendas, fué injusto, ambicioso, arbitrario, opresor, tirano. Muerte merecida, buena muerte.

Borrero[17] . . . ¿Para qué hemos de hablar de este desventurado?

Veintimilla . . . Veintimilla no quiere ver ni los ejemplos antiguos, ni los de nuestros vecinos, ni los nuestros propios. Dice que tiene ordenadas sus cosas para sesenta años, gobierna bien y pide facultades extraordinarias. García Moreno, en su última revolución, no ordenó las suyas sino para diez. "Este régimen durará diez años," le dijo al Ministro Plenipotenciario de Colombia. Aun él se equivocó en casi la mitad: él, García Moreno. Veintimilla no se equivoca; ha ordenado sus cosas para sesenta años; todo lo tiene previsto. Tiene, pues, cincuenta veces más talento, más valor, más habilidad, más fortuna, más partido que García Moreno.

Pide facultades extraordinarias, dije. No las ha pedido expresamente; pero ha mandado mensaje verbal a la Convención, exponiendo *los peligros en que se halla su gobierno.* Estos peligros son: Yépez en la frontera del norte[18] (falso); el pobre Yépez no es nada; dos individuos de paso por Guaranda echan baladronadas; cartas de comerciantes e *industriales honradas* de Guayaquil; y sobre todo, incendio de un cuartel en Ambato. ¡Qué fun-

---

14. Juan José Flores, the first president of Ecuador after that country's separation from Colombia, sometimes called *"el padre de la patria"*

15. Portete: village in Ecuador at which the final battle of the war between the Peruvians and the Colombians took place (1821)

16. García Moreno: See note 5.

17. Borrero: See note 5.

18. Yépez . . . norte: Yépez, formerly the commandant at Guayaquil, belonged to the faction formerly in power. He was suspected of planning an attack on Veintimilla's government.

damentos! Dos diputados proponen que la Cámara, espontáneamente, conceda facultades extraordinarias al Poder Ejecutivo. Urbina [19] apoya las pretensiones de Veintimilla. El señor Carbo,[20] indignado, se pone de pie y exclama: "Pido que esa proposición quede sobre la mesa; y admiro haya diputados que vengan a proponernos infrinjamos la Constitución." Ésta concede todas las facultades necesarias al Poder Ejecutivo para la mantenencia del orden; si amenazan trastornos, conjúrenlos; si tienen denuncios, datos de revolución, cumplan con su deber los gobernantes. Facultades omnímodas no necesitan para sofocarlas. No sería gobierno el que no pudiese mantener el orden sin un escandaloso rompimiento de la Constitución y las leyes. ¡Facultades extraordinarias son para casos extraordinarios; casos en que los comunes son insuficientes! ¿Quién le prohibe a Veintimilla que mande quinientos hombres a la raya y eche de allí a balazos a Yepecito, o le tome prisionero, si lo halla? ¿Quién se opone a que someta a juicio a los conspiradores de Guayaquil, si él sabe que los hay? ¿Qué inconveniente halla para juzgar y castigar según todo el rigor de la ley a los incendiarios de Ambato, puesto que los tiene conocidos? Leyes hay para todos los delitos, y el gobierno tiene facultades naturales para los casos comunes. Invasión, conspiración, incendio, crímenes son que vienen con ruido y resplandecen mortalmente a los ojos del mundo entero. Hay invasión, y nadie lo ha sabido sino Veintimilla y su ministro. Pues si la hay, ¿qué hace el ejército que no vuela a contenerla? Para esto no ha menester el gobierno facultades extraordinarias. ¡Ah! no la hay todavía, pero la puede haber; y por una posibilidad improbable quieren una realidad espantosa, cual es el poder absoluto. Constitución y leyes ¿para qué, si porque dos pasajeros sueltan en la posada cuatro palabras mal sonantes dejan ellas de existir? Y aun está por averiguar si esto es verdad; si lo es, tomen a esos dos hombres, que son los culpables, júzguenlos, y caiga sobre ellos el brazo de la justicia, en siendo crimen el proferir una justa queja o una vana amenaza. Pero ni esos hombres parecen, ni nadie sabe lo que dijeron; ¡y con este fundamento el gobierno de Veintimilla excita a la Cámara para que le conceda espontáneamente facultades omnímodas! Acciones que aterran, pasen; mala fe, ridiculez, ficciones palpables socaban el mal seguro edificio de los gobiernos descarriados.

Revolución en Guayaquil: ¿si ha estallado, por qué no la sofocan? ¿Sí no ha estallado, por qué no la frustran? El señor ministro ha recibido cartas de *industriales honrados,* pero no despachos oficiales del gobernador y el comandante general del Guayas. Y sobre cartas de un liencero [21] o de un cata-licores [22] quiere facultades extraordinarias, que no son sino para casos extraordinarios. Hechos necesita un gobierno para exigir esa investidura terrible del poder absoluto; y hechos estupendos, que se hallen fuera del poder de las leyes y los arbitrios naturales. Porque un comerciante escribe

19. Urbina: José María Urbina, a general of the army during the Wars of Independence and president of Ecuador in 1851–56, had become a supporter of Veintimilla.
20. Carbo: Pedro Carbo, an old and respected friend of Montalvo's, a political liberal, who was at one time president of the senate
21. liencero: *cloth merchant*
22. cata-licores: *liquor peddler*

una carta, facultades sin limitación: esto pasa de ligereza, raya en insensatez.

Esa investidura terrible del poder absoluto, dije; terrible, sí; ésa es la túnica envenenada que vuelve furioso a Hércules [23] y le redobla las fuerzas privándole del juicio. Corre el semidiós sin saber por dónde; atormentado por infernales dolencias da gritos horribles, blande su clava, mata, asuela la tierra, tiembla el mundo; pero él muere también devorado por su túnica fatídica. Las facultades extraordinarias, el poder discrecional son la túnica encantada debajo de la cual sucumbe Alcides.[24] Lástima, señor don Ignacio, que usted no sea para comprender estas figuras. Usted, con sus facultades omnímodas, principiará por quitarme a mí la libertad, si no la vida; hará lo propio con los jóvenes escritores de Quito y Guayaquil; eliminará de la escena política los hombres notables o temibles de todos los partidos, asolará quizás la República; pero la túnica envenenada le estará corrompiendo la sangre, devorando la vida, y, aunque no hijo de Hércules, sucumbirá, por falta de juicio.

Ahora viene el incendio del cuartel. Éste era una choza de paja; menos aún, de *sigse*,[25] construido exprofeso para los cuatro días que debía permanecer aquí el batallón que le ocupaba. Una de estas noches se ha quemado el chozón, o lo han quemado. Pero como el señor don Ignacio es uno que todo lo tiene previsto, previó que los demagogos y los terroristas juntamente le quemarían esa noche su cuartel de mármol fino, y por la mañana mandó trasponer el parque. Al otro día preséntase en la Cámara el ministro y sobre que los demagogo-terroristas han incendiado la consabida choza, excita a los legisladores a conceder espontáneamente al Poder Ejecutivo facultades extraordinarias. Si el incendio fué delito privado, nada tiene que ver con la estabilidad o la instabilidad del gobierno; si fué político, ¿dónde está la conspiración que allí tomó origen? ¿Cuáles son los conspiradores que han aprehendido? ¿O los demagogos y los terroristas en combinación quemaron la choza a fin de que esa diligencia estuviera hecha para cuando pudiesen conspirar? Siete gigantes enmascarados metieron fuego a la dichosa *caserna,* para hablar como los viajeros a París; los quemados eran quinientos; el general Veintimilla todo lo había previsto, y ¡nadie les echó mano a esos criminales fantasmones!

Yepecito escondido sabe Dios en dónde; la choza quemada en Ambato por siete vestiglos de narices incomensurables; los dos tunantes que pasan por Guaranda echando bravatas contra Veintimilla; las cartas de los *industriales honrados* de Guayaquil, éstas son las pruebas del caso extraordinario y terrible que requiere un gobierno para solicitar facultades inrestrictas. Confesad, amigos, que vuestro ánimo es alzaros con la dictadura, volviendo vuestro cómplice al Poder Legislativo; la empresa que tenéis entre manos es una revolución contra la forma de gobierno, y nada más. Dictadura, sin ley de presupuestos, he

23. Hércules: One of Hercules's wives, Deianeira, persuaded by the dying centaur, Nessus, whom her husband had slain, that his blood was a love charm, dyed a tunic in the blood and sent it to Hercules. He went mad with the pain it caused him, mounted a pyre, and was burned to death.

24. Alcides: Hercules

25. sigse: a kind of reed used to thatch roofs

aquí la obra de la convención de Urbina y Veintimilla.

Los romanos, el más sabio de los pueblos antiguos, tenían por supremo caso el en que la dictadura venía a ser indispensable: invasión de bárbaros, alzamiento de esclavos, calamidades que parecían provenientes de los dioses mismos; éstas eran las circunstancias en que creaban un dictador efímero, y no cuando esos malos estaban a punto de suceder, sino cuando habían sucedido. De lo contrario, las guerras comunes, las conspiraciones caseras, los malos de poco momento entraban debajo de la jurisdicción de las leyes conocidas. Cicerón fué desterrado por haber salvado la patria obrando a discreción; y eso que nada menos se habían propuesto Catalina y Cetigo [26] que el incendio de Roma y la destrucción total de la República. La dictadura es un cometa que no aparece sino de tarde en tarde; si ese meteoro infausto se presentara cada año arrastrando en su cola las calamidades del mundo los hombres perderían el juicio. ¡Dictadura, porque dos truhanes desconocidos pasan llamándole ambicioso al presidente! ¡Dictadura, porque un mercader le escribe chismes al ministro, acorde con él de antemano! ¡Dictadura, porque se quema una choza de soldados! Éstos son los casos en que yo siento en el alma que el escritor no le sea permitido echar un *taco* resonante [27] por la imprenta.

Avino en otro tiempo que los varones más ínclitos de Roma, no menos que el pueblo, iban muriendo a centenares. El Senado había quedado desierto, las legiones sin sus jefes, los tribunales sin sus ministros, las familias sin sus padres. La ciudad era un vasto sepulcro, y sin peste, ni hambruna, ni causa conocida. Los pocos que aun quedaban vieron que los dioses la estaban destruyendo con su propia mano. Inspirados por un genio, reúnense los padres conscriptos y nombran dictador. Ante el dictador tiembla el mundo; el crimen, por recóndito que sea, comparece en su presencia impelido por las divinidades amigas de Roma. El dictador, rodeado del pontífice máximo, los augures, las vestales y todo el sacerdocio, con las insignias de su cargo en la mano, vestido de púrpura, al frente de una larga procesión se dirige al templo de Júpiter, e hinca el clavo en la pared. Esta ceremonia augusta era el arbitrio supremo de esos sabios antiguos; lo que no podía el clavo, nada podía. Hincó el dictador el clavo en la pared. A poco, una matrona, cubierta de un largo velo, se le presenta y declara que las damas romanas, la flor de la nobleza, poseídas de ciertas divinidades tenebrosas, habían estado, tiempo había, envenenando las fuentes públicas. El dictador castigó el crimen, cortó el mal, y dió gracias a los dioses.

Amigo Veintimilla, si es para clavar el clavo en la pared del templo de los dioses, vaya usted de dictador; si es contra vidas y haciendas de ciudadanos inocentes, le niego mi voto.

---

26. Catalina y Cetigo: Cetigo (usually spelled Cetego) was an accomplice in Cataline's conspiracy to overthrow the Roman government which Cicero exposed in his famous orations (63 B.C.)

27. echar ... resonante: *give a resounding oath*

EL INTERVIÉWER

Los griegos fueron artistas, los romanos conquistadores; los norteamericanos son inventores. Fulton, Samuel Morse, Edison, Graham Bell no son nada; el que descubrió el interviéwer, el repórter, ése es el grande. Si es mucho lo que perdemos en nuestros campanarios de la Cordillera con no aprovecharnos de las invenciones de esos hombres singulares, no es poco lo que ganamos con estar lejos todavía de esta nueva gracia de los yankees. Piérdase la navegación por vapor, muera el telégrafo eléctrico, perezca la fotografía, como no lleguen a nuestras ciudades ni se introduzcan en nuestras costumbres el interviéwer, el repórter, monstruos recién llegados de la luna, espectros que aterran e intimidan, invaden y se apoderan de lo que no les pertenece. Ni el nombre de estos avecuchos maléficos ha sonado aún, gracias a Dios, en Quito, Bogotá, Lima ni Caracas; así es que pocos sabrán por allá lo que son el interviéwer, el repórter, y muchos pensarán que son nuevos descubrimientos en el mundo de la electricidad, o maquinitas de engordar pollos. No señor; el interviéwer es una especie de hombre entre periodista y mandadero, suerte de escribano que sin autoridad judicial se mete adonde se le antoja, pregunta lo que le da la gana, obliga a decir lo que uno tiene quizá reservado para el confesionario, pone por escrito lo que ha oído, y ¡zas! al periódico esa misma noche para que lo sepa el mundo entero.

¿Qué les parece a ustedes? El interviéwer hallaría en las ciudades de América que se han quedado españolas más resistencia que la fiebre amarilla y el cólera asiático hallan en los Andes. En Nueva York ha tomado tal ascendiente ese tiranuelo que nadie se cree con derecho a cerrarle las puertas; y en Londres, en París, tan luego como ha llegado ese audaz americano se ha hecho señor de vidas y haciendas; el mundo es suyo. No hay personaje que se le niegue, ni actriz que no esté en su casa. Triunfo de los hombres vanos, alegría de los pueriles, el interviéwer es la pesadilla de los modestos, los callados, los que gustan de que su vida corra silenciosa entre la hombría de bien y las buenas costumbres. El interviéwer tiene derecho a preguntar todo; y como dispone de los medios coercitivos del periódico que le manda, nadie puede encastillarse en la prudencia, guardando para sí lo que no quiere que sepan los demás. ¡Desdichado del que se ponga a hacer melindres al interviéwer! No solamente le hará decir al otro día el periódico lo que no ha dicho, sino que de paso, como para escarmiento de la gente de dura cerviz, le desvestirá, le desollará y le mandará, como un san Bartolomé,[28] con su piel al hombro. La libertad de imprenta es torniquete al cual no hay quien resista. Al interviéwer, como al confesor, hay que decirle todo.

Los franceses no tienen el menor escrúpulo en pasar a su lengua los términos que les gustan y les sirven; así el interviéwer, el repórter, sin

28. san Bartolomé: According to one legend St. Bartholomew suffered martyrdom by being skinned alive. He is therefore often represented in art as carrying his skin over his shoulder.

bastardilla ni subraya, están ya en su caudal, como otros tantos que vienen de Londres y Nueva York. Aunque esto está aquí a los alcances de todos, no todos lo alcanzarán en la América Española; y así conviene advertir que *interviéwer* nace de *to interview,* tener una entrevista. De suerte que el interviéwer es el que viene a casa de usted a exigir una entrevista, y el que recibe esta visita inquisitorial el *interviéwed.* Los franceses, pueblo ligero muy prudente en lo que toca a su lengua, no han intentado traducir esos vocablos; como ni a España, ni a la América Española han llegado todavía el interviéwer y el repórter, nosotros no tenemos necesidad de rompernos la cabeza por saber cómo hemos de llamar a esos personajes. El que pide la visita es el interviéwer; el que aguanta el interrogatorio es el interviéwed. Si algún día venimos a hacer tales progresos que tengamos interviéwer y repórter, ¿cómo los llamaremos en castellano? El que impone el interrogatorio será *el entrevista,* y el que responde *velis nolis* será *el entrevisto.* O, a modo de alcabalero, ¿haremos un *entrevistero?* En este caso, el que aguanta la mecha será *entrevistado.* Éste me parece más razonable, porque está a un paso de zurrado, fregado, y desesperado. Aunque esto no es lo que importa. Lo que importa saber es cómo se verifican las entrevistas de los interviéwers y los interviéweds, esto es, en castellano, de los entrevistantes y los entrevistados.

—¿Quién va allí?

—Albert Chinchón, el repórter del *Vercingétorix.*

—¡Adelante!

Entra el interviéwer, saca su cartera, su lápiz, y principia a interviéwar al desdichado personaje que en hora menguada se metió en política, que llegó a ser notable en la diplomacia, en el teatro, o que compró una hacienda, o que volvió de un viaje, o que se casó a su gusto. Si los muertos respondieran, los interviéwers de Londres, Nueva York y París fueran a interviewarlos en el cementerio, y no salieran de la sepultura de un difunto infeliz mientras él no les hubiera dicho si ya le estaban comiendo los gusanos; de qué parte del cuerpo habían principiado la operación; si eso dolía mucho; si estaba salvo o condenado; si había dejado un tesoro oculto; si aprobaba que su viuda contrajera segundas nupcias, y otras cosas inherentes a la civilización moderna y los progresos del siglo décimonono. A los vivos no les pregunta eso, pero sí les pregunta cosas peores.

—¿Es verdad que su hermano de usted recibió cantidad de dinero cuando el proceso de Bazaine,[29] para deponer en contra del mariscal?

—¡Falso!

—Se dice que usted se ha dado un batacazo en el Bosque y que se le han sumido cuatro costillas.

—No son sino dos.

—¿Qué piensa usted respecto del tratamiento que el príncipe de Bismarck acaba de dar al papa[30] en su contestación a la carta de Su Santidad?

29. Francois A. Bazaine (1811–1888), Marshal of France, was in command at Metz when that fortress surrendered to the Germans in 1871. He was tried as a traitor and condemned to death, but his sentence was commuted to twenty years' imprisonment. He escaped from prison to Madrid and died there.

30. tratamiento . . . papa: After the founding of the second German empire at the conclusion of the Franco-Prussian War (1871) Bismarck, the "Iron Chancellor," had been in

¿Ese *sire* no está prometiendo la vuelta del poder temporal?

—Sería cosa curiosa ver a Bismarck de campeón del Vaticano, después de haber contribuido tan poderosamente a la unidad del reino de Italia, y después de haber metido en un zapato a los obispos católicos de Alemania. Ese *sire* debe de ser alguna treta del Chanciller; o lo dijo por no llamar "santidad" a León XIII.

—¿Cuándo es "sire" un hombre?

—Cuando es rey o emperador.

—¿Luego?

—Luego el papa volverá a ser rey por obra y gracia del protestante Bismarck.

—Me alegro mucho de que usted lo entienda así. Ahora vamos a otra cosa. ¿Cuántas camisas tiene usted?

—¡Caballero!

—Nada. ¿Cuántas camisas tiene usted?

—¿Qué tiene que ver eso con los intereses generales?

—Puede ser que a usted le parezca que no hay relación ninguna entre estos asuntos; mas yo no puedo renunciar las prerogativas de mi periódico ni transgredir las leyes de la prensa. ¿Cuántas camisas tiene usted?

—Pues hombre . . . Si he de decir la verdad, las mujeres son las que están al corriente de estas cosas.

—*Tantum meliorem.*[31] Sírvase usted anunciar mi visita a la señora. No salgo de aquí sin haberla interviewado.

—Vamos, que no hay necesidad de eso. Tengo tres docenas de lino para el verano y dos docenas de algodón para el invierno.

—Muy bien. Y de blanco ¿cómo vamos? Quiero decir de bolsa.

—En esa materia, amigo, acabo de sufrir un golpe.

—Malo. ¿Golpe de qué naturaleza? ¿Ha jugado usted? ¿Le han robado? ¿Los malos negocios, o los hijos? . . .

—¡No, hombre!

—Pero, vamos, ¿cómo ha perdido usted su plata?

—La he perdido.

—Nadie sufre un golpe sin que la prensa dilucide la cuestión. Usted sabe que los progresos del siglo XIX, la influencia de Francia . . .

—Tiene usted razón. He quebrado, amigo mío, porque mi mujer ha ido sacando de diferentes casas, sin que yo lo supiera, joyas y más joyas; y lo que tomaba por ciento, lo vendía en diez para hacer dinero.

—¡Bravo! ¿No tiene usted más que decir? Quisiera yo saber su modo de pensar acerca de esta tan singular manifestación de aprecio del Padre Santo al Chanciller de Alemania; digo, ese cordón de la orden de Cristo que le ha enviado tan oportunamente. Ésta es, me parece, la primera vez que el pontífice romano condecora a un protestante.

—Condecoración por condecoración. Bismarck condecoró al papa con haberle nombrado mediador en la discordia entre él y España; nada más justo que Su Santidad le enviase el cordón de la orden de Cristo. Pero,

---

open conflict with Pope Pius IX and had sought to nullify the influence of the Catholic Church in Germany. The struggle between the two is commonly called the *"Kulturkampf."* After the death of Pius and the accession of Leo XIII to the papacy, a more conciliatory policy was followed by both sides. Bismarck agreed to have many anti-clerical laws rescinded and to permit the religious orders to return to Germany. In return Leo XIII showed his appreciation by bestowing on Bismarck the *"Cordón de Cristo."*

31. Tantum meliorem (Latin): *So much the better*

digo yo, Bismarck, como protestante, está señalado para el infierno, supuesto que la gloria eterna no es sino para los católicos. ¿Habrá de comparecer ante el príncipe de las tinieblas con el cordón de Cristo al pecho? ¿De nada le servirán la condecoración pontificia, las bendiciones del Padre Santo y los votos que promete hacer por él en vida y muerte?

—Al interviéwed no le toca preguntar, sino responder, o echa usted abajo las regalías de la prensa. Dejémonos de sofismas, y diga aquí francamente: ¿Qué opina usted, qué piensa usted de don Carlos, de doña Isabel, de la muerte de Alfonsito? [32] ¿Es verdad que este chico no se cansaba de repetir que él quería ser rey destronado, pero no tronado?

—Respeto de estas personas, no pienso nada, o no se me ha ofrecido pensar de propósito en ellas.

—En el siglo del vapor nadie tiene derecho a no pensar nada; y si hay alguien que no piensa, la prensa piensa por él. Conque vamos, ¿qué piensa usted de la reina madre?

El desdichado interviéwed tuvo que decir lo que pensaba en orden a eso y mucho más. Al día siguiente la entrevista, en dos columnas, en letra gorda, salió en el periódico. Nadie puede ser notable en París sin ser objeto de escándalo; el interviéwer de hoy es el repórter de mañana. Cuando interroga el periodista, es interviéwer; cuando da cuenta de la entrevista al público, es repórter. Los que quieren ser hombres grandes y hacer ruido en el mundo no tienen más que venir a París y

darse maña en ser interviewados o entrevistados; que luego sus nombres saldrán campando en los periódicos principales de la capital de Francia. El interviéwer de conciencia, el repórter que sabe su deber, no solamente da cuenta de lo que ha oído, sino también de lo que ha visto en casa del interviéwed.

Carlos Chincholle, el repórter más infatigable de París, interviewó a Rochefort por la centésima vez con motivo del proyecto de expulsión de los príncipes de las familias que habían reinado en Francia. De los que menos trató en el acta de la entrevista fué de la expulsión de los dichos príncipes, y se abrió al mar para decir el modo como halló al interviewed. Dijo que la gata de Rochefort había parido siete gatitos esa noche; que "el brillante linternero" había estado cuando él entró con los recién nacidos entre las piernas, acariciando a todos ellos; que le dijo desde luego que a nada respondería si no le daba su palabra de tomar a su cargo uno de esos serafines y de criarlo como Dios manda; que en seguida le convidó a almorzar; que comieron pescado frito, patas de puerco y otras cositas que no quería decir; que el interviewed se levantó de la mesa y se fué a las carreras de San Ouen, dejándole plantado; y que la opinión de ese insigne periodista era que no se debía expulsar a los príncipes, porque la República y la libertad eran para todos; pero que él daría su voto por la expulsión en el Parlamento.

Aquí tienen ustedes el interviéwer

---

32. don Carlos: the nephew of Ferdinand VII, pretender to the throne of Spain; doña Isabel: Isabel II, daughter of Ferdinand VII and queen of Spain from his death in 1833 until her dethronement in 1868; Alfonsito: Alfonso XII, the son of Isabel II, who was king of Spain from 1874 until his death in 1885

francés, el repórter parisiense, con su pelo y con su lana. Al señor de Lesseps [33] le interviewaron no ha mucho más de cuatro interviéwers, para saber el nombre que pensaba poner al hijo que iba a nacerle en esos días, —¡el hijo duodécimo, a los 82 años de edad, si ustedes gustan! No satisfechos los interviéwers con el nombre que les dió el anciano dichoso, le preguntaron cómo los llamaría si la señora diese a luz dos gemelos, y si pensaba que serían dos los que pariese. Del canal de Suez, del istmo de Panamá, ni una palabra.

¡Dios de bondad! ya me figuro el modo como nosotros recibiéramos al interviéwer en Quito, Bogotá, u otra ciudad andina adonde no llegan aún los inventos de los yankees; y más si somos de esos buenos señores antiguos de pasta española y cáscara amarga.

—¿Quién es usted?

—Soy el repórter de "La Democracia." Vengo a saber la opinión de usted tocante a la quiebra del "Banco de la Probidad."

—Y a usted qué le importa mi opinión?

—¿Es de buena fe? ¿es de mala fe?

—No me da la gana de decírselo.

—¿Y por qué, señor don Pedro?

—¡Porque no!

—No insistiré en esta materia, pero sí me hará usted el favor de decirme lo que piensa del señor obispo, de las monjas visitadinas.

—Del señor obispo no pienso nada; de las monjas tampoco; y si algo pensara, no se lo dijera a usted.

—Señor don Pedro, el voto de los buenos ciudadanos influye sobre la mayoría. La prensa, por otra parte, tiene sus privilegios.

—Me río de la prensa, de sus privilegios y de los periodistas.

—Pero no se reirá usted de la felicidad doméstica, de los fueros de la familia. ¿Es verdad que casa usted a su hija, la joven Rosa? ¿Cómo la casa? ¿Cúanto le da usted de dote? ¿Tiene la señorita mucha gana de casarse?

—¡Qué desvergüenza! ¿Conque viene usted a que yo le diga todo esto?

Como don Pedro se hacía a un lado para coger un palo, el interviéwer ganó la puerta, y no se le ha vuelto a ver en la casa del interviéwed. Yo habría querido que don Pedro hubiese tenido tiempo de ajustarle la cuenta y le hubiese mandado con la cabeza rota en cuatro partes, a fin de que el interviéwer nunca más hubiera pensado en interviewar a nadie, y este monstruo no viniese jamás a ser parte de nuestras costumbres.

33. Count Ferdinand M. de Lesseps (1805–1894), promoter and builder of the Suez Canal

Ricardo Palma

1833-1919

RICARDO PALMA, Peru's greatest man of letters, has the unusual distinction of being the inventor of a literary genre, the *tradición* or historical anecdote, an art form which he defined in a letter to his friend, Rafael Obligado, as follows:

La *tradición* es romance y no es romance; es historia y no es historia. La forma ha de ser ligera y recogida; la narración, rápida y humorística. Me vino en mientes platear píldoras y dárselas a tragar al pueblo, sin andarme con escrúpulos de monja boba. Algo, y aún algos, de mentira, y tal cual dosis de verdad, por infinitésimal que sea: mucho de esmero y pulimento en el lenguaje; y cata la receta para escribir *tradiciones*.

Palma drew his inspiration from old chronicles, legal documents, and maps and drawings which he found among the treasures of the National Library of Peru, of which for years he was librarian, as well as from the ancient buildings and other remains of colonial culture which still give color and charm to his native city of Lima.

The *Tradiciones peruanas* were published in ten volumes from 1872 to 1910. Their subject matter covers the entire range of Peruvian history, from pre-colombian times to the war with Chile (1879–1883), but the largest and most interesting group of them is concerned with the days of the viceroys. The text of those selected here is that of the edition published under the auspices of the government of Peru (Madrid, Calpe, 1923–1925, 6 vols.).

LAS OREJAS DEL ALCALDE

Crónica de la época del segundo virrey del Perú

1

La villa imperial de Potosí [1] era, a mediados del siglo XVI, el punto adonde de preferencia afluían los aventureros. Así se explica que, cinco años

1. Potosí: See page 306, note 24.

después de descubierto el rico mineral, excediese su población de veinte mil almas.

"Pueblo minero—dice el refrán— pueblo vicioso y pendenciero." Y nunca tuvo refrán más exacta verdad que tratándose de Potosí en los dos primeros siglos de la conquista.

Concluía el año de gracia 1550, y era alcalde mayor de la villa el licenciado don Diego de Esquivel, hombre atrabiliario y codicioso, de quien cuenta la fama que era capaz de poner en subasta la justicia, a trueque de barras de plata.

Su señoría era también goloso de la fruta del paraíso, y en la imperial villa se murmuraba mucho acerca de sus trapisondas mujeriegas. Como no se había puesto nunca en el trance de que el cura de la parroquia le leyese la famosa epístola de San Pablo,[2] don Diego de Esquivel hacía gala de pertenecer al gremio de los solterones, que tengo para mí constituyen, si no una plaga social, una amenaza contra la propiedad del prójimo. Hay quien afirma que los comunistas y los solterones son bípedos que se asimilan.

Por entonces hallábase su señoría encalabrinado con una muchacha potosina; pero ella, que no quería dares ni tomares con el hombre de la ley, lo había muy cortésmente despedido, poniéndose bajo la salvaguardia de un soldado de los tercios de Tucumán,[3] guapo mozo, que se derretía de amor por los hechizos de la damisela. El golilla ansiaba, pues, la ocasión de

vengarse de los desdenes de la ingrata, a la par que del favorecido mancebo.

Como el diablo nunca duerme, sucedió que una noche se armó gran pendencia en una de las muchas casas de juego, que, en contravención a las ordenanzas y bandos de la autoridad, pululaban en la calle de *Quintu Mayu.* Un jugador novicio en prestidigitación, y que carecía de limpieza para levantar la *moscada*,[4] había dejado escapar tres dados en una apuesta de interés; y otro cascarrabias, desnudando el puñal, le clavó la mano en el tapete. A los gritos y a la sanfrancia correspondiente, hubo de acudir la ronda y con ella el alcalde mayor, armado de vara y espadín.

—¡Cepos quedos[5] y a la cárcel!— dijo.

Y los alguaciles, haciéndose compadres de los jugadores, como es de estilo en percances tales, los dejaron escapar por los desvanes, limitándose, para llenar el expediente,[6] a echar la zarpa a dos de los menos listos.

No fué bobo el alegrón de don Diego cuando, constituyéndose al otro día en la cárcel, descubrió que uno de los presos era su rival, soldado de los tercios de Tucumán.

—¡Hola, hola, buena pieza![7] ¿Conque también jugadorcito?

—¡Qué quiere vueseñoría! Un pícaro dolor de dientes me traía anoche como un zarandillo, y por ver de aliviarlo fuí a esa casa en requerimiento de un mi paisano que lleva siempre en la escarcela un par de muelas de Santa

---

2. la famosa . . . San Pablo: The 7th and following chapters of *Corinthians I* were read in the marriage ceremony.

3. los tercios de Tucumán: *the divisions serving at Tucumán*

4. que carecía . . . la moscada: *wasn't slick*

enough to get away with the trick

5. ¡Cepos quedos . . . !: *Stop! Silence!*

6. llenar el expediente: *have something for the record, save their faces*

7. buena pieza: *my fine fellow*

Apolonia,[8] que diz que curan esa dolencia como por ensalmo.

—¡Ya te daré yo ensalmo, truhán!—murmuró el juez, y, volviéndose al otro preso, añadió: —Ya saben usarcedes lo que reza el bando; cien duros o cincuenta azotes. A las doce daré una vuelta y... ¡cuidadito!

El compañero de nuestro soldado envió recado a su casa y se agenció las monedas de la multa, y cuando regresó el alcalde halló redonda la suma.

—Y tú, malandrín, ¿pagas o no pagas?

—Yo, señor alcalde, soy pobre de solemnidad; y vea vueseñoría lo que provee, porque, aunque me hagan cuartos, no han de sacarme un cuarto. Perdone, hermano,[9] no hay que dar

—Pues la carrera de baqueta[10] lo hará bueno.

—Tampoco puede ser, señor alcalde; que aunque soldado, soy hidalgo y de solar conocido, y mi padre es todo un veinticuatro[11] de Sevilla. Infórmese de mi capitán don Álvaro Castrillón, y sabrá vueseñoría que gasto un don como el mismo rey, que Dios guarde.

—¿Tú, hidalgo, don bellaco? Maese Antúnez, ahora mismo que le apliquen cincuenta azotes a este príncipe.

—Mire el señor licenciado lo que manda, que ¡por Cristo! no se trata tan ruinmente a un hidalgo español.

—¡Hidalgo! ¡Hidalgo! Cuéntamelo por la otra oreja.

—Pues, señor don Diego—repuso furioso el soldado—si se lleva adelante esa cobarde infamia, juro a Dios y a Santa María que he de cobrar venganza en sus orejas de alcalde.

El licenciado le lanzó una mirada desdeñosa y salió a pasearse en el patio de la cárcel.

Poco después el carcelero Antúnez con cuatro de sus pinches o satélites sacaron al hidalgo aherrojado, y a presencia del alcalde le administraron cincuenta bien sonados zurriagazos. La víctima soportó el dolor sin exhalar la más mínima queja, y terminado el vapuleo, Antúnez lo puso en libertad.

—Contigo, Antúnez, no va nada[12]—le dijo el azotado—; pero anuncia al alcalde que desde hoy las orejas que lleva me pertenecen, que se las presto por un año y que me las cuide como a mi mejor prenda.

El carcelero soltó una risotada estúpida y murmuró:

—A este prójimo se le ha barajado el seso. Si es loco furioso no tiene el licenciado más que encomendármelo, y veremos si sale cierto aquello de que el loco por la pena es cuerdo.

2

Hagamos una pausa, lector amigo, y entremos en el laberinto de la historia, ya que en esta serie de *Tradiciones* nos hemos impuesto la obligación de consagrar líneas al virrey con cuyo gobierno se relaciona nuestro relato.

Después de la trágica suerte que

8. muelas ... Apolonia: *St. Apolonia's teeth;* i.e. *dice*
9. Perdone, hermano: the phrase with which one politely refuses a beggar's request for alms
10. la carrera de baqueta: *a good flogging*
11. un veinticuatro de Sevilla: *an alderman of Seville* (one of twenty-four)
12. Contigo ... nada: *I have nothing against you*

cupo al primer virrey, don Blasco Núñez de Vela,[13] pensó la corte de España que no convenía enviar inmediatamente al Perú otro funcionario de tan elevado carácter. Por el momento e investido con amplísimas facultades y firmas en blanco de Carlos V, llegó a estos reinos el licenciado La Gasca [14] con el título de gobernador; y la historia nos refiere que más que a las armas, debió a su sagacidad y talento la victoria contra Gonzalo Pizarro.

Pacificado el país, el mismo La Gasca manifestó al emperador la necesidad de nombrar un virrey para el Perú, y propuso para este cargo a don Antonio de Mendoza, marqués de Mondéjar, conde del Tendilla, como hombre amaestrado ya en cosas de gobierno por haber desempeñado el virreinato de Méjico.

Hizo su entrada en Lima con modesta pompa el marqués de Mondéjar, segundo virrey del Perú, el 23 de septiembre de 1551. El reino acababa de pasar por los horrores de una larga y desastrosa guerra, las pasiones de partido estaban en pie, la inmoralidad cundía y Francisco Girón [15] se aprestaba ya para acaudillar la sangrienta revolución de 1553.

No eran ciertamente halagüeños los auspicios bajo los que se encargó del mando el marqués de Mondéjar. Principió por adoptar una política conciliadora, rechazando—dice un historiador —las denuncias de que se alimenta la persecución. Cuéntase de él—agrega Lorente [16]—que habiendo un capitán acusado a dos soldados de andar entre indios, sosteniéndose con la caza y haciendo pólvora para su uso exclusivo, le dijo con rostro severo: "Esos delitos merecen más bien gratificación que castigo; porque vivir dos españoles entre indios y comer de lo que con sus arcabuces matan y hacer pólvora para sí y no para vender, no sé qué delito sea, sino mucha virtud y ejemplo digno de imitarse. Id con Dios, y que nadie me venga otro día con semejantes chismes, que no gusto de oirlos."

¡Ojalá siempre los gobernantes diesen tan bella respuesta a los palaciegos enredadores, denunciantes de oficio y forjadores de revueltas y máquinas infernales! Mejor andaría el mundo.

Abundando en buenos propósitos, muy poco alcanzó a ejecutar el marqués de Mondéjar. Comisionó a su hijo don Francisco para que recorriendo el Cuzco, Chucuito, Potosí y Arequipa, formulase un informe sobre las necesidades de la raza indígena; nombró a Juan Betanzos para que escribiera una historia de los incas; creó la guardia de alabarderos; dictó algunas juiciosas ordenanzas sobre policía municipal de Lima, y castigó con rigor a los duelistas y sus padrinos. Los desafíos, aun por causas ridículas, eran la moda de la época y muchos se realizaban vistiendo

---

13. don Blasco Núñez de Vela: viceroy, appointed after the first Civil War to stabilize the government, reached Lima in 1543. Tactless and severe, he was disliked by the people and Gonzalo Pizarro, who had hoped to succeed his brother, the conquistador, as governor, led a revolt against him. In a battle at Iñaquito, near Quito, (1546) the viceroy was defeated and killed.

14. Pedro La Gasca, a shrewd ecclesiastic, was sent, as here recounted, to put down

Gonzalo Pizarro's insurrection.

15. Francisco Girón: a Spanish adventurer who had fought with the authorities to help put down the revolt of Gonzalo Pizarro, but later started a rebellion of his own. He was captured and put to death in 1554.

16. Lorente: Sebastian Lorente, contemporary of Palma's, historian, author of *Historia antigua del Perú*, *Historia del Perú bajo los Borbones* and *Historia del Perú desde la proclamación de la independencia*

los combatientes túnicas color de sangre.

Provechosas reformas se proponía implantar el buen don Antonio de Mendoza. Desgraciadamente, sus dolencias embotaban la energía de su espíritu, y la muerte lo arrebató en julio de 1552, sin haber completado diez meses de gobierno. Ocho días antes de su muerte, el 21 de julio, se oyó en Lima un espantoso trueno acompañado de relámpagos, fenómeno que desde la fundación de la ciudad se presentaba por primera vez.

3

Al siguiente día don Cristóbal de Agüero, que tal era el nombre del soldado, se presentó ante el capitán de los tercios tucumanos, don Álvaro Castrillón, diciéndole:

—Mi capitán, ruego a usía me conceda licencia para dejar el servicio. Su majestad quiere soldados con honra, y yo la he perdido.

Don Álvaro, que distinguía mucho al de Agüero, le hizo algunas observaciones que se estrellaron en la inflexible resolución del soldado. El capitán accedió al fin a su demanda.

El ultraje inferido a don Cristóbal había quedado en el secreto; pues el alcalde prohibió a los carceleros que hablasen de la azotaina. Acaso la conciencia le gritaba a don Diego que la vara del juez le había servido para vengar en el jugador los agravios del galán.

Y así corrieron tres meses, cuando recibió don Diego pliegos que lo llamaban a Lima para tomar posesión de una herencia; y obtenido permiso del corregimiento, principió a hacer sus aprestos de viaje.

Paseábase por Cantumarca [17] en la víspera de su salida, cuando se le acercó un embozado, preguntándole:

—¿Mañana es el viaje, señor licenciado?

—¿Le importa algo al muy impertinente?

—¿Que si me importa? ¡Y mucho! Como que tengo que cuidar esas orejas.

Y el embozado se perdió en una callejuela, dejando a Esquivel en un mar de cavilaciones.

En la madrugada emprendió su viaje al Cuzco. Llegado a la ciudad de los incas, salió el mismo día a visitar a un amigo, y al doblar una esquina, sintió una mano que se posaba sobre su hombro. Volvióse sorprendido don Diego, y se encontró con su víctima de Potosí.

—No se asuste, señor licenciado. Veo que esas orejas se conservan en su sitio y huélgome de ello.

Don Diego se quedó petrificado.

Tres semanas después llegaba nuestro viajero a Guamanga, y acababa de tomar posesión en la posada, cuando al anochecer llamaron a la puerta.

—¿Quién?—preguntó el golilla.

—¡Alabado sea el Santísimo!—contestó el de fuera.

—Por siempre alabado amén [18]—y se dirigió don Diego a abrir la puerta.

Ni el espectro de Banquo en los

17. Cantumarca: a town formerly in Peru, now in Bolivia

18. ¡Alabado . . . Santísimo! . . . Por . . .

amén: a form of salutation and its answer which were in common use at that time

festines de Macbeth, ni la estatua del Comendador [19] en la estancia del libertino don Juan, produjeron más asombro que el que experimentó el alcalde, hallándose de improviso con el flagelado de Potosí.

—Calma, señor licenciado. ¿Esas orejas no sufren deterioro? Pues, entonces, hasta más ver.

El terror y el remordimiento hicieron enmudecer a don Diego.

Por fin, llegó a Lima, y en su primera salida encontró a nuestro hombre fantasma, que ya no le dirigía la palabra, pero que le lanzaba a las orejas una mirada elocuente. No había medio de esquivarlo. En el templo y en el paseo era el pegote de su sombra, su pesadilla eterna.

La zozobra de Esquivel era constante y el más leve ruido le hacía estremecer. Ni la riqueza, ni las consideraciones que, empezando por el virrey, le dispensaba la sociedad de Lima, ni los festines, nada, en fin, era bastante para calmar sus recelos. En su pupila se dibujaba siempre la imagen del tenaz perseguidor.

Y así llegó el aniversario de la escena de la cárcel.

Eran las diez de la noche, y don Diego, seguro de que las puertas de su estancia estaban bien cerradas, arrellanado en un sillón de vaqueta, escribía su correspondencia a la luz de una lámpara mortecina. De repente, un hombre se descolgó cautelosamente por una ventana del cuarto vecino, dos brazos nervudos sujetaron a Esquivel, una mordaza ahogó sus gritos y fuertes cuerdas ligaron su cuerpo al sillón.

El hidalgo de Potosí estaba delante, y un agudo puñal relucía en sus manos.

—Señor alcalde mayor—le dijo,— hoy vence el año y vengo por mi honra.

Y con salvaje serenidad rebanó las orejas del infeliz licenciado.

4

Don Cristóbal de Agüero logró trasladarse a España, burlando la persecución del virrey marqués de Mondéjar. Solicitó una audiencia de Carlos V, lo hizo juez de su causa, y mereció, no sólo el perdón del soberano, sino el título de capitán en un regimiento que se organizaba para México.

El licenciado murió un mes después, más que por consecuencia de las heridas, de miedo al ridículo de oírse llamar el *Desorejado*.

UN VIRREY HEREJE Y UN CAMPANERO BELLACO

Crónica de la época del décimoséptimo virrey del Perú

1

AZOTES POR UN REPIQUE

El templo y el convento de los padres agustinos estuvieron primitivamente (1551) establecidos en el sitio que ahora es iglesia parroquial de San

---

19. la estatua del Comendador: In José Zorrilla's *Don Juan Tenorio* the statue of the *comendador*, whom he has wronged, accepts Don Juan's impious invitation to dinner.

Marcelo, hasta que en 1573 se efectuó la traslación a la vasta área que hoy ocupan, no sin gran litigio y controversia de dominicos y mercedarios, que se oponían al establecimiento de otras órdenes monásticas.

En breve los agustinianos, por la austeridad de sus costumbres y por su ilustración y ciencia, se conquistaron una especie de supremacía sobre las demás religiones. Adquirieron muy valiosas propiedades, así rústicas como urbanas, y tal fué el manejo y acrecentamiento de sus rentas, que durante más de un siglo pudieron distribuir anualmente, por Semana Santa, cinco mil pesos en limosnas. Los teólogos más eminentes y los más distinguidos predicadores pertenecían a esta comunidad, y de los claustros de San Ildefonso, colegio que ellos fundaron en 1606 para la educación de sus novicios, salieron hombres verdaderamente ilustres.

Por los años de 1656, un limeño llamado Jorge Escoiquiz, mocetón de veinte abriles, consiguió vestir el hábito; pero como manifestase más disposición para la truhanería que para el estudio, los padres, que no querían tener en su noviciado gente molondra y holgazana, trataron de expulsarlo. Mas el pobrete encontró valedor en uno de los caracterizados conventuales, y los religiosos convinieron caritativamente en conservarlo y darle el elevado cargo de campanero.

Los campaneros de los conventos ricos tenían por subalternos dos muchachos esclavos, que vestían el hábito de donados. El empleo no era, pues, tan despreciable, cuando el que lo ejercía, aparte de seis pesos de sueldo, casa, refectorio y manos sucias, tenía bajo su dependencia gente a quien mandar.

En tiempo del virrey conde de Chinchón creóse por el cabildo de Lima el empleo de *campanero de la queda*, destino que se abolió medio siglo después. El campanero de la queda era la categoría del gremio, y no tenía más obligación que la de hacer tocar a las nueve de la noche campanadas en la torre de la Catedral. Era cargo honorífico y muy pretendido, y disfrutaba el sueldo de un peso diario.

Tampoco era destino para dormir a pierna suelta; pues si hubo y hay en Lima oficio asendereado y que reclame actividad, es el de campanero; mucho más en los tiempos coloniales, en que abundaban las fiestas religiosas y se echaban a vuelo las campanas por tres días lo menos, siempre que llegaba *el cajón* [20] de España con la plausible noticia de que al infantico real le había salido la última muela o librado con bien del sarampión y la alfombrilla.

Que no era el de campanero oficio exento de riesgo, nos lo dice bien claro la crucecita de madera que hoy mismo puede contemplar el lector limeño incrustada en la pared de la plazuela de San Agustín. Fué el caso que, a fines del siglo pasado, cogido un campanero por las aspas de la *Mónica* o campana volteadora,[21] voló por el espacio sin necesidad de alas, y no paró hasta estrellarse en la pared fronteriza a la torre.

Hasta mediados del siglo XVII no se conocían en Lima más carruajes que las carrozas del virrey y del

20. el cajón: *the box containing the mail, mail pouch*

21. campana volteadora: *revolving bell*

arzobispo y cuatro o seis calesas pertenecientes a oidores [22] o títulos [23] de Castilla. Felipe II, por real cédula de 24 de noviembre de 1577, dispuso que en América no se fabricaran carruajes ni se trajeran de España, dando por motivo para prohibir el uso de tales vehículos, que, siendo escaso el número de caballos, éstos no debían emplearse sino en servicio militar. Las penas señaladas para los contraventores eran rigurosas. Esta real cédula, que no fué derogada por Felipe III, empezó a desobedecerse en 1610. Poco a poco fué cundiendo el lujo de hacerse arrastrar, y sabido es que ya en los tiempos de Amat [24] pasaban de mil los vehículos que el día de la Porciúncula [25] lucían en la Alameda de los Descalzos.

Los campaneros y sus ayudantes, que vivían de perenne atalaya en las torres, tenían orden de repicar siempre que por la plazuela de sus conventos pasasen el virrey o el arzobispo, práctica que se conservó hasta los tiempos del marqués de Castel dos Ríus.[26]

Parece que el virrey conde de Alba de Liste,[27] que, como verá el lector más adelante, sus motivos tenía para andar escamado con la gente de iglesia, salió un domingo en coche y con escolta a pagar visitas. El ruido de un carruaje era en esos tiempos acontecimiento tal, que las familias, confundiéndolo con el que precede a los temblores, se lanzaban presurosas a la puerta de la calle.

Hubo el coche de pasar por la plazuela de San Agustín; pero el campanero y sus adláteres [28] se hallarían probablemente de regodeo y lejos del nido, pues no se movió badajo en la torre. Chocóle esta desatención a su excelencia, y hablando de ella en su tertulia nocturna, tuvo la ligereza de culpar al prior de los agustinos. Súpolo éste, y fué al día siguiente a palacio a satisfacer al virrey, de quien era amigo personal; y averiguada bien la cosa, el campanero, por no confesar que no había estado en su puesto, dijo que: aunque vió pasar el carruaje, no creyó obligatorio el repique, pues los bronces benditos no debían alegrarse por la presencia de un virrey hereje. * * *

La falta, que pudo traer grave desacuerdo entre el representante del monarca y la comunidad, fué calificada por el definitorio como digna de severo castigo, sin que valiese la disculpa al campanero; pues no era un pajarraco de torre el llamado a calificar la conducta del virrey en sus querellas con la Inquisición.

Y cada padre, armado de disciplina, descargó un ramalazo penitencial sobre las desnudas espaldas de Jorge Escoiquiz.

---

22. oidores: *judges*, the five members of the Royal Tribunal

23. títulos: *nobles*

24. Manuel Amat, Viceroy of Peru 1762–1776

25. el día ... Porciúncula: August 2, the day of the jubilee of the Franciscan friars

26. Manuel de Oms, marqués de Castel dos Ríus, Viceroy of Peru 1707–1710

27. Alba de Liste: See next chapter

28. adláteres (aláteres): *constant companions*

2

EL VIRREY HEREJE

El Excmo. señor don Luis Henríquez de Guzmán, conde de Alba de Liste y de Villaflor y descendiente de la casa real de Aragón, fué el primer grande de España que vino al Perú con el título de virrey, en febrero de 1655, después de haber servido igual cargo en México. Era tío del conde de Salvatierra, a quien relevó en el mando del Perú. * * *

Magistrado de buenas dotes administrativas y hombre de ideas algo avanzadas para su época, su gobierno es notable en la historia únicamente por un cúmulo de desdichas. Los seis años de su administración fueron seis años de lágrimas, luto y zozobra pública.

El galeón que bajo las órdenes del marqués de Villarrubia conducía a España cerca de seis millones en oro y plata y seiscientos pasajeros, desapareció en un naufragio en los arrecifes de Chanduy, salvándose únicamente cuarenta y cinco personas. Rara fué la familia de Lima que no perdió allí algún deudo. Una empresa particular consiguió sacar del fondo del mar cerca de trescientos mil pesos, dando la tercera parte a la corona.

Un año después, en 1656, el marqués de Baides, que acababa de ser gobernador de Chile, se trasladaba a Europa con tres buques cargados de riquezas, y vencido en combate naval cerca de Cádiz por los corsarios ingleses, prefirió a rendirse pegar fuego a la santabárbara de su nave.

Y por fin, la escuadrilla de don Pablo Contreras, que en 1652 zarpó de Cádiz, conduciendo mercancías para el Perú, fué deshecha en un temporal, perdiéndose siete buques.

Pero, para Lima, la mayor de las desventuras fué el terremoto del 13 de noviembre de 1655. Publicaciones de esa época describen minuciosamente sus estragos, las procesiones de penitencia y el arrepentimiento de grandes pecadores; y a tal punto se aterrorizaron las conciencias, que se vió el prodigio de que muchos pícaros devolvieran a sus legítimos dueños fortunas usurpadas.

El 15 de marzo de 1657 otro temblor, cuya duración pasó de un cuarto de hora, causó en Chile inmensa congoja; y últimamente, la tremenda erupción del Pichincha,[29] en octubre de 1660, son sucesos que bastan a demostrar que este virrey vino con aciaga estrella.

Para acrecentar el terror de los espíritus, apareció en 1660 el famoso cometa observado por el sabio limeño don Francisco Luis Lozano, que fué el primer cosmógrafo mayor que tuvo el Perú.

Y para que nada faltase a este sombrío cuadro, la guerra civil vino a enseñorearse de una parte del territorio. El indio Pedro Bohorques, escapándose del presidio de Valdivia, alzó bandera proclamándose descendiente de los incas, y haciéndose coronar, se puso a la cabeza de un ejército. Vencido y prisionero, fué conducido a Lima, donde lo esperaba el patíbulo.

Jamaica, que hasta entonces había sido colonia española, fué tomada por

29. Pichincha: volcano near Quito

los ingleses y se convirtió en foco de filibusterismo,[30] que durante siglo y medio tuvo en constante alarma a estos países.

El virrey conde de Alba de Liste no fué querido en Lima, por la despreocupación de sus ideas religiosas, creyendo el pueblo, en su candoroso fanatismo, que era él quien atraía sobre el Perú las iras del cielo. Y aunque contribuyó a que la Universidad de Lima, bajo el rectorado del ilustre Ramón Pinelo, celebrase con gran pompa el breve de Alejandro VII sobre la Purísima Concepción de María, no por eso le retiraron el apodo de *virrey hereje* que un egregio jesuita, el padre Alloza, había contribuido a generalizar; pues habiendo asistido su excelencia a una fiesta en la Iglesia de San Pedro, aquel predicador lo sermoneó de lo lindo porque no atendía a la palabra divina, distraído en conversación con uno de los oidores.

El arzobispo Villagómez se presentó un año con quitasol en la procesión de Corpus, y como el virrey lo reprendiese, se retiró de la fiesta. El monarca los dejó iguales, resolviendo que ni virrey ni arzobispo usasen de quitasol.

Opúsose el de Alba de Liste a que se consagrase fray Cipriano Medina, por no estar muy en regla las bulas que lo instituían obispo de Guamanga. Pero el arzobispo se dirigió a media noche al noviciado de San Francisco, y allí consagró a Medina.

Habiendo puesto presos los alcaldes de corte a los escribanos de la curia por desacato,[31] el arzobispo excomulgó a aquéllos. El virrey, apoyado por la Audiencia, obligó a su ilustrísima a levantar la excomunión.

Sobre provisión de beneficios eclesiásticos tuvo el de Alba de Liste infinitas cuestiones con el arzobispo, cuestiones que contribuyeron para que el fanático pueblo lo tuviese por hombre descreído y mal cristiano, cuando en realidad no era sino celoso defensor del patronato regio.

Don Luis Henríquez de Guzmán tuvo también la desgracia de vivir en guerra abierta con la Inquisición, tan omnipotente y prestigiosa entonces. El virrey, entre otros libros prohibidos, había traído de México un folleto escrito por el holandés Guillermo Lombardo, folleto que en confianza mostró a un inquisidor o familiar del Santo Oficio. Mas éste lo denunció, y el primer día de Pascua de Espíritu Santo,[32] hallándose su excelencia en la catedral con todas las corporaciones, subió al púlpito un comisario del tribunal de la fe, y leyó un edicto compeliendo al virrey a entregar el libelo y a poner a disposición del Santo Oficio a su médico César Nicolás Wandier, sospechoso de luteranismo. El virrey abandonó el templo con gran indignación, y elevó a Felipe IV una fundada queja. Surgieron de aquí serias cuestiones, a las que el monarca puso término reprobando la conducta inquisitorial, pero aconsejando amistosamente al de Alba de Liste que entregase el papelucho motivo de la querella.

En cuanto al médico francés, el noble conde hizo lo posible para libertarlo de caer bajo las garras de los feroces torniceros; pero no era cosa fácil arrebatarle una víctima a la In-

---

30. filibusterismo: *filibustering, ship raiding by buccaneers*

31. desacato: *contempt of court*
32. Pascua ... Santo: *Whitsuntide*

quisición. En 8 de octubre de 1667, después de más de ocho años de encierro en las mazmorras del Santo Oficio, fué penitenciado Wandier. Acusáronlo, entre otras quimeras, de que con apariencias de religiosidad tenía en su cuarto un crucifijo y una imagen de la Virgen, a los que prodigaba palabras blasfemas. Después del auto de fe, en el que, felizmente, no se condenó al reo a la hoguera, hubo en Lima tres días de rogativas, procesión de desagravio y otras ceremonias religiosas, que terminaron trasladando las imágenes de la catedral a la iglesia del Prado, donde presumimos que existen hoy.

En agosto de 1661, después de haber entregado el gobierno al conde de Santisteban, regresó a España el de Alba de Liste, muy contento de abandonar una tierra en la que corría el peligro de que lo convirtiesen en chicharrón, quemándolo por hereje.

3

LA VENGANZA DE UN CAMPANERO

Es probable que a Escoiquiz no se le pasara tan aína el escozor de los ramalazos, pues juró en sus adentros vengarse del melindroso virrey que tanta importancia diera a repique más o menos.

No había aún transcurrido una semana desde el día del vapuleo, cuando una noche, entre doce y una, las campanas de la torre de San Agustín echaron un largo y entusiasta repique. Todos los habitantes de Lima se hallaban a esa hora entre palomas [33] y en lo mejor del sueño, y se lanzaron a la calle preguntándose cuál era la halagüeña noticia que con lenguas de bronce festejaban las campanas.

Su excelencia don Luis Henríquez de Guzmán, sin ser por ello un libertino, tenía su trapicheo con una aristocrática dama; y cuando, dadas las diez, no había ya en Lima quien se aventurase a andar por las aceras, el virrey salía de tapadillo por una puerta excusada que cae a la calle de los Desamparados, muy rebujado en el embozo, y en compañía de su mayordomo encaminábase a visitar a la hermosa, que le tenía el alma en cautiverio. Pasaba un par de horitas en sabrosa intimidad, y después de media noche se regresaba a palacio con la misma cautela y misterio.

Al día siguiente fué notorio en la ciudad que un paseo nocturno del virrey había motivado el importuno repique. Y hubo corrillos y mentidero largo en las gradas de la catedral, y todo eran murmuraciones y conjeturas, entre las que tomó cuerpo y se abultó infinito la especie de que el señor conde se recataba para asistir a algún misterioso conciliábulo de herejes; pues nadie podía sospechar que un caballero tan serio anduviese a picos pardos y con tapujos de contrabandista, como cualquier mozalbete.

Mas su excelencia no las tenía todas consigo, y recelando una indiscreción del campanero, hízolo secretamente venir a palacio, y encerrándose con él en su camarín, le dijo:

—¡Gran tunante! ¿Quién te avisó anoche que yo pasaba?

33. entre palomas: *in bed*

—Señor excelentísimo—respondió Escoiquiz sin turbarse—, en mi torre hay lechuzas.

—¿Y qué diablos tengo yo que ver con que las haya?

—Vuecencia, que ha tenido sus dimes y diretes [34] con la Inquisición y que anda con ella al morro, debe saber que las brujas se meten en el cuerpo de las lechuzas.

—¿Y para ahuyentarlas escandalizaste la ciudad con tus cencerros? Eres un bribón de marca, y tentaciones me entran de enviarte a presidio.

—No sería digno de vuecencia castigar con tan extremo rigor a quien, como yo, es discreto, y que ni al cuello de su camisa le ha contado lo que trae a todo un virrey del Perú en idas y venidas nocturnas por la calle de San Sebastián.

El caballeroso conde no necesitó de más apunte para conocer que su secreto, y con él la reputación de una dama, estaban a merced del campanero.

—¡Bien, bien!—le interrumpió—. Ata corto la lengua y que el badajo de tus campanas sea también mudo.

—Lo que yo, callaré como un difunto, que no me gusta informar a nadie de vidas ajenas; pero en lo que atañe al decoro de mis campanas no cedo ni el canto de una uña, que no las fundió el herrero para rufianas y tapadoras de paseos pecaminosos. Si vuecencia no quiere que ellas den voces, facilillo es el remedio. Con no pasar por la plazuela, salimos de compromisos.

—Convenido. Y ahora dime: ¿en qué puedo servirte?

Jorge Escoiquiz, que como se ve no era corto de genio, rogó al virrey que intercediese con el prior para volver a ser admitido en el noviciado. Hubo su excelencia de ofrecérselo, y tres o cuatro meses después el superior de los agustinianos relevaba al campanero. Y tanto hubo de valerle el encumbrado protector, que en 1660 fray Jorge Escoiquiz celebraba su primera misa, teniendo por padrino de vinajeras nada menos que al virrey hereje.

Según unos, Escoiquiz no pasó de ser un fraile de misa y olla; [35] y según otros, alcanzó a las primeras dignidades de su convento. La verdad quede en su lugar.

Lo que es para mí punto formalmente averiguado es que el virrey, cobrando miedo a la vocinglería de las campanas, no volvió a pasar por la plazuela de San Agustín, cuando le ocurría ir de galanteo a la calle de San Sebastián.

Y aquí hago punto y rubrico,
sacando de esta conseja
la siguiente moraleja:
que no hay enemigo chico.

LA CAMISA DE MARGARITA

Probable es que algunos de mis lectores hayan oído decir a las viejas de Lima, cuando quieren ponderar lo subido de precio de un artículo:

—¡Qué! Si esto es más caro que la camisa de Margarita Pareja.

Habríame quedado con la curiosidad de saber quién fué esa Margarita,

---

34. sus dimes y diretes: *your arguments*

35. un fraile ... olla: *an ordinary priest*

cuya camisa anda en lenguas, si en *La América,* de Madrid, no hubiera tropezado con un artículo firmado por don Ildefonso Antonio Bermejo (autor de un notable libro sobre el Paraguay), quien, aunque muy a la ligera habla de la niña y de su camisa, me puso en vía de desenredar el ovillo, alcanzando a sacar en limpio ₅ la historia que van ustedes a leer.

1

Margarita Pareja era (por los años de 1765) la hija más mimada de don Raimundo Pareja, caballero de Santiago y colector general del Callao.

La muchacha era una de esas limeñitas que, por su belleza, cautivan al mismo diablo y lo hacen persignarse y tirar piedras. Lucía un par de ojos negros que eran como dos torpedos cargados de dinamita y que hacían ₁₀ explosión sobre las entretelas del alma de los galanes limeños.

Llegó por entonces de España un arrogante mancebo, hijo de la coronada villa del oso y del madroño,[36] ₁₅ llamado don Luis Alcázar. Tenía éste en Lima un tío solterón y acaudalado, aragonés rancio y linajudo, y que gastaba más orgullo que los hijos del rey Fruela.[37] ₂₀

Por supuesto que, mientras le llegaba la ocasión de heredar al tío, vivía nuestro don Luis tan pelado como una rata y pasando la pena negra. Con decir que hasta sus trapi-₂₅ cheos eran al fiado y para pagar cuando mejorase de fortuna, creo que digo lo preciso.

En la procesión de Santa Rosa conoció Alcázar a la linda Margarita. ₃₀ La muchacha le llenó el ojo y le flechó el corazón. La echó flores, y aunque ella no le contestó ni sí ni no,

dió a entender con sonrisitas y demás armas del arsenal femenino que el galán era plato muy de su gusto. La verdad, como si me estuviera confe-₅ sando, es que se enamoraron hasta la raíz del pelo.

Como los amantes olvidan que existe la aritmética, creyó don Luis que para el logro de sus amores no ₁₀ sería obstáculo su presente pobreza, y fué al padre de Margarita, y, sin muchos perfiles, le pidió la mano de su hija.

A don Raimundo no le cayó en gra-₁₅ cia la petición, y cortésmente despidió al postulante, diciéndole que Margarita era aún muy niña para tomar marido; pues a pesar de sus diez y ocho mayos, todavía jugaba a las ₂₀ muñecas.

Pero no era ésta la verdadera madre del ternero.[38] La negativa nacía de que don Raimundo no quería ser suegro de un *pobretón;* y así hubo de ₂₅ decirlo en confianza a sus amigos, uno de los que fué con el chisme a don Honorato, que así se llamaba el tío aragonés. Éste, que era más altivo que el Cid,[39] trinó de rabia y dijo:

—¡Cómo se entiende! ¡Desairar a mi sobrino! Muchos se darían con un canto en el pecho[40] por emparentar con el muchacho, que no lo hay más

36. la coronada . . . madroño: Madrid; in its coat of arms a bear is represented leaning against a *madroño* tree
37. del rey Fruela: Fruela was King of Asturias in the 8th century

38. la verdadera . . . ternero: *the real reason* (for his decision)
39. el Cid: the national hero of Spain, Rodrigo Díaz de Bivar (1040?–1099)
40. se darían . . . pecho: *would be tickled*

gallardo en todo Lima. ¡Habráse visto insolencia de la laya! Pero ¿adónde ha de ir conmigo ese colectorcillo de mala muerte?

Margarita, que se anticipaba a su siglo, pues era nerviosa como una damisela de hoy, gimoteó, y se arrancó el pelo, y tuvo pataleta, y si no amenazó con envenenarse, fué porque todavía no se habían inventado los fósforos.

Margarita perdía colores y carnes, se desmejoraba a vista de ojos, hablaba de meterse monja, y no hacía nada en concierto.

—¡O de Luis o de Dios!—gritaba cada vez que los nervios se le sublevaban, lo que acontecía una hora sí y otra también.

Alarmóse el caballero santiagués, llamó físicos y curanderas, y todos declararon que la niña tiraba a tísica, y que la única *melecina* [41] salvadora no se vendía en la botica.

O casarla con el varón de su gusto, o encerrarla en el cajón con palma y corona. Tal fué el *ultimatum* médico.

Don Raimundo (¡al fin, padre!), olvidándose de coger capa y bastón, se encaminó como loco a casa de don Honorato y le dijo:

—Vengo a que consienta usted en que mañana mismo se case su sobrino con Margarita; porque, si no, la muchacha se nos va por la posta.

—No puede ser—contestó con desabrimiento el tío—. Mi sobrino es un *pobretón*, y lo que usted debe buscar para su hija es un hombre que varee la plata.

El diálogo fué borrascoso. Mientras más rogaba don Raimundo, más se subía el aragonés a la parra,[42] y ya

aquél iba a retirarse desahuciado cuando don Luis, terciando en la cuestión, dijo:

—Pero, tío, no es de cristianos que matemos a quien no tiene la culpa.

—¿Tú te das por satisfecho?

—De todo corazón, tío y señor.

—Pues bien, muchacho: consiento en darte gusto; pero con una condición, y es ésa: don Raimundo me ha de jurar ante la Hostia consagrada que no regalará un ochavo a su hija ni la dejará un real en la herencia.

Aquí se entabló un nuevo y más agitado litigio.

—Pero, hombre—arguyó don Raimundo—mi hija tiene veinte mil duros de dote.

—Renunciamos a la dote. La niña vendrá a casa de su marido nada más que con lo encapillado.

—Concédame usted entonces obsequiarla los muebles y el ajuar de novia.

—Ni un alfiler. Si no acomoda, dejarlo y que se muera la chica.

—Sea usted razonable, don Honorato. Mi hija necesita llevar siquiera una camisa para reemplazar la puesta.

—Bien: paso por esa funda para que no me acuse de obstinado. Consiento en que le regale la camisa de novia, y san se acabó.[43]

Al día siguiente don Raimundo y don Honorato se dirigieron muy de mañana a San Francisco, arrodillándose para oír misa, y, según lo pactado, en el momento en que el sacerdote elevaba la Hostia divina, dijo el padre de Margarita:

—Juro no dar a mi hija más que la camisa de novia. Así Dios me condene si perjurare.

41. melecina = medecina
42. más . . . parra: *the more obstinate the Aragonese became*
43. y san se acabó: *and that's all!*

2

Y don Raimundo Pareja cumplió *ad pedem litteræ* [44] su juramento; porque ni en vida ni en muerte dió después a su hija cosa que valiera un maravedí.

Los encajes de Flandes que adornaban la camisa de la novia costaron dos mil setecientos duros, según lo afirma Bermejo, quien parece copió este dato de las *Relaciones secretas* de Ulloa y don Jorge Juan.[45]

Item, el cordoncillo que ajustaba al cuello era una cadeneta de brillantes, valorizada en treinta mil *morlacos*.[46]

Los recién casados hicieron creer al tío aragonés que la camisa a lo más valdría una onza; porque don Honorato era tan testarudo que, a saber lo cierto, habría forzado al sobrino a divorciarse.

Convengamos en que fué muy merecida la fama que alcanzó la camisa nupcial de Margarita Pareja.

LA PANTORRILLA DEL COMANDANTE

1

Fragmento de carta del tercer jefe del "Imperial Alejandro" al segundo Comandante del batallón "Gerona" [47]

Cuzco, 3 de diciembre de 1822

Mi querido paisano y compañero: Aprovecho para escribirte la oportunidad de ir el capitán don Pedro Uriondo con pliegos del virrey para el general Valdés.

Uriondo es el malagueño más entretenido que madre andaluza ha echado al mundo. Te lo recomiendo muy mucho. Tiene la manía de proponer apuestas por todo y sobre todo, y lo particular es que siempre las gana. ¡Por Dios!, hermano, no vayas a incurrir en la debilidad de aceptarle apuesta alguna, y haz esta prevención caritativa a tus amigos. Uriondo se jacta de que jamás ha perdido apuesta, y dice verdad. Con que así, abre el ojo y no te dejes atrapar...

Siempre tuyo,

Juan Echerry

2

Carta del segundo Comandante del "Gerona" a su amigo del "Imperial Alejandro"

Sama, 28 de diciembre de 1822

Mi inolvidable camarada y pariente: Te escribo sobre un tambor en el momento de alistarse el batallón para emprender marcha a Tacna, donde tengo por seguro que vamos a copar [48]

44. ad pedem litterae (Latin): *to the letter*
45. Ulloa y don Jorge Juan: Antonio de Ulloa and Jorge Juan prepared two accounts of their observations in 18th century America: *Noticias secretas de América* (an unpublished report to the king) and *Relación* *histórica del viaje a la América*
46. morlacos: *silver dollars*
47. "Imperial Alejandro" ... "Gerona": are names of two Spanish regiments to which the friends who write these letters belong
48. copar: *finish off*

al gaucho Martínez, antes de que se junte con las tropas de Alvarado, a quien después nos proponemos hacer bailar el zorongo.[49] El diablo se va a llevar de esta hecha a los insurgentes. Ya es tiempo de que cargue Satanás con lo suyo, y de que las charreteras [50] de coronel luzcan sobre los hombros de este tu invariable amigo.

Te doy las gracias por haberme proporcionado la amistad del capitán Uriondo. Es un muchacho que vale en oro lo que pesa, y en los pocos días que le hemos tenido en el cuartel general ha sido la niña bonita [51] de la oficialidad. ¡Y lo bien que canta el diantre del mozo! ¡Y vaya si sabe hacer hablar a las cuerdas de una guitarra!

Mañana saldrá de regreso para el Cuzco con comunicaciones del general para el virrey.

Siento decirte que sus laureles como ganador de apuestas van marchitos. Sostuvo esta mañana que el aire de vacilación que tengo al andar dependía, no del balazo que me plantaron en el Alto Perú, cuando lo de Guaqui,[52] sino de un lunar, grueso como un grano de arroz, que, según él afirmaba, como si me lo hubiera visto y palpado, debía yo tener en la parte baja de la pierna izquierda. Agregó, con un aplomo digno del físico de mi batallón, que ese lunar era cabeza de vena y que, andando los tiempos, si no me lo hacía quemar con piedra infernal, me sobrevendrían ataques mortales al corazón. Yo, que conozco los alifafes de mi agujereado cuerpo y que no soy lunarejo, solté

el trapo a reír. Picóse un tanto Uriondo, y apostó seis onzas a que me convencía de la existencia del lunar. Aceptarle equivalía a robarle la plata, y me negué: pero, insistiendo él tercamente en su afirmación, terciaron el capitán Murrieta, que fué alférez de cosacos desmontados en el Callao; nuestro paisano Goytisolo, que es ahora capitán de la quinta; el teniente Silgado, que fué de húsares y sirve hoy en dragones; el padre Marieluz, que está de capellán de tropa, y otros oficiales, diciéndome todos:

—¡Vamos, comandante, gánese esas peluconas que le caen de las nubes!

Ponte en mi caso. ¿Qué habrías tú hecho? Lo que yo hice, seguramente: enseñar la pierna desnuda, para que todos viesen que en ella no había ni sombra de lunar. Uriondo se puso más rojo que un camarón sancochado, y tuvo que confesar que se había equivocado. Y me pasó las seis onzas, que se me hizo cargo de conciencia aceptar; pero que, al fin, tuve que guardarlas, pues él insistió en declarar que las había perdido en toda regla.

Contra tu consejo, tuve la debilidad (que de tal la calificaste) de aceptarle una apuesta a tu conmigo desventurado malagueño, quedándome, más que el provecho de las seis amarillas, la gloria de haber sido el primero en vencer al que tú considerabas invencible.

Tocan en este momento llamada y tropa.

Dios te guarde de una bala traidora, y a mí... lo mesmo.

Domingo Echizarraga

---

49. zoronga: lively Andalusian dance
50. charreteras: *epaulets*
51. niña bonita: *darling, pet*

52. Guaqui: town in Alto Peru (Bolivia) on the southern shore of Lake Titicaca, scene of an engagement

3

Carta del tercer jefe del "Imperial Alejandro" al segundo Comandante del "Gerona"

Cuzco, enero 10 de 1823

Compañero: Me ... fundiste.

El capitán Uriondo había apostado conmigo treinta onzas a que te hacía enseñar la pantorrilla el día de Inocentes.[53]

Desde ayer hay, por culpa tuya, treinta peluconas de menos en el exiguo caudal de tu amigo, que te perdona el candor y te absuelve de la 5 desobediencia al consejo.

Juan Echerry

4

Y yo el infrascrito garantizo, con toda la seriedad que a un tradicionista incumbe, la autenticidad de las firmas

de Echerry y Echizarraga.

Ricardo Palma

LA VIUDITA

Muy popular es en Arequipa la historieta contemporánea que vas a leer, y para no dejar resquicio a críticos de calderilla y de escaleras abajo, te prevengo que bautizaré a los dos principales personajes con nombre distinto del que tuvieron.

1

Por los años de 1834 no se hablaba en Arequipa de otra cosa que de la *Viudita*, y contábanse acerca de ella cuentos espeluznantes. La Viudita era la pesadilla de la ciudad entera.

Era el caso que, vecino al hospital de San Juan de Dios, había un chiribitil[54] conocido por el *de profundis* o sitio donde se exponían por doce horas los cadáveres de los fallecidos 20 en el santo asilo.

Desde tiempo inmemorial veíase allí siempre un ataúd alumbrado por cuatro cirios, y los transeuntes nocturnos echaban una limosna en el cepillo, o murmuraban un padre- 5 nuestro y una avemaría por el alma del difunto.

Pero en 1834 empezó a correr el rumor de que, después de las diez de la noche, salía del cuartito de los 10 muertos un bulto vestido de negro, el cual bulto, que tenía forma femenina, se presentaba armado con una linterna sorda cada vez que sentía pasos varoniles en la calle. Añadían que, 15 como quien predica un reconocimiento, hacía reflejar la luz sobre el rostro del transeunte, y luego volvía muy tranquilamente a esconderse en el *de profundis*.

Con esta noticia, confirmada por el testimonio de varios ciudadanos a quienes la Viuda hiciera el coco,

---

53. día de Inocentes: December 28th, the feast of the Holy Innocents; celebrated in South American countries as the equivalent of our April Fools' Day

54. chiribitil: *small building*

nadie se sentía ya con hígados para pasar por San Juan de Dios después del toque de queda.

Hubo más. Un buen hombre, llamado don Valentín Quesada, con agravio de su nombre de pila que lo comprometía a ser valiente, casi murió del susto. ¡Ayúdenmela a querer!

En vano la autoridad dispuso la captura del fantasma, pues no encontró subalternos con coraje para dar cumplimiento al superior mandato.

Los de la ronda no se aproximaban ni a la esquina del hospital, y cada mañana inventaban una mentira para disculparse ante su jefe, como la de que la Viuda se les había vuelto humo entre las manos u otra paparrucha semejante. Y con esto el terror del vecindario fué en aumento.

Al fin, el general don Antonio Gutiérrez de La Fuente, que era el prefecto del departamento, decidió no valerse de policíacos embusteros y cobardones, sino habérselas personalmente con la Viuda. Embozóse una noche en su capa y se encaminó a San Juan de Dios. Faltábanle pocos pasos para llegar al umbral mortuorio, cuando se le presentó el fantasma y le inundó el rostro con la luz de la linterna.

El general La Fuente amartilló una pistola, y avanzando sobre la Viuda le gritó:

—¡Ríndete o hago fuego!

El alma en pena se atortoló, y corrió a refugiarse en el ataúd alumbrado por los cuatro cirios.

Su señoría penetró en el mortuorio y echó la zarpa al fantasma, quien cayendo de rodillas, y arrojando un rebocillo que le servía de antifaz, exclamó:

—¡Por Dios, señor general! ¡Sálveme. usted!

El general La Fuente, que tuvo en poco al alma del otro mundo, tuvo en mucho al alma de este mundo sublunar. ¡La Viudita era...era...una lindísima muchacha!

—¡Caramba!—dijo para sí La Fuente—. Si tan preciosas como ésta son todas las ánimas benditas del purgatorio, mándeme Dios allá de guarnición por el tiempo que sea servido.

Y luego añadió alzando la voz:

—Tranquilícese, niña; apóyese en mi brazo, y véngase conmigo a la prefectura.

2

Hildebrando Béjar era el don Juan Tenorio [55] de Arequipa. Como el burlador de Sevilla, tenía a gala engatusar muchachas y hacerse el orejón cuando éstas, con buen derecho, le exigían el cumplimiento de sus promesas y juramentos. Él decía como un poeta:

Cuando quiera el Dios del cielo
que caiga Corpus [56] en martes,
entonces, juro y rejuro,
será cuando yo me case.

Víctima del calavera fué, entre otras, la bellísima Irene, tenida hasta el momento en que sucumbió a la tentación de morder la manzana, por honestísima y esquiva doncella.

Desdeñada por su libertino seduc-

---

55. Don Juan Tenorio: the famous seducer of women, hero of Tirso de Molina's *El burlador de Sevilla*, José Zorrilla's *Don Juan Tenorio* and many other dramas and poems

56. Corpus: the feast of Corpus Christi falls always on the Thursday three weeks after Ascension Day or 61 days after Easter.

tor y agotados por ella ruegos, lágrimas y demás recursos del caso, decidió vengarse asesinando al autor de su deshonra. Y armada de un puñal, se puso en acecho a dos cuadras de una casa donde Hildebrando menudeaba a la sazón sus visitas nocturnas, escogiendo para acechadero el *de profundis* del hospital.

Pero, fuese misterioso presentimiento o casualidad, Hildebrando dió en rodear camino para no pasar por San Juan de Dios.

Descubierta, al fin, como hemos referido, por el prefecto La Fuente, Irene le confió su secreto; y a tal

punto llegó el general a interesarse por la desventura de la joven, que hizo venir a su presencia a Hildebrando, y no sabemos si con razones o amenazas, obtuvo que el seductor se aviniese a reparar el mal causado.

Ocho días más tarde Irene e Hildebrando recibían la solemne bendición sacramental.

Está visto que sobre la tierra, habiendo hembra y varón de por medio, todo, hasta las apariciones de almas en pena, remata en matrimonio, que es el más cómodo y socorrido de los remates para un novelista.

EL ALACRÁN DE FRAY GÓMEZ

(A Casimiro Prieto Valdés)

Principio principiando;
principiar quiero,
por ver si principiando
principiar puedo.

In diebus illis,[57] digo, cuando yo era muchacho, oía con frecuencia a las viejas exclamar, ponderando el mérito y precio de una alhaja:—¡Esto vale tanto como el alacrán de fray Gómez!

Tengo una chica, remate de lo bueno, flor de la gracia y espumita de la sal, con unos ojos más pícaros y trapisondistas[58] que un par de escribanos:

chica que se parece
al lucero del alba
cuando amanece,

al cual pimpollo he bautizado, en mi paternal chochera, con el mote de *alacrancito de fray Gómez.* Y explicar el dicho de las viejas, y el sentido del piropo con que agasajo a mi Angélica, es lo que me propongo, amigo y camarada Prieto, con esta tradición.

El sastre paga deudas con puntadas, y yo no tengo otra manera de satisfacer la literaria que con usted he contraído que dedicándole estos cuatro palotes.

1

Éste era[59] un lego contemporáneo de don Juan de la Pipirindica, el de la valiente pica,[60] y de San Francisco Solano; el cual lego desempeñaba en

---

57. In ... illis (Latin): *In those days,* i.e. a long time ago
58. trapisondistas: *mischievous*
59. Éste era: *Once upon a time there*

was ... A common way to begin a story
60. el ... pica: *the great orator.* Note that the popular cognomen rhymes with Don Juan's name.

Lima, en el convento de los padres seráficos, las funciones de refitolero en la enfermería u hospital de los devotos frailes. El pueblo lo llamaba fray Gómez, y fray Gómez lo llaman las crónicas conventuales, y la tradición lo conoce por fray Gómez. Creo que hasta en el expediente que para su beatificación y canonización existe en Roma no se le da otro nombre.

Fray Gómez hizo en mi tierra milagros a mantas, sin darse cuenta de ellos y como quien no quiere la cosa. Era de suyo milagrero, como aquel que hablaba en prosa [61] sin sospecharlo.

Sucedió que un día iba el lego por el puente, cuando un caballo desbocado arrojó sobre las losas al jinete. El infeliz quedó patitieso, con la cabeza hecha una criba y arrojando sangre por boca y narices.

—¡Se descalabró, se descalabró!— gritaba la gente—. ¡Que vayan a San Lázaro por el santo óleo!

Y todo era bullicio y alharaca.

Fray Gómez acercóse pausadamente al que yacía en la tierra, púsole sobre la boca el cordón de su hábito, echóle tres bendiciones, y sin más médico ni más botica el descalabrado se levantó tan fresco, como si golpe no hubiera recibido.

—¡Milagro, milagro! ¡Viva fray Gómez!—exclamaron los infinitos espectadores.

Y en su entusiasmo intentaron llevar en triunfo al lego. Éste, para substraerse a la popular ovación, echó a correr camino de su convento y se encerró en su celda.

La crónica franciscana cuenta esto último de manera distinta. Dice que fray Gómez, para escapar de sus aplaudidores, se elevó en los aires y voló desde el puente hasta la torre de su convento. Yo ni lo niego ni lo afirmo. Puede que sí y puede que no. Tratándose de maravillas, no gasto tinta en defenderlas ni en refutarlas.

Aquel día estaba fray Gómez en vena de hacer milagros, pues cuando salió de su celda se encaminó a la enfermería, donde encontró a San Francisco Solano acostado sobre una tarima, víctima de una furiosa jaqueca. Pulsólo el lego y le dijo:

—Su paternidad está muy débil, y haría bien en tomar algún alimento.

—Hermano—contestó el santo—, no tengo apetito.

—Haga un esfuerzo, reverendo padre, y pase siquiera un bocado.

Y tanto insistió el refitolero, que el enfermo, por librarse de exigencias que picaban ya en majadería, ideó pedirle lo que hasta para el virrey habría sido imposible conseguir, por no ser la estación propicia para satisfacer el antojo.

—Pues mire, hermanito, sólo comería con gusto un par de pejerreyes.

Fray Gómez metió la mano derecha dentro de la manga izquierda, y sacó un par de pejerreyes tan fresquitos que parecían acabados de salir del mar.

—Aquí los tiene su paternidad, y que en salud se le conviertan. Voy a guisarlos.

Y ello es que con los benditos pejerreyes quedó San Francisco curado como por ensalmo.

Me parece que estos dos milagritos de que incidentalmente me he ocupado no son paja picada. Dejo en mi tintero otros muchos de nuestro lego,

61. como ... prosa: Molière's *Bourgeois gentilhomme*

porque no me he propuesto relatar su vida y milagros.

Sin embargo, apuntaré, para satisfacer curiosidades exigentes, que sobre la puerta de la primera celda del pequeño claustro, que hasta hoy sirve de enfermería, hay un lienzo pintado al óleo representando estos dos milagros, con la siguiente inscripción:

"El Venerable Fray Gómez.—Nació en Extremadura en 1560. Vistió el hábito en Chuquisaca en 1580. Vino a Lima en 1587.—Enfermero fué cuarenta años, ejercitando todas las virtudes, dotado de favores y dones celestiales. Fué su vida un continuado milagro. Falleció en 2 de mayo de 1631, con fama de santidad. En el año siguiente se colocó el cadáver en la capilla de Aranzazú, y en 13 de octubre de 1810 se pasó debajo del altar mayor, a la bóveda donde son sepultados los padres del convento. Presenció la traslación de los restos el señor doctor don Bartolomé María de las Heras. Se restauró este venerable retrato en 30 de noviembre de 1882, por M. Zamudio."

2

Estaba una mañana fray Gómez en su celda entregado a la meditación, cuando dieron a la puerta unos discretos golpecitos, y una voz de quejumbroso timbre dijo:

—*Deo gratias*... ¡Alabado sea el Señor!

—Por siempre jamás, amén. Entre, hermanito—contestó fray Gómez.

Y penetró en la humildísima celda un individuo algo desarrapado, *vera effigies* del hombre a quien acongojan

pobrezas, pero en cuyo rostro se dejaba adivinar la proverbial honradez del castellano viejo.

Todo el mobiliario de la celda se componía de cuatro sillones de vaqueta, una mesa mugrienta, y una tarima sin colchón, sábanas ni abrigo, y con una piedra por cabezal o almohada.

—Tome asiento, hermano, y dígame sin rodeos lo que por acá le trae— dijo fray Gómez.

—Es el caso, padre, que yo soy hombre de bien a carta cabal...

—Se le conoce y que persevere deseo, que así merecerá en esta vida terrena la paz de la conciencia, y en la otra la bienaventuranza.

—Y es el caso que soy buhonero, que vivo cargado de familia y que mi comercio no cunde por falta de medios, que no por holgazanería y escasez de industria en mí.

—Me alegro, hermano, que a quien honradamente trabaja Dios le acude.

—Pero es el caso, padre, que hasta ahora Dios se me hace el sordo, y en acorrerme tarda...

—No desespere, hermano, no desespere.

—Pues es el caso que a muchas puertas he llegado en demanda de habilitación [62] por quinientos duros, y todas las he encontrado con cerrojo y cerrojillo. Y es el caso que anoche, en mis cavilaciones, yo mismo me dije a mí mismo:—¡Ea!, Jerónimo, buen ánimo y vete a pedirle el dinero a fray Gómez, que si él lo quiere, mendicante y pobre como es, medio encontrará para sacarte del apuro. Y es el caso que aquí estoy porque he venido, y a su paternidad le pido y ruego que me preste esa puchuela [63] por seis

---

62. habilitación: *loan*

63. puchuela: *trifling amount*

meses, seguro que no será por mí por quien se diga:

En el mundo hay devotos
de ciertos santos:
la gratitud les dura
lo que el milagro;
que un beneficio
da siempre vida a ingratos
desconocidos.

—¿Cómo ha podido imaginarse, hijo, que en esta triste celda encontraría ese caudal?

—Es el caso, padre, que no acertaría a responderle; pero tengo fe en que no me dejará ir desconsolado.

—La fe lo salvará, hermano. Espere un momento.

Y paseando los ojos por las desnudas y blanqueadas paredes de la celda, vió un alacrán que caminaba tranquilamente sobre el marco de la ventana. Fray Gómez arrancó una página de un libro viejo, dirigióse a la ventana, cogió con delicadeza a la sabandija, la envolvió en el papel, y tornándose hacia el castellano viejo le dijo:

—Tome, buen hombre, y empeñe esta alhajita; no olvide, sí, devolvérmela dentro de seis meses.

El buhonero se deshizo en frases de agradecimiento, se despidió de fray Gómez y más que de prisa se encaminó a la tienda de un usurero.

La joya era espléndida, verdadera alhaja de reina morisca, por decir lo menos. Era un prendedor figurando un alacrán. El cuerpo lo formaba una magnífica esmeralda engarzada sobre oro, y la cabeza un grueso brillante con dos rubíes por ojos.

El usurero, que era hombre conocedor, vió la alhaja con codicia, y ofreció al necesitado adelantarle dos mil duros por ella; pero nuestro español se empeñó en no aceptar otro préstamo que el de quinientos duros por seis meses, y con un interés judaico, se entiende. Extendiéronse y firmáronse los documentos o papeletas de estilo, acariciando el agiotista la esperanza de que a la postre el dueño de la prenda acudiría por más dinero, que con el recargo de intereses lo convertiría en propietario de joya tan valiosa por su mérito intrínseco y artístico.

Y con este capitalito fuéle tan prósperamente en su comercio, que a la terminación del plazo pudo desempeñar la prenda, y, envuelta en el mismo papel en que la recibiera, se la devolvió a fray Gómez.

Éste tomó el alacrán, lo puso sobre el alféizar de la ventana,[64] le echó una bendición y dijo:

—Animalito de Dios, sigue tu camino.

Y el alacrán echó a andar libremente por las paredes de la celda.

Y vieja, pelleja,
aquí dió fin la conseja.

DÓNDE Y CÓMO EL DIABLO PERDIÓ EL PONCHO

Cuento disparatado

"Y sépase usted, querido, que perdí la chaveta [65] y anduve en mula chúcara [66] y con estribos largos por una muchacha nacida en la tierra donde al diablo le quitaron el poncho."

Así terminaba la narración de una

---

64. alféizar ... ventana: *window frame*
65. perdí la chaveta: *I lost my head*

66. en mula chúcara: *on a mule not yet broken*

de las aventuras de su mocedad mi amigo don Adeodato de la Mentirola, anciano que militó al lado del coronel realista Sanjuanena y que, hoy mismo, prefiere a todas las repúblicas teóricas y prácticas, habidas y por haber, el paternal gobierno de Fernando VII. Quitándole esta debilidad o manía, es mi amigo don Adeodato una alhaja de gran precio. Nadie mejor informado que él en los trapicheos de Bolívar con las limeñas, ni nadie como él sabe al dedillo la antigua crónica escandalosa de esta ciudad de los reyes. Cuenta las cosas con cierta llaneza de lenguaje que pasma; y yo, que me pirro por[67] averiguar la vida y milagros, no de los que viven, sino de los que están pudriendo tierra y criando malvas con el cogote, ando pegado a él como botón a la camisa, y le doy cuerda, y el señor de la Mentirola *afloja* lengua.

—¿Y dónde y cómo fué que el diablo perdió el poncho?—le interrogué.

—¡Cómo! ¿Y usted que hace décimas y que la echa de cronista o de historietista y que escribe en los papeles públicos y que ha sido diputado a Congreso ignora lo que en mi tiempo sabían hasta los chicos de la *amiga?*[68] Así son las reputaciones literarias desde que *entró la Patria.*[69] ¡Hojarasca y soplillo! ¡Oropel, puro oropel!

¡Qué quiere usted, don Adeodato! Confieso mi ignorancia y ruégole que me ilustre; que enseñar al que no sabe, precepto es de la doctrina cristiana.

Parece que el contemporáneo de Pezuela y La Serna[70] se sintió halagado con mi humildad; porque, tras encender un cigarrillo, se arrellanó cómodamente en el sillón y soltó la sin hueso con el relato que va en seguida. Por supuesto que, como ustedes saben, ni Cristo ni sus discípulos soñaron en trasmontar los Andes (aunque doctísimos historiadores afirman que el apóstol Tomás o Tomé predicó el Evangelio en América), ni en esos tiempos se conocían el telégrafo, el vapor y la imprenta. Pero háganse ustedes los de la vista miope con estos y otros anacronismos, y ahí va *ad pedem litteræ* la conseja.

1

Pues, señor, cuando Nuestro Señor Jesucristo peregrinaba por el mundo, caballero en mansísima borrica, dando vista a los ciegos y devolviendo a los tullidos el uso y abuso de sus miembros, llegó a una región donde la arena formaba horizonte. De trecho en trecho alzábase enhiesta y gárrula una palmera, bajo cuya sombra solían detenerse el Divino Maestro y sus discípulos escogidos, los que, como quien no quiere la cosa, llenaban de dátiles las alforjas.

Aquel arenal parecía ser eterno; algo así como Dios, sin principio ni fin. Caía la tarde y los viajeros tenían ya entre pecho y espalda el temor de dormir sirviéndoles de toldo la bóveda estrellada, cuando con el último rayo de sol dibujóse en lontananza la silueta de un campanario.

El Señor se puso la mano sobre los ojos, formando visera para mejor concentrar la visual, y dijo:

—Allí hay población. Pedro, tú que

67. me pirro por: *am keen about*
68. amiga: *kindergarten*
69. desde . . . *Patria: since the fatherland came into being* (since the independence of Peru)

70. Pezuela y La Serna: Joaquín de la Pezuela, Spanish general and Viceroy of Peru from 1816 to 1821; José La Serna, the last viceroy, captured by the patriots at the battle of Ayacucho

entiendes de náutica y geografía, ¿me sabrás decir qué ciudad es ésa?

San Pedro se relamió con el piropo y contestó:

—Maestro, esa ciudad es Ica.

—¡Pues pica, hombre, pica!

Y todos los apóstoles hincaron con un huesecito el anca de los rucios, y a galope pollinesco se encaminó la comitiva al poblado.

Cerca ya de la ciudad se apearon todos para hacer una mano de *toilette*.[71] Se perfumaron las barbas con bálsamo de Judea, se ajustaron las sandalias, dieron un brochazo a la túnica y al manto, y siguieron la marcha, no sin prevenir antes el buen Jesús a su apóstol favorito:

—Cuidado, Pedro, con tener malas pulgas y cortar orejas.[72] Tus genialidades nos ponen siempre en compromisos.

El apóstol se sonrojó hasta el blanco de los ojos; y nadie habría dicho, al ver su aire bonachón y compungido, que había sido un cortacaras.

Los iqueños recibieron en palmas,[73] como se dice, a los ilustres huéspedes; y aunque a ellos les corriera prisa continuar su viaje, tan buenas trazas se dieron los habitantes para detenerlos y fueron tales los agasajos y festejos, que se pasaron ocho días como un suspiro.

Los vinos de Elías, Boza y Falconí[74] anduvieron a boca qué quieres. En aquellos ocho días fué Ica un remedo de la gloria. Los médicos no pelechaban, ni los boticarios vendían drogas: no hubo siquiera un dolor de muelas o un sarampioncito vergonzante.

A los escribanos les crió moho la pluma, por no tener ni un mal testimonio de que dar fe. No ocurrió la menor pelotera en los matrimonios y, lo que es verdaderamente milagroso, se les endulzó la ponzoña a las serpientes de cascabel que un naturalista llama suegras y cuñadas.

Bien se conocía que en la ciudad moraba el Sumo Bien.[75] En Ica se respiraba paz y alegría y dicha.

La amabilidad, gracia y belleza de las iqueñas inspiraron a San Juan un soneto con estrambote, que se publicó a la vez en el *Comercio nacional y patria*. Los iqueños, entre copa y copa, comprometieron al apóstol-poeta para que escribiese el Apocalipsis,

pindárico poema, inmortal obra,
donde falta razón; mas genio sobra,

como dijo un poeta amigo mío.

En éstas y las otras, terminaba el octavo día, cuando el Señor recibió un parte telegráfico en que lo llamaban con urgencia a Jerusalén, para impedir que la samaritana le arrancase el moño a la Magdalena; y recelando que el cariño popular pusiera obstáculos al viaje, llamó al jefe de los apóstoles, se encerró con él y le dijo:

—Pedro, componte como puedas; pero es preciso que con el alba tomemos el *tole*, sin que nos sienta alma viviente. Circunstancias hay en que tiene uno que despedirse a la francesa.

San Pedro redactó el artículo del caso en la orden general, lo puso en conocimiento de sus subalternos, y los huéspedes anochecieron y no amanecieron bajo techo.

---

71. hacer . . . toilette: *to slick themselves up*

72. cortar orejas: St. Peter once lost his temper and cut off the Centurion's ear. Cf. *Mark* XIV, 47.

73. en palmas: *most cordially*

74. Los vinos . . . Falconí: different brands of Peruvian wine

75. el Sumo Bien: *the Supreme* or *Highest Good*

La Municipalidad tenía dispuesto un *albazo* [76] para aquella madrugada; pero se quedó con los crespos hechos.[77] Los viajeros habían atravesado ya la laguna de Huacachina y perdídose en el horizonte...

Cuando habían ya puesto algunas millas de por medio, el Señor volvió el rostro a la ciudad y dijo:

—¿Conque dices, Pedro, que esta tierra se llama Ica?

—Sí, Señor, Ica.

—Pues, hombre, ¡qué tierra tan rica!

Y alzando la mano derecha, la bendijo en el nombre del Padre y del Hijo y del Espíritu Santo.

2

Como los corresponsales de los periódicos hubieran escrito a Lima, describiendo larga, menuda y pomposamente las jolgorios y comilonas, recibió el *Diablo*, por el primer vapor de la mala de Europa, la noticia y pormenores transmitidos por todos nuestros órganos de publicidad.

Diz que *Cachano* [78] se mordió de envidia el hocico, ¡pícaro trompudo!, y que exclamó:

—¡Caracoles! ¡Pues yo no he de ser menos que Él! No faltaba más... A mí nadie me echa la pata encima.

Y convocando incontinenti a doce de sus cortesanos, los disfrazó con las caras de los apóstoles. Porque eso sí, *Cucufo* sabe más que un cómico y que una coqueta en esto de adobar el rostro y remedar fisonomías.

Pero como los corresponsales hubieron olvidado describir el traje de Cristo y el de sus discípulos, se imaginó el *Maldito* que, para salir del atrenzo, bastaríale consultar las estampas de cualquier álbum de viajes. Y sin más ni menos, él y sus camaradas se calzaron botas granaderas y echáronse sobre los hombros capa de cuatro puntas, es decir, *poncho*.

Los iqueños, al divisar la comitiva, creyeron que era el Señor que regresaba con sus escogidos, y salieron a recibirlo, resueltos a echar esta vez la casa por la ventana, para que no tuviese el Hombre-Dios motivo de aburrimiento y se decidiese a sentar para siempre sus reales en la ciudad.

Los iqueños eran hasta entonces felices, muy felices, archifelices. No se ocupaban de política, pagaban sin chistar la contribución, y les importaba un pepino que gobernase el preste Juan [79] o el moro Muza.[80] No había entre ellos chismes ni quisquillas de barrio a barrio y de casa a casa. No pensaban sino en cultivar los viñedos y hacerse todo el bien posible los unos a los otros. Rebosaban, en fin, tanta ventura y bienandanza que daban dentera a las comarcas vecinas.

Pero *Carrampempe*, que no puede mirar la dicha ajena sin que le castañeteen de rabia las mandíbulas, se propuso desde el primer instante meter la cola y llevarlo todo al barrisco.

---

76. albazo: *entertainment*
77. se quedó... hechos: *it was left all dressed up and no place to go*
78. Cachano: *Old Nick. Cucufo, el Maldito, Carrampempe, el Cornudo, el Patudo, el Rabudo, el Uñas largas, el Tiñoso, el Maligno, el Tunante,* and *el Patón* are all nicknames for Satan.

79. preste Juan: fabulous Christian ruler of a happy country located somewhere in Asia or Africa. He is supposed to have lived in the 12th century.
80. el moro Muza: Musa was the leader of the Moorish troops who invaded Spain in 711. He was looked upon by the Spaniards as a cruel monster.

Llegó el *Cornudo* a tiempo que se celebraba en Ica el matrimonio de un mozo como un carnero con una moza como una oveja. La pareja era como mandada hacer de encargo, por la igualdad de condición y de caracteres de los novios, y prometía vivir siempre en paz y en gracia de Dios.

—Ni llamado con campanilla podría haber venido yo en mejor oportunidad —pensó el *Demonio*. ¡Por vida de Santa Tecla, abogada de los pianos roncos!

Pero desgraciadamente para él, los novios habían confesado y comulgado aquella mañana; por ende, no tenían vigor sobre ellos las asechanzas y tentaciones del *Patudo*.

A las primeras copas bebidas en obsequio de la dichosa pareja, todas las cabezas se trastornaron, no con aquella alegría del espíritu, noble, expansiva y sin malicia, que reinó en los banquetes que honrara el Señor con su presencia, sino con el delirio sensual e inmundo de la materia. Un mozalbete, especie de don Juan Tenorio en agraz, principió a dirigir palabras subversivas a la novia; y una jamona, jubilado en servicio, lanzó al novio miradas de codicia... No paró aquí la cosa.

Los abogados y escribanos se concertaron para embrollar pleitos; los médicos y boticarios celebraron acuerdo para subir el precio del *aqua fontis*; [81] las suegras se propusieron sacarles los ojos a los yernos; las mujeres se tornaron pedigüeñas y antojadizas de joyas y trajes de terciopelo; los hombres serios hablaron de club y de bochinche; y, para decirlo de una vez, hasta los municipales vociferaron sobre la necesidad de imponer al prójimo contribución de diez centavos por cada estornudo.

Aquello era la anarquía con todos sus horrores. Bien se ve que el *Rabudo* andaba metido en la danza.

Y corrían las horas, y ya no se bebía por copas, sino por botellas, y los que antaño se arreglaban pacíficas *monas*,[82] se arrimaron esa noche una *mona* tan brava... tan brava... que rayaba en hidrofóbica.

La pobre novia que, como hemos dicho, estaba en gracia de Dios, se afligía e iba de un lado para otro, rogando a todos que pusiesen paz entre dos guapos que, armados de sendas estacas, se estaban suavizando el cordobán a garrotazos.

—El diablo se les ha metido en el cuerpo: no puede ser por menos —pensaba para sí la infeliz, que no iba descaminada en la presunción, y acercándose al *Uñas largas* lo tomó del poncho, diciéndole:

—Pero, señor, vea usted que se matan...

—¿Y a mí qué me cuentas? —contestó con gran flema el *Tiñoso*—. Yo no soy de esta parroquia... ¡Que se maten enhorabuena! Mejor para el cura y para mí, que le serviré de sacristán.

La muchacha, que no podía por cierto calcular todo el alcance de una frase vulgar, le contestó:

—¡Jesús! ¡Y qué malas entrañas había su merced tenido! La cruz le hago.

Y unió la acción a la palabra.

No bien vió el *Maligno* los dedos de la chica formando las aspas de una cruz, cuando quiso escaparse como perro a quien ponen maza; pero, teniéndolo ella sujeto del poncho, no le quedó al *Tunante* más recurso que sacar la cabeza por la abertura, dejando

81. aqua fontis: *well water*

82. pacíficas monas: *mild drunks*

la capa de cuatro puntas en manos de la doncella.

El *Patón* y sus acólitos se evaporaron, pero es fama que desde entonces viene, de vez en cuando, Su Majestad Infernal a la ciudad de Ica en busca de su poncho. Cuando tal sucede, hay larga francachela entre los *monos bravos* y . . .

Pin—pin,
San Agustín,
Que aquí el cuento tiene fin.

SECTION D

Modernism—Realism

1888-1910

Manuel Gutiérrez Nájera

1859-1895

THE MEXICAN Gutiérrez Nájera possessed an innate sensuous elegance and refinement which made his poems symphonies in color. Drinking destroyed him while he was still young, but there is not a trace of debasing alcohol in his song. He was a great admirer of many French poets, particularly of Alfred de Musset, but Nájera's art is so highly personalized that every outside influence is remoulded in his own architectural pattern. Blanco-Fombona, the Venezuelan critic, said of him: "*La elegancia literaria parece en él don de hada buena. Tuvo, desde la cuna, el sentido de lo gracioso, de lo delicado, de lo exquisito, tanto en el sentimiento como en la expresión.*" Sometimes his lines sparkle with intimate conversational charm; at others, they play intense elegiac music in a minor key. A deep religious sentiment pervades them all despite much skepticism of religious forms. At a very early age, like many another artist before and after him, Nájera made his discovery that sorrow is the lord of life, but this never prevented him from facing with restraint and grace the eternal verities over which his little will had no control. Every country in Spanish America responded to Nájera, and when he died before the completion of his thirty-sixth year his loss was universally mourned.

LA DUQUESA JOB [1]

A Manuel Puga y Acal.

En dulce charla de sobremesa,[2]
mientras devoro fresa tras fresa
y abajo ronca tu perro Bob,

te haré el retrato de la duquesa
que adora a veces el Duque Job.[3] * * *

---

1. La Duquesa Job: the poet's friend
2. charla de sobremesa: *afterdinner chat*

3. el Duque Job: Gutiérrez Nájera's journalistic pseudonym

Mi duquesita, la que me adora,
no tiene humos de gran señora:
es la griseta de Paul de Kock.[4]
No baila *Boston*,[5] y desconoce
de las carreras el alto goce,   10
y los placeres del *five o'clock*.[6]

Pero ni el sueño de algún poeta,
ni los querubes que vió Jacob,[7]
fueron tan bellos cual la coqueta
de ojitos verdes, rubia griseta   15
que adora a veces el Duque Job. * * *

Desde las puertas de la Sorpresa[8]
hasta la esquina del Jockey Club,
no hay española, yankee o francesa,
ni más bonita, ni más traviesa   20
que la duquesa del Duque Job. * * *

Si alguien la alcanza, si la requiebra,
ella, ligera como una cebra,
sigue camino del almacén;[9]
pero ¡ay del tuno si alarga el brazo!   25
Nadie le salva del sombrillazo[10]
que le descarga sobre la sién!

¡No hay en el mundo mujer más
     linda!
Pie de andaluza, boca de guinda,
esprit rociado de Veuve Clicqot;[11]   30
talle de avispa, cutis de ala,

ojos traviesos de colegiala
como los ojos de Luise Theó![12]

Ágil, nerviosa, blanca, delgada,
media de seda bien retirada,   35
gola de encaje, corsé de ¡crac!
nariz pequeña, garbosa, cuca,
y palpitantes sobre la nuca
rizos tan rubios como el cognac. * * *

¡Y los domingos! . . . ¡Con qué ale-
     gría   40
oye en su lecho bullir el día
y hasta las nueve quieta se está!
¡Cuál se acurruca la perezosa
bajo la colcha color de rosa
mientras a misa la criada va! * * *   45

Toco; se viste; me abre; almorzamos;
con apetito los dos tomamos
un par de huevos y un buen beefsteak,
media botella de rico vino,
y en coche juntos, vamos camino   50
del pintoresco Chapultepec.[13]

Desde las puertas de la Sorpresa
hasta la esquina del Jockey Club,
no hay española, yankee o francesa,
ni más bonita ni más traviesa   55
que la duquesa del Duque Job!

PARA ENTONCES

Quiero morir cuando decline el día,
en alta mar y con la cara al cielo;
donde parezca un sueño la agonía,
y el alma, un ave que remonta el vuelo.

4. griseta de Paul de Kock: grisette or free-mannered girl of working class appearing in many of the romantic tales by the French novelist Paul de Kock (1794–1871)
5. Boston: the *Boston waltz*, a slow dance
6. del five o'clock: *five o'clock tea*
7. Jacob: *Genesis XXVIII*, 12
8. la Sorpresa: a well known department store in Mexico City
9. almacén: *store*
10. sombrillazo: *blow with the parasol*
11. Veuve Clicqot: a brand of French champagne
12. Louise Theó: popular French operetta singer
13. Chapultepec: beautiful Mexican park

No escuchar en los últimos instantes,   5
ya con el cielo y con la mar a solas,
más voces ni plegarias sollozantes
que el majestuoso tumbo de las olas.

Morir cuando la luz triste retira
sus áureas redes de la onda verde,   10
y ser como ese sol que lento expira:
algo muy luminoso que se pierde.

Morir, y joven: antes que destruya
el tiempo aleve la gentil corona;
cuando la vida dice aún: "soy tuya,"   15
¡aunque sepamos bien que nos traiciona!

DE BLANCO

¿Qué cosa más blanca que cándido lirio?
¿Qué cosa más pura que místico cirio?
¿Qué cosa más casta que tierno azahar?
¿Qué cosa más virgen que leve neblina?
¿Qué cosa más santa que el ara divina de gótico altar?   5

De blancas palomas el aire se puebla,
con túnica blanca, tejida de niebla,
se envuelve a lo lejos feudal torreón;
erguida en el huerto la trémula acacia
al soplo del viento sacude con gracia su níveo pompón.[14]   10

¿No ves en el monte la nieve que albea? [15]
La torre muy blanca domina la aldea,
las tiernas ovejas triscando se van,
de cisnes intactos el lago se llena,
columpia su copa la enhiesta azucena,   15
y su ánfora inmensa levanta el volcán.

Entremos al templo: la hostia fulgura; [16]
de nieve parecen las canas del cura,
vestido con alba de lino sutil;
cien niñas hermosas ocupan las bancas,   20
y todas vestidas con túnicas blancas
en ramos ofrecen las flores de abril.

---

14. níveo pompón: *snowy flower*   16. la hostia fulgura: *the Eucharist shines*
15. albear: *to shine whitely*

Subamos al coro: la virgen propicia
escucha los rezos de casta novicia,
y el cristo de mármol expira en la cruz;   25
sin mancha se yerguen las velas de cera;
de encaje es la tenue cortina ligera
que ya transparenta del alba la luz.

Bajemos al campo: tumulto de plumas
parece el arroyo de blancas espumas   30
que quieren, cantando, correr y saltar;
la airosa mantilla de fresca neblina
terció la montaña; la vela latina
de barca ligera se pierde en el mar.

Ya salta del lecho la joven hermosa,   35
y el agua refresca sus hombros de diosa,
sus brazos ebúrneos,[17] su cuello gentil;
cantando y risueña se ciñe la enagua,
y trémulas brillan las gotas de agua
en su árabe peine de blanco marfil.   40

¡Oh mármol! ¡Oh nieves! ¡Oh inmensa blancura
que esparces doquiera tu casta hermosura!
¡Oh tímida virgen! ¡O casta vestal!
Tú estás en la estatua de eterna belleza;
de tu hábito blando nació la pureza,   45
¡al ángel das alas, sudario al mortal!

Tú cubres al niño que llega a la vida,
coronas las sienes de fiel prometida,
al paje revistes de rico tisú.
¡Qué blancos son, reinas, los mantos de armiño!   50
¡Qué blanca es, ¡oh madres! la cuna del niño!
¡Qué blanca, mi amada, qué blanca eres tú!

En sueños ufanos de amores contemplo
alzarse muy blancas las torres de un templo
y oculto entre lirios abrirse un hogar;   55
y el velo de novia prenderse a tu frente,
cual nube de gasa [18] que cae lentamente,
y viene a tus hombros su encaje a posar.

---

17. ebúrneos: *ivory white*   18. nube de gasa: *filmy cloud*

MIS ENLUTADAS [19]

Descienden taciturnas las tristezas
   al fondo de mi alma,
y entumecidas, haraposas brujas,[20]
   con uñas negras
   mi vida escarban.   5

De sangre es el color de sus pupilas,
   de nieve son sus lágrimas;
hondo pavor infunden ... yo las amo
   por ser las solas
   que me acompañan.   10

Aguárdolas ansioso si el trabajo
   de ellas me separa,
y búscolas en medio del bullicio,
   y son constantes,
   y nunca tardan.   15

En las fiestas, a ratos se me pierden
   o se ponen la máscara,
pero luego las hallo, y así dicen:
   —¡Ven con nosotras!
   —¡Vamos a casa!   20

Suelen dejarme cuando sonrïendo
   mis pobres esperanzas,
como enfermitas ya convalecientes,
   salen alegres
   a la ventana.   25

Corridas huyen, pero vuelven luego
   y por la puerta falsa
entran trayendo como nuevo huésped
   alguna triste,
   lívida hermana.   30

Ábrese a recibirlas la infinita
   tiniebla de mi alma,
y van prendiendo en ella mis recuerdos
   cual tristes cirios
   de cera pálida.   35

19. enlutadas: here used as a simile, the word means literally *persons in mourning*   20. entumecidas, haraposas brujas: *benumbed, ragged old witches*

Entre esas luces, rígido, tendido,
mi espíritu descansa;
y las tristezas, revolando en torno,
lentas salmodias
rezan y cantan.   40

Escudriñan del húmedo aposento
rincones y covachas,[21]
el escondrijo do guardé cuitado
todas mis culpas,
todas mis faltas.   45

Y urgando mudas, como hambrientas lobas,
las encuentran, las sacan,
y volviendo a mi lecho mortüorio
me las enseñan
y dicen: habla.   50

En lo profundo de mi ser bucean,[22]
pescadoras de lágrimas,
y vuelven mudas con las negras conchas
en donde brillan
gotas heladas.   55

A veces me revuelvo contra ellas
y las muerdo con rabia,
como la niña desvalida y mártir
muerde a la harpía
que la maltrata.   60

Pero en seguida, viéndose impotente,
mi cólera se aplaca,
¿qué culpa tienen, pobres hijas mías,
si yo las hice
con sangre y alma?   65

Venid, tristezas de pupila turbia,
venid, mis enlutadas,
las que viajáis por la infinita sombra,
donde está todo
lo que se ama.   70

Vosotras no engañáis: venid, tristezas,
¡oh mis criaturas blancas

21. covacha: *nook* or *cranny*   22. bucean: *they search*

abandonadas por la madre impía,
   tan embustera,
   por la esperanza!   75

  Venid y habladme de las cosas idas,
   de las tumbas que callan,
de muertos buenos y de ingratos vivos ...
   voy con vosotras,
   vamos a casa.   80

PAX ANIMAE [23]

¡Ni una palabra de dolor blasfemo!
Sé [24] altivo, sé gallardo en la caída,
¡y ve, poeta, con desdén supremo
todas las injusticias de la vida!

  No busques la constancia en los amores,   5
no pidas nada eterno a los mortales,
y haz, artista, con todos tus dolores,
excelsos monumentos sepulcrales.

  En mármol blanco tus estatuas labra,
castas en la actitud, aunque desnudas,   10
y que duerma en sus labios la palabra ...
y se muestren muy tristes ... ¡pero mudas!

  ¡El nombre! ... ¡Débil vibración sonora
que dura apenas un instante! ¡El nombre! ...
¡Ídolo torpe que el iluso adora!   15
¡Última y triste vanidad del hombre!

  ¿A qué pedir justicia ni clemencia
—si las niegan los propios compañeros—
a la glacial y muda indiferencia
de los desconocidos venideros?   20

  ¿A qué pedir la compasión tardía
de los extraños que la sombra esconde?
¡Duermen los ecos en la selva umbría
y nadie, nadie a nuestra voz responde!

  En esta vida el único consuelo   25
es acordarse de las horas bellas,

23. Pax animae (Latin): *Peace to the soul*   24. Sé: imperative *Be*

y alzar los ojos para ver el cielo . . .
cuando el cielo está azul o tiene estrellas.

Huir del mar y en el dormido lago
disfrutar de las ondas el reposo . . .   30
Dormir . . . soñar . . . el Sueño, nuestro mago,
¡es un sublime santo mentiroso!

. . . ¡Ay! Es verdad que en el honrado pecho
pide venganza la reciente herida . . . ;
pero . . . ¡perdona el mal que te hayan hecho!   35
¡todos están enfermos de la vida!

Los mismos que de flores se coronan
para el dolor, para la muerte nacen . . .
Si los que tú más amas te traicionan
¡perdónalos, no saben lo que hacen!   40

Acaso esos instintos heredaron,
y son los inconscientes vengadores
de razas o de estirpes que pasaron
acumulando todos los rencores.

¿Eres acaso el juez? ¿el impecable?   45
¿Tú la justicia y la piedad reúnes?
. . . ¿Quién no es un fugitivo responsable
de alguno o muchos crímenes impunes?

¿Quién no ha mentido amor y ha profanado
de una alma virgen el sagrario augusto?   50
¿Quién está cierto de no haber matado?
¿Quién puede ser el justiciero, el justo?

¡Lástimas y perdón para los vivos!
Y así de amor y mansedumbre llenos,
seremos cariñosos, compasivos . . .   55
¡y alguna vez, acaso, acaso buenos!

¿Padeces? Busca a la gentil amante,
a la impasible e inmortal belleza,
y ve apoyado, como Lear errante,
en tu joven Cordelia: la tristeza.   60

Mira: se aleja perezoso el día . . .
¡Qué bueno es descansar! El bosque obscuro
nos arrulla con lánguida armonía . . .
El agua es virgen. El ambiente es puro.

La luz, cansada, sus pupilas cierra;   65
se escuchan melancólicos rumores,
y la noche, al bajar, dice a la tierra:
—¡Vamos . . . ya está . . . ya duérmete . . . no llores!

Recordar . . . perdonar . . . haber amado . . .
ser dichoso un instante, haber creído . . .   70
y luego . . . reclinarse fatigado
en el hombro de nieve del olvido.

Sentir eternamente la ternura,
que en nuestros pechos jóvenes palpita,
y recibir, si llega, la ventura,   75
como a hermosa que viene de visita.

Siempre escondido lo que más amamos;
¡siempre en los labios el perdón risueño;
hasta que al fin, ¡oh tierra! a ti vayamos
con la invencible laxitud del sueño!   80

Ésa ha de ser la vida del que piensa
en lo fugaz de todo lo que mira,
y se detiene, sabio, ante la inmensa
extensión de tus mares, ¡oh Mentira!

Corta las flores, mientras haya flores,   85
perdona las espinas a las rosas . . .
¡También se van y vuelan los dolores
como turbas de negras mariposas!

Ama y perdona. Con valor resiste
lo injusto, lo villano, lo cobarde . . .   90
¡Hermosamente pensativa y triste
está al caer la silenciosa tarde!

Cuando el dolor mi espíritu sombrea
busco en las cimas claridad y calma,
¡y una infinita compasión albea   95
en las heladas cumbres de mi alma!

NON OMNIS MORIAR

¡No moriré del todo, amiga mía!
de mi ondulante espíritu disperso
algo, en la urna diáfana del verso,
piadosa guardará la Poesía.

¡No moriré del todo! Cuando herido   5
caiga a los golpes del dolor humano,
ligera tú, del campo entenebrido
levantarás al moribundo hermano.

Tal vez entonces por la boca inerme
que muda aspira la infinita calma,   10
oigas la voz de todo lo que duerme
con los ojos abiertos en mi alma. * * *

Al ver entonces lo que yo soñaba,
dirás de mi errabunda poesía:
—Era triste, vulgar lo que cantaba . . .   15
mas, ¡qué canción tan bella la que oía!

Y porque alzo en tu recuerdo notas
del coro universal, vívido y almo; 25
y porque brillan lágrimas ignotas
en el amargo cáliz de mi salmo;   20

porque existe la Santa Poesía
y en ella irradias tú, mientras disperso
átomo de mi ser esconda el verso,
¡no moriré del todo, amiga mía!

GUTIÉRREZ NÁJERA'S PROSE

With modernism, Mexican prose, and with it the prose of Spanish America as a whole, acquired a pliableness which it did not have before. The
Mexican writer Julio Jiménez Rueda says: *"La gracia, la agilidad, la delicadeza matizan la obra de los escritores que pertenecen al grupo que
colaboró en 'Revista azul' y 'Revista moderna,' y son cualidades eminentes en la prosa de Manuel Gutiérrez Nájera."* It is noteworthy that both
of these journals were published in Mexico, and that Nájera was the
founder and guiding genius of the first. Even a casual reading of any example of highly involved Spanish prose of the generation preceding
Nájera will show how thorough a renovation was effected in it by
the editor of the *Revista azul*. There is an intimate warmth and friend-
liness to this Mexican's prose which may at times suggest chattiness, but
which never degenerates to small talk. Nájera writes with complete open-
ness and sincerity, and sincerity is never small. He developed a new liter-

25. almo: *creating, vivifying*

ary *genre* in Spanish: the *crónica* or *sketch* which more than once suggests its spiritual kinship (but that is all) with the writing of Washington Irving. The second sketch which follows, *Rip-Rip*, is Nájera's version of the legend of Rip Van Winkle.

LA NOVELA DEL TRANVÍA

Cuando la tarde se oscurece y los paraguas se abren, como redondas alas de murciélago, lo mejor que el desocupado puede hacer es subir al primer tranvía que encuentre al paso y recorrer las calles, como el anciano Víctor Hugo las recorre sentado en la imperial de algún ómnibus. El movimiento disipa un tanto cuanto la tristeza y para el observador nada hay [10] más peregrino ni más curioso que la serie de cuadros vivos que pueden examinarse en un tranvía. A cada paso, el wagón se detiene, y abriéndose camino entre los pasajeros que se amon- [15] tonan y se apiñan, pasa un paraguas chorreando a Dios dar, y detrás del paraguas la figura ridícula de algún asendereado cobrador, calado hasta los huesos. Los pasajeros ondulan y se [20] dividen en dos grupos compactos, para dejar paso expedito al recién llegado.

Así se dividieron las aguas del Mar Rojo para que los israelitas lo atravesaran a pie enjuto. El paraguas escurre [25] sobre el entarimado del wagón que, a poco, se convierte en un lago navegable. El cobrador sacude su sombrero y un benéfico rocío baña las caras de los circunstantes, como si [30] hubiera atravesado por enmedio del wagón un sacerdote repartiendo bendiciones a hisopazos.[26] Algunos caballeros estornudan. Las señoras de al-

guna edad levantan su enagua a una altura vertiginosa, para que el fango de aquel pantano portátil no la manche. En la calle, la lluvia cae conforme [5] a las eternas reglas del sistema antiguo: de arriba para abajo. Mas en el wagón hay lluvia ascendente y lluvia descendente. Se está, con toda verdad, entre dos aguas.[27]

Yo, sin embargo, paso las horas agradablemente encajonado en esa miniaturesca arca Noé,[28] sacando la cabeza por el ventanillo, no en espera de la paloma que ha de traer un ramo de [15] oliva en el pico, sino para observar el delicioso cuadro que la ciudad presenta en ese instante. El wagón, además, me lleva a mundos desconocidos y a regiones vírgenes. No, la ciudad de [20] México no empieza en el Palacio Nacional, ni acaba en la calzada de la Reforma. Yo doy a ustedes mi palabra de que la ciudad es mucho mayor. Es una gran tortuga que extiende hacia [25] los cuatro puntos cardinales sus patas dislocadas. Esas patas son sucias y velludas. Los ayuntamientos, con paternal solicitud, cuidan de pintarlas con lodo mensualmente.

Más allá de la peluquería de Micoló,[29] hay un pueblo que habita barrios extravagantes, cuyos nombres son esencialmente antiaperitivos.[30] Hay hombres muy honrados que viven en

---

26. repartiendo ... bestowing benedictions and sprinkling holy water from the aspergil (*hisopo*)

27. entre dos aguas: Note the pun: *to be in a dilemma* and to be *between two waters*

28. arca Noé: *Noah's ark*

29. Micoló: a popular French barber

30. antiaperitivo: *unappetizing*

la plazuela del Tequesquite y señoras de invencible virtud cuya casa está situada en el callejón de Salsipuedes. No es verdad que los indios bárbaros estén acampados en esas calles exóti- cas, ni es tampoco cierto que los pieles rojas hagan frecuentes excursiones a la plazuela de Regina. La mano pro- vidente de la policía ha colocado un gendarme en cada esquina. Las casas de esos barrios no están hechas de lodo ni tapizadas por adentro de pieles sin curtir. Son casas habitables, con esca- lera y todo. En ellas viven muy dis- cretos caballeros, y señoras muy res- petables y señoritas muy lindas. Estas señoritas suelen tener novios, como las que tienen balcón y cara a la calle en el centro de la ciudad.

Después de examinar ligeramente las torcidas líneas y la cadena de mon- tañas del nuevo mundo por que atra- vesaba, volví los ojos al interior del wagón. Un viejo de levita color de almendra meditaba apoyado en el puño de su paraguas. No se había rasurado. La barba le crecía "cual ponzoñosa yerba entre arenales."[31] Probable- mente no tenía en su casa navajas de afeitar . . . ni una peseta. Su levita [32] necesitaba aceite de bellotas.[33] Sin em- bargo, la calvicie [34] de aquella prenda respetable no era prematura, a menos que admitamos la teoría de aquel jo- ven poeta, autor de ciertos versos cuya dedicatoria es como sigue:

A la prematura muerte de mi abuelita,
a la edad de 90 años.

La levita de mi vecino era ya muy

mayor. En cuanto al paraguas, vale más que no entremos en dibujos. Ese paraguas, expuesto a la intemperie, de- bía asemejarse mucho a las banderas que los independientes sacan a la luz el 15 de septiembre.[35] Era un paraguas calado, un paraguas metafísico, pro- pio para mojarse con decencia. Abierto el paraguas, se veía el cielo por todas partes.

¿Qué sería mi vecino? De seguro era casado y con hijas. ¿Serían bonitas? La existencia de esas desventuradas cria- turas, me parecía indisputable. Bastaba ver aquella levita calva, por la que habían pasado las cerdas de un cepillo, y aquel hermoso pantalón con su co- queto remiendo en la rodilla, para con- vencerse de que aquel hombre tenía hijas. Nada más que las mujeres y las mujeres de quince años, saben cepillar de esa manera. Las señoras casadas ya no se cuidan, cuando están en la des- gracia, de esas delicadezas y finuras. Incuestionablemente, ese caballero te- nía hijas. ¡Pobrecitas! Probablemente le esperaban en la ventana, más ena- moradas que nunca, porque no habían almorzado todavía. Yo saqué mi reloj, y dije para mis adentros: —Son las cuatro de la tarde. ¡Pobrecillas! ¡Va a darles un vahido! [36] Tengo la certi- dumbre de que son bonitas. El papá es blanco y si estuviera rasurado no sería tan feote. Además, han de ser buenas muchachas. Este señor tiene toda la facha de un buen hombre. Me da pena que esas chiquillas tengan hambre. No habrá en la casa nada que empeñar. ¡Como los alquileres han su-

---

31. cual . . . arenales: *like rank weeds on sandy ground*
32. levita: *overcoat*
33. aceite de bellotas: *acorn oil.* It is used to remove spots.

34. calvicie: *baldness, shine*
35. 15 de septiembre: the day on which the struggle for Mexican independence was launched
36. Va . . . vahido: *They are going to faint.*

bido tanto! ¡Tal vez no tuvieron con qué pagar la casa, y el propietario les embargó [37] los muebles! ¡Mala alma! ¡Si estos propietarios son peores que Caín!

Nada; no hay para qué darle más vueltas al asunto; la gente pobre decente es la peor traída y la peor llevada.[38] Estas niñas son de buena familia. No están acostumbradas a pedir. Cosen ajeno; pero las máquinas han arruinado a las infelices costureras y lo único que consiguen, a costa de faenas y trabajos, es ropa de munición.[39] Pasan el día echando los pulmones por la boca. Y luego, como se alimentan mal y tienen muchas penas, andan algo enfermitas, y el doctor asegura que, si Dios no lo remedia, se van a la caída de las hojas. Necesitan carne, vino, píldoras de fierro y aceite de bacalao. Pero, ¿con qué se compra todo esto? El buen señor se quedó cesante desde que cayó el Imperio,[40] y el único hijo que habría podido ser su apoyo, tiene rotas las dos piernas. No hay trabajo, todo está muy caro, y los amigos llegan a cansarse de ayudar al desvalido. ¡Si las niñas se casaran!... Probablemente no carecerían de admiradores. Pero como las pobrecitas son muy decentes y nacieron en buenos pañales,[41] no pueden prendarse de los ganapanes [42] ni de los pollos de plazuela.[43] Están enamoradas sin saber de quién, y aguardan la venida del Mesías.[44] ¡Si yo me casara con alguna de ellas!... ¿Por qué no? Después de todo, en esa clase suelen encontrarse las mujeres que dan la fecilidad. Respecto a las otras, ya sé bien a qué atenerme.

¡Me han costado tantos disgustos! Nada, lo mejor es buscar una de esas chiquillas pobres y decentes, que no están acostumbradas a tener palco en el teatro ni carruajes, ni cuenta abierta en la Sorpresa.[45] Si es joven, yo la educaré a mi gusto. Le pondré un maestro de piano. ¿Qué cosa es la felicidad? Un poquito de amor, un poquito de salud y un poquito de dinero. Con lo que yo gano, podemos mantenernos ella y yo, y hasta el angelito que Dios nos mande. Nos amaremos mucho, y como la voy a sujetar a un régimen higiénico, se pondrá en poco tiempo más fresca que una rosa. Por la mañana, un paseo a pie en el bosque. Iremos en un coche de a cuatro reales la hora, o en los trenes. Después, en la comida, mucha carne, mucho vino y mucho fierro. Con eso y con tener una casita por San Cosme; [46] con que ella se vista de blanco, de azul o de color de rosa; con el piano, los libros, las macetas y los pájaros, ya no tendrá nada que desear.

Una heredad en el bosque;
una casa en la heredad,
en la casa pan y amor...
¡Jesús, qué felicidad!

Además, ya es preciso que me case.

37. les embargó: *dispossessed them of*
38. es la peor... llevada: *get the worst of it going and coming*
39. ropa de munición: *rough army clothes*
40. Imperio: the Empire of Maximilian of Austria who was Emperor of Mexico from 1864 to 1867. Maximilian was defeated by Benito Juárez and executed.

41. en buenos pañales: *of good family*
42. ganapanes: *small clerks*
43. pollos de plazuela: *men about town, mashers*
44. Mesías: *Prince Charming*
45. La Sorpresa: cf. page 428, note 8
46. San Cosme: a nice district in Mexico City

Esta situación no puede prolongarse, como dice el gran duque en la "Guerra Santa." [47] Aquí tengo una trenza de pelo que me ha costado cuatrocientos setenta y cuatro pesos, con un pico de centavos.[48] Y no sé de dónde los he sacado: el hecho es que los tuve y no los tengo. Nada; me caso decididamente con una de las hijas de este buen señor. Así las saco de penas y me pongo en orden. ¿Con cuál me caso? ¿Con la rubia? ¿Con la morena? Será mejor con la rubia ... digo, no, con la morena. En fin, ya veremos. ¡Pobrecillas! ¿Tendrán hambre?

En esto, el buen señor se apea del coche y se va. Si no lloviera tanto—continué diciendo para mis adentros —le seguía. La verdad es que mi suegro, visto a cierta distancia, tiene una facha muy ridícula. ¿Qué diría, si me viera de bracero [49] con él, la señora de Z? Su sombrero alto parece espejo ¡Pobre hombre! ¿Por qué no le inspiraría confianza? Si me hubiera pedido algo, yo le hubiera dado con mucho gusto estos tres duros. Es persona decente. ¿Habrán comido esas chiquillas? * * *

RIP-RIP

Este cuento yo no lo vi; pero creo que lo soñé. ¡Qué cosas ven los ojos cuando están cerrados! Parece imposible que tengamos tanta gente y tantas cosas dentro ... porque, cuando los párpados caen, la mirada, como una señora que cierra su balcón, entra a ver lo que hay en casa. Pues bien, esta casa mía, esta casa de la señora mirada que yo tengo, o que me tiene, es un palacio, es una quinta, es una ciudad, es un mundo, es el universo ... pero un universo en el que siempre están presentes el presente, el pasado y el futuro. A juzgar por lo que miro cuando duermo, pienso para mí, y hasta para ustedes, mis lectores: ¡Jesús! ¡qué de cosas han de ver los ciegos! Esos que siempre están dormidos ¡qué verán! El amor es ciego, según cuentan. Y el amor es el único que ve a Dios.

¿De quién es la leyenda de Rip-Rip? Entiendo que la recogió Washington Irving, para darle forma literaria en alguno de sus libros. Sé que hay una

ópera cómica con el propio título y con el mismo argumento. Pero no he leído el cuento del novelador e historiador norteamericano, ni he oído la ópera ... pero he visto a Rip-Rip.

Si no fuera pecaminosa la suposición, diría yo que Rip-Rip ha de haber sido hijo del monje Alfeo. Este monje era alemán, cachazudo, flemático y hasta presumo que algo sordo; pasó cien años, sin sentirlos, oyendo el canto de un pájaro. Rip-Rip fué más yankee, menos aficionado a músicas y más bebedor de whiskey; durmió durante muchos años.

Rip-Rip, el que yo vi, se durmió, no sé por qué, en alguna caverna en la que entró ... quién sabe para qué. Pero no durmió tanto como el Rip-Rip de la leyenda. Creo que durmió diez años ... tal vez cinco ... acaso uno ... en fin su sueño fué bastante corto: durmió mal. Pero el caso es que envejeció dormido,[50] porque eso pasa

47. la "Guerra Santa": a well known play of the period

48. con ... centavos: *and a few cents*

49. de bracero: *arm in arm*

50. envejeció dormido: *he grew old while asleep*

a los que sueñan mucho. Y como Rip-Rip no tenía reloj, y como aunque lo hubiese tenido no le habría dado cuerda cada veinticuatro horas; como no se habían inventado aún los calendarios, y como en los bosques no hay espejos, Rip-Rip no pudo darse cuenta de las horas, los días o los meses que habían pasado mientras él dormía, ni enterarse de que era ya un anciano. [10] Sucede casi siempre: mucho tiempo antes de que uno sepa que es viejo, los demás lo saben y lo dicen.

Rip-Rip, todavía algo soñoliento y sintiendo vergüenza por haber pasado [15] toda una noche fuera de su casa—él que era esposo creyente y practicante —se dijo, no sin sobresalto:—¡Vamos al hogar!

Y allá va Rip-Rip con su barba muy [20] cana (que él creía muy rubia) cruzando a duras penas aquellas veredas casi inaccesibles. Las piernas flaquearon; pero él decía:—¡Es el efecto del sueño! ¡Y no, era efecto de la vejez, [25] que no es suma de años, sino suma de sueños!

Caminando, caminando, pensaba Rip-Rip:—¡Pobre mujercita mía! ¡Qué alarmada estará! Yo no me explico [51] [30] lo que ha pasado.

Debo de estar enfermo...muy enfermo. Salí al amanecer...está ahora amaneciendo...de modo que el día y la noche los pasé fuera de casa. Pero [35] ¿qué hice? Yo no voy a la taberna: yo no bebo...Sin duda me sorprendió la enfermedad en el monte y caí sin sentido en esa gruta...Ella me habrá buscado por todas partes... ¿Cómo [40] no, si me quiere tanto y es tan buena?

No ha de haber dormido... Estará llorando... ¡Y venir sola, en la noche, por estos vericuetos! [52] Aunque sola... no, no ha de haber venido sola. En el pueblo me quieren bien, tengo muchos amigos...principalmente Juan, el del molino. De seguro que, viendo la aflicción de ella, todos la habrán ayudado a buscarme. Juan principalmente. Pero ¿y la chiquita? ¿Y mi hija? ¿La traerán? ¿A tales horas? ¿Con este frío? Bien puede ser, porque ella me quiere tanto y quiere tanto a su hija y quiere tanto a los dos, que no dejaría por nadie sola a ella, ni dejaría por nadie de buscarme.[53] ¡Qué imprudencia! ¿Le hará daño?...En fin, lo primero es que ella...pero, ¿cuál es ella?...

Y Rip-Rip andaba, andaba...y no podía correr.

Llegó por fin, al pueblo, que era casi el mismo...pero que no era el mismo. La torre de la parroquia le pareció como más blanca; la casa del Alcalde, como más alta; la tienda principal, como con otra puerta; y las gentes que veía, como con otras caras. ¿Estaría aún medio dormido? ¿Seguiría enfermo?

Al primer amigo a quien halló fué al señor Cura. Era él: con su sombrero alto, que era lo más alto de todo el vecindario; con su Breviario siempre cerrado; con su levitón que siempre era sotana.

—Señor Cura, buenos días.

—Perdona,[54] hijo.

—No tuve yo la culpa, señor Cura ...no me he embriagado...no he hecho nada malo... La pobrecita de mi mujer...

51. Yo no me explico: *I can't understand*
52. vericuetos: *rough and wild places*
53. que no dejaría por nadie...: *she wouldn't leave her alone for anybody nor could anybody keep her from searching for me*
54. perdona: *forgive me* (for not having anything to give you). See page 399, note 9.

—Te dije ya que perdonaras. Y anda; ve a otra parte, porque aquí sobran limosneros.

¿Limosneros? ¿Por qué le hablaba así el Cura? Jamás había pedido limosna. No daba para el culto, porque no tenía dinero. No asistía a los sermones de cuaresma, porque trabajaba en todo tiempo de la noche a la mañana. Pero iba a la misa de siete todos [10] los días de fiesta, y confesaba y comulgaba [55] cada año. No había razón para que el cura lo tratase con desprecio. ¡No la había!

Y lo dejó ir sin decirle nada, porque [15] sentía tentaciones de pegarle . . . y era el cura.

Con paso aligerado por la ira siguió Rip-Rip su camino. Afortunadamente la casa estaba muy cerca . . . Ya veía [20] la luz de sus ventanas . . . Y como la puerta estaba más lejos que las ventanas, acercóse a la primera de éstas para llamar, para decirle a Luz:— ¡Aquí estoy! ¡Ya no te apures! [25]

No hubo necesidad de que llamara. La ventana estaba abierta: Luz cosía tranquilamente, y, en el momento en que Rip-Rip llegó, Juan—el del molino—la besaba en los labios. [30]

—¿Vuelves pronto, hijito?

Rip-Rip sintió que todo era rojo en torno suyo. ¡Miserable! ¡Miserable! . . . Temblando como un ebrio o como un viejo entró en la casa. Quería matar [35] pero estaba tan débil, que al llegar a la sala en que hablaban ellos, cayó al suelo. No podía levantarse, no podía hablar; pero sí podía tener los ojos abiertos, muy abiertos para ver cómo [40] palidecían de espanto la esposa adúltera y el amigo traidor.

Y los dos palidecieron. Un grito de ella—¡el mismo grito que el pobre Rip-Rip había oído cuando un ladrón entró en la casa! —y luego los brazos de Juan que lo enlazaban, pero no [5] para ahogarlo, sino piadosos, caritativos, para alzarlo del suelo.

Rip-Rip hubiera dado su vida, su alma también por poder decir una palabra, una blasfemia.

—No está borracho, Luz, es un enfermo.

Y Luz, aunque con miedo todavía, se aproximó al desconocido vagabundo.

—¡Pobre viejo! ¿Qué tendrá? Tal [15] vez venía a pedir limosna y se cayó desfallecido de hambre.

Pero si algo le damos, podría hacerle daño. Lo llevaré primero a mi cama.

—No, a tu cama, no, que está muy [20] sucio el infeliz. Llamaré al mozo, y entre tú y él lo llevarán a la botica.

La niña entró en esos momentos.

—¡Mamá, mamá!

—No te asustes, mi vida, si es un [25] hombre.

—¡Qué feo, mamá! ¡Qué miedo! ¡Es como el coco! [56]

Y Rip oía.

Veía también; pero no estaba seguro [30] de que veía. Esa salita era la misma . . . la de él. En ese sillón de cuero y otate [57] se sentaba por las noches cuando volvía cansado, después de haber vendido trigo de su tierrita [35] en el molino de que Juan era administrador. Esas cortinas de la ventana eran su lujo. Las compró a costa de muchos ahorros y de muchos sacrificios. Aquél era Juan, aquélla, Luz . . . [40] pero no eran los mismos. ¡Y la chiquita no era la chiquita!

¿Se había muerto? ¿Estaría loco? ¡Pero él sentía que estaba vivo! Es-

---

55. comulgaba: *he received the Sacrament*
56. el coco: *the bogey-man*

57. otate: *reed*

cuchaba... veía... como se oye y se ve en las pesadillas.

Lo llevaron a la botica en hombros, y allí lo dejaron, porque la niña se asustaba de él. Luz fué con Juan... y a nadie extrañó que fueran del brazo y que ella abandonara, casi moribundo, a su marido. No podía moverse, no podía gritar, decir: —¡Soy Rip!

Por fin, lo dijo, después de muchas horas, tal vez de muchos años, o quizá de muchos siglos. Pero no lo conocieron, no lo quisieron conocer.

—¡Desgraciado! ¡es un loco! dijo el boticario.

—Hay que llevarlo al señor alcalde, porque puede ser furioso [58] —dijo otro.

Sí, es verdad, lo amarraremos si resiste.

Y ya iban a liarlo; pero el dolor y la cólera habían devuelto a Rip sus fuerzas. Como rabioso can acometió a sus verdugos, consiguió desasirse de sus brazos, y echó a correr. Iba a su casa... ¡iba a matar! Pero la gente lo seguía, lo acorralaba. Era aquello una cacería y era él la fiera.

El instinto de la propia conservación se sobrepuso a todo. Lo primero era salir del pueblo, ganar el monte, esconderse y volver más tarde, con la noche, a vengarse, a hacer justicia.

Logró por fin burlar a sus perseguidores. ¡Allá va Rip como lobo hambriento! ¡Allá va por lo más intrincado de la selva! Tenía sed... la sed que han de sentir los incendios. Y se fué derecho al manantial... a beber, a hundirse en el agua y golpearla con los brazos... acaso, acaso a ahogarse. Acercóse al arroyo, y allí a la superficie, salió la muerte a recibirlo. ¡Sí; porque era la muerte en figura de hombre,

la imagen de aquel decrépito que se asomaba en el cristal de la onda! Sin duda venía por él ese lívido espectro. No era de carne y hueso, ciertamente; no era un hombre, por que se movía a la vez que Rip, y esos movimientos no agitaban el agua. No era un cadáver, porque sus manos y brazos torcían y retorcían. ¡Y no era Rip, no era él! Era como uno de sus abuelos que se le aparecían para llevarlo con el padre muerto. —Pero ¿y mi sombra?—pensaba Rip—. ¿Por qué no se retrata mi cuerpo en ese espejo? ¿Por qué veo y grito, y el eco de esa montaña no repite mi voz sino otra voz desconocida?

¡Y allá fué Rip a buscarse en el seno de las ondas! Y el viejo, seguramente, se lo llevó con el padre muerto, porque Rip no ha vuelto!

*   *   *

¿Verdad que éste es un sueño extravagante?

Yo veía a Rip muy pobre, lo veía rico, lo miraba joven, lo miraba viejo; a ratos en una choza de leñador, a veces en una casa cuyas ventanas lucían cortinas blancas; ya sentado en aquel sillón de otate y cuero; ya en un sofá de ébano y raso... no era un hombre, eran muchos hombres... tal vez todos los hombres. No me explico cómo Rip no pudo hablar; ni cómo su mujer y su amigo no lo conocieron, a pesar de que estaba tan viejo; ni por qué antes se escapó de los que se proponían atarlo como a loco; ni sé cuántos años estuvo dormido o aletargado en esa gruta.

¿Cuánto tiempo durmió? ¿Cuánto tiempo se necesita para que los seres que amamos y que nos aman nos ol-

58. furioso: *violent*

viden? ¿Olvidar es delito? ¿Los que olvidan son malos? Ya veis qué buenos fueron Luz y Juan cuando socorrieron al pobre Rip que se moría; la niña se asustó; pero no podemos culparla: no se acordaba de su padre, todos eran inocentes, todos eran buenos... y sin embargo, todo esto da mucha tristeza.

Hizo muy bien Jesús el Nazareno en no resucitar más que a un solo hombre, y eso a un hombre que no tenía mujer, que no tenía hijas y que acababa de morir. Es bueno echar mucha tierra sobre los cadáveres.

José Martí

1853-1895

ONCE when Martí was asked for his autograph while riding to the railroad station in a rickety coach, he took out a small card and wrote: *"El único autógrafo digno de un hombre es el que deja escrito con sus obras."* This anecdote is characteristic of Martí in two ways: first, he was a man of action whose deeds were his supreme autograph; second, his heroic devotion to the cause of Cuban independence forced him to do most of his writing in spare and frenzied moments on his way to catch a train, to deliver a speech, or to attend a revolutionary meeting. As a result, his work is marked with a spontaneity and zeal which contrast strongly with the contemplative aloofness of most of the modernists.

Rubén Darío, the greatest of the modernist poets, who had met Martí in New York and had been greatly impressed by his oratory, thought that the Cuban might have made better use of his life than to sacrifice it for his country's freedom. When he learned that Martí had fallen in battle, pierced by three bullets, Darío exclaimed in anguish: *"¿Oh, Maestro, qué has hecho?"*

Martí had the orator's supreme gift of stirring the emotions of his hearers, even when his vocabulary and phrasing were beyond their comprehension. One old fighter for Cuban independence, after hearing him speak, remarked: *"No; yo no le entendía mucho lo que dijo; ¡pero tenía ganas de llorar!"*

The following selection, *Los pinos nuevos*, was an oration delivered by Martí before the Cuban colony at Tampa, Florida, on November 27, 1891. It was the twentieth anniversary of the death before a firing squad of eight Cuban medical students, who in 1871 were accused of having desecrated the tomb of a Spaniard whose newspaper was strongly pro-Spanish and anti-Cuban. Very soon after the speech a group of Cuban patriots in New York City organized a revolutionary band known also as *"Los pinos nuevos."*

*Discurso dado en el
aniversario de la muerte de los
estudiantes medicos.*

LOS PINOS NUEVOS

Cubanos:

Todo convida esta noche al silencio respetuoso más que a las palabras: las tumbas tienen por lenguaje las flores de resurrección que nacen sobre las sepulturas: ni lágrimas pasajeras ni himnos de oficio son tributo propio a los que con la luz de su muerte señalaron a la piedad humana soñolienta el imperio de la abominación y la codicia. Esas orlas [1] son de respeto, no de muerte; esas banderas están a media asta, no los corazones. Pido luto a mi pensamiento para las frases breves que se esperan esta noche del viajero que viene a estas palabras de improviso, después de un día atareado de creación: y el pensamiento se me niega al luto. No siento hoy como ayer romper coléricas al pie de esta tribuna, coléricas y dolorosas, las olas de la mar que trae de nuestra tierra la agonía y la ira, ni es llanto lo que oigo, ni manos suplicantes las que veo, ni cabezas caídas las que escuchan, ¡sino cabezas altas! y afuera, de esas puertas repletas, viene la ola de un pueblo que marcha. ¡Así el sol, después de la sombra de la noche, levanta por el horizonte puro su copa de oro!

Otros lamenten la muerte necesaria; yo creo en ella como la almohada, y la levadura, y el triunfo de la vida. La mañana después de la tormenta, por la cuenca del árbol desarraigado echa la tierra fuente de frescura, y es más alegre el verde de los árboles y el aire está como lleno de banderas, y el cielo es un dosel de gloria azul, y se inundan los pechos de los hombres de una titánica alegría. Allá, por sobre los depósitos de la muerte, aletea, como redimiéndose, y se pierde por lo alto de los aires, la luz que surge invicta [2] de la podredumbre. La amapola más roja y más leve crece sobre las tumbas desatendidas. El árbol que da mejor fruto es el que tiene debajo un muerto.

Otros lamenten la muerte hermosa y útil, por donde la patria saneada rescató su complicidad involuntaria con el crimen, por donde se cría aquel fuego purísimo e invisible en que se acendran para la virtud y se templan para el porvenir las almas fieles. Del semillero de las tumbas levántase impalpable, como los vahos del amanecer, la virtud inmortal, orea la tierra tímida, azota los rostros viles, empapa el aire, entra triunfante en los corazones de los vivos: la muerte da jefes, la muerte da lecciones y ejemplos, la muerte nos lleva el dedo por sobre el libro de la vida. ¡Así, de esos enlaces continuos e invisibles, se va tejiendo el alma de la patria!

La palabra viril no se complace en descripciones espantosas; ni se ha de abrumar el arrepentido por fustigar al malvado; ni ha de convertirse la tumba del mártir en parche de pelea; ni se ha de decir, aun en la ciega hermosura de las batallas, lo que mueve las almas de los hombres a la fiereza y al rencor. ¡Ni es de cubanos, ni será jamás, meterse en la sangre hasta la cintura, ni avivar con un haz de niños muertos, los crímenes del mundo; ni es de cubanos vivir, como el chacal en la jaula, dándole vueltas al odio! Lo que anhelamos es decir aquí con qué amor entrañable, un amor como purificado y

---

1. orlas: *border* (of flowers on a grave)   2. invicta: *unconquered, unsullied*

angélico, queremos a aquellas criaturas que el decoro levantó de un rayo hasta la sublimidad, y cayeron, por la ley del sacrificio, para publicar al mundo indiferente aún a nuestro clamor, la justicia absoluta con que se irguió la tierra contra sus dueños: lo que queremos es saludar con inefable gratitud, como misterioso símbolo de la pujanza patria, del oculto y seguro poder del alma criolla, a los que, a la primera voz de la muerte, subieron sonriendo, del apego y cobardía de la vida común al heroísmo ejemplar.

¿Quién, quién era el primero en la procesión del sacrificio, cuando el tambor de muerte redoblaba y se oía el olear de los sollozos, y bajaban la cabeza los asesinos; quién era el primero con una sonrisa de paz en los labios, y el paso firme, y casi alegre, y todo él como ceñido ya de luz? Chispeaba por los corredores de las aulas un criollo dadivoso y fino, el bozo en flor [3] y el pájaro en el alma, ensortijada la mano, como una joya el pie, gusto todo y regalo y carruaje, sin una arruga en el ligero pensamiento: ¡y el que marchaba a paso firme a la cabeza de la procesión, era el niño travieso y casquivano de las aulas felices, el de la mano de sortijas y el pie como una joya! ¿Y el otro, el taciturno, el que tenían sus compañeros por mozo de poco empuje y de avisos escasos? [4] ¡Con superior beldad se le animó el rostro caído, con soberbio poder se le levantó el ánimo patrio,[5] con abrazos firmes apretó, al salir a la muerte, a sus amigos, y con la mano serena les enjugó las lágrimas! ¡Así, en los alzamientos por venir, del pecho más obscuro saldrá, a triunfar, la gloria! ¡Así, del valor oculto crecerán los ejércitos de mañana! ¡Así, con la ocasión sublime, los indiferentes y culpables de hoy, los vanos y descuidados de hoy, competirán en fuego con los más valerosos! ... El niño de diez y seis años iba delante, sonriendo, ceñido como de luz, volviendo atrás la cabeza, por si alguien se le acobardaba.[6] * * *

Martí next calls to mind the horrible treatment of Cubans who had been imprisoned by the Spanish regime: their being driven along at saber point on forced labor when they were utterly exhausted, their being lashed unmercifully inside the prison yards to the beat of a loud playing band which drowned out their cries of pain so that they would not be heard by passersby, etcetera.

¡Pues éstos son otros horrores más crueles, y más tristes, y más inútiles, y más de temer que los de andar descalzo! ¿O recordaré la madrugada fría, cuando de pie, como fantasmas justiciadores, en el silencio de Madrid dor-

3. criollo dadivoso ... bozo en flor: *courteous, generous creole ... with a beginning beard*. Martí is now commenting on the young, mischievous student with rings on his fingers who went to his death with a challenge and heroism which aptly became his martyrdom. After the students were executed it was proved that they were not guilty of the crime

attributed to them, and they were called *"los inocentes"*; their tombs were revered in Cuba as the cradle of Cuban independence.

4. avisos escasos: *slight intellectual endowments*

5. ánimo patrio: *patriotism*

6. por si alguien se le acobardaba: *lest anyone should turn coward*

mido, a la puerta de los palacios y bajo la cruz de las iglesias clavaron los estudiantes sobrevivientes el padrón [7] de vergüenza nacional, el recuerdo del crimen que la ciudad leyó espantada? ¿O un día recordaré, un día de verano madrileño, cuando al calce de un hombre seco y lívido, de barba y alma ralas, muy cruzado y muy saludado y muy pomposo, iba un niño febril, sujeto apenas por brazos más potentes, gritando al horrible codicioso: "¡Infame, infame!" ¡Recordaré al magnánimo español, huésped querido de todos nuestros hogares, laureado aquí en efigie junto con el heroico vindicador, que en los dientes de la misma suerte, prefiriendo al premio del cómplice la pobreza del justo, negó su espalda al asesinato! Dicen que sufre, comido de pesar en el rincón donde apenas puede consolarlo de la cólera del vencedor pudiente el cariño de los vencidos miserables. ¡Sean para el buen español, cubanas agradecidas, nuestras flores piadosas!

Y después ¡ya no hay más, en cuanto a tierra, que aquellas cuatro osamentas que dormían, de Sur a Norte, sobre las otras cuatro que dormían de Norte a Sur: no hay más que un gemelo de camisa,[8] junto a uno mano seca: no hay más que un montón de huesos abrazados en el fondo de un cajón de plomo! ¡Nunca olvidará Cuba, ni los que sepan de heroicidad olvidarán, al que con mano augusta detuvo, frente a todos los riesgos, el sarcófago intacto, que fué para la patria manantial de sangre! ¡al que bajó a la tierra con sus manos de amor, y en acerba hora de aquellas que jun-

tan de súbito al hombre con la eternidad, palpó la muerte helada, bañó de llanto terrible los cráneos de sus compañeros! El sol lucía en el cielo, cuando sacó en sus brazos de la fosa los huesos venerandos. ¡Jamás cesará de caer el sol sobre el sublime vengador sin ira!

¡Cesen ya, puesto que por ellos es la patria más pura y hermosa, las lamentaciones que sólo han de acompañar a los muertos inútiles! Los pueblos viven de la levadura heroica. El mucho heroísmo ha de sanear el mucho crimen; donde se fué muy vil, se ha de ser muy grande; por lo invisible de la vida corren magníficas leyes. Para sacudir al mundo, con el horror extremo de la inhumanidad y la codicia que agobian a su patria, murieron, con la poesía de la niñez y el candor de la inocencia, a manos de la inhumanidad y la codicia. Para levantar con la razón de su prueba irrecusable el ánimo medroso de los que dudan del arranque y virtud de un pueblo en apariencia indiferente y frívolo, salieron riendo del aula descuidada, o pensando en la novia y el pie breve, y entraron a paso firme, sin quebrantos de rodilla ni temblores de brazos, en la muerte bárbara. Para unir en concordia, por el respeto que impone en unos el remordimiento y la piedad que moverán en otros los arrepentidos, las dos poblaciones que han de llegar por fatalidad inevitable a un acuerdo en la justicia o a un exterminio violento, se alzó el vengador con alma de perdón, y aseguró, por la moderación de su triunfo, su obra de justicia. ¡Mañana, como hoy en el destierro,

---

7. padrón: *note of infamy.* Surviving students later affixed bulletins containing news of the executions, to doors of palaces and churches in Madrid.

8. gemelo de camisa: *cuff-link·*

irán a poner flores en la tierra libre, ante el monumento de perdón, los hermanos de los asesinados, y los que, poniendo el honor sobre el accidente del país, no quieren llamarse hermanos de los asesinos!

Cantemos hoy, ante la tumba inolvidable, el himno de la vida. Ayer lo vi a la misma tierra, cuando venía, por la tarde hosca, a este pueblo fiel. Era el paisaje húmedo y negruzco; corría turbulento el arroyo cenagoso; las cañas, pocas y mustias, no mecían su verdor quejosamente como aquellas queridas por donde piden redención los que las fecundaron con su muerte, sino se entraban, ásperas e hirsutas, como puñales extranjeros, por el corazón: y en lo alto de las nubes desgarradas, un pino, desafiando la tempestad, erguía entero, su copa. Rompió de pronto el sol sobre un claro del bosque, y allí al centelleo de la luz súbita, vi por sobre la hierba amarillenta erguirse, en torno al tronco negro de los pinos caídos, los racimos gozosos de los pinos nuevos: ¡Eso somos nosotros: pinos nuevos!

NUESTRA AMÉRICA

The following essay was first published in *El partido liberal,* of Mexico, January 30, 1891. However, Martí had stated the same ideas several times previously, once in a speech before the delegates of the International American Conference gathered in New York in 1889. As a result of his elevated "Spanish-Americanism" he became the leading representative of the southern countries in the United States. Many of them made him their official consul or delegate.

At the same time, Martí was the finest interpreter of North America for these nations of the south. His articles for *La nación* of Buenos Aires and other leading Spanish American periodicals often treated different aspects of life and culture in the United States.

On one occasion when Martí was in Washington as the delegate of Uruguay to the International Monetary Conference of 1891 an indelible impression was made on his mind by the eagle he had seen in the conference hall, which clasped in its immense claws all the flags of the American Republics. The memory of this sight came back to him time after time as a deep presentiment.

In the opening paragraphs of *Nuestra América* Martí accuses Latin America of a provincialism which leads its citizens to believe that the universal order of things is all for the best, provided that any given individual citizen is prosperous. He then points out the shameless attitude, entirely too current in those countries "which must be saved by their Indians," of wanting to deny and forsake the sick Indian mother who gave them birth, and of being ashamed of the carpenter who was their

father. "They are men and do not want to do the work of men." Martí
continues his essay in the following words:

* * * Ni ¿en qué patria puede tener
un hombre más orgullo que en nuestras repúblicas dolorosas de América,
levantadas entre las masas mudas de
indios, al ruido de pelea del libro con
el cirial, sobre los brazos sangrientos
de un centenar de apóstoles? De factores tan descompuestos, jamás, en
menos tiempo histórico, se han creado
naciones tan adelantadas y compactas.
Cree el soberbio que la tierra fué
hecha para servirle de pedestal, porque tiene la pluma fácil o la palabra
de colores y acusa de incapaz e irremediable a su república nativa, porque no le dan sus selvas nuevas modo
continuo de ir por el mundo de gamonal [9] famoso, guiando jacas de
Persia y derramando champaña. La
incapacidad no está en el país naciente, que pide formas que se le aco-
moden y grandeza útil, sino en los que
quieren regir pueblos originales, de
composición singular y violenta, con
leyes heredadas de cuatro siglos de
práctica libre en los Estados Unidos,
de diecinueve siglos de monarquía en
Francia. Con un decreto de Hamilton
no se le para la pechada al potro del
llanero.[10] Con una frase de Sieyés [11] no
se desestanca la sangre cuajada de la
raza india. A lo que es, allí donde se
gobierna, hay que atender para gobernar bien: y el buen gobernante en
América no es el que sabe cómo se
gobierna el alemán o el francés, sino
el que sabe con qué elementos está

hecho su país, y cómo puede ir guián-
dolos en junto, para llegar, por métodos e instituciones nacidas del país
mismo, a aquel estado apetecible,
donde cada hombre se conoce y ejerce,
y disfrutan todos de la abundancia que
la Naturaleza puso para todos en el
pueblo que fecundan con su trabajo
y defienden con sus vidas. El gobierno
ha de nacer del país. El espíritu del
gobierno ha de ser el del país. La
forma del gobierno ha de avenirse a
la constitución propia del país. El gobierno no es más que el equilibrio de
los elementos naturales del país.

Por eso el libro importado ha sido
vencido en América por el hombre
natural. Los hombres naturales han
vencido a los letrados artificiales. El
mestizo autóctono ha vencido al criollo
exótico. No hay batalla entre la civilización y la barbarie, sino entre la
falsa erudición y la naturaleza. El
hombre natural es bueno y acata y
premia la inteligencia superior, mientras ésta no se vale de su sumisión para
dañarle, o le ofende prescindiendo de
él, que es cosa que no perdona el hombre natural, dispuesto a recobrar por la
fuerza el respeto de quien le hiere la
susceptibilidad o le perjudica el interés. Por esta conformidad con los elementos naturales desdeñados han subido los tiranos de América al poder;
y han caído en cuanto les hicieron traición. Las repúblicas han purgado en
las tiranías su incapacidad para cono-

9. gamonal: *big landowner*. The typical
gamonal lived high from the income produced by the robbed land and exploited Indians of his estate.
10. no se le para . . . llanero: *one does not*

stop the onrush of the plainsman's colt
11. Sieyés: Abbé Emmanuel Joseph,
French political pamphleteer who edited the
"Oath of the Tennis-Court," the "Rights of
Man," and the French Constitution of 1791.

cer los elementos verdaderos del país, derivar de ellos la forma de gobierno y gobernar con ellos. Gobernante, en un pueblo nuevo, quiere decir creador.

En pueblos compuestos de elementos cultos e incultos, los incultos gobernarán, por su hábito de agredir y resolver las dudas con su mano, allí donde los cultos no aprendan el arte del gobierno. La masa inculta es perezosa, y tímida en los cosas de la inteligencia, y quiere que la gobiernen bien; pero si el gobierno le lastima, se lo sacude y gobierna ella. ¿Cómo han de salir de las universidades los gobernantes, si no hay universidad en América, donde se enseñe lo rudimentario del arte del gobierno, que es el análisis de los elementos peculiares de los pueblos de América? A adivinar salen los jóvenes al mundo, con antiparras yankees o francesas, y aspiran a dirigir un pueblo que no conocen. En la carrera de la política habría de negarse la entrada a los que desconocen los rudimentos de la política. El premio de los certámenes no ha de ser para la mejor oda, sino para el mejor estudio de los factores del país en que se vive. En el periódico, en la cátedra, en la academia, debe llevarse adelante el estudio de los factores reales del país. Conocerlos basta, sin vendas ni ambages; porque el que pone de lado, por voluntad u olvido, una parte de la verdad, cae a la larga por la verdad que le faltó, que crece en la negligencia, y derriba lo que se levanta sin

ella. Resolver el problema después de conocer sus elementos, es más fácil que resolver el problema sin conocerlos. Viene el hombre natural, indignado y fuerte, y derriba la justicia acumulada de los libros, porque no se la administra en acuerdo con las necesidades patentes del país. Conocer es resolver. Conocer el país, y gobernarlo conforme al conocimiento, es el único modo de librarlo de tiranías. La universidad europea ha de ceder a la universidad americana. La historia de América, de los incas a acá, ha de enseñarse al dedillo,[12] aunque no se enseñe la de los arcontes [13] de Grecia. Nuestra Grecia es preferible a la Grecia que no es nuestra. Nos es más necesaria. Los políticos nacionales han de reemplazar a los políticos exóticos. Injértese en nuestras repúblicas el mundo; pero el tronco ha de ser el de nuestras repúblicas. Y calle el pedante vencido; que no hay patria en que pueda tener el hombre más orgullo que en nuestras dolorosas repúblicas americanas.

Con los pies en el rosario, la cabeza blanca y el cuerpo pinto de indio y criollo, vinimos, denodados, al mundo de las naciones. Con el estandarte de la Virgen salimos a la conquista de la libertad. Un cura,[14] unos cuantos tenientes y una mujer alzan en México la república, en hombros de los indios. Un canónigo español,[15] a la sombra de su capa, instruye en la libertad fran-

---

12. ha...dedillo: *must be well taught*
13. arcontes: *archons, magistrates*
14. The priest was Father Miguel Hidalgo (1753–1811) whose impassioned plea for a Mexican rebellion before his congregation in the small town of Dolores on Sept. 16, 1810, is known as the *grito de Dolores*

(cry from Dolores). It is the Patrick Henry speech of Mexico, and the war of Mexican independence begins with that date.
15. The priest José Matías Delgado and the friar Nicolás Aguilar both took prominent parts in Guatemala's struggle for independence.

cesa a unos cuantos bachilleres magníficos, que ponen de jefe de Centro
América contra España al general de
España. Con los hábitos monárquicos,
y el Sol por pecho, se echaron a levantar pueblos los venezolanos por el
Norte y los argentinos por el Sur.
Cuando los dos héroes chocaron, y el
continente iba a temblar, uno, que no
fué el menos grande, volvió riendas.[16]
Y como el heroísmo en la paz es más
escaso, porque es menos glorioso que
el de la guerra; como al hombre le es
más fácil morir con honra que pensar
con orden; como gobernar con los sentimientos exaltados y unánimes es más
hacedero que dirigir, después de la
pelea, los pensamientos diversos, arro-
gantes, exóticos o ambiciosos; * * *
como la constitución jerárquica de las
colonias resistía la organización democrática de la República, o las capitales
de corbatín dejaban en el zaguán al
campo de bota-de-potro,[17] o los redentores biblógenos [18] no entendieron
que la revolución que triunfó con el
alma de la tierra, desatada a la voz del
salvador, con el alma de la tierra había
de gobernar, y no contra ella ni sin
ella, entró a padecer América, y padece, de la fatiga de acomodación entre los elementos discordantes y hostiles que heredó de un colonizador
despótico y avieso, y las ideas y formas
importadas que han venido retardando, por su falta de realidad local,
el gobierno lógico. El continente des-
coyuntado durante tres siglos por un

mando que negaba el derecho del
hombre al ejercicio de su razón, entró,
desatendiendo o desoyendo a los ignorantes que lo habían ayudado a redimirse, en un gobierno que tenía por
base la razón; la razón de todos en las
cosas de todos, y no la razón univer-
sitaria de uno sobre la razón campestre
de otros. El problema de la independencia no era el cambio de formas,
sino el cambio de espíritu. Con los
oprimidos había que hacer causa común, para afianzar el sistema opuesto
a los intereses y hábitos de mando de
los opresores. El tigre, espantado del
fogonazo,[19] vuelve de noche al lugar
de la presa. Muere echando llamas por
los ojos y con las zarpas al aire. No
se le oye venir, sino que viene con
zarpas de terciopelo. Cuando la presa
despierta, tiene al tigre encima. La
colonia continuó viviendo en la república; y nuestra América se está salvando de sus grandes yerros—de la
soberbia de las ciudades capitales, del
triunfo ciego de los campesinos desdeñados, de la importación excesiva de
las ideas y fórmulas ajenas, del desdén inicuo e impolítico de la raza
aborigen—por la virtud superior, abonada con sangre necesaria, de la república que lucha contra la colonia.
El tigre espera, detrás de cada árbol,
acurrucado en cada esquina. Morirá,
con las zarpas al aire, echando llamas
por los ojos.

* * * Éramos una visión, con el pe-

---

16. volvió riendas: *gave in.* This was San
Martín, who gave way to Bolívar and unself-
ishly effaced himself from the American scene
in order that a single head might lead South
America to independence. San Martín was
the Argentine who came from the south, and
Bolívar was the Venezuelan who came from
the north. They met in Peru, and after a brief

meeting San Martín returned to Argentina
and then left for France. See pp. 296–302.

17. las capitales . . . de bota-de-potro: *the
dandified cities kept the country clodhoppers
waiting in the hall, i.e.,* disregarded them entirely

18. biblógenos: *bookish*

19. fogonazo: *gunfire, powder flash*

cho de atleta, las manos de petimetre y la frente de niño. Éramos una máscara, con los calzones de Inglaterra, el chaleco parisiense, el chaquetón de Norte América y la montera de España. El indio, mudo, nos daba vueltas alrededor, y se iba al monte, a la cumbre del monte, a bautizar sus hijos. El negro, oteado,[20] cantaba en la noche la música de su corazón, solo y desconocido, entre las olas y las fieras. El campesino, el creador, se revolvía, ciego de indignación, contra la ciudad desdeñosa, contra su criatura. Éramos charreteras y togas, en países que venían al mundo con la alpargata en los pies y la vincha en la cabeza.[21] El genio hubiera estado en hermanar, con la caridad del corazón y con el atrevimiento de los fundadores, la vincha y la toga; en desestancar al indio; en ir haciendo lado al negro suficiente; en ajustar la libertad al cuerpo de los que se alzaron y vencieron por ella. Nos quedó el oidor, y el general; y el letrado, y el prebendado. * * *

Los jóvenes de América se ponen la camisa al codo, hunden las manos en la masa, y la levantan con la levadura de su sudor. Entienden que se imita demasiado, y que la salvación está en crear. Crear es la palabra de pase de esta generación. El vino, de plátano; y si sale agrio, ¡es nuestro vino! * * * En pie, con los ojos alegres de los trabajadores, se saludan, de un pueblo a otro, los hombres nuevos americanos. Surgen los estadistas naturales del estudio directo de la naturaleza. Leen para aplicar, pero no para copiar. Los economistas estudian la dificultad en sus orígenes. Los oradores empiezan a ser sobrios. Los dramaturgos traen los caracteres nativos a la escena. Las academias discuten temas viables. La poesía se corta la melena zorrillesca y cuelga del árbol glorioso el chaleco colorado.[22] La prosa, centelleante y cernida[23] va cargada de idea. Los gobernadores, en las repúblicas de indios, aprenden indio.

Martí mentions the desire of some of the republics to recoup lost centuries and the tendency of others to forget the principles of their birth under the great lure of poisonous luxury, the enemy of liberty.

* * * Otras repúblicas acendran, con el espíritu épico de la independencia amenazada, el carácter viril. Otras crían, en la guerra rapaz contra el vecino, la soldadesca[24] que puede devorarlas. Pero otro peligro corre, acaso,

nuestra América, que no le viene de sí, sino de la diferencia de orígenes, métodos e intereses entre los dos factores continentales, y es la hora próxima en que se le acerque, demandando relaciones íntimas, un pueblo

20. oteado: *spied on*
21. charreteras ... cabeza: *golden epaulets and togas in countries which came into the world wearing rough sandals on their feet and cloth Indian coverings on their heads*
22. La poesía ... colorado: *The poet (poetry) cuts off his Zorrillan locks and hangs his*

red vest on the tree of glory. The romanticists (Zorrilla) affected flowing locks and (Théophile Gautier) a cerise red waistcoat.
23. centelleante y cernida: *sparkling and sifted of chaff*
24. crían ... soldadesca: *breed ... bands of undisciplined troops*

emprendedor y pujante que la desconoce y la desdeña.[25] * * * El desdén del vecino formidable, que no la conoce, es el peligro mayor de nuestra América; y urge, porque el día de la visita está próximo, que el vecino la conozca, la conozca pronto, para que no la desdeñe. Por ignorancia llegaría, tal vez, a poner en ella la codicia. Por el respeto, luego que la conociese, sacaría de ella las manos. Se ha de tener fe en lo mejor del hombre y desconfiar de lo peor de él. Hay que dar ocasión a lo mejor para que se revele y prevalezca sobre lo peor. Si no, lo peor prevalece. Los pueblos han de tener una picota para quien les azuza a odios inútiles, y otra para quien no les dice a tiempo la verdad.

No hay odio de razas, porque no hay razas. Los pensadores canijos, los pensadores de lámpara, enhebran y recalientan las razas de librería,[26] que el viajero justo y el observador cordial buscan en vano en la justicia de la Naturaleza, donde resalta, en el amor victorioso y el apetito turbulento, la identidad universal del hombre. El alma emana, igual y eterna, de los cuerpos diversos en forma y en color. Peca contra la Humanidad el que fomente y propague la oposición y el odio de las razas. Pero en el amasijo [27]

de los pueblos se condensan, en la cercanía de otros pueblos diversos, caracteres peculiares y activos, de ideas y de hábitos, de ensanche y adquisición, de vanidad y de avaricia, que del estado latente de preocupaciones nacionales pudieran, en un período de desorden interno o de precipitación del carácter acumulado del país, trocarse en amenaza grave para las tierras vecinas, aisladas y débiles, que el país fuerte declara perecederas e inferiores. Pensar es servir. Ni ha de suponerse, por antipatía de aldea, una maldad ingénita y fatal al pueblo rubio del continente, porque no habla nuestro idioma, ni ve la casa como nosotros la vemos, ni se nos parece en sus lacras políticas, que son diferentes de las nuestras; ni tiene en mucho a los hombres biliosos [28] y trigueños, ni mira caritativo, desde su eminencia aún mal segura, a los que, con menos favor de la Historia, suben a tramos heroicos la vía de las repúblicas; ni se han de esconder los datos patentes del problema que puede resolverse, para la paz de los siglos, con el estudio oportuno y la unión tácita y urgente del alma continental. ¡Porque ya suena el himno unánime; la generación actual lleva a cuestas, por el camino abonado por los padres sublimes, la América

25. No one knew better than Martí the problems in the way of inter-American cooperation. Except for brief sojourns out of the country Martí was in the United States during the years 1881–1895. He learned English well and wrote several articles in it for the *New York Sun* and other North American publications. As a translator for the publishing house of Appleton and Company he made translations from the Spanish, and he was for a time a teacher of that language in one of New York's private schools. Throughout this entire period he was also the most tireless

and unselfish worker for Cuban independence. It was by far the most active period of his life in both deeds and writing. Mainly between 1882 and 1891 he wrote some 200 articles for *La nación* of Buenos Aires, reporting to the Argentines on the course of events in the United States.

26. Los pensadores . . . librería: *Weak thinkers, bookish thinkers string together and rewarm into life the races as they are represented on library shelves*

27. amasijo: *kneading, mixing*

28. biliosos: *quick and ill tempered*

trabajadora; del Bravo a Magallanes,[29] sentado en el lomo del cóndor, regó el Gran Semí,[30] por las naciones románticas del continente y por las islas dolorosas del mar, la semilla de la América nueva!

THE POETRY OF JOSÉ MARTÍ

Martí's poems, as he himself often pointed out, were spontaneous outbursts. His *Versos libres,* written mostly in 1882 and published posthumously in 1913, carry a brief preface in prose which contains these words: "*Tajos son éstos de mis propias entrañas—mis guerreros.—Ninguno me ha salido recalentado, artificioso, recompuesto, de la mente; sino como las lágrimas salen de los ojos y la sangre sale a borbotones de la herida . . . Van escritos, no en tinta de academia, sino en mi propia sangre.*"

His *Versos sencillos,* New York, 1891, several of which are given in the following pages, have a similar brief introduction which begins: "*Mis amigos saben como se me salieron estos versos del corazón. Fué aquel invierno de angustia, en que por ignorancia, o por fe fanática, o por miedo, o por cortesía, se reunieron en Washington, bajo el águila temible, los pueblos hispanoamericanos.*" Martí then decries the suggestion that Cuba be separated from the Spanish American family of nations to come under the control of the United States. He goes on to say that his physical condition was such during that winter that the doctor sent him off to the mountains, and it was there that the following poems were written.

VERSOS SENCILLOS

I

Yo soy un hombre sincero
de donde crece la palma;
y antes de morirme, quiero
echar mis versos del alma.

Yo vengo de todas partes,   5
y hacia todas partes voy:
arte soy entre las artes;
en los montes, monte soy.

Yo sé los nombres extraños
de las yerbas y las flores,   10
y de mortales engaños,
y de sublimes dolores.

Yo he visto en la noche oscura
llover sobre mi cabeza
los rayos de lumbre pura   15
de la divina belleza.

29. del Bravo a Magallanes: *from the Río Bravo* (Río Grande) *to the Straits of Magellan*

30. regó . . . Semí,: *the Great Sower has scattered*

Alas nacer vi en los hombros
de las mujeres hermosas,
y salir de los escombros,
volando, las mariposas.   20

He visto vivir a un hombre
con el puñal al costado,
sin decir jamás el nombre
de aquella que lo ha matado.

Rápida, como un reflejo,   25
dos veces vi el alma, dos:
cuando murió el pobre viejo,
cuando ella me dijo adiós.

Temblé una vez—en la reja,
a la entrada de la viña—,   30
cuando la bárbara abeja
picó en la frente a mi niña.

Gocé una vez, de tal suerte
que gocé cual nunca: cuando
la sentencia de mi muerte   35
leyó el alcaide llorando.

Oigo un suspiro a través
de las tierras y la mar,
y no es un suspiro: es
que mi hijo va a despertar.   40

Si dicen que del joyero
tome la joya mejor,
tomo a un amigo sincero
y pongo a un lado el amor.

Yo he visto al águila herida   45
volar al azul sereno,
y morir en su guarida
la víbora del veneno.

Yo sé bien que cuando el mundo
cede, lívido, al descanso,   50
sobre el silencio profundo
murmura el arroyo manso.

Yo he puesto la mano osada,
de horror y júbilo yerta,
sobre la estrella apagada   55
que cayó frente a mi puerta.

Oculto en mi pecho bravo
la pena que me lo hiere:
el hijo de un pueblo esclavo
vive por él, calla y muere.   60

Todo es hermoso y constante,
todo es música y razón,
y todo, como el diamante,
antes que luz es carbón.

Yo sé que el necio se entierra   65
con gran lujo y con gran llanto,
y que no hay fruta en la tierra
como la del camposanto.

Callo, y entiendo, y me quito
la pompa del rimador;   70
cuelgo de un árbol marchito
mi muceta de doctor.

VII

Para Aragón, en España,[31]
tengo yo en mi corazón
un lugar todo Aragón,
franco, fiero, fiel, sin saña.

Si quiere un tonto saber   5
por qué lo tengo, le digo
que allí tuve un buen amigo,
que allí quise a una mujer.

31. Martí spent some of the pleasantest days of his life in Zaragoza, Aragon, from his eighteenth to his twenty-first year. Just prior to this period he had been convicted of treason against the Spanish regime in Cuba and had been sentenced to six years in prison, but after serving one year his sentence was commuted to exile, and he left Cuba for Spain. He obtained the degrees of *Doctor en Derecho* and *Doctor en Filosofía y Letras* from the University of Zaragoza, took part in public meetings, collaborated on the *Diario de los avisos,* and made many fast friends while in Aragon.

Allá, en la vega florida,
la de la heroica defensa,   10
por mantener lo que piensa
juega la gente la vida.

Y si un alcalde lo aprieta
o lo enoja un rey cazurro,³²
calza la manta el baturro ³³   15
y muere con su escopeta.

Quiero a la tierra amarilla
que baña el Ebro lodoso,³⁴
quiero el Pilar ³⁵ azuloso
de Lanuza y de Padilla.³⁶   20

Estimo a quien de un revés
echa por tierra a un tirano;
lo estimo, si es un cubano;
lo estimo, si aragonés.

Amo los patios sombríos   25
con escaleras bordadas;
amo las naves calladas
y los conventos vacíos.

Amo la tierra florida,
musulmana o española,   30
donde rompió su corola
la poca flor de mi vida.

IX

Quiero, a la sombra de un ala,³⁷
contar este cuento en flor:
la niña de Guatemala,
la que se murió de amor.

Eran de lirios los ramos,   5
y las orlas de reseda
y de jazmín; la enterramos
en una caja de seda.

. . . Ella dió al desmemoriado ³⁸
una almohadilla de olor; ³⁹   10
él volvió, volvió casado;
ella se murió de amor.

Iban cargándola en andas
obispos y embajadores;
detrás iba el pueblo en tandas,   15
todo cargado de flores.

. . . Ella, por volverlo a ver,
salió a verlo al mirador:
él volvió con su mujer:
ella se murió de amor.   20

Como de bronce candente
al beso de despedida,
era su frente: ¡la frente
que más he amado en mi vida!

. . . Se entró de tarde en el río,   25
la sacó muerta el doctor:
dicen que murió de frío:
yo sé que murió de amor.

Allí, en la bóveda helada,⁴⁰
la pusieron en dos bancos: 30
besé su mano afilada,
besé sus zapatos blancos.

32. rey cazurro: *sulky king*
33. calza la manta el baturro: *the Baturro (or Aragonese peasant) puts on his rough cape*
34. Ebro lodoso: *muddy Ebro river*
35. Pilar: the famous "pillar" on which the Aragonese "*Virgen del Pilar*" appeared
36. Lanuza and Padilla, Aragonese heroes.
37. a . . . ala: *in the shadow of a protecting wing.* The story related in this poem is based more or less on an actual occurrence. When Martí was teaching in Guatemala one of his students, María García Granados, responded with more than intellectual fire, and when Martí (who returned her love in a purely fraternal fashion) left for Mexico to marry his fiancée, who was a Cuban girl, María Granados was consumed with despair. Shortly after the return of Martí and his bride to Guatemala, María died.
38. desmemoriado: *forgetful man*
39. almohadilla de olor: *perfumed pad, sachet bag*
40. bóveda helada: *icy vault, crypt*

Callado, al oscurecer,
me llamó el enterrador:

¡nunca más he vuelto a ver   35
a la que murió de amor!

XXIII

Yo quiero salir del mundo
por la puerta natural:
en un carro de hojas verdes
a morir me han de llevar.

No me pongan en lo obscuro   5
a morir como un traidor:
¡Yo soy bueno, y como bueno
moriré de cara al Sol!

XXV

Yo pienso, cuando me alegro
como un escolar sencillo,
en el canario amarillo—
¡que tiene el ojo tan negro!

Yo quiero, cuando me muera,   5
sin patria, pero sin amo,
tener en mi losa un ramo
de flores—¡y una bandera!

XXXIV

¡Penas! ¿Quién osa decir
que tengo yo penas? Luego,
después del rayo, y del fuego,
tendré tiempo de sufrir.

¡la esclavitud de los hombres
es la gran pena del mundo!

Hay montes, y hay que subir
los montes altos; ¡después   10
veremos, alma, quién es
quien te me ha puesto al morir!

Yo sé de un pesar profundo   5
entre las penas sin nombres:

XXXVII

Aqui está el pecho, mujer,
que ya sé que lo herirás:
¡más grande debiera ser,
para que lo hirieses más!

Porque noto, alma torcida,   5
que en mi pecho milagroso,
mientras más honda la herida,
es mi canto más hermoso.

XXXIX

Cultivo una rosa blanca,
en julio como en enero,
para el amigo sincero
que me da su mano franca.

Y para el cruel que me arranca   5
el corazón con que vivo,
cardo ni ortiga cultivo:
cultivo la rosa blanca.

Julián del Casal

1863-1893

THE CUBAN Julián del Casal was shut off from the world of reality by tuberculosis as surely as he would have been by prison bars. Through the window of his disease he watched normal people with normal, healthy emotions pass by, and this made him as sick in soul as he already was in body. To take the place of the real world which he did not know, Casal built for himself a secluded world of oriental art, of sensory perceptions, of imaginary wanderings. This make-believe creation was not strong enough to give him satisfaction, but it was sufficiently highly colored and finely wrought to bring out beautiful poetry. However, there was always in the background of his thought, with great black claws and ubiquitous wings, the shadow of impending annihilation, the final dread of being flicked out without having once experienced the joyful lust of living.

NOSTALGIAS

Suspiro por las regiones
donde vuelan los alciones
  sobre el mar,
y el soplo helado del viento
parece en su movimiento   5
  sollozar;
 donde la nieve que baja
del firmamento, amortaja [1]
  el verdor
de los campos olorosos   10
y de ríos caudalosos
  el rumor;
 donde ostenta siempre el cielo,
a través de aéreo velo,
  color gris,   15
es más hermosa la luna

y cada estrella más que una
  flor de lis.

 Otras veces sólo ansío
bogar en firme navío   20
  a existir
en algún país remoto,
sin pensar en el ignoto
  porvenir.
 Ver otro cielo, otro monte,   25
otra playa, otro horizonte,
  otro mar,
otros pueblos, otras gentes
de maneras diferentes
  de pensar.   30

1. amortaja: *puts a shroud over*

¡Ah! si yo un día pudiera,
con qué júbilo partiera
    para Argel.[2]
donde tiene la hermosura
el color y la frescura   35
    de un clavel.
Después fuera en caravana
por la llanura africana
    bajo el sol
que, con sus vivos destellos,   40
pone un tinte a los camellos
    tornasol.
Y cuando el día expirara
mi árabe tienda plantara
    en mitad   45
de la llanura ardorosa,
inundada de radiosa
    claridad.
Cambiando de rumbo luego,
dejar el país del fuego   50
    para ir
hasta el imperio florido
en que el opio da el olvido
    del vivir.

Vegetar allí contento   55
de alto bambú corpulento
    junto al pie,
o aspirando en rica estancia
la embriagadora fragancia
    que da el té. ° ° °   60
Cuando tornara el hastío [3]
en el espíritu mío
    a reinar,
cruzando el inmenso piélago [4]
fuera al taitiano [5] archipiélago   65
    a encallar. ° ° °
Así errabundo viviera
sintiendo toda quimera
    rauda huir,
y hasta olvidando la hora   70
incierta y aterradora
    de morir.

Mas no parto. Si partiera,
al instante yo quisiera
    regresar.   75
¡Ay! ¿Cuándo querrá el Destino
que yo pueda en mi camino
    reposar?

ELENA [6]

Luz fosfórica entreabre claras brechas
en la celeste inmensidad, y alumbra
del foso en la fatídica penumbra
cuerpos hendidos por doradas flechas.

Cual humo frío de homicidas mechas,[7]   5
en la atmósfera densa se vislumbra
vapor disuelto que la brisa encumbra
a las torres de Ilión, escombros hechas.

2. Argel: *Algiers*
3. hastío: *surfeit, weary boredom*
4. piélago: *high sea*
5. taitiano: *Tahitian*
6. This picture of Helen of Troy, as well as several other sonnets in a similar style, was inspired by a series of ten paintings by the French artist Gustave Moreau (1826–98)

reproduced in the Havana cultural journal *La Habana elegante*. The sonnets are all Parnassian in style, coldly chiseled and polished in the manner of the French J. M. de Heredia. Moreau represented in the history of painting more or less what the Parnassian style of writing did in poetry.
7. homicidas mechas: *murderous torches*

Envuelta en veste de opalina gasa,
recamada de oro, desde el monte   10
de ruinas hacinadas en el llano,

indiferente a lo que en torno pasa,
mira Elena hacia el lívido horizonte
irguiendo un lirio en la rosada mano.

RONDELES

1

De mi vida misteriosa,
tétrica y desencantada,
oirás contar una cosa
que te deje el alma helada.

Tu faz de color de rosa   5
se quedará demacrada,
al oír la extraña cosa
que te deje el alma helada.

Mas sé para mí piadosa,
si de mi vida ignorada,   10
cuando yo duerma en la fosa,
oyes contar una cosa
que te deje el alma helada.

2

Quizás sepas algún día
el secreto de mis males,
de mi honda melancolía

y de mis tedios mortales.
Las lágrimas a raudales   5
marchitarán tu alegría,
si a saber llegas un día
el secreto de mis males.

3

Quisiera de mí alejarte,
porque me causa la muerte
con la tristeza de amarte
el dolor de comprenderte.

Mientras pueda contemplarte   5
me ha de deparar la suerte,
con la tristeza de amarte
el dolor de comprenderte.

Y sólo ansío olvidarte,   10
nunca oírte y nunca verte,
porque me causa la muerte
con la tristeza de amarte
el dolor de comprenderte.

NIHILISMO

Fragmentos

Voz inefable que a mi estancia llega
en medio de las sombras de la noche,
por arrastrarme hacia la vida, brega
con las dulces cadencias del reproche.

¿A qué llamarme al campo del combate   5
con la promesa de terrenos bienes,
si ya mi corazón por nada late
ni oigo la idea martillar mis sienes?

Nadie extrañe mis ásperas querellas:
mi vida, atormentada de rigores,   10
es un cielo que nunca tuvo estrellas,
es un árbol que nunca tuvo flores.

De todo lo que he amado en este mundo
guardo, como perenne recompensa,
dentro del corazón, tedio profundo;   15
dentro del pensamiento, sombra densa.

Nada del porvenir a mi alma asombra
y nada del presente juzgo bueno;
si miro al horizonte, todo es sombra,
si me inclino a la tierra, todo es cieno.   20

Ansias de aniquilarme sólo siento,
o de vivir en mi eternal pobreza,
con mi fiel compañero, el descontento,
y mi pálida novia, la tristeza.

RECUERDO DE LA INFANCIA

Una noche mi padre, siendo yo niño,
mirando que la pena me consumía,
con las frases que dicta sólo el cariño,
lanzó de mi destino la profecía,
una noche mi padre, siendo yo niño.   5

Lo que tomé yo entonces por un reproche
y, extendiendo mi cuello sobre mi hombro,
me hizo pasar llorando toda la noche,
hoy inspira a mi alma terror y asombro
lo que tomé yo entonces por un reproche.   10

—"Sumergida en profunda melancolía
como estrella en las brumas de la alborada,
gemirá para siempre—su voz decía—
por todos los senderos tu alma cansada,
sumergida en profunda melancolía.   15

"Persiguiendo en la sombra vana quimera
que tan solo tu mente de encantos viste,
te encontrará cada año la primavera
enfermo y solitario, doliente y triste,
persiguiendo en la sombra vana quimera.   20

"Para ti la existencia no tendrá un goce
ni habrá para tus penas ningún remedio
y, unas veces sintiendo del mal el roce,
otras veces henchido de amargo tedio,
para ti la existencia no tendrá un goce.   25

"Como una planta llena de estéril jugo
que ahoga de sus ramas la florescencia,
de tu propia alegría serás verdugo
y morirás ahogado por la impotencia
como una planta llena de estéril jugo."   30

Como pájaros negros por azul lago
nublaron sus pupilas mil pensamientos,
y, al morir en la sombra su vago acento,
vi pasar por su mente remordimientos
como pájaros negros por azul lago.   35

PÁGINAS DE VIDA [8]

—Yo soy como esas plantas que ignota mano
siembra un día en el surco por donde marcha,
ya para que la anime luz de verano,
ya para que la hiele frío de escarcha. * * *

Mas como nada espero lograr del hombre,   5
y en la bondad divina mi ser confía,
aunque llevo en el alma penas sin nombre,
no siento la nostalgia de la alegría.

¡Ígnea columna [9] sigue mi paso cierto!
¡Salvadora creencia mi ánimo salva!   10
¡Yo sé que tras las olas me aguarda el puerto!
¡Yo sé que tras la noche surgirá el alba!

Tú, en cambio, que doliente mi voz escuchas,
sólo el hastío llevas dentro del alma:
juzgándote vencido por nada luchas   15
y de ti se desprende siniestra calma. * * *

---

8. This poem describes the farewell conversation between Casal and Rubén Darío, the Nicaraguan poet, who was passing through Havana in 1892. The two poets are talking on board Darío's ship, which is about to set sail, and Darío, slightly exhilarated by alcohol, is doing the talking and comparing his outlook on life to Casal's. The last two stanzas are Casal's own reflections.

9. Ígnea columna (Latin): *pillar of fire,* (The Lord went before the children of Israel in a "pillar of fire," cf. *Exodus* XIII, 21–22.)

Si hubiéramos más tiempo juntos vivido,
no nos fuera la ausencia tan dolorosa.
¡Tú cultivas tus males, yo el mío olvido!
¡Tú lo ves todo en negro, yo todo en rosa! * * *   20

Genio errante, vagando de clima en clima,
sigue el rastro fulgente de un espejismo,
con el ansia de alzarse siempre a la cima,
mas también con el vértigo que da el abismo. * * *

Doblegado en la tierra luego de hinojos,   25
miro cuanto a mi lado gozoso existe
y pregunto, con lágrimas en los ojos,
¿por qué has hecho ¡oh Dios mío! mi alma tan triste?

José Asunción Silva

1865-1896

A FEW days before his death Silva consulted a doctor friend of his on the pretext of some illness or other, and asked the doctor to sketch the position of his heart on his underclothes. It was the organ by which he had lived and by which he was to die, for he committed suicide by firing a bullet through it one Sunday morning when his family was at church. Near his death bed were three books: *The Triumph of Death* by d'Annunzio, *Trois stations de psychothérapie* by Maurice Barrès, and a number of the trilingual London journal *Cosmópolis*. These books may have had a profound effect on Silva, but the cause of his suicide must be sought in the years of his self-torture and embitterment, and not in the pages of some one else's writing. As the Colombian critic Baldomero Sanín Cano points out, Silva pretended to enjoy life to its fullest, but he only managed to "*convertir su organismo en la más delicada y exquisita máquina de sufrir.*"

Perhaps the most notable characteristic of Silva's poetry is its interior rhythm, that fine invisible thread of feeling which makes the reader (whether he be pessimist or optimist) feel that his own life and Silva's are on a single strand. Unamuno, who edited the first full book of Silva's poems in 1908, has this to say: "*Comentar a Silva es algo así como ir diciendo a un auditorio de las sinfonías de Beethoven, lo que va pasando según las notas resbalan a sus oídos. Cada cual vierte en ellas sus propios pesares, quereres y sentires.*" The great Spanish writer then adds: "*Y gusto de Silva porque fué el primero en llevar a la poesía hispano-americana, y con ella a la española, ciertos tonos y ciertos aires, que después se han puesto en moda, degradándose.*"

Silva's most biting poems were the *Gotas amargas* which he refused to have published; however, he did often shock his listeners by reciting them. Many are lost, but some of them were gathered together after his death; they deal mainly with bitter social satire, philosophical ironies, and sex.

Physical sex and even venereal disease crop out rather frequently among them.

Other poems of Silva are lyric recollections of childhood, outbursts of physical passion and spiritual despair, expressions of pathos, humor, and irony, sometimes all mingled in one.

LOS MADEROS DE SAN JUAN

... Y aserrín [1]
aserrán,
los maderos
de San Juan
piden queso,   5
piden pan;
los de Roque,
Alfandoque;
los de Rique,
Alfeñique;   10
los de Trique,
Triquitrán.
¡Triqui, triqui, triqui, tran!
¡Triqui, triqui, triqui, tran! ...

Y en las rodillas duras y firmes de la abuela   15
con movimiento rítmico se balancea el niño,
y entrambos agitados y trémulos están ...
La abuela se sonríe con maternal cariño,
mas cruza por su espíritu como un temor extraño
por lo que en el futuro, de angustia y desengaño,   20
los días ignorados del nieto guardarán ...

Los maderos
de San Juan
piden queso,
piden pan;   25
¡Triqui, triqui, triqui, tran!

¡Esas arrugas hondas recuerdan una historia
de largos sufrimientos y silenciosa angustia!,
y sus cabellos blancos como la nieve están;

1. aserrín ... aserrán: an attempt to suggest the sound of the saw cutting a log or *madero*

. . . de un gran dolor el sello marcó la frente mustia,   30
y son sus ojos turbios espejos que empañaron
los años, y que a tiempo las formas reflejaron
de seres y de cosas que nunca volverán . . .

      . . . Los de Roque,
      Alfandoque . . .   35
      ¡Triqui, triqui, triqui, tran!

Mañana, cuando duerma la abuela, yerta y muda,
lejos del mundo vivo, bajo la oscura tierra,
donde otros, en la sombra, desde hace tiempo están,
del nieto a la memoria, con grave voz que encierra   40
todo el poema triste de la remota infancia,
pasando por las sombras del tiempo y la distancia,
de aquella voz querida las notas volverán . . .

      . . . Los de Rique,
      Alfeñique . . .   45
      ¡Triqui, triqui, triqui, tran! . . .

En tanto, en las rodillas cansadas de la abuela
con movimiento rítmico se balancea el niño,
y entrambos agitados y trémulos están . . .
La abuela se sonríe con maternal cariño,   50
mas cruza por su espíritu como un temor extraño
por lo que en el futuro, de angustia y desengaño,
los días ignorados del nieto guardarán . . .

      . . . Los maderos
      de San Juan   55
      piden queso,
      piden pan;
      los de Roque,
      Alfandoque;
      los de Rique,   60
      Alfeñique;
      los de Trique,
      Triquitrán,
      ¡Triqui, triqui, triqui, tran!

CREPÚSCULO

Junto de la cuna aun no está encendida
la lámpara tibia que alegra y reposa,

y se filtra opaca, por entre cortinas,
de la tarde triste la luz azulosa.

Los niños cansados suspenden sus juegos,   5
de la calle vienen extraños ruidos,
en estos momentos, en todos los cuartos,
se van despertando los duendes dormidos.

La sombra que sube por los cortinajes,
para los hermosos oyentes pueriles,   10
se puebla y se llena con los personajes
de los tenebrosos cuentos infantiles.

Flota en ella el pobre Rin Rin Renacuajo,[2]
corre y huye el triste Ratoncito Pérez,[3]
y la entenebrece la forma del trágico   15
Barba Azul,[4] que mata sus siete mujeres.

En unas distancias enormes e ignotas,
que por los rincones obscuros suscita,
andan por los prados el Gato con Botas,[5]
y el lobo que marcha con Caperucita.[6] * * *   20

Del infantil grupo se levanta leve
argentada y pura una vocecilla
que comienza: "Entonces se fueron al baile
y dejaron sola a Cenicentilla.[7] * * *"

Con atento oído las niñas la escuchan,   25
las muñecas duermen en la blanca alfombra,
medio abandonadas, y en el aposento
la luz disminuye, se aumenta la sombra.

¡Fantásticos cuentos de duendes y hadas,
llenos de paisajes y de sugestiones,   30
que abrís a lo lejos amplias perspectivas
a las infantiles imaginaciones!

¡Cuentos que nacisteis en ignotos tiempos
y que vais volando por entre lo obscuro,
desde los potentes arios primitivos,   35
hasta las enclenques razas del futuro! * * *

2. Rin Rin Renacuajo: a frog who has many adventures

3. Ratoncito Pérez: a greedy little mouse who invites the other animals to his wedding and is drowned in a stew

4. Barba Azul: *Blue Beard*
5. Gato con Botas: *Puss in Boots*
6. Caperucita: *Little Red Riding Hood*
7. Cenicentilla: *Cinderella*

¡Cuentos más durables que las convicciones
de graves filósofos y sabias escuelas,
y que rodeasteis con vuestras ficciones
las cunas doradas de las bisabuelas! 40

¡Fantásticos cuentos de duendes y hadas,
que pobláis los sueños confusos del niño!
El tiempo os sepulta por siempre en el alma
y el hombre os evoca con hondo cariño.

RISA Y LLANTO

Juntos los dos reímos cierto día...
¡ay, y reímos tanto
que toda aquella risa bulliciosa
se tornó pronto en llanto!

¡Después, juntos los dos, alguna noche 5
lloramos mucho, tanto,
que quedó como huella de las lágrimas
un misterioso encanto!

Nacen hondos suspiros, de la orgía
entre las copas cálidas;
y en el agua salobre de los mares 10
se forjan perlas pálidas.

NOCTURNO [8] (III)

Una noche,
una noche toda llena de murmullos, de perfumes y de músicas de alas;
una noche
en que ardían en la sombra nupcial y húmeda las luciérnagas fantásticas,
a mi lado lentamente, contra mí ceñida toda, muda y pálida, 5
como si un presentimiento de amarguras infinitas
hasta el más secreto fondo de las fibras te agitara,
por la senda florecida que atraviesa la llanura
caminabas;
y la luna llena 10
por los cielos azulosos, infinitos y profundos esparcía su luz blanca;
y tu sombra

---

8. This *nocturno* was greeted with stupefaction by some and with deep admiration by others. Soon, however, all came to applaud its remarkable rhythm, which was considered something entirely new in the Spanish language. Silva later pointed out to a friend that he had obtained it from the well known Spanish fabulist Iriarte. The poem was inspired by the death of the poet's sister.

fina y lánguida,
　　y mi sombra,
por los rayos de la luna proyectadas,　　　　　　　　　15
sobre las arenas tristes
de la senda se juntaban;
　　y eran una,
　　　　y eran una,
y eran una sola sombra larga,　　　　　　　　　　　20
　　y eran una sola sombra larga,
　　　y eran una sola sombra larga. . . .

Esta noche
solo; el alma
llena de las infinitas amarguras y agonías de tu muerte,　　　25
separado de ti misma por el tiempo, por la tumba y la distancia,
por el infinito negro
donde nuestra voz no alcanza,
mudo y solo
por la senda caminaba . . .　　　　　　　　　30
Y se oían los ladridos de los perros a la luna,
a la luna pálida,
y el chirrido
de las ranas . . .
Sentí frío. Era el frío que tenían en tu alcoba　　　35
tus mejillas y tus sienes y tus manos adoradas,
entre las blancuras níveas
de las mortuorias sábanas.
Era el frío del sepulcro, era el hielo de la muerte,
era el frío de la nada.　　　　　　　　40
Y mi sombra,
por los rayos de la luna proyectada,
iba sola,
iba sola,
iba sola por la estepa solitaria;　　　　　　　45
y tu sombra esbelta y ágil,
fina y lánguida,
como en esa noche tibia de la muerta primavera,
como en esa noche llena de murmullos, de perfumes y de músicas de alas,
se acercó y marchó con ella,　　　　　　　50
se acercó y marchó con ella,
se acercó y marchó con ella . . . ¡Oh las sombras enlazadas!

¡Oh las sombras de los cuerpos que se juntan con las sombras de las almas!
¡Oh las sombras que se buscan en las noches de tristezas y de lágrimas!

ESTRELLAS FIJAS

Cuando ya de la vida
el alma tenga, con el cuerpo, rota,
y duerma en el sepulcro
esa noche más larga que las otras,

mis ojos, que en recuerdo   5
del infinito eterno de las cosas,
guardaron sólo, como de un ensueño,
la tibia luz de tus miradas hondas,

al ir descomponiéndose
entre la obscura fosa,   10
verán, en lo ignorado de la muerte,
tus ojos ... destacándose en la sombra.

OBRA HUMANA

El lo profundo de la selva añosa,
donde una noche, al comenzar de mayo,
tocó en la vieja enredadera hojosa
de la pálida luna el primer rayo,

pocos meses después la luz de aurora,   5
del gas en la estación, iluminaba
el paso de la audaz locomotora,
que en el carril durísimo cruzaba.

Y en donde fuera en otro tiempo el nido,
albergue muelle del alado enjambre,   10
pasó por el espacio un escondido
telegrama de amor por el alambre.

¿ ... ?

¿Por qué de los cálidos besos,
de las dulces idolatradas
en noches jamás olvidadas
nos matan los locos excesos?

¿Son sabios los místicos rezos   5
y las humildes madrugadas
en las celdas sólo adornadas

con una cruz y cuatro huesos?

¡No, soñadores de infinito!
De la carne el supremo grito   10
hondas vibraciones encierra;

dejadla gozar de la vida
antes de caer, corrompida,
en las negruras de la tierra.

MARIPOSAS

En tu aposento tienes,
en urna frágil,
clavadas mariposas
que, si brillante
rayo de sol las toca,   5
parecen nácares
o pedazos de cielo,
cielos de tarde,
o brillos opalinos
de alas suaves;   10
y allí están las azules
hijas del aire

fijas para siempre
las alas ágiles,
las alas, peregrinas   15
de ignotos valles
que, como los deseos
de tu alma amante,
a la aurora parecen
resucitarse,   20
cuando de tus ventanas
las hojas abres
y da el sol en tus ojos
y en los cristales.

ORACIÓN

En el aposento estrecho,
en la blanca pared fijo,
tiene muy cerca del lecho
donde duerme, un crucifijo
que, como a dulces abrazos   5
llamando al ánima vil,
tiende los rígidos brazos
sobre una cruz de marfil.

Y de espinas coronada
dobla la cabeza inerte,   10
de noble expresión, helada
por el beso de la muerte.
En ese sitio, amorosa
la oración de ritmo breve
va de sus brazos de rosa   15
hacia los brazos de nieve.

ARS

El verso es vaso santo; poned en él tan sólo
un pensamiento puro,
en cuyo fondo bullan hirvientes las imágenes
como burbujas de oro de un viejo vino obscuro.

Allí verted las flores que la continua lucha   5
ajó del mundo frío,
recuerdos deliciosos de tiempos que no vuelven,
y nardos empapados en gotas de rocío.

Para que la existencia mísera se embalsame
cual de una ciencia ignota,   10
quemándose en el fuego del alma enternecida
de aquel supremo bálsamo, ¡basta una sola gota!

. . . ? . . .

Estrellas que entre lo sombrío
de lo ignorado y de lo inmenso,

asemejáis en el vacío
jirones pálidos de incienso;
nebulosas que ardéis tan lejos   5
en el infinito que aterra,
que sólo alcanzan los reflejos
de vuestra luz hasta la tierra;
astros que en abismos ignotos
derramáis resplandores vagos,   10
constelaciones que en remotos
tiempos adoraron los magos;
millones de mundos lejanos,
flores de fantástico broche,
islas claras en los oceanos   15
sin fin ni fondo de la noche;
¡estrellas, luces pensativas!
¡Estrellas, pupilas inciertas!
¿Por qué os calláis si estáis vivas,
y por qué alumbráis si estáis muertas?   20

UN POEMA

Soñaba en ese entonces en forjar un poema,
de arte nervioso y nuevo, obra audaz y suprema.

Escogí entre un asunto grotesco y otro trágico,
llamé a todos los ritmos con un conjuro mágico,

y los ritmos indóciles vinieron acercándose,   5
juntándose en las sombras, huyéndose y buscándose,

ritmos sonoros, ritmos potentes, ritmos graves,
unos cual choque de armas, otros cual canto de aves;

de Oriente hasta Occidente, desde el Sur hasta el Norte
de metros y de formas se presentó la corte. * * *   10

Complacido en mis versos, con orgullo de artista,
les di olor de heliotropos y color de amatista . . .

Le mostré mi poema a un crítico estupendo . . .
Lo leyó cuatro veces, y me dijo . . . ¡No entiendo!

PSICOPATÍA

El parque se despierta, ríe y canta
en la frescura matinal. La niebla,

donde saltan aéreos surtidores,
de arco iris se puebla,
y en luminosos vuelos se levanta.   5
Su olor esparcen entreabiertas flores;
suena en las ramas verdes el pío, pío
de los alados huéspedes cantores;
brilla en el césped húmedo rocío.
¡Azul el cielo! ¡Azul! Y la süave   10
brisa que pasa, dice:
¡Reíd! ¡Cantad! ¡Amad! ¡La vida es fiesta,
es calor, es pasión, es movimiento!
Y forjando en las ramas una orquesta,
con voz grave lo mismo dice el viento,   15
y por entre el sutil encantamiento
de la mañana sonrosada y fresca,
de la luz, de las yerbas y las flores,
pálido, descuidado, soñoliento,
sin tener en la boca una sonrisa,   20
y de negro vestido
un filósofo joven se pasea,
olvida luz y olor primaverales,
e impertérrito sigue su tarea
de pensar en la muerte, en la conciencia   25
y en las causas finales.
Lo sacuden las ramas de azalea,
dándole al aire el aromado aliento
de las rosadas flores;
lo llaman unos pájaros, del nido   30
do cantan sus amores,
y los cantos risueños
van, por entre el follaje estremecido,
a suscitar voluptuosos sueños,
y él sigue su camino, triste, serio,   35
pensando en Fichte, en Kant, en Vogt, en Hegel,[9]
y del *yo* complicado en el misterio.

    La chicuela del médico que pasa,
una rubia adorable, cuyos ojos
arden como una brasa,   40
abre los labios húmedos y rojos,
y le pregunta al padre, enternecida:
—Aquel señor, papá, ¿de qué está enfermo,
qué tristeza le anubla así la vida?
Cuando va a casa a verle a usted, me duermo;   45

9. Fichte. Kant, Vogt, Hegel: German philosophers of the 18th and 19th centuries

tan silencioso y triste . . . ¿Qué mal sufre? . . .
Una sonrisa el profesor contiene,
mira luego una flor, color de azufre,
oye el canto de un pájaro que viene,
y comienza de pronto, con descaro: 50
—Ese señor padece un mal muy raro,
que ataca rara vez a las mujeres
y pocas a los hombres, ¡hija mía!
Sufre este mal: *pensar* . . . ésa es la causa
de su grave y sutil melancolía . . .   55
El profesor después hace una pausa,
y sigue:—En las edades
de bárbaras naciones,
serias autoridades,
curaban este mal dando cicuta,[10]   60
encerrando al enfermo en las prisiones,
o quemándolo vivo . . . ¡Buen remedio!
Curación decisiva y absoluta
que cortaba de lleno la disputa
y sanaba al paciente . . . mira el medio . . .   65
la profilaxia, en fin . . . antes; ahora
el mal reviste tantas formas graves,
la invasión se dilata aterradora,
y no lo curan polvos ni jarabes;
en vez de prevenirlo, los gobiernos   70
lo riegan y estimulan;
tomos gruesos, revistas y cuadernos
ya dispersan el germen homicida . . .
El mal, gracias a Dios, no es contagioso,
y lo adquieren muy pocos; en mi vida   75
sólo he curado a dos. Les dije:
                                        —Mozo,
váyase usted a trabajar de lleno,
en una fragua negra y encendida,
o en un bosque espesísimo y sereno;
machaque hierro, hasta arrancarle chispas,   80
o tumbe viejos troncos seculares,
y logre que lo piquen las avispas;
si lo prefiere usted, cruce los mares
de grumete en un buque, duerma, coma,

---

10. cicuta: *hemlock*. Socrates was condemned to die and made to drink a potion of poisonous hemlock because the elders of Athens said he had had a bad influence on the young men of that city, by teaching them to think too much and to call into question too many of the standards and ideas sanctioned by custom.

muévase, grite, forcejee y sude,   85
mire la tempestad cuando se asoma,
y los cables de popa ate y anude,
hasta hacerse diez callos en las manos,
y limpiarse de ideas el cerebro.
Ellos lo hicieron y volvieron sanos.   90
—Estoy tan bien, doctor . . . —¡Pues lo celebro! . . .
Pero el joven aquel es caso grave
como conozco pocos,
más que cuantos nacieron piensa y sabe;
irá a pasar diez años con los locos,   95
¡y no se curará sino aquel día
en que duerma a sus anchas
en una angosta sepultura fría,
lejos del mundo y de la vida loca,
entre un negro ataúd de cuatro planchas,   100
con un montón de tierra entre la boca! [11]

DÍA DE DIFUNTOS [12] ✳

La luz vaga . . . opaco el día . . .
La llovizna cae y moja
con sus hilos penetrantes la ciudad desierta y fría;
por el aire, tenebrosa, ignorada mano arroja
un obscuro velo opaco, de letal melancolía,   5
y no hay nadie que en lo íntimo no se aquiete y se recoja,
al mirar las nieblas grises de la atmósfera sombría,
y al oír en las alturas
melancólicas y obscuras
los acentos dejativos   10
y tristísimos e inciertos
con que suenan las campanas,
las campanas plañideras que les hablan a los vivos
de los muertos.

Y hay algo de angustioso y de incierto   15
que mezcla a ese sonido su sonido,
e inarmónico vibra en el concierto
que alzan los bronces al tocar a muerto
por todos los que han sido.
Es la voz de una campana   20

11. This final line reads in the original poem: *"Con un puño de cal entre la boca,"* referring to the custom of the people of Bogotá of encasing the corpse in lime.

12. See page 379, note 1. On this day it is still customary in some parts of Spain and Spanish America to toll the church bells all day long in memory of the dead. Compare this poem with *The Bells* by Edgar Allan Poe.

que va marcando la hora,
hoy lo mismo que mañana,
rítmica, igual y sonora;
una campana se queja
y la otra campana llora,   25
ésta tiene voz de vieja
y ésa de niña que ora.
Las campanas más grandes que dan un doble recio
suenan con acento de místico desprecio;
mas la campana que da la hora   30
ríe, no llora;
tiene en su timbre seco sutiles ironías;
su voz parece que habla de goces, de alegrías,
de placeres, de citas, de fiestas y de bailes,
de las preocupaciones que llenan nuestros días;   35
es una voz del siglo entre un coro de frailes,[13]
y con sus notas se ríe
escéptica y burladora
de la campana que ruega,
de la campana que implora,   40
y de cuanto aquel coro conmemora;
y es que con su retintín
ella medió el dolor humano
y marcó del dolor el fin.
Por eso se ríe del grave esquilón   45
que suena allá arriba con fúnebre son;
por eso interrumpe los tristes conciertos
con que el bronce santo llora por los muertos.
No le oigáis, oh bronces, no le oigáis, campanas,
que con la voz grave de ese clamoreo   50
rogáis por los seres que duermen ahora
lejos de la vida, libres del deseo,
lejos de las rudas batallas humanas;
seguid en el aire vuestro bamboleo,
¡no la oigáis, campanas!...   55
Contra lo imposible, ¿qué puede el deseo?

Allá arriba suena,
rítmica y serena,
esa voz de oro,
y sin que lo impidan sus graves hermanas   60
que rezan en coro,

la campana del reloj
suena, suena, suena ahora
y dice que ella marcó,
con su vibración sonora,   65
de los olvidos la hora;
que después de la velada

13. es una voz ... frailes: *it is a layman's voice in a chorus of friars*

que pasó cada difunto
en una sala enlutada
y con la familia junto   70
en dolorosa actitud,
mientras la luz de los cirios
alumbraba el ataúd
y las coronas de lirios;
que después de la tristura,   75
de los gritos de dolor,
de las frases de amargura,
del llanto desgarrador,
marcó ella misma el momento

en que con la languidez   80
del luto, huyó el pensamiento
del muerto, y el sentimiento,
seis meses más tarde . . . o diez.

   Y hoy, día de los muertos . . . ahora
         que flota
en las nieblas grises la melancolía,   85
en que la llovizna cae gota a gota
y con sus tristezas los nervios embota,
y envuelve en un manto la ciudad som-
         bría;

      ella, que ha marcado la hora y el día
      en que a cada casa lúgubre y vacía   90
      tras el luto breve volvió la alegría;
      ella, que ha marcado la hora del baile
      en que al año justo un vestido aéreo
      estrena la niña, cuya madre duerme
      olvidada y sola en el cementerio;   95
      suena indiferente a la voz de fraile
      del esquilón grave a su canto serio;
      ella, que ha medido la hora precisa
      en que a cada boca que el dolor sellaba
      como por encanto volvió la sonrisa,   100
      esa precursora de la carcajada;
      ella, que ha marcado la hora en que el viudo
      habló de suicidio y pidió el arsénico,
      cuando aun en la alcoba recién perfumada
      flotaba el aroma del ácido fénico;   105
      y ha marcado luego la hora en que mudo
      por las emociones con que el gozo agobia,
      para que lo unieran con sagrado nudo
      a la misma iglesia fué con otra novia;
      ¡ella no comprende nada del misterio   110
      de aquellas quejumbres que pueblan el aire,
      y lo ve en la vida todo jocoserio; [14]
      y sigue marcando con el mismo modo,
      el mismo entusiasmo y el mismo desgaire [15]
      la huída del tiempo que lo borra todo!   115

      Y eso es lo angustioso y lo incierto
      que flota en el sonido;
      ésa es la nota irónica que vibra en el concierto

14. jocoserio: *half-serious, half ludicrous*   15. desgaire: *indifference*

que alzan los bronces al tocar a muerto
por todos los que han sido. 120

Es la voz fina y sutil
de vibraciones de cristal
que con acento juvenil,
indiferente al bien y al mal,
mide lo mismo la hora vil 125
que la sublime y la fatal,
y resuena en las alturas
melancólicas y obscuras
sin tener en su tañido

claro, rítmico y sonoro, 130
los acentos dejativos
y tristísimos e inciertos
de aquel misterioso coro
con que suenan las campanas ...
¡las campanas plañideras, 135
que les hablan a los vivos
de los muertos! ...

LA RESPUESTA DE LA TIERRA

Era un poeta lírico, grandioso y sibilino [16]
que le hablaba a la tierra una tarde de invierno,
frente de una posada y al volver de un camino:
—Oh madre, oh tierra!—díjole,—en tu girar eterno
nuestra existencia efímera tal parece que ignoras. 5
Nosotros esperamos un cielo o un infierno,
sufrimos o gozamos en nuestras breves horas,
e indiferente y muda, tú, madre sin entrañas,
de acuerdo con los hombres no sufres y no lloras.
¿No sabes el secreto misterioso que entrañas? 10
¿Por qué las noches negras, las diáfanas auroras?
Las sombras vagarosas y tenues de unas cañas
que se reflejan lívidas en los estanques yertos,
¿no son como conciencias fantásticas y extrañas
que les copian sus vidas en espejos inciertos? 15
¿Qué somos? ¿A do vamos? ¿Por qué hasta aquí vivimos?
¿Conocen los secretos del más allá los muertos?
¿Por qué la vida inútil y triste recibimos?
¿Hay un oasis húmedo después de estos desiertos?
¿Por qué nacemos, madre, dime, por qué morimos? 20
¿Por qué? Mi angustia sacia y a mi ansiedad contesta.
    Yo, sacerdote tuyo, arrodillado y trémulo,
    en estas soledades aguardo la respuesta.

    La tierra, como siempre, displicente y callada,
al gran poeta lírico no le contestó nada. 25

16. poeta ... sibilino: The poet referred to was a friend of Silva's of whom he said "... *a ese señor le ha dado la chifladura panteísta y vive hablando con todos los astros.*"

IDILIO

Ella lo idolatraba, y él la adoraba.
—¿Se casaron al fin?
—No, señor: Ella se casó con otro.
—Y ¿murió de sufrir?
—No, señor: De un aborto.   5
—Y el pobre aquel infeliz
¿le puso a la vida fin?
No, señor: Se casó seis meses antes
del matrimonio de ella, y es feliz.

Rubén Darío

1867-1916

RUBÉN DARÍO of Nicaragua became Latin America's greatest and most cosmopolitan literary voice. His work effected a revolution in the outmoded and high-flown poetic ideals which preceded him. Darío did not stand alone as the single source of these innovations, but he was the focus of greatest brilliance, strength, and duration among Spanish American writers.

His *Azul*, first published in Chile in 1888 (second edition with additions, Guatemala, 1890), attracted the attention of the Spanish critic and novelist Juan Valera, who proclaimed it the work of a fine cosmopolitan artist, not bounded by the narrow limits of Spanish American provincialism. Darío himself in his *Historia de mis libros* points out the principal influences embodied in *Azul*: French writers of the *Parnasse contemporaine* [1] (1866), particularly Catulle Mendès (with his lyrical prose fantasies), Gautier, Flaubert (of *The Temptation of Saint Anthony*), and Paul de Saint Victor, with their *"inédita y deslumbrante concepción del estilo."* Darío was accustomed to the *"clisé español del siglo de oro, y a su indecisa poesía moderna,"* and found the French writers a mine to explore and apply to his own style in Spanish. He read all of these men in translation. He also utilized Baralt's *Diccionario de galicismos*, which he said he had practically memorized, in order to find new phrases and metaphors.

As for the title of the book Darío says: *"el azul era para mí el color del ensueño, el color del arte, un color helénico y homérico, color oceánico y firmamental ... Concentré en ese color célico [2] la floración espiritual de mi primavera artística."* Darío did not then know Victor Hugo's phrase: *"l'Art, c'est l'azur."*

1. Parnasse contemporaine: This was the name of a review edited by Catulle Mendès and Xavier de Ricard, and in 1866 the first anthology of these Parnassian writers was published under the same name. Two more anthologies were published later by these same Parnassians.

2. célico: *heavenly*

AZUL

EL REY BURGUÉS [3]

(Canto alegre)

¡Amigo!, el cielo está opaco, el aire frío, el día triste. Un cuento alegre ... así como para distraer las brumosas y grises melancolías, helo aquí:

Había en una ciudad inmensa y brillante un rey muy poderoso, que tenía trajes caprichosos y ricos, esclavas desnudas, blancas y negras; caballos de largas crines, armas flamantísimas, galgos rápidos y monteros con cuernos de bronce,[4] que llenaban el viento con sus fanfarrias. ¿Era un rey poeta? No, amigo mío; era el Rey Burgués.

Era muy aficionado a las artes el soberano, y favorecía con gran largueza a sus músicos, a sus hacedores de ditirambos,[5] pintores, escultores, boticarios, barberos y maestros de esgrima.

Cuando iba a la floresta, junto al corzo o jabalí herido y sangriento, hacía improvisar a sus profesores de retórica canciones alusivas; los criados llenaban las copas del vino de oro que hierve, y las mujeres batían palmas con movimientos rítmicos y gallardos. Era un Rey-Sol,[6] en su Babilonia llena de músicas, de carcajadas y de ruido de festín. Cuando se hastiaba de la ciudad bullente, iba de caza atronando el bosque con sus tropeles; y hacía salir de sus nidos a las aves asustadas, y el vocerío repercutía en lo más escondido de las cavernas. Los perros de patas elásticas iban rompiendo la maleza en la carrera, y los cazadores, inclinados sobre el pescuezo de los caballos, hacían ondear los mantos purpúreos y llevaban las caras encendidas y las cabelleras al viento.

El rey tenía un palacio soberbio, donde había acumulado riquezas y objetos de arte maravillosos. Llegaba a él por entre grupos de lilas y extensos estanques, siendo saludado por los cisnes de cuellos blancos antes que por los lacayos estirados. Buen gusto. Subía por una escalera llena de columnas de alabastro y de esmaragdina,[7] que tenía a los lados leones de mármol, como los de los troncos salomónicos.[8] Refinamiento. A más de los cisnes, tenía una vasta pajarera, como amante de la armonía, del arrullo,[9] del trino; y cerca de ella iba a ensanchar su espíritu, leyendo novelas de M. Ohnet,[10] o bellos libros sobre cuestiones gramaticales, o críticas hermosillescas.[11] Eso sí: defensor acérrimo [12] de la corrección académica en letras, y del modo lamido [13] en artes; alma su-

---

3. Darío says there is some influence of Daudet in this sketch which was, however, more directly inspired by Eduardo MacClure, hard boiled editor of *La época*, the Chilean paper on which the poet worked.

4. monteros ... bronce: *beaters with bronze horns* (who scared up game for the King)

5. ditirambos: *verses of praise;* much sound and little worth

6. Rey-Sol: allusion to Louis XIV of France who was called the *roi-soleil*

7. esmaragdina: mineral of emerald green

8. troncos salomónicos: like the columns of Solomon's house; cf. I *Kings*, VII, 2–6

9. arrullo: *cooing*

10. Georges Ohnet (1848–1918), a French novelist who praised the bourgeoisie

11. hermosillescas: from the name of José Gómez Hermosilla, whose book on how to write verse was a well known text on the subject

12. acérrimo: *vigorous*

13. modo lamido: *outmoded manner*

blime, amante de la lija [14] y de la ortografía.

¡Japonerías! ¡Chinerías! Por lujo y nada más.

Bien podía darse el placer de un salón digno del gusto de un Goncourt [15] y de los millones de un Creso: [16] quimeras de bronce con las fauces abiertas y las colas enroscadas, en grupos fantásticos y maravillosos; lacas de Kioto con incrustaciones de hojas y ramas de una flora monstruosa, y animales de una fauna desconocida; mariposas de raros abanicos junto a las paredes; peces y gallos de colores; máscaras de gestos infernales y con ojos como si fuesen vivos; partesanas [17] de hojas antiquísimas y empuñaduras con dragones devorando flores de loto; y en conchas de huevo [18] túnicas de seda amarilla, como tejidas con hilos de araña, sembradas de garzas rojas y de verdes matas de arroz; y tibores,[19] porcelanas de muchos siglos, de aquellas en que hay guerreros tártaros con una piel que les cubre hasta los riñones, y que llevan arcos estirados y manojos de flechas.

Por lo demás, había el salón griego, lleno de mármoles, diosas, musas, ninfas y sátiros; el salón de los tiempos galantes, con cuadros del gran Watteau [20] y de Chardin; [21] dos, tres, cuatro, ¡cuántos salones!

Y Mecenas [22] se paseaba por todos, con la cara inundada de cierta majestad, el vientre feliz y la corona en la cabeza, como un rey de naipe.

Un día le llevaron una rara especie de hombre ante su trono, donde se hallaba rodeado de cortesanos, de retóricos y de maestros de equitación y de baile.

—¿Qué es eso?—preguntó.

—Señor, es un poeta.

El rey tenía cisnes en el estanque; canarios, gorriones, senzontes [23] en la pajarera: un poeta era algo nuevo y extraño.

—Dejadle aquí.

Y el poeta:

—Señor, no he comido.

Y el rey:

—Habla y comerás.

Comenzó:

—Señor, ha tiempo que yo canto el verbo del porvenir. He tendido mis alas al huracán, he nacido en el tiempo de la aurora: busco la raza escogida que debe esperar, con el himno en la boca y la lira en la mano, la salida del gran sol. He abandonado la inspiración de la ciudad malsana, la alcoba llena de perfumes, la musa de carne que llena el alma de pequeñez y el rostro de polvos de arroz. He roto el arpa adulona de las cuerdas débiles contra las copas de Bohemia y las jarras donde espumea el vino que embriaga sin dar fortaleza; he arrojado el manto que me hacía parecer histrión, o mujer, y he vestido de modo salvaje y espléndido: mi harapo es de púrpura. He ido a la selva, donde he quedado

---

14. lija: *smooth words*

15. The brothers Edmond and Jules de Goncourt, were French novelists who extolled the idea of "art for art's sake" and were connoisseurs and collectors of Oriental art.

16. Creso: *Crœsus*, the Lydian king renowned for his wealth.

17. partesanas: *battle-axes*

18. conchas de huevo: *cases of hollow wood*

19. tibores: *china jars*

20. Jean Antoine Watteau (1684–1721), French painter of elegant court life

21. Jean Chardin (1699–1779), French painter of still life and domestic scenes

22. Mecenas: famous Roman patron of the arts. Here the king himself is meant.

23. senzonte = censontli *or* consontle (Mexican), the mocking bird of southern Mexico and Central America

vigoroso y ahito de leche fecunda y licor de nueva vida; y en la ribera del mar áspero, sacudiendo la cabeza bajo la fuerte y negra tempestad, como un ángel soberbio, o como un semidiós olímpico, he ensayado el yambo, dando al olvido el madrigal.

He acariciado a la gran Naturaleza, y he buscado el calor del ideal, el verso que está en el astro, en el fondo del cielo, y el que está en la perla, en lo profundo del Océano. ¡He querido ser pujante! Porque viene el tiempo de las grandes revoluciones, con un Mesías todo luz, todo agitación y potencia, y es preciso recibir su espíritu con el poema que sea arco triunfal, de estrofas de acero, de estrofas de oro, de estrofas de amor.

¡Señor, el Arte no está en los fríos envoltorios de mármol, ni en los cuadros lamidos, ni en el excelente señor Ohnet! ¡Señor, el Arte no viste pantalones, ni habla en burgués, ni pone los puntos en todas las íes! Él es augusto, tiene mantos de oro, o de llamas, o anda desnudo, y amasa la greda con fiebre, y pinta con luz, y es opulento, y da golpes de ala como las águilas, o *zarpazos* como los leones. Señor, entre un Apolo y un ganso, preferid el Apolo, aunque el uno sea de tierra cocida y el otro de marfil.

¡Oh, la poesía!

¡Y bien! Los ritmos se prostituyen, se cantan los lunares de las mujeres y se fabrican jarabes poéticos. Además, señor, el zapatero critica mis endecasílabos, y el señor profesor de farmacia pone puntos y comas a mi inspiración. Señor, ¡y vos lo autorizáis todo esto! . . . El ideal, el ideal . . .

El rey interrumpió:

—Ya habéis oído. ¿Qué hacer?

Y un filósofo al uso: [24]

—Si lo permitís, señor, puede ganarse la comida con una caja de música; podemos colocarle en el jardín, cerca de los cisnes, para cuando os paseéis.

—Sí—dijo el rey; y dirigiéndose al poeta:—Daréis vueltas a un manubrio. Cerraréis la boca. Haréis sonar una caja de música que toca valses, cuadrillas y galopes, como no prefiráis moriros de hambre. Pieza de música por pedazo de pan. Nada de jerigonzas [25] ni de ideales. Id.

Y desde aquel día pudo verse a la orilla del estanque de los cisnes al poeta hambriento que daba vueltas al manubrio; tiririrín, tiririrín . . . , ¡avergonzado a las miradas del gran sol! ¿Pasaba el rey por las cercanías? ¡Tiririrín, tiririrín! . . . ¿Había que llenar el estómago? ¡Tiririrín! Todo entre las burlas de los pájaros libres que llegaban a beber rocío en las lilas floridas; entre el zumbido de las abejas que le picaban el rostro y le llenaban los ojos de lágrimas . . . , ¡lágrimas amargas que rodaban por sus mejillas y que caían a la tierra negra!

Y llegó el invierno, y el pobre sintió frío en el cuerpo y en el alma. Y su cerebro estaba como petrificado, y los grandes himnos estaban en el olvido, y el poeta de la montaña coronada de águilas no era sino un pobre diablo que daba vueltas al manubrio: ¡tiririrín!

Y cuando cayó la nieve se olvidaron de él el rey y sus vasallos; a los pájaros se les abrigó, y a él se le dejó al aire glacial que le mordía las carnes y le azotaba el rostro.

Y una noche en que caía de lo alto

---

24. al uso: *of the kind then in vogue*

25. jerigonza: *gibberish*

la lluvia blanca de plumillas cristaliza-
das, en el palacio había festín, y la
luz de las arañas reía alegre sobre los
mármoles, sobre el oro y sobre las
túnicas de los mandarines de las viejas
porcelanas. Y se aplaudían hasta la
locura los brindis del señor profesor de
retórica, cuajados de dáctilos, de ana-
pestos y de pirriquios,[26] mientras en
las copas cristalinas hervía el champaña con su burbujeo luminoso y fugaz. ¡Noche de invierno, noche de
fiesta! Y el infeliz, cubierto de nieve,
cerca del estanque, daba vueltas al
manubrio para calentarse, tembloroso
y aterido, insultado por el cierzo, bajo
la blancura implacable y helada, en
la noche sombría, haciendo resonar entre los árboles sin hojas la música loca
de los galopes y cuadrillas; y se quedó
muerto, pensando en que nacería el
sol del día venidero, y con él el
ideal..., y en que el Arte no vestiría
pantalones, sino manto de llamas o de
oro... hasta que al día siguiente lo
hallaron el rey y sus cortesanos, al pobre diablo de poeta, como gorrión que
mata el hielo, con una sonrisa amarga
en los labios, y todavía con la mano en
el manubrio.

¡Oh, mi amigo! El cielo está opaco,
el aire frío, el día triste. Flotan brumosas y grises melancolías....

Pero ¡cuánto calienta el alma una
frase, un apretón de manos a tiempo!
Hasta la vista.

EL VELO DE LA REINA MAB [27]

La reina Mab, en su carro hecho de
una sola perla, tirado por cuatro co-
leópteros de petos dorados y alas de
pedrería, caminando sobre un rayo de
sol, se coló por la ventana de una
boardilla donde estaban cuatro hombres flacos, barbudos e impertinentes
lamentándose como unos desdichados.

Por aquel tiempo, las hadas habían
repartido sus dones a los mortales. A
unos habían dado las varitas misteriosas que llenan de oro las pesadas cajas
del comercio; a otros, unas espigas ma-
ravillosas que, al desgranarlas, colma-
ban las trojes de riqueza; a otros, unos
cristales que hacían ver en el riñón
de la madre tierra oro y piedras preciosas; a quienes, cabelleras espesas y
músculos de Goliat,[28] y mazas enormes
para machacar el hierro encendido, y
a quienes, talones fuertes y piernas
ágiles para montar en las rápidas ca-
ballerías que se beben el viento y que
tienden las crines en la carrera.

Los cuatro hombres se quejaban. Al
uno le había tocado en suerte una cantera; al otro, el iris; al otro, el ritmo;
al otro, el cielo azul.

La reina Mab oyó sus palabras. Decía el primero:—¡Y bien! ¡Heme aquí
en la gran lucha de mis sueños de
mármol! Yo he arrancado el bloque y
tengo el cincel. Todos tenéis, unos, el
oro; otros, la armonía; otros, la luz.
Yo pienso en la blanca y divina Venus,
que muestra su desnudez bajo el pla-
fón color de cielo. Yo quiero dar a la
masa la línea y la hermosura plástica;
y que circule por las venas de la estatua
una sangre incolora como la de los
dioses. Yo tengo el espíritu de Grecia
en el cerebro, y amo los desnudos en

---

26. pirriquios: *pyrrhics*, feet composed of
two short syllables
27. Queen Mab, according to Shakespeare
in *Romeo and Juliet*, is the Fairies' Midwife,
the bringer of dreams.
28. Goliat: *Goliath*

que la ninfa huye y el fauno tiende los brazos. ¡Oh Fidias! [29] Tú eres para mí soberbio y augusto como un semidiós, en el recinto de la eterna belleza, rey ante un ejército de hermosuras que a tus ojos arrojan el magnífico quitón,[30] mostrando la esplendidez de la forma en sus cuerpos de rosa y de nieve.

Tú golpeas, hieres y domas al mármol, y suena el golpe armónico como un verso, y te adula la cigarra, amante del sol, oculta entre los pámpanos de la viña virgen. Para ti son los Apolos rubios y luminosos, las Minervas severas y soberanas. Tú, como un mago, conviertes la roca en simulacro y el colmillo del elefante en copa del festín. Y al ver tu grandeza, siento el martirio de mi pequeñez. Porque pasaron los tiempos gloriosos. Porque tiemblo ante las miradas de hoy. Porque contemplo el ideal inmenso y las fuerzas exhaustas. Porque a medida que cincelo el bloque, me ataraza [31] el desaliento.

Y decía el otro:—Lo que es hoy romperé mis pinceles. ¿Para qué quiero el iris y esta gran paleta de campo florido, si a la postre mi cuadro no será admitido en el salón? ¿Qué abordaré? He recorrido todas las escuelas, todas las inspiraciones artísticas. He pintado el torso de Diana y el rostro de la Madona. He pedido a las campiñas sus colores, sus matices; he adulado a la luz como a una amada, y la he abrazado como a una querida. He sido adorador del desnudo, con sus magnificencias, con los tonos de sus carnaciones [32] y con sus fugaces medias tintas. He trazado en mis lien-

zos los nimbos de los santos y las alas de los querubines. ¡Ah, pero siempre el terrible desencanto! ¡El porvenir! ¡Vender una Cleopatra en dos pesetas para poder almorzar!

Y yo, ¡que podría en el estremecimiento de mi inspiración trazar el gran cuadro que tengo aquí adentro! . . .

Y decía el otro:—Perdida mi alma en la gran ilusión de mis sinfonías, temo todas las decepciones. Yo escucho todas las armonías, desde la lira de Terpandro [33] hasta las fantasías orquestales de Wagner. Mis ideales brillan en medio de mis audacias de inspirado. Yo tengo la percepción del filósofo que oyó la música de los astros. Todos los ruidos pueden aprisionarse, todos los ecos son susceptibles de combinaciones. Todo cabe en la línea de mis escalas cromáticas.

La luz vibrante es himno, y la melodía de la selva halla un eco en mi corazón. Desde el ruido de la tempestad hasta el canto del pájaro, todo se confunde y enlaza en la infinita cadencia.

Entretanto, no diviso sino la muchedumbre que befa y la celda del manicomio.[34]

Y el último:—Todos bebemos del agua clara de la fuente de Jonia.[35] Pero el ideal flota en el azul; y para que los espíritus gocen de su luz suprema, es preciso que asciendan. Yo tengo el verso que es de miel, y el que es de oro, y el que es de hierro candente. Yo soy el ánfora del celeste perfume: tengo el amor. Paloma, estrella, nido, lirio, vosotros conocéis mi morada.

---

29. Fidias: *Phidias,* Greek sculptor (500–430 B.C.)
30. quitón: *chiton, under garment*
31. ataraza: *attacks*
32. carnaciones: *natural colors*
33. Terpandro: Terpander, seventh cen-

tury B.C., Greek musician who is said to have added three strings to the four-stringed lyre
34. muchedumbre . . . manicomio: *the mocking crowd and cell of the insane asylum*
35. fuente de Jonia: *Ionian fountain,* Greek poetry. Homer was a native of Ionia.

Para los vuelos inconmensurables tengo alas de águila que parten a golpes mágicos el huracán. Y para hallar consonantes, los busco en dos bocas que se juntan; y estalla el beso, y escribo la estrofa, y entonces, si veis mi alma, conoceréis a mi musa. Amo las epopeyas, porque de ellas brota el soplo heroico que agita las banderas que ondean sobre las lanzas y los penachos que tiemblan sobre los cascos; los cantos líricos, porque hablan de las diosas y de los amores; y las églogas, porque son olorosas a verbena y a tomillo,[36] y al santo aliento del buey coronado de rosas. Yo escribiría algo inmortal; mas me abruma un porvenir de miseria y de hambre.

Entonces, la reina Mab, del fondo de su carro, hecho de una sola perla, tomó un velo azul, casi impalpable, como formado de suspiros, o de miradas de ángeles rubios y pensativos. Y aquel velo era el velo de los sueños, de los dulces sueños, que hacen ver la vida de color de rosa. Y con él envolvió a los cuatro hombres flacos, barbudos e impertinentes. Los cuales cesaron de estar tristes, porque penetró en su pecho la esperanza, y en su cabeza el sol alegre, con el diablillo de la vanidad, que consuela en sus profundas decepciones a los pobres artistas.

Y desde entonces, en las boardillas de los brillantes infelices, donde flota el sueño azul, se piensa en el porvenir como en la aurora, y se oyen risas que quitan la tristeza, y se bailan extrañas farandolas [37] alrededor de un blanco Apolo, de un lindo paisaje, de un violín viejo, de un amarillento manuscrito.

CAUPOLICÁN

Es algo formidable que vió la vieja raza:
robusto tronco de árbol al hombro de un campeón
salvaje y aguerrido, cuya fornida maza
blandiera el brazo de Hércules, o el brazo de Sansón.

Por casco sus cabellos, su pecho por coraza,   5
pudiera tal guerrero, de Arauco en la región,
lancero de los bosques, Nemrod que todo caza,
desjarretar un toro, o estrangular un león.

Anduvo, anduvo, anduvo. Le vió la luz del día,
le vió la tarde pálida, le vió la noche fría,   10
y siempre el tronco de árbol a cuestas del titán.

"¡El Toqui, el Toqui!" [38] clama la conmovida casta.
Anduvo, anduvo, anduvo. La Aurora dijo: "Basta,"
e irguióse la alta frente del gran Caupolicán.[39]

36. tomillo: *thyme*
37. farandola: dance of southern France
38. Araucanian word for "war leader"; cf. pages 45–49.

39. Darío says that this selection "*inició la entrada del soneto alejandrino a la francesa en nuestra lengua.*"

WALT WHITMAN

En su país de hierro vive el gran viejo,
bello como un patriarca, sereno y santo.
Tiene en la arruga olímpica de su entrecejo,
algo que impera y vence con noble encanto.

Su alma del infinito parece espejo;   5
son sus cansados hombros dignos del manto;
y con arpa labrada de un roble añejo,
como un profeta nuevo canta su canto.

Sacerdote, que alienta soplo divino,
anuncia en el futuro tiempo mejor.   10
Dice al águila: "¡Vuela!" "¡Boga!", al marino,

y "¡Trabaja!", al robusto trabajador.
¡Así va ese poeta por su camino
con su soberbio rostro de emperador!

PROSAS PROFANAS

Darío's second great work *Prosas profanas* was first published in Buenos Aires in 1896. The title indicates the kind of poetry found in this work, and is derived from a combination of three sources: (1) certain old Spanish poets, Gonzalo de Berceo particularly, had used the word *prosa* to mean "poem in the vernacular" or in Spanish rather than in Latin; (2) in the Roman Catholic liturgy, beginning in the early tenth century, certain sequences called *proses* were Latin hymns made by setting words to the *music* of the Alleluias; (3) the word *profanas,* of course, suggested that Darío's poems were "not sacred," hence profane in that sense. So far as influences were concerned the strongest came from the French Symbolists, Verlaine and Mallarmé. Verlaine had voiced the creed of these writers in his lines: "Music above all else, and after music, shade." The sound of words now became a fetish with Darío, and the work *Prosas profanas* established the *modernista* renovation throughout Spanish America. The *modernista* ideal was to synthesize perfectly the finely wrought sculpture of Parnassian verse with Symbolist nuances and word-music.

In his preface to *Prosas profanas* Darío decries the lack of widespread artistic appreciation in the New World, and deigns to express only a one-sentence manifesto (Wagner's advice to Augusta Holmes, his disciple): "*Lo primero, no imitar a nadie, y, sobre todo, a mí. Gran decir.*"

Darío then adds these words of personal reflection:

"¿Hay en mi sangre alguna gota de sangre de África, o de indio chorotega o nagrandano? Pudiera ser, a despecho de mis manos de marqués; mas he aquí que veréis en mis versos princesas, reyes, cosas imperiales, visiones de países lejanos o imposibles; ¡qué queréis!, yo detesto la vida y el tiempo en que me tocó nacer; y a un presidente de República no podré saludarle en el idioma en que cantaría a ti, ¡oh Halagabal!, de cuya corte—oro, seda, mármol—me acuerdo en sueños . . .

(Si hay poesía en nuestra América, ella está en las viejas cosas: en Palenque y Utatlán, en el indio legendario, y en el inca, sensual y fino, y en el gran Moctezuma de la silla de oro. Lo demás es tuyo, demócrata Walt Whitman.)

Buenos Aires; Cosmópolis.

¡Y mañana! * * *

¿Y la cuestión métrica? ¿Y el ritmo?

Como cada palabra tiene una alma, hay en cada verso, además de la armonía verbal, una melodía ideal. La música es sólo de la idea, muchas veces."

ERA UN AIRE SUAVE

Era un aire suave, de pausados giros;
el hada Harmonía ritmaba sus vuelos;
e iban frases vagas y tenues suspiros
entre los sollozos de los violincelos. * * *

La marquesa Eulalia risas y desvíos   5
daba a un tiempo mismo para dos rivales:
el vizconde rubio de los desafíos
y el abate joven de los madrigales. * * *

¡Ay de quien sus mieles y frases recoja!
¡Ay de quien del canto de su amor se fíe!   10
Con sus ojos lindos y su boca roja,
la divina Eulalia ríe, ríe, ríe.

Tiene azules ojos, es maligna y bella;
cuando mira, vierte viva luz extraña:
se asoma a sus húmedas pupilas de estrella   15
el alma del rubio cristal de Champaña.

Es noche de fiesta, y el baile de trajes
ostenta su gloria de triunfos mundanos.
La divina Eulalia, vestida de encajes,
una flor destroza con sus tersas manos. * * *   20

¿Fué acaso en el Norte o en el Mediodía?
Yo el tiempo y el día y el país ignoro,

pero sé que Eulalia ríe todavía,
¡y es cruel y eterna su risa de oro! [40]

SONATINA

La princesa está triste . . . ¿qué tendrá la princesa?
Los suspiros se escapan de su boca de fresa, *
que ha perdido la risa, que ha perdido el color.
La princesa está pálida en su silla de oro,
está mudo el teclado de su clave sonoro; *   5
y en un vaso olvidada se desmaya una flor.

El jardín puebla el triunfo de los pavos reales.
Parlanchina, la dueña dice cosas banales,
y vestido de rojo piruetea el bufón.
La princesa no ríe, la princesa no siente;   10
la princesa persigue por el cielo de Oriente
la libélula [41] vaga de una vaga ilusión.

¿Piensa acaso en el príncipe de Golconda [42] o de China,
o en el que ha detenido su carroza argentina [43]
para ver de sus ojos la dulzura de luz,   15
o en el rey de las islas de las rosas fragantes,
o en el que es soberano de los claros diamantes,
o en el dueño orgulloso de la perlas de Ormuz? [44]

¡Ay! la pobre princesa de la boca de rosa *
quiere ser golondrina, quiere ser mariposa,   20
tener alas ligeras, bajo el cielo volar;
ir al sol por la escala luminosa de un rayo, *
saludar a los lirios con los versos de Mayo,
o perderse en el viento sobre el trueno del mar.

Ya no quiere el palacio, ni la rueca de plata,   25
ni el halcón encantado, ni el bufón escarlata,
ni los cisnes unánimes en el lago de azur.
Y están tristes las flores por la flor de la corte;
los jazmines de Oriente, los nelumbos [45] del Norte,
de Occidente las dalias y las rosas del Sur.   30

40. This poem is written in twelve syllable verse, the form used by Juan de Mena in
his ponderous couplets in the fifteenth century, and later used again by the Spanish
Romanticists. Darío gives it a new fluidity.
Eulalia is the eternal woman, a combination
of Eve and Lillith, who as Darío says *"ríe,
ríe, ríe, desde el instante en que tendió a
Adán la manzana paradisíaca."*

41. libélula: *dragon-fly*
42. Golconda: city of India famous for its
lavishness
43. carroza argentina: *silvery carriage*
44. Ormuz: Persian city noted for its
wealth
45. nelumbo: a species of lotus with a yellow flower

¡Pobrecita princesa de los ojos azules!
Está presa en sus oros, está presa en sus tules,
en la jaula de mármol del palacio real;
el palacio soberbio que vigilan los guardas,
que custodian cien negros con sus cien alabardas,
un lebrel que no duerme y un dragón colosal.

35

¡Oh, quién fuera hipsipila que dejó la crisálida!
(La princesa está triste. La princesa está pálida.) [46]
¡Oh visión adorada de oro, rosa y marfil!
¡Quién volara a la tierra donde un príncipe existe
(La princesa está pálida. La princesa está triste.)
más brillante que el alba, más hermoso que Abril!

40

¡Calla, calla, princesa—dice el hada madrina—
en caballo con alas hacia acá se encamina,
en el cinto la espada y en la mano el azor,
el feliz caballero que te adora sin verte,
y que llega de lejos, vencedor de la Muerte,
a encenderte los labios con su beso de amor!

45

EL CISNE [47]

Fué en una hora divina para el género humano.
El Cisne antes cantaba sólo para morir.
Cuando se oyó el acento del Cisne wagneriano
fué en medio de una aurora, fué para revivir.

Sobre las tempestades del humano oceano
se oye el canto del Cisne; no se cesa de oír,
dominando el martillo del viejo Thor germano
o las trompas que cantan la espada de Argantir.

5

¡Oh Cisne! ¡Oh sacro pájaro! Si antes la blanca Helena
del huevo azul de Leda brotó de gracia llena,
siendo de la Hermosura la princesa inmortal,

10

bajo tus blancas alas la nueva Poesía
concibe en una gloria de luz y de armonía
la Helena eterna y pura que encarna el ideal.

46. *Oh, would that the cocoon might break its enclosure!*
   (*The princess grows sad in her pallid composure.*)

47. The swan, because of its beauty, grace, and apparent indifference to external reality, was chosen as the symbol for modernist poetry. Helen of Troy was said to have been born of the union of Zeus and Leda. Zeus appeared before Leda in the form of a swan. Because of her God-part inherited from Zeus, Helen was immortal and came to represent the eternal verity or beauty of art.

CANTOS DE VIDA Y ESPERANZA

Cantos de vida y esperanza, Madrid, 1905, was Darío's third great book. In his preface to this work he reiterates his respect for the aristocracy of thought and the nobility of art, and decries "*la mulatez intelectual.*" He remarks that "*El movimiento de libertad que me tocó iniciar en América se propagó hasta España, y tanto aquí como allá el triunfo está logrado.*" He defends his use of the hexameter by pointing out that Horace, Carducci, and Longfellow (in *Evangeline*) had all used it to great advantage. And as for free verse, Darío comments that in Spain since the days of Quevedo and Góngora the only liberators of rime had been "*los poetas del 'Madrid cómico' y los libretistas del género chico.*" Other Spanish poetry was in general stiff-jointed and mummified.

Many of the poems in *Cantos de vida y esperanza* make mention of Darío's own poetic history, and the *Yo soy aquel* . . . traces his poetic development from the beginning. In *Los cisnes* he begins by pointing out that the swan's neck forms an eternal question, not mere grace and indifference, which he then phrases in these words:

> Yo interrogo a la Esfinge que el porvenir espera
> con la interrogación de tu cuello divino.

> ¿Seremos entregados a los bárbaros fieros?
> ¿Tantos millones de hombres hablaremos inglés?
> ¿Ya no hay nobles hidalgos ni bravos caballeros?
> ¿Callaremos ahora para llorar después?

The Spanish American War followed by North American intervention in Panama and practical appropriation of the Canal Zone caused Darío to feel a shudder of prophetic uneasiness. In the final paragraph of his preface to *Cantos de vida y esperanza* he reiterates the same thought, and makes a clear reference to President Theodore Roosevelt who had loudly boasted: "I took Panama." Darío writes:

"*Si en estos cantos hay política, es porque parece universal. Y si encontráis versos a un presidente, es porque son un clamor continental. Mañana podremos ser yanquis (y es lo más probable); de todas maneras, mi protesta queda escrita sobre las alas de los inmaculados cisnes, tan ilustres como Júpiter.*"

YO SOY AQUEL ... [48]

Yo soy aquel que ayer no más decía
el verso azul y la canción profana,
en cuya noche un ruiseñor había
que era alondra de luz por la mañana.

El dueño fuí de mi jardín de sueño,   5
lleno de rosas y de cisnes vagos;
el dueño de las tórtolas, el dueño
de góndolas y liras en los lagos;

y muy siglo diez y ocho y muy antiguo
y muy moderno; audaz, cosmopolita;   10
con Hugo fuerte y con Verlaine ambiguo,
y una sed de ilusiones infinita.

Yo supe de dolor desde mi infancia,
mi juventud ... ¿fué juventud la mía?
Sus rosas aun me dejan su fragancia   15
—una fragancia de melancolía ...

Potro sin freno se lanzó mi instinto,
mi juventud montó potro sin freno;
iba embriagada y con puñal al cinto;
si no cayó, fué porque Dios es bueno.   20

En mi jardín se vió una estatua bella;
se juzgó mármol y era carne viva;
un alma joven habitaba en ella,
sentimental, sensible, sensitiva. * * *

Como la Galatea [49] gongorina   25
me encantó la marquesa verleniana,
y así juntaba a la pasión divina
una sensual hiperestesia humana;

48. In his *Historia de mis libros* Darío says: "Si *Azul* simboliza el comienzo de mi primavera, y *Prosas profanas* mi primavera plena, *Cantos de vida y esperanza* encierra las esencias
y savias de mi otoño."
49. Galatea was the statue of a woman made by Pygmalion, a king of Cyprus. He fell in
love with it and at his prayer Aphrodite gave it life. In his *Fábula de Polifemo y Galatea*,
Góngora had given his conception of Galatea in these terms:

Oh bella Galatea, más suave
que los claveles que troncó la aurora,
blanca más que las plumas de aquel ave
que dulce muere y en las aguas mora.

todo ansia, todo ardor, sensación pura
y vigor natural; y sin falsía,   30
y sin comedia y sin literatura . . . :
si hay un alma sincera, ésa es la mía.

La torre de marfil tentó mi anhelo;
quise encerrarme dentro de mí mismo,
y tuve hambre de espacio y sed de cielo   35
desde las sombras de mi propio abismo.

Como la esponja que la sal satura
en el jugo del mar, fué el dulce y tierno
corazón mío, henchido de amargura
por el mundo, la carne y el infierno.   40

Mas, por gracia de Dios, en mi conciencia
el Bien supo elegir la mejor parte;
y si hubo áspera hiel en mi existencia,
melificó toda acritud el Arte.

Mi intelecto libré de pensar bajo,   45
bañó el agua castalia el alma mía,
peregrinó mi corazón y trajo
de la sagrada selva la armonía. * * *

Vida, luz y verdad, tal triple llama
produce la interior llama infinita;   50
el Arte puro como Cristo exclama:
    ¡Ego sum lux et veritas et vita! [50]

Y la vida es misterio, la luz ciega
y la verdad inaccessible asombra;
la adusta perfección jamás se entrega,   55
y el secreto ideal duerme en la sombra.

Por eso ser sincero es ser potente;
de desnuda que está, brilla la estrella;
el agua dice el alma de la fuente
en la voz de cristal que fluye de ella.   60

Tal fué mi intento, hacer del alma pura
mía, una estrella, una fuente sonora,
con el horror de la literatura
y loco de crepúsculo y de aurora.

---

50. Ego . . . vita (Latin): *I am the light and the truth and the life.* Cf. *St. John* XIV, 6.

Del crepúsculo azul que da la pauta   65
que los celestes éxtasis inspira,
bruma y todo menor—¡toda la flauta!
y Aurora, hija del Sol—¡toda la lira!

Pasó una piedra que lanzó una honda;
pasó una flecha que aguzó un violento.   70
La piedra de la honda fué a la onda,
y la flecha del odio fuése al viento.

La virtud está en ser tranquilo y fuerte;
con el fuego interior todo se abrasa;
se triunfa del rencor y de la muerte,   75
¡y hacia Belén . . . la caravana pasa!

CANCIÓN DE OTOÑO EN PRIMAVERA [51]

A Martínez Sierra

Juventud, divino tesoro,
¡ya te vas para no volver!
Cuando quiero llorar, no lloro,
y a veces lloro sin querer . . .

Plural ha sido la celeste   5
historia de mi corazón.
Era una dulce niña, en este
mundo de duelo y aflicción.

Miraba como el alba pura;
sonreía como una flor.   10
Era su cabellera obscura
hecha de noche y de dolor.

Yo era tímido como un niño.
Ella, naturalmente, fué,
para mi amor hecho de armiño,   15
Herodías y Salomé . . .

Juventud, divino tesoro,
¡ya te vas para no volver . . .!
cuando quiero llorar no lloro,
y a veces lloro sin querer . . .   20

La otra fué más sensitiva
y más consoladora y más
halagadora y expresiva,
cual no pensé encontrar jamás.

51. The *Historia de mis libros* tells us what Darío had been reading since the publication of *Prosas profanas* in 1896, and how he had thrown off weighty form for spontaneous and simply expressed feeling:
"Al escribir *Cantos de vida y esperanza* yo había explorado no solamente el campo de poéticas extranjeras, sino también los cancioneros antiguos, la obra ya completa, ya fragmentaria de los primitivos de la poesía española, en los cuales encontré riqueza de expresión y de gracia que en vano se buscarán en harto celebrados autores cercanos. A todo esto agregad un espíritu de modernidad con el cual me compenetraba en mis incursiones poliglóticas y cosmopolitas. En unas palabras liminares y en la introducción en endecasílabos se explica la índole del nuevo libro. La historia de una juventud llena de tristezas y de desilusión, a pesar de las primaverales sonrisas; la lucha por la existencia, desde el comienzo, sin apoyo familiar, ni ayuda de mano amiga; la sagrada y terrible fiebre de la lira; el culto del entusiasmo y de la sinceridad, contra las añagazas y traiciones del mundo, del demonio y de la carne; el poder dominante e invencible de los sentidos, en una idiosincrasia calentada a sol de trópico en sangre mezclada de español y chorotega o nagrandano; la simiente del catolicismo contrapuesta a un tempestuoso instinto pagano; complicado con la necesidad psicofisiológica de estimulantes modificadores del pensamiento, peligrosos combustibles, suprimidores de perspectivas afligentes, pero que ponen en riesgo la máquina cerebral y la vibrante túnica de los nervios."

Pues a su continua ternura
una pasión violenta unía.
En un peplo de gasa pura
una bacante se envolvía...

En sus brazos tomó mi ensueño
y lo arrulló como a un bebé...
Y le mató, triste y pequeño,
falto de luz, falto de fe...

Juventud, divino tesoro,
¡te fuiste para no volver!
Cuando quiero llorar, no lloro,
y a veces lloro sin querer...

Otra juzgó que era mi boca
el estuche de su pasión;
y que me roería, loca,
con sus dientes el corazón

poniendo en un amor de exceso
la mira de su voluntad,
mientras eran abrazo y beso
síntesis de la eternidad;

y de nuestra carne ligera
imaginar siempre un Edén,

sin pensar que la Primavera
y la carne acaban también...

Juventud, divino tesoro,
¡ya te vas para no volver!
Cuando quiero llorar, no lloro,
y a veces lloro sin querer.

Y las demás; en tantos climas,
en tantas tierras siempre son,
si no pretextos de mis rimas,
fantasmas de mi corazón!

En vano busqué a la princesa
que estaba triste de esperar.
La vida es dura. Amarga y pesa.
¡Ya no hay princesa que cantar!

Mas a pesar del tiempo terco,
mi sed de amor no tiene fin;
con el cabello gris, me acerco
a los rosales del jardín...

Juventud, divino tesoro,
¡ya te vas para no volver!...
Cuando quiero llorar, no lloro,
y a veces lloro sin querer...

¡Mas es mía el Alba de oro!

UN SONETO A CERVANTES

Horas de pesadumbre y de tristeza
paso en mi soledad. Pero Cervantes
es buen amigo. Endulza mis instantes
ásperos, y reposa mi cabeza.

Él es la vida y la naturaleza,
regala un yelmo de oros y diamantes
a mis sueños errantes.
Es para mí: suspira, ríe y reza.

Cristiano y amoroso y caballero
parla como un arroyo cristalino.
¡Así le admiro y quiero,

viendo cómo el destino
hace que regocije al mundo entero
la tristeza inmortal de ser divino!

LETANÍA DE NUESTRO SEÑOR DON QUIJOTE

Rey de los hidalgos, señor de los tristes,
que de fuerza alientas y de ensueños vistes,
coronado de áureo yelmo [52] de ilusión;
que nadie ha podido vencer todavía,
por la adarga al brazo, toda fantasía,   5
y la lanza en ristre, toda corazón.

Noble peregrino de los peregrinos,
que santificaste todos los caminos
con el paso augusto de tu heroicidad,
contra las certezas, contra las conciencias   10
y contra las leyes y contra las ciencias,
contra la mentira, contra la verdad ...

Caballero errante de los caballeros,
barón de varones, príncipe de fieros,
par entre los pares, maestro, ¡salud!   15
¡Salud, porque juzgo que hoy muy poca tienes,
entre los aplausos o entre los desdenes,
y entre las coronas y los parabienes
y las tonterías de la multitud! * * *

¡Ruega por nosotros, hambrientos de vida,   20
con el alma a tientas, con la fe perdida,
llenos de congojas y faltos de sol,
por advenedizas almas de manga ancha
que ridiculizan el ser de la Mancha,
el ser generoso y el ser español!   25

¡Ruega por nosotros, que necesitamos
las mágicas rosas, los sublimes ramos
del laurel! *Pro nobis ora*,[53] gran señor.

52. áureo yelmo: the golden helmet of Mambrino which was supposed to have rendered its wearer invisible. Don Quixote called a barber's basin Mambrino's helmet, and fought to obtain it. His complete faith in the helmet and in many other things in which he places a belief that physically does not belong to them gives Don Quixote the strength of idealism which has made him immortal to later generations.

53. Pro nobis ora (Latin): *pray for us,* a recurring phrase in the litanies of the church. Darío and Unamuno both make a religion of quixotism. The willingness to face ridicule in order to stand up for one's beliefs is quixotism's road to immortality.

(Tiembla la floresta del laurel del mundo,
y antes que tu hermano vago, Segismundo,[54]   30
el pálido Hamlet te ofrece una flor.)

¡Ruega generoso, piadoso, orgulloso;
ruega casto, puro, celeste, animoso;
por nos intercede, suplica por nos,
pues casi ya estamos sin savia, sin brote,   35
sin alma, sin vida, sin luz, sin Quijote,
sin pies y sin alas, sin Sancho y sin Dios.

De tantas tristezas, de dolores tantos,
de los superhombres de Nietzsche, de cantos
áfonos, recetas que firma un doctor,   40
de las epidemias de horribles blasfemias
de las Academias,
¡líbranos, señor!

De rudos malsines,
falsos paladines,   45
y espíritus finos y blandos y ruines,
del hampa que sacia
su canallocracia [55]
con burlar la gloria, la vida, el honor,
del puñal con gracia,   50
¡líbranos, señor!

Noble peregrino de los peregrinos,
que santificaste todos los caminos
con el paso augusto de tu heroicidad,
contra las certezas, contra las conciencias   55
y contra las leyes y contra las ciencias,
contra la mentira, contra la verdad . . .

¡Ora por nosotros, señor de los tristes,
que de fuerza alientas y de ensueños vistes,
coronado de áureo yelmo de ilusión;   60
que nadie ha podido vencer todavía,
por la adarga al brazo, toda fantasía,
y la lanza en ristre, toda corazón!

AY, TRISTE DEL QUE UN DÍA . . .

Ay, triste del que un día en su esfinge interior
pone los ojos e interroga. Está perdido.

54. Segismundo: the protagonist of Calderón's *La vida es sueño*

55. canallocracia: rule of the *canaille*, the
vulgar and worthless

Ay del que pide eurekas al placer o al dolor.
Dos dioses hay, y son: Ignorancia y Olvido.

Lo que el árbol desea decir y dice al viento,   5
y lo que el animal manifiesta en su instinto,
cristalizamos en palabra y pensamiento.
Nada más que maneras expresan lo distinto.

DE OTOÑO

Yo sé que hay quienes dicen: ¿Por qué no canta ahora
con aquella locura armoniosa de antaño?
Ésos no ven la obra profunda de la hora,
la labor del minuto y el prodigio del año.

Yo pobre árbol, produje, al amor de la brisa,   5
cuando empecé a crecer, un vago y dulce són.
Pasó ya el tiempo de la juvenil sonrisa:
¡dejad al huracán mover mi corazón!

LO FATAL [56]

Dichoso el árbol que es apenas sensitivo,
y más la piedra dura, porque ésa ya no siente,
pues no hay dolor más grande que el dolor de ser vivo,
ni mayor pesadumbre que la vida consciente.

Ser, y no saber nada, y ser sin rumbo cierto,   6
y el temor de haber sido y un futuro terror...
y el espanto seguro de estar mañana muerto,
y sufrir por la vida y por la sombra y por

lo que no conocemos y apenas sospechamos,
y la carne que tienta con sus frescos racimos,   10
y la tumba que aguarda con sus fúnebres ramos,
y no saber adónde vamos,
¡ni de dónde venimos...!

56. Recalling the mood under which *Lo fatal* (and other poems of a similar nature) were written, Darío says in his *Historia de mis libros:* "En *Lo fatal*, contra mi arraigada religiosidad y a pesar mío, se levanta como una sombra temerosa un fantasma de desolación y de duda. Ciertamente en mí existe desde los comienzos de mi vida, la profunda preocupación del fin de la existencia, el terror a lo ignorado, el pavor de la tumba o más bien, del instante en que cesa el corazón su ininterrumpida tarea y la vida desaparece de nuestro cuerpo. En mi desolación me he lanzado a Dios como a un refugio, me he asido de la plegaria como de un paracaídas."

NOCTURNO (I)

Quiero expresar mi angustia en versos que abolida
dirán mi juventud de rosas y de ensueños,
y la desfloración amarga de mi vida
por un vasto dolor y cuidados pequeños.

Y el viaje a un vago Oriente por entrevistos barcos,　　5
y el grano de oraciones que floreció en blasfemia,
y los azoramientos del cisne entre los charcos,
y el falso azul nocturno de inquerida bohemia.

Lejano clavicordio que en silencio y olvido
no diste nunca al sueño la sublime sonata;　　10
huérfano esquife, árbol insigne, obscuro nido
que suavizó la noche de dulzura de plata . . .

Esperanza olorosa a hierbas frescas, trino
del ruiseñor primaveral y matinal,
azucena tronchada por un fatal destino,　　15
rebusca de la dicha, persecución del mal . . .

El ánfora funesta del divino veneno
que ha de hacer por la vida la tortura interior,
la conciencia espantable de nuestro humano cieno
y el horror de sentirse pasajero, el horror　　20

de ir a tientas, en intermitentes espantos,
hacia lo inevitable desconocido, y la
pesadilla brutal de este dormir de llantos
¡de la cual no hay más que Ella que nos despertará!

NOCTURNO (II)

Los que auscultasteis [57] el corazón de la noche;
los que por el insomnio tenaz habéis oído
el cerrar de una puerta, el resonar de un coche
lejano, un eco vago, un ligero ruido . . .

en los instantes del silencio misterioso,　　5
cuando surgen de su prisión los olvidados,
en la hora de los muertos, en la hora del reposo,
¡sabréis leer estos versos de amargor impregnados! . . .

Como en un vaso vierto en ellos mis dolores
de lejanos recuerdos y desgracias funestas,　　10

57. Los que auscultasteis: *You who listened to*

y las tristes nostalgias de mi alma, ebria de flores
y el duelo de mi corazón, triste de fiestas.

Y el pesar de no ser lo que yo hubíera sido,
la pérdida del reino que estaba para mí,
el pensar que un instante pude no haber nacido,
y el sueño que es mi vida desde que yo nací.

Todo esto viene en medio del silencio profundo
en que la noche envuelve la terrena ilusión
y siento como un eco del corazón del mundo
que penetra y conmueve mi propio corazón.

MARCHA TRIUNFAL

¡Ya viene el cortejo! [58]
¡Ya viene el cortejo! Ya se oyen los claros clarines.
La espada se anuncia con vivo reflejo;
ya viene, oro y hierro, el cortejo de los paladines.

Ya pasa debajo los arcos ornados de blancas Minervas y Martes,
los arcos triunfales en donde las Famas erigen sus largas trompetas,
la gloria solemne de los estandartes,
llevados por manos robustas de heroicos atletas.
Se escucha el ruido que forman las armas de los caballeros,
los frenos que mascan los fuertes caballos de guerra,
los cascos que hieren la tierra
y los timbaleros [59]
que el paso acompasan con ritmos marciales.
¡Tal pasan los fieros guerreros
debajo los arcos triunfales!

Los claros clarines de pronto levantan sus sones,
su canto sonoro,
su cálido coro,
que envuelve en un trueno de oro
la augusta soberbia de los pabellones.
Él dice la lucha, la herida venganza,
las ásperas crines,
los rudos penachos, la pica, la lanza,
la sangre que riega de heroicos carmines
la tierra;

58. cortejo: a parade in honor of triumphant heroes

59. timbalero: **kettle-drummer**

los negros mastines
que azuza la muerte, que rige la guerra.

   Los áureos sonidos
anuncian el advenimiento
triunfal de la Gloria;   30
dejando el picacho [60] que guarda sus nidos,
tendiendo sus alas enormes al viento,
los cóndores llegan. ¡Llegó la victoria!

   Ya pasa el cortejo.
Señala el abuelo los héroes al niño: 35
Ved cómo la barba del viejo
los bucles de oro circunda de armiño.
Las bellas mujeres aprestan coronas de flores,
y bajo los pórticos vense sus rostros de rosa,
y la más hermosa   40
sonríe al más fiero de los vencedores.
¡Honor al que trae cautiva la extraña bandera;
honor al herido y honor a los fieles
soldados que muerte encontraron por mano extranjera!
¡Clarines! ¡Laureles!   45

   Las nobles espadas de tiempos gloriosos,
desde sus panoplias saludan las nuevas coronas y lauros:—
Las viejas espadas de los granaderos, más fuertes que osos,
hermanos de aquellos lanceros que fueron centauros:—
Las trompas guerreras resuenan;   50
de voces los aires se llenan . . .
—A aquellas antiguas espadas,
a aquellos ilustres aceros,
que encarnan las glorias pasadas . . .

   Y al sol que hoy alumbra las nuevas victorias ganadas,   55
y al héroe que guía su grupo de jóvenes fieros,
al que ama la insignia del suelo materno,
al que ha desafiado, ceñido el acero y el arma en la mano,
los soles del rojo verano,
las nieves y vientos del gélido invierno,   60
la noche, la escarcha

---

60. picacho: *mountain top, crag*

y el odio y la muerte, por ser por la patria inmortal,
saludan con voces de bronce las trompas de guerra que tocan la
  marcha triunfal ...

A ROOSEVELT [61]

¡Es con voz de la Biblia, o verso de Walt Whitman,
que habría que llegar hasta ti, cazador!
¡Primitivo y moderno, sencillo y complicado,
con un algo de Wáshington y cuatro de Nemrod! [62]
Eres los Estados Unidos,
eres el futuro invasor
de la América ingenua que tiene sangre indígena,
que aun reza a Jesucristo y aun habla en español.

Eres soberbio y fuerte ejemplar de tu raza;
eres culto, eres hábil; te opones a Tolstoy. [63]   10
Y domando caballos, o asesinando tigres,
eres un Alejandro-Nabucodonosor.
(Eres un profesor de Energía,
como dicen los locos de hoy.)

Crees que la vida es incendio,   15
que el progreso es erupción;
que en donde pones la bala
el porvenir pones.
            No.

Los Estados Unidos son potentes y grandes.   20
Cuando ellos se estremecen hay un hondo temblor
que pasa por las vértebras enormes de los Andes.
Si clamáis, se oye como el rugir del león.

---

61. Darío was no compromiser with United States imperialism in Latin America, but he did admire Theodore Roosevelt's tremendous strength and energy. In *Todo al vuelo* (Madrid, 1912) he writes:

"Está en París, de vuelta de África, el yanqui extraordinario ... ¡maravilloso ejemplar de humanidad libre y bravía! Pueden los escritores de humor y de malas intenciones presentarle como el hombre-estuche, genuína encarnación del espíritu y de las tendencias de su colosal país. ... Es el hombre 'representativo' del gran pueblo ado-lescente, que parece hubiera comido el food-of-gods wellsiano y cuyo gigantismo y cuyas travesuras causan la natural inquietud en el vecindario."

62. con ... Nemrod: *with something of Washington in you and considerably more of Nimrod.* Nimrod was a legendary hunter and also the earth's first great imperialist. cf. *Genesis*, X, 8–10.

63. Alexei Tolstoy (1828–1910), the great Russian novelist, preached and lived a life of abnegation and non-resistance.

Ya Hugo a Grant lo dijo: "Las estrellas son vuestras."
(Apenas brilla, alzándose, el argentino sol   25
y la estrella chilena se levanta . . .) Sois ricos.
Juntáis al culto de Hércules el culto de Mammón;
y alumbrando el camino de la fácil conquista,
la Libertad levanta su antorcha en Nueva York.

Mas la América nuestra que tenía poetas   30
desde los tiempos viejos de Netzahualcoyotl,[64]
que ha guardado las huellas de los pies del gran Baco; [65]
que el alfabeto pánico en un tiempo aprendió;
que consultó los astros, que conoció la Atlántida,[66]
cuyo nombre nos llega resonando en Platón;   35
que desde los remotos momentos de su vida
vive de luz, de fuego, de perfume, de amor;
la América del grande Moctezuma, del Inca,
la América fragante de Cristóbal Colón,
la América católica, la América española,   40
la América en que dijo el noble Guatemoc: [67]
"Yo no estoy en un lecho de rosas"; esa América
que tiembla de huracanes y que vive de amor;
hombres de ojos sajones y alma bárbara, vive.
Y sueña. Y ama, y vibra; y es la hija del Sol.   45
Tened cuidado. ¡Vive la América española!
Hay mil cachorros sueltos del León español.
Se necesitaría, Roosevelt, ser, por Dios mismo,
el Riflero terrible y el fuerte Cazador
para poder tenernos en vuestras férreas garras.   50

Y, pues contáis con todo, falta una cosa: ¡Dios!

64. Aztec ruler and first Mexican poet known by name (1403–1470)

65. del gran Baco: Bacchus, god of wine, was reputed to have learned the alphabet of Pan (*alfabeto pánico*) from the Muses.

66. Atlántida: Atlantis, in Greek legend, a large island in the western sea, the seat of a powerful race. Plato (427?–347? B.C.), in his dialogues, the *Timaeus* and the *Critias*, describes Atlantis as an ideal state. Some students of American history have claimed that it was the great Mayan civilization which gave rise to the legend of Atlantis.

67. Guatemoc: also called Guatemozín, Cuauhtemoc, and Cuacthemoc, nephew of Moctezuma and last emperor of the Aztecs (died 1525). The Spaniards tortured him in an effort to find out where his treasure was hidden. When they applied fire to his feet he is said to have remarked, in one of history's famous understatements, that he was not lying on a bed of roses.

EL CANTO ERRANTE

El canto errante, Madrid, 1907, shows no diminution of poetic fire in Rubén Darío. The poet now identifies himself with universal feelings and expression; he has intensified and culled his own personal reactions and shorn off all weary sound and tinsel. He is completely mature.

It is fitting that this work, which contains his *Salutación al águila*, a song of praise to the North American eagle and the United States, should begin with these words:

"El mayor elogio hecho recientemente a la Poesía y a los poetas ha sido expresado en lengua 'anglosajona' por un hombre insospechable de extraordinarias complacencias con las nueve musas. Un yanqui. Se trata de Teodoro Roosevelt.

"Ese Presidente de República juzga a los armoniosos portaliras con mucha mejor voluntad que el filósofo Platón. No solamente les corona de rosas; mas sostiene su utilidad para el Estado y pide para ellos la pública estimación y el reconocimiento nacional. Por esto comprenderéis que el terrible cazador es un varón sensato."

Darío ends his introduction to *El canto errante* with these unadorned words: *"Construir, hacer, ¡oh juventud! Juntos para el templo; solos para el culto. Juntos para edificar; solos para orar. Y la constancia no será la menor virtud, que en ella va la invencible voluntad de crear. Mas si alguien dijera: 'Son cosas de ideólogos,' o 'son cosas de poetas,' decir que no somos otra cosa. Es expresar: además del cerdo y del cisne, que nos han adjudicado ciertos filósofos, tenemos el ángel.*

"Tener ángel,[68] *¡Dios mío! Pido exégetas* [69] *andaluces.*

"Resumo: La poesía existirá mientras exista el problema de la vida y de la muerte. El don de arte es un don superior que permite entrar en lo desconocido de antes y en lo ignorado de después, en el ambiente del ensueño o de la meditación. Hay una música ideal, como hay una música verbal. No hay escuelas, hay poetas. El verdadero artista comprende todas las maneras y halla la belleza bajo todas las formas. Toda la gloria y toda la eternidad están en nuestra conciencia."

---

68. tener ángel: an Andalusian expression meaning *"to have a deep soul, fine feelings"* 69. exégeta: *interpreter,* (particularly one gifted in interpreting Scriptural phrases)

SALUTACIÓN AL ÁGUILA [70]

May this grand Union have no end!
—Fontoura Xavier

Bien vengas, mágica Águila de alas enormes y fuerte,
a extender sobre el Sur tu gran sombra continental,
a traer en tus garras, anilladas de rojos brillantes,
una palma de gloria del color de la inmensa esperanza,
y en tu pico la oliva de una vasta y fecunda paz.   5

Bien vengas, oh mágica Águila, que amara tanto Walt Whitman,
quien te hubiera cantado en esta olímpica jira,
Águila que has llevado tu noble magnífico símbolo
desde el trono de Júpiter hasta el gran continente del Norte.

Ciertamente, has estado en las rudas conquistas del orbe.   10
Ciertamente, has tenido que llevar los antiguos rayos.
Si tus alas abiertas la visión de la paz perpetúan,
en tu pico y tus uñas está la necesaria guerra.

¡Precisión de la fuerza! ¡Majestad adquirida del trueno!
Necesidad de abrirle el gran vientre fecundo a la tierra,   15
para que en ella brote la concreción de oro de la espiga,
y tenga el hombre el pan con que mueve su sangre.

No es humana la paz con que sueñan ilusos profetas;
la actividad eterna hace precisa la lucha;
y desde tu etérea altura tú contemplas, divina Águila,   20
la agitación combativa de nuestro globo vibrante.

Es incidencia la Historia. Nuestro destino supremo
está más allá del rumbo que marcan fugaces las épocas.
Y Palenque y la Atlántida no son más que momentos soberbios
con que puntúa Dios los versos de su augusto Poema. * * *   25

E pluribus unum! ¡Gloria, victoria, trabajo!
Tráenos los secretos de las labores del Norte,
y que los hijos nuestros dejen de ser los retores [71] latinos,
y aprendan de los yanquis la constancia, el vigor, el carácter.

Dinos, Águila ilustre, la manera de hacer multitudes   30
que hagan Romas y Grecias con el jugo del mundo presente,

70. Darío was appointed Secretary of Nicaragua's delegation to the third Pan-American conference held in Rio de Janeiro in 1906 where this poem was written.
71. retores: *rhetoricians, orators*

y que, potentes y sobrias, extiendan su luz y su imperio,
y que, teniendo el Águila y el Bisonte y el Hierro y el Oro,
tengan un áureo día para darle las gracias a Dios.

Águila, existe el Cóndor. Es tu hermano en las grandes alturas.   35
Los Andes le conocen y saben que, cual tú, mira al Sol.
May this grand Union have no end!, dice el poeta.
Puedan ambos juntarse en plenitud, concordia y esfuerzo. * * *

¡Salud, Águila! Extensa virtud a tus inmensos revuelos,
reina de los azures, ¡salud, gloria, victoria y encanto!   40
¡Que la Latina América reciba tu mágica influencia
y que renazca un nuevo Olimpo, lleno de dioses y de héroes!

¡Adelante, siempre adelante! ¡Excelsior! ¡Vida! ¡Lumbre!
¡Que se cumpla lo prometido en los destinos terrenos,
y que vuestra obra inmensa las aprobaciones recoja   45
del mirar de los astros y de lo que Hay más Allá!

NOCTURNO (III)

Silencio de la noche, doloroso silencio
nocturno . . . ¿Por qué el alma tiembla de tal manera?
Oigo el zumbido de mi sangre;
dentro mi cráneo pasa una suave tormenta.
¡Insomnio! No poder dormir, y, sin embargo,   5
soñar. Ser la auto-pieza
de disección espiritual, ¡el auto-Hamlet!
Diluir mi tristeza
en un vino de noche
en el maravilloso cristal de las tinieblas . . .   10
Y me digo: ¿A qué hora vendrá el alba?
Se ha cerrado una puerta . . .
Ha pasado un transeunte . . .
Ha dado el reloj trece horas . . . ¡Si será Ella! [72] . . .

SUM . . .

Yo soy en Dios lo que soy
y mi ser es voluntad
que perseverando hoy,
existe en la eternidad.

Cuatro horizontes de abismo   5
tiene mi razonamiento,
y el abismo que más siento
es el que siento en mí mismo. * * *

72. The *Ella* is death herself.

Aun lo humilde me subyuga
si lo dora mi deseo.   10
La concha de la tortuga
me dice el dolor de Orfeo.[73]

Rosas buenas, lirios pulcros,
loco de tanto ignorar,

voy a ponerme a gritar   15
al borde de los sepulcros:

¡Señor que la fe se muere!
Señor mira mi dolor.
¡*Miserere*! ¡*Miserere*! . . .[74]
Dame la mano, Señor.   20

VERSOS DE OTOÑO

Cuando mi pensamiento va hacia ti, se perfuma;
tu mirar es tan dulce, que se torna profundo.
Bajo tus pies desnudos aun hay blancor de espuma,
y en tus labios compendias la alegría del mundo.

El amor pasajero tiene el encanto breve,   5
y ofrece un igual término para el gozo y la pena.
Hace una hora que un nombre grabé sobre la nieve;
hace un minuto dije mi amor sobre la arena.

Las hojas amarillas caen en la alameda,
en donde vagan tantas parejas amorosas.   10
Y en la copa de Otoño un vago vino queda
en que han de deshojarse, Primavera, tus rosas.

¡EHEU! [75]

Aquí, junto al mar latino,
digo la verdad:
Siento en roca, aceite y vino,
yo mi antigüedad.

¡Oh qué anciano soy, Dios santo!   5
¡Oh qué anciano soy! . . .
¿De dónde viene mi canto?
Y yo, ¿adónde voy?

El conocerme a mí mismo
ya me va costando   10
muchos momentos de abismo
y el cómo y el cuándo . . .

Y esta claridad latina,
¿de qué me sirvió
a la entrada de la mina   15
del yo y el no yo? . . .

73. Orfeo: *Orpheus,* a Thracian poet and musician, son of Apollo and Calliope, who, with his lyre, could charm beasts and move the trees and rocks. When his wife Eurydice died, he descended to Hades and so pleased Pluto with his music that the god allowed him to lead her back to earth on condition that he should not look behind, but Orpheus did look back and Eurydice vanished among the shades.

74. Miserere (Latin): *have mercy* (upon us), a recurrent phrase in the Litany

75. Eheu: The first word of Horace's famous ode (Book II, no. xiv): Eheu, fugaces . . . labuntur anni (Latin): *Alas the fleeting years glide by*

Nefelibata [76] contento
creo interpretar
las confidencias del viento,
la tierra y el mar . . .   20

Unas vagas confidencias
del ser y el no ser,

y fragmentos de conciencias
de ahora y de ayer.

Como en medio de un desierto   25
me puse a clamar;
y miré el sol como muerto
y me eché a llorar.

REVELACIÓN

En el acantilado [77] de una roca
que se alza sobre el mar, yo lancé un grito,
que de viento y de sol llenó mi boca;

a la visión azul de lo infinito,
al poniente magnífico y sangriento,   5
al rojo sol todo milagro y mito.

Y sentí que sorbía en sal y viento
como una comunión de comuniones,
que en mí hería sentido y pensamiento.

Vidas de palpitantes corazones,   10
luz que ciencia concreta en sus entrañas,
y prodigios de las constelaciones. * * *

Y con la voz de quien aspira y ama,
clamé: "¿Dónde está el dios que hace del lodo
con el hendido pie brotar el trigo   15

que a la tribu ideal salva en su exodo?"
Y oí dentro de mí: "Yo estoy contigo,
y estoy en ti y por ti; yo soy el Todo."

EL POEMA DEL OTOÑO

Tú que estás la barba en la mano
meditabundo,
¿has dejado pasar, hermano,
la flor del mundo?

Te lamentas de los ayeres   5
con quejas vanas:

¡aun hay promesas de placeres
en los mañanas!

Aun puedes casar la olorosa
rosa y el lis,   10
y hay mirtos para tu orgullosa
cabeza gris. * * *

76. Nefelibata: for Nefebilata, a lover of
the clouds, a person lost among the clouds

77. acantilado: *steep side*

Tú has gozado de la hora amable,
y oyes después
la imprecación del formidable   15
Eclesiastés.[78]

El domingo de amor te hechiza;
mas mira cómo
llega el miércoles de ceniza;
Memento, homo . . .[79]   20

Por eso hacia el florido monte
las damas van,
y se explican Anacreonte [80]
y Omar Kayam.

Huyendo del mal, de improviso   25
se entra en el mal
por la puerta del paraíso
artificial.

Y, no obstante, la vida es bella,
por poseer   30
la perla, la rosa, la estrella
y la mujer.

Lucifer brilla. Canta el ronco
mar. Y se pierde
Silvano [81] oculto tras el tronco   35
del haya verde.

Y sentimos la vida pura,
clara, real,
cuando la envuelve la dulzura
primaveral.   40

¿Para qué las envidias viles
y las injurias,
cuando retuercen sus reptiles
pálidas furias?

¿Para qué los odios funestos   45
de los ingratos?
¿Para qué los lívidos gestos
de los Pilatos?

¡Si lo terreno acaba, en suma,
cielo e infierno,   50
y nuestras vidas son la espuma
de un mar eterno!

Lavemos bien de nuestra veste
la amarga prosa;
soñemos en una celeste   55
mística rosa.

Cojamos la flor del instante;
¡la melodía
de la mágica alondra cante
la miel del día! * * *   60

¡Adolescencia! Amor te dora
con su virtud;
goza del beso de la aurora,
¡oh juventud!

¡Desventurado el que ha cogido   65
tarde la flor!
Y ¡ay de aquel que nunca ha sabido
lo que es amor!

Yo he visto en tierra tropical
la sangre arder,   70
como en un cáliz de cristal,
en la mujer.

Y en todas partes, la que ama
y se consume
como una flor hecha de llama   75
y de perfume.

---

78. la imprecación . . . Eclesiastés: The reference is to the famous verse 2, Chapter I of *Ecclesiastes: Vanity of vanities . . . all is vanity!*
79. Memento, homo (Latin): The complete phrase is "Memento, homo, mori," *Remember, man, that you must die.*
80. Anacreonte: The Greek poet Anac-

reon (565–478 B.C.), like the Persian Omar Khayyam, sang of the joys of love and wine.
81. Silvano: *Silvanus*, rural deity, genius of the woods, fields, flocks, and homes of herdsmen. He is represented as a cheerful old man often holding a shepherd's pipe and carrying a branch.

Abrasaos en esa llama
y respirad
ese perfume que embalsama
la Humanidad.   80

Gozad de la carne, ese bien
que hoy nos hechiza,
y después se tornará en
polvo y ceniza.

Gozad del sol, de la pagana   85
luz de sus fuegos;
gozad del sol, porque mañana
estaréis ciegos.

Gozad de la dulce armonía
que a Apolo invoca;   90
gozad del canto, porque un día
no tendréis boca.

Gozad de la tierra, que un
bien cierto encierra;
gozad, porque no estáis aún   95
bajo la tierra.

Apartad el temor que os hiela
y que os restringe;
la paloma de Venus vuela
sobre la Esfinge.   100

Aún vencen muerte, tiempo y hado
las amorosas;
en las tumbas se han encontrado
mirtos y rosas.* * *

Vive el bíblico Adán robusto,   105
de sangre humana,
y aún siente nuestra lengua el gusto
de la manzana.

Y hace de este globo viviente
fuerza y acción,   110
la universal y omnipotente
fecundación.

El corazón del cielo late
por la victoria
de este vivir, que es un combate   115
y es una gloria.

Pues aunque hay pena y nos agravia
el sino adverso,
en nosotros corre la savia
del universo.   120

Nuestro cráneo guarda el vibrar
de tierra y sol,
como el ruido de la mar
el caracol.

La sal del mar en nuestras venas   125
va a borbotones;
tenemos sangre de sirenas [82]
y de tritones.[83]

En nosotros la vida vierte
fuerza y calor.   130
¡Vamos al reino de la Muerte
por el camino del Amor!

CANTO A LA ARGENTINA

(Fragment)

Darío wrote this, his longest poem, in 1910 in order to commemorate the one hundredth anniversary of Argentine independence. It presents a fine synthesis of the various elements which go to make that great southern melting-pot the outstanding nation that it is today.

82. sirenas: *sirens, women of the sea* with enticing songs who lure mariners to their destruction on the rocks

83. tritones: *tritons,* demigods of the sea

* * * Hombres de España poliforme,
finos andaluces sonoros,
amantes de zambras y toros;
astures que entre peñascos
aprendisteis a amar la augusta   5
Libertad; elásticos vascos
como hechos de antiguas raíces;
raza heroica, raza robusta,
rudos brazos y altas cervices;
hijos de Castilla la noble   10
rica de hazañas ancestrales;

firmes gallegos de roble;
catalanes y levantinos
que heredasteis los inmortales
fuegos de hogares latinos;   15
iberos de la península
que las huellas del paso de Hércules
visteis en el suelo natal:
¡he aquí la fragante campaña
en donde crear otra España   20
en la Argentina universal! * * *

Ricardo Jaimes Freyre

1872-1933

FREYRE of Bolivia, like many other modernists, lived and wrote in a poetic world of his own creation. It was a world of nordic splendor, fantastic as a dream of Valhalla, but warm with the innately subdued coloring which was Freyre's racial heritage from the Latins. His images are lyrical, not grotesque like those of Herrera y Reissig, and they are cast in a classic mould. The following poems are from *Castalia bárbara*, 1899.

SIEMPRE

Peregrina paloma imaginaria

Peregrina paloma imaginaria
que enardeces los últimos amores,
alma de luz, de música y de flores,
peregrina paloma imaginaria,

vuela sobre la roca solitaria
que baña el mar glacial de los dolores;   5
haya, a tu paso, un haz de resplandores
sobre la adusta roca solitaria . . .

Vuela sobre la roca solitaria,
peregrina paloma, ala de nieve   10
como divina hostia, ala tan leve

como un copo de nieve; ala divina,
copo de nieve, lirio, hostia, neblina,
peregrina paloma imaginaria . . .

habla del mismo, de la poesía en sí.

LAS VOCES TRISTES

Por las blancas estepas
se desliza el trineo; [1]

1. se desliza el trineo: *the sleigh glides along*

los lejanos aullidos de los lobos
se unen al jadeante resoplar de los perros.

    Nieva.   5
Parece que el espacio se envolviera en un velo,
tachonado de lirios [2]
por las alas del cierzo.

    El infinito blanco ...
sobre el vasto desierto,   10
flota una vaga sensación de angustia,
de supremo abandono, de profundo y sombrío desaliento.

    Un pino solitario
dibújase a lo lejos,
en un fondo de brumas y de nieve,   15
como un largo esqueleto.

    Entre los dos sudarios [3]
de la tierra y el cielo,
avanza en el Naciente
el helado crepúsculo de invierno ...   20

LO FUGAZ

    La rosa temblorosa
se desprendió del tallo,
y la arrastró la brisa
sobre las aguas turbias del pantano.

    Una onda fugitiva   5
le abrió su seno amargo,
y estrechando a la rosa temblorosa
la deshizo en sus brazos.

    Flotaron sobre el agua
las hojas como miembros mutilados,   10
y confundidas con el lodo negro,
negras, aun más que el lodo, se tornaron.

    Pero en las noches puras y serenas
se sentía vagar en el espacio
un leve olor de rosa   15
sobre las aguas turbias del pantano.

2. tachonado de lirios: *trimmed with lilies*
3. sudarios: *shrouds, cloths* (for the faces of the dead)

Leopoldo Lugones

1874-1938

LUGONES, like his native land of Argentina, was the embodiment of many
different currents of feeling and expression. In his younger days he was
a close friend of Darío and, like Darío, a great admirer of the French poets
and an enthusiastic advocate of freedom of poetic expression. In _Los
crepúsculos del jardín_ (1905) he is the vanguardist of strained but colorful
metaphors; in _Lunario sentimental_ (1909) he mocks the mood in which
the modernists and romantics delighted; in _Odas seculares_ (1910) he presents a triangular view of the Argentine landscape, its cities and its men
in an outpouring of nationalistic pride; in _Romancero_ (1924) he returns
to the fountain of primitive Spanish poetry for inspiration. His assimilation
of many influences and many forms of expression have made Lugones
the finest, most varicolored, most cosmopolitan Argentine poet of the
twentieth century. He writes with a strength and facility which show that
he has mastered the intricacies of rhyme, rhythm and metaphor so completely that he has few peers among the world's poets.

DELECTACIÓN MOROSA [1]

La tarde, con ligera pincelada
que iluminó la paz de nuestro asilo,
apuntó en su matiz crisoberilo [2]
una sutil decoración morada.

Surgió enorme la luna en la enramada;   5
las hojas agravaban su sigilo,
y una araña en la punta de su hilo,
tejía sobre el astro, hipnotizada.

1. delectación morosa: _laggard delight_
2. crisoberilo: _chrysoberyl,_ a pale green or yellowish color

515

Poblóse de murciélagos el combo
cielo, a manera de chinesco biombo;   10
tus rodillas exangües sobre el plinto

manifestaban la delicia inerte,
y a nuestros pies un río de jacinto
corría sin rumor hacia la muerte.

A LOS GAUCHOS

Raza valerosa y dura
que con pujanza silvestre
dió a la patria en garbo [3] ecuestre
su primitiva escultura.
Una terrible ventura   5
va a su sacrificio unida,
como despliega la herida
que al toro desfonda el cuello,
en el raudal del degüello
la bandera de la vida.   10

Es que la fiel voluntad
que al torvo destino alegra,
funde en vino la uva negra
de la dura adversidad.
Y en punto de libertad   15
no hay satisfacción más neta,
que medírsela completa
entre riesgo y corazón,
con tres cuartas de facón
y cuatro pies de cuarteta.   20

En la hora del gran dolor
que a la historia nos paría,
así como el bien del día
trova el pájaro cantor,
la copla del payador   25
anunció el amanecer,
y en el fresco rosicler [4]
que pintaba el primer rayo,
el lindo gaucho de Mayo
partió para no volver.   30

Así salió a rodar tierra
contra el viejo vilipendio,[5]
enarbolando el incendio
como estandarte de guerra.
Mar y cielo, pampa y sierra,   35
su galope al sueño arranca,
y bien sentada en el anca
que por las cuestas se empina,
le sonríe su *Argentina*
linda y fresca, azul y blanca. ° ° °   40

Luego al amor del caudillo
siguió, muriendo admirable,
con el patriótico sable
ya rebajado a cuchillo;
pensando, alegre y sencillo,   45
que en cualesquiera ocasión,
desde que cae al montón [6]
hasta el día en que se acaba,
pinta el culo de la taba [7]
la existencia del varón.   50

Su poesía es la temprana
gloria del verdor campero
donde un relincho ligero
regocija la mañana.
Y la morocha [8] lozana   55
de sediciosa cadera,
en cuya humilde pollera,
primicias de juventud
nos insinuó la inquietud
de la loca primavera.   60

3. garbo: *jauntiness*
4. rosicler: *rose-pink*
5. vilipendio: *contempt, disdain*
6. montón: *revolutionary band*

7. el culo . . . taba: the bottom side of the
taba or sheep's knuckles, which the gauchos
used as dice
8. morocha: *girl* (literally, *ear of corn*)

Su recuerdo, vago lloro
de guitarra sorda y vieja,
a la patria no apareja
preocupación ni desdoro.[9]
De lo bien que guarda el oro, 65

el guijarro es argumento;
y desde que el pavimento
con su nivel sobrepasa,
va sepultando la casa
las piedras de su cimiento. 70

LA BLANCA SOLEDAD

Bajo la calma del sueño,
calma lunar de luminosa seda,
la noche
como si fuera
el blanco cuerpo del silencio, 5
dulcemente en la inmensidad se acuesta.
Y desata
su cabellera,
en prodigioso follaje
de alamedas. 10

Nada vive sino el ojo
del reloj en la torre tétrica,
profundizando inútilmente el infinito
como un agujero abierto en la arena.
El infinito. 15
Rodado por las ruedas
de los relojes,
como un carro que nunca llega.

La luna cava un blanco abismo
de quietud, en cuya cuenca 20
las cosas son cadáveres
y las sombras viven como ideas.
Y uno se pasma de lo próxima
que está la muerte en la blancura aquella.
De lo bello que es el mundo 25
poseído por la antigüedad de la luna llena.
Y el ansia tristísima de ser amado,
en el corazón doloroso tiembla.

Hay una ciudad en el aire,
una ciudad casi invisible suspensa, 30
cuyos vagos perfiles
sobre la clara noche transparentan,
como las rayas de agua en un pliego,

9. desdoro: *blemish*

su cristalización poliédrica.[10]
Una ciudad tan lejana,   35
que angustia con su absurda presencia.

   ¿Es una ciudad o un buque
en el que fuésemos abandonando la tierra,
callados y felices,
y con tal pureza,   40
que sólo nuestras almas
en la blancura plenilunar vivieran? . . .

   Y de pronto cruza un vago
estremecimiento por la luz serena.
Las líneas se desvanecen,   45
la inmensidad cámbiase en blanca piedra,
y sólo permanece en la noche aciaga
la certidumbre de tu ausencia.

ELEGÍA CREPUSCULAR

   Desamparo [11] remoto de la estrella,
hermano del amor sin esperanza,
cuando el herido corazón no alcanza
sino el consuelo de morir por ella.

   Destino a la vez fútil y tremendo   5
de sentir que con gracia dolorosa
en la fragilidad de cada rosa
hay algo nuestro que se está muriendo.

   Ilusión de alcanzar, franca o esquiva,
la compasión que agonizando implora,   10
en una dicha tan desgarradora
que nos debe matar por excesiva.

   Eco de aquella anónima tonada
cuya dulzura sin querer nos hizo
con la propia delicia de su hechizo   15
un mal tan hondo al alma enajenada.

   Tristeza llena de fatal encanto,
en el que ya incapaz de gloria o de arte,
sólo acierto, temblando, a preguntarte
¡qué culpa tengo de quererte tanto! . . .   20

10. poliédrica, *polyhedrical, many-sided*   11. desamparo, *forlornness*

Heroísmo de amar hasta la muerte,
que el corazón rendido te inmolara,
con una noble sencillez tan clara
como el gozo que en lágrimas se vierte.

Y en lenguaje a la vez vulgar y blando,   25
al ponerlo en tus manos te diría:
no sé cómo no entiendes, alma mía,
que de tanto adorar se está matando.

¿Cómo puedes dudar, si en el exceso
de esta pasión, yo mismo me lo hiriera,   30
sólo porque a la herida se viniera
toda mi sangre desbordada en beso?

Pero ya el día, irremediablemente,
se va a morir más lúgubre en su calma:
y más hundida en soledad mi alma,   35
te llora tan cercana y tan ausente.

Trágico paso el aposento mide...
Y allá al final de la alameda oscura,
parece que algo tuyo se despide
en la desolación de mi ternura.   40

Glorioso en mi martirio, sólo espero
la perfección de padecer por ti.
Y es tan hondo el dolor con que te quiero,
que tengo miedo de quererte así.

LA PALMERA *— parece a los versos sencillos de Martí.*

Al llegar la hora esperada
en que de amarla me muera,
que dejen una palmera
sobre mi tumba plantada.

Así, cuando todo calle,   5
en el olvido disuelto,
recordará el tronco esbelto
la elegancia de su talle.

En la copa, que su alteza
doble con melancolía,   10
se abatirá la sombría
dulzura de su cabeza.

Entregará con ternura
la flor, al viento sonoro,
el mismo reguero [12] de oro   15
que dejaba su hermosura. * * *

Como un suspiro al pasar,
palpitando entre las hojas,
murmurará mis congojas
la brisa crepuscular.   20

Y mi recuerdo ha de ser,
en su angustia sin reposo,
el pájaro misterioso
que vuelve al anochecer.

12. reguero: *trickle, spilling*

LIED DE LA BOCA FLORIDA

Al ofrecerte una rosa
el jardinero prolijo,
orgulloso de ella, dijo:
no existe otra más hermosa.

A pesar de su color,   5
su belleza y su fragancia,

respondí con arrogancia:
yo conozco una mejor.

Sonreíste tú a mi fiero
remoque [13] de paladín . . .   10
Y regresó a su jardín
cabizbajo el jardinero.

TONADA

Las tres hermanas de mi alma
novio salen a buscar.
La mayor dice: yo quiero,
quiero un rey para reinar.
Ésa fué la favorita,
favorita del sultán.

La segunda dice: yo
quiero un sabio de verdad,
que en juventud y hermosura

me sepa inmortalizar.   10
Ésa casó con el mago
de la ínsula de cristal.

La pequeña nada dice,   5
sólo acierta a suspirar.
Ella es de las tres hermanas   15
la única que sabe amar.
No busca más que el amor,
y no lo puede encontrar.

13. remoque: *sarcastic word*

Amado Nervo

1870-1919

AMADO NERVO has often been called the greatest mystic poet since the days of that other great Mexican writer Sor Juana Inés de la Cruz. His mysticism, however, was poetic and not monastic. He was by nature a pantheist, a deeply and humbly religious man, but the call of physical love was entirely too strong for him to deny. He glorified and ennobled it, and found that it, too, was a way to God. The possession and the loss of love were to Nervo priceless experiences of his own little will reflecting the eternal.

As a man who had read widely and thought a great deal, Nervo was often beset by doubt, but his longing for God was so strong and of such enduring root that he felt deep within him that God must exist. Death he faced with resignation, and of it he wrote: "*¡Oh muerte, tú eres madre de la filosofía!*" His whole life was a path along love and doubt, gentle doubt, to elevation, serenity, plenitude. He spoke always in a gentle voice, wrote simply, spontaneously, with deep but subdued feeling.

Although he was seldom carried away with the sound and pomp of modernist form, Nervo was completely characteristic of modernism in another way. Throughout the entire period of the bloody Mexican Revolution (1910–1917), he was in Madrid pouring out the feelings of his own soul and only vaguely aware of the trials of his people. He was more concerned with the ultimate problem of Man's destiny than with the immediate problems of social justice.

A KEMPIS [1]

Sicut nubes, quasi naves, velut umbra . . .

Ha muchos años que busco el yermo,
ha muchos años que vivo triste,

1. Thomas à Kempis (1379–1471) was a Dutch-educated German-born monk whose most famous work was *The Imitation of Christ,* a collection of admonitory medita- tions written in simple, vigorous Latin. This book is marked by a gentle piety and un-worldliness which has made it the most popular devotional book for Christians.

521

ha muchos años que estoy enfermo,
¡y es por el libro que tú escribiste!

¡Oh Kempis! antes de leerte, amaba   5
la luz, las vegas, el mar Océano:
¡mas tú dijiste que todo acaba,
que todo muere, que todo es vano!

Antes, llevado de mis antojos,
besé los labios que al beso invitan,   10
las rubias trenzas, los grandes ojos,
¡sin acordarme que se marchitan!

Mas como afirman doctores graves
que tú, maestro, citas y nombras
que el hombre pasa *como las naves,*   15
como las nubes, como las sombras ...

huyo de todo terreno lazo,
ningún cariño mi mente alegra
y con tu libro bajo del brazo
voy recorriendo la noche negra...   20

¡Oh Kempis, Kempis, asceta yermo,
pálido asceta, qué mal me hiciste!
Ha muchos años que estoy enfermo
¡y es por el libro que tú escribiste!

LA HERMANA AGUA [2]

(Fragments)

> Hermana Agua, alabemos al Señor.
> —Espíritu de San Francisco de Asís

EL AGUA QUE CORRE SOBRE LA TIERRA

Yo alabo al cielo porque me brindó en sus amores
para mi fondo gemas, para mi margen flores;
porque cuando la roca me muerde y me maltrata,
hay en mi sangre (espuma) filigranas de plata;
porque cuando al abismo ruedo en un cataclismo,   5

2. Nervo begins this, his longest poem, with a few words in prose to the reader. He says that the sound of a thin trickle of water from a leaking faucet which he heard night after night, gave him the idea for the poem. That trickle of water, he continues, taught him more than any book, for it suggested the manner in which a man might let his life flow on with love and without recrimination through whatever experiences God has in store for him.

adorno de arco iris triunfales el abismo,
y el rocío que salta de mis espumas blancas
riega las florecitas que esmaltan las barrancas ...

Docilidad inmensa tengo para mi dueño:
Él me dice: "Anda," y ando; "Despéñate," y despeño   10
mis aguas en la sima de roca, que da espanto;
y canto cuando corro, y al despeñarme canto,
y cantando mi linfa, tormentas o iris fragua,
fiel al Señor ...

        —Loemos a Dios, hermana Agua.

EL VAPOR

El vapor es el alma del agua, hermano mío,
así como sonrisa del agua es el rocío,
y el lago sus miradas y su pensar la fuente,
sus lágrimas la lluvia, su impaciencia el torrente,
y los ríos sus brazos, su cuerpo la llanada   5
sin coto de los mares y las olas sus senos;
su frente las neveras de los montes serenos
y sus cabellos de oro líquido la cascada.

Yo soy alma del agua, y el alma siempre sube:
las trasfiguraciones de esa alma son la nube,   10
su Tabor es la tarde real que la empurpura:
Como el agua fué buena su Dios la trasfigura ...

¿Por qué si Dios existe no deja ver sus huellas,
por qué taimadamente se esconde a nuestro anhelo,
por qué no se halla escrito su nombre con estrellas   15
en medio del esmalte magnífico del cielo?
—Poeta, es que lo buscas con la ensoberbecida
ciencia que exige pruebas y cifras al abismo ...
Asómate a las fuentes obscuras de tu vida,
y ahí verás su rostro: tu Dios está en ti mismo.   20
Busca el silencio y ora: tu Dios execra el grito;
busca la sombra y oye: tu Dios habla en lo arcano;
depón tu gran penacho de orgullo y de delito ...
—Ya está.
      —¿Qué ves ahora?
              —La faz del Infinito.
—¿Y eres feliz?
        —Loemos a Dios, Vapor hermano.   25

EL AGUA MULTIFORME

"El agua toma siempre la forma de los vasos
que la contienen," dicen las ciencias que mis pasos
atisban y pretenden analizarme en vano:
Yo soy la resignada por excelencia, hermano.
¿No ves que a cada instante mi forma se aniquila?   5

¡Por qué tantos anhelos sin rumbo tu alma fragua!
¿Pretendes ser dichoso? Pues bien, sé como el agua;
sé como el agua llena de oblación y heroísmo,
sangre en el cáliz, gracia de Dios en el bautismo;
sé como el agua, dócil a la ley infinita,   10
que reza en las iglesias en donde está bendita,
y en el estanque arrulla meciendo la piragua.

Así me dijo el Agua con místico reproche,
y yo, rendido al santo consejo de la Maga,
sabiendo que es el Padre quien habla entre la noche,   15
clamé con el Apóstol:—¡Señor, qué quieres que haga!

TAN RUBIA ES LA NIÑA

¡Tan rubia es la niña, que
cuando hay sol no se la ve!

Parece que se difunde
en el rayo matinal,
que con la luz se confunde   5
su silueta de cristal
tinta en rosas y parece
que en la claridad del día
se desvanece
la niña mía.   10

Si se asoma mi Damiana
a la ventana y colora
la aurora su tez lozana
de albérchigo [3] y terciopelo,
no se sabe si la aurora   15
ha salido a la ventana
antes que salir al cielo.

Damiana en el arrebol [4]
de la mañanita se
diluye, y si sale el sol   20
por rubia ... no se la ve.

¡ESTÁ BIEN!

Porque contemplo aún albas radiosas
en que tiembla el lucero de Belén,
y hay rosas, muchas rosas, muchas rosas,
gracias, ¡está bien!

3. albérchigo: *peach*   4. arrebol: *red sky*

Porque en las tardes, con sutil desmayo,   5
piadosamente besa el sol mi sien
y aún la transfigura con su rayo,
    gracias, ¡está bien!

Porque en las noches, una voz me nombra,
(¡voz de quien yo me sé!) y hay un edén   10
escondido en los pliegues de mi sombra,
    gracias, ¡está bien!

Porque hasta el mal en mí don es del cielo,
pues que al minarme va, con rudo celo,
desmoronando mi pasión también;   15
porque se acerca ya mi primer vuelo,
    gracias, ¡está bien!

¿LLORAR? ¡POR QUÉ! [5]

Éste es el libro de mi dolor:
lágrima a lágrima lo formé;
una vez hecho, te juro, por
Cristo, que nunca más lloraré.
¿Llorar? ¡Por qué!   5

Serán mis rimas como el rielar
de una luz íntima, que dejaré
en cada verso; pero llorar,
¡eso ya nunca! ¿Por quién? ¿Por qué?

Serán un plácido florilegio   10
un haz de notas que regaré,
y habrá una risa por cada arpegio,
¿Pero una lágrima? ¡Qué sacrilegio!
Eso ya nunca. ¿Por quién? ¿Por qué?

¿QUÉ MÁS ME DA?

¡Con ella, todo; sin ella, nada!
Para qué viajes,
cielos, paisajes.

5. This poem and the five which follow it, appeared in *La amada inmóvil* which was not published until 1920, one year after Nervo's death, though it was written during the year 1912. Between 1901 and 1912 the poet "lived the most intense of his loves," and when his *"amada inmóvil"* died in 1912 the loss of her pierced him to the quick.

Nervo does not struggle in self torture against the fact of her death, but rather prays that God may never take his grief away for it has purified and lifted his soul. His finest sustained poetry is found in *La amada inmóvil* and in the two works which follow it: *Serenidad*, written mainly during 1909–1912 but published in 1914, and *Elevación*, published in 1917.

¡Qué importan soles en la jornada!
Qué más me da   5
la ciudad loca, la mar rizada,
el valle plácido, la cima helada,
¡si ya conmigo mi amor no está!
Qué más me da ... * * *

GRATIA PLENA

Todo en ella encantaba, todo en ella atraía:
su mirada, su gesto, su sonrisa, su andar ...
El ingenio de Francia de su boca fluía.
Era *llena de gracia,* como el Avemaría;
¡quien la vió no la pudo ya jamás olvidar!   5

Ingenua como el agua, diáfana como el día,
rubia y nevada como Margarita sin par,
al influjo de su alma celeste, amanecía ...
Era *llena de gracia,* como el Avemaría;
¡quien la vió no la pudo ya jamás olvidar!   10

Cierta, dulce y amable dignidad la investía
de no sé qué prestigio lejano y singular.
Más que muchas princesas, princesa parecía:
era *llena de gracia* como el Avemaría;
¡quien la vió no la pudo ya jamás olividar!   15

Yo gocé el privilegio de encontrarla en mi vía
dolorosa: por ella tuvo fin mi anhelar,
y cadencias arcanas halló mi poesía.
Era *llena de gracia* como el Avemaría;
¡quien la vió no la pudo ya jamás olvidar!   20

¡Cuánto, cuánto la quise! Por diez años fué mía;
pero flores tan bellas nunca pueden durar!
Era *llena de gracia,* como el Avemaría;
y a la Fuente de gracia de donde procedía,
se volvió ... como gota que se vuelve a la mar!   25

ME BESABA MUCHO ...

Me besaba mucho, como si temiera
irse muy temprano ... Su cariño era
inquieto, nervioso.
                        Yo no comprendía

tan febril premura. Mi intención grosera
nunca vió muy lejos ...

        ¡Ella presentía!   5

Ella presentía que era corto el plazo,
que la vela herida por el latigazo
del viento, aguardaba ya ..., y en su ansiedad
quería dejarme su alma en cada abrazo,
poner en sus besos una eternidad.   10

SEIS MESES ...

¡Seis meses ya de muerta! Y en vano he pretendido
un beso, una palabra, un hálito, un sonido ...
y, a pesar de mi fe, cada día evidencio
que detrás de la tumba ya no hay más que silencio ...

Si yo me hubiese muerto, ¡qué mar, qué cataclismos,   5
qué vórtices, qué nieblas, qué cimas ni qué abismos
burlaran mi deseo febril y omnipotente
de venir por las noches a besarte en la frente,
de bajar con la luz de un astro zahorí,
a decirte al oído: "¡No te olvides de mí!"   10

Y tú, que me querías tal vez más que te amé,
callas inexorable, de suerte que no sé
sino dudar de todo, del alma, del destino,
¡y ponerme a llorar en medio del camino!
Pues con desolación infinita evidencio   15
que detrás de la tumba ya no hay más que silencio ...

OFERTORIO

                Deus dedit, Deus abstulit.

Dios mío, yo te ofrezco mi dolor:
¡Es todo lo que puedo ya ofrecerte!
Tú me diste un amor, un solo amor,
¡un gran amor!

      Me lo robó la muerte
... y no me queda más que mi dolor.   5
      Acéptalo, Señor:
¡Es todo lo que puedo ya ofrecerte! ...

AUTOBIOGRAFÍA

¿Versos autobiográficos? Ahí están mis canciones,
allí están mis poemas: yo, como las naciones
venturosas y a ejemplo de la mujer honrada,
no tengo historia. ¡Nunca me ha sucedido nada,
oh, noble amiga ignota, que pudiera contarte!   5

Allá en mis años mozos, adiviné del Arte
la armonía y el ritmo, caros al Musageta,
¡y, pudiendo ser rico, preferí ser poeta!
—¿Y después?
                —He sufrido como todos y he amado.
—¿Mucho?
                 —Lo suficiente para ser perdonado . . .   10

SOLIDARIDAD

Alondra, ¡vamos a cantar!
Cascada, ¡vamos a saltar!
Riachuelo, ¡vamos a correr!
Diamante, ¡vamos a brillar!
Águila ¡vamos a volar!   5
Aurora, ¡vamos a nacer!
      ¡A cantar!
      ¡A saltar!
      ¡A correr!
      ¡A brillar!   10
      ¡A volar!
      ¡A nacer!

OPTIMISMO

No sé si es bueno el mundo . . . No sé si el mundo es malo;
pero sé que es la forma y expresión de Dios mismo.
Por eso, ya al influjo de azote o de regalo,
nada en el fondo extingue mi tenaz optimismo.

Santo es llorar . . . y lloro si tengo alguna pena;   5
santo es reír . . . y río si en mi espíritu hay luz;
mas mi frente se comba siempre limpia y serena,
ya brille al sol o ya sude hielo en la cruz!

LA PREGUNTA

Y ¿qué quieres ser tú? —dijo el Destino.
Respondí: —Yo, ser santo;
y repuso el Destino:
"Habrá que contentarse
con menos . . ."   5
                    Pesaroso,
aguardé en mi rincón una pregunta
nueva:

    ¿Qué quieres ser? —dijo el Destino
otra vez: —Yo, ser genio, respondíle;
y él irónico: "Habrá que contentarse
con menos . . ."   10
                    Mudo y triste
en mi rincón de sombra, ya no espero
la pregunta postrer, a la que sólo
responderá mi trágico silencio . . .

EN PAZ

Artifex vitæ, artifex sui.

Muy cerca de mi ocaso, yo te bendigo, Vida,
porque nunca me diste ni esperanza fallida
ni trabajos injustos, ni pena inmerecida;

    porque veo al final de mi rudo camino
que yo fuí el arquitecto de mi propio destino;   5
que si extraje las mieles o la hiel de las cosas,
fué porque en ellas puse hiel o mieles sabrosas:
cuando planté rosales, coseché siempre rosas.

    . . . Cierto, a mis lozanías va a seguir el invierno:
¡mas tú no me dijiste que mayo fuese eterno!
    Hallé sin duda largas las noches de mis penas;   10
mas no me prometiste tú sólo noches buenas;
y en cambio tuve algunas santamente serenas . . .

    Amé, fuí amado, el sol acarició mi faz.
¡Vida, nada me debes! ¡Vida, estamos en paz!   15

DIOS TE LIBRE, POETA

Dios te libre, poeta,
de verter en el cáliz de tu hermano
la más pequeña gota de amargura.

    Dios te libre, poeta,
de interceptar siquiera con tu mano,   5
la luz que el sol regale a una criatura.
    Dios te libre, poeta,
de escribir una estrofa que contriste;
de turbar con tu ceño
y tu lógica triste   10
la lógica divina de un ensueño;
de obstruir el sendero, la vereda
que recorra la más humilde planta;
de quebrar la pobre hoja que rueda . . . ;
de entorpecer ni con el más suave   15
de los pesos, el ímpetu de un ave
o de un bello ideal que se levanta.

    Ten para todo júbilo, la santa
sonrisa acogedora que lo apruebe;
pon una nota nueva   20
en toda voz que canta,
y resta, por lo menos,
un mínimo aguijón a cada prueba
que torture a los malos y a los buenos.

EXPECTACIÓN

    Siento que algo solemne va a llegar en mi vida.
¿Es acaso la muerte? ¿por ventura el amor?
Palidece mi rostro . . . Mi alma está conmovida,
y sacude mis miembros un sagrado temblor.

    Siento que algo sublime va a encarnar en mi barro,   5
en el mísero barro de mi pobre existir.
Una chispa celeste brotará del guijarro
y la púrpura augusta va el harapo a teñir.

    Siento que algo solemne se aproxima, y me hallo
todo trémulo; mi alma de pavor llena está.   10
Que se cumpla el destino, que Dios dicte su fallo.
Mientras, yo, de rodillas, oro, espero y me callo,
para oír la palabra que el *Abismo* dirá. . . .

ME MARCHARÉ

    Me marcharé, Señor, alegre o triste;
mas resignado, cuando al fin me hieras.

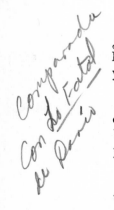

Si vine al mundo porque tú quisiste,
¿no he de partir sumiso cuando quieras?

...Un torcedor tan sólo me acongoja,
y es haber preguntado el pensamiento
sus porqués a la Vida...¡Mas la hoja
quiere saber dónde la lleva el viento!

Hoy, empero, ya no pregunto nada:
cerré los ojos, y mientras el plazo
llega en que se termine la jornada,
¡mi inquietud se adormece en la almohada
de la resignación, en tu regazo!

SI ERES BUENO

Si eres bueno, sabrás todas las cosas,
sin libros...y no habrá para tu espíritu
nada ilógico, nada injusto, nada
negro, en la vastedad del universo.

El problema insoluble de los fines
y las causas primeras,
que ha fatigado a la Filosofía,
será para ti diáfano y sencillo.

El mundo adquirirá para tu mente
una divina transparencia, un claro
sentido, y todo tú serás envuelto
en una inmensa paz...

HOY HE NACIDO [6]

Cada día que pase, has de decirte:
"¡Hoy he nacido!
El mundo es nuevo para mí; la luz
esta que miro,
hiere sin duda por la vez primera
mis ojos límpidos;
¡la lluvia que hoy desfleca sus cristales
es mi bautismo!

6. Nervo was greatly interested in the religions and philosophy of the East, and this poem was probably inspired by the famous Sanskrit proverb which says: "Look to this day, for it is life, the very life of life, and in its brief course lie all the verities and realities of your existence: the bliss of growth, the splendor of beauty, the glory of action. Yesterday is already a dream, and tomorrow is only a vision, but today well lived makes every yesterday a dream of happiness and every tomorrow a vision of hope. Look well therefore to this day. Such is the salutation of the dawn!"

"Vamos, pues, a vivir un vivir puro,
un vivir nítido.   10
Ayer, ya se perdió: ¿fuí malo? ¿bueno?
... Venga el olvido,
y quede sólo de ese ayer, la esencia,
el oro íntimo
de lo que amé y sufrí mientras marchaba   15
por el camino ...
    "Hoy, cada instante, al bien y a la alegría
será propicio,
y la esencial razón de mi existencia,
mi decidido   20
afán, volcar la dicha sobre el mundo,
verter el vino
de la bondad sobre los bocas ávidas
en redor mío ...
    "¡Será mi sola paz la de los otros;   25
su regocijo
mi regocijo, su soñar mi ensueño;
mi cristalino
llanto el que tiemble en los ajenos párpados,
y mis latidos   30
los latidos de cuantos corazones
palpiten en los orbes infinitos!"
    Cada día que pase, has de decirte:
"¡Hoy he nacido!"

LLÉNALO DE AMOR

Siempre que haya un hueco en tu vida, llénalo de amor.

Adolescente, joven, viejo: siempre que haya un hueco en tu vida, llénalo de
    amor.

En cuanto sepas que tienes delante de ti un tiempo baldío, ve a buscar al amor.

No pienses: "Sufriré."

No pienses: "Me engañarán."   5

No pienses: "Dudaré."

Ve, simplemente, diáfanamente, regocijadamente, en busca del amor.

¿Qué índole de amor? No importa: todo amor está lleno de excelencia y de
    nobleza.

Ama como puedas, ama a quien puedas, ama todo lo que puedas . ., pero ama
    siempre.

No te preocupes de la finalidad de tu amor.   10

Él lleva en sí mismo su finalidad.

No te juzgues incompleto porque no responden a tus ternuras; el amor lleva
en sí su propia plenitud.

Siempre que haya un hueco en tu vida, llénalo de amor.

¿CÓMO ES?

¿Es Dios personal?
¿Es impersonal?
¿Tiene forma?
¿No tiene forma?
¿Es esencia?   5
¿Es substancia?
¿Es uno?
¿Es múltiple?
¿Es la conciencia del Universo?
¿Es Voluntad sin conciencia y sin fin?   10
¿Es todo lo que existe?
¿Es distinto de todo lo que existe?
¿Es como el alma de la naturaleza?
¿Es una ley?
¿Es simplemente la armonía de las fuerzas?   15
¿Está en nosotros mismos?
¿Es nosotros mismos?
¿Está fuera de nosotros?
Alma mía, hace tiempo que tú ya no te preguntas estas
    cosas. Tiempo ha que estas cosas ya no te interesan.
Lo único que tú sabes es que Le amas ...   20

LIBERTAD

La riqueza es abundancia, fuerza, ufanía, pero no es libertad.

El amor es delicia, tormento, delicia tormentosa, tormento delicioso, imán de
imanes; pero no es libertad.

La juventud es deslumbramiento, frondosidad de ensueños, embriaguez de
embriagueces; pero no es libertad.

La gloria es transfiguración, divinización, orgullo exaltado y beatífico; pero
no es libertad.   4

El poder es sirena de viejos y jóvenes, prodigalidad de honores, vanidad de
culminación, sentimiento interior de eficacia y de fuerza; pero no es libertad.

El despego de las cosas ilusorias; el convencimiento de su nulo valer; la facultad
de suplirlas en el alma con un ideal inaccesible, pero más real que ellas
mismas; la certidumbre de que nada, si no lo queremos, puede esclavizarnos,
es ya el comienzo de la libertad.

La muerte es la *Libertad* absoluta.

EL DÍA QUE ME QUIERAS

El día que me quieras tendrá más luz que junio;
la noche que me quieras será de plenilunio,
con notas de Beethoven vibrando en cada rayo
sus inefables cosas,
y habrá juntas más rosas   5
que en todo el mes de mayo.

Las fuentes cristalinas
irán por las laderas
saltando cantarinas,[7]
el día que me quieras.   10

El día que me quieras, los sotos escondidos
resonarán arpegios nunca jamás oídos.
Éxtasis de tus ojos, todas las primaveras
que hubo y habrá en el mundo, serán cuando me quieras.

Cogidas de la mano, cual rubias hermanitas,   15
luciendo golas cándidas, irán las margaritas
por montes y praderas
delante de tus pasos, el día que me quieras ...
Y si deshojas una, te dirá su inocente
postrer pétalo blanco: ¡Apasionadamente!   20

Al reventar el alba del día que me quieras,
tendrán todos los tréboles cuatro hojas agoreras,
y en el estanque, nido de gérmenes ignotos,
florecerán las místicas corolas de los lotos.

El día que me quieras será cada celaje [8]   25
ala maravillosa, cada arrebol, miraje [9]
de las *Mil y una noches,* cada brisa un cantar,
cada árbol una lira, cada monte un altar.

El día que me quieras, para nosotros dos
cabrá en un solo beso la beatitud de Dios.   30

LA SED

Inútil la fiebre que aviva tu paso;
no hay fuente que pueda saciar tu ansiedad,

7. cantarinas: *singing*   9. miraje: *scene*
8. celaje: *scudding cloud*

por mucho que bebas . . .

El alma es un vaso
que sólo se llena con eternidad.

¡Qué mísero eres! Basta un soplo frío 5
para helarte . . . Cabes en un ataúd;
¡y en cambio a tus vuelos es corto el vacío,
y la luz muy tarda para tu inquietud!

¿Quién pudo esconderte, misteriosa esencia,
entre las paredes de un vil cráneo? ¿Quién 10
es el carcelero que con la existencia
te cortó las alas? ¿Por qué tu conciencia,
si es luz de una hora, quiere el *sumo bien?*

Displicente marchas del orto al ocaso;
no hay fuente que pueda saciar tu ansiedad 15
por mucho que bebas . . . ¡El alma es un vaso
que sólo se llena con eternidad!

UNA ESPERANZA

En un ángulo de la pieza, habilitada de capilla,[10] Luis, el joven militar, abrumado por todo el peso de su mala fortuna, pensaba.

Pensaba en los viejos días de su niñez, pródiga en goces y rodeada de mimos, y en la amplia y tranquila casa paterna, uno de esos caserones de provincia, sólidos, vastos, con jardín, huerta y establos, con espaciosos corredores, con grandes ventanas que abrían sobre la solitaria calle de una ciudad de segundo orden (no lejos por cierto de aquélla en que él iba a morir), sus rectángulos cubiertos por encorvadas y potentes rejas, en las cuales lucía discretamente la gracia viril de los rosetones[11] de hierro forjado.

Recordaba su adolescencia, sus primeros ensueños, vagos como luz de estrellas, sus amores (cristalinos, misteriosos, asustadizos como un cervatillo en la montaña y más pensados que dichos), con la *güerita*[12] de enagua corta, que apenas deletreaba los libros y la vida . . .[13]

Luego desarrollábase ante sus ojos el claro paisaje de su juventud fogosa, sus camaradas alegres y sus relaciones, ya serias, con la rubia de marras,[14] vuelta mujer, y que ahora porque él volviese con bien,[15] rezaba ¡ay! en vano, en vano . . .

Y, por último, llegaba a la época más reciente de su vida, al período de entusiasmo patriótico, que le hizo afiliarse al partido liberal, amenazado de

10. habilitada de capilla: *fixed up as a chapel*
11. rosetones: *rosettes,* circular architectural designs
12. güerita: *little blonde* (Mexican)
13. apenas . . . vida: *who was still at the babbling age*
14. de marras: *before mentioned; of long ago*
15. porque . . . bien: *in order that he might return safely*

muerte por la reacción, a la cual ayudaba en esta vez un poder extranjero; y tornaba a ver el momento en que un maldito azar de la guerra, después de varias escaramuzas, le había llevado a aquel espantoso trance.

Cogido con las armas en la mano, hecho prisionero y ofrecido con otros compañeros a trueque de las vidas de algunos oficiales reaccionarios, había visto desvanecerse su última esperanza, en virtud de que la proposición de canje llegó tarde, cuando los liberales, sus correligionarios, habían fusilado ya a los prisioneros conservadores.

Iba, pues, a morir. Esta idea, que había salido por un instante de la zona de su pensamiento, gracias a la excursión amable por los sonrientes recuerdos de la niñez y de la juventud, volvía de pronto, con todo su horror, estremeciéndole de pies a cabeza.

Iba a morir... ¡a morir! No podía creerlo, y, sin embargo, la verdad tremenda se imponía: bastaba mirar en rededor: aquel altar improvisado, aquel Cristo viejo y gesticulante sobre cuyo cuerpo esqueletoso caía móvil y siniestra la luz amarillenta de las velas, y, allí cerca, visibles a través de la rejilla de la puerta, los centinelas de vista... Iba a morir, así: fuerte, joven, rico, amado... ¡Y todo por qué! Por una abstracta noción de Patria y de partido... ¡Y qué cosa era la Patria!... Algo muy impreciso, muy vago para él en aquellos momentos de turbación; en tanto que la vida, la vida que iba a perder, era algo real, realísimo, concreto, definido... ¡era su vida!

—¡La Patria! ¡Morir por la Patria!

—pensaba—. Pero es que ésta, en su augusta y divina inconciencia, no sabrá siquiera que he muerto por ella...

—¡Y qué importa, si tú lo sabes!— le replicaba allá dentro un subconsciente misterioso—. La Patria lo sabría por tu propio conocimiento, por tu pensamiento propio, que es un pedazo de su pensamiento y de su conciencia colectiva: eso basta...

No, no bastaba eso... y, sobre todo, no quería morir: su vida era "muy suya," y no se resignaba a que se la quitaran. Un formidable instinto de conservación se sublevaba en todo su ser y ascendía incontenible torturador y lleno de protestas.

A veces, la fatiga de las prolongadas vigilias anteriores, la intensidad de aquella sorda fermentación de su pensamiento, el exceso mismo de la pena, le abrumaban, y dormitaba un poco; pero entonces, su despertar brusco y la inmediata, clarísima y repentina noción de su fin, un punto perdida,[16] eran un tormento inefable; y el cuitado, con las manos sobre el rostro, sollozaba con un sollozo que, llegando al oído de los centinelas, hacíales asomar por la rejilla sus caras atezadas, en las que se leía la secular indiferencia del indio.

2

Se oyó en la puerta un breve cuchicheo, y en seguida ésta se abrió dulcemente para dar entrada a un sombrío personaje, cuyas ropas se diluyeron casi en el negro de la noche, que vencía las últimas claridades crepusculares.

Era un sacerdote.

16. un punto perdida: *forgotten for a moment*

El joven militar, apenas lo vió, se puso en pie y extendió hacia él los brazos como para detenerlo, exclamando:

—¡Es inútil, padre; no quiero confesarme!

Y sin aguardar a que la sombra aquella respondiera, continuó con exaltación creciente:

—No, no me confieso; es inútil que venga usted a molestarse. ¿Sabe usted lo que quiero? Quiero la vida, que no me quiten la vida: es mía, muy mía, y no tienen derecho de arrebatármela... Si son cristianos, ¿por qué me matan? En vez de enviarle a usted a que me abra las puertas de la vida eterna, que empiecen por no cerrarme las de ésta... No quiero morir, ¿entiende usted? Me rebelo a morir: soy joven, estoy sano, soy rico, tengo padres y una novia que me adora; la vida es bella, muy bella para mí... Morir en el campo de batalla, en medio del estruendo del combate, al lado de los compañeros que luchan, enardecida la sangre por el sonido del clarín... ¡bueno, bueno! Pero morir obscura y tristemente, pegado a la barda mohosa de una huerta, en el rincón de una sucia plazuela, a las primeras luces del alba, sin que nadie sepa siquiera que ha muerto uno como los hombres... ¡padre, padre, eso es horrible!

Y el infeliz se echó en el suelo, sollozando.

—Hijo mío—dijo el sacerdote cuando comprendió que podía ser oído—: yo no vengo a traerle a usted los consuelos de la religión; en esta vez soy emisario de los hombres y no de Dios, y si usted me hubiese oído con calma desde un principio, hubiera usted evitado esa exacerbación de pena que le hace sollozar de tal manera. Yo vengo a traerle justamente la vida, ¿entiende usted? esa vida que usted pedía hace un instante con tales extremos de angustia... ¡La vida que es para usted tan preciosa! Óigame con atención, procurando dominar sus nervios y sus emociones, porque no tenemos tiempo que perder: he entrado con el pretexto de confesar a usted y es preciso que todos crean que usted se confiesa: arrodíllese, pues, y escúcheme. Tiene usted amigos poderosos que se interesan por su suerte; su familia ha hecho hasta lo imposible por salvarle, y no pudiendo obtenerse del Jefe de las Armas [17] la gracia de usted, se ha logrado con graves dificultades e incontables riesgos sobornar al jefe del pelotón encargado de fusilarle. Los fusiles estarán cargados sólo con pólvora y taco; al oír el disparo, usted caerá como los otros, los que con usted serán llevados al patíbulo, y permanecerá inmóvil. La obscuridad de la hora le ayudará a representar esta comedia. Manos piadosas—las de los hermanos de la Misericordia, ya de acuerdo—le recogerán a usted del sitio en cuanto el pelotón se aleje, y le ocultarán hasta llegada la noche, durante la cual sus amigos facilitarán su huida. Las tropas liberales avanzan sobre la ciudad, a la que pondrán sin duda cerco dentro de breves horas. Se unirá usted a ellas si gusta. Conque... ya lo sabe usted todo: ahora rece en voz alta el "Yo pecador," [18] mientras pronuncio la fórmula de la absolución, y procure dominar su júbilo durante el tiempo

---

17. Jefe... Armas: *Commandant*
18. Yo pecador: prayer beginning *"I, miserable sinner..."*

que falta para la ejecución, a fin de que nadie sospeche la verdad.

—Padre—murmuró el oficial, a quien la invasión de una alegría loca permitía apenas el uso de la palabra— ¡que Dios lo bendiga!

Y luego, presa súbitamente de una duda terrible:

—Pero... ¿todo esto es verdad?— añadió, temblando—. ¿No se trata de un engaño piadoso, destinado a endulzar mis últimas horas? ¡Oh, eso sería inicuo, padre!

—Hijo mío: un engaño de tal naturaleza constituiría la mayor de las infamias, y yo soy incapaz de cometerla...

—Es cierto, padre; ¡perdóneme, no sé lo que digo, estoy loco de contento!

—Calma, hijo, mucha calma y hasta mañana; yo estaré con usted en el momento solemne.

3

Apuntaba apenas el alba, una alba desteñida y friolenta de febrero, cuando los presos—cinco por todos—que debían ser ejecutados, fueron sacados de la prisión y conducidos, en compañía del sacerdote, que rezaba con ellos, a una plazuela terregosa y triste, limitada por bardas semiderruidas [19] y donde era costumbre llevar a cabo las ejecuciones.

Nuestro Luis marchaba entre todos con paso firme, con erguida frente, pero llena el alma de una emoción desconocida y de un deseo infinito de que acabase pronto aquella horrible farsa.

Al llegar a la plazuela, los cinco reos fueron colocados en fila, a cierta distancia, y la tropa que los escoltaba, a la voz de mando, se dividió en cinco grupos de a siete hombres, según previa distribución hecha en el cuartel.

El coronel del cuerpo, que asistía a la ejecución, indicó al sacerdote que vendara a los reos y se alejase luego a cierta distancia. Así lo hizo el padre, y el jefe del pelotón dió las primeras órdenes con voz seca y perentoria.

La leve sangre de la aurora empezaba a teñir con desmayo melancólico las nubecillas del Oriente,[20] y estremecían el silencio de la madrugada los primeros toques de una campanita cercana que llamaba a misa.

De pronto una espada rubricó el aire,[21] una detonación formidable y desigual llenó de ecos la plazuela, y los cinco cayeron trágicamente en medio de la penumbra semirrosada del amanecer.

El jefe del pelotón hizo en seguida desfilar a sus hombres con la cara vuelta hacia los ajusticiados, y con breves órdenes organizó el regreso al cuartel, mientras que los hermanos de la Misericordia se apercibían a recoger los cadáveres.

En aquel momento, un granuja de los muchos mañaneadores que asistían a la ejecución gritó con voz destemplada, señalando a Luis, que yacía cuan largo era [22] al pie del muro:

—¡Ése está vivo! ¡Ése está vivo! Ha movido una pierna...

El jefe del pelotón se detuvo, vaciló un instante, quiso decir algo al pillete;

---

19. bardas semiderruidas: *half fallen low walls*
20. teñir... Oriente: *tinge with melancholy faintness the small clouds of the East*

21. rubricó el aire: *flourished in the air, split the air*. A *rúbrica* is the particular mark or flourish added to one's signature.
22. yacía... era: *was lying flat*

pero sus ojos se encontraron con la mirada interrogadora, fría e imperiosa del coronel, y desnudando [23] la gran pistola de Colt, que llevaba ceñida, avanzó hacia Luis, que, presa del terror más espantoso, casi no respiraba, apoyó el cañón [24] en su sien izquierda, e hizo fuego.

23. desnudando: *taking out of the holster*

24. apoyó el cañón: *placed the barrel*

Cobardía otro de su poema famoso
tuvo miedo de amar

José Santos Chocano

1875-1934

THIS Peruvian poet, propagandist, favorite or enemy of tyrants as the moment dictated, was one of Latin America's most forceful and most popular voices. He sang of the glory of his people, exalted their heroes, defended their Indians, painted the flora and fauna of their countries in somewhat the same way that Walt Whitman chanted the song of North America and its dream of democracy. Chocano wanted to be Indian and Spaniard all rolled into one; his voice was the cry of the mestizo shouting out defiance to the paler white man. His declamatory lines and usually conventional verse are perfect vehicles for expressing that sense of over-dramatization which is one of the characteristics of many a warm-blooded race. His sonorous baritone occasionally irks the sensibilities of more refined Latin Americans, but it brings a popular response from the masses, who love the ring of poetry when there is a resonant music to its verse. Chocano likes the brasses of his orchestra, but he does not neglect com-pletely the muted horns and the reeds. The "I" in him is inordinate, but it is an "I" which derives straight from the heart, the flesh, and the earth of his people. At times when this ego is subordinated to a grander theme, he reaches heights of true descriptive splendor, or touches the magic spring of interpretation or prophecy. He is the born poet of the tropics, who loves colors that are lush and warm that he may make them into the full, waving banners of his multicolored procession.

BLASÓN [1]

Soy el cantor de América autóctono [2] y salvaje;
mi lira tiene un alma, mi canto un ideal.
Mi verso no se mece colgado de un ramaje
con un vaivén pausado de hamaca tropical...

1. blasón: *coat-of-arms*. In poetics the word came to mean "a declaration of poetic principles," or a "manifesto."

2. autóctono: *autochthonous, native, aboriginal*

540

Cuando me siento Inca, le rindo vasallaje
al Sol, que me da el cetro de su poder real;
cuando me siento hispano y evoco el Coloniaje,
parecen mis estrofas trompetas de cristal . . .

Mi fantasía viene de un abolengo moro:
los Andes son de plata, pero el León de oro;
y las dos castas fundo con épico fragor.

La sangre es española e incaico es el latido;
¡y de no ser Poeta, quizás yo hubiese sido
un blanco Aventurero o un indio Emperador!

TROQUEL [3]

No beberé en las linfas de la castalia fuente, [4]
ni cruzaré los bosques floridos del Parnaso,
ni tras las nueve hermanas dirigiré mi paso;
pero, al cantar mis himnos, levantaré la frente.

Mi culto no es el culto de la pasada gente,
ni me es bastante el vuelo solemne del Pegaso:
los trópicos avivan la flama en que me abraso;
y en mis oídos suena la voz de un Continente.

Yo beberé en las aguas de caudalosos ríos;
yo cruzaré otros bosques lozanos y bravíos;
yo buscaré a otra Musa que asombre al Universo.

Yo de una rima frágil haré mi carabela;
me sentaré en la popa; desataré la vela;
y zarparé a las Indias, como un Colón del verso.

AVATAR [5]

Cuatro veces he nacido, cuatro veces me he encarnado:
soy de América dos veces y dos veces español.
Si Poeta soy ahora, fuí Virrey en el pasado,
Capitán por las conquistas y Monarca por el Sol.

Fuí Yupanqui. [6] Nuestros Andes me brindaban con su nieve,
los cóndores con sus plumas, las alpacas con su piel.

---

3. troquel: *die for a coin*. It is used in somewhat the same sense as *blasón*.
4. castalia fuente: *fountain of the Gods*

5. avatar: *incarnation, reincarnation*
6. Yupanqui: *rich in all virtues*, an epithet added to the name of several Incas

Viví siempre como el rayo, deslumbrante pero breve,
con tu imagen estampada sobre el cuero del broquel.

Y fuí Soto.[7] No llegara la victoria resonante
de Pizarro sobre el Inca, si no fuera mi bridón.   10
Me parece ver al potro galopando por delante,
me parece oír tu nombre resonando en el cañón.

Fuí el Virrey-Poeta [8] luego. Mi palabra tuvo flores:
dicté ritmos, hice glosas y compuse un madrigal.
Los jardines del Palacio celebraban tus amores   15
y hasta el río te brindaba con su copa de cristal.

Ya no soy aquel gran Inca, ni aquel épico Soldado;
ni el Virrey de aquel Alcázar con que sueles soñar tú . . .
Pero ahora soy Poeta, soy divino, soy sagrado;
¡y más vale ser tu dueño, que ser dueño del Perú! . . .   20

LOS ANDES

Cual se ve la escultórica serpiente
de Laoconte [9] en mármoles desnudos,
los Andes trenzan sus nerviosos nudos
en el cuerpo de todo un Continente.

Horror dantesco estremecer se siente   5
por sobre ese tropel de héroes membrudos,
que se alzan con graníticos escudos
y con cascos [10] de plata refulgente.

La angustia de cada héroe es infinita,
porque quiere gritar, retiembla, salta,   10
se parte de dolor, . . . pero no grita;

7. Hernando de Soto (1500–1542), one of Pizarro's captains, was sent by him on a mission to the Inca Atahualpa in November 1532. Prescott (*Conquest of Peru*, Bk. III, Chap. IV) records how the emissary tried to impress the Inca by his horsemanship in the incident to which the poet alludes here and which he later (cf. p. 547, ll. 51–58) gives in more detail. De Soto met his death in 1542 on an expedition which took him to the Mississippi river.

8. Virrey-Poeta: Francisco de Borja, Prince of Esquilache, who was viceroy of Peru from 1615 to 1621

9. Laoconte: *Laocoön*, in Greek legend a priest of Apollo who warned the Trojans not to accept the famous wooden horse of the Greeks. Shortly thereafter, Athena, who sympathized with the Greeks, sent two enormous sea serpents to attack him and his two sons while he was praying in the temple. Laocoön and one or both of his sons were killed. A famous Greek statue now in the Vatican shows Laocoön and his sons struggling with the serpent.

10. cascos: *helmets*

y sólo deja, extático y sombrío,
rodar, desde su cúspide más alta,
la silenciosa lágrima de un río . . .

LA VISIÓN DEL CÓNDOR *= libertad*

Una vez bajó el cóndor de su altura
a pugnar con el boa, que, hecho un lazo,
dormía astutamente en el regazo
compasivo de trágica espesura.

El cóndor picoteó la escama dura;   5
y la sierpe, al sentir el picotazo,
fingió en el cesped el nervioso trazo
con que la tempestad firma en la anchura.

El cóndor cogió al boa; y en un vuelo
sacudiólo con ímpetu bravío,   10
y lo dejó caer desde su cielo.

Inclinó la mirada al bosque umbrío;
y pudo ver que, en el lejano suelo,
en vez del boa, serpenteaba un río.

CAUPOLICÁN *Aventura competencia con los araucanos Quién iba a cargar el madero por mas tiempo*

Ya todos los caciques probaron el madero.[11]
—¿Quién falta?—Y la respuesta fué un arrogante:—¡Yo!
—¡Yo!—dijo; y, en la forma de una visión de Homero,
del fondo de los bosques Caupolicán surgió.

Echóse el tronco encima, con ademán ligero;   5
y estremecerse pudo, pero doblarse no.
Bajo sus pies, tres días crujir hizo el sendero;
y estuvo andando . . . andando . . . y andando se durmió.

Andando, así, dormido, vió en sueños al verdugo;
él muerto sobre un tronco, su raza con el yugo,   10
inútil todo esfuerzo y el mundo siempre igual.

Por eso, al tercer día de andar por valle y sierra,
el tronco alzó en los aires y lo clavó en la tierra
¡como si el tronco fuese su mismo pedestal!

11. Cf. Pages 47–49; page 57, line 61 to page 58, line 72, and also page 487.

LOS VOLCANES

Cada volcán levanta su figura,
cual si de pronto, ante la faz del cielo,
suspendiesen el ángulo de un velo
dos dedos invisibles de la altura.

La cresta es blanca y como blanca pura:　　　　5
la entraña hierve en inflamado anhelo;
y sobre el horno aquel contrasta el hielo,
cual sobre una pasión un alma dura.

Los volcanes son túmulos de piedra,
pero a sus pies los valles que florecen　　　　10
fingen alfombras de irisada yedra;

y por eso, entre campos de colores,
al destacarse en el azul, parecen
cestas volcadas derramando flores ...

LA EPOPEYA DEL PACÍFICO

(a la manera yanqui)

Los Estados Unidos, como argolla de bronce,
contra un clavo torturan de la América un pie;
y la América debe, ya que aspira a ser libre,
imitarles primero e igualarles después.
Imitemos, ¡oh Musa! las crujientes estrofas　　　　5
que en el Norte se mueven con la gracia de un tren;
y que giren las rimas como ruedas veloces;
y que caigan los versos como varas de riel ...

Desconfiemos del Hombre de los ojos azules,
cuando quiera robarnos al calor del hogar　　　　10
y con pieles de búfalo un tapiz nos regale
y lo clave con discos de sonoro metal,
aunque nada es huirle, si imitarle no quieren
los que ignoran, gastándose en belígero afán,
que el trabajo no es culpa de un Edén ya perdido,　　　　15
sino el único medio de llegarlo a gozar.

Pero nadie se duela de futuras conquistas:
nuestras selvas no saben de una raza mejor,

nuestros Andes ignoran lo que importa ser blanco,
nuestros ríos desdeñan lo que vale un sajón;   20
y, así, el día en que un pueblo de otra raza se atreva
a explorar nuestras patrias, dará un grito de horror,
porque el miasma y la fiebre y el reptil y el pantano
le hundirán en la tierra, bajo el fuego del Sol.

No podrá ser la raza de los blondos cabellos
la que al fin rompa el Istmo... Lo tendrán que romper
veinte mil antillanos de cabezas obscuras,
que hervirán en las brechas cual sombrío tropel.
Raza de las Pirámides, raza de los asombros:
Faro en Alejandría, Templo en Jerusalén;   30
¡raza que exprimió sangre sobre el Romano Circo
y que exprimió sudores sobre el Canal de Suez!

Cuando corten el nudo que Natura ha formado,
cuando entreabran las fauces del sediento Canal,
cuando al golpe de vara de un Moisés en las rocas   35
solemnemente arrójese uno contra otro mar,
en el único instante del titánico encuentro,
un aplauso de júbilo esos mares darán,
que se eleve en los aires a manera de un brindis,
como chocan dos vasos de sonoro cristal...   40

El Canal será el golpe que abrir le haga los mares
y le quite las llaves del gran Río al Brasil;
porque nuestras montañas rendirán sus tributos
a las naves que lleguen hasta el puerto feliz,
cuando luego de Paita,[12] con enérgico trazo,   45
amazónica margen solicite el carril,
y el Pacífico se una con el épico Río,
y los trenes galopen sacudiendo su crin...

¡Oh, la turba que, entonces, de los puertos vibrantes
de la Europa latina llegará a esa región!   50
Barcelona, Havre, Génova, en millares de manos,
mirarán los pañuelos desplegando un adiós...
Y el latino que sienta del vivaz Mediodía
ese Sol en la sangre parecido a este Sol,

12. Paita: the Pacific port of northwestern Peru

poblará nuestros bosques y vendrá desde Europa   55
¡por el propio camino que le alista el sajón!

Vierte ¡oh Musa! tus cantos, como linfas que corren
y que fingen corriendo milagroso Jordán,
donde América puede redimir sus pecados,
refrescar sus fatigas, sus miserias lavar;   60
y, después que en el baño quede exenta de culpa,
enjugarse las aguas y envolverse quizás
entre sábanas puras, que se tiendan al viento,
¡como blancas banderas de Trabajo y de Paz!

LOS CABALLOS DE LOS CONQUISTADORES

¡Los caballos eran fuertes!
¡Los caballos eran ágiles!
Sus pescuezos eran finos y sus ancas
relucientes y sus cascos musicales ...
¡Los caballos eran fuertes!   5
¡Los caballos eran ágiles!

¡No! No han sido los guerreros solamente,
de corazas y penachos y tizonas y estandartes,
los que hicieron la conquista
de las selvas y los Andes: 10
los caballos andaluces, cuyos nervios
tienen chispas de la raza voladora de los árabes,
estamparon sus gloriosas herraduras
en los secos pedregales,
en los húmedos pantanos,   15
en los ríos resonantes,
en las nieves silenciosas,
en las pampas, en las sierras, en los bosques y en los valles ...
¡Los caballos eran fuertes!
¡Los caballos eran ágiles!   20

Un caballo fué el primero,
en los tórridos manglares,
cuando el grupo de Balboa caminaba
despertando las dormidas soledades,
que, de pronto, dió el aviso   25

del Pacífico Océano, porque ráfagas de aire
al olfato le trajeron
las salinas humedades;
y el caballo de Quesada,[13] que en la cumbre
se detuvo, viendo, al fondo de los valles,   30
el fuetazo de un torrente
como el gesto de una cólera salvaje,
saludó con un relincho
la sabana interminable . . .
y bajó, con fácil trote,   35
los peldaños de los Andes,
cual por unas milenarias escaleras
que crujían bajo el golpe de los cascos musicales . . .
¡Los caballos eran fuertes!
¡Los caballos eran ágiles!   40

  ¿Y aquel otro de ancho tórax,
que la testa pone en alto, cual queriendo ser más grande,
en que Hernán Cortés un día,
caballero sobre estribos rutilantes,
desde México hasta Honduras,[14]   45
mide leguas y semanas, entre rocas y boscajes?
¡Es más digno de los lauros,
que los potros que galopan en los cánticos triunfales
con que Píndaro celebra las olímpicas disputas
entre el vuelo de los carros y la fuga de los aires!   50
Y es más digno todavía
de las Odas inmortales,
el caballo con que Soto diestramente
y tejiendo sus cabriolas como él sabe,
causa asombro, pone espanto, roba fuerzas   55
y, entre el coro de los indios, sin que nadie
haga un gesto de reproche, llega al trono de Atahualpa
y salpica con espumas las insignias imperiales . . .
¡Los caballos eran fuertes!
¡Los caballos eran ágiles!   60

  El caballo del beduino
que se traga soledades;

---

13. Gonzalo Jiménez de Quesada (1499–
1579), the *conquistador* of Colombia, who
in 1538 discovered the Falls of Tequendama

(the *torrente* of l. 31) and founded the city
of Santa Fe de Bogotá

14. Honduras: Cortés conducted an expedition to Honduras in 1525

el caballo milagroso de San Jorge,
que tritura con sus cascos los dragones infernales;
el de César en las Galias;   65
el de Aníbal en los Alpes;
el centauro de las clásicas leyendas,
mitad potro, mitad hombre, que galopa sin cansarse
y que sueña sin dormirse
y que flecha los luceros y que corre más que el aire;   70
todos tienen menos alma,
menos fuerza, menos sangre,
que los épicos caballos andaluces
en las tierras de la Atlántida [15] salvaje,
soportando las fatigas,   75
las espuelas y las hambres,
bajo el peso de las férreas armaduras
y entre el fleco de los anchos estandartes,
cual desfile de heroísmos coronados
con la gloria de Babieca y el dolor de Rocinante [16] ...   80
En mitad de los fragores
decisivos del combate,
los caballos con sus pechos
arrollaban a los indios y seguían adelante;
y, así, a veces, a los gritos de ¡Santiago! [17]   85
entre el humo y el fulgor de los metales,
se veía que pasaba, como un sueño,
el caballo del Apóstol a galope por los aires ...
¡Los caballos eran fuertes!
¡Los caballos eran ágiles!   90

Se diría una epopeya
de caballos singulares,
que a manera de hipogrifos desalados
o cual río que se cuelga de los Andes,
llegan todos sudorosos,   95
empolvados, jadeantes,
de unas tierras nunca vistas
a otras tierras conquistables;

---

15. Atlántida: See page 504, note 66.
16. Babieca: horse of the Cid; Rocinante: horse of Don Quixote
17. Santiago: Spanish troops called upon St. James the Apostle, the patron saint of Spain, in their hour of need with the famous rallying cry "¡Santiago y cierra España!" According to the early chroniclers, St. James appeared to the hard pressed forces of Cortés during their retreat at the battle of Otumba in July 1520.

y, de súbito, espantados por un cuerno
que se hincha con soplido de huracanes,   100
dan nerviosos un relincho tan profundo
que parece que quisiera perpetuarse . . .
y, en las pampas sin confines,
ven las tristes lejanías, y remontan las edades,
y se sienten atraídos por los nuevos horizontes,   105
se aglomeran, piafan, soplan . . . y se pierden al escape:
detrás de ellos una nube,
que es la nube de la gloria, se levanta por los aires . . .
¡Los caballos eran fuertes!
¡Los caballos eran ágiles!   110

LA CANCIÓN DEL CAMINO

Era un camino negro.
La noche estaba loca de relámpagos. Yo iba
en mi potro salvaje
por la montaña andina.
Los chasquidos alegres de los cascos,   5
como masticaciones de monstruosas mandíbulas,
destrozaban los vidrios invisibles
de las charcas dormidas.
Tres millones de insectos
formaban una como rabiosa inarmonía.   10
    Súbito, allá, a lo lejos,
por entre aquella mole doliente y pensativa
de la selva,
vi un puñado de luces, como tropel de avispas.
¡La posada! El nervioso   15
látigo persignó la carne viva
de mi caballo, que rasgó los aires
con un largo relincho de alegría.

    Y como si la selva
lo comprendiese todo, se quedó muda y fría.   20

    Y hasta mí llegó, entonces,
una voz clara y fina
de mujer que cantaba. Cantaba. Era su canto
una lenta . . . muy lenta . . . melodía:
algo como un suspiro que se alarga   25
y se alarga y se alarga . . . y no termina.
    Entre el hondo silencio de la noche,

y a través del reposo de la montaña, oía
los acordes
de aquel canto sencillo de una música íntima,   30
como si fuesen voces que llegaran
desde la otra vida . . .
   Sofrené mi caballo;
y me puse a escuchar lo que decía:
   —Todos llegan de noche,   35
todos se van de día . . .
   Y, formándole dúo,
otra voz femenina
completó así la endecha
con ternura infinita: 40

   —El amor es tan sólo una posada
en mitad del camino de la vida . . .

   Y, después, las dos voces
a la vez repitieron con amargura rítmica:
   —Todos llegan de noche,   45
todos se van de día . . .
   Entonces, yo bajé de mi caballo
y me acosté en la orilla
de una charca.
   Y fijo en ese canto que venía   50
a través del misterio de la selva,
fuí cerrando los ojos al sueño y la fatiga.
   Y me dormí, arrullado; y, desde entonces,
cuando cruzo las selvas por rutas no sabidas,
jamás busco reposo en las posadas,   55
y duermo al aire libre mi sueño y mi fatiga,
porque recuerdo siempre
aquel canto sencillo de una música íntima:
   —¡Todos llegan de noche,
todos se van de día!   60
El amor es tan sólo una posada
en mitad del camino de la Vida . . .

NOSTALGIA

Hace ya diez años
que recorro el mundo.
¡He vivido poco!
¡Me he cansado mucho!
Quien vive de prisa no vive de veras: 5

A quien no echa raíces no puede dar frutos.

Ser río que corre, ser nube que pasa,
sin dejar recuerdo ni rastro ninguno,
es triste; y más triste para quien se siente
nube en lo elevado, río en lo profundo.   10

Quisiera ser árbol mejor que ser ave,
quisiera ser leño mejor que ser humo;
    y al viaje que cansa,
    prefiero el terruño:
la ciudad nativa con sus companarios,   15
arcaicos balcones, portales vetustos
y calles estrechas, como si las casas
tampoco quisieran separarse mucho...
    Estoy en la orilla
    de un sendero abrupto.   20
Miro la serpiente de la carretera
que en cada montaña da vueltas a un nudo;
y, entonces, comprendo que el camino es largo,
    que el terreno es brusco,
    que la cuesta es ardua,   25
    que el paisaje es mustio...
¡Señor! ya me canso de viajar, ya siento
nostalgia, ya ansío descansar muy junto
de los míos... Todos rodearán mi asiento
para que les diga mis penas y triunfos;   30
y yo, a la manera del que recorriera
un álbum de cromos, contaré con gusto
las mil y una noches de mis aventuras
y acabaré en esta frase de infortunio:
    —¡He vivido poco!   35
    ¡Me he cansado mucho!

TRES NOTAS DE NUESTRA ALMA INDIGENA

(A) ¡QUIÉN SABE!

Indio que asomas a la puerta
de esa tu rústica mansión:
¿para mi sed no tienes agua?
¿para mi frío, cobertor?
¿parco maíz para mi hambre?   5
¿para mi sueño, mal rincón?
¿breve quietud para mi andanza?...
    —¡Quién sabe, señor!

Indio que labras con fatiga
tierras que de otros dueños son:
¿ignoras tú que deben tuyas
ser, por tu sangre y tu sudor?
¿ignoras tú que audaz codicia,
siglos atrás, te las quitó?
¿ignoras tú que eres el Amo?
　　　　　—¡Quién sabe, señor!

Indio de frente taciturna
y de pupilas sin fulgor:
¿qué pensamiento es el que escondes
en tu enigmática expresión?
¿qué es lo que buscas en tu vida?
¿qué es lo que imploras a tu Dios?
¿qué es lo que sueña tu silencio?
　　　　　—¡Quién sabe, señor!

¡Oh raza antigua y misteriosa,
de impenetrable corazón,
que sin gozar ves la alegría
y sin sufrir ves el dolor:
eres augusta como el Ande,
el Grande Océano y el Sol!
Ése tu gesto que parece
como de vil resignación
es de una sabia indiferencia
y de un orgullo sin rencor . . .

Corre en mis venas sangre tuya,
y, por tal sangre, si mi Dios
me interrogase qué prefiero
—cruz o laurel, espina o flor,
beso que apague mis suspiros
o hiel que colme mi canción—
responderíale dudando:
　　　　　—¡Quién sabe, señor!

(B) ASÍ SERÁ

El joven indio comparece
ante el ceñudo Capataz:
—Tu padre ha muerto; y, como sabes
en contra tuya y en pie están
deudas, que tú con tu trabajo

tal vez nos llegues a pagar...
Desde mañana, como es justo,
rebajaremos tu jornal.—
El joven indio abre los ojos
llenos de trágica humedad; 10
y, con un gesto displicente
que no se puede penetrar,
dice, ensayando una sonrisa:
            —Así será...

    Clarín de guerra pide sangre. 15
Truena la voz del Capitán:
—Indio: ¡a las filas! Blande tu arma
hasta morir o hasta triunfar.
Tras la batalla, si es que mueres,
nadie de ti se acordará; 20
pero si, en cambio, el triunfo alcanzas,
te haré en mis tierras trabajar...
No me preguntes por qué luchas,
ni me preguntes dónde vas.—
Dócil el indio entra en las filas 25
como un autómata marcial;
y sólo dice, gravemente:
            —Así será...

    Mujer del indio: en ti los ojos
un día pone blanco audaz. 30
Charco de sangre... Hombre por tierra...
Junto al cadáver, un puñal...
Y luego el juez increpa al indio,
que se sonríe sin temblar:
—Quien como tú con hierro mata, 35
con hierro muere. ¡Morirás!—
Pone un relámpago en sus ojos
turbios el indio; y, con la faz
vuelta a los cielos, dice apenas:
            —Así será... 40

    ¡Oh raza firme como un árbol
que no se agobia al huracán,
que no se queja bajo el hacha
y que se impone al pedregal!
Raza que sufre su tormento 45
sin que se le oiga lamentar.
(¿Rompió en sollozos Atahualpa?

¿Guatemozín? [18] ... ¿Caupolıcán? ...)
El "Dios lo quiere" de los moros
suena como este "Así será" ...   50

¿Resignación? Antes orgullo
de quien se siente valer más
que la fortuna caprichosa
y que la humana crueldad ...
Un filosófico desprecio   55
hacia el dolor acaso da
la herencia indígena a mi sangre,
pronta a fluir sin protestar;
y cada vez que la torpeza
de la Fortuna huye a mi afán,   60
y crueldades harto humanas
niéganle el paso a mi Ideal,
y hasta la Vida me asegura
que nada tengo que esperar,
dueño yo siempre de mí mismo   65
y superior al bien y al mal,
digo, encogiéndome de hombros:
   —Así será ...

(C) AHÍ, NO MÁS

Indio que a pie vienes de lejos
(y tan de lejos que quizás
te envejeciste en el camino,
y aun no concluyes de llegar ...)
Detén un punto el fácil trote   5
bajo la carga de tu afán,
que te hace ver siempre la tierra
(en que reinabas siglos ha);
y dime, en gracia a la fatiga,
¿en dónde queda la ciudad?—   10
Señala el Indio un ágil cumbre,
que a mi esperanza cerca está;
y me responde, sonriendo,
      —Ahí, no más ...

Espoleado echo al galope   15
mi corcel; y una eternidad
se me desdobla en el camino ...
Llego a la cuesta; un pedregal

18. Guatemozín: See page 504, note 67.

en que monótonos los cascos
del corcel ponen su chis-chas . . .
Gano la cumbre; y, por fin, ¿qué hallo? 20
aridez, frío y soledad . . .
Ante esta cumbre, hay otra cumbre;
y después de ésa, ¿otra no habrá?
—Indio que vives en las rocas 25
de las alturas y que estás
lejos del valle y las falacias
que la molicie urde sensual,
¿quieres decirle a mi fatiga
en dónde queda la ciudad?— 30
El Indio asómase a la puerta
de su palacio señorial,
hecho de pajas que el Sol dora
y que desfleca el huracán;
y me responde sonriendo: 35
—Antes un río hay que pasar . . .
—¿Y queda lejos ese río?
            —Ahí, no más . . .

Trepo una cumbre y otra cumbre
y otra . . . Amplio valle duerme en paz; 40
y sobre el verde fondo, un río
dibuja su S de cristal.
—Éste es el río; pero ¿en dónde,
en dónde queda la ciudad?—
Indio que sube de aquel valle, 45
oye mi queja y, al pasar,
deja caer estas palabras:
            —Ahí, no más . . .

¡Oh Raza fuerte en la tristeza,
perseverante en el afán, 50
que no conoces la fatiga
ni la extorsión del "más allá."
—Ahí, no más . . . —encuentras siempre
cuanto deseas encontrar;
y, así, se siente, en lo profundo 55
de ese desprecio con que das
sabia ironía a las distancias,
una emoción de Eternidad . . .

Yo aprendo en ti—lo que me es fácil,
pues tengo el título ancestral— 60

a hacer de toda lejanía
un horizonte familiar;
y en adelante, cuando busque
un remotísimo Ideal,
cuando persiga un loco ensueño,   65
cuando prepare un vuelo audaz,
si adónde voy se me pregunta,
ya sé que debo contestar,
sin medir tiempos ni distancias:
    —Ahí, no más . . .   70

Julio Herrera y Reissig

1875-1910

su poesía cromática

THIS fine Uruguayan writer was a poet's poet. He took the symbolism of Lugones (and of several French poets) and carried it a step further. His images are striking, sometimes grotesque, always suggestive to the sensitive reader whose mind is attuned to his, though often unintelligible to the general public. Certainly Herrera y Reissig does not evoke any popular response. Occasionally his verses roll forth one after the other, giving the impression of high-pitched, nervous voices at midnight; voices straining to maintain a semblance of normality in the chaos created when the poet's world of images collides with the world of coarse reality.

DESPERTAR *Soneto*

Alisia y Cloris abren de par en par la puerta,
y torpes, con el dorso de la mano haragana
restréganse los húmedos ojos de lumbre incierta,
por donde huyen los últimos sueños de la mañana ...

La inocencia del día se lava en la fontana,
el arado en el surco vagaroso despierta,
y en torno de la casa rectoral, la sotana
del cura se pasea gravemente en la huerta ...

Todo suspira y ríe. La placidez remota
de la montaña sueña celestiales rutinas.
El esquilón repite siempre su misma nota

de grillo de las cándidas églogas matutinas.
Y hacia la aurora sesgan agudas golondrinas,
como flechas perdidas de la noche en derrota.

JULIO

Frío, frío, frío!
Pieles, nostalgias y dolores mudos.

Flota sobre el esplín de la campaña
una jaqueca sudorosa y fría,
y las ranas celebran en la umbría
una función de ventriloquia extraña.

La Neurastenia gris de la montaña   5
piensa, por singular telepatía,
con la adusta y claustral monomanía
del convento senil de la Bretaña.

Resolviendo una suma de ilusiones,
como un Jordán de cándidos vellones   10
la majada eucarística se integra;

y a lo lejos el cuervo pensativo
sueña acaso en un Cosmos abstractivo
como una luna pavorosa y negra.

✳ OJOS NEGROS

La noche del odio eterno   Aunque a traición me han herido
cristalizó en el diamante   con sus filosos destellos,[2]   10
de tus pupilas, que el Dante   dame, por Dios, esos bellos
tomara por el Infierno.

Desoladas en su interno   5   ojos que tanto he querido,
maleficio [1] obsesionante,   ay, para enlutar con ellos
hay en su noche enervante: el féretro de tu olvido.
vacío, caos e invierno.

EL REGRESO

La tierra ofrece el ósculo de un saludo paterno...
Pasta un mulo la hierba mísera del camino,
y la montaña luce, al tardo sol de invierno,
como una vieja aldeana, su delantal de lino.

Un cielo bondadoso y un céfiro tierno...   5
La zagala descansa de codos bajo el pino,
y densos los ganados, con paso paulatino,
acuden a la música sacerdotal del cuerno.

1. maleficio: *spell, witchery*   2. filosos destellos: *sharp flashes*

Trayendo sobre el hombro leña para la cena,
el pastor, cuya ausencia no dura más de un día,   10
camina lentamente rumbo de la alquería.

Al verlo la familia le da la enhorabuena...
Mientras el perro, en ímpetus de lealtad amena,
describe coleando círculos de alegría.

Enrique González Martínez

1871-

THE MEXICAN González Martínez turns away in surfeit from the cult of the modernist swan; nevertheless he shares in the best heritage of modernism. In his poetry is to be found the sound of natural music, the bequest of the modernist music-makers who were his predecessors. González Martínez received the degree of doctor of medicine from the University of Guadalajara, his native city, and later went to the Mexican capital to live and write. His study of medicine and of the bodies of animals and men made him perceive the oneness of all created things. His pantheism was not the result of religious questioning or disillusionment; it came spontaneously from his profound love of Nature in all her forms and moods and from his deep feeling of oneness with her. All things pass, but the poet can understand and love their source, which is eternal. The seclusion of González Martínez's life shows in his writings; it is not the seclusion of a saint or of a hermit, but that of a prophet whom we all know because he says so well things we ourselves feel keenly, yet are unable fully to express.

IRÁS SOBRE LA VIDA DE LAS COSAS ...

Irás sobre la vida de las cosas
con noble lentitud; que todo lleve
a tu sensorio luz: blancor de nieve,
azul de linfas o rubor de rosas.

Que todo deje en ti como una huella   5
misteriosa grabada intensamente;
lo mismo el soliloquio de la fuente
que el flébil parpadeo [1] de la estrella.

Que asciendas a las cumbres solitarias
y allí como arpa eólica te azoten   10

1. flébil parpadeo: *mournful twinkling*

560

los borrascosos vientos, y que broten
de tus cuerdas rugidos y plegarias.

Que esquives lo que ofusca y lo que asombra
al humano redil que abajo queda,
y que afines tu alma hasta que pueda   15
escuchar el silencio y ver la sombra.

Que te ames en ti mismo, de tal modo
compendiando tu ser cielo y abismo
que sin desviar los ojos de ti mismo
puedan tus ojos contemplarlo todo.   20

Y que llegues, por fin, a la escondida
playa con tu minúsculo universo,
y que logres oír tu propio verso
en que palpita el alma de la vida.

TUÉRCELE EL CUELLO AL CISNE

muerte al modernismo
p. 491

Tuércele el cuello al cisne de engañoso plumaje
que da su nota blanca al azul de la fuente;
él pasea su gracia no más, pero no siente
el alma de las cosas ni la voz del paisaje.

Huye de toda forma y de todo lenguaje   5
que no vayan acordes con el ritmo latente
de la vida profunda ... y adora intensamente
la vida, y que la vida comprenda tu homenaje.

Mira el sapiente buho cómo tiende las alas
desde el Olimpo, deja el regazo de Palas [2]   10
y posa en aquel árbol el vuelo taciturno ...

Él no tiene la gracia del cisne, mas su inquieta
pupila que se clava en la sombra, interpreta
el misterioso libro del silencio nocturno.

COMO HERMANA Y HERMANO ...

algo a lo de Silva

Como hermana y hermano
vamos los dos cogidos de la mano ...

En la quietud de la pradera hay una
blanca y radiosa claridad de luna,

2. **Palas:** *Pallas Athene* (in Roman mythology Minerva), the goddess of wisdom, was
usually represented with an owl.

y el paisaje nocturno es tan risueño   5
que con ser realidad parece sueño.
De pronto, en un recodo del camino,
oímos un cantar . . . Parece el trino
de un ave nunca oída,
un canto de otro mundo y de otra vida . . .   10
¿Oyes?—me dices—. Y a mi rostro juntas
tus pupilas preñadas de preguntas.
La dulce calma de la noche es tanta
que se escuchan latir los corazones.
Yo te digo: no temas, hay canciones   15
que no sabremos nunca quién las canta . . .

    Como hermana y hermano
vamos los dos cogidos de la mano . . .

    Besado por el soplo de la brisa,
el estanque cercano se divisa . . .   20
bañándose en las ondas hay un astro;
un cisne alarga el cuello lentamente
como blanca serpiente
que saliera de un huevo de alabastro.
Mientras miras el agua silenciosa,   25
como un vuelo fugaz de mariposa
sientes sobre la nuca el cosquilleo,[3]
la pasajera onda de un deseo,
el espasmo sutil, el calosfrío [4]
de un beso ardiente cual si fuera mío.   30
Alzas a mí tu rostro amedrentado
y trémula murmuras: ¿me has besado?
Tu breve mano oprime
mi mano; y yo a tu oído: ¿sabes? Esos
besos nunca sabrás quien los imprime.   35
Acaso ni siquiera si son besos.

    Como hermana y hermano
vamos los dos cogidos de la mano . . .

    En un desfalleciente desvarío [5]
tu rostro apoyas en el pecho mío,   40
y sientes resbalar sobre tu frente
una lágrima ardiente . . .

3. sobre . . . el cosquilleo: *tickling sensa-*   5. desfalleciente desvarío: *languishing*
tion on the nape of the neck   *giddiness*
  4. calosfrío: *chill, shiver*

Me clavas tus pupilas soñadoras
y tiernamente me preguntas: —¿Lloras? ...
—Secos están mis ojos ... Hasta el fondo 45
puedes mirar en ellos ... Pero advierte
que hay lágrimas nocturnas—te respondo—
que no sabemos nunca quién las vierte ...

Como hermana y hermano
vamos los dos cogidos de la mano ... 50

¿TE ACUERDAS?

Te acuerdas de la tarde en que vieron mis ojos
de la vida profunda el alma de cristal? ...
Yo amaba solamente los crepúsculos rojos,
las nubes y los campos, la ribera y el mar ...

Mis ojos eran hechos para formas sensibles; 5
me embriagaba la línea, adoraba el color;
apartaba mi espíritu de sueños imposibles;
desdeñaba las sombras enemigos del sol.

Del jardín me atraían el jazmín y la rosa,
(la sangre de la rosa, la nieve del jazmín), 10
sin saber que a mi lado pasaba temblorosa
hablándome en secreto el alma del jardín.

Halagaban mi oído las voces de las aves,
la balada del viento, el canto del pastor,
y yo formaba coro con las notas suaves, 15
y enmudecían ellas y enmudecía yo ...

Jamás seguir lograba el fugitivo rostro
de lo que ya no existe, de lo que ya se fué ...
Al fenecer la nota, al apagarse el astro,
¡oh, sombras, oh, silencio, dormitabais también! 20

¿Te acuerdas de la tarde en que vieron mis ojos
de la vida profunda el alma de cristal? ...
Yo amaba solamente los crepúsculos rojos,
las nubes y los campos, la ribera y el mar ...

MAÑANA LOS POETAS

Mañana los poetas cantarán en divino
verso que no logramos entonar los de hoy;

nuevas constelaciones darán otro destino
a sus almas inquietas con un nuevo temblor.

Mañana los poetas seguirán su camino   5
absortos en ignota y extraña floración,
y al oír nuestro canto, con desdén repentino
echarán a los vientos nuestra vieja ilusión.

Y todo será inútil, y todo será en vano;
será el afán de siempre y el idéntico arcano   10
y la misma tiniebla dentro del corazón.

Y ante la eterna sombra que surge y se retira,
recogerán del polvo la abandonada lira
y cantarán con ella nuestra misma canción.

VIENTO SAGRADO

Sobre el ansia marchita,[6]
sobre la indiferencia que dormita,
hay un viento sagrado que se agita;

un milagroso viento
de fuertes alas y de firme acento   5
que a cada corazón infunde aliento.

Viene del mar lejano
y en su bronco rugir hay un arcano [7]
que flota en medio del silencio humano.

Viento de profecía   10
que a las tinieblas del vivir envía
la evangélica luz de un nuevo día;

viento que en su carrera
sopla sobre el amor, y hace una hoguera
que enciende en caridad la vida entera.* * *   15

Hará que los humanos
en solemne perdón unan las manos
y el hermano conozca a sus hermanos.

No cejará en su vuelo
hasta lograr unir, en un consuelo   20
inefable, la tierra con el cielo;

6. el ansia marchita: *withering anguish*   7. arcano: *secret*

hasta que el hombre en celestial arrobo
hable a las aves y convenza al lobo;

hasta que deje impreso
en las llagas de Lázaro su beso;   25

hasta que sepa darse en ardorosas
ofrendas, a los hombres y a las cosas,
y en su lecho de espinas sienta rosas;

hasta que la escondida
entraña, vuelta manantial de vida,   30
sangre de caridad como una herida...

¡Ay de aquel que en su senda
cierre el oído ante la voz tremenda!
¡Ay del que oiga la voz y no comprenda!

EL RETORNO IMPOSIBLE

Yo sueño con un viaje que nunca emprenderé,
un viaje de retorno, grave y reminiscente...

Atrás quedó la fuente
cantarina y jocunda, y aquella tarde fué
esquivo el torpe labio a la dulce corriente.   5
¡Ah, si tornar pudiera! Mas sé que inútilmente
sueño con ese viaje que nunca emprenderé.

Un pájaro en la fronda cantaba para mí...
Ya crucé por la senda de prisa, yo no lo oí.

Un árbol me brindaba su paz... A la ventura,   10
pasé cabe la sombra sin probar su frescura.
Una piedra le dijo a mi dolor: "Descansa,"
y desdeñé las voces de aquella piedra mansa.

Un sol reverberante brillaba para mí;
pero bajé los ojos al suelo, yo no lo ví.   15

En el follaje espeso
se insinuaba el convite de un ósculo divino...
Yo seguí mi camino
y no recibí el beso.

Hay una voz que dice: "Retorna, todavía   20
el ocaso está lejos; vuelve tu rostro, guía
tus pasos al sendero que rememoras; tente
y refresca tus labios en la sagrada fuente;
ve, descansa al abrigo
de aquel follaje amigo;   25
oye la serenata del ave melodiosa,
y en la piedra que alivia de cansancios reposa;
ve que la noche tarda
y oculto entre las hojas hay un beso que aguarda . . ."

Mas ¿para qué, si al fin de la carrera   30
hay un beso más hondo que me espera,
y una fuente más pura,
y una ave más hermosa que canta en la espesura,
y otra piedra clemente
en que posar mañana la angustia de mi frente,   35
y un nuevo sol que lanza
desde la altiva cumbre su rayo de esperanza?

Y mi afán repentino
se para vacilante en mitad del camino,
y vuelvo atrás los ojos, y sin saber por qué,   40
entre lo que recuerdo y entre lo que adivino,
bajo el alucinante misterio vespertino,
sueño con ese viaje que nunca emprenderé.

BALADA DE LA LOCA FORTUNA . . .

Con el sol, el mar, el viento y la luna
voy a amasar una loca fortuna.

Con el sol haré monedas de oro
(al reverso,[8] manchas; al anverso, luz)
para jugarlas a cara o a cruz.   5

Cerraré en botellas las aguas del mar,
con lindos marbetes y expresivas notas,
y he de venderlas con un cuentagotas
a todo el que quiera llorar.

Robador del viento, domaré sus giros,   10
y en las noches calladas y quietas,
para los amantes venderé suspiros,
y bellas canciones para los poetas . . .

8. al reverso: *on the face* (of the coin)

En cuanto a la luna,
ia guardo, por una
sabia precaución,
en la caja fuerte de mi corazón ...

Con el sol, la luna, el viento y el mar
¡Qué loca fortuna voy a improvisar!

Manuel Díaz Rodríguez

1868-1927

THIS Venezuelan modernist was a critic, short story writer, and novelist. His prose fiction shows the influence of Nájera, but lacks the Mexican's intimate directness and simplicity. Díaz Rodríguez loves the exotic and the fantastic; his brief novel, *Sangre patricia,* 1902, is the finest example of his art. It is a story of emotional loss in which there are intermingled— and not always in proper proportions—philosophical discussion, fantasy, and character delineation in a high pitched key. The author never again equalled the fine beginning which made this work unique in Latin American literature.

EL MODERNISMO

Modernismo en literatura y arte no significa ninguna determinada escuela de arte o literatura. Se trata de un movimiento espiritual muy hondo a que involuntariamente obedecieron y obedecen artistas y escritores de escuelas de semejantes. De orígenes diversos, los creadores del modernismo lo fueron con sólo dejarse llevar, ya en una de sus obras, ya en todas ellas, por ese movimiento espiritual profundo.

Anunciado por la pintura de los prerrafaelistas ingleses [1] en su reacción contra el pseudoclasicismo, el arte modernista se delineó y afirmó cuando simbolistas y decadentes reaccionaron con doble reacción en literatura contra el naturalismo ilusorio y [5] contra el cientificismo dogmático. Naturalmente, los primeros observadores no se percataron [2] del movimiento profundo, sino de su fenómeno revelador, de su manifestación más aparente y externa, que fué una fresca esplen- [10] didez primaveral del estilo. De ahí que haya quienes vean todavía en el modernismo algo superficial, una simple cuestión de estilo, ya sea una modalidad nueva de éste como quieren [15]

1. The English Pre-Raphaelites were a brotherhood of painters and poets of the middle 19th century in England who strove to avoid the academic in art and who wanted to present life and beauty in the manner of the Italian artists prior to Ra-phael. Founders of the school were W. Holman Hunt, Rossetti, and Millais. One characteristic of the school was the use of unrelated raw colors in juxtaposition.

2. no se percataron: *weren't aware of*

algunos, ya sea una verdadera manía del estilismo, como grotescamente se expresan los autores incapaces de estilo, que es como si dijéramos los eunucos del arte. En realidad sí hubo y hay una cuestión de estilo, y hasta una completa evolución del estilo, si sólo tenemos en cuenta el modernismo español y quitamos a esta última palabra su limitación peninsular, para volverla a su debida amplitud, suficiente a contener toda la raza repartida por España y América. En tal sentido es de observar, y bueno es decirlo porque muchos afectan desconocerlo, cómo se dió el caso de una especie de inversa conquista en que las nuevas carabelas,[3] partiendo de las antiguas colonias, aproaron las costas de España. De los libros recién llegados por entonces de América, la crítica militante peninsular decía que estaban, aunque asaz bien pergeñados,[4] enfermos de la manía modernista. Semejante expresión equivalente de la otra ya apuntada o *manía del estilismo,* se produjo varias veces en España, bajo la pluma de un conocido profesional de las letras.[5]

Pero esta evolución del estilo, digna de estudiarse en el modernismo español, puede tenerse por vana contingencia[6] cuando se estudia el modernismo en general y su alma profunda nutrida, por dos corrientes incontrastables, una de las cuales da al estilo su ingenuidad y sencillez, mientras la otra le da savia y fuerza místicas.

3. carabelas: *caravels, trade ships*
4. bien pergenados: *skilfully written*
5. un conocido . . . letras: Valle-Inclán and others
6. puede . . . contingencia: *may be considered of incidental importance*

De aquí se descubrió un España

Manuel González Prada[1]

1848-1918

WHILE the modernists were building their sequestered castles of escape and the traditionalist Ricardo Palma was emptying the treasure chest of Peru's colonial past, another Peruvian, who liked to sign his name Manuel G. Prada, began his ceaseless attacks on all that was outworn and rotten in Spanish American life. In the war against Chile (1879–1881) González Prada had fought bravely on the field of battle; then, after the defeat of his country, he shut himself up in his house for the entire three years of the Chilean occupation. He would not appear on the streets to see a foreign foot profane his native soil. This self-imposed incarceration helped to crystallize his thoughts, and during the later reconstruction years of 1886–1891 he gathered around him a group of talented young men known as the *Círculo Literario*, who under his leadership nurtured the defiant nationalism of their defeated country. But this was only a single phase of the great man's career. He denounced the despoliation of the land and the exploitation of the Indians and peons by the landowners, the Church and the State, preached with apostolic fervor his gospel of national anarco-socialism and individual decency, challenged all the romantic quackeries of irrational thinking, railed at injustice and inequality wherever he found them. Students, workers, and intellectuals were his devoted followers and friends, but his name was anathema to those who sat in the high places.

Seldom in literature has a man's language so completely given expression to the passions of his heart. He was a master of irony and of diatribe. He ridiculed the sonorous vapidities of his Spanish contempories Juan Valera, Emilio Castelar, Núñez de Arce. His own style was at least two generations in advance of the bejewelled modernist effusions then in vogue. There was a unique eloquence and poetry in his sharp pen, whether he

1. The editor is greatly indebted to don Alfredo González Prada, son of the writer, for invaluable help in selecting and presenting his father's work.

was composing light reproof or relentless invective. While other poets wrote of a fantastic world of art, González Prada concerned himself with the fundamental social problems of the real world around him and with those deeper, intangible realities: right and wrong, life and death. He acknowledged no cult, but was a firm believer in the potential decency of the organism, man. He was anti-Spanish, anti-Peruvian, anti-Catholic, anti-ruling class; yet the best that was Spanish or Peruvian or Catholic or aristocratic in his nation and in his people was united in him with a nobility which gainsaid all pessimism and gave buoyancy to every hope. González Prada did not live for the present and his writing was not circumscribed by its scope. He projected himself into the future as one who has no fear of the end. He cut through the weed-ridden thinking of his generation to let in the light of truth and of that true justice on which all the hopes of democracy must depend.

The following selection is from a speech which González Prada wrote as part of a celebration held in the Teatro Politeama of Lima the night of July 29, 1888, in order to gather funds to contribute to the ransoming of the provinces of Tacna and Arica, which had been taken over by Chile. It was later published in the collection *Páginas libres* (Paris, 1894).

DISCURSO EN EL POLITEAMA [2]

1

Los que pisan el umbral de la vida se juntan hoy para dar una lección a los que se acercan a las puertas del sepulcro. La fiesta que presenciamos tiene mucho de patriotismo y algo de ironía: el niño quiere rescatar con el oro lo que el hombre no supo defender con el hierro.

Los viejos deben temblar ante los niños, porque la generación que se levanta es siempre acusadora y juez de la generación que desciende. De aquí, de estos grupos alegres y bulliciosos, saldrá el pensador austero y taciturno; de aquí, el poeta que fulmine las estrofas de acero retemplado; de aquí, el historiador que marque la frente del culpable con un sello de 5 indeleble ignominia.

Niños, sed hombres temprano, madrugad a la vida, porque ninguna generación recibió herencia más triste, porque ninguna tuvo deberes más 10 sagrados que cumplir, errores más graves que remediar ni venganzas más justas que satisfacer.

En la orgía de la época independiente, vuestros antepasados bebieron 15 el vino generoso y dejaron las heces. Siendo superiores a vuestros padres,

2. This speech was read by Miguel Urbina, an Ecuadorian political exile, who had requested the honor as a personal favor from his friend González Prada. Urbina was a wonderful public speaker, and Prada despised talking before an audience. However, he did deliver all his other addresses personally, and as the years passed he came eventually to have a higher regard for oratory.

tendréis derecho para escribir el bochornoso epitafio de una generación que se va, manchada con la guerra civil de medio siglo, con la quiebra fraudulenta y con la mutilación del territorio nacional.

Si en estos momentos fuera oportuno recordar vergüenzas y renovar dolores, no acusaríamos a unos ni disculparíamos a otros. ¿Quién puede arrojar la primera piedra?

La mano brutal de Chile despedazó nuestra carne y machacó nuestros huesos; pero los verdaderos vencedores, las armas del enemigo, fueron nuestra ignorancia y nuestro espíritu de servidumbre.

2

Sin especialistas, o más bien dicho, con aficionados que presumían de omniscientes, vivimos de ensayo en ensayo: ensayos de aficionados en Diplomacia, ensayos de aficionados en Economía Política, ensayos de aficionados en Legislación y hasta ensayos de aficionados en Táctica y Estrategia. El Perú fué cuerpo vivo, expuesto sobre el mármol de un anfiteatro, para sufrir las amputaciones de cirujanos que tenían ojos con cataratas seniles y manos con temblores de paralítico. Vimos al abogado dirigir la hacienda pública, al médico emprender obras de ingeniatura, al teólogo fantasear sobre política interior, al marino decretar en administración de justicia, al comerciante mandar cuerpos de ejército... ¡Cuánto no vimos en esa fermentación tumultuosa de todas las mediocridades, en esas vertiginosas apariciones y desapariciones de figuras sin consistencia de hombre, en ese continuo

cambio de papeles, en esa Babel, en fin, donde la ignorancia vanidosa y vocinglera se sobrepuso siempre al saber humilde y silencioso!

Con las muchedumbres libres aunque indisciplinadas de la Revolución, Francia marchó a la victoria; con los ejércitos de indios disciplinados y sin libertad, el Perú irá siempre a la derrota. Si del indio hicimos un siervo ¿qué patria defenderá? Como el siervo de la Edad Media, sólo combatirá por el señor feudal.

Y, aunque sea duro y hasta cruel repetirlo aquí, no imaginéis, señores, que el espíritu de servidumbre sea peculiar a sólo el indio de la puna: también los mestizos de la costa recordamos tener en nuestras venas sangre de los súbditos de Felipe II mezclada con sangre de los súbditos de Huayna-Cápac. Nuestra columna vertebral tiende a inclinarse.

La nobleza española dejó su descendencia degenerada y despilfarradora:[3] el vencedor de la Independencia legó su prole[4] de militares y oficinistas. A sembrar el trigo y extraer el metal, la juventud de la generación pasada prefirió atrofiar el cerebro en las cuadras de los cuarteles y apergaminar la piel en las oficinas del Estado. Los hombres aptos para las rudas labores del campo y de la mina, buscaron el manjar caído del festín de los gobiernos, ejercieron una insaciable succión en los jugos del erario nacional y sobrepusieron el caudillo que daba el pan y los honores a la patria que exigía el oro y los sacrificios. Por eso, aunque siempre existieron en el Perú liberales y conservadores, nunca hubo un verdadero partido liberal ni un verdadero

3. despilfarradora: *wastrel*   4. legó su prole: *bequeathed its litter*

partido conservador, sino tres grandes divisiones: los gobiernistas, los conspiradores y los indiferentes por egoísmo, imbecilidad o desengaño. Por eso, en el momento supremo de la lucha, no fuimos contra el enemigo un coloso de bronce, sino una agrupación de limaduras de plomo; no una patria unida y fuerte, sino una serie de individuos atraídos por el interés particular y repelidos entre sí por el espíritu de bandería. Por eso, cuando el más oscuro soldado del ejército invasor no tenía en sus labios más nombre que Chile, nosotros, desde el primer general hasta el último recluta, repetíamos el nombre de un caudillo, éramos siervos de la Edad Media que invocábamos al señor feudal.

Indios de punas y serranías, mestizos de la costa, todos fuimos ignorantes y siervos; y no vencimos ni podíamos vencer.

3

Si la ignorancia de los gobernantes y la servidumbre de los gobernados fueron nuestros vencedores, acudamos a la Ciencia, ese redentor que nos enseña a suavizar la tiranía de la Naturaleza, adoremos la Libertad, esa madre engendradora de hombres fuertes.

No hablo, señores, de la ciencia momificada que va reduciéndose a polvo en nuestros universidades retrógradas: hablo de la Ciencia robustecida con la sangre del siglo, de la Ciencia con ideas de radio gigantesco, de la Ciencia que trasciende a juventud y sabe a miel de panales griegos, de la Ciencia positiva que en sólo un siglo de aplicaciones industriales produjo más bienes a la Humanidad que milenios enteros de Teología y Metafísica.

Hablo, señores, de la libertad para todos, y principalmente para los más desvalidos. No forman el verdadero Perú las agrupaciones de criollos y extranjeros que habitan la faja de tierra situada entre el Pacífico y los Andes; la nación está formada por las muchedumbres de indios diseminadas en la banda oriental de la cordillera. Trescientos años ha que el indio rastrea en las capas inferiores de la civilización, siendo un híbrido con los vicios del bárbaro y sin las virtudes del europeo: enseñadle siquiera a leer y escribir, y veréis si en un cuarto de siglo se levanta o no a la dignidad de hombre. A vosotros, maestros de escuela, toca galvanizar una raza que se adormece bajo la tiranía del juez de paz, del gobernador y del cura, esa trinidad embrutecedora del indio.

Cuando tengamos pueblo sin espíritu de servidumbre, y militares y políticos a la altura del siglo, recuperaremos Arica y Tacna, y entonces y sólo entonces marcharemos sobre Iquique y Tarapacá,[5] daremos el golpe decisivo, primero y último.

Para ese gran día, que al fin llegará porque el porvenir nos debe una victoria, fiemos sólo en la luz de nuestro cerebro y en la fuerza de nuestros brazos. Pasaron los tiempos en que únicamente el valor decidía de los combates: hoy la guerra es un

5. Iquique y Tarapacá: Tacna, Arica, and Tarapacá were Peruvian provinces taken over by Chile after the war. Iquique is the capital of the province of Tarapacá. The so-called "Tacna-Arica controversy" between Peru and Chile was not settled until 1929, when through direct negotiation of the two countries, Peru lost Arica but regained Tacna and received six million dollars and certain other considerations from Chile.

problema; la Ciencia resuelve la ecuación. Abandonemos el romanticismo internacional y la fe en los auxilios sobrehumanos: la Tierra escarnece a los vencidos, y el Cielo no tiene rayos para el verdugo.

En esta obra de reconstitución y venganza no contemos con los hombres del pasado: los troncos añosos y carcomidos produjeron ya sus flores de aroma deletéreo y sus frutas de sabor amargo. ¡Que vengan árboles nuevos a dar flores nuevas y frutas nuevas! ¡Los viejos a la tumba, los jóvenes a la obra! * * *

The following paragraphs are also taken from *Páginas libres* (Paris, 1894).

LA MUERTE Y LA VIDA

* * * La Naturaleza no aparece injusta ni justa, sino creadora. No da señales de conocer la sensibilidad humana, el odio ni el amor: infinito vaso de concepción, divinidad en interminable alumbramiento, madre toda seno y nada corazón, crea y crea para destruir y volver a crear y volver a destruir. En un soplo desbarata la obra de mil y mil años; no ahorra siglos ni vidas, porque cuenta con dos cosas inagotables: el tiempo y la fecundidad. Con tanta indiferencia mira el nacimiento de un microbio como la desaparición de un astro, y rellenaría un abismo con el cadáver de la Humanidad para que sirviera de puente a una hormiga. * * *

Hay modos y modos de morir: unos salen de la vida, como espantadizo reptil que se guarece en las rajaduras de una peña; [6] otros se van a lo tenebroso,[7] como águila que atraviesa un nubarrón cargado de tormentas. Es indigno de un hombre morir demandando el último puesto en el banquete de la eternidad, como el mendigo pide una migaja de pan a las puertas del señor feudal que siempre le vapuló sin misericordia. Vale más aceptar la responsabilidad de sus acciones y lanzarse a lo desconocido como, sin papeles ni bandera, el pirata se arroja a las inmensidades del mar. * * *

La duda, como noche polar, lo envuelve todo; lo evidente, lo innegable, es que en el drama de la existencia todos los individuos representamos el doble papel de verdugos y víctimas. Vivir significa matar a otros; crecer, asimilarse el cadáver de muchos. Somos un cementerio ambulante donde miriadas de seres se entierran para darnos vida con su muerte. * * *

Cuando se ve sonreír a los niños, cuando se piensa que mañana morirán en el dolor o vivirán en amarguras más acerbas que la muerte, un inefable sentimiento de conmiseración se apodera de los corazones más endurecidos. Si un tirano quería que el pueblo de Roma poseyera una sola cabeza, para cercenársela de un tajo;[8]

6. se guarece ... peña: *takes shelter in the fissures of a cliff*

7. se van ... tenebroso: *depart for the gloomy regions*

8. para ... tajo: *to lop it off with a single blow.* This saying is attributed to the emperor Caligula (12 B.C.–41 A.D.). The English satirist, Jonathan Swift, is said to have paraphrased his words.

si un humorista inglés deseaba que las caras de todos los hombres se redujeran a una sola, para darse el gusto de escupirla, ¿quién no anhelaría que la Humanidad tuviera un solo rostro, para poderla enjugar todas sus lágrimas? * * *

Ninguna luz sobrehumana nos alumbró en nuestra noche, ninguna voz amiga nos animó en nuestros desfallecimientos, ningún brazo invisible combatió por nosotros en la guerra secular con los elementos y las fieras: lo que fuimos, lo que somos, nos lo debemos a nosotros mismos. Lo que podamos ser nos lo deberemos también. Para marchar, no necesitamos ver arriba, sino adelante.

No pedimos la existencia; pero, con el hecho de vivir, aceptamos la vida. Aceptémosla, pues, sin monopolizarla ni quererla eternizar en nuestro beneficio exclusivo: nosotros reímos y nos amamos sobre la tumba de nuestros padres; nuestros hijos reirán y se amarán sobre la nuestra.

DISCURSO EN EL ENTIERRO DE LUIS MÁRQUEZ [9]

Aunque existir no sea más que vacilar entre un mal cierto y conocido— la vida, y otro mal dudoso e ignorado —la muerte, amamos la roca estéril en que nacemos, a modo de aquellos árboles que ahondan sus raíces en las grietas de los peñascos; suspiramos por un Sol que ve con tanta indiferencia nuestra cuna como nuestro sepulcro; y sentimos la desolación de las ruinas cuando alguno de los nuestros cae devorado por ese abismo implacable en que nosotros nos despeñaremos mañana. * * *

Platón, después de medio siglo de meditaciones y desvelos, supo tanto sobre la vida y la muerte, como sabe hoy el labrador que mece la cuna de sus hijos o se reclina en la piedra que marca la fosa de sus abuelos. Pasaron siglos de siglos, pasarán nuevos siglos de siglos; y los hombres quedaremos siempre mudos y aterrados ante el secreto inviolable de la cuna y del sepulcro. ¡Filosofías! ¡Religiones! ¡Sondas arrojadas a profundizar lo insondable! ¡Torres de Babel levantadas para ascender a lo inaccesible! Al hombre, a este puñado de polvo que la casualidad reúne y la casualidad dispersa, no le quedan más que dos verdades: la pesadilla amarga de la existencia y el hecho brutal de la muerte. * * *

¡Adiós, amigo! Tú, que de los labios destilabas la miel ática de los chistes, probaste ya el acibarado veneno de la agonía. Tú atravesaste ya por el tenebroso puente que nos lleva de este mundo al país de que ningún viajero regresó jamás. Tú sabes ya si la Naturaleza es amiga bondadosa que nos acoge en su seno para infundirnos sueño de felices visiones, o madre sin entrañas que guarda para sí la salud, la juventud y la eternidad, reservando para sus hijos las enfermedades, la vejez y la nada. * * *

9. Luis Márquez was one of González Prada's closest friends; for a time he presided over the group *Círculo Literario*. He died in 1888. González Prada's funeral oration scandalized a great many Peruvians, who did not see eye to eye with his unorthodox ideas.

The following selection *La fuerza* from the book *Anarquía*, 1936, first appeared in the periodical *La idea libre*, May 4, 1901.

LA FUERZA

Cuando se dijo: *La fuerza está sobre el derecho*,[10] los sentimentales de ambos mundos lanzaron un grito de horror, como si hubieran nacido en un planeta de rosas sin espinas, de animales sin garras y de hombres sin atavismos de fiera. Sin embargo, la célebre frase (atribuida sin razón a Bismarck) no sancionaba un principio, reconocía un hecho. * * *

Hablemos sin hipocresía ni fórmulas estereotipadas. ¿Por qué figurarse a los hombres más buenos de lo que generalmente son? ¿Por qué imaginarnos a las naciones más civilizadas de lo que en realidad se encuentran? Verdad, convergemos hacia una tierra de paz y misericordia; pero todavía no llegamos: en el viaje nos acometemos, nos herimos y nos devoramos. El hombre, individualmente, suele perfeccionarse hasta el grado de convertirse en una especie de semidiós; colectivamente, no ha pasado hasta hoy de un idiota o de una fiera. La elevación moral no parece un rasgo característico de la especie, sino más bien el don excepcional de unos cuantos individuos. No hubo pueblo-Sócrates ni nación-Aristóteles. En los momentos críticos, las naciones más civilizadas revelan alma de patán: sus más delicadas y graves cuestiones las dilucidan y las zanjan a puñetazos.[11] En la fauna internacional, todas las manos cogen, todas las mandíbulas muerden, aunque la mano se llame Inglaterra, aunque la mandíbula se llame Francia.

No glorifiquemos la debilidad ni la flaqueza, siguiendo las tradiciones de una religión depresiva y envilecedora; por el contrario, volviendo a las buenas épocas del paganismo, ensalcemos el desarrollo simultáneo de la fuerza intelectual y física, y veamos en el equilibrio de ambas el supremo ideal de la perfección. ¿De qué nos sirve la constitución de un Hércules, si poseemos la masa cerebral de un cretino? ¿Qué nos vale la inteligencia de un Platón, si tenemos un organismo degenerado y enfermo?

El débil maldiciendo la fuerza, nos hace pensar en el eunuco renegando de la virilidad. Si la fuerza consuma las iniquidades, sirve también para reivindicar los derechos. Todos los privilegios y todos los abusos se basan en la fuerza; con la fuerza tienen que ser destruidos. ¿Nos figuraremos que un banquero de la Cité se despojará de sus bienes, con sólo estimular la caridad cristiana? ¿Nos imaginaremos que un Zar de Rusia se humanizará, con sólo invocarle los sentimientos filantrópicos? Nada pidamos a la caridad ni a la filantropía: se hallan en bancarrota; esperémoslo todo de la justicia; pero no de la justicia armada con los simples argumentos del sociólogo, sino de la justicia encarnada en el brazo de las muchedumbres.

Lo repetimos: no basta la fuerza del brazo; y la máxima antigua de *alma sana en cuerpo sano*, debe traducirse

10. La fuerza... derecho: *Might makes right*

11. las zanjan a puñetazos: *they settle with blows*

hoy por *alma fuerte en cuerpo fuerte.* Porque fuerza no es únicamente el vapor que mueve la hélice del buque, el hacha que golpea en el tronco del árbol o la dinamita que pulveriza las rocas: fuerza es el escrito razonable y honrado; fuerza, la palabra elocuente y libre; fuerza, la acción desinteresada y generosa. El poder interior del hombre se realza con el prestigio de lo desconocido y misterioso: calculamos la potencia del músculo; pero ¿cómo medimos la fuerza de un cerebro? ¿Cómo podemos saber lo que realizará mañana un pensamiento arrojado a germinar hoy en el cráneo de las multitudes? ¡Cuántas veces la Humanidad se agita y marcha, inconscientemente, al empuje de una idea lanzada hace tres o cuatro mil años!

Como una muestra de la enorme desproporción entre la fuerza del alma y la fuerza del cuerpo, ahí están los obreros de ambos mundos, los siervos del feudalismo capitalista. Llevan el vigor en el músculo; pero como esconden la debilidad en el cerebro, sirven de eterno juguete a los avisados y astutos. En vez de unirse y apresurar la hora de las reivindicaciones sociales, se dividen, se destrozan y se prostituyen en las rastreras luchas de la política: no ejercen derechos de hombre, y rabian por gollerías de ciudadanos; [12] carecen de pan, y reclaman el sufragio; no comen, y votan. ¡Pobre rebaño que se congratula y satisface con la facultad de elegir a sus trasquiladores!

No; los obreros no alcanzan a comprender que si practicaran la solidaridad de clase, si tuvieran un solo arranque de energía, si dieran unos cuantos golpes con la piqueta y el hacha, no tardaría mucho en venir por tierra el edificio de todos los abusos y de todas las iniquidades. Pero no se atreven: el miedo a lo que no debe temerse y el respeto a lo que no merece respetarse, les conserva eternamente inmóviles y sujetos. Más que un rebaño, las muchedumbres son gigantes encadenados con telarañas.

The paragraphs below are taken from *Anarquía*, 1936, and were not printed until that date. They were written some time between the years 1910 and 1918.

EL INDIVIDUO

La Roma clásica nos legó al Dios-Estado: la Roma medioeval nos impuso a la Diosa-Iglesia. Contra esos dos mitos combate hoy el revolucionario en las naciones católicas. Quiere derrumbar a la Iglesia (bamboleante ya con los golpes de la Reforma, de la Enciclopedia y de la Revolución Francesa) para levantar en sus ruinas el monumento de la Ciencia. Quiere destronar al Estado (sacudido ya por los embates de la propaganda anarquista) para establecer la sola autonomía del individuo. En resumen: el revolucionario moderno pretende emancipar al hombre de todo poder humano y divino, sin figurarse con algunos librepensadores que basta so-

___

12. rabian ... ciudadanos: *are crazy to enjoy all the superficial niceties of citizens*

meter lo religioso a lo civil o desarraigar del pueblo la religión para alcanzar la suma posible de libertades. Concediendo al Estado lo roído a la Iglesia,[13] disminuimos la tiranía celeste para aumentar la profana, escapamos al fanatismo del sacerdote para caer en la superstición del político, dejamos a la Diosa-Iglesia para idolatrar al Dios-Estado.

A fuerza de mencionar las ideas absolutas, algunos teólogos de la Edad Media concluyeron por creerlas tan realidad como los seres y las cosas tangibles; a fuerza de elucubrar sobre el Estado, los políticos de hoy acaban por reconocerle una personalidad más efectiva que la del individuo. El estadista moderno reproduce al realista medioeval, puede habérselas con Duns Scot.[14] No habiendo más realidad que el individuo, el Estado se reduce a una simple abstracción, a un concepto metafísico; sin embargo, esa abstracción, ese concepto encarnando en algunos hombres, se apodera de nosotros desde la cuna, dispone de nuestra vida, y sólo deja de oprimirnos y explotarnos al vernos convertidos en cosa improductiva, en cadáver. Con su triple organización de caserna, oficina y convento, es nuestro mayor enemigo. El sabio repite: "La especie es nada; el individuo es todo." El político responde: "El Estado es todo; el individuo es nada." * * *

En el corazón del civilizado se oculta siempre un salvaje, más o menos adormecido: el más apacible no desmiente la selva donde sus abuelos se devoraron unos a otros. Mas ¿la Humanidad no puede existir sin beber sangre? ¿El Estado subsistirá siempre como freno y castigo? ¿Eternamente reinarán el juez, el carcelero, el policía y el verdugo? Con excepción de algunos refractarios, perversos por naturaleza y más enfermos que delincuentes, la especie humana es educable y corregible. Si abunda el atavismo del mal, no puede afirmarse que falta el del bien. Nuestros millares de ascendientes ¿no encierran ninguno bueno? Dada la perfectibilidad humana, cabe en lo posible la existencia de una sociedad basada en la Anarquía, sin más soberano que el individuo. Media más distancia del salvaje prehistórico al hombre moderno que del hombre moderno al *individuo* de la futura sociedad anárquica.

El Estado con sus leyes penales, la Iglesia con sus amenazas póstumas, no corrigen ni moralizan; la Moral no se alberga en biblias ni códigos, sino en nosotros mismos: hay que sacarla del hombre. El amor a nuestro yo, la repugnancia a padecer y morir, nos infunden el respeto a la vida ajena y el ahorro del dolor, no sólo en el hombre sino en los animales. Por un egoísmo reflejo, el negativo precepto cristiano de "No hacer a otro lo que no quisiéramos que nos hiciera a nosotros," se sublima en el positivo consejo humano de "Hacer el bien a todos los seres sin aguardar recompensa."

The following selection is the greater part of an address read before a workers' federation in Lima on May 1, 1905, which later appeared in the

13. lo roído a la Iglesia: *what is taken away from the Church*
14. Duns Scot: Joannes Duns Scotus

(1265?–1308), Scottish scholastic theologian; famous opponent of Thomas Aquinas

book *Horas de lucha* (Lima, 1908). In it González Prada defines the mutual duties of the workers and intellectuals in the struggle for power. These ideas were basic in helping to establish the APRA (*Alianza Popular Revolucionaria Americana*) movement and its *"Frente Único de Trabajadores Manuales e Intelectuales."* The APRA movement was founded in 1923 by Raúl Haya de la Torre, and still exists as one of the strongest social and political forces in Latin America today. APRA is strongly pro-Indian, anti-ruling class, pro-democratic, anti-dictator, pro-collectivist, anti-concentration of wealth. It has always been anti-imperialist and was until recently strongly opposed to the United States, but during the past few years it has accepted the Good Neighbor policy.

* * * Cuando preconizamos la unión o alianza de la inteligencia con el trabajo no pretendemos que a título de una jerarquía ilusoria, el intelectual se erija en tutor o lazarillo [15] del obrero. A la idea que el cerebro ejerce función más noble que el músculo, debemos el régimen de las castas: desde los grandes imperios de Oriente, figuran hombres que se arrogan el derecho de pensar, reservando para las muchedumbres la obligación de creer y trabajar.

Los intelectuales sirven de luz; pero no deben hacer de lazarillos, sobre todo en las tremendas crisis sociales donde el brazo ejecuta lo pensado por la cabeza. Verdad, el soplo de rebeldía que remueve hoy a las multitudes, viene de pensadores o solitarios. Así vino siempre. La justicia nace de la sabiduría, que el ignorante no conoce el derecho propio ni el ajeno y cree que en la fuerza se resume toda la ley del Universo. Animada por esa creencia, la Humanidad suele tener la resignación del bruto: sufre y calla.

Mas de repente, resuena el eco de una gran palabra, y todos los resignados acuden al verbo salvador, como los insectos van al rayo de sol que penetra en la oscuridad del bosque.

El mayor inconveniente de los pensadores: figurarse que ellos solos poseen el acierto y que el mundo ha de caminar por donde ellos quieran y hasta donde ellos ordenen. Las revoluciones vienen de arriba y se operan desde abajo. Iluminados por la luz de la superficie, los oprimidos del fondo ven la justicia y se lanzan a conquistarla, sin detenerse en los medios ni arredrarse con los resultados. Mientras los moderados y los teóricos se imaginan evoluciones geométricas o se enredan en menudencias y detalles de forma, la multitud simplifica las cuestiones, las baja de las alturas nebulosas y las confina en terreno práctico. Sigue el ejemplo de Alejandro: [16] no desata el nudo; le corta de un sablazo.

¿Qué persigue un revolucionario? Influir en las multitudes, sacudirlas,

15. lazarillo: *blind man's guide*
16. Alejandro: Reference is to the knot tied by Gordius, king of Phrygia. An oracle declared that whosoever should untie this Gordian knot would be master of Asia. Alexander the Great, being unable to untie it, cut it with his sword. The phrase has since come to mean "to slice through difficulties of any kind."

despertarlas y arrojarlas a la acción. Pero sucede que el pueblo, sacado una vez de su reposo, no se contenta con obedecer el movimiento inicial, sino que pone en juego sus fuerzas latentes, marcha y sigue marchando hasta ir más allá de lo que pensaron y quisieron sus impulsores. Los que se figuraron mover una masa inerte, se hallan con un organismo exuberante de vigor y de iniciativas; se ven con otros cerebros que desean irradiar su luz, con otras voluntades que quieren imponer su ley. De ahí un fenómeno muy general en la Historia: los hombres que al iniciarse una revolución parecen audaces y avanzados, pecan de tímidos y retrógrados en el fragor de la lucha o en las horas del triunfo. Así, Lutero retrocede acobardado al ver que su doctrina produce el levantamiento de los campesinos alemanes; así, los revolucionarios franceses se guillotinan unos a otros porque los unos avanzan y los otros quieren no seguir adelante o retrogradar. Casi todos los revolucionarios y reformadores se parecen a los niños: tiemblan con la aparición del ogro que ellos solos evocaron a fuerza de chillidos. Se ha dicho que la Humanidad, al ponerse en marcha, comienza por degollar a sus conductores; no comienza por el sacrificio pero suele acabar con el ajusticiamiento, pues el amigo se vuelve enemigo, el propulsor se transforma en rémora.

Toda revolución arribada tiende a convertirse en gobierno de fuerza, todo revolucionario triunfante degenera en conservador. ¿Qué idea no se degrada en la aplicación? ¿Qué reformador no se desprestigia en el poder? Los hombres (señaladamente los políticos) no dan lo que prometen, ni la realidad de los hechos corresponde a la ilusión de los desheredados. El descrédito de una revolución empieza el mismo día de su triunfo, y los deshonradores son sus propios caudillos.

Dado una vez el impulso, los verdaderos revolucionarios deberían seguirle en todas sus evoluciones. Pero modificarse con los acontecimientos, expeler las convicciones vetustas y asimilarse las nuevas, repugnó siempre al espíritu del hombre, a su presunción de creerse emisario del porvenir y revelador de la verdad definitiva. Envejecemos sin sentirlo, nos quedamos atrás sin notarlo, figurándonos que siempre somos jóvenes y anunciadores de lo nuevo, no resignándonos a confesar que el venido después de nosotros abarca más horizonte por haber dado un paso más en la ascensión de la montaña. Casi todos vivimos girando alrededor de féretros que tomamos por cunas o morimos de gusanos, sin labrar un capullo ni transformarnos en mariposa. Nos parecemos a los marineros que en medio del Atlántico decían a Colón: "No proseguiremos el viaje porque nada existe más allá." Sin embargo, más allá estaba la América.

Pero al hablar de intelectuales y de obreros, nos hemos deslizado a tratar de revolución. ¿Qué de raro? Discurrimos a la sombra de una bandera que tremola entre el fuego de las barricadas, nos vemos rodeados por hombres que tarde o temprano lanzarán el grito de las reivindicaciones sociales, hablamos el primero de mayo, el día que ha merecido llamarse la pascua de los revolucionarios.[17] La celebración de esta pascua, no sólo aquí sino en todo el mundo civilizado, nos revela que la Humanidad cesa de agitarse por cuestiones secundarias y pide cambios radicales. Nadie espera ya que de un parlamento nazca la felicidad de los desgraciados ni que de un gobierno llueva el maná para satisfacer el hambre de todos los vientres. La oficina parlamentaria elabora leyes de excepción y establece gabelas [18] que gravan más al que posee menos; la máquina gubernamental no funciona en beneficio de las naciones, sino en provecho de las banderías dominantes.

Reconocida la insuficiencia de la política para realizar el bien mayor del individuo, las controversias y luchas sobre formas de gobierno y gobernantes quedan relegadas a segundo término, mejor dicho, desaparecen. Subsiste la *cuestión social,* la magna cuestión que los proletarios resolverán por el único medio eficaz: la revolución. No esa revolución local que derriba presidentes o zares y convierte una república en monarquía o una autocracia en gobierno representativo; sino la revolución mundial, la que borra fronteras, suprime nacionalidades y llama la Humanidad a la posesión y beneficio de la tierra.

Si antes de concluir fuera necesario resumir en dos palabras todo el jugo de nuestro pensamiento, si debiéramos elegir una enseña luminosa para guiarnos rectamente en las sinuosidades de la existencia, nosotros diríamos: *Seamos justos.* Justos con la Humanidad, justos con el pueblo en que vivimos; justos con la familia que formamos y justos con nosotros mismos, contribuyendo a que todos nuestros semejantes cojan y saboreen su parte de felicidad, pero no dejando de perseguir y disfrutar la nuestra.

La justicia consiste en dar a cada hombre lo que legítimamente le corresponde; démonos, pues, a nosotros mismos la parte que nos toca en los bienes de la Tierra. El nacer nos impone la obligación de vivir, y esta obligación nos da el derecho de tomar, no sólo lo necesario, sino lo cómodo y lo agradable. Se compara la vida del hombre con un viaje en el mar. Si la Tierra es un buque y nosotros somos pasajeros, hagamos lo posible para viajar en primera clase, teniendo buen aire, buen camarote y buena comida, en vez de resignarnos a quedar en el fondo de la cala, donde se respira una atmósfera pestilente, se duerme sobre maderos podridos por la humedad y se consumen los desperdicios de bocas afortunadas. ¿Abundan las provisiones? pues todos a comer según su necesidad. ¿Escasean los víveres? pues todos a ración, desde el capitán hasta el ínfimo grumete.

La resignación y el sacrificio innecesariamente practicados, nos volverían injustos con nosotros mismos. Cierto, por el sacrificio y la abnegación de almas heroicas, la Humanidad va entrando en el camino de la justicia. Más que reyes y conquistadores, merecen vivir en la Historia y en el corazón de la muchedumbre los simples individuos que pospusieron su

---

17. The first of May is celebrated by many workers' groups with labor demonstrations and parades, having been designated as a holiday in 1889 by the Second Socialist International.

18. gabelas: *taxes*

felicidad a la felicidad de sus semejantes, los que en la arena muerta del
egoísmo derramaron las aguas vivas
del amor. Si el hombre pudiera convertirse en sobrehumano, lo conse-
guiría por el sacrificio. Pero el sacrificio tiene que ser voluntario. No
puede aceptarse que los poseedores
digan a los desposeídos: sacrifíquense
y ganen el cielo, en tanto que nosotros
nos apoderamos de la Tierra.

Lo que nos toca, debemos tomarlo
porque los monopolizadores difícil-
mente nos lo concederán de buena fe
y por un arranque espontáneo. Los 4
de Agosto [19] encierran más aparato
que realidad: los nobles renuncian a
un privilegio, y en seguida reclaman
dos; los sacerdotes se despojan hoy del
diezmo, y mañana exigen el diezmo y
las primicias.[20] Como símbolo de la
propiedad, los antiguos romanos eli-
gieron el objeto más significativo—
una lanza. Este símbolo ha de interpretarse así: la posesión de una cosa
no se funda en la justicia sino en la
fuerza; el poseedor no discute, hiere;
el corazón del propietario encierra
dos cualidades del hierro: dureza y
frialdad. Según los conocedores del
idioma hebreo, Caín significa *el primer propietario*. No extrañemos si un
socialista del siglo XIX, al mirar en
Caín el primer detentador [21] del suelo
y el primer fratricida, se valga de esa
coincidencia para deducir una pavorosa conclusión: *La propiedad es el
asesinato.*

Pues bien: si unos hieren y no
razonan, ¿qué harán los otros? Desde
que no se niega a las naciones el
derecho de insurrección para derrocar
a sus malos gobiernos, debe conce-
derse a la Humanidad ese mismo
derecho para sacudirse de sus inexo-
rables explotadores. Y la concesión es
hoy un credo universal: teóricamente,
la revolución está consumada porque
nadie niega las iniquidades del régimen actual, ni deja de reconocer la
necesidad de reformas que mejoren
la condición del proletariado. (¿No
hay hasta un socialismo católico?)
Prácticamente, no lo estará sin luchas
ni sangre, porque los mismos que reconocen la legitimidad de las reivindicaciones sociales, no ceden un palmo en el terreno de sus conveniencias:
en la boca llevan palabras de justicia,
en el pecho guardan obras de iniquidad.

Sin embargo, muchos no ven o fingen no ver el movimiento que se opera
en el fondo de las modernas sociedades. Nada les dice la muerte de las
creencias, nada el amenguamiento del
amor patrio, nada la solidaridad de
los proletarios, sin distinción de razas
ni de nacionalidades. Oyen un clamor
lejano, y no distinguen que es el
grito de los hambrientos lanzados a
la conquista del pan; sienten la trepi-
dación del suelo, y no comprenden
que es el paso de la revolución en
marcha; respiran en atmósfera satu-
rada por hedores de cadáver, y no

19. Los 4 de Agosto: On August 4, 1789,
the French Constituent Assembly consisting
of the nobles, the clergy, and the third
estate met together. With a great burst of
enthusiasm evoked by the ideals of the
French Revolution the nobles and clergy
spontaneously renounced their feudal priv-
ileges. A few days later the Declaration of

the Rights of Man was made. However,
after the first ardors had cooled off a bit
both nobles and clergy began recouping the
lost ground.
20. diezmo y primicias: *tithe and first-
fruits*
21. detentador: *deforciant*, i.e. one who
withholds wrongly or holds off by force

perciben que ellos y todo el mundo burgués son quienes exhalan el olor a muerto.

Mañana, cuando surjan olas de proletarios que se lancen a embestir contra los muros de la vieja sociedad, los depredadores y los opresores palparán que les llegó la hora de la batalla decisiva y sin cuartel. Apelarán a sus ejércitos; pero los soldados contarán en el número de los rebeldes; clamarán al cielo, pero sus dioses permanecerán mudos y sordos. Entonces huirán a fortificarse en castillos y palacios, creyendo que de alguna parte habrá de venirles algún auxilio. Al ver que el auxilio no llega y que el oleaje de cabezas amenazadoras hierve en los cuatro puntos del horizonte, se mirarán a las caras y sintiendo piedad de sí mismos (los que nunca la sintieron de nadie) repetirán con espanto: *¡Es la inundación de los bárbaros!* Mas una voz, formada por el estruendo de innumerables voces, responderá: *No somos la inundación de la barbarie, somos el diluvio de la justicia.*[22]

González Prada with his colossal individualism had little in common with the modernist writers, but some critics have called him a precursor of that movement because both his poetry and his prose broke so clearly with the sacrosanct and classic Spanish past. As far back as the 1870's when his contemporaries were worshipping at the shrines of romantic Musset,[23] Espronceda, Bécquer, and Hugo, he "initiated the cult of the German poets." His first poems written at this time were ballads and *lieder* in Germanic style. He also translated selections from Goethe, Schiller, Heine, Lessing, von Platen, Uhland, Müller, Herder, and others among the Germans, as well as Dumas, Mérimée, Gautier, Hugo, and Martin, among the French. He brought to Hispanic verse revitalizing importations of form and meter from France, England, Italy, Germany, and the East. The most notable of these were: the *rondel* (in its various forms known as the *rondeau, rondelet, triolet, virelai,* and *villanelle*), the Spenserian stanza, the *rispetto, balata, estornelo, gacela, laude,* the Malayan *pantum,*

22. An interesting comparison here would be with the final lines of the famous American poem "The Man with the Hoe" by Edwin Markham:

> "O masters, lords and rulers in all lands,
> how will the Future reckon with this man?
> How answer his brute question in that hour
> when whirlwinds of rebellion shake the world?
> How will it be with kingdoms and with kings—
> with those who shaped him to the thing he is—
> when this dumb Terror shall reply to God
> after the silence of the centuries?"

23. In *Grafitos* he wrote of Alfred de Musset:

> "Leído a saltos, embriaga;
> mas de un tirón, empalaga."

In the same collection there are verses illustrating González Prada's likes and dislikes among a wide variety of writers of different lands.

and Persian quatrains such as those made famous in English by Edward Fitzgerald's translation of Omar Khayyam.[24] Among his own poetic inventions by far the most interesting was the *polirritmo sin rima,* or free verse with varying accents and rhythms all welded to the functional harmony of a whole. He was the first poet in the Spanish language to make extensive use of the French *rondel* and its variations, or of free verse meters.

The variety and flexibility of Prada's poetry, at a time when Hispanic verse was goutish and stiff with the accumulated gluttonies of tradition, bear witness to the iconoclastic spirit of the man. He wrote with equal ease barbs of humorous verse and satire, lyrics of trivial or enduring love, mordant epigrams, Peruvian ballads based on Indian legends, liquid-flowing free verse of many rhythms, carefully wrought sonnets and *rondels.* In many of these he couched the shattering dynamite of his anarchistic social ideas. He was one of the most cosmopolitan of Hispanic poets, yet he remained close to the fountain of popular inspiration. Quevedo and Góngora are called to mind by some of his poems, and the dagger-like lyrics of García Lorca, who did not begin to write until after Prada's death, are suggested by others. The most amazing single quality which runs through all his poetry is a feeling of closeness with the present epoch.

The following selections are all taken from the *Antología poética* of González Prada (Mexico, 1940), edited by Carlos García Prada, in which there is an excellent study and copious notes on the author's poetry.

TRIOLET

Los bienes y las glorias de la vida
o nunca vienen o nos llegan tarde.
Lucen de cerca, pasan de corrida,
los bienes y las glorias de la vida.
¡Triste del hombre que en la edad florida   5
coger las flores del vivir aguarde!
Los bienes y las glorias de la vida
o nunca vienen o nos llegan tarde.

24. Among the many Persian quatrains which appear in the collection *Exóticas* (Lima, 1911) are several stanzas of *The* *Rubaiyat* which González Prada translated into Spanish from Fitzgerald's English version of the poem.

TRIOLET

Desde el instante del nacer, soñamos;
y sólo despertamos, si morimos.
Entre visiones y fantasmas vamos:
desde el instante del nacer, soñamos.
El bien seguro, por el mal dejamos;   5
y hambrientos de vivir, jamás vivimos:
desde el instante del nacer, soñamos;
y sólo despertamos, si morimos.

TRIOLET

Tus ojos de lirio dijeron que sí,
tus labios de rosa dijeron que no.
Al verme a tu lado, muriendo por ti,
tus ojos de lirio dijeron que sí.
Auroras de gozo rayaron en mí;   5
mas pronto la noche de luto volvió:
tus ojos de lirio dijeron que sí,
tus labios de rosa dijeron que no.

RONDEL

Naturaleza, aliento de mi aliento,
inmarcesible flor de lo Infinito,
eterna vida que respiro y siento
en las volubles ráfagas del viento
y en los clavados montes de granito.   5

Son tuyas la constancia y la firmeza,
Tuyos los soles de oro y de topacio,
que triunfas en el tiempo y el espacio,
Naturaleza.

Cifrando en viejos mitos la esperanza,   10
te olvida el hombre y al error se lanza:
huye de ti, siguiendo lo imposible;
y eres amor, Divinidad, belleza,
y lo eres todo, pura, incorruptible
Naturaleza.   15

COSMOPOLITISMO

¡Cómo fatiga y cansa, cómo abruma,
el suspirar mirando eternamente
los mismos campos y la misma gente,
los mismos cielos y la misma bruma!

Huir quisiera por la blanca espuma   5
y a Sol lejano calentar mi frente.
¡Oh, si me diera el río su corriente!
¡Oh, si me diera el águila su pluma!

Yo no seré viajero arrepentido
que al arribar a playas extranjeras   10
exhale de sus labios un gemido.

Donde me estrechen generosas manos,
donde me arrullen tibias Primaveras,
ahí veré mi patria y mis hermanos.

RONDEL

Humanidad, los odios y venganzas
en vano arrojan un clamor de guerra;
que henchida de ilusiones y esperanzas,
tú, por la ruina y el estrago, avanzas
a iluminar y redimir la Tierra.   5

Sobre la hiel de los rencores viertes
un bálsamo de amor y de piedad,
última Diosa de las almas fuertes,
        Humanidad.

El miope sér de corazón rastrero [25]   10
oponga saña y dolo [26] al extranjero.
Patria, feroz y sanguinario mito,
execro yo tu bárbara impiedad;
yo salvo [27] las fronteras, yo repito:
        Humanidad. [28]   15

---

25. rastrero: *grovelling, niggardly*
26. oponga saña y dolo: *let him oppose with unseeing rage and deceit*

27. yo salvo: *I leap across*
28. In the article *Perú y Chile* from *Páginas libres*, González Prada states essen-

TRIOLET

Algo me dicen tus ojos;
mas lo que dicen no sé.
Entre misterio y sonrojos,
algo me dicen tus ojos.

¿Vibran desdenes y enojos, 5
o hablan de amor y de fe?
Algo me dicen tus ojos;
mas lo que dicen no sé.

TRIOLET

Para verme con los muertos,
ya no voy al camposanto.
Busco plazas, no desiertos,
para verme con los muertos.

¡Corazones hay tan yertos! 5
¡Almas hay que hieden tanto!
Para verme con los muertos,
ya no voy al camposanto.

RONDEL

Aves de paso que en flotante hilera
recorren el azul del firmamento,
exhalan a los aires un lamento
y se disipan en veloz carrera,
son el amor, la gloria y el contento. 5

¿Qué son las mil y mil generaciones
que brillan y descienden al ocaso,
que nacen y sucumben a millones?
Aves de paso.

Inútil es, oh pechos infelices, 10
al mundo encadenarse con raíces.
Impulsos misteriosos y pujantes
nos llevan entre sombras, al acaso,
que somos ¡ay! eternos caminantes,
aves de paso.

tially the same idea in these words: "Nada tan hermoso como derribar fronteras y destruir el sentimiento egoísta de las nacionalidades para hacer de la Tierra un solo pueblo y de la Humanidad una sola familia. El patriotismo es la pasión de los necios y la más necia de todas las pasiones. Pero, mientras llega la hora de la paz universal, mientras vivimos en una comarca de corderos y lobos, hay que andar prevenidos para mostrarnos corderos con el cordero y lobos con el lobo . . . Si de nuestros padres heredamos un territorio grande y libre, un territorio grande y libre debemos legar a nuestros descendientes, ahorrándoles la afrenta de nacer en un país vencido y mutilado, evitándoles el sacrificio de recuperar a costa de su sangre los bienes y derechos que nosotros no supimos defender a costa de la nuestra. Nada tan cobarde como la generación que paga sus deudas endosándolas (*passing them on for payment*) a las generaciones futuras."

LAUDE

Todo goce, todo ría,
con la luz del nuevo día.

Monte, selva, mar y llano
alcen himno tan pagano
que hasta el pecho del anciano   5

se estremezca de alegría.

Y ¡oh Sol, hemos de perderte!
Lo espantoso de la muerte
es no verte más, no verte,
oh gloriosa luz del día.   10

EPISODIO

(*Polirritmo sin rima*)

Feroces picotazos,[29] estridentes aleteos,[30]
con salvajes graznidos de victoria y muerte.

Revolotean [31] blancas plumas
y el verde campo alfombran con tapiz de armiño;
en un azul de amor, de paz y gloria,   5
bullen alas negras y picos rojos.

Sucumbe la paloma, triunfa el ave de rapiña;
mas, luminoso, imperturbable, se destaca el firmamento,
y sigue en las entrañas de la eterna Madre
la gestación perenne de la vida.   10

EL MITAYO [32]

—"Hijo, parto: la mañana
reverbera en el volcán;
dame el báculo de chonta,[33]
las sandalias de jaguar."

—"Padre, tienes las sandalias,   5
tienes el báculo ya:
mas ¿por qué me ves y lloras?
¿A qué regiones te vas?"

—"La injusta ley de los Blancos
me arrebata del hogar: 10
voy al trabajo y al hambre,
voy a la mina fatal."

—"Tú que partes hoy en día,
dime ¿cuándo volverás?"
—"Cuando el llama de las punas [34]   15
ame el desierto arenal."

—"¿Cuándo el llama de las punas
las arenas amará?"
—"Cuando el tigre de los bosques
beba en las aguas del mar."   20

—"¿Cuándo el tigre de los bosques
en los mares beberá?"
—"Cuando del huevo de un cóndor
nazca la sierpe mortal."

29. picotazo: *vicious snap of a bird's beak*
30. aleteo: *flapping of the wings*
31. revolotean: *flutter* (earthward)
32. mitayo: Indian serving his *mita* or enforced labor
33. báculo de chonta: *staff of hardwood palm*
34. punas: *mountain highlands*

—"¿Cuándo del huevo de un cón-
    dor   25
una sierpe nacerá?"
—"Cuando el pecho de los Blancos
se conmueva de piedad."

—"¿Cuándo el pecho de los Blancos
piadoso y tierno será?"   30
—"Hijo, el pecho de los Blancos
no se conmueve jamás."

GRAFITOS

Cervantes

Aunque chillen los pedantes
y arruguen todos el ceño,[35]
lo declaro yo: Cervantes
suele producirme sueño.

El Quijote se volviera
Obra divina en verdad,
si otro Cervantes pudiera
reducirle a la mitad.

La Academia Española

Esa caduca institución linfática,
a pesar de su lema estrafalario,[36]
no sabe definirnos la Gramática
ni logra componer el Diccionario.

Miscellaneous "Grafitos"

Impío fué, traidor y mujeriego,
mas en Castilla conquistó la fama
de batallar sin tregua ni sosiego
por su Dios, por su Rey y por su
    Dama.[37]

* * *

Al leer las necias páginas
de muchísimos clerófobos [38]
yo me crispo y me espeluzno [39]
que para más de un jumento
libertad de pensamiento
es libertad de rebuzno.

* * *

Las mujeres honradas
y hasta impecables,
quieren ser respetadas,
no respetables.

* * *

Ella me dice *no;* mas yo pensando
en cómo me lo dice, digo *¿cuándo?*

* * *

Ese Dios que nunca siente
el clamor de cuantos gimen
es el cómplice del crimen
o el testigo indiferente.

* * *

Los hombres protestamos
de parentesco alguno con el mono,
y en Darwin descargamos
toda la hiel de un señoril encono;
los hombres protestamos;
pero ¿sabemos si protesta el mono?

* * *

¿En tu presencia, el hombre, oh
    Creador,
acusado será o acusador?

* * *

Vida, cuento narrado por un tonto,
posees un gran bien: concluyes pronto.

"Tierra fósil, mundo arcaico,
eres el triple mosaico
de torero, chulo y cura;
eres fatídico huerto
donde el fruto sabe a muerto,
la flor hiede a sepultura."

---

35. arruguen . . . ceño: *all knit their brows*
36. estrafalario: *extravagant.* The extravagant motto referred to is: *"Limpia, fija y da
esplendor."*
37. González Prada's anti-Spanish zeal
reaches its high water mark in the poem
A España which was written in Madrid in
1897; it appears in the collection *Libertarias.*
The first stanza of this poem is indicative
of its feeling:

38. clerófobos: *priest haters*
39. me . . . espeluzno: *my muscles twitch
and I tear my hair*

EL PERÚ

¡Abyección y podredumbre!
bajo el peso de la infamia,
viene y va la muchedumbre.

¿Dónde aquí la noble idea?
En el fango de la charca
todo se hunde o chapotea.⁴⁰ * * *

Y si aquí rodó mi cuna,
soy aquí tan extranjero
como en Londres o en la Luna.

A mi pueblo y a mis gentes,   10
¿qué me liga, qué me enlaza?
Yo me siento de otro mundo,
yo me siento de otra raza.⁴¹

LA SERENATA DE PIERROT

—"Lo más bello de tu mano
son tus uñas, oh mi Amada,
con sus óvalos de almendra,
con sus reflejos de nácar:
yo quisiera que esas uñas,   5
en un vértigo de rabia,
como garfios de pantera
en mis ojos se clavaran.

Lo más bello de tu frente
son tus rizos, oh mi Amada,   10
con su atmósfera de selva,
con sus torsiones de liana:
yo quisiera que esos rizos,
en un vértigo de rabia,
como sogas de verdugo   15
me ciñeran la garganta.

Lo más bello de tu boca
son tus dientes, oh mi Amada,
con su dureza de acero,
con su blancura de escarcha: 20

yo quisiera que esos dientes,
en un vértigo de rabia,
como incisivos de tigre
me rompieran las entrañas . . ."

Mientras solo, en cruda noche,   25
da Pierrot su serenata,
mientras tose y se constipa
con el viento y con el agua,
colombina descerroja ⁴²
la traidora puerta falsa   30
y a su nuevo amante esconde
en la alcoba perfumada.

Allí, tentadora,
se sienta en sus faldas,
y le hace cosquillas   35
con uñas de nácar,
el cuello le ciñe
con rizos de liana,
y el labio le muerde
con dientes de escarcha.   40

"Tú me achicas, tú me ahogas,
aire infecto de la patria."

40. se hunde o chapotea: *sinks or gets splattered with mud*

41. Poem number 12 from the book *Trozos de vida* (Paris, 1933), concludes with these often quoted lines:

42. descerroja la traidora puerta falsa: *unlatches the hidden trap door*

José Enrique Rodó

1872-1917

JOSÉ ENRIQUE RODÓ of Uruguay was the intellectual and spiritual voice of Latin America from the time of the publication of *Ariel* in 1900 up to the time of his death in 1917. He gave canalization to that vast torrent of spiritual convulsions which hitherto had made up his America's history. He also gave a perspective to the conception of the United States which is still generally accepted in the other republics of our hemisphere. Rodó believed that the Anglo-Saxon gift to world civilization was liberty, and that the Greco-Roman (hence Latin) gift was culture. The first was marred and jeopardized by a materialism which had nearly snuffed out culture, and the second was in peril of destruction by a lack of order which might result in chaos. Rodó's *Ariel* was an attempt to bring these two poles together.

He gets the title of his book from the character Ariel in Shakespeare's *The Tempest*. Ariel represents that part of the human being which is not the slave of its body, that is, free will, idealism, appreciation of beauty, creative genius. Rodó begins his essay by introducing the venerable old master Prospero (the author) who is taking leave of a group of his students after a long period of work together. His words to them make up the book. Prospero's introductory words, briefly, may be summarized as follows: "Develop so far as possible not any single aspect, but the plentitude of your being. Our capacity to understand must be limited only by the impossibility of understanding souls that are narrow. A man who is carried away by the partial appearance of things, and whose point of view is wrong, is heading straight for mediocrity. Specialization is frequently synonymous with a limited horizon." The essay then continues in the following paragraphs:

591

ARIEL

Por desdicha, es en los tiempos y las civilizaciones que han alcanzado una completa y refinada cultura donde el peligro de esa limitación de los espíritus tiene una importancia más real y conduce a resultados más temibles. Quiere, en efecto, la ley de evolución, manifestándose en la sociedad como en la Naturaleza por una creciente tendencia a la heterogeneidad, que, a medida que la cultura general de las sociedades avanza, se limite correlativamente la extensión de las aptitudes individuales y haya de ceñirse el campo de acción de cada uno a una especialidad más restringida. * * * Augusto Comte [1] ha señalado bien este peligro de las civilizaciones avanzadas. Un alto estado de perfeccionamiento social tiene para él un grave inconveniente en la facilidad con que suscita la aparición de espíritus deformados y estrechos; de espíritus "muy capaces bajo un aspecto único, o monstruosamente ineptos bajo todos los otros." El empequeñecimiento de un cerebro humano por el comercio continuo de un solo género de ideas, por el ejercicio indefinido de un solo modo de actividad, es para Comte un resultado comparable a la mísera suerte del obrero a quien la división del trabajo de taller obliga a consumir en la invariable operación de un detalle mecánico todas las energías de su vida. En uno y otro caso, el efecto moral es inspirar una desastrosa indiferencia por el aspecto general de los intereses de la humanidad. * * *

No menos que a la solidez, daña esa influencia dispersiva a la *estética* de la estructura social. La belleza incomparable de Atenas,[2] lo imperecedero [3] del modelo legado por sus manos de diosa a la admiración y el encanto de la Humanidad, nacen de que aquella ciudad de prodigios fundó su concepción de la vida en el concierto de todas las facultades humanas, en la libre y acordada expansión de todas las energías capaces de contribuir a la gloria y al poder de los hombres. Atenas supo engrandecer a la vez el sentido de lo ideal y el de lo real; la razón y el instinto, las fuerzas del espíritu y las del cuerpo. Cinceló las cuatro fases del alma. Cada ateniense libre describe en derredor de sí, para contener su acción, un círculo perfecto, en el que ningún desordenado impulso quebrantará la graciosa proporción de la línea. Es atleta y escultura viviente en el gimnasio, ciudadano en el Pnix,[4] polemista y pensador en los pórticos. Ejercita su voluntad en toda suerte de acción viril y su pensamiento en toda preocupación fecunda. Por eso afirma Macaulay que un día de la vida pública del Atica [5] es más brillante programa de enseñanza que los que hoy calculamos para nuestros modernos centros de instrucción. Y de aquel libre y único florecimiento de la plenitud de nuestra naturaleza, surgió el *milagro*

---

1. Auguste Comte (1798–1857), French philosopher, founder of positivism
2. Atenas: *Athens*
3. lo imperecedero: *the imperishableness*

4. el Pnix: the *Pnyx*, the public meeting place in Athens
5. Atica: the Greek state of which Athens was the principal city

griego, una inimitable y encantadora mezcla de animación y de serenidad, una primavera del espíritu humano, una sonrisa de la historia.

* * * Yo os ruego que os defendáis, en la milicia de la vida, contra la mutilación de vuestro espíritu por la tiranía de un objetivo único e interesado. No entreguéis nunca a la utili-dad o a la pasión sino una parte de vosotros. Aun dentro de la esclavitud material, hay la posibilidad de salvar la libertad interior: la de la razón y el sentimiento. No tratéis, pues, de justificar por la absorción del trabajo o el combate la esclavitud de vuestro espíritu.

As symbolic of this idea, Rodó tells the story of an Oriental King whose palace was the gathering place for travelers and merchants from all over the world. The King was hospitable and friendly and all classes had free access to his dwelling which was in a very real sense the *casa del pueblo*. However, there was one isolated room into which no one but the King himself was permitted to enter. There an aura of religious silence reigned always, and there the King took refuge from the noise of the world and communed with the infinite. Even after the old King's death this room was respected and closed forever in memory of its having once been the Ultima Thule of his soul.

Yo doy al cuento el escenario de vuestro reino interior. Abierto con una saludable liberalidad, como la casa del monarca, confiado a todas las corrientes del mundo, existía en él, al mismo tiempo la celda escondida y misteriosa que desconozcan los huéspedes profanos y que a nadie más que a la razón serena pertenezca. Sólo cuando penetréis dentro del inviolable seguro podréis llamaros, en realidad, hombres libres. No lo son quienes, enajenando insensatamente el dominio de sí a favor de la desordenada pasión o el interés utilitario, olvidan que, según el sabio precepto de Montaigne,[6] nuestro espíritu puede ser objeto de préstamo, pero no de cesión. Pensar, soñar, admirar: he aquí los nombres de los sutiles visitantes de mi celda. Los antiguos los clasificaban dentro de su noble inteligencia del *ocio,* que ellos tenían por el más elevado empleo de una existencia verdaderamente racional, identificándolo con la libertad del pensamiento emancipado de todo innoble yugo. El ocio noble era la inversión del tiempo que oponían, como expresión de la vida superior, a la actividad económica. Vinculando exclusivamente a esa alta y aristocrática idea del reposo su concepción de la dignidad de la vida, el espíritu clásico encuentra su corrección y su complemento en nuestra moderna creencia en la dignidad del trabajo útil; y entrambas atenciones del alma pueden componer, en la existencia individual, un ritmo, sobre cuyo mantenimiento necesario nunca será inoportuno insistir. * * *

6. Michel de Montaigne (1533–1592), French philosopher and essayist

Una vez más: el principio fundamental de vuestro desenvolvimiento, vuestro lema en la vida, deben ser mantener la integridad de vuestra condición humana. Ninguna función particular debe prevalecer jamás sobre esta finalidad suprema. * * * Así como la deformidad y el empequeñecimiento son, en el alma de los individuos, el resultado de un exclusivo objeto impuesto a la acción y un solo modo de cultura, la falsedad de lo artificial vuelve efímera la gloria de las sociedades que han sacrificado el libre desarrollo de su sensibilidad y su pensamiento, ya a la actividad mercantil, como en Fenicia; ya a la guerra, como en Esparta; ya al misticismo, como en el terror del milenario; [7] ya a la vida de sociedad y de salón, como en la Francia del siglo XVIII. * * *

Con frecuencia habréis oído atribuir a dos causas fundamentales el desborde del espíritu de utilidad que da su nota a la fisonomía moral del siglo presente, con menoscabo de la consideración *estética* y desinteresada de la vida. Las revelaciones de la ciencia de la Naturaleza—que, según intérpretes, ya adversos, ya favorables a ellas, convergen a destruir toda idealidad por su base—son la una; la universal difusión, y el triunfo de las ideas democráticas, la otra. Yo me propongo hablaros exclusivamente de esta última causa, porque confío en que vuestra primera iniciación en las revelaciones de la ciencia ha sido dirigida como para preservaros del peligro de una interpretación vulgar.

Sobre la democracia pesa la acusación de guiar a la Humanidad, mediocrizándola, a un Sacro Imperio del utilitarismo. La acusación se refleja con vibrante intensidad en las páginas— para mí siempre llenas de un sugestivo encanto—del más amable entre los maestros del espíritu moderno, en las seductoras páginas de Renán,[8] a cuya autoridad ya me habéis oído varias veces referirme y de quien pienso volver a hablaros a menudo. Leed a Renán, aquellos de vosotros que lo ignoréis todavía, y habréis de amarle como yo. Nadie como él me parece, entre los modernos, dueño de ese arte de "enseñar con gracia," que Anatole France [9] considera divino. Nadie ha acertado como él a hermanar, con la ironía, la piedad. Aún en el rigor del análisis, sabe poner la unción del sacerdote. Aun cuando enseña a dudar, su suavidad exquisita tiende una onda balsámica sobre la duda. * * *

Piensa, pues, el maestro que una alta preocupación por los *intereses ideales* de la especie es opuesta del todo al espíritu de la democracia. * * * Según él, siendo la democracia la entronización de Calibán,[10] Ariel no puede menos que ser el vencido de ese triunfo. Abundan afirmaciones semejantes a estas de Renán. * * * Así, Bourget [11] se inclina a creer que el triunfo universal de las instituciones democráticas hará perder a la civilización en profundidad lo que hace ganar en extensión. * * * Para afrontar el problema, es necesario empezar por reconocer que cuando la democra-

---

7. milenario: here used with the meaning *"end of the world"*

8. Ernest Renan (1823–1892), French philosopher and historian, author of the celebrated *Vie de Jésus*

9. Anatole France (1844–1924), French novelist and satirist

10. Caliban: the character in *The Tempest* who personifies man's lower instincts and sensual nature

11. Paul Bourget (1852–1935), French novelist and critic

cia no enaltece su espíritu por la influencia de una fuerte preocupación ideal que comparta su imperio con la preocupación de los intereses materiales, ella conduce fatalmente a la privanza de la mediocridad y carece, más que ningún otro régimen, de eficaces barreras con las cuales asegurar dentro de un ambiente adecuado la inviolabilidad de la alta cultura. Abandonada a sí misma—sin la constante rectificación de una activa autoridad moral que la depure y encauce sus tendencias en el sentido de la dignificación de la vida—la democracia extinguirá gradualmente toda idea de superioridad que no se traduzca en una mayor y más osada aptitud para las luchas del interés, que son entonces la forma más innoble de las brutalidades de la fuerza. La selección espiritual, el enaltecimiento de la vida por la presencia de estímulos desinteresados, el gusto, el arte, la suavidad de las costumbres, el sentimiento de admiración por todo perseverante propósito ideal y de acatamiento a toda noble supremacía, serán como debilidades indefensas allí donde la igualdad social que ha destruido las jerarquías imperativas e infundadas, no las substituya con otras, que tengan en la influencia moral su único modo de dominio y su principio en una clasificación racional.

Toda igualdad de condiciones es, en el orden de las sociedades, como toda homogeneidad en el de la Naturaleza, un equilibrio estable. Desde el momento en que haya realizado la democracia su obra de negación con el allanamiento de las superioridades injustas, la igualdad conquistada no puede significar para ella sino un punto de partida. Resta la afirmación. Y lo afirmativo de la democracia y su gloria, consistirán en suscitar, por eficaces estímulos, en su seno, la revelación y el dominio de las *verdaderas* superioridades humanas.

Con relación a las condiciones de la vida de América, adquiere esta necesidad de precisar el verdadero concepto de nuestro régimen social un doble imperio.[12] El presuroso crecimiento de nuestras democracias por la incesante agregación de una enorme multitud cosmopolita, por la afluencia inmigratoria, que se incorpora a un núcleo aún débil para verificar un activo trabajo de asimilación y encauzar el torrente humano con los medios que ofrecen la solidez secular de la estructura social, el orden político seguro y los elementos de una cultura que haya arraigado íntimamente—nos expone en el porvenir a los peligros de la degeneración democrática, que ahoga bajo la fuerza ciega del número, toda noción de calidad; que desvanece en la conciencia de las sociedades todo justo sentimiento del orden; y que, librando su ordenación jerárquica a la torpeza del acaso, conduce forzosamente a hacer triunfar las más injustificadas o innobles de las supremacías.

Es indudable que nuestro interés egoísta debería llevarnos—a falta de virtud—a ser hospitalarios. Ha tiempo que la suprema necesidad de colmar el vacío moral del desierto, hizo decir a un publicista ilustre[13] que, en América *gobernar es poblar*. Pero esta

12. un doble imperio: *a twofold imperativeness*
13. publicista ilustre: Juan Bautista Alberdi (1810–1884) in his *Bases y puntos de partida para la organización de la Confederación argentina* (1852)

fórmula famosa encierra una verdad contra cuya estrecha interpretación es necesario prevenirse, porque conduciría a atribuir una incondicional eficacia civilizadora al valor cuantitativo de la muchedumbre. Gobernar es poblar, asimilando, en primer término, educando y seleccionando, después. Si la aparición y el florecimiento en la sociedad, de las más elevadas actividades humanas, de las que determinan la alta cultura, requieren como condición indispensable la existencia de una población cuantiosa y densa, es precisamente porque esa importancia cuantitativa de la población, dando lugar a la más compleja división del trabajo, posibilita la formación de fuertes elementos dirigentes que hagan efectivo el dominio de la *calidad* sobre el *número*. La multitud, la masa anónima, no es nada por sí misma. La multitud será un instrumento de barbarie o de civilización según carezca o no del coeficiente de una alta dirección moral. Hay una verdad profunda en el fondo de la paradoja de Emerson,[14] que exige que cada país del globo sea juzgado según la minoría, y no según la mayoría de sus habitantes. La civilización de un pueblo adquiere su caracter, no de las manifestaciones de su prosperidad o de su grandeza material, sino de las superiores maneras de pensar y de sentir que dentro de ella son posibles, y ya observaba Comte, para mostrar cómo en cuestiones de intelectualidad, de moralidad, de sentimiento, sería insensato pretender que la calidad pueda ser substituida en ningún caso por el número, que ni de la acumulación de muchos espíritus vulgares se obtendrá jamás el equivalente de un cerebro de genio, ni de la acumulación de muchas virtudes mediocres el equivalente de un rasgo de abnegación o de heroísmo. * * *

Rodó points out that in recent days the barbarous hordes of old have been displaced by the pacific hordes of the common man, that tremendous force of vulgarization whose Attila is Mr. Average-Man or his French equivalent, M. Prudhomme.

Encumbrados, esos Prudhommes harán de su voluntad triunfante una partida de caza organizada contra todo lo que manifieste la aptitud y el atrevimiento del vuelo. Su fórmula social será una democracia que conduzca a la consagración del pontífice *Cualquiera*,[15] a la coronación del monarca *Uno de tantos*.[16] Odiarán en el mérito una rebeldía. En sus dominios, toda noble superioridad se hallará en las condiciones de la estatua de mármol colocada a la orilla de un camino fangoso, desde el cual le envía un latigazo de cieno el carro que pasa. * * *

La ferocidad igualitaria no ha manifestado sus violencias en el desenvolvimiento democrático de nuestro siglo, ni se ha opuesto en formas brutales a la serenidad y la independencia de la cultura intelectual. Pero, a la

14. Ralph Waldo Emerson (1803–1882) made this proposal in his *Representative Men*.

15. el pontífice Cualquiera: *Pope Anybody*

16. monarca ... Tantos: *King Average*

manera de una bestia feroz en cuya posteridad domesticada hubiérase cambiado la acometividad en mansedumbre artera e innoble, el igualitarismo, en la forma mansa de la *tendencia a lo utilitario y lo vulgar,* puede ser un objeto real de acusación contra la democracia del siglo XIX. * * *

Desde que nuestro siglo asumió personalidad e independencia en la evolución de las ideas, mientras el idealismo alemán rectificaba la utopia igualitaria de la filosofía del siglo XVIII y sublimaba, si bien con viciosa tendencia cesarista, el papel reservado en la historia a la superioridad individual, el positivismo de Comte, desconociendo a la igualdad democrática otro carácter que el de "un disolvente transitorio de las desigualdades antiguas" y negando con igual convicción la eficacia definitiva de la soberanía popular, buscaba en los principios de las clasificaciones naturales el fundamento de la clasificación social que habría de substituir a las jerarquías recientemente destruidas. * * * La gran voz de Carlyle [17] había predicado ya, contra toda niveladora irreverencia, la veneración del *heroísmo,* entendiendo por tal el culto de cualquier noble superioridad. Emerson refleja esa voz en el seno de la más positivista de las democracias. * * * Entre las inspiraciones constantes de Flaubert [18]—de quien se acostumbra a derivar directamente la más democratizada de las escuelas literarias—ninguna más intensa que el odio de la mediocridad envalentonada por la nivelación y de la tiranía irresponsable del número. Dentro de esa contemporánea literatura del Norte, en la cual la preocupación por las altas cuestiones sociales es tan viva, surge a menudo la expresión de la misma idea, del mismo sentimiento; Ibsen desarrolla la altiva arenga de su *Stockmann* [19] alrededor de la afirmación de que "las mayorías compactas son el enemigo más peligroso de la libertad y la verdad"; y el formidable Nietzsche [20] opone al ideal de una Humanidad mediotizada la apoteosis de las almas que se yerguen sobre el nivel de la Humanidad como una viva marca. El anhelo vivísimo por una rectificación del espíritu social que asegura a la vida de la *heroicidad* y el pensamiento un ambiente más puro de dignidad y de justicia, vibra hoy por todas partes, y se diría que constituye uno de los fundamentales acordes que este ocaso del siglo propone para las armonías que ha de componer el siglo venidero.

Y, sin embargo, el espíritu de la democracia es, esencialmente, para nuestra civilización, un principio de vida contra el cual sería inútil rebelarse. * * * Desconocer la obra de la democracia, en lo esencial, porque, aún no terminada, no ha llegado a conciliar definitivamente su empresa de igualdad con una fuerte garantía social de selección, equivale a desconocer la obra, paralela y concorde, de la ciencia, porque interpretada con el criterio estrecho de una escuela, ha podido dañar alguna vez al espíritu

---

17. Thomas Carlyle (1795–1881), Scotch historian and essayist, author of *Heroes, Hero-Worship and the Heroic in History*
18. Gustave Flaubert (1821–1880), French novelist

19. Dr. Stockmann is the protagonist of Henrik Ibsen's (1828–1906) play *An Enemy of the People.*
20. Friedrich Wilhelm Nietzsche (1844–1900), German philosopher who preached the doctrine of the Superman

de religiosidad o al espíritu de poesía. La democracia y la ciencia son, en efecto, los dos insustituibles soportes sobre los que nuestra civilización descansa, o, expresándolo con una frase de Bourget,[21] las dos *obreras* de nuestros destinos futuros. *En ellas somos, vivimos, nos movemos.*[22] Siendo, pues, insensato pensar * * * en obtener una consagración más positiva de todas las superioridades morales, la realidad de una razonada jerarquía, el dominio eficiente de las altas dotes de la inteligencia y de la voluntad, por la *destrucción* de la igualdad democrática, sólo cabe pensar en la *educación* de la democracia y su reforma. * * *

La educación popular adquiere, considerada en relación a tal obra, como siempre que se la mira con el pensamiento del porvenir, un interés supremo.[23] Es en la escuela, por cuyas manos procuramos que pase la dura arcilla de las muchedumbres, donde está la primera y más generosa manifestación de la equidad social, que consagra para todos la accesibilidad del saber y de los medios más eficaces de superioridad. * * *

Ninguna distinción más fácil de confundirse y anularse en el espíritu del pueblo que la que enseña que la igualdad democrática puede significar una igual *posibilidad,* pero nunca una igual *realidad,* de influencia y de prestigio, entre los miembros de una sociedad organizada. En todos ellos hay un derecho idéntico para aspirar a las superioridades morales que deben dar razón y fundamento a las superioridades efectivas; pero sólo a los que han alcanzado realmente la posesión de las primeras, debe ser concedido el premio de las últimas. El verdadero, el digno concepto de la igualdad reposa sobre el pensamiento de que todos los seres racionales están dotados por naturaleza de facultades capaces de un desenvolvimiento noble. El deber del Estado consiste en colocar a todos los miembros de la sociedad en indistintas condiciones de tender a su perfeccionamiento. El deber del Estado consiste en predisponer los medios propios para provocar, uniformemente, la revelación de las superioridades humanas, dondequiera que existan.[24] De tal manera, más allá de esta igualdad inicial, toda desigualdad estará justificada, porque será la sanción de las misteriosas elecciones de la Naturaleza o del esfuerzo meritorio de la voluntad. Cuando se la concibe de este modo, la igualdad democrática, lejos de oponerse a la selección de las costumbres y de las ideas, es el más eficaz instrumento de selección espiritual, es el ambiente

21. una . . . Bourget: The reference is to his *Essais de psychologie contemporaine* (1883).

22. somos . . . movemos: cf. *Acts of the Apostles,* XVII, 28

23. "Plus l'instruction se répand, plus elle doit faire part aux idées générales et généreuses. On croit que l'instruction populaire doit être terre a terre. C'est le contraire qui est la vérité."—Fouillee: *L'idée moderne du droit,* lib. 5.o, IV." (Rodó's note.)

24. Ortega y Gasset in *La rebelión de las masas* says that the greatest danger of contemporary civilization is the state. "The contemporary State and the mass coincide only in being anonymous. But the mass-man does in fact believe that he is the State, and he will tend more and more to set its machinery working on whatsoever pretext, to crush beneath it any creative minority which disturbs it—disturbs it in any order of things: in politics, in ideas, in industry. The result of this tendency will be fatal. Spontaneous social action will be broken up over and over again by State intervention . . . Society will have to live *for* the State, man *for* the governmental machine."

providencial de la cultura. La favorecerá todo lo que favorezca al predominio de la energía inteligente. * * * El carácter odioso de las aristocracias tradicionales se originaba de que ellas eran injustas, por su fundamento, y opresoras, por cuanto su autoridad era una imposición. Hoy sabemos que no existe otro límite legítimo para la igualdad humana, que el que consiste en el dominio de la inteligencia y la virtud, consentido por la libertad de todos. * * *

Del espíritu del cristianismo nace el sentimiento de igualdad, viciado por cierto ascético menosprecio de la selección espiritual y la cultura. De la herencia de las civilizaciones clásicas nacen el sentido del orden, de la jerarquía, y el respeto religioso del genio, viciados por cierto aristocrático desdén de los humildes y los débiles. El porvenir sintetizará ambas sugestiones del pasado, en una fórmula inmortal. La democracia, entonces, habrá triunfado definitivamente. Y ella, que cuando amenaza con lo innoble del rasero nivelador, justifica las protestas airadas y las amargas melancolías de los que creyeron sacrificados por su triunfo toda distinción intelectual, todo ensueño de arte, toda delicadeza de la vida, tendrá, aún más que las viejas aristocracias, inviolables seguros para el cultivo de las flores del alma que se marchitan y perecen en el ambiente de la vulgaridad y entre las impiedades del tumulto.

La concepción utilitaria, como idea del destino humano, y la igualdad en lo mediocre, como norma de la proporción social, componen, íntimamente relacionadas, la fórmula de lo que ha solido llamarse, en Europa, el espíritu de *americanismo*. Es imposible meditar sobre ambas inspiraciones de la conducta y la sociabilidad, y compararlas con las que les son opuestas, sin que la asociación traiga con insistencia a la mente la imagen de esa democracia formidable y fecunda, que allá en el Norte ostenta las manifestaciones de su prosperidad y su poder, como una deslumbradora prueba que abona en favor de la eficacia de sus instituciones y de la dirección de sus ideas. Si ha podido decirse del utilitarismo que es el verbo del espíritu inglés, los Estados Unidos pueden ser considerados la encarnación del verbo utilitario. Y el evangelio de este verbo, se difunde por todas partes a favor de los milagros materiales del triunfo. Hispano-América ya no es enteramente calificable, con relación a él, de tierra de gentiles.[25] La poderosa federación va realizando entre nosotros una suerte de conquista moral. La admiración por su grandeza y por su fuerza es un sentimiento que avanza a grandes pasos en el espíritu de nuestros hombres dirigentes, y aún más quizá, en el de las muchedumbres, fascinables por la impresión de la victoria. Y de admirarla se pasa, por una transición facilísima, a imitarla. La admiración y la creencia son ya modos pasivos de imitación para el psicólogo. * * * Se imita a aquel en cuya superioridad o cuyo prestigio se cree. Es así como la visión de una América *deslatinizada* por propia voluntad, sin la extorsión de la conquista, y renegada luego a imagen y semejanza del arquetipo del Norte, flota ya sobre los sueños de muchos sinceros interesados por nuestro por-

25. gentiles: *Gentiles, unbelievers*

venir, inspira la fruición con que ellos formulan a cada paso los más sugestivos paralelos, y se manifiesta por constantes propósitos de innovación y de reforma. Tenemos nuestra *nordomanía*. Es necesario oponerle los límites que la razón y el sentimiento señalan de consuno.

No doy yo a tales límites el sentido de una absoluta negación. Comprendo bien que se adquieran inspiraciones, luces, enseñanzas, en el ejemplo de los fuertes, y no desconozco que una inteligente atención fijada en lo exterior para reflejar de todas partes la imagen de lo beneficioso y de lo útil, es singularmente fecunda cuando se trata de pueblos que aun forman y modelan su entidad nacional. * * *
Pero no veo la gloria ni el propósito de desnaturalizar el carácter de los pueblos—su genio *personal*—para imponerles la identificación con un modelo extraño al que ellos sacrifiquen la originalidad irreemplazable de su espíritu, ni en la creencia ingenua de que eso pueda obtenerse alguna vez por procedimientos artificiales e improvisados de imitación. Ese irreflexivo traslado de lo que es natural y espontáneo en una sociedad al seno de otra, donde no tenga raíces ni en la Naturaleza ni en la Historia, equivalía para Michelet [26] a la tentativa de incorporar, por simple agregación, una cosa muerta a un organismo vivo. En sociabilidad, como en literatura, como en arte, la imitación inconsulta no hará nunca sino deformar las líneas del modelo. * * *

Acaso oiréis decir que no hay un sello propio y definido, por cuya permanencia, por cuya integridad deba pugnarse, en la organización actual de nuestros pueblos. Falta tal vez, en nuestro carácter colectivo, el contorno seguro de la *personalidad*. Pero en ausencia de esa índole perfectamente diferenciada y autonómica, tenemos—los americanos latinos—una herencia de raza, una gran tradición étnica que mantener, un vínculo sagrado que nos une a inmortales páginas de la Historia, confiando a nuestro honor su continuación en lo futuro. * * *

Se ha observado más de una vez que las grandes evoluciones de la Historia, las grandes épocas, los períodos más luminosos y fecundos en el desenvolvimiento de la Humanidad, son casi siempre la resultante de dos fuerzas distintas y co-actuales, que mantienen, por los concertados impulsos de su oposición, el interés y el estímulo de la vida, los cuales desaparecerían, agotados, en la quietud de una unidad absoluta. Así, sobre los dos polos de Atenas y Lacedemonia [27] se apoya el eje alrededor del cual gira el carácter de la más genial y civilizadora de las razas. América necesita mantener en el presente la dualidad original de su constitución que convierte en realidad de su historia el mito clásico de las dos águilas soltadas simultáneamente de uno y otro polo del mundo, para que llegasen a un tiempo al límite de sus dominios. Esta diferencia genial y emuladora no excluye, sino que tolera y aun favorece en muchísimos aspectos, la concordia de la solidaridad.* * *

Todo juicio severo que se formule de los americanos del Norte debe empezar por rendirles, como se haría con altos adversarios, la formalidad ca-

---

26. Jules Michelet (1798–1874), French historian

27. Lacedemonia: *Sparta*

balleresca de un saludo. Siento fácil mi espíritu para cumplirla. Desconocer sus defectos no me parecería tan insensato como negar sus cualidades. Nacidos—para emplear la paradoja usada por Baudelaire [28] a otro respecto —con la *experiencia innata* de la libertad, ellos se han mantenido fieles a la ley de su origen, y han desenvuelto, con la precisión y la seguridad de una progresión matemática, los principios fundamentales de su organización, dando a su historia una consecuente unidad que, si bien ha excluido las adquisiciones de aptitudes y méritos distintos, tiene la belleza intelectual de la lógica. La huella de sus pasos no se borrará jamás en los anales del derecho humano, porque ellos han sido los primeros en hacer surgir nuestro moderno concepto de la libertad, de las inseguridades del ensayo y de las imaginaciones de la utopía, para convertirla en bronce imperecedero y realidad viviente; porque han demostrado con su ejemplo la posibilidad de extender a un inmenso organismo nacional la inconmovible autoridad de una república; porque, con su organización federativa, han revelado—según la feliz expresión de Tocqueville [29]—la manera cómo se puede conciliar con el brillo y el poder de los Estados grandes la felicidad y la paz de los pequeños. Suyos son algunos de los rasgos más audaces con que ha de destacarse en la perspectiva del tiempo la obra de este siglo. Suya es la gloria de haber revelado plenamente—acentuando la más firme nota de belleza moral de nuestra civilización—la grandeza y el poder del tra-

bajo, esa fuerza bendita que la antigüedad abandonaba a la abyección de la esclavitud, y que hoy identificamos con la más alta expresión de la dignidad humana, fundada en la conciencia y la actividad del propio mérito. Fuertes, tenaces, teniendo la inacción por oprobio, ellos han puesto en manos del *mechanic* de sus talleres y el *farmer* de sus campos la clava hercúlea del mito, y han dado al genio humano una nueva e inesperada belleza ciñéndole el mandil de cuero del forjador. Cada uno de ellos avanza a conquistar la vida como el desierto los primitivos puritanos. * * * Su cultura, que está lejos de ser refinada ni espiritual, tiene una eficacia admirable siempre que se dirige prácticamente a realizar una finalidad inmediata. No han incorporado a las adquisiciones de la ciencia una sola ley general, un solo principio; pero la han hecho maga por las maravillas de sus aplicaciones, la han agigantado en los dominios de la utilidad y han dado al mundo en la caldera de vapor y en el dínamo eléctrico, billones de esclavos invisibles que centuplican, para servir al Aladino humano, el poder de la lámpara maravillosa. El crecimiento de su grandeza y de su fuerza será objeto de perdurables asombros para el porvenir. * * * La libertad puritana, que les envía su luz desde el pasado, unió a esta luz al calor de una piedad que aún dura. Junto a la fábrica y la escuela, sus fuertes manos han alzado también los templos de donde evaporan sus plegarias muchos millones de conciencias libres. Ellos han sabido salvar, en el

28. The quotation is from Charles Baudelaire's (1821–1867) *Questions esthétiques.*
29. The reference is to *Démocratie en* *Amérique* by the distinguished traveler and writer, Alexis Clerel de Tocqueville (1805–1859).

naufragio de todas las idealidades, la idealidad más alta, guardando viva la tradición de un sentimiento religioso que, si no levanta sus vuelos en alas de un espiritualismo delicado y profundo, sostiene, en parte, entre las asperezas del tumulto utilitario, la rienda firme del sentido moral. * * *

Su grandeza titánica se impone así, aún a los más prevenidos por las enormes desproporciones de su carácter o por las violencias recientes de su historia. Y por mi parte, ya veis que, aunque no les amo, les admiro. Les admiro, en primer término, por su formidable capacidad de *querer*, y me inclino ante "la escuela de voluntad y de trabajo" que—como de sus progenitores nacionales dijo Philarète Chasles [30]—ellos han instituido.

En el principio la acción era.[31] Con estas célebres palabras del *Fausto* podría empezar un futuro historiador de la poderosa república, el génesis, aun no concluido, de su existencia nacional. Su genio podría definirse, como el universo de los dinamistas, *la fuerza en movimiento*. Tiene, ante todo y sobre todo, la capacidad, el entusiasmo, la vocación dichosa de la acción. La voluntad es el cincel que ha esculpido a ese pueblo en dura piedra. Sus relieves característicos son dos manifestaciones del poder de la voluntad: la originalidad y la audacia. Su historia es, toda ella, el arrebato de una actividad viril. Su personaje representativo se llama *Yo quiero*, como el *superhombre* de Nietzsche. * * * Obra titánica, por la enorme tensión de voluntad que representa, y por sus triunfos inauditos en todas las esferas del engrandecimiento material, es indudable que aquella civilización produce en su conjunto una singular impresión de insuficiencia y de vacío. * * * Huérfano de tradiciones muy hondas que le orienten, ese pueblo no ha sabido substituir la idealidad inspiradora del pasado con una alta y desinteresada concepción del porvenir. Vive para la realidad inmediata, del presente, y por ello subordina toda su actividad al egoísmo del bienestar personal y colectivo. * * *

Pródigo de sus riquezas, * * * el norteamericano ha logrado adquirir con ellas plenamente, la satisfacción y la vanidad de la magnificencia suntuaria; pero no ha logrado adquirir la nota escogida del buen gusto. El arte verdadero sólo ha podido existir en tal ambiente, a título de rebelión individual. Emerson, Poe, son allí como los ejemplares de una fauna expulsada de su verdadero medio por el rigor de una catástrofe geológica. Habla Bourget en *Outremer* del acento concentrado y solemne con que la palabra *arte* vibra en los labios de los norteamericanos que ha halagado el favor de la fortuna: de esos recios y acrisolados héroes del *self-help*, que aspiran a coronar, con la asimilación de todos los refinamientos humanos, la obra de su encumbramiento reñido.[32] Pero nunca les ha sido dado concebir esa divina actividad que nombran con énfasis, sino como un nuevo motivo de satisfacerse su inquietud invasora y como un trofeo de su vanidad. La ignoran, en lo que ella tiene de desinteresado y de esco-

---

30. Philarète Chasles (1798–1873), French critic and novelist

31. En . . . era: The words *"Im Anfang war die Tat!"* occur in Goethe's *Faust*, Part I, line 1236.

32. encumbramiento reñido: *hard won wealth and position*

gid*o*; la ignoran a despecho de la munificencia con que la fortuna individual suele emplearse en estimular la formación de un delicado sentido de belleza; a despecho de la esplendidez de los museos y las exposiciones con que se ufanan sus ciudades; a despecho de las montañas de mármol y de bronce que han esculpido para las estatuas de sus plazas públicas. Y si con su nombre hubiera de caracterizarse alguna vez un gesto de arte, él no podría ser otro que el que envuelve la negación del arte mismo: la brutalidad del efecto rebuscado, el desconocimiento de todo tono suave y de toda manera exquisita, el culto de una falsa grandeza, el *sensacionalismo*, que excluye la noble serenidad inconciliable con el apresuramiento de una vida febril.

La idealidad de lo hermoso no apasiona al descendiente de los austeros puritanos. Tampoco le apasiona la idealidad de lo verdadero. Menosprecia todo ejercicio del pensamiento que prescinda de una inmediata finalidad, por vano e infecundo. No le lleva a la ciencia un desinteresado anhelo de verdad, ni se ha manifestado en ningún caso capaz de amarla por sí misma. La investigación no es para él sino el antecedente de la aplicación utilitaria. Sus gloriosos empeños por difundir los beneficios de la educación popular, están inspirados en el noble propósito de comunicar los elementos fundamentales del saber al mayor número; pero no nos revelan que, al mismo tiempo que de ese acrecentamiento extensivo de la educación, se preocupe de seleccionarla y elevarla, para auxiliar el esfuerzo de las superioridades que ambicionen erguirse sobre la general mediocridad. Así, el resultado de su porfiada guerra a la ignorancia, ha sido la semicultura universal y una profunda languidez de la alta cultura. En igual proporción que la ignorancia radical, disminuyen en el ambiente de esa gigantesca democracia, la superior sabiduría y el genio. He ahí por qué la historia de su actividad pensadora es una progresión decreciente de brillo y de originalidad. Mientras en el período de la independencia y la organización surgen para representar, lo mismo el pensamiento que la voluntad de aquel pueblo, muchos nombres ilustres, medio siglo más tarde Tocqueville puede observar, respecto a ellos, que *los dioses se van*. Cuando escribió Tocqueville su obra maestra, aun irradiaba, sin embargo, desde Boston, la *ciudadela puritana*, la ciudad de las doctas tradiciones, una gloriosa pléyade que tiene en la historia intelectual de este siglo la magnitud de la universalidad. ¿Quiénes han recogido después la herencia de Channing,[33] de Emerson, de Poe? La nivelación mesocrática, apresurando su obra desoladora, tiende a desvanecer el poco carácter que quedaba a aquella precaria intelectualidad. Las alas de sus libros ha tiempo que no llegan a la altura en que sería universalmente posible divisarlos. Y hoy, la más genuina representación del gusto norteamericano, en punto a letras, está en los lienzos grises de un diarismo que no hace pensar en el que un día suministró los materiales de *El Federalista*.[34] * * *

En el fondo de su declarado es-

---

33. William Ellery Channing (1780–1842), Unitarian theologian and writer

34. *The Federalist* was an early North American publication in which appeared

píritu de rivalidad hacia Europa, hay un menosprecio que es ingenuo, y hay la profunda convicción de que ellos están destinados a obscurecer en breve plazo su superioridad espiritual y su gloria, cumpliéndose, una vez más, en las evoluciones de la civilización humana, la dura ley de los misterios antiguos en que el iniciado daba muerte al iniciador. Inútil sería tender a convencerles de que, aunque la contribución que han llevado a los progresos de la libertad y de la utilidad haya sido, indudablemente, cuantiosa, y aunque debiera atribuírsele en justicia la significación de una obra universal, de una obra *humana*, ella es insuficiente para hacer transmudarse, en dirección al nuevo Capitolio, el eje del mundo. Inútil sería tender a convencerles de que la obra realizada por la perseverante genialidad del arya[35] europeo, desde que hace tres mil años, las orillas del Mediterráneo, civilizador y glorioso, se ciñeron jubilosamente la guirnalda de las ciudades helénicas; la obra que aun continúa realizándose y de cuyas tradiciones y enseñanzas vivimos, es una suma con la cual no puede formar ecuación la fórmula *Washington más Edison*.[36] Ellos aspirarían a revisar el Génesis para ocupar esa primera página. Pero además de la relativa insuficiencia de la parte que les es dado reivindicar en la educación de la Humanidad, su carácter mismo les niega la posibilidad de la hegemonía. La Naturaleza no les ha concedido el genio de la propaganda ni la vocación apostólica. Carecen de ese don superior de *amabilidad*—en alto sentido—de ese extraordinario poder de simpatía, con que las razas que han sido dotadas de un cometido providencial de educación, saben hacer de su cultura algo parecido a la belleza de la Helena clásica, en la que todos creían reconocer un rasgo propio. Aquella civilización puede abundar, o abunda indudablemente, en sugestiones y en ejemplos fecundos; ella puede inspirar admiración, asombro, respeto, pero es difícil que cuando el extranjero divise de alta mar su gigantesco símbolo, *la Libertad,* de Bartholdi, que yergue triunfalmente su antorcha sobre el puerto de Nueva York, se despierte en su ánimo la emoción profunda y religiosa con que el viajero antiguo debía ver surgir, en las noches diáfanas del Ática, el toque luminoso que la lanza de oro de la Atenea de la Acrópolis dejaba notar a la distancia en la pureza del ambiente sereno.* * *

Hubo en la antigüedad altares para los "dioses ignorados." Consagrad una parte de vuestra alma al porvenir desconocido. A medida que las sociedades avanzan, el pensamiento del porvenir entra por mayor parte como uno de los factores de su evolución y una de las inspiraciones de sus obras. Desde la imprevisión oscura del salvaje, que sólo divisa del futuro lo que falta para el terminar de cada período de sol y no concibe cómo los

eighty-five papers of fine political literature: about fifty are attributed to Hamilton, five to John Jay, and the rest to Madison. These papers, which mainly strove to interpret the Constitution of the United States, persuaded many waverers who later supported that document and aided in its adoption. The papers of *The Federalist* form one of the world's great classics in the literature of government.

35. arya: *Aryan*

36. es una suma ... Edison: *add up to a sum which cannot be equalled by any equation of Washington plus Edison*

días que vendrán pueden ser gobernados en parte desde el presente; hasta nuestra preocupación solícita y previsora de la posteridad, media un espacio inmenso, que acaso parezca breve y miserable algún día. Sólo somos capaces de progreso en cuanto lo somos de adaptar nuestros actos a condiciones cada vez más distantes de nosotros, en el espacio y en el tiempo. La seguridad de nuestra intervención en una obra que haya de sobrevivirnos, fructificando en los beneficios del futuro, realza nuestra dignidad humana, haciéndonos triunfar de las limitaciones de nuestra naturaleza. Si, por desdicha, la humanidad hubiera de desesperar definitivamente de la inmortalidad de la conciencia individual, el sentimiento más religioso con que podría substituirla sería el que nace de pensar, que, aún después de disuelta nuestra alma en el seno de las cosas, persistiría en la herencia que se transmiten las generaciones humanas, lo mejor de lo que ella ha sufrido y ha soñado, su esencia más íntima y más pura, al modo como el rayo lumínico de la estrella extinguida persiste en lo infinito y desciende a acariciarnos con su melancólica luz.

Baldomero Lillo

1867-1923

LILLO is important because he was one of the first Spanish American writers to make excellent use of the feeling of social protest which came from the French and Russian naturalists and realists. He surpasses the Mexican realists because he is less verbose. His short stories, which treat of miners, farmers, and all the disinherited of the earth, run over with the wretched social conditions which harry and destroy these miserable lives. They are not great stories, but they are forerunners of finer short stories to come, and do embody many memorable scenes in the brief compass of their few pages. The following story *El chiflón del diablo* (*The Devil's Tunnel*) from *Sub terra, cuadros mineros* (Santiago de Chile, Imprenta Moderna 1904) is typical of Lillo's stories about Chilean miners.

EL CHIFLÓN DEL DIABLO

En una sala baja y estrecha, el capataz de turno [1] sentado en su mesa de trabajo y teniendo delante de sí un gran registro abierto, vigilaba la bajada de los obreros en aquella fría mañana de invierno. Por el hueco de la puerta se veía el ascensor aguardando su carga humana que, una vez completa, desaparecía con él, callada y rápida, por la húmeda apertura del pique.

Los mineros llegaban en pequeños grupos y, mientras descolgaban de los ganchos adheridos a las paredes sus lámparas ya encendidas, el escribiente fijaba en ellos una ojeada penetrante, trazando con el lápiz una corta raya al margen de cada nombre. De pronto, dirigiéndose a dos trabajadores que iban presurosos hacia la puerta de salida los detuvo con un ademán, diciéndoles:

—Quédense Vds.

Los obreros se volvieron sorprendidos y una vaga inquietud se pintó en sus pálidos rostros. El más joven, muchacho de veinte años escasos, pecoso, con una abundante cabellera rojiza, a la que debía el apodo de Cabeza de Cobre, con que todo el mundo lo designaba, era de baja estatura, fuerte y robusto. El otro, más alto, un tanto flaco y huesudo, era ya viejo, de aspecto endeble y achacoso.

1. capataz de turno: *the overseer on duty*

Ambos con la mano derecha sostenían la lámpara y con la izquierda un manojo de pequeños trozos de cordel en cuyas extremidades había atados un botón o una cuenta de vidrio de distintas formas y colores: eran los tantos o señales que los barreteros [2] sujetan dentro de las carretillas de carbón para indicar su procedencia.

La campana del reloj, colgado en el muro, dió pausadamente las seis. De cuando en cuando un minero jadeante se precipitaba por la puerta, descolgaba su lámpara y con la misma prisa abandonaba la habitación, lanzando al pasar junto a la mesa una tímida mirada al capataz, quien, sin despegar los labios, impasible y severo, señalaba con una cruz el nombre del rezagado.[3]

Después de algunos minutos de silenciosa espera el empleado hizo una seña a los obreros para que se acercasen, y les dijo:

—Son Vds. barreteros de la Alta, ¿no es así?

—Sí, señor,—respondieron los interpelados.

—Siento decirles que quedan sin trabajo. Tengo orden de disminuir el personal de esa veta.

Los obreros no contestaron y hubo por un instante un profundo silencio.

Por fin el de más edad, dijo:

—¿Pero se nos ocupará en otra parte?

El individuo cerró el libro con fuerza y echándose atrás en el asiento con tono serio contestó:

—Lo veo difícil, tenemos gente de sobra en todas las faenas.

El obrero insistió:

—Aceptamos el trabajo que se nos dé; seremos torneros,[4] apuntaladores, lo que Vd. quiera.

El capataz movía la cabeza negativamente.

—Ya les he dicho, hay gente de sobra y si los pedidos de carbón no aumentan, habrá que disminuir también la explotación en algunas otras vetas.

Una amarga e irónica sonrisa contrajo los labios del minero, y exclamó:

—Sea Vd. franco, don Pedro, y díganos de una vez que quiere obligarnos a que vayamos a trabajar al Chiflón del Diablo.

El empleado se irguió en la silla y protestó indignado:

—Aquí no se obliga a nadie. Así como Vds. son libres para rechazar el trabajo que no les agrade, la Compañía, por su parte, está en su derecho para tomar las medidas que más convengan a sus intereses.

Durante aquella filípica, los obreros con los ojos bajos escuchaban en silencio y al ver su humilde continente la voz del capataz se dulcificó.

—Pero, aunque las órdenes que tengo son terminantes—agregó—quiero ayudarles a salir del paso. Hay en el Chiflón Nuevo, o del Diablo, como Vds. lo llaman, dos vacantes de barreteros, pueden ocuparlas ahora mismo; pues mañana sería tarde.

Una mirada de inteligencia se cruzó entre los obreros. Conocían la táctica y sabían de antemano el resultado de aquella escaramuza. Por lo demás estaban ya resueltos a seguir su destino. No había medio de evadirse.

2. barreteros: *miners (who worked with picks)*. The cord with a colored token on it indicated the vein from which the coal came.

3. rezagado: *the late arrival*

4. torneros, apuntaladores: *repair workers*

Entre morir de hambre o aplastado por un derrumbe [5] era preferible lo último: tenía la ventaja de la rapidez. ¿Y adónde ir? El invierno, implacable enemigo de los desamparados, que convertía en torrentes los lánguidos arroyuelos, dejaba los campos desolados y yermos. Las tierras bajas eran inmensos pantanos de aguas cenagosas y en las colinas y en las laderas de los montes, los árboles ostentaban bajo el cielo eternamente opaco la desnudez de sus ramas y de sus troncos.

En las chozas de los campesinos el hambre asomaba su pálida faz a través de los rostros famélicos de sus habitantes, quienes se veían obligados a llamar a la puerta de los talleres de las fábricas en busca del pedazo de pan que les negaba el mustio suelo de las campiñas exhaustas. Había, pues, que someterse a llenar los huecos que el fatídico corredor abría constantemente en sus filas de inermes desamparados, en perpetua lucha contra las adversidades de la suerte, abandonados de todos, y contra quienes toda injusticia e iniquidad estaba permitida.

El trato quedó hecho. Los obreros aceptaron sin poner objeciones el nuevo trabajo y un momento después estaban en la jaula, cayendo a plomo en las profundidades de la mina.

La galería del Chiflón del Diablo tenía una siniestra fama. Abierta para dar salida al mineral de un filón recién descubierto se habían en un principio ejecutado los trabajos con el esmero requerido. Pero a medida que se ahondaba en la roca, ésta se tornaba porosa e inconsistente. Los filtraciones un tanto escasas al empezar habían ido en aumento, haciendo muy precaria la estabilidad de la techumbre que sólo se sostenía mediante revestimientos.[6]

Una vez terminada la obra, como la inmensa cantidad de maderas que había que emplear en los apuntalamientos aumentaba el costo del mineral de un modo considerable, se fué descuidando poco a poco esta parte esencialísima del trabajo. Se revestía siempre, sí, pero con flojedad, economizando todo lo que se podía.

Los resultados de este sistema no se dejaron esperar. Continuamente había que extraer de allí un contuso, un herido y también a veces algún muerto aplastado por un brusco desprendimiento de aquel techo falto de apoyo, y que minado traidoramente por el agua, era una amenaza constante para las vidas de los obreros, quienes, atemorizados por la frecuencia de los hundimientos, empezaron a rehuir las tareas en el mortífero corredor. Pero la Compañía venció muy luego [7] su repugnancia con el cebo de unos cuantos centavos más en los salarios y la explotación de la nueva veta continuó.

Muy luego, sin embargo, el alza de jornales fué suprimida sin que por esto se paralizasen las faenas, bastando para obtener este resultado el método puesto en práctica por el capataz aquella mañana.

Cabeza de Cobre llegó esa noche a su habitación más tarde que de costumbre. Estaba grave, meditabundo, y contestaba con monosílabos las cariñosas preguntas que le hacía su

---

5. aplastado por un derrumbe: *being knocked flat by a cave-in*
6. mediante revestimientos: *by means of wooden supports*
7. muy luego: *very soon*

madre sobre su trabajo del día. En ese hogar humilde había cierta decencia y limpieza, por lo común desusadas en aquellos albergues donde, en promiscuidad repugnante, se confundían hombres, mujeres, y niños y una variedad tal de animales que cada uno de aquellos cuartos sugería en el espíritu la bíblica visión del Arca de Noé.

La madre del minero era una mujer alta, delgada, de cabellos blancos. Su rostro muy pálido tenía una expresión resignada y dulce que hacía más suave aún el brillo de sus ojos húmedos, donde las lágrimas parecían estar siempre prontas a resbalar. Llamábase María de los Ángeles.

Hija y madre de mineros, terribles desgracias la habían envejecido prematuramente. Su marido y dos hijos, muertos unos tras otros, por los hundimientos y las explosiones del grisú,[8] fueron el tributo que los suyos habían pagado a la insaciable avidez de la mina. Sólo le restaba aquel muchacho por quien su corazón, joven aún, pasaba en continuo sobresalto.

Siempre temerosa de una desgracia, su imaginación no se apartaba un instante de las tinieblas del manto carbonífero que absorbía aquella existencia que era su único bien, el único lazo que la sujetaba a la vida.

¡Cuántas veces en esos instantes de recogimiento había pensado, sin acertar a explicárselo, en el porqué de aquellas odiosas desigualdades humanas que condenaba a los pobres, al mayor número, a sudar sangre para sostener el fausto de la inútil existencia de unos pocos! ¡Y si tan sólo se pudiera vivir sin aquella perpetua zozobra por la suerte de los seres que-ridos, cuyas vidas eran el precio, tantas veces pagado, del pan de cada día!

Pero aquellas cavilaciones eran pasajeras y no pudiendo descifrar el enigma, la anciana ahuyentaba esos pensamientos y tornaba a sus quehaceres con su melancolía habitual.

Mientras la madre daba la última mano a los preparativos de la cena, el muchacho, sentado junto al fuego, permanecía silencioso, abstraído en sus pensamientos. La anciana, inquieta por aquel mutismo, se preparaba a interrogarlo cuando la puerta giró sobre sus goznes y un rostro de mujer asomó por la abertura.

—¡Buenas noches, vecina! ¿Cómo está el enfermo?—preguntó cariñosamente María de los Ángeles.

—Lo mismo—contestó la interrogada, penetrando en la pieza.—El médico dice que el hueso de la pierna no ha soldado todavía y que debe estar en la cama sin moverse.

La recién llegada era una joven de moreno semblante, demacrado por vigilias y privaciones. Tenía en la diestra una escudilla de hoja de lata, y mientras respondía, esforzábase por desviar la vista de la sopa que humeaba sobre la mesa. La anciana alargó el brazo y cogió el jarro; en tanto vaciaba en él el caliente líquido continuó preguntando:

—¿Y hablaste, hija, con los jefes? ¿Te han dado algún socorro?

La joven murmuró con desaliento:

—Sí, estuve allá. Me dijeron que no tenía derecho a nada, que bastante hacían con darnos el cuarto; pero, que si él se moría, fuera a buscar una orden para que en el despacho me entregaran cuatro velas y una mortaja.

Y dando un suspiro agregó:

8. grisú: *fire damp*, a highly explosive gas which is formed in mines

—Espero en Dios que mi pobre Juan no los obligará a hacer ese gasto.

María de los Ángeles añadió a la sopa un pedazo de pan y puso ambas dádivas en manos de la joven, quien [5] se encaminó hacia la puerta, diciendo agradecida:

—La Virgen se lo pagará, vecina.

—¡Pobre Juana!—dijo la madre, dirigiéndose a su hijo, que había arri-[10] mado su silla junto a la mesa,—pronto hará un mes que sacaron a su marido del pique con la pierna rota. ¿En qué se ocupaba?

—Era barretero del Chiflón del Dia-[15] blo.

—¡Ah, sí, dicen que los que trabajan allí tienen la vida vendida!

—No tanto, madre—dijo el obrero—ahora es distinto, se han hecho grandes [20] trabajos de apuntalamientos.[9] Hace más de una semana que no hay desgracias.

—Será así como dices, pero yo no podría vivir si trabajaras allá; preferiría [25] irme a mendigar por los campos. No quiero que te traigan un día como me trajeron a tu padre y tus hermanos.

Gruesas lágrimas se deslizaban por el pálido rostro de la anciana. El mu-[30] chacho callaba y comía sin levantar la vista del plato.

Cabeza de Cobre se fué a la mañana siguiente a su trabajo sin comunicar a su madre el cambio de faena efectuado [35] el día anterior. Tiempo de sobra habría siempre para decirle aquella mala noticia. Con la despreocupación propia de la edad no daba grande importancia a los temores de la anciana. Fata-[40] lista, como todos sus camaradas, creía que era inútil tratar de sustraerse al destino que cada cual tenía de antemano designado.

Cuando una hora después de la partida de su hijo, María de los Ángeles abría la puerta, se quedó encantada de la radiante claridad que [5] inundaba los campos. Hacía mucho tiempo que sus ojos no veían una mañana tan hermosa. Un nimbo de oro circundaba el disco del sol que se levantaba sobre el horizonte enviando [10] a torrentes sus vívidos rayos sobre la húmeda tierra, de la que se desprendían por todas partes azulados y blancos vapores. La luz del astro, suave como una caricia, derramaba un soplo de vida sobre la naturaleza muerta. Bandadas de aves cruzaban, allá lejos, el sereno azul, y un gallo de plumas tornasoladas desde lo alto de un montículo de arena, lanzaba una alerta [20] estridente cada vez que la sombra de un pájaro deslizábase junto a él. Algunos viejos, apoyándose en bastones y muletas, aparecieron bajo los sucios corredores, atraídos por el glorioso [25] resplandor que iluminaba el paisaje. Caminaban despacio, estirando sus miembros entumecidos, ávidos de aquel tibio calor que fluía de lo alto.

Eran los inválidos de la mina, los [30] vencidos del trabajo. Muy pocos eran los que no estaban mutilados y que no carecían ya de un brazo o de una pierna. Sentados en un banco de madera que recibía de lleno los rayos [35] del sol, sus pupilas fatigadas, hundidas en las órbitas, tenían una extraña fijeza. Ni una palabra se cruzaba entre ellos, y de cuando en cuando, tras una tos breve y cavernosa, sus labios [40] cerrados se entreabrían para dar paso a un escupitajo negro como la tinta.

Se acercaba la hora del mediodía, y en los cuartos las mujeres atareadas

9. apuntalamiento: *propping up*

preparaban las cestas de la merienda para los trabajadores, cuando el breve repique de la campana de alarma las hizo abandonar la faena y precipitarse despavoridas fuera de las habitaciones.

María de los Ángeles se ocupaba en colocar en la cesta destinada a su hijo la botella del café, cuando la sorprendió el toque de alarma y, soltando aquellos objetos, se abalanzó hacia la [10] puerta frente a la cual pasaban a escape con las faldas levantadas, grupos de mujeres seguidas de cerca por turbas de chiquillos que corrían desesperadamente en pos de sus madres. La [15] anciana siguió aquel ejemplo; sus pies parecían tener alas, el aguijón del terror galvanizaba sus viejos músculos y todo su cuerpo se estremecía y vibraba como la cuerda del arco en su máxi-[20] mum de tensión. En breve se colocó en primera fila y su blanca cabeza herida por los rayos del sol, parecía atraer y precipitar tras de sí la masa sombría del harapiento rebaño. [25]

Las habitaciones quedaron desiertas. Sus puertas y ventanas se abrían y se cerraban con estrépito impulsadas por el viento. Un perro atado en uno de los corredores, sentado en sus cuartos [30] traseros, con la cabeza vuelta hacia arriba, dejaba oír un aullido lúgubre como respuesta al plañidero clamor que llegaba hasta él, apagado por la distancia.

Como los polluelos que, percibiendo de improviso el rápido descenso del gavilán, corren lanzando piítos desesperados a buscar un refugio bajo las plumas erizadas de la madre, aquellos [40] grupos de mujeres con las cabelleras destrenzadas, gimoteando, fustigadas por el terror, aparecieron en breve bajo los brazos descarnados de la cabria,

empujándose y estrechándose sobre la húmeda plataforma. Las madres apretaban a sus pequeños hijos, envueltos en sucios harapos, contra el seno semidesnudo,[10] y un clamor que [5] no tenía nada de humano brotaba de las bocas entreabiertas contraídas por el dolor.

Una recia barrera de maderos defendía por un lado la abertura del pozo [10] y en ella fué a estrellarse parte de la multitud. En el otro lado unos cuantos obreros con la mirada hosca, silenciosos y taciturnos, contenían las apretadas filas de aquella turba que ensor-[15] decía con sus gritos, pidiendo noticias de sus deudos, del número de muertos y del sitio de la catástrofe.

En la puerta de los departamentos de las máquinas se presentó con la [20] pipa entre los dientes uno de los ingenieros, un inglés corpulento, de patillas rojas, y con la indiferencia que da la costumbre, pasó una mirada sobre aquella escena. Una formidable [25] imprecación lo saludó y centenares de voces aullaron:

—¡Asesinos, asesinos!

Las mujeres levantaban los brazos por encima de sus cabezas y mostraban los puños ebrias de furor. El que había provocado aquella explosión de odio lanzó al aire algunas bocanadas de humo y volviendo la espalda, desapareció. [35]

Las noticias que los obreros daban del accidente calmaron un tanto aquella excitación. El suceso no tenía las proporciones de las catástrofes de otras veces: sólo había tres muertos, [40] de quienes se ignoraban los nombres. Por lo demás y casi no había necesidad de decirlo, la desgracia, un derrumbe, había ocurrido en la galería del Chi-

10. semidesnudo: *half exposed*

flón del Diablo, donde se trabajaba hacía ya dos horas en extraer las víctimas, esperando de un momento a otro la señal de izar en el departamento de las máquinas.

Aquel relato hizo nacer la esperanza en muchos corazones devorados por la inquietud. María de los Ángeles, apoyada en la barrera, sintió que la tenaza que mordía sus entrañas aflojaba sus férreos garfios. No era la suya esperanza, sino certeza: de seguro él no estaba entre aquellos muertos. Y reconcentrada entre sí misma con ese feroz egoísmo de las madres, oía casi con indiferencia los histéricos sollozos de las mujeres y sus ayes de desolación y angustia.

De improviso el llanto de las mujeres cesó: un campanazo seguido de otros tres resonaron lentos y vibrantes: era la señal de izar. Un estremecimiento agitó la muchedumbre que siguió con avidez las oscilaciones del cable que subía, en cuya extremidad estaba la terrible incógnita que todos ansiaban y temían descifrar.

Un silencio lúgubre interrumpido apenas por uno que otro sollozo reinaba en la plataforma y el aullido lejano se esparcía en la llanura y volaba por los aires, hiriendo los corazones como un presagio de muerte. Algunos instantes pasaron, y de pronto la gran argolla de hierro que corona la jaula, asomó por sobre el brocal. El ascensor se balanceó un momento y luego se detuvo sujeto por los ganchos del reborde superior. Dentro de él algunos obreros con las cabezas descubiertas rodeaban una carretilla negra de barro y de polvo de carbón.

Un clamoreo inmenso saludó la aparición del fúnebre carro, la multitud se arremolinó y su loca desesperación dificultaba enormemente la extracción de los cadáveres. El primero que se presentó a las ávidas miradas de la turba estaba forrado en mantas y sólo dejaba ver los pies descalzos, rígidos y manchados de lodo.

El segundo que siguió inmediatamente al anterior tenía la cabeza desnuda: era un viejo de barba y cabellos grises. El tercero y último apareció a su vez. Por entre los pliegues de la tela que lo envolvía asomaban algunos mechones de pelos rojos que lanzaban a la luz del sol un reflejo de cobre recién fundido. Varias voces profirieron con espanto:

—¡El Cabeza de Cobre!

El cadáver tomado por los hombros y por los pies fué colocado trabajosamente en la camilla que lo aguardaba. María de los Ángeles al percibir aquel lívido rostro y esa cabellera que parecía empapada en sangre, hizo un esfuerzo sobrehumano para abalanzarse sobre el muerto; pero apretada contra la barrera sólo pudo mover los brazos en tanto que un sonido inarticulado brotaba de su garganta. Luego, sus músculos se aflojaron, los brazos cayeron a lo largo del cuerpo y permaneció inmóvil en el sitio como herida por el rayo.

Los grupos se apartaron y muchos rostros se volvieron hacia la mujer, quien con la cabeza doblada sobre el pecho, sumida en una insensibilidad absoluta, parecía absorta en la contemplación del abismo abierto a sus pies.

Jamás se supo cómo salvó la barrera, detenida por los cables niveles, se la vió por un instante agitar sus piernas descarnadas en el vacío, y luego, sin un grito, desaparecer en el abismo. Algunos segundos después, un ruido sordo, lejano, casi imperceptible, brotó de la hambrienta boca del pozo de la cual se escapaban bocanadas de tenues vapores: era el aliento del monstruo ahito [11] de sangre en el fondo de su cubil.

11. ahito de sangre: *gorged with blood*

The Contemporary Period
1910-

Rufino Blanco-Fombona Venezuela

1874-1944

BLANCO-FOMBONA has been one of the most impassioned exponents of Spanish American antipathy for, and distrust of, the United States. It was upon the occasion of his first visit to this country in 1894 that he first conceived a special dislike for all "Yankees." When he chose to defend his honor before an insulting mob in New York City, he was fined $2000 for breaking a policeman's arm in the fight that ensued. (Cf. F. Carmona Nenclares, *Vida y literatura de Rufino Blanco-Fombona*, Madrid, Mundo Latino, 1928, pp. 32–34.) Although he too—less frequently than Ugarte, to be sure—had expressed admiration for American progress and orderly government, this often bitter anti-American note runs throughout most of his work. One of his most artistic writings in this vein is the delightfully ironic and satiric sketch *Noticias yanquis* that appears below. In it he brings out clearly that because of their inertia and indifference in the face of local political tyranny and greed his own countrymen are themselves often directly responsible for their economic enslavement to foreign capitalism. Against these two forces: economic imperialism from without and political corruption from within, Blanco-Fombona waged a long and relentless battle. To combat the former he appealed to all Hispanic nations to unite, in the name of racial patriotism and in common cause with Spain, but recently (1898) despoiled by the common foe, against further aggression from the north. His Pan-Hispanism is not that, however, of many Americans who went to Spain to *"prostituirse con rastreras adulaciones."* It is best expressed in the series of lectures delivered at the Centro de Cultura Hispano-Americana de Madrid in 1911—and published that same year in his book *La evolución política y social de Hispano-américa*—and in *El conquistador español del siglo XVI*. In the *Carta Prólogo* of the latter work he affirms that "... *la veneración incondicional se rinde únicamente a lo que ya no existe. Y creo que España vive, actúa, se remoza y florece en naciones."*

617

There was no doubt in Blanco-Fombona's mind as to the only possible solution of the racial question in America. He believed that America's future lies wholly in the complete domination of white over Indian and Negro. *"Venezuela,"* he declares in *La barbarocracia triunfante* (*La lámpara de Aladino,* pp. 491–504; see also as the Introduction to *Judas Capitalino,* which constitutes one of his most violent outbursts against Gómez and against the *"bárbaros"* in general), *"no tiene salvación si no se resuelve cuanto antes a ser un país de raza caucásica . . . no se trata de acabar por destrucción con los indios y negros del país, que son nuestros hermanos, sino de blanquearlos por constantes cruzamientos."*

EL CONQUISTADOR ESPAÑOL DEL SIGLO XVI

En extremeños, vizcaínos, andaluces, castellanos nuevos y viejos, en todos se borran o esfuman los caracteres de las distintas provincias a que pertenecen; en todos aparece el tipo psi- 5 cológico del español castellanizado. Todos pertenecen a la misma alcándara [1] de rapaces.

Dieron lo que podían dar: impulsividad, combatividad, fortaleza de 10 ánimo y de cuerpo para resistir pesares y fatigas, toda suerte de virtudes heroicas. Esto, por una parte; por la otra, ignorancia, intolerancia para las opiniones ajenas, máxime cuando se 15 refieren a cuestiones de religión, ambición de adquirir oro al precio de la vida, si llega el caso, exponiéndola en rápido albur, antes que obtenerlo por esfuerzo metódico, paciente, continuo. 20 A ello se alió un orgullo sostenido, que da tono y altura a la vida, aun cuando degenera a menudo en arrogancia baldía y frustránea, e incontenible desprecio por todo derecho que no se 25 funda y abroquela en la fuerza.

Fueron políticos malos, pésimos administradores; echaron simientes de sociedades anárquicas, crueles, sin más respeto que la espada. Fundaron un imperio, sin proponérselo, sacando bueno el postulado del pesimismo alemán: el fin último de nuestras acciones es ajeno al móvil que nos impulsa a obrar.

Muy pocos de ellos, muy pocos, se restituyeron a vivir en calma, felices, en Europa. ¡Cómo iban a resignarse a vivir en la estrechez de sus pueblos, en Europa, una vida sedentaria, regular, tiranizada tal vez por mísero alcalde, ellos que habían dominado razas y descubierto y paseado continentes! Aunque en Europa nacidos, dieron lo mejor de su esfuerzo, de su vida, su muerte y su progenie a América. Son nuestros abuelos. Son nuestras figuras representativas de entonces, apenas oscurecidas en la admiración popular, tres siglos más tarde, por los Libertadores.[2]

Los descendientes directos de aque-

1. alcándara: *perch, brand*
2. "El recuerdo de los conquistadores, de muchos de ellos, se conserva en los pueblos americanos, aun en el vulgo iletrado de los campos, si bien enturbiado por leyendas más o menos absurdas. Con el nombre del Tirano

Aguirre aun se asusta a los niños de Venezuela. *'Pórtate bien, que si no te lleva el Tirano Aguirre.'* A un fuego fatuo de los campos de Barquisimeto lo llaman *'el alma del Tirano Aguirre.'* Paulina Maracara, la buena, la santa mujer que es nuestra segunda mallos hombres formaron en América, por lógica imprevista, una suerte de oligarquía o aristocracia. Durante siglos enteros fué timbre de orgullo descender de los conquistadores; y en aquella sociedad, dividida en castas durante el régimen español, hasta se solían fraguar ingenuas y fantásticas genealogías para probar que se entroncaba con los primeros civilizadores llegados de Europa. Pocos sintieron el orgullo de originar en los grandes caudillos indios. Ésa es la suerte de los vencidos: el desprecio.

Ser nieto de conquistadores por ambos lados era patente de limpieza de sangre. Hijos, nietos de conquistadores, ¡qué altiva satisfacción! Olvidábase que los primeros mestizos fueron también hijos de los primeros conquistadores. Equivalía, además, el descender de conquistadores, o suponérselo, a pertenecer por derecho propio a la casta de los dominadores.

La aristocracia de la espada fué siempre preocupación en la América de lengua castellana, hija de España, país guerrero.

Ahora, conclúyase. Resulta fácil reprochar a los conquistadores el que supieron en grado máximo destruir lo existente, desde naciones hasta sistemas de gobierno, y que no supieron en el mismo grado sustituir lo que destruyeron. El reproche tendría tanto de verdad como de injusto.

Cada generación tiene un cometido, que cumple si puede. Es decir, cada generación debe proponerse un ideal y, de acuerdo con sus fuerzas, caminar hacia él. Y la generación española de los conquistadores cumplió a maravilla el encargo del destino.

Su deber no consistía en aprender a gobernar ni en ser maestra en el ramo de la administración pública. Consistió en hallar mundos, descubrir tierras, subyugar razas, derrocar imperios. En los conquistadores, además, existían deficiencias de raza que los incapacitaban para fundar administraciones regulares; e intemperancias de carácter, intemperancias de oficio, y excitaciones del medio bárbaro, para que los leones pudiesen convertirse en corderos; los fanáticos, en filósofos; los hombres de la guerra bárbara contra el indio, en burgueses pacíficos.

No fueron administradores, es verdad. No tenían por qué serlo aquellos soldados. Robaron, es cierto, a los vencidos; pero ser despojados por el vencedor—y no sólo de bienes materiales,

dre hace cuarenta y cinco años, es decir, que hace cuarenta y cinco años sirve maternalmente en nuestra familia, es oriunda de Choroní. Este pueblecito marítimo de la costa venezolana nada tiene que hacer con México. Pues bien, Paulina entretenía nuestra niñez cantándonos unas coplas referentes al sojuzgador de los aztecas. Recuerdo ésta:

> 'Allá viene Hernán Cortés
> embarcado por el mar;
> déjalo que salte a tierra
> que lo vamos a flechar.' "
> (Blanco-Fombona's note.)

Lope de Aguirre (1518–1561), known also by his favorite nickname of "El Traidor," was a Spanish adventurer notorious for his cruelty and treachery toward Spaniard and Indian alike. He joined Pedro de Urzúa's expedition in search of El Dorado and was one of the leaders of the mutiny that replaced Urzúa with Fernando de Guzmán. Later he assassinated the new leader and himself commanded the expedition that went down the Amazon and to the Orinoco via the Río Negro. His own men killed him in Barquisimeto, a town that had been founded by Governor Villegas nine years earlier (1552). Barquisimeto today is a city of some 25,000 inhabitants and is the capital of the state of Lara in the northwestern part of Venezuela. Choroní is a small seaport of some 700 inhabitants in the state of Aragua directly north of Maracay.

sino de sus mujeres, de sus dioses, de su idioma, de su soberanía—es lote de los que se dejan vencer.

Fundaron, con todo, indirectamente, un nuevo orden de cosas, al legar su obra de tábula rasa a la mano de España para que la mano de España levantase sobre las ruinas de la vieja civilización, donde la hubo, civilización nueva, o creara cultura donde no existían sino desiertos cruzados de tribus bravías.

Porque debe hacerse hincapié, a punto de concluir, para mejor comprender la obra de los conquistadores y de España, en algo que se indicó ya en el curso de la obra, con respecto a los indios; a saber: que eran naciones las indias en diferentes etapas de civilización. Estas etapas iban desde el imperio comunista de los incas y el imperio oligárquico, teocrático, de los aztecas—es decir, desde pueblos perfectamente organizados, con una original civilización—hasta las tribus errantes en estado de barbarie.

Contra lo que pudiera imaginarse, ocurrió que la conquista de los grandes imperios, y su ulterior hispanización, fué más fácil que la de las naciones bárbaras. Nada más dramático, en efecto, que la lucha contra los araucanos de Chile y los aún más bárbaros caribes de Venezuela. Vencidas unas tribus, se levantaban otras. El conquistador acudía a someterlas y los vencidos de la víspera se insurgían a su turno. A los caribes no les faltó, para inmortalizar su defensa, sino un cantor épico, un Ercilla. En cambio, los pueblos organizados caían en pocos combates. Los imperios morían con sus dinastas.

Respecto a la hispanización sucedió algo semejante. Con los hijos some-

tidos de los imperios se mezcló el español fácilmente; y produjo las sociedades mestizas de México, Perú, Nueva Granada, Centro América. El indio puro fué esclavo y trabajó para el dueño, en las minas y en los campos; porque el indio de aquellos pueblos, en estado de civilización, era ya agricultor y pudo ser minero. En las tribus bárbaras, el indio fué destruido en la guerra; y los que no desaparecieron por el hierro y por el fuego, o por las pestes—o por la esclavitud que no podían sufrir—huyeron a lo más escarpado de los montes, a lo más intrincado de las selvas. Negros del África sustituyeron al indígena en las labores del campo.

Aquellas sociedades todas quedaron divididas en castas. Estas castas se aborrecían unas a otras. Andando el tiempo, y por obra de las guerras civiles, de la forzosa convivencia secular, de la evolución democrática de las ideas y del temperamento sensual de los habitantes, aquellas castas se han ido fundiendo con lentitud y extrema repugnancia, y han ido dando origen a sociedades heterogéneas. Pero en estas sociedades impera, sobre todos los demás, el elemento caucásico.

Aun en aquellos pueblos en que está en minoría, la raza blanca les infunde su espíritu. Ella impera en sociedad, de modo exclusivo, celoso e intransigente; posee la riqueza; es ama de la tierra; practica el comercio; ejerce el poder público e impone sus ideas culturales. En muchas de estas sociedades el elemento superior, el caucásico, no ha sido renovado todavía en cantidad suficiente para absorberlos por completo a todos. Tarde o temprano ocurrirá. En algunos países ya ha ocurrido.

Pero vuélvase a los héroes de la conquista, primeros progenitores de las actuales sociedades americanas.

Gracias a ellos pudo España crear lo que—bueno o malo—existió durante siglos y fué raíz de lo que existe hoy y en lo futuro existirá.

España, por su parte, dió lo que tenía. Pobre fué siempre en hombres de Estado, en hacendistas, en buenos y pulcros administradores de cosa pública; fértil en burócratas inescrupulosos, en jueces de socaliña, en oligarquías que pusieron su conveniencia por encima de la conveniencia de la Nación. Largas páginas se han dedicado en esta obra a comprobarlo.

Lleguemos ahora a la conclusión de aquellas prolijas premisas: ¿cómo iba a darnos España lo que no tenía? ¿cómo culpar a los conquistadores de ser como por herencia, por educación, por tradición, por oficio, por época y por medio tenían que ser?

La Historia no se cultiva por el placer baldío de condenar ni de exaltar. Se cultiva para aprovechar sus lecciones y atesorar experiencia; para conocer el mensaje que cada época y cada raza legan a la Humanidad.

NOTICIAS YANQUIS [3]

Cierta madrugada, a eso de las cuatro o cuatro y media, se descubrió en la cárcel de la Rotunda,[4] en Caracas, que uno de los presos por delito común se había fugado.

¿Cómo? Nadie pudo explicárselo en el primer instante; luego se sospechó de un sargento de la guardia, pariente del reo.

El prófugo, Juan Lanas, era un bribón corriente y moliente.[5] Carretero de profesión, corpulento, forzudo, sabía echarse al hombro dos quintales de maíz, o de café, o de harina de trigo, o de patatas, con la facilidad que otros carreteros y mozos de cuerda un par de arrobas.

Se le temía entre sus camaradas, no sólo por su enorme fortaleza física, sino por su aviesa condición moral. Por un quítame allá esas pajas[6] le daba un puñetazo al lucero del alba; y el cuchillo suyo abrió chirlos en más de una o dos caras. Últimamente, explotaba más su profesión de bravonel que su oficio de carretero. Y el valentón, en las casas de juego, formó broncas, más de una vez, en asocio de otros pícaros, para robar el monte a favor de la algarabía y de la confusión.

La Policía, reconociendo en aquel hombre un peligro social, vigilaba a Juan Lanas. Lo vigilaba, es decir, Juan Lanas podía cometer cuanto desafuero se le pasase por las mientes sin que nadie se lo estorbase. Así, pues, la vigilante Policía no pudo impedir que Juan Lanas, en alguna de aquellas zalagardas promovidas adrede para desvalijar los garitos, asestase tremenda puñalada a un garitero que no se avenía a dejarse despojar.

El tahur murió y Juan Lanas ingresó en la cárcel. Ahora se fugaba el pillo.

El alcaide de la Rotunda se alarmó con la fuga del presidiario. Aquello iba

3. Unlike most of the stories in *Dramas mínimos,* this one does not appear in any of the earlier collections of Blanco-Fombona's tales. Internal evidence seems to indicate that it was written during the closing years of World War I.

4. cárcel de la Rotunda: name given to a famous public jail in Caracas

5. bribón . . . moliente: *out and out rascal*

6. Por . . . pajas: *For the slightest offense*

a ser un escándalo de marca mayor. La Prensa pondría el grito en el cielo. No; aquel hombre debía ser apresado volando y aquella fuga debería ser ignorada.

Se telefoneó a la Policía; se puso, a toda carrera, en movimiento a una brigada de activos polizontes. Éstos, con buen acuerdo, discurrieron enderezarse lo primero al barrio, a extramuros, donde habitaban hermanos, tíos y otros parientes del forajido. Antes de que la ciudad despertase, ya estaba Juan Lanas preso, y bien preso, esposado, camino de la cárcel.

Pero no se le aprehendió sin resistencia. Habíase escondido en un antiguo tejar abandonado, en campo raso. Allí se le sitió. Ya estaba armado de revólver y lanza, y un hermano suyo, armado también de revólver, lo acompañaba. Cuando se comprendieron cercados se defendieron a tiros del asalto. Acudieron algunos parientes a los tiros; y los parientes, también hombres de armas tomar, cerraron a balazos, por retaguardia, contra los polizontes.

Disparararon éstos sus máuseres, y los deudos agresores dispersáronse... Por fortuna, no hubo heridos. O mejor dicho, hubo un herido: un pobre perro callejero, que manchó con su sangre las tapias sucias del tejar y dejó en el suelo, donde se echó a morir, un charco de púrpura. En cuanto a Juan Lanas, huyó, junto con su hermano, del edificio ruinoso a que ambos se acogían, no bien se les concluyeron las cápsulas. Y ya en campo abierto, fué fácil darles caza. Eran como las seis de la mañana. El barrio de Juan Lanas, es decir, las casucas perdidas por aquel descampado, se habían despertado en alarma, con semejante desayuno de

tiros. Pero la ciudad, a lo lejos, aun dormía a pierna suelta.

Al día siguiente de la fuga y captura de Juan Lanas, aparecía en innúmeros periódicos de innúmeras ciudades de los Estados Unidos, bajo grandes y llamativos títulos de alarma, el telegrama siguiente, obra de una Agencia informadora de aquel país:

"Caracas, 4 de Abril.—La revolución o guerra civil ha estallado en Venezuela. El caudillo popular Juan Lanas, preso por motivos políticos, ha logrado anoche escaparse de la cárcel, con el apoyo de la guarnición.

"En la madrugada atacó el popular caudillo, que ya había levantado tropas con actividad sin ejemplo, a las fuerzas del Gobierno destacadas en su persecución. En el sitio del Tejar, cerca de Caracas, ocurrió el combate, que fué encarnizado. Las paredes de las casas del Tejar quedaron todas manchadas de sangre. A pesar de la actividad del Gobierno, todavía a las doce quedaba un cadáver en un charco de sangre coagulada por el sol.

"Se dice que los rebeldes se retiraron por carencia de municiones; pero que tienen depósitos de éstas y que, suficientemente provistos, atacarán pronto a la ciudad. Se esperan levantamientos en todo el país. Nadie habla sino del general Juan Lanas."

Al día siguiente de circular ese cablegrama, se publicó en los Estados Unidos otro despacho cablegráfico sobre la guerra civil de Venezuela:

"Caracas, 5 de Abril.—El Gobierno mantiene una censura rigurosa. Nadie osa hablar del general Juan Lanas, cuyo paradero se ignora. Se espera una inminente conmoción nacional en todo

el país. Las colonias extranjeras piden que los Estados Unidos manden varios buques de guerra, con tropas de desembarco, para proteger sus vidas y sus intereses, tan seriamente amenazados."

Otros telegramas fechados en la isla holandesa de Curazao confirmaban la noticia:

"Curazao, 6 de Abril.—Queda absolutamente confirmado que la guerra civil ya comenzó de nuevo en Venezuela. Se habla de grandes combates en torno de la capital y otros centros comerciales de importancia. El Gobierno, por medio de una censura rigurosa, no deja traslucir nada. Han empezado los fusilamientos, según informan los viajeros que llegan del continente; pero a nadie en Venezuela se le permite decir ni el nombre de los fusilados ni el sitio de los fusilamientos. Los extranjeros, unánimemente, piden el envío de barcos de guerra de los Estados Unidos."

Al día siguiente el cablegrama confirmatorio iba, con nuevos detalles, de Panamá:

"Panamá, 7 de Abril.—La revolución de Venezuela toma grandes proporciones. Personas recién llegadas de Maracaibo dicen que el jefe rebelde, general Lanas, espera una ocasión propicia para caer sobre la capital. Los rebeldes de Maracaibo parece que han apedreado el Consulado belga. Los belgas, que no tienen una escuadra ni un ejército que imponga respeto a este país, piden que los Estados Unidos los protejan en estas difíciles circunstancias."

De Puerto Rico y de la Habana, sucesivamente, fueron enviándose telegramas, con habilidad escalonados y pérfidamente capciosos.

Pero todo no se reducía a telegramitas de alarma. Periodistas irresponsables e ignorantes llenaban y rellenaban columnas farragosas y soporíferas con ocasión de Venezuela, a propósito de la doctrina de Monroe, de la barbarie de la América Latina y la misión civilizadora que estaban llamados a ejercer los Estados Unidos, primero, en el continente americano, y más tarde, en Europa.

No era posible que la habilísima política internacional de los dirigentes yanquis impidiera los comentarios y sandeces de tanto articulista estadunidense, ya con pantalones, ya con faldas. Es más: en la táctica diplomática de los dirigentes anglo-americanos se cuenta con esos franco-tiradores ignaros, ensoberbecidos, anónimos.

En cambio, los cables, en manos de la Política y de la Banca, no dicen, por lo común, sino lo que deben decir, obedeciendo a propósitos determinados y de alcances previstos.

Así, la fantástica revolución de Venezuela se cablegrafiaba a cada región del mundo, según las circunstancias: a Ibero-América de un modo, y de otro modo distinto a Europa. Aun tratándose de Europa, no se le decía lo mismo a Inglaterra, por ejemplo, que a España: la una tiene allí intereses materiales, que vigila; la otra tiene, principalmente, intereses morales, que descuida.

La revolución de Juan Lanas no servía de mero pasatiempo a la política de los Estados Unidos: tratábase en esta ocasión de alejar el dinero de Francia y Holanda, mancomunadas en el proyecto de comprar enormes yacimientos de petróleo en la provincia de Maracaibo. Por eso empezóse apedreando el Consulado belga. ¿No son los belgas mitad holandeses, mitad franceses? Había temor para repartir entre los nacionales de ambos pueblos. Y mientras los capitalistas de Francia y de Holanda se abandonaban a la expectativa durante una semana, los Estados Unidos, que venían trabajando en silencio, quedáronse en el momento oportuno con los yacimientos de petróleo maracaibero.

Hubo más, de adehala: el pánico cundió respecto a los valores del país en revolución; muchos europeos vendían, muchos yanquis compraban.

Cuando la Prensa de Caracas se enteró de aquella revolución cablegráfica, se contentó, escéptica o estúpida, o, mejor dicho, estúpida y escéptica, con encogerse de hombros. El más importante diario caraqueño se limitó a escribir lo siguiente:

"*¿Recuerdan nuestros lectores a un tal Juan Lanas, reo que se fugó de la cárcel y fué capturado horas después? Caracas no dió importancia a Juan Lanas, e hizo mal. Juan Lanas no era un hombre célebre; pero iba a serlo. Los yanquis iban a descubrir el nombre del innominado, y el mundo, a corearlo. Contentábase Caracas con saber que Juan Lanas, socialmente considerado, valía poco, y que sólo antropológicamente valía lo que otro ciudadano cualquiera del mundo, por alto que este ciudadano del mundo fuese:*

Juan Lanas, el mozo de esquina,
es absolutamente igual
al emperador de la China:
los dos son el mismo animal.

"*Grave error el de la ciudad. El presidiario Juan Lanas parece ser, en la política de nuestro país, según los pe-*riódicos yanquis, un personaje de primer orden. El país no se había dado cuenta de ello. ¡Qué torpeza!"*

El Gobierno de Venezuela, no menos escéptico y estúpido que la Prensa, ni siquiera se ocupó en desmentir oficialmente la patraña. Y cuando el ministro de Relaciones Exteriores del país se medio quejó de aquella jugarreta *de la Prensa sensacionalista,* como decía el infeliz, al ministro de los Estados Unidos en Caracas, el ministro estadunidense, con una sonrisa, le replicó:

—Creo que no tienen ustedes quejas de nosotros. Nunca hemos puesto en duda el gran porvenir reservado a este país. Ya ve usted que mientras los periódicos—no de nuestro país únicamente, sino del mundo entero—hablan de disturbios en Venezuela, nosotros traemos nuestro capital y lo invertimos aquí. Compare nuestra conducta con la de los pueblos de Europa, que, a la menor nubecilla obscura, los abandonan a ustedes; y, cuando no los amenazan, retiran sus capitales o no los invierten. ¿Y sabe por qué hacen esto? Porque Europa no tiene confianza ni fe en ustedes. Nosotros, sí. Vea cómo, a pesar del peligro revolucionario, nuestros capitalistas se arriesgan a comprar las minas de petróleo, desechadas por esos holandeses que ustedes creen tan osados comerciantes y por esos franceses con los que ustedes simpatizan tanto. Vea cómo acabamos de establecer una nueva línea de vapores entre los puertos de ustedes y los nuestros. Vea cómo acabamos de inaugurar esa exposición de instrumentos agrícolas. No; no deben ustedes ser injustos con nosotros.

—Pero esos cablegramas y esas noticias y comentarios, arguyó el otro— no son precisamente rasgos de amistad.

Y el yanqui, riéndose de nuevo, repuso:

—Esas son cosas de periódicos. ¡Quién les hace caso a periódicos!

Manuel Ugarte

1878-

IT WAS upon his first visit to New York in 1900 that Manuel Ugarte learned of the declaration made by Senator Preston [1] in 1838: *"La bandera estrellada flotará sobre toda la América latina, hasta la Tierra del Fuego, único límite que reconoce la ambición de nuestra raza."* (*El destino de un continente*, p. 7.) What astounded the young Argentinian all the more was the fact that he could not recall that any Spanish American had ever raised his voice in protest; and at that moment was born his resolve to awaken his fellow-Americans to the growing menace of Yankee imperialism. The first lecture of a campaign, waged against disheartening obstacles often placed in his path by his own compatriots, was given on May 25, 1910, in Barcelona, upon the occasion of Argentina's centenary celebration. That campaign was to take him through every country of America—several Central American governments, however, fearful of the consequences of his message, refused him entry—indeed, even to within the very shadows of Wall Street, since on July 9, 1912, he pointed out the dangers of imperialism in a lecture on "The Future of Latin America" given at Columbia University. The press commented favorably on his address and spoke of him as "the apostle of Latin American union." Years later in Nice, France, after he had spent his own personal fortune on a cause that served only to discredit him in the eyes of many of his short-sighted people, he made this ironic commentary: *"Figúrese usted, el sitio en que hallé más liberal acogida para mis prédicas fué la Universidad de Columbia en Nueva York."* (Vasconcelos, *El desastre*, 5 ed., p. 513.) Four books tell the story of his crusade: *El porvenir de la América Latina* (1911), *Mi campaña hispano-*

1. Senator William Campbell Preston (1794–1860) of South Carolina was a member of the United States Senate from 1833 to 1842. He won a high reputation as an orator and was boldly outspoken for the annexation of Texas. Ugarte does not cite the source of this quotation, and the historian J. Fred Rippy cannot find the statement in any of Senator Preston's available speeches.

americana (1922), *El destino de un continente* (1923), and *La patria grande* (1924). And yet, in spite of the fact that he has been one of the most outspoken of Latin America's anti-imperialists, Ugarte has repeatedly protested his admiration for the United States: "*A pesar del renombre de yancófobo que se me ha hecho, leyenda falsa como tantas otras, no he sido nunca enemigo de esa gran nación ... Nadie admira más que yo la grandeza de los Estados Unidos y pocos tendrán una noción más clara de la necesidad de relacionarnos con ellos en los desarrollos de la vida futura; pero esto ha de realizarse sobre una plataforma de equidad.*" (*El destino de un continente*, pp. 2–3.)

LA NUEVA ROMA

La flexibilidad de la acción exterior del imperialismo norteamericano y la diversidad de formas que adopta según las circunstancias, la composición étnica y el estado social de los pueblos sobre los cuales ejerce acción, es, desde el punto de vista puramente ideológico, uno de los fenómenos más significativos de este siglo. Nunca se ha desarrollado en la historia un empuje tan incontrarrestable y tan maravillosamente orquestado como el que vienen desarrollando los Estados Unidos sobre los pueblos que geográfica o políticamente están a su alcance en el sur del continente o en el confín del mar. Roma aplicó sistemas uniformes. España se obstinó en jactancias y oropeles. Hasta en nuestros propios días, Inglaterra y Francia se esfuerzan por dominar más que por absorber. Sólo los Estados Unidos han sabido modificar el andamiaje [2] de la expansión, de acuerdo con las indicaciones de la época, empleando tácticas diferentes para cada caso y desembarazándose de cuanto pueda ser impedimenta o peso inútil para el logro de sus aspiraciones. Me refiero igualmente a los escrúpulos de ética, que en ciertos casos prohiben el empleo de determinados procedimientos, y a las consideraciones de orgullo, que suelen empujar en otros a las naciones más allá de sus conveniencias. El imperialismo norteamericano ha sabido dominar siempre sus repugnancias y sus nervios. Hasta el respeto a la bandera ha sido considerado por él, más que como una cuestión de amor propio, como un agente eficaz en la dominación. Unas veces imperioso, otras suave, en ciertos casos aparentemente desinteresado, en otros implacable de avidez, con reflexión de ajedrecista que prevee todos los movimientos posibles, con visión vasta que abarca muchos siglos, mejor informado y más resuelto que nadie, sin arrebatos, sin olvidos, sin sensibilidades, sin miedos, desarrollando una acción mundial donde todo está previsto, el imperialismo norteamericano es el útil más perfecto de dominación que se ha conocido en las épocas.

Añadiendo a lo que llamaremos el legado científico de los imperialismos pasados, las iniciativas nacidas de su

2. andamiaje = andamiada

inspiración y del medio, la gran nación ha subvertido todos los principios en el orden político como ya los había metamorfoseado dentro del adelanto material. Las mismas potencias europeas resultan ante la diplomacia norteamericana un espadín frente a una browning.[3] En el orden de ideas que nos ocupa, Wáshington ha modificado todas las perspectivas. Los primeros conquistadores, de mentalidad primaria, se anexaban los habitantes en calidad de esclavos. Los que vinieron después se anexaron los territorios sin los habitantes. Los Estados Unidos, como ya lo hemos insinuado en precedentes capítulos, han inaugurado el sistema de anexarse las riquezas sin los habitantes y sin los territorios, desdeñando las apariencias para llegar al hueso de la dominación sin el peso muerto de extensiones que administrar y muchedumbres que dirigir. Poco les importa el juego interno de la vida de una colectividad, y menos aún la forma externa en que la dominación ha de ejercerse, siempre que el resultado ofrezca el máximum de influencia, beneficios y autoridad, y el mínimum de riesgos, compromisos o preocupaciones.

Así ha surgido una variedad infinita de formas y de matices en las zonas de influencia. Lejos de aplicar un clisé o de universalizar una receta, el imperialismo nuevo ha fundamentado un diagnóstico especial para cada caso, teniendo en cuenta la extensión de la zona, su ubicación geográfica, densidad de la población, origen, clasificación étnica dominante, grado de civilización, costumbres, vecindades, cuanto puede favorecer u obstaculizar la resistencia, cuanto debe aconsejar

la asimilación o el alejamiento por afinidades o desidencias de raza, cuanto cabe inducir para las contingencias futuras. Las razones superiores de fuerza y de salud activa que encauzan la energía expansionista, velan, ante todo, por la pureza racial del núcleo y rechazan todo aporte [4] que no coincida con él. Anexar pueblos es modificar la composición de la propia sangre, y el invasor, que no aspira a diluirse, sino a perpetuarse, evita cuanto pueda alterar o adormecer la superioridad que se atribuye.

El imperialismo hubiera podido, sin esfuerzo, duplicar o triplicar en los últimos años la extensión oficial de sus territorios, pero ha comprendido el peligro de añadir a su conjunto grandes masas de otro origen. La ocupación integral de pequeños territorios habitados por población blanca poco densa no ofrece dificultades; pero la conquista de vastas zonas de carácter refractario entraña peligros que no escapan a la perspicacia más elemental. De aquí la solución oportunista de reinar sin corona, bajo la sombra de otras banderas que el determinismo de las realidades acaba por hacer ilusorias.

La acción que se hace sentir en forma de presiones financieras, tutela internacional y fiscalización política, concede todas las ventajas sin riesgo alguno. Es en el desarrollo de esta táctica donde ha evidenciado el imperialismo la incomparable destreza que sus mismas víctimas admiran. En el orden financiero tiende a acaparar los mercados con exclusión de toda competencia, a erigirse en regulador de una producción, a la cual pone precio, y a inducir a las pequeñas naciones

---

3. browning: *rifle*

4. aporte: *factor from without*

a contraer deudas que crean después conflictos, dan lugar a reclamaciones y preparan ingerencias propicias a la extensión de la soberanía virtual. En el orden exterior se erige en defensor de esos pueblos, obligando al mundo a aceptar su intervención para tratar con ellos y arrastrándolos en forma de satélites dentro de la curva de su rotación. En el orden interno propicia la difusión de cuanto acrece su prestigio, ayuda las ambiciones de los hombres que favorecen su influencia y obstaculizan toda irradiación divergente, cerrando el paso de una manera perentoria a cuantos, más avisados o más patriotas, tratan de mantener incólume la nacionalidad.

Es en esta última zona de acción donde mejor podemos observar la maestría del imperialismo. La sutil intrusión en los asuntos privativos de cada pueblo ha invocado siempre, como es clásico, la paz, el progreso, la civilización y la cultura; pero sus móviles, procedimientos y resultados han sido a menudo la completa negación de esas premisas.

Claro está que el punto de partida y la base para apoyar la palanca está en la interminable efervescencia política de nuestros pueblos. Pero el partido que se ha sacado de esta circunstancia es tan prodigioso, que parece inverosímil. Por la virtud del choque de los bandos, por el peso de la ambición de los hombres, aprovechando la inestabilidad de los gobiernos, en democracias levantiscas e impresionables, se ha creado dentro de cada país un poder superior, unas veces oculto, otras ostensible, que baraja, enreda, combina, teje y desteje los acontecimientos, propiciando las soluciones favorables para sus intereses. Aquí fomenta las tiranías, allá apoya las intentonas revolucionarias, erigiéndose siempre en conciliador o en árbitro, y empujando infatigablemente los acontecimientos hacia los dos fines que se propone: el primero, de orden moral, acrecentar la anarquía para fomentar el desprestigio del país, justificando intervenciones, y el segundo, de orden político, desembarazarse de los mandatarios reacios a la influencia dominadora, hasta encontrar el hombre débil, o de pocas luces, que por inexperiencia o apresuramiento será el auxiliar de la dominación.

Los ambiciosos saben que el ideal del imperialismo consiste en gobernar por manos ajenas, dentro de una prescindencia panorámica, y más de uno ha burlado esos cálculos haciéndose pequeño en la oposición para llegar con apoyo hasta el poder. Pero aun con la táctica de Sixto V,[5] consintiendo primero para resistir más tarde, se contribuye al resultado doloroso, porque se abre la puerta a un escalonamiento de acciones análogas, que si no dan directamente al imperialismo lo que apetece, prolongan la efervescencia y el desorden, agotando las fuerzas nacionales y creando por su misma multiplicación endémica el ambiente propicio para que sea al fin irremediable la sumisión.

El mayor triunfo del sistema ha consistido en erigirse en factor de éxito dentro de nuestra propia vida. Fuente

5. Sixto V (1521–1590) was elected to the papacy in 1585. He reorganized the administration of the State, setting up fifteen permanent boards that reduced his work considerably without limiting his authority in the least since the final decision on all matters rested ultimately with him.

de recursos dentro de la pugna ciudadana, dispensador de reconocimientos dentro de la existencia oficial, ha empujado, no sólo a los impacientes, sino a los más incorruptibles y a los [5] más íntegros, hasta los límites extremos de lo que se puede consentir sin abdicar. De esta suerte se ha ido creando subconscientemente, en los países "trabajados," un estado de espíritu especial, que admite, dentro de [10] las luchas ciudadanas, la colaboración de fuerzas que no nacen del propio medio y hace entrar en todo acto o propósito nacional una partícula de la [15] vida y del interés extraño.

De aquí el fenómeno de que en un continente sobre el cual pesa una presión extranjera sin precedentes en la historia, sean tan raros los hombres [20] que se pronuncian abiertamente contra ella. Unos, porque aspiran ante todo al éxito; otros, porque imaginan ser hábiles disimulando su sentir; todos parecen tolerar o ignorar la fuerza [25] secreta que se hace presente a todas horas. Nadie habla, salvo contadísimas excepciones, de inclinarse. Pero en la dosificación de las complacencias, hay un teclado para la maestría del invasor [30] que apoya naturalmente sobre las notas más gratas a su oído, desplazando insensiblemente las octavas hacia el campo de su predilección. No digo que se abra así una especie de subasta para [35] entregar el poder a quien más concede. La altivez de nuestros pueblos no lo consentiría. Pero no se ha presentado aún en nuestras repúblicas el caso de que un hombre sindicado como [40]

adversario del imperialismo llegue a la presidencia. Los mismos que se han elevado con el beneplácito de Wáshington, ruedan así que asoma una veleidad de resistir. El eje de la política no está ya, pues, entre los que atacan y los que se inclinan, sino en el grado de la inclinación y en la intensidad del acatamiento. Así se ha improvisado más de una vez la popularidad y el auge de figuras secundarias que no parecían hechas para gobernar pueblos. Y así han sido sacrificados buenos políticos, que constituían un peligro por su perspicacia y su capacidad. La divisa de Metternich [6] en uno de los grandes momentos de Austria ("hay que ayudar en Francia las ambiciones de X, porque X es muy torpe y con él estamos tranquilos"), ha tenido aplicación más de una vez en la política americana. La malicia nativa, que suple a veces el talento, se ha encargado de hacer fracasar algunos de esos cálculos atrevidos. Pero la consigna general ha sido empujar a los menos capaces, más que por las concesiones que de ellos se pueden arrancar, por los errores que ellos solos cometen, sin incitación de nadie.

Los que se oponen a esa política, desde el gobierno, aunque sea en la forma más comedida y diplomática, ven surgir, según los casos, en la frontera o en las cercanías de las capitales, la nube hostil que en poco tiempo los barrerá de las alturas. Aunque la insurrección sólo cuente al principio con escasos partidarios, se inflará rápidamente, porque recibirá todos los ele-

6. Klemens Lothar, Prince von Metternich (1773–1859), Austrian statesman and leader of conservatism in Europe, became master of Austria and chief arbiter of Europe from 1815 to 1848, a period that came to be called "the age of Metternich." His political creed is well summed up in his recommendation to the Emperor: "Adherence to the French system in order to insure the integrity of Austria and to save our strength for better times."

mentos útiles, y aunque el gobierno disponga de fuerza y popularidad para dominar el desorden, nunca podrá conseguirlo, porque en último caso, argumentando la necesidad de defender propiedades o de impedir matanzas, intervendrán ministros y desembarcarán tropas extranjeras. A pesar de los intereses divergentes de Francia, España e Inglaterra, el cuerpo diplomático en nuestros países es una serie de vagones de lujo encabezados por una locomotora que lleva bandera norteamericana. Por otra parte, el mundo sólo sabrá de las cosas de América lo que quieran decir los Estados Unidos, porque ellos son los que imponen a la opinión universal el dominio de sus cables. Abandonado por sus mismos partidarios, el mandatario que se obstine en resistir será bloqueado en sus abastecimientos, movimientos y palabras. Así se explica la rapidez de ciertas caídas, en países donde antes duraban las guerras civiles largos años, y así se comprende, aunque no se justifique, lo que podríamos llamar el terror oficial.

* * * Los intereses de algunas compañías financieras, que salen del marco en que se mueven los intereses de la nación o la iniciativa de agentes que van más allá de sus instrucciones, pueden exagerar los abusos. Pero en conjunto todo obedece a una política deliberada. Las cosas se hallan dispuestas de tal suerte, que para los latinoamericanos la acción se hace difícil y el éxito imposible, siempre que no concurra a contemporizar con la influencia que apoya su mano de hierro sobre los intereses y sobre las conciencias, desarmando toda hostilidad. Y aquí nos encontramos ante la eterna pregunta: La responsabilidad final de la situación, ¿recae exclusivamente sobre el imperialismo, que en nuestro tiempo, como en todos los tiempos, extenderá sus ambiciones hasta donde les cierre el paso la resistencia de la atmósfera? ¿No alcanza la mayor culpa a los dirigentes nuestros, que ilustrados por catástrofes anteriores, aleccionados por situaciones análogas en otros países y otros siglos, puestos en guardia por voces que vienen de todas partes, no atinan a elevarse por encima de sus limitaciones para abarcar panoramas más vastos y alcanzar visiones más amplias?

Las faltas del imperialismo las conocemos todos, y nada ganaremos con repetirlas en tono airado. Lo que conviene poner en evidencia, son nuestros propios errores. No para crear discordia con ellos una vez más, sino para acabar con la discordia, reconstruyendo serenamente lo que han destruido las impetuosidades.

Mi hostilidad a la política imperialista—o, mejor dicho, el deseo natural y patriótico de que la América Latina se oponga a ella—ha sido tergiversado a menudo y desvirtuado a sabiendas, hasta convertirlo en odio o desaprecio a los Estados Unidos. En innumerables artículos y discursos he tratado de destruir esa interpretación, pero insisto ahora y acaso no será esta la última vez, porque los errores voluntarios tienen una vitalidad sorprendente.

No he reprochado nunca a César que dividiese a los francos para apoderarse de las Galias. La maniobra de César constituía una superioridad; pero es legítimo lamentar que los francos no tuviesen suficiente astucia para contrarrestarla. Sería insensato hacer un crimen a Hernán Cortés de su política en México. No queda rastro en los tiempos de una proeza mayor que la realizada por él. Pero es razonable pensar que si los veinte millones de indígenas [7] que constituían el poderoso imperio azteca, no hubiesen naufragado en la discordia, la sujeción no habría podido realizarse. Fulminar la conquista es tarea vana dentro del determinismo y la invulnerabilidad de los hechos humanos, cuya moral formula el triunfador, al punto de que se puede decir que raza definitivamente vencida, es raza definitivamente deshonrada, porque la victoria anula valores militares y morales, barriendo hasta los prestigios y las superioridades más legítimas. Mi propósito ha sido llamar la atención de los aztecas y de los francos de mi tiempo y de mi grupo sobre la posibilidad de evitar querellas suicidas para desarrollar un esfuerzo vigoroso, sanear el conjunto y coordinarlo en vista de lo que es el supremo anhelo de todas las especies: desarrollarse y perdurar.

Los Estados Unidos han hecho y seguirán haciendo lo que todos los pueblos fuertes en la historia, y nada es más ineficaz que los argumentos que contra esa política se emplean en la América Latina. En asuntos internacionales, invocar la ética es casi siempre confesar una derrota. Las lamentaciones, a menos de que sean recogidas por otro poderoso que aspira a usufructuarlas, no han pesado nunca en el gobierno del mundo. No hay que

decir: "Eso está mal hecho," hay que colocarse en la situación de que "Eso no se puede hacer"; y para conseguirlo, es tan inútil invocar el derecho, la moral y el razonamiento, como recurrir al apóstrofe, la imprecación o las lágrimas. Pueblos que esperan su vida o su porvenir de una abstracción legal o de la voluntad de los otros, son de antemano pueblos sacrificados. Es de la propia entraña de donde hay que sacar los elementos de vida; de la previsión para ver los peligros, de la fortaleza para encarar las dificultades, del estoicismo para conjurar los fracasos, de todo lo que surge de la vigilancia vivificadora del propio organismo, ocupado, antes que nada, en respirar. Cuando cesa la autodefensa de los hombres y de los pueblos, cesa la palpitación misma que los mantiene dentro de la naturaleza o de la historia.

Odiar a los Estados Unidos, es un sentimiento inferior que a nada conduce. Despreciarlos, es una insensatez aldeana. Lo que debemos cultivar es el amor a nosotros mismos, la inquietud de nuestra propia existencia. Si buscando una reacción de la voluntad colectiva, denunciamos el peligro exterior y evocamos el recuerdo de desastres anteriores, que no sea para calificar la actitud de los otros, sino para orientar la nuestra; porque lo que urge considerar no es lo que el adversario hizo para perjudicarnos, sino lo que nosotros no hicimos para contrarrestar su agresión y lo que tendremos que realizar mañana si no queremos ser aniquilados.

7. veinte ... indígenas: This figure seems a little high. The total population of the Nahua-Maya region is generally thought to have been not more than ten million at the time of the Conquest.

ANTE LA VICTORIA ANGLOSAJONA

No es posible dejar de ver que ha habido en estos últimos años un desplazamiento fundamental de fuerzas, y que nos hallamos en presencia de un nuevo mapamundi de intereses. Nuestras repúblicas no pueden permanecer ajenas a la geografía política naciente. La idea de un latinoamericanismo que se apoyaría en Europa para mantener en el Nuevo Mundo el equilibrio entre dos civilizaciones, parece de ardua realización cuando medimos la violencia de los conflictos, la urgencia de las necesidades inmediatas que absorben la actividad de casi todas las grandes potencias y el resultado final de la conflagración.

Sin embargo, todas las naciones sienten la necesidad de buscar en mercados ultramarinos el equilibrio de su balanza comercial. Y en esa urgencia común puede afirmarse la esperanza nuestra para el porvenir. No podrá España ejercer una influencia decisiva; no logrará Francia, retenida por sus inquietudes del momento, desarrollar la acción que todos deseamos; pero del conjunto, sin exclusiones, podemos esperar corrientes que equilibren o regulen los fenómenos del Nuevo Mundo, siempre que logremos reaccionar contra los errores que nos debilitan.

Lo que son las revoluciones para ciertos pueblos de América, son ciertas concesiones comerciales para otros. Ya no es el agente oficioso que se inclina al oído de la ambición para decir al caudillo: "Tengo fusiles y dinero; usted puede ser presidente también," sino el hombre de negocios que mientras inicia las cosas de tal suerte que los mismos amenazados exclaman "Nunca se han venido tan caros los novillos," prepara la fiscalización de los resortes vitales del país. El café del Brasil y la ganadería de la Argentina, pueden sufrir las mismas vicisitudes que el azúcar de Cuba. Y cuando citamos estos productos, nos referimos a todo en general. El mal deriva de que los verdaderos dueños de la riqueza no piensan en hacerla valer, aumentando con su esfuerzo la vitalidad común, sino en enajenarla, percibiendo un beneficio infinitamente inferior, pero que les exime de preocupación o trabajo. ¡Cuántas concesiones de ferrocarriles, cuántos negocios de todo orden se han conseguido con el único fin de traspasarlos! Y como siempre son compañías extranjeras las que adquieren, es nuestra hacienda, nuestra patria, nuestra bandera misma la que se está enajenando. Antes de empuñar las armas en la contienda civil, o en las estériles guerras entre nuestro conjunto, convendría aprender, en la paz, a fabricarlas. Y no sólo en ese orden hemos de empezar por el principio, sino en cuanto cabe realizar y mantener dentro de la colectividad. Desde el punto de vista económico, cada una de nuestras repúblicas es un negocio mal planteado, hasta cuando pretendemos dar prueba de perspicacia diligente. Nuestros representantes en Europa han hecho esfuerzos para conseguir la introducción de carnes congeladas, elaboradas, transportadas y vendidas por compañías inglesas o norteamericanas, olvidando que ellas dejan todos los beneficios en Londres o en Nueva York, sin que se sepa siquiera en el mundo cuál es la república de la cual proceden los *Productos frigoríficos X and Company, South América*.

En política internacional no hay una verdad, sino tantas verdades como intereses internacionales están en pugna; y no hemos de hacer al imperialismo el reproche pueril de aprovechar las oportunidades que se le ofrecen. Por el contrario, se puede decir que los Estados Unidos han sido siempre supremamente idealistas. No en el sentido de ideologías que nada tienen que ver con el gobierno de los pueblos. Pero sí desde el punto de vista de una concepción superior y vasta, que persiguen, por encima de los mismos sacrificios impuestos a los demás, en vista de la grandeza y el porvenir de su conjunto. Como hispanoamericano me levanto contra esa política, arrojo al mar cuanto tengo y hago de mi vida una protesta inextinguible contra la posible anulación de nuestras nacionalidades. Pero engañaría a mis propios compatriotas, iría contra el mismo fin que persigo, si para halagar la corriente y disculpar nuestras faltas me sorprendiese ante maniobras que hallamos en cada recodo de la historia universal. Todos los pueblos tienen defectos: los anglosajones los tienen contra los demás, nosotros los tenemos contra nosotros mismos; y es más sensato tratar de corregir estos últimos que los primeros. Sería ingenuidad clamar contra la injusticia, puesto que ya hemos visto que cada núcleo extiende sus ambiciones hasta donde le alcanzan los brazos. Resultaría locura desear la ruina de los Estados Unidos, dado que al punto a que han llegado las cosas, esa ruina sería la señal de nuestra catástrofe. La situación no se remedia con lamentaciones ni con odios. * * *

De nuestro extremo Sur, triunfante y próspero, podría nacer una fórmula de aplicación progresiva para todo el continente. Entre las más claras enseñanzas de la guerra se destaca un nuevo axioma: la importancia ofensiva de los factores económicos, la eficacia guerrera de las actividades pacíficas de los pueblos, la beligerancia que se traduce en producción abundante de artículos de primera necesidad. La situación de Europa ha sido en todo tiempo paradojal. Países que proveen al mundo de cuanto es imaginable, desde el combustible y el hierro hasta los tejidos y las ideas, no hacen brotar de su suelo en cantidad suficiente los elementos que exige su propia alimentación. La última contienda fué un duelo de resistencias contra el hambre y una justa de dinero y de ardides para procurarse elementos alimenticios. Esta circunstancia puede ser aprovechada internacionalmente. En un siglo en que los gobiernos que conceden empréstitos estipulan cómo se ha de emplear el dinero y dónde se efectuarán las compras; en una hora en que lo que se llamó capital internacional desaparece, y en que la riqueza se esgrime nacionalmente, continuando en la paz una guerra implacable, nosotros, que tenemos algo que vale más que la riqueza, debemos aprender a utilizarlo en la forma más provechosa para nuestra causa. Así como otros saben el precio de lo que les falta, debemos saber el precio de lo que nos sobra, estableciendo equivalencias y dando lugar a una especie de pacto entre los continentes. Europa está enferma y atormentada, pero constituye una masa formidable, susceptible de contrapesar por mucho tiempo, aunque sea en parte, las influencias decisivas. Hacia ella ha de tender la voluntad fervorosa de nuestras democracias del Sur, substituyendo gradualmente a la adhesión unilateral que nació de la inexperiencia, una fórmula de beneficios y garantías recíprocas, una correspondencia de actitudes basadas en intereses concordantes. Ni en el orden económico, ni desde el punto de vista cultural, ni en el campo de los movimientos internacionales, debe nuestra América dejarse separar de Europa, porque en Europa está su único punto de apoyo en los conflictos que se anuncian.

El fracaso del panamericanismo en su forma actual es tan evidente que hasta sus más fieles adeptos vacilan. Hace largos años que el autor de este libro denuncia esa concepción política como una habilidad del expansionismo del Norte, como una tendencia suicida de la ingenuidad del Sur. El peligro que antes parecía basado en inducciones, se apoya ahora en realidades. Los hechos están diciendo que no cabe ceñirse a una evolución puramente continental, dentro de un Nuevo Mundo dominado por la preeminencia de una nación. El panamericanismo y la doctrina de Monroe son dos manifestaciones de una misma política, favorable exclusivamente a uno de los países contrayentes. Pero ha llegado el momento en que las manifestaciones son tan claras, que los mismos que antes nos motejaban de visionarios tienen la revelación brusca de la verdad. No es ésta la hora de formular reproches. Las faltas no deben ser evocadas para distribuir censuras, sino para recoger enseñanzas, porque por encima del ruido engañoso de los nombres y las actitudes, hay que buscar las direcciones durables. * * *

Por encima de los errores, el destino de nuestra América tiene que ser grandioso. Lo que surge en la Argentina y en algunas de nuestras tierras es una nueva humanidad. Y pocos sentirán, como el que escribe, el orgullo patriótico, que ha hecho temblar la pluma en algunos pasajes de este libro. La evocación se hace más emocionante por la misma distancia que nos separa del país natal. Es en la ausencia donde mejor apreciamos la emoción sagrada de la patria. Y es diciendo todo nuestro pensamiento como mejor la servimos. Lo que ha inspirado estas reflexiones es la inquietud ante la ardua interrogación: ¿Cuál será el destino de nuestras repúblicas? Pero no hay que interpretar como gesto de desaliento una voz de alarma, no hay que ver una duda en el deseo de que se fortifique la voluntad de las juventudes que tienen acción sobre los gobiernos. El porvenir pertenece a los que saben adónde van. Los indecisos, los inorientados, los mudables, pueden alcanzar victorias efímeras, pero no el triunfo que afianza en el porvenir. Y el porvenir tomará el color que le dé nuestra previsión y nuestro patriotismo. La patria será un reflejo de nuestro amor por ella. La América Latina ocupará en el mundo el lugar que le conquiste la voluntad de sus hijos.

Nuestros diplomáticos, dando por resuelta una lucha que no se atrevieron afrontar, han consentido capitulaciones elásticas, que no tienen término ni límite, porque en la cadena de las abdicaciones las tinieblas de la deferencia se confunden con las del renunciamiento. Y lo que más asombra es el poco partido que han sabido sacar de esa actitud. Puesto que se trataba de pactar con el imperialismo, era mejor encararse con la dificultad y delimitar hasta donde pueden ir las exigencias y los abandonos. Aun después del desastre, Alemania ha podido preservar sus raíces, su porvenir. Nosotros, vencidos sin guerra en la simple gravitación cultural y comercial, pudimos obtener otras condiciones. Por eso hay que combatir en la propia casa contra el aturdimiento, la impericia y la docilidad. El imperialismo nace de las pusilanimidades. Y urge poner término a la neblina en que nos están haciendo naufragar.

"En diplomacia todo se improvisa," oí decir cierta vez a un político. No cabe mayor despropósito. Hay que maniobrar en medio de las contingencias mudables con los ojos fijos en un fin lejano y superior. Conviene tener en conjunto una política latinoamericana a la cual se subordinen o se ajusten los intereses locales. Urge enlazar esa política con las corrientes comerciales europeas que aspiran a desarrollarse en nuestras comarcas.

En lo que se refiere al orden interior, cada región ha de consultar sus distintivos y sus posibilidades para desarrollar de una manera autónoma su personalidad. La fuerza de los pueblos no consiste en repetir gestos ajenos, sino en movilizar sus recursos, en descubrir el eje de su rotación futura. * * * Hay una lógica del progreso que nacionaliza los problemas, y a ella ha de ajustarse el desarrollo de nuestras repúblicas. Consultar las posibilidades que ofrece cada zona y explotarlas de acuerdo con iniciativas nacionales, ha de ser aspiración de cuantos desean el auge verdadero.

Robustecidas estas direcciones sobre la base primera de la paz interior y exterior, y exaltadas por un hálito de optimismo entusiasta, pueden determinar un movimiento triunfal. Estamos asistiendo a la irrupción de fuerzas nuevas dentro de la política del mundo, y la América Latina representará acaso mañana un importante papel si, ateniéndose a las realidades, coordina los recursos que ofrece su volumen y su vitalidad.

En los siglos ningún pueblo es definitivamente inferior, ni superior en forma eterna. Los griegos, los romanos, los españoles de hoy, están lejos de conservar la influencia y el resplandor que alcanzaron en otras épocas. Son numerosas las colectividades que se han elevado desde situaciones inferiores para hacerse dirigentes. Hemos visto volver a la superficie a naciones vencidas y reducidas al sometimiento, como hemos visto caer en la decadencia a pueblos en otro tiempo triunfantes. Cuando César dominaba a los galos, estaba lejos de pensar que Napoleón llegaría a hacer un día la campaña de Italia. Fué una sublevación de esclavos lo que acabó con el imperio romano. La inestabilidad de las cotizaciones nacionales y raciales permite considerar nuestra situación actual como una etapa susceptible de cambiar, ya sea bajo la influencia de circunstancias generales, ya a consecuencia de esfuerzos hechos por la colectividad para transformar sus fuerzas negativas en fuerzas de afirmación. El destino de la América Latina, depende, en último resorte, de los latinoamericanos mismos.

Y hay que terminar con una pregunta dirigida especialmente a la juventud: ¿Sabrán hacer ese esfuerzo los latinoamericanos, apoyados en su pa- triotismo, en los intereses de Europa, y en el espíritu de la latinidad?

LA PRUEBA DE LA GUERRA

Porque hay que tener en cuenta que las dificultades sólo empezaron para la América Latina desde que los Estados Unidos entraron en la guerra. Los aliados, en su primera expresión, nunca ejercieron presiones sobre nosotros. Hicieron su propaganda, difundieron sus argumentos, sacaron ventajas comerciales, trataron de ganar adhesiones, pero todo ello dentro del respeto más estricto a las autonomías regionales. La mejor prueba de ello es que el problema de nuestra intervención en la guerra nunca se planteó en esa etapa. Sólo se impuso después, cuando la América del Norte intervino en el conflicto.

La espectativa de los Estados Unidos, sólo fué una fórmula para dejar que se acentuaran los acontecimientos, hasta preparar el campo propicio para intervenir en la dosis oportuna, teniendo en cuenta el propósito primordial de asegurar la hegemonía sobre la América Latina y el fin más vasto de anular la irradiación mundial de Europa, o de sobreponerse a ella. Al entrar en la guerra trataron de arrastrar naturalmente al mayor número de naciones satélites, y así fué como en el plazo de pocas horas, Panamá, Cuba y otras repúblicas,[8] se apresuraron a imitar la actitud, sin más urgencia o motivo que su sujeción a otras rotaciones. Sobre los demás países pesó desde ese momento una sugestión de todas las horas. Con ayuda del cable se trató de influir sobre la decisión de éstos, adelantando inexactamente la decisión de aquéllos, en un círculo constantemente renovado de sutilezas. Por eso podemos decir que la neutralidad de las pocas repúblicas que se mantuvieron firmes, no fué en ninguna forma un signo de indiferencia hacia Francia. Ese reproche no nos lo hizo nunca Francia. Sólo empezó a ser formulado cuando del prestigio de Francia se sirvieron otros. Y la gran república latina, al amparo de cuya generosa hospitalidad escribimos este libro, comprendió muy bien nuestras actitudes. ¿Cómo ibamos a estar los hispanoamericanos del lado de los Estados Unidos en una guerra que debía dar a los Estados Unidos una influencia exclusiva sobre todas nuestras repúblicas y la hegemonía mundial? * * *

¿Qué había significado, en balance final, la guerra para nosotros? Ni se vendieron más caros nuestros productos, ni rescatamos las deudas, ni alcanzamos personería nacional. La mayor parte de las repúblicas que tomaron posición en el conflicto limitaron su beligerancia a apoderarse de dos o tres barcos anclados en el puerto, y este discutible beneficio estuvo contrapesado por tantas obligaciones, que no es posible tenerlo en cuenta. Las que permanecieron neutrales consintieron préstamos (ellas, que estaban endeudadas) y perdieron

8. otras repúblicas: Brazil, Cuba, Costa Rica, Guatemala, Haiti, Honduras, Nicaragua, and Panamá eventually declared war against Germany and the Central Powers.

Peru, Bolivia, Uruguay, Ecuador, and the Dominican Republic severed relations with Germany. The seven other American republics remained neutral.

toda posibilidad de hacer valer su actitud. En cuanto a los puertorriqueños, los nicaragüenses, que cayeron bajo los pliegues de la bandera norteamericana, no tendrán jamás un monumento ni serán recordados en el que perpetúa las glorias de la república del Norte: dieron su sangre para defender ideas generales cuando no habían derramado una sola gota para reconquistar su territorio. La sugestión, que absorbía las fuerzas de la India, las vidas del África, la savia de todos los pueblos sojuzgados que se sacrificaban, los envolvió en el remolino. ¿Con el alto fin de defender a Francia? ¿Con el propósito magno de salvar el porvenir de Europa? Si hubiera sido así, bien muertos estaban. El resultado hubiera sido noble y favorable para nuestras repúblicas. Pero el único vencedor efectivo tenía que ser el rival cuyas fuerzas se acrecieron con toda la sangre y todo el oro que ardía en las hogueras del Marne y de Verdun. Sólo ayudaron a desplazar el eje de la política del mundo. Y frente a una Europa desquiciada por luchas implacables, en medio de las ruinas del cataclismo cuyas consecuencias no supimos prever, sólo cabe hoy, desde el punto de vista nuestro, multiplicar preguntas o lamentaciones a las cuales sólo contesta el silencio y la desorientación.

Francisco García Calderón

1883-

FRANCISCO GARCÍA CALDERÓN was one of the first lyric apologists of contemporary Latin America and one of the first to rebel against the pessimistic, defeatist ideology of the early modernist generation. Although
imbued, as they were, with a passionate admiration for France and although like them, too, a cosmopolite, García Calderón could not condone
their studied and shameful disregard and denial of their American origin
and past.

Happily ensconced in the diplomatic haven of his European-Latin environment and quite far removed from the turbulent American scene and
from the crescendo of petty nationalistic philosophies, he could write in an
optimistic vein of the brilliant future just ahead for the sisterhood of
America nations which were destined to become the guardians of Mediterranean culture and civilization. He admitted that the Indian, the Negro,
and the mestizo presented a serious, albeit not insurmountable, obstacle
in the path of European-Latin progress; but he affirmed that with time,
and as a result of the mounting tide of immigration, his American con-
freres would build another and a better Europe in the New World. This
uncritical attitude of buoyant optimism, typical of the later modernist
generation of the opening decades of this century, is nowhere better expressed than in García Calderón's *Les démocraties latines de l'Amérique*.
Its very title and the fact that it appeared in French are indicative in themselves of the ideology of a generation that has since been denounced in turn
by those who, in their endeavor to revindicate indigenous America, would
sever all European ties. García Calderón's book, however, remains a classic.
The excerpts below are taken from another of his volumes written in quite
the same spirit and approach.

LA CREACIÓN DE UN CONTINENTE

CONCLUSIÓN

En la monótona sucesión de revoluciones y dictaduras, en la discordia civil, en la incertidumbre internacional hallan observadores superficiales de los asuntos de América el anuncio [5] de una irremediable decadencia. El desorden contemporáneo puede interpretarse como crisis de formación o lamentable signo de decrepitud. Un lento análisis descubre, más allá de [10] la indisciplina y de la violencia, rara vitalidad. Nuestras democracias pletóricas buscan, en el tumulto, su forma definitiva. La anarquía del Nuevo Mundo es el trágico despilfarro de [15] energías superabundantes.

Pululan los elogios de los Estados Unidos, república estable y progresiva por excelencia; pero nadie ha escrito aún la defensa de la América [20] española. Se olvida, en el poder norteamericano, tempranas regresiones y errores evidentes; se desconoce en el Sud latino el avance formidable. Simplificando la diversa riqueza de veinte [25] naciones, se admira en ellas inagotables depósitos de trigo, de azúcar, de café, inmensas tierras que esperan el grano eficaz y multiplican el oro ambicioso que las fecunda. En el or- [30] den moral, son siempre obscuras regiones donde la anarquía es un mal incurable. Nadie distingue el trópico de las zonas templadas, el Pacífico recluso del Atlántico abierto a euro- [35] peas influencias. Diríase que veinte repúblicas no han tenido estadistas y

poetas, que en estos pueblos anónimos sólo es pródiga y suntuosa la tierra.

Escritores generosos reconocen que el extranjero redime a estas inciertas democracias. Ante el progreso argentino o la estabilidad chilena, recuerdan orgullosamente la acción de los banqueros de occidente. Pero el inmigrante que conquista la tierra, el capitán de industrias, el hombre de negocios, se adoptan a la nueva patria, se asimilan a sus costumbres y forman permanentes hogares. Sus descendientes son argentinos, venezolanos o peruanos: renuncian al Viejo Mundo tutelar y dominan los negocios en la política, en la sociedad de Sudamérica. Se pueden citar indefinidamente nombres ingleses, franceses, alemanes, italianos, que figuran en las finanzas y en las letras. Tres presidentes, de la Argentina, del Uruguay, de Chile, fueron descendientes de extranjeros: Pellegrini, Villman, Montt.[1]

Bajo estas eficaces presiones crece la energía humana en Ultramar. Hijos de portugueses y españoles, vástagos de la fría Albión, de la Italia exuberante, de la Francia armoniosa, de la Alemania comercial, fundan otra Europa más allá del Océano. Es transitoria la inferioridad americana. La misma obra que realizaron entre el Mediterráneo y los mares brumosos, antiguas y enérgicas razas, va a derivarse en las nuevas naciones de su

---

1. Pellegrini ... Montt: Carlos Pellegrini (1848–1906) was president of Argentina from 1889 to 1892. Villman: Claudio Williman (1862–   ) was president of Uruguay from 1907 to 1911. Manuel Montt (1809–1880), president of Chile from 1851 to 1861.

esfuerzo tenaz. Ciertamente, el indio, el mulato, el negro, retardan esa transformación. Pero, desaparecen ante la inmigración triunfadora, abandonan en penoso éxodo las ciudades de la costa que la civilización conquista. Y aunque el mestizaje es el más grave problema de las democracias latinoamericanas, no es siempre híbrida gente los hijos de europeos e indígenas, y la raza mezclada se transforma al contacto de poderosas inmigraciones.

Con tan varios elementos no se ha formado aún la definitiva casta, la nación homogénea. Luchan en las almas inquietas diversas influencias, y el divorcio interior se expresa en prolongada discordia política. No puede condenarse semejante desorden en nombre de la actual civilización europea. La América reproduce estados anteriores de la evolución occidental. Según una ley formulada por Aquiles Loria,[2] el desarrollo de las colonias presenta, en resumen, las mismas etapas que el progreso de las metrópolis. Tal sucede con las repúblicas españolas. Hace medio siglo reinaba en ellas la anarquía del feudalismo: no diferían los caudillos de los barones medioevales. La noción de la unidad nacional era vaga, teórica. Ejércitos de bárbaros jefes combatían rudamente por el predominio, por el tesoro que rutilaba ante sus ojos alucinados. Bajo la influencia del capital europeo y de negociantes audaces, se construyen hoy, como en Europa después de la batalla feudal, naciones

modernas. Banqueros como los de Italia y de Flandes que prestaban a los reyes el dinero necesario para vencer a la nobleza rebelde, llegan a América, de Londres, de París, de Francfort, y robustecen por medio de empréstitos el poder central. Los grandes dictadores, Rosas, Porfirio Díaz, Guzmán Blanco,[3] destruyen la autoridad de los pequeños tiranos. Es absoluto su gobierno como el de Felipe II o el de Luis XIV, en la decadencia de los privilegios señoriales. La república parlamentaria, la democracia, serán nuevas etapas sociales del porvenir americano. Durante tres siglos gobernaron en occidente reyes despóticos. Imperarán en nuestros pueblos pesados tiranos por una o dos centurias. Y se habrá repetido en un nuevo escenario el largo drama europeo.

En la Argentina, en el Perú, en Bolivia, en el Uruguay, en el Brasil, en Chile, el conflicto interior ha tenido un desenlace, una catástrofe purificadora. Si no es perfecta la organización de esas repúblicas, de ellas se aleja progresivamente la amenaza revolucionaria. La anarquía se convierte en recuerdo, como la barbarie medioeval para los grandes estados modernos. En otras democracias, donde es débil la invasión inmigratoria y complicado el mestizaje, la constante discordia revela el trágico desequilibrio de las tradiciones y de las castas.

No rivalizan con las profundas lu-

2. Achille Loria (1857–), Italian economist whose most significant work is *Analisi della proprietà capitalista* (1889). The law here referred to is undoubtedly formulated on his study *L'importance sociologique des études économiques sur les colonies* (1898).

3. Porfirio Díaz (1830–1915), president of Mexico, 1877–1880, 1884–1911; Antonio Guzmán Blanco (1828–1899), Venezuelan soldier and statesman, was president from 1870 to 1882. He exercised a strong influence upon subsequent administrations until 1888.

chas europeas estas revoluciones superficiales. Se exagera la anarquía americana que se reduce a efímeros conflictos por el poder. Abundan revueltas, pronunciamientos a la manera española; pero no graves crisis que signifiquen la caída de un régimen, la bancarrota de un estado social. * * *

Sin duda, son bárbaros la agresiva juventud, el excesivo optimismo, el individualismo exasperado de estas democracias, si se les compara con las grandes naciones europeas cuya complicada civilización tiene la majestad de una obra milenaria. No se avergüenzan de su fuerte y robusta primitividad los americanos. "Que somos bárbaros—ha escrito uno de los más notables ingenios de Ultramar, Rufino Blanco-Fombona—. Pues bien: sí, somos bárbaros; pero como lo fué la Italia de las repúblicas. Damos rudos guerreros, como Milán; pero también ricos mercaderes, como Génova, y prodigiosos artistas como Florencia. Esa pluralidad es nuestra barbarie." De la indisciplinada abundancia han de surgir el gusto, el orden, la harmonía clásica.

Si en el actual desorden de algunas repúblicas fundan su escepticismo exóticos observadores, comparando los dos términos de la evolución centenaria, el confuso origen y la actual robustez, los progresos de un siglo de vida autónoma son un hermoso canto de victoria. Donde ardieron hogueras inquisitoriales luchan hoy al-

tivas generaciones en defensa de la libertad; donde el extranjero fué proscrito, llegan los inmigrantes y conquistan riqueza y preeminencia. Setenta millones de hombres se asimilan la civilización latina, e inquietas juventudes de América se congregan en París, en el barrio latino, a escuchar lecciones de sabiduría. La pasión del arte, el culto de las ideas generales, el entusiasmo por la belleza los mueve más que la codicia del oro o el fervor industrial. Ya ha surgido en el desierto una ciudad tentacular, la primera metrópoli latina después de Lutecia,[4] Buenos Aires, con un millón de gentes que levantan, frente al océano que prolonga el rumor de sus agitaciones, palacios de mármol donde albergar su ensueño de hegemonía continental.

Críticos y poetas, escultores y pintores, juristas y neurólogos, dibujantes y novelistas, sociólogos e historiadores abundan en las escuelas americanas; y de su esfuerzo por adoptar los métodos europeos, van surgiendo una ciencia y una literatura originales. Un gran entusiasmo empuja al continente hacia nuevos Dorados donde buscan modernos conquistadores el secreto del arte propio. No les satisfacen el prestigio de Tiro,[5] el poder de Cartago:[6] ambicionan—¿y no los redime este empeño de la mediocridad?—la gloria de Atenas, la supremacía de Francia.

Por eso, sin desconocer las imperfecciones actuales, sin olvidar las ásperas costumbres políticas, no es posible

4. Lutecia: poetic name for Paris. In Gallic times, the name of an ancient city located on an island in the Seine that is known today as the Cité or Nôtre-Dame.

5. Tiro: Tyre, modern Sur in Syria situated some 45 miles south of Beirut, was one of the great cities of the ancient world and the chief center of Phoenician civilization.

6. Cartago: Carthage, ancient city near modern Tunis, founded (by Dido, according to tradition) about 850 B.C. by Phoenicians, became the center of the greatest maritime power of the ancient Mediterranean world.

negar que América es una de las más grandes esperanzas de la estirpe latina. Su agitada historia demuestra que son estériles las ideologías, los prejuicios igualitarios, el romántico liberalismo. Confirma las leyes psicológicas formuladas por el doctor Gustave LeBon: [7] función deprimente del mestizaje, impotencia de las instituciones para transformar el alma de los pueblos. Una política fundada en el estudio de las razas puede redimir a estas naciones desconcertadas. De la sumisión a leyes inflexibles dependerá su futura grandeza. Y quizás se realizará algún día, en las Indias de Colón, un nuevo avatar del genio latino que creó en Roma el derecho y la ambición imperial, en España el quijotismo heroico, en Florencia una harmoniosa expansión de las energías humanas, en Francia la razón serena, el lenguaje sutil y el donaire conquistador.

Una extraña predestinación parece reservar al Nuevo Mundo la gloria de futuros inéditos. Lo anuncia un poeta en la serenidad de las noches áticas: es la Atlántida de Platón.[8] Lo adivina un visionario en la loca incertidumbre de sus carabelas. Allí comienza, como en la profecía virgiliana, un nuevo orden de siglos. Atrás, en el pasado brumoso, quedan las castas irreductibles y los tronos macizos. La América es tierra de libertad, el ensayo final de un planeta fatigado que aspira a redimirse de sus primeras creaciones. Todas las razas se congregan para realizar en el continente el milagro esperado. Nuevas estrellas violan el misterio de las selvas confusas, y en la tierra amorosa centuplican su virtud generadora los antiguos gérmenes. Se suceden en este mundo absorto rutilantes epopeyas, desde la odisea de una raza hidalga, hasta la guerra a muerte por la libertad. A orillas del Plata heráldico, Buenos Aires tentacular, Montevideo reformadora; en la rumorosa majestad del Trópico, Río de Janeiro dominadora, anuncian por su imponente avance la futura grandeza de las naciones fraternales; sobre lentas crisálidas adivinamos ya el dorado vuelo de alas audaces. Crece el capital de la gloria humana: la romántica locura, el desinterés, la anarquía viril, que es la embriaguez de la libertad, la ambición de dominar el aire, de violar con rieles audaces el flanco de las cordilleras, todas las formas del heroísmo vesánico florecen en esta América desmesurada y pródiga. Quizás está ella destinada, desde el origen de los tiempos, a que en sus amplias mesetas nazca, hijo del Sol, como en la leyenda de los Incas imperiales, señor de las cumbres orgullosas y de los ríos tutelares, avasallador y solitario, el Superhombre.

7. French doctor, ethnologist, and archaeologist (1841–1931), author, among numerous other works, of *Lois psychologiques de l'évolution des peuples* and *Psychologie des foules*

8. Atlántida de Platón: See p. 504, n. 66.

Ricardo Rojas

1882-

THE NATIONALISM of Ricardo Rojas stems from his early fears that certain factors active in the evolution of Spanish American ideology—excessive devotion to European past, fetish of foreign ideas, lack of historic spirit—would finally choke the springs of national development and growth (cf. *La restauración nacionalista*, Buenos Aires, 1909), thereby forever preventing that perfect fusion of European and primitive Indian culture and spirit which he has symbolized in the specially-coined word "Eurindia." "Eurindia," he explains, "is a myth created by Europe and the Indies which no longer belongs to either, though born of both." He defines his work of the same name as an *"ensayo de estética fundado en la experiencia histórica de las culturas americanas."* Before Argentina—or any other country of the Americas—can contribute fully to the emergence of a distinctive New World culture, however, he insists that it must nourish and cherish that harmonious force which he calls *"la argentinidad"* that alone can guarantee the winning of complete independence and the realization of wholesome democracy within a finely balanced, functional, national unit. From his earliest writings—*Blasón de Plata*, in which he celebrates the centenary of the liberating revolution of 1810, and *La argentinidad*, which he calls an *"ensayo histórico sobre nuestra conciencia nacional en la gesta de la emancipación 1810–1816"*—Ricardo Rojas has sought to interpret the national past and to point the way to his country's place in the America of tomorrow. Although the intellectual leader of an earlier and more militant generation, Rojas has never shared the aggressive, anti-United States type of nationalism that has played havoc with the hopes of those working for inter-American solidarity.

LA ARGENTINIDAD

PRÓLOGO

Es bien notorio que en estos últimos años ha recrudecido en el continente una vieja campaña antiargentina que tiene sus arsenales en Montevideo y en Caracas. Acongoja ver cómo el fetichismo patriótico puede llevar a ciertos escritores hasta empequeñecer las glorias más puras de la revolución americana, convirtiendo su historia en una rivalidad de campanarios. Para enaltecer a Bolívar, han necesitado los de Caracas empequeñecer a San Martín; para engrandecer a Artigas,[1] han necesitado los de Montevideo decir que la revolución argentina era monárquica. Yo admiro el genio de Bolívar, que me enorgullece como americano con su plenitud estética, tanto como el de San Martín con su plenitud moral; sus glorias no se excluyen, sino que se complementan para galardón de la raza y prez de la revolución. En cuanto a Artigas, justifico su obra en nombre de mis provincias federales, y no silencio aquí los extravíos de la oligarquía porteña; pero demuestro que nuestra revolución era esencialmente republicana, porque los pueblos repudiaron constantemente los manejos monárquicos de algunos extraviados gobernantes, y formularon su ideal democrático mucho antes que las famosas "Instrucciones del año XIII."[2] Hagan de éstas los uruguayos el pedestal de Artigas, pero no ataquemos la argentinidad, que siendo la democracia instintiva de nuestros pueblos, y conciencia territorial fundada en la naturaleza, unirá mañana a nuestras naciones del litoral, como unió en otro tiempo a nuestras provincias del interior. Ciego será quien no lo vea, torpe quien no lo ansíe. Quizás dentro de medio siglo, nuestras diferencias con las naciones limítrofes nos parecerán tan superficiales, como las ya pasadas de nuestras provincias, que firmaban tratados y se declaraban la guerra. Charcas,[3] boliviana, suscribió el acta de nuestra independencia; Santa Fe,[4] argentina, se abstuvo de suscribirla. Los nacionalismos de América tienen diverso origen y significado que en Europa: los nuestros tienden a la confederación, porque vienen de ella; y sólo así resultarán fecundos para la cultura americana.

Y si el escritor venezolano don Rufino Blanco-Fombona se sintiera

---

1. Artigas: See page 267, note 89.
2. Instrucciones del año XIII: The *Banda Oriental* instructed its five delegates to the national assembly meeting in Buenos Aires in 1813 to demand a declaration of absolute independence from Spain, a federal and republican form of government, and autonomy for the provinces. The assembly refused to admit the delegation, justifying their action on the strength of a technicality.
3. Charcas . . . independencia: The *Audiencia* of Charcas was a part of the Viceroyalty of Río de la Plata from 1776 until August 10, 1825, when it became the republic of Bolivia. The revolutionary faction sent delegates to the national congress meeting at Tucumán in 1816, even though the region was then under Spanish control.
4. Santa Fe . . . suscribirla: The Argentine provinces of Corrientes, Entre Ríos, Córdoba, and Santa Fe opposed the national congress of Tucumán, sending their delegates to a congress convoked that same year at Paysandú by the Uruguayan chieftain Artigas.

aludido por este prólogo, ruégole recuerde lo que él dijo en sus *Letras y letrados de América*,[5] cuando después de haber leído en el *Mercure de France*[6] un artículo mío, y después de transcribir algunas de sus palabras, exclama con generosa vehemencia: "Cuando leí palabras tan previsoras y fraternas, que me revelaban a un hermano, cerré los ojos, y con el pensamiento di un abrazo y un apretón de manos a ese Ricardo Rojas, que aún no conozco." Crea el señor Fombona que estas nuevas páginas de ese mismo Ricardo Rojas han sido escritas con el propio espíritu de fraternidad continental que hace años celebraba; ellas desean encontrar un eco de simpatía en el alma de ciertos escritores venezolanos duramente empeñados, desde hace tiempo, en el error de anarquizar nuestra raza hispanoamericana por el achicamiento de su historia.

Y si el escritor uruguayo don Juan Zorrilla de San Martín se sintiera también aludido como panegirista de Artigas, ruégole recuerde lo que a propósito de mi *Blasón de Plata* escribió una vez, celebrando aquel esfuerzo mío de fraternidad rioplatense. Zorrilla de San Martín ha creado un elocuente panegírico del patriarca uruguayo, y respondiendo a la vieja detracción argentina, ha formado

escuela en su país. Yo me aparto, como aquí lo verá, de ambos extremos: no veo en Artigas al bandolero que pinta López,[7] pero no puedo ver tampoco al padre de las democracias rioplatenses. Demuestro en este libro cómo la democracia fué genuino fruto de la argentinidad; cómo ella tuvo dentro de nuestros pueblos quienes la expusieran doctrinariamente desde 1810 y quienes abnegadamente la defendieran hasta nuestros días. El monarquismo nunca pasó de una parlería diplomática; los tres hombres que lo prohijaron,[8] lo concibieron por sugestión "europea," y cuando lo propusieron a nuestros pueblos, éstos lo rechazaron airadamente. La veleidad monárquica no fué tan sólo un error porteño; ella apareció en otras ciudades americanas, dondequiera que llegó la influencia de las dinastías europeas. Nunca se planteó sino como una imposición de las poderosas cortes restauradas por la Santa Alianza,[9] como condición para reconocer nuestra independencia. Nunca se habló tampoco de ello sino a favor del secreto diplomático; jamás formó partido, y cuando se descubrió la sigilosa tramitación, la hostilidad popular fué tan genuina, que nos sobrarían nombres argentinos para personificarla, ya la busquemos dentro de los parlamentos, donde Oro[10] protesta, o fuera de

5. *Letras y letrados de América:* Paris, Librería Paul Ollendorff, 1908, pp. iv–v.

6. *Mercure de France:* celebrated French literary review that completed its fiftieth year of publication in 1940. The article by Rojas was on Darío, and appeared in the issue of April 1, 1908.

7. Vicente Fidel López (1815–1903), famous historian and author of *Historia de la revolución argentina*

8. los tres . . . prohijaron: Manuel Belgrano, Bernardino Rivadavia, and Manuel J. García, were sent in 1814 on diplomatic missions to Spain and England to win support for the founding of an independent constitutional monarchy.

9. Santa Alianza: The Holy Alliance formed by Russia, Prussia and Austria in 1815 after the downfall of Napoleon

10. Oro: During the July 15 session of the congress held in Tucumán in 1816, Fray Justo Santa María de Oro was the only one to raise his voice in protest against the immediate adoption of a monarchical form of government, declaring it to be a matter that should be referred to the people.

ellos, donde Ramírez [11] se levanta en armas. Oligarquía reaccionaria, la hubo en Buenos Aires; pero la hubo en Montevideo también y en Lima y en Caracas, sin que ellas malograran el ideal inflexible de nuestra revolución. Sólo reconstituido así nuestro pasado, podremos reconstituir en lo futuro la unidad esencial de nuestros pueblos.

En el octavo libro de su *República*,[12] Platón hace disertar a sus interlocutores sobre las varias formas de gobierno, y cuando aquéllos han hablado de la monarquía, la aristocracia, la tiranía y la oligarquía, uno de ellos dice, tratando ya de la democracia:

—Es en ese estado, amigo mío, donde cada uno puede ir a buscar el género de gobierno que le acomoda.

—¿Por qué?—pregunta su interlocutor.

—Porque la democracia encierra a todos, desde que cada ciudadano conserva la libertad de vivir a su modo. Parece en efecto—agrega—que si alguno quisiera formar el plan de un estado, como nosotros lo hacemos ahora, no habría sino que trasportarse a un estado democrático; es un mercado donde se ofrecen todas las clases de gobierno. No hay sino que elegir, y que ejecutar después su designio sobre el modelo que se hubiera elegido.

—Y no faltarían modelos, ciertamente—observa entonces el interlocutor del filósofo.

Eso es lo que ocurrió en la República del Plata, como en la República de Platón: desde que se iba a organizar el estado, se propusieron múltiples sistemas, casi todos los conocidos en aquel tiempo, y el pueblo, después de discutirlos, adoptó el que más genuinamente realizaba su ideal de libertad, de igualdad, de fraternidad y de progreso. Así nació la democracia argentina, lo cual, lejos de ser nuestro baldón, es nuestra fuerza.

Yo no busco la gloria de tales o cuales héroes, ni el prestigio exclusivo de una región. Cualquiera que sea su nombre, alguien hizo en el país la democracia efectiva que estamos realizando ante el asombro de nuestros hermanos de América. Si el creador de todo eso no tuvo nombre, si fué la muchedumbre de nuestros pueblos unidos, tanto mejor para nuestra esperanza. El pueblo fué ese protagonista. Si hubo monárquicos en nuestra revolución, el pueblo los eliminó deliberadamente. La democracia no fué para los argentinos un azar o merced de sus patriarcas, sino una opción voluntaria. Eso es también lo que demuestra el presente ensayo, y da una filiación argentina a las más avanzadas posibilidades de los partidos modernos. Los doctrinarios sin patria, animen su doctrina con el espíritu de nuestra revolución; los patriotas sin doctrina, recuerden que la democracia fué postulado de nuestra existencia nacional.

Bajo la invocación de esos ideales, vamos a penetrar, lectores argentinos, en la zona sagrada donde mora el espíritu de nuestros héroes; vamos a penetrar en esa esfera serena, sin pasiones de región o de partido, pero también sin ciego acatamiento a las

11. Ramírez: See page 282, note 125.
12. República: the most celebrated of Plato's (427?–347? B. C.) dialogues. It is a demonstration of justice by picturing an ideal state.

historias que nuestros padres nos contaron; sólo me guía el alto anhelo de la verdad, fundamento seguro de la ciencia, de la libertad y de la patria. Si los valores se trasmutan con ello, si algunos falsos ídolos se derrumban, si nombres inesperados surgen como gloriosos, nada temáis por ello, porque sobre los héroes discutibles y los nombres transitorios, veréis resplandecer entre los dioses inmortales, perenne como una estrella más allá de esas nubes, el numen imperecedero de la argentinidad.

INDIANISMO Y EXOTISMO

Estaban los indios de nuestra América precolombina viviendo de su propia rudimentaria cultura, cuando vino de afuera la conquista europea, que fundó las ciudades. En nuestro caso, los españoles hispanizaron al nativo; pero las Indias y los indios indianizaron al español. Penetraron los conquistadores en los imperios aborígenes, destruyéndolos; pero tres siglos después los pueblos de América expulsaron al conquistador. La emancipación fué una reivindicación nativista, es decir, indiana, contra el civilizador de procedencia exótica. Un manifiesto de la independencia decía: "Queremos que se expulse del país a todos los españoles avecindados." El "Himno" de la Revolución Argentina canta a la gesta [13] invocando a los Incas precolombinos.

El impulso autonómico de la revolución, indiana por sus propósitos, desencadenó a las ciudades menores, más adheridas a la tierra de América, contra las ciudades virreinales, más vinculadas a la tradición de Europa; y desencadenó también al genio de las campañas, con sus indios, sus gauchos, sus caudillos. Pasada la crisis de la guerra civil, que se desenlazó en la organización federal y democrática impuesta por los "bárbaros" del momento, los "civilizadores" abrieron el país a la inmigración europea, necesaria a la evolución de estos pueblos en este nuevo período de nuestra historia. Determinóse con ello un nuevo ciclo de exotismo cosmopolita, dentro del cual estamos; pero ya se sienten los anuncios de una nueva reacción indianista, que no debe ser xenofobia marcial, sino creación pacífica de cultura americana, reivindicación nativista por medio de la inteligencia, conquista espiritual de nuestras ciudades por el genio americano. Hacia esta síntesis nos encaminamos, y ella se consumará por un renacimiento filosófico y artístico, cuya vecindad ya se advierte.

En el antedicho esquema histórico tenemos: primero los indios precolombinos vencidos por los conquistadores españoles; luego los conquistadores españoles vencidos por los gauchos americanos; más tarde los gauchos argentinos vencidos por los inmigrantes europeos; y tendremos, por fin, a los mercaderes inmigrados vencidos por los artistas autóctonos, o sea al exotismo nuevamente vencido por el indianismo. En la historia literaria se repite el esquema; primero el folklore indígena; después el pseudoclasicismo colonial; luego los poemas

13. "Himno" . . . gesta: The national anthem was written by Vicente López y Planes (1784–1856) and adopted as such by the national assembly in 1813.

gauchescos; más tarde el positivismo y el decadentismo. Aguardamos ahora la asimilación de la civilización exótica por la tradición indiana, para que pueda aparecer su expresión sintética en la filosofía y en el arte.

Veamos, pues, que si la evolución europea se realiza por ritmos cronológicos dentro de su propia tradición continental, en América el proceso de "antes" y "después" se entrecruza con las mareas sociales de "aquí" y de "allá," o sea, de afuera hacia adentro y de adentro hacia afuera, en una especie de ritmo intercontinental. Eso es lo que he llamado "indianismo" y "exotismo." El exotismo es necesario a nuestro crecimiento político; el indianismo lo es a nuestra cultura estética. No queremos ni la barbarie gaucha ni la barbarie cosmopolita. Queremos una cultura nacional como fuente de una civilización nacional; un arte que sea la expresión de ambos fenómenos.

"Eurindia" es el nombre de esta ambición.

LA NUEVA ESCUELA

Analizada la cultura argentina en sus cuatro ciclos: los gauchescos, los coloniales, los proscriptos y los modernos, debemos reconocer que falta en cada uno de ellos la expresión literaria nacional capaz de universalizarse. Corresponden ellos a formas sociales anómalas e incompletas de nuestra evolución histórica. En los gauchescos aparece la emoción territorial; pero sola, ésta es insuficiente como contenido de civilización. En las coloniales aparece el idioma, pero no la conciencia política de la nacionalidad. En los proscriptos, aparece el ideal cívico, pero no el puro ideal estético. En los gauchescos la emoción primitiva, pero no los medios verbales de un arte superior. En los modernistas el refinamiento técnico, pero no el contenido humano de la vida social. Necesitamos, pues, entrar en un ciclo venidero de cultura fundado en la síntesis de las cuatro anteriores: un ciclo de argentinidad integral.

Asimismo, analizadas las escuelas estéticas que mejor se asimilan a dichos ciclos: el naturalismo gauchesco, el pseudoclasicismo colonial, el romanticismo patricio y el modernismo cosmopolita, vemos que cada una de esas escuelas ha realizado un bien parcial, pero que casi todas ellas son renovaciones venidas del extranjero, aunque transformadas luego por la vida misma del país. Necesitamos, pues, una doctrina estética fundada en la experiencia de nuestra historia, que nazca aquí, para nosotros y para América, como afirmación de que la nacionalidad argentina ha llegado a sazón fecunda; que ha aprendido a explicarse por sí misma, y a disciplinar, según sus necesidades, su propia cultura. Las colonias políticas han caducado, pero aún tenemos metrópolis intelectuales. Necesitamos asumir la autonomía del espíritu, si es que somos capaces de ello, como supimos asumir la del gobierno y la tierra.

Si sabemos fundir en un amplio sentimiento de argentinidad la emoción del paisaje nativo, el tono psicológico de la raza, los temas originales de la tradición, los ideales nuevos de la cultura nuestra, podremos dar expresión simultánea a todo ello en obras de arte literario: teatro, novela, lírica; pero ello ha menester que pongamos en el mismo diapasón nuestro pensamiento político y nuestra creación estética más general: arquitectura, pintura, escultura, música, danza.

AMERICANISMO Y UNIVERSALIDAD

Sin duda lo americano comprende lo indio, asimilado por la civilización colonial y por la ciencia contemporánea; lo español, asimilado por la familia y el idioma en las repúblicas independientes; lo criollo de las pampas y montañas, asimilado por la política y por el arte. En tal experiencia histórica se funda nuestra conciencia de americanidad; pero ésta se integra por el conocimiento de las ajenas culturas, antiguas o modernas, orientales u occidentales, a cuyo benéfico magisterio no renunciamos. Sin embargo, así como nuestra conciencia racial no reside completa en lo indio, en lo gauchesco o en lo español, separadamente, así nuestra sed de universalidad no se sacia en lo italiano, lo francés o lo inglés, exclusivamente. Porque las naciones actuales de Europa no son las únicas fuentes de cultura; y lógicamente, ni lo latino, ni lo germánico, ni lo eslavo, contienen por sí solos todo el espíritu de la civilización. Refundir lo indio, lo gauchesco y lo español en lo americano, convirtiéndolo en conciencia argentina, dilatar lo latino, la germánico y lo eslavo hasta sus remotos horizontes arios, semíticos y orientales, cerrando el arco de la cultura humana, ésas son las disciplinas que propongo, hechas de patria y de humanidad. La vida americana nos dará emoción y substancia para la propia creación; el arte universal nos dará estímulo y maestría para la propia perfección.

He aquí, pues, los términos claros del problema: un arte fundado tan sólo en tradiciones locales sería fatalmente rudimentario; un arte fundado tan sólo en imitaciones exóticas, sería fatalmente perecedero. El contacto con pueblos extraños, sobre todo si fueren de más alta cultura, resulta siempre útil a una nación consciente de sí misma.

Discierno, según se ve, lo que es de fondo en la obra artística, y lo que es de forma. El asunto, su contenido psicológico, debe nacer de la vida real, vida del individuo o del grupo histórico al cual cada individuo pertenece; la composición, su técnica expresiva puede perfeccionarse en el estudio de los grandes maestros universales, aunque renovándola por adaptación a aquellos nuevos asuntos.

La evolución de las viejas naciones abunda en ejemplos demostrativos. El gótico, pongo por caso, nació en el norte de Europa y de allí fué llevado (en ocasiones por arquitectos franceses) a otros países, pero dió creaciones distintas, adaptadas al espíritu de cada pueblo, en las catedrales de Milán, de Lincoln y de Burgos.[14] Cuando el mahometismo penetró en la India y en España, la técnica de la arquitectura árabe renovó el templo budista de Oriente y el templo cristiano de Occidente. La escultura prehelénica y la pintura japonesa, descu-

---

14. Milán . . . Lincoln . . . Burgos: famous cathedral cities of Italy, England, and Spain

biertas por Europa, han transformado sus artes decorativas a fines del siglo anterior, aunque conservando en ellas el espíritu de la tradición romántica occidental. La historia del arte es una continua reacción de técnicas arcaicas o exóticas en culturas que se fecundan a su contacto. América no podría renunciar a esa fuente de renovación y de progreso; mas, para ello, necesita poseer conciencia de sí misma, porque de otro modo sólo habría trasplante material, incrustación mecánica o mezquino remedo, no creación.

El arte ha de ser una superación espiritual de la vida, y para ello se ha de fundar en la contemplación directa de la naturaleza y en la propia experiencia emocional.

LA NATURALEZA Y LA VIDA

Y pues la historia es en sí misma un acervo de tradiciones y pues la historia fué género casi exclusivo de nuestra literatura durante varias centurias, los artistas actuales deberán ir a esa fuente para nutrirse del espíritu racial, si es que desean definir el lugar que ocupan en la evolución de nuestra cultura.

La historia, por sí sola, no podría, desde luego, satisfacerles en su total ansiedad creadora; de ahí que necesitarían de otras disciplinas previas: la contemplación de la naturaleza tal como se muestra en nuestra tierra y tal como la vida se manifiesta en el dolor de cada alma.

Lograr que el paisaje y el hombre americanos entren definitivamente en el arte no es empresa fácil. Aprendizaje largo es el de la visión y el de la expresión, cuando se trata de temas o modelos virginales. Se comienza por tomar ensayos y se sigue por laboriosos mejoramientos en la obra estética sucesiva de varias generaciones. De pronto puede un genio anticipar el milagro, pero es lo general que el arquetipo no aparezca sin una lenta preparación colectiva. Dante, Shakespeare, Cervantes, Miguel Angel, Wagner, han tenido predecesores.

No creo que la naturaleza y la vida argentina se hallen absolutamente inéditas; pero los ensayos que poseemos sólo nos han dado una visión fragmentaria y una expresión incompleta. El artista deberá servirse de sus ensayos, pero deberá superarlos.

Se trata de que el artista, como si fuera un árbol, eche hondas raíces en tierra americana; que se hinche de su savia tradicional; que se envuelva en la luz de su propia atmósfera; que nos rinda en fruto de belleza la realidad de que se nutre.

El arte no es cosa esporádica y trivial; es grave función histórica. Las superficialidades de la vida cosmopolita, los caprichos de exóticas imitaciones, la vanidad personal, a nada conducen. Es menester inscribirse en una tradición y parece lógico inscribirse en la del país al cual se pertenece.

Vivan los artistas argentinos en amor conyugal con su tierra; contemplen, observen, mediten, ante el espectáculo de los modelos locales, y verán que la belleza y el dolor, fuentes universales del arte existen aquí también. ¿Qué más desean?... Por otra parte, aquí la belleza y el dolor asumen nuevas apariencias, y el goce estético va unido, para quien crea, a la emoción inefable de las primeras posesiones.

Digan, si no, los poetas, músicos, arquitectos, pintores, escultores, los artistas todos de la nueva escuela, si la emoción estética de su obra no se acrecentó en sus almas con el sentimiento cívico de quien siente que contribuye a la impresa más alta de su pueblo, y con el orgullo viril de quien procrea en carne virgen.

La realidad del mundo está llena de númenes prisioneros, y de mudos henchidos de visiones que desean hablar. El arte es quien los liberta y quien les da voz. Paisajes y hombres de nuestra tierra están esperando sus redentores.

Muchos precursores anduvieron por esos caminos. Su huella ha quedado en la historia de nuestra cultura. Sigamos, por esos caminos hasta más allá de donde ellos llegaron.

Dos fuentes universales posee el arte: una es la naturaleza, otra es la vida. La naturaleza es toda la vida del mundo exterior; la vida es la naturaleza reflejada en el mundo interior de la conciencia. Formas y ritmos, hállanse contenidos en ambas fuentes. Pero entre ambos, o sea entre el artista y la realidad, hay un tercer elemento: la agrupación cultural a que el artista pertenece, la cual es simultáneamente, parte de la realidad y atmósfera del alma. A este medio ambiente de la historia es a lo que se refiere la doctrina de Eurindia, sin cegar las fuentes primeras de la naturaleza y de la vida.

Espontaneidad emocional y libertad creadora, he ahí los dos resortes espirituales de Eurindia; pero con una norma adjetiva: su preferencia por la naturaleza americana y por la vida local.

José Vasconcelos

1882-

La raza cósmica and *Indología* together constitute what has already become one of the classic pronouncements concerning the racial and cultural future of Ibero-America. It is in the prologue to the former that Vasconcelos first advances his theory of the mission of the "fifth" or "cosmic" race, a theory eagerly accepted throughout mestizo America and one inseparably associated ever since with his name. Conceived during his pioneering attempt to weld a racial and cultural amalgam out of the diverse elements within Mexico itself, it voiced his hope that all countries of Ibero-America, including, of course, Brazil—where he believes the "cosmic race" will first emerge—would gain strength out of such a faith in their common destiny and that, once freed of old nationalistic credos (cf. his acceptance speech delivered at the University of Chile when elected an honorary member of that faculty. It reads in part: *"Creo que la nacionalidad es una forma caduca, y por encima de las patrias de hoy, cuyos emblemas ya casi no mueven mi pecho, veo aparecer las banderas nuevas de las Federaciones étnicas que han de colaborar en el porvenir del mundo." La raza cósmica*, pp. 261–262), they would strive together under a common banner to forge a culture and a way of life complementary to that of the northern neighbor. A South American tour convinced him more than ever of the urgency of the need of such a common goal. That need and the theory he propounds to meet it first took shape in *La raza cósmica*, which also contains the stimulating impressions of his American tour. Out of protest to the political highhandedness of Calles and Obregón, he left Mexico as a voluntary exile in 1925 for a European trip that was to take him from Portugal and Spain through almost every country of the continent. He was in Paris when the University of Puerto Rico invited him to give a series of lectures on Mexican education. Vasconcelos accepted, but he enlarged the scope of his topic so as to offer his interpretation of the whole of Ibero-American culture. Delivered in Puerto Rico and in Santo

Domingo, these lectures comprise his volume *Indología*, which is—essentially—the amplification and crystallization of the basic ideas expressed in *La raza cósmica*. It is in the chapter entitled *El hombre* of *Indología* (p. 105) that Vasconcelos underscores again the key-note of his theory: "*Que nuestra mayor esperanza de salvación se encuentra en el hecho de que no somos una raza pura, sino un mestizaje, un puente de razas futuras, un agregado de razas en formación: agregado que puede crear una estirpe más poderosa que los que proceden de un solo tronco.*"

LA RAZA CÓSMICA

PRÓLOGO

Pugna de latinidad contra sajonismo ha llegado a ser, sigue siendo nuestra época; pugna de instituciones, de propósitos y de ideales. Crisis de una lucha secular que se inicia con el desastre de la Armada Invencible[1] y se agrava con la derrota de Trafalgar.[2] Sólo que desde entonces el sitio del conflicto comienza a desplegarse y se traslada al continente nuevo, donde tuvo todavía episodios fatales. Las derrotas de Santiago de Cuba y de Cavite y Manila[3] son ecos distantes pero lógicos de las catástrofes de la Invencible y de Trafalgar. Y el conflicto está ahora planteado totalmente en el Nuevo Mundo. En la historia, los siglos suelen ser como días; nada tiene de extraño que no acabemos todavía de salir de la impresión de la derrota. Atravesamos épocas de desaliento, seguimos perdiendo, no sólo en soberanía geográfica, sino también en poderío moral.

Lejos de sentirnos unidos frente al desastre, la voluntad se nos dispersa en pequeños y vanos fines. La derrota nos ha traído la confusión de los valores y los conceptos; la diplomacia de los vencedores nos engaña después de vencernos; el comercio nos conquista con sus pequeñas ventajas. Despojados de la antigua grandeza, nos ufanamos de un patriotismo exclusivamente nacional, y ni siquiera advertimos los peligros que amenazan a nuestra raza en conjunto. Nos negamos los unos a los otros. La derrota nos ha envilecido a tal punto, que, sin darnos cuenta, servimos los fines de la política enemiga, de batirnos en detalle, de ofrecer ventajas particulares a cada uno de nuestros hermanos, mientras al otro se le sacrifica en intereses vitales. No sólo nos derrotaron en el combate, ideológicamente también nos siguen venciendo. Se perdió la mayor de las batallas el día

1. el desastre ... Invencible: "The Invincible Armada," sent out by Philip II of Spain against the English fleet, was defeated by Drake, Hawkins, *et. al.*, in the English Channel during July of 1588.

2. la derrota de Trafalgar: Nelson defeated the combined French and Spanish

fleets near the Strait of Gibraltar in 1805.

3. las derrotas ... Manila: The Spanish fleet was annihilated on July 3, 1898, outside Santiago harbor. The city surrendered on July 17. Cavite, a fortified port on Manila Bay, and Manila itself, fell to Dewey after destruction of the Spanish fleet, May 1, 1898.

en que cada una de las repúblicas ibéricas se lanzó a hacer vida propia, vida desligada de sus hermanos, concertando tratados y recibiendo beneficios falsos, sin atender a los intereses comunes de la raza. Los creadores de nuestro nacionalismo fueron, sin saberlo, los mejores aliados del sajón, nuestro rival en la posesión del continente. El despliegue de nuestras veinte banderas en la Unión Pan-Americana de Wáshington deberíamos verlo como una burla de enemigos hábiles. Sin embargo, nos ufanamos cada uno de nuestro humilde trapo, que dice ilusión vana, y ni siquiera nos ruboriza el hecho de nuestra discordia, delante de la fuerte unión norteamericana. No advertimos el contraste de la unidad sajona frente a la anarquía y soledad de los escudos iberoamericanos. Nos mantenemos celosamente independientes respecto de nosotros mismos; pero de una o de otra manera nos sometemos o nos aliamos con la Unión Sajona. * * *

En la historia no hay retornos, porque toda ella es transformación y novedad. Ninguna raza vuelve; cada una plantea su misión, la cumple y se va. Esta verdad rige lo mismo en los tiempos bíblicos que en los nuestros, todos los historiadores antiguos la han formulado. Los días de los blancos puros, los vencedores de hoy, están tan contados como lo estuvieron los de sus antecesores. Al cumplir su destino de mecanizar el mundo, ellos mismos han puesto, sin saberlo, las bases de un período nuevo, el período de la fusión y la mezcla de todos los pueblos. El indio no tiene otra puerta hacia el porvenir que la puerta de la cultura moderna, ni otro camino que el camino ya desbrozado de la civili-

zación latina. También el blanco tendrá que deponer su orgullo, y buscará progreso y redención posterior en el alma de sus hermanos de las otras castas, y se confundirá y se perfeccionará en cada una de las variedades superiores de la especie, en cada una de las modalidades que tornan múltiple la revelación y más poderoso el genio. * * *

Reconozcamos que fué una desgracia no haber procedido con la cohesión que demostraron los del Norte: la raza prodigiosa, a la que solemos llenar de improperios, sólo porque nos ha ganado cada partida de la lucha secular. Ella triunfa porque aduna sus capacidades prácticas con la visión clara de un gran destino. Conserva presente la intuición de una misión histórica definida, en tanto que nosotros nos perdemos en el laberinto de quimeras verbales. Parece que Dios mismo conduce los pasos del sajonismo, en tanto que nosotros nos matamos por el dogma o nos proclamamos ateos. ¡Cómo deben reír de nuestros desplantes y vanidades latinas estos fuertes constructores de imperios! Ellos no tienen en la mente el lastre ciceroniano de la fraseología, ni en la sangre los instintos contradictorios de la mezcla de razas disímiles; *pero cometieron el pecado de destruir esas razas, en tanto que nosotros las asimilamos, y esto nos da derechos nuevos y esperanza de una misión sin precedente en la historia.*

De allí que los tropiezos adversos no nos inclinen a claudicar, vagamente sentimos que han de servirnos para descubrir nuestra ruta. Precisamente, en las diferencias encontramos el camino; si no más imitamos, perdemos; si descubrimos, si creamos, triunfaremos. La ventaja de nuestra tradición es que posee mayor facilidad de simpatía con los extraños. Esto implica que nuestra civilización, con todos sus defectos, puede ser la elegida para asimilar y convertir a un nuevo tipo a todos los hombres. En ella se prepara de esta suerte la trama, el múltiple y rico plasma de la humanidad futura. Comienza a advertirse este [10] mandato de la historia en esa abundancia de amor que permitió a los españoles crear raza nueva con el indio y con el negro, prodigando la estirpe blanca a través del soldado [15] que engendraba familia indígena y la cultura de Occidente por medio de la doctrina y el ejemplo de los misioneros que pusieron al indio en condiciones de penetrar en la nueva [20] etapa, la etapa del mundo Uno. La colonización española creó mestizaje: esto señala su carácter, fija su responsabilidad y define su porvenir. El inglés siguió cruzándose sólo con el [25] blanco, y exterminó al indígena; lo sigue exterminando en la sorda lucha económica, más eficaz que la conquista armada. Esto prueba su limitación y es el indicio de su decadencia. Equivale, [30] en grande, a los matrimonios incestuosos de los Faraones, que minaron la virtud de aquella raza, y contradice el fin ulterior de la historia, que es lograr la fusión de los pueblos y las [35] culturas. Hacer un mundo inglés; exterminar a los rojos, para que en toda la América se renueve el norte de Europa, hecho de blancos puros, no es más que repetir el proceso victo- [40] rioso de una raza vencedora. Ya esto lo hicieron los rojos; lo han hecho o

lo han intentado todas las razas fuertes y homogéneas; pero eso no resuelve el problema humano; para un objetivo tan menguado no se quedó [5] en reserva cinco mil años la América. El objeto del continente nuevo y antiguo es mucho más importante. Su predestinación obedece al designio de constituir la cuna de una raza quinta [10] en la que se fundirán todos los pueblos, para reemplazar a las cuatro que aisladamente han venido forjando la historia. En el suelo de América hallará término la dispersión, allí se consumará la unidad por el triunfo del [15] amor fecundo y la superación de todas las estirpes.

Y se engendrará de tal suerte el tipo síntesis que ha de juntar los tesoros de la historia, para dar expresión [20] al anhelo total del mundo.

Los pueblos llamados latinos, por haber sido más fieles a la misión divina de América, son los llamados a consumarla. Y tal fidelidad al oculto [25] designio es la garantía de nuestro triunfo.

En el mismo período caótico de la Independencia, que tantas censuras merece, se advierten, sin embargo, [30] vislumbres de ese afán de universalidad que ya anuncia el deseo de fundir lo humano en un tipo universal y sintético. Desde luego, Bolívar, en parte, porque se dió cuenta del peli- [35] gro en que caíamos, repartidos en nacionalidades aisladas, y también por su don de profecía, formuló aquel plan de federación iberoamericana [4] que ciertos necios todavía hoy discu- [40] ten.

Y si los demás caudillos de la in-

4. plan . . . iberoamericana: As early as 1815 Bolívar had in mind a cooperative union of the Ibero-American states. He called for the first inter-American Congress (the United States and England were also invited) to meet at Panama in the summer of

dependencia latinoamericana, en general, no tuvieron un concepto claro del futuro, si es verdad que, llevados del provincialismo, que hoy llamamos patriotismo, o de la limitación, que hoy se titula soberanía nacional, cada uno se preocupó no más que de la suerte inmediata de su propio pueblo, también es sorprendente observar que casi todos se sintieron animados de un sentimiento humano universal que coincide con el destino que hoy asignamos al continente iberoamericano. Hidalgo, Morelos, Bolívar, Petión[5] el Haitiano; los argentinos en Tucumán,[6] Sucre,[7] todos se preocuparon de libertar a los esclavos, de declarar la igualdad de todos los hombres por derecho natural; la igualdad social y cívica de los blancos, negros e indios. En un instante de crisis histórica, formularon la misión trascendental asignada a aquella zona del globo: misión de fundir étnica y espiritualmente a las gentes.

De tal suerte se hizo en el bando latino lo que nadie ni pensó hacer en el continente sajón. Allí siguió imperando la tesis contraria, el propósito confesado o tácito de limpiar la tierra de indios, mongoles y negros, para mayor gloria y ventura del blanco. En realidad, desde aquella época quedaron bien definidos los sistemas que, perdurando hasta la fecha, colocan en campos sociológicos opuestos a las dos civilizaciones: la que quiere el predominio exclusivo del blanco, y la que está formando una raza nueva, raza

de síntesis que aspira a englobar y expresar todo lo humano en maneras de constante superación. Si fuese menester aducir pruebas, bastaría observar la mezcla creciente y espontánea que en todo el continente latino se opera entre todos los pueblos, y por la otra parte, la línea inflexible que separa al negro del blanco en los Estados Unidos, y las leyes, cada vez más rigurosas, para la exclusión de los japoneses y chinos de California.

Los llamados latinos, tal vez porque desde un principio no son propiamente tales latinos, sino un conglomerado de tipos y razas, persisten en no tomar muy en cuenta el factor étnico para sus relaciones sexuales. Sean cuales fueren las opiniones que a este respecto se emitan y aún la repugnancia que el prejuicio nos causa, lo cierto es que se ha producido y se sigue consumando la mezcla de sangres. Y es en esta fusión de estirpes donde debemos buscar el rasgo fundamental de la idiosincrasia iberoamericana. Ocurrirá algunas veces, y ha ocurrido ya, en efecto, que la competencia económica nos obligue a cerrar nuestras puertas, tal como lo hace el sajón, a una desmedida irrupción de orientales. Pero al proceder de esta suerte, nosotros no obedecemos más que a razones de orden económico; reconocemos que no es justo que pueblos como el chino, que bajo el santo consejo de la moral confuciana se multiplican como los ratones, vengan a degradar la con-

---

1826. As far as immediate results were concerned, the congress was a failure.

5. Hidalgo . . . Pétion: Miguel Hidalgo y Costilla (1753–1811) (See p. 438, n. 35); José María Morelos (1765–1815), like Hidalgo, a liberal priest, a revolutionist in the War for Independence, and a national hero.

Defeated by Iturbide (See p. 164, n. 9), he was convicted of treason and shot; Alexandre Pétion (1770–1818), Haitian revolutionist and president and national hero, who fought against the reestablishment of slavery.

6. Tucumán: See page 240, note 2.
7. Sucre: See page 107, note 40.

dición humana, justamente en los instantes en que comenzamos a comprender que la inteligencia sirve para refrenar y regular bajos instintos zoológicos, contrarios a un concepto verdaderamente religioso de la vida. Si los rechazamos es porque el hombre, a medida que progresa, se multiplica menos y siente el horror del número por lo mismo que ha llegado a estimar la calidad. En los Estados Unidos rechazan a los asiáticos, por el mismo temor del desbordamiento físico propio de las especies superiores; pero también lo hacen porque no les simpatiza el asiático, porque lo desdeñan y serían incapaces de cruzarse con él. Las señoritas de San Francisco se han negado a bailar con oficiales de la marina japonesa, que son hombres tan aseados, inteligentes y, a su manera, tan bellos, como los de cualquiera otra marina del mundo. Sin embargo, ellas jamás comprenderán que un japonés pueda ser bello. Tampoco es fácil convencer al sajón de que si el amarillo y el negro tienen su tufo, también el blanco lo tiene para el extraño, aunque nosotros no nos demos cuenta de ello. En la América Latina existe, pero infinitamente más atenuada, la repulsión de una sangre que se encuentra con otra sangre extraña. Allí hay mil puentes para la fusión sincera y cordial de todas las razas. El amurallamiento étnico de los del Norte frente a la simpatía mucho más fácil de los del Sur, tal es el dato más importante y a la vez el más favorable para nosotros, si se reflexiona, aunque sea superficialmente, en el porvenir. Pues se verá en seguida que somos nosotros de mañana, en tanto que ellos van siendo de ayer. Acabarán de formar los yanquis el

último gran imperio de una sola raza: el imperio final del poderío blanco. Entre tanto, nosotros seguiremos padeciendo en el vasto caos de una estirpe en formación, contagiados de la levadura de todos los tipos, pero seguros del avatar de una estirpe mejor. En la América española ya no repetirá la naturaleza uno de sus ensayos parciales, ya no será la raza de un solo color, de rasgos particulares, la que en esta vez salga de la olvidada Atlántida; no será la futura ni una quinta ni una sexta raza, destinada a prevalecer sobre sus antecesoras; lo que de allí va a salir es la raza definitiva, la raza síntesis o raza integral, hecha con el genio y con la sangre de todos los pueblos y, por lo mismo, más capaz de verdadera fraternidad y de visión realmente universal.

Para acercarnos a este propósito sublime es preciso ir creando, como si dijéramos, el tejido celular que ha de servir de carne y sostén a la nueva aparición biológica. Y a fin de crear ese tejido proteico, maleable, profundo, etéreo y esencial, será menester que la raza iberoamericana se penetre de su misión y la abrace como un misticismo.

Quizás no haya nada inútil en los procesos de la historia; nuestro mismo aislamiento material y el error de crear naciones, nos ha servido, junto con la mezcla original de la sangre, para no caer en la limitación sajona de constituir castas de raza pura. La historia demuestra que estas selecciones prolongadas y rigurosas dan tipos de refinamiento físico, curiosos, pero sin vigor; bellos con una extraña belleza como la de la casta brahmánica milenaria, pero a la postre decadentes. Jamás se ha visto que aventajen a los otros hombres ni en talento, ni en bondad, ni en vigor. El camino que hemos iniciado nosotros es mucho más atrevido, rompe los prejuicios antiguos, y casi no se explicaría, si no se fundase en una suerte de clamor que llega de una lejanía remota, que no es la del pasado, sino la misteriosa lejanía de donde vienen los presagios del porvenir.

Si la América Latina fuese no más otra España, en el mismo grado que los Estados Unidos son otra Inglaterra, entonces la vieja lucha de las dos estirpes no haría otra cosa que repetir sus episodios en la tierra más vasta y uno de los dos rivales acabaría por imponerse y llegaría a prevalecer. Pero no es ésta la ley natural de los choques, ni en la mecánica ni en la vida. La oposición y la lucha, particularmente cuando ellas se trasladan al campo del espíritu, sirven para definir mejor los contrarios, para llevar a cada uno a la cúspide de su destino, y, a la postre, para sumarlos en una común y victoriosa superación.

La misión del sajón se ha cumplido más pronto que la nuestra, porque era más inmediata y ya conocida en la historia; para cumplirla no había más que seguir el ejemplo de otros pueblos victoriosos. Meros continuadores de Europa, en la región del continente que ellos ocuparon, los valores del blanco llegaron al cenit. He allí por qué la historia de Norte América es como un ininterrumpido y vigoroso *allegro* de marcha triunfal.

¡Cuán distintos los sones de la formación iberoamericana! Semejan el profundo *scherzo* de una sinfonía infinita y honda: voces que traen acentos de la Atlántida; abismos contenidos en la pupila del hombre rojo que supo tanto, hace tantos miles de años y ahora parece que se ha olvidado de todo. Se parece su alma al viejo cenote maya, de aguas verdes, profundas, inmóviles, en el centro del bosque, desde hace tantos siglos que ya ni su leyenda perdura. Y se remueve esta quietud de infinito, con la gota que en nuestra sangre pone el negro, ávido de dicha sensual, ebrio de danzas y desenfrenadas lujurias. Asoma también el mongol con el misterio de su ojo oblicuo que toda cosa la mira conforme a un ángulo extraño que descubre no sé qué pliegues y dimensiones nuevas. Interviene asimismo la mente clara del blanco, parecida a su tez y a su ensueño. Se revelan estrías judaicas que se escondieron en la sangre castellana desde los días de la cruel expulsión; melancolías del árabe, que son un dejo de la enfermiza sensualidad musulmana; ¿quién no tiene algo de todo esto o no desea tenerlo todo? He ahí al hindú, que también llegará, que ha llegado ya por el espíritu, y aunque es el último en venir, parece el más próximo pariente. Tantos que han venido y otros más que vendrán, y así se nos ha de ir haciendo un corazón sensible y ancho que todo lo abarca y contiene, y se conmueve; pero henchido de vigor, impone leyes nuevas al mundo. Y presentimos como otra cabeza, que dispondrá de todos los ángulos, para cumplir el prodigio de superar a la esfera.

EL ASUNTO

Por todo lo que tuvo de inspirada y sintética la palabra de Colón, cuando afirmaba haber descubierto las Indias, por todo lo que se contenía de simbolismo trascendental en tal nombre, y también por la herencia que de dicho vocablo recayó en los indígenas, tomo esta designación de Indología en el sentido de era final y universal de la cultura del planeta.

No pretendo, por lo mismo, amparar bajo tal nombre ninguna intención de predominio favorable a la tradición autóctona de América o a la raza indígena del continente, pues el factor particular y muy estimable que dicha raza representa lo juzgo únicamente en la proporción humana y fraternal a que tiene derecho junto con las demás razas que han de concurrir a la nueva era del mundo. La tesis misma de la existencia de la raza futura descansa en una norma de universalidad que no excluye, que engloba y asimila caracteres y sangres. No hay, por lo mismo, ni que hablar de estirpes condenadas, ni tampoco de estirpes privilegiadas. Donde el signo es lo universal, no cabe más que una ternura, la misma y fraternal para todos los colores de la piel y todos los caprichos del temperamento.

Pero, dada la tarea que nos hemos impuesto, de caracterizar nuestra propia cultura, resulta muy comprometido comenzar por asignarle como rasgo fundamental el de la universalidad indeterminada. En efecto, una universalidad verdadera y completa no es ni asequible a la conciencia humana, de por sí limitada y concreta. La civilización misma descansa en limitaciones y la vida toda es una concreción de las maneras y las manifestaciones parciales de la potencia absoluta. Busquemos, pues, la universalidad cabal de la síntesis que no destruye, sino que afirma los casos particulares de la realidad. Estudiemos nuestro propio anhelo de universalidad. Que no es arbitraria esta afirmación del carácter universal de nuestro temperamento, lo prueban muchos hechos que iremos señalando oportunamente y lo anuncia, como ya se ha visto, el signo mismo de nuestro rito bautismal. Desde el comienzo, y en todas las fases sucesivas de nuestro desarrollo, se ha ido marcando tal rasgo de la conciencia colectiva, que es una misma, a pesar de ciertas variantes: una misma desde el Bravo hasta el Plata, y sin excluir al Brasil. Recordemos, pues, que para designar esta nueva corriente vital de la historia hemos de emplear el nombre de Indología en el sentido de ciencia de Indias, ciencia de Universo, no de las Indias antiguas ni de las Indias modernas, ni de las Indias geográficas, sino de las Indias en el sentido del ensueño colombino de redondez de la tierra, de unidad de la especie y de concierto de las culturas.

Las Indias, el Nuevo Mundo, la patria de la familia humana unida y triunfante. Esto se soñó que fuésemos, nada de esto somos aún; pero a fin de procurar que lo seamos dediquémonos a formular una ciencia, un credo, unas bases constitutivas, una norma de voluntad, un conjunto de impulsos superiores que nos permitan ascender a la realización del ideal contenido en nuestro signo. La filosofía necesaria para alcanzar tal finalidad, la serie de conceptos, de vislumbres y de emociones que han de acercarnos a su consumación, todo esto es lo que procuraremos esbozar dentro del nombre de Indología que servirá de acápite a nuestras elucubraciones.

Y por más que sea muy abundante el asunto, parece que apenas lo designamos con un título particular, en seguida, como que se desvanece y se dispersa, se confunde con otras materias y el vocablo se queda como vacío, solo y hueco, mera palabra sin fondo. Y nos decimos entonces: ¿Qué es lo que vamos a presentar como genuinamente nuestro, como peculiar y propio si nada importante hemos descubierto, si todo lo que sabemos es poco y lo hemos aprendido de otros, si apenas comenzamos a saber?... Si todavía la incultura es entre nosotros la regla, ¿cómo podremos presumir de merecer la honra de que una palabra—toda la fuerza potencial de una palabra exclusiva—se reserve para nosotros y se dedique a nosotros?

Aun para llenar el contenido de la más humilde palabra es indispensable aportar sustancia, la sustancia de una idea, la esencia de una vida. Urge, pues, que encarnemos en nuestra palabra. Juntemos dentro de ella todos los haces dispersos. Recordemos que para comenzar a ser es menester concretarse y limitarse... Iniciemos la definición de nuestros caracteres mediante la especificación de nuestros medios y mediante la definición de nuestras finalidades. Diversas son las circunstancias que nos dan derecho a lugar aparte y a nombre propio, diversas y más bien acusadas de lo que pudiera juzgar un observador superficial. Aparentemente, somos unas veinte naciones desligadas, de vida atenuada, de civilización todavía inferior a la de la antigua metrópoli. Con excepción de la Argentina y el Brasil, no hemos progresado, no hemos mejorado, sino empeorado; hemos perdido recursos y vigor durante el siglo largo de nuestra vida nacional independiente. Sin embargo, el más ligero examen demuestra que esta situación, innegable en la realidad de estos momentos, revela una crisis, pero no alcanza a destruir el vigor todavía inexhausto, las capacidades latentes en la tierra y en los habitantes de las regiones castizas del Nuevo Mundo. Unos cuantos fracasos graves no rompen ni el hilo de nuestra unidad ni el ímpetu de nuestro porvenir.

La conciencia de nuestra unidad debe ser el primer factor de nuestra acción; somos una gente aparte. El Norte y el Sur son, en nuestro continente, no diré yo que dos mundos contrarios, dos *East and West* que nunca llegarán a entenderse, según reza la frase conocida de Kipling. Nosotros, al contrario, procedemos del tronco común de la civilización cristiana, cuya base es la igualdad y la hermandad de todas las estirpes, y tenemos además una infinidad de conveniencias y de simpatías recíprocas que fatalmente nos obligan a estar juntos en la obra común del progreso humano. Hecha, pues, esta salvedad indispensable, tratemos de definirnos nosotros mismos, y marquemos, sin ningún ánimo de discordia, las diferencias.

Pobre procedimiento es comenzar a definir una cosa por lo que no es; pero al fin y al cabo no puede dejar de emplearse cuando se trata de asuntos todavía informes, cambiantes, inmensos; en tales casos ningún elemento de determinación es inútil; la misma negación suele abrir paso. Anotaremos, pues, desde luego, las diferencias y comenzaremos diciendo que físicamente la más grande extensión del continente ibérico es completamente distinta de la superficie territorial ocupada por los anglosajones. Con la excepción de una parte de la Argentina, cuyas pampas guardan semejanza con los grandes llanos trigueros y ganaderos del Mississippí y de Kansas, todo el resto de la América española se distingue de la América sajona en que posee un territorio montañoso situado en la zona tórrida o en la zona tropical. En la América del Norte hay montañas, pero fuera de la zona tropical, y en el Sur predomina la tierra tropical, pero con grandes regiones de altiplano, donde el clima es templado, a pesar de la latitud cercana al ecuador. Los Estados Unidos han contado con un territorio fácil para la penetración humana. Los grandes ríos que fecundan extensas planicies de clima templado han sido siempre cuna de civilizaciones florecientes y duraderas. En las montañas el trabajo de la civilización se torna más lento; el río es camino, en tanto que la serranía es muralla ... El aislamiento físico, geográfico, nos ha obligado a nosotros a fraccionarnos en nacionalidades, nos ha impuesto una disgregación, contraria a nuestra unidad étnica y a nuestro interés político, una verdadera dispersión que sería fatal si no fuese porque cada día aumenta el poder del hombre sobre la naturaleza. Contamos con grandes ríos, prodigiosos ríos como el Amazonas y el Orinoco y el Magda-

lena, como el Usumacinta[8] y el Plata; pero la mayor parte de esos ríos están situados en zonas extremadamente cálidas en donde la civilización todavía no ha logrado imponerse. Hablo de la civilización adelantada; la civilización misma de los blancos puros que todavía entre nosotros fracasa, cada vez que intenta imponerse, pues el hombre todavía no franquea la barrera del trópico. Se ha hecho, por ejemplo, un lugar común inculpar a España del atraso nacional de muchas de las regiones de nuestro mundo iberoamericano. Pero yo pregunto: ¿Qué es lo que han hecho en el trópico, qué han hecho en las Guayanas, los ingleses, los holandeses, los franceses, tres razas de primera? Menos que los españoles; menos sin duda que lo que hizo España en Venezuela y en Colombia y en regiones semejantes de la costa de México; mucho menos también que lo que han hecho los portugueses en Manaos y en Pernambuco y en Bahía. Basta comparar la obra de las tres naciones ya nombradas en el trópico americano con lo que hicieron portugueses y españoles en regiones adyacentes para que se vea de manifiesto la gran capacidad del temperamento ibérico y la injusticia de la crítica que tan a menudo se formula contra España porque no hizo de sus colonias otros Estados Unidos.

La diferencia de condiciones físicas es tan apreciable que ella bastaría por sí sola para explicar las consiguientes diferencias de desarrollo, de temperamento y de cultura que separan a los pueblos de los continentes americanos, el del Norte y el del Sur.

8. Usumacinta: or Osumacinta, rises in the highlands of Guatemala, flows northwest to form the boundary between Guatemala and Mexico, and crosses Mexico to empty into the Gulf of Campeche

Pero todavía a las diferencias físicas hay que agregar las profundas peculiaridades de historia y de raza que caracterizan a cada uno de los grandes grupos étnicos de la América contemporánea, pues, como todo el mundo sabe, nosotros procedemos de una cultura hispánica y latina y los del Norte son continuadores de la tradición germánica y sajona. De las diferencias étnicas se derivan, como es natural, matices y variedades de espíritu que no es posible ni siquiera enumerar cabalmente. Agotar cualquiera de estos asuntos es tarea que requeriría libros y capacidades especiales. Perdónesenos, por lo mismo, que nada más apuntemos aquellos rasgos que son obvios y aquellas tesis que ya pueden ser formuladas con relativa certeza y concisión.

En el instante en que saltamos a la esfera del temperamento, las diferencias se hacen más marcadas, justamente a causa de que el espíritu es más rico, más flexible, más intenso y múltiple que la mera realidad física. El yanqui, se ha dicho, es laborioso y tenaz, en tanto que nosotros somos inconstantes y haraganes. En cambio, nadie gana en vivacidad a los nuestros, y este empleo rápido del instrumento más alto que la vida conoce, este lujo y prontitud de la fantasía, es promesa de conquistas de un orden sublime. El yanqui, por otra parte, comienza a aparecernos como una víctima de su propia cualidad. El aparato de su obra parece empeñado en devorar a sus constructores. El maquinismo, admirable para domeñar los elementos, se vuelve después contra la esencia misma de la vida y la estrangula con limitaciones, mandatos y cortapisas. Nosotros conservamos más

libre el espíritu, pero no lo usamos o lo envilecemos en el ocio estéril o en la anarquía de la acción sin ideal.

Para el norteamericano, se ha dicho también, la vida es tarea; para el iberoamericano, la vida es festín... Cuando el americano del Norte no puede trabajar, no halla qué hacer y se aburre; cuando nosotros encontramos trabajo, maldecimos la existencia y procuramos evadirlo. Se ha hablado mucho de una Marta hacendosa que prospera en el Norte y de una María despreocupada que sueña en el Sur; pero desgraciadamente el símbolo es inexacto, porque los Estados Unidos no son sólo una útil Marta, sino también una soñadora, una creadora María y nosotros no hemos podido hacer que nuestros sueños sean fecundos, no hemos logrado organizarlos, no hemos conseguido infundirles el impulso creador del espíritu. Lo cierto es que ni unos ni otros, ni los dos juntos, hemos logrado todavía cumplir nuestra misión, que es inaugurar en este Nuevo Mundo una manera de vida que se imponga a la naturaleza y la domeñe, pero con la mira de la superación de lo temporal.

No acabaría pronto si siguiese anotando diferencias y semejanzas; no es mi propósito desarrollar el paralelo, sino únicamente aprovecharlo para demostrar algo que suele ser negado y que por lo mismo es necesario reafirmar, a saber: la persistencia de dos grupos étnicos, perfectamente definidos y disímiles, la existencia de unos Estados Unidos del Norte de cultura sajona, y cuyo temperamento sajón nadie pone en duda, a pesar de que dentro de aquel crisol se encuentran trazas de italianos, irlandeses, españoles, portugueses, franceses y aun negros, y por otro lado, la existencia definida de una América latina, no como vaga denominación geográfica, sino también como un grupo étnico perfectamente homogéneo, más homogéneo si se quiere que el del Norte, a pesar de diferencias internas, sociales y políticas, diferencias que más bien aumentan el contenido de la raza sin llegar a desintegrarle su unidad.

Constituimos un agregado racial homogéneo, tan homogéneo como cualquier raza homogénea de la tierra y esta raza una, la raza iberoamericana, habita una zona extensa y continua del Nuevo Mundo. Para lograr que este hecho tan evidente y tan simple entre en la realidad de las fórmulas de uso diario no basta, según parece, la verdad incuestionable de su existencia. Se hace necesario proclamarlo y volver a afirmarlo. Digo esto porque todavía es frecuente escuchar la opinión obstinada de que la Argentina y México o Brasil o Colombia, aunque situados por el mismo rumbo del planeta casi nada tienen de común entre sí y más bien dependen cada uno por separado, no de sí propio, sino de alguna cultura europea, por ejemplo la francesa. Y si se trata de Centro América, se afirma que esa región nada tiene que ver ni con Colombia ni con México; y así se pretende que lo que fué una sola colonia bajo España sea hoy un deshecho rosario de culturas. Aun entre nosotros mismos, muchos niegan la posibilidad de una acción de conjunto y aun la realidad de una raza homogénea, capaz de organizarse para defender sus intereses y hacer pesar su voluntad en la balanza de los destinos humanos.

Se olvida a menudo, y casi siempre con intenciones bastardas, que nosotros somos continuación y retoño de la poderosa cultura española que en una época se impuso a la Europa. Ya nadie niega el enorme progreso del Brasil; pero se procura ocultar el hecho de que allí reflorece el alma portuguesa que en otra época dominó los mares y abarcó el mundo. Se reconoce el progreso argentino; pero sólo para atraerlo a ciertos focos que tenderían a separarlo del tronco común iberoamericano. En esta tácita conspiración contra el reconocimiento de nuestra unidad étnica y cultural, no entran nada más los escritores, los capitalistas y los soldados del imperialismo. La Europa culta ha acostumbrado juzgarnos y tratarnos como a restos dispersos de un naufragio irreparable. En esto hay un poco de realidad, pero la mayor parte del falso juicio se debe a ese engreimiento de los pueblos viejos y de los poderes que son contra las meras promesas y delante de los esfuerzos que serán.

En todo caso, hemos llegado a tal punto de incoherencia espiritual y política que es necesario comenzar por reafirmarnos. La tarea primordial está en consumar el rescate de nuestra personalidad ... No vacilemos, pues, en gritarlo; gritemos para los extraños la verdad que tan a menudo nos repetimos en la intimidad, la verdad humana, histórica y volicional de que somos ochenta millones de hombres ligados por el parentesco de la sangre y por la comunidad de la cultura. ¡Ochenta millones de almas, una cultura dotada de tendencias definidas y propias y una extensión territorial, la más vasta de todas las que quedan sin explotar en el planeta!

Asentada así nuestra personalidad

colectiva, digamos en seguida que reconocemos el valer y los derechos de la otra gran raza que comparte con nosotros las responsabilidades del dominio del Nuevo Mundo. Ellos y nosotros representamos las dos orientaciones capitales, las dos lenguas, las dos culturas del Nuevo Mundo. Urge, por lo mismo, estudiar la manera como deben de concurrir las dos fuerzas creadoras de vida; urge buscar los medios de que estas dos culturas en vez de gastarse y agotarse en el conflicto se pongan de acuerdo y colaboren en el progreso...

No hay razón alguna para que no sea posible hacer en nuestro mundo lo que no ha podido hacerse en Europa: convertir las diferencias en factor de progreso, en vez de que se resuelvan en rivalidad y conflicto. La circunstancia de que estamos regidos por sistemas sociales democráticos, más avanzados, por lo menos en teoría, que los que rigen en el viejo continente, todavía debilitado por intereses furiosamente nacionales y arcaica-mente monárquicos, debiera ser motivo de esperanza. Allí donde no hay castas dominadoras, para quienes la guerra es una profesión o un negocio, no debiera haber peligro de choques inmotivados y sangrientos. Pongamos, por lo menos, nosotros lo que está de nuestra parte para evitarlo. Aprendamos a defendernos progresando. Sacudamos el yugo de los caudillajes bárbaros que son baldón de algunos de nuestros pueblos y habremos eliminado la mitad por lo menos de las causas que amenazan nuestros destinos.

El tema fundamental, el *leitmotif* de nuestras especulaciones, nos lo dará la comprobación de la unidad espiritual de la raza hispánica de América y de España, identidad en el pasado, disgregación necesaria para recomenzar la vida en condiciones nuevas y reunión ideal posterior, pero ya sobre las bases de autonomía y de libertad, de disciplina y de justicia, bases sin las cuales ninguna cultura alcanza esplendor.

Alfonso Reyes

1889-

ALFONSO REYES is that rare and pleasing combination of the artist and the scholar. A continual searching after precise and minute data with which to keep his scholarly investigations and interpretations abreast of recent findings never seems to dry up the wells of warm spontaneity and poetic fancy from which both his serious and his light writings have flowed uninterruptedly together for over three decades. His refreshing treat ment and understanding of the Hispanic masters and of the world's great literature will remain as an eloquent tribute to his broad hu manism and to his superior scholarship. It is, however, the short bi dashed off hurriedly when the impression is still vivid that is more openly revealing of his congenial personality, of his brilliant conversational pow ers, of his wit and keen sense of humor. Many of these prose pieces can hardly be classified as essays; some are nothing more than a fleeting fancy or thumbnail sketch or impression, others hold out promise of becoming a masterpiece of thought and composition but somehow fall suddenly and disappointingly short of that goal. They are uneven. But in all of them there is the rich personable quality of their creator. And the reading of these delightful pieces is like nothing so much as being with Reyes himself in person, as his nimble mind and equally nimble tongue spring lightly but surely and gracefully from one interesting subject to another—interesting because Reyes is quick to detect the dramatic, the humorous, the emo tional, the purely human aspect in every situation, however trivial it may first appear. His themes run the gamut of the author's varied career of body and mind. Even the philologist will not be disappointed, for Reyes has an enviable command of languages, ancient and modern, which together with his mastery of popular and archaic Spanish permits him the delight of word play at its best. It reveals, too, his keen sense of the value of language as a medium for transmitting the spiritual intangibles of human contacts.

Visión de Anáhuac

1

Viajero: has llegado a la región más transparente del aire.

El viajero americano está condenado a que los europeos le pregunten si hay en América muchos árboles. Les sorprenderíamos hablándoles de una Castilla americana más alta que la de ellos, más armoniosa, menos agria seguramente (por mucho que en vez de colinas la quiebren enormes montañas), donde el aire brilla como espejo y se goza de un otoño perenne. La llanura castellana sugiere pensamientos ascéticos; el valle de México, más bien pensamientos fáciles y sobrios. Lo que una gana en lo trágico, gana la otra en plástica rotundez.

Nuestra naturaleza tiene dos aspectos opuestos. Uno, la cantada selva virgen de América, apenas merece describirse. Tema obligado de admiración en el viejo mundo, ella inspira los entusiasmos verbales de Chateaubriand.[1] Horno genitor donde las energías parecen gastarse con abandonada generosidad, donde nuestro ánimo naufraga en emanaciones capitosas, es exaltación de la vida a la vez que imagen de la anarquía vital: los chorros de verdura por las rampas de la montaña; los nudos ciegos de las lia-

nas; toldos de platanares; sombra engañadora de árboles que adormecen y roban las fuerzas de pensar; bochornosa vegetación; largo y voluptuoso torpor, al zumbido de los insectos. ¡Los gritos de los papagayos, el trueno de las cascadas, los ojos de las fieras, *le dard empoisonné du sauvage!* [2] En estos derroches de fuego y sueño— poesía de hamaca y de abanico—nos superan seguramente otras regiones meridionales.

Lo nuestro, lo de Anáhuac,[3] es cosa mejor y más tónica. Al menos, para los que gusten de tener a toda hora alerta la voluntad y el pensamiento claro. La visión más propia de nuestra naturaleza está en las regiones de la mesa central: allí la vegetación arisca y heráldica, el paisaje organizado, la atmósfera de extremada nitidez, en que los colores mismos se ahogan— compensándolo la armonía general del dibujo—; el éter luminoso en que se adelantan las cosas con un resalte individual; y, en fin, para de una vez decirlo en las palabras del modesto y sensible Fray Manuel de Navarrete:[4]

1. François René de Chateaubriand, (1768–1848), French romantic novelist whose novelette *Atala* (1801), product of the youthful author's trip to North America, served as the model for innumerable romantic writers of America and Europe in their depiction of Indian life and the natural scene of the New World.

2. le dard . . . sauvage!: *the poisoned arrow of the savage!*

3. Anáhuac: name synonymous with Mex-

ico (See page 114, note 5.)

4. José Manuel Martínez de Navarrete (1768–1809), a Franciscan friar who ranks immediately after Sor Juana as one of the best lyric poets of the Mexican colonial era. These lines are from his poem *La mañana:*

Ya se asoma la cándida mañana
con su rostro apacible: el horizonte
se baña de una luz resplandeciente
que hace brillar la cara de los cielos.

. . . una luz resplandeciente
que hace brillar la cara de los cielos.

Ya lo observaba un grande viajero,
que ha sancionado con su nombre el
orgullo de la Nueva España, un hombre clásico y universal como los que
criaba el Renacimiento, y que resu-
citó en su siglo la antigua manera
de adquirir la sabiduría viajando, y
el hábito de escribir únicamente sobre
recuerdos y meditaciones de la propia
vida: en su *Ensayo político,* el barón
de Humboldt [5] notaba la extraña reverberación de los rayos solares en la
masa montañosa de la altiplanicie central, donde el aire se purifica.

En aquel paisaje, no desprovisto de
cierta aristocrática esterilidad, por
donde los ojos yerran con discerni-
miento, la mente descifra cada línea
y acaricia cada ondulación; bajo aquel
fulgurar del aire y en su general frescura y placidez, pasearon aquellos
hombres ignotos la amplia y meditabunda mirada espiritual. Extáticos
ante el nopal del águila y de la serpiente—compendio feliz de nuestro
campo—oyeron la voz del ave agorera
que les prometía seguro asilo sobre
aquellos lagos hospitalarios. Más tarde, de aquel palafito había brotado
una ciudad, repoblada con las incursiones de los mitológicos caballeros
que llegaban de las Siete Cuevas [6]—
cuna de las siete familias derramadas
por nuestro suelo. Más tarde, la ciudad se había dilatado en imperio, y el
ruido de una civilización ciclópea,
como la de Babilonia y Egipto, se
prolongaba, fatigado, hasta los infaus-
tos días de Moctezuma el doliente. Y
fué entonces cuando, en envidiable
hora de asombro, traspuestos los volcanes nevados, los hombres de Cortés
("polvo, sudor y hierro") se asomaron sobre aquel orbe de sonoridad
y fulgores—espacioso circo de montañas.

A sus pies, en un espejismo de cristales, se extendía la pintoresca ciudad,
emanada toda ella del templo, por manera que sus calles radiantes prolon-
gaban las aristas de la pirámide.

Hasta ellos, en algún oscuro rito sangriento, llegaba—ululando—la
queja de la chirimía y multiplicado en
el eco, el latido del salvaje tambor.

4

> "But glorious it was to see,
> how the open region was filled
> with horses and chariots..."
> Bunyan,[7] *The Pilgrim's
> Progress*

Cualquiera que sea la doctrina histórica que se profese (y no soy de los
que sueñan en perpetuaciones absurdas de la tradición indígena, y ni

5. Alexander, Baron von Humboldt
(1769–1859), German naturalist and ex-
plorer who with Bonpland began in 1799
his famous expedition to America. He spent
most of the year 1803 in New Spain. His
*Essai politique sur le royaume de la Nou-
velle Espagne* has become a classic for the
study of late colonial Mexico.
6. mitológicos . . . Cuevas: *"Las Siete
Cuevas"* is the semi-legendary place called
Chicomostoc, which was supposed to be
somewhere in northern Mexico and in all
likelihood beyond the present border. Tradition alleges it to have been the cradle
of the peoples who later wandered down
into the Valley of Mexico.
7. John Bunyan (1628–1688), English
author, whose masterpiece, *The Pilgrim's
Progress,* is the best known allegory in the
English language

siquiera fío demasiado en perpetuaciones de la española), nos une con la raza de ayer, sin hablar de sangres, la comunidad del esfuerzo por domeñar nuestra naturaleza brava y fragosa, esfuerzo que es la base bruta de la historia. Nos une también la comunidad, mucho más profunda, de la emoción cotidiana ante el mismo objeto natural. El choque de la sensibilidad con el mismo mundo labra, engendra un alma común. Pero cuando no se aceptara lo uno ni lo otro—ni la obra de la acción común, ni la obra de la contemplación común—convéngase en que la emoción histórica es parte de la vida actual, y, sin su fulgor, nuestros valles y nuestras montañas serían como un teatro sin luz. El poeta ve, al reverberar de la luna en la nieve de los volcanes, recortarse sobre el cielo el espectro de doña Marina,[8] acosada por la sombra del Flechador de Estrellas;[9] o sueña con el hacha de cobre en cuyo filo descansa el cielo; o piensa que escucha, en el descampado, el llanto funesto de los mellizos que la diosa vestida de blanco lleva a las espaldas; no le neguemos la evocación, no desperdiciemos la leyenda. Si esa tradición nos fuere ajena, está en nuestras manos, a lo menos, y sólo nosotros disponemos de ella. No renunciaremos—oh Keats—a ningún objeto de belleza, engendrador de eternos goces.[10]

MOTIVOS DEL "LAOCONTE" [11]

Siempre que me exageran el sentido de la estética wagneriana—fusión de todas las artes en el Arte, ideal legítimo mientras no se desequilibra el peso real de las nociones—, acude a mi memoria aquel verso de Díaz Mirón:[12] "un ungüento de suaves caricias, con suspiros de luz musical."

En el principio de las cosas era el Caos. Había quimeras y dragones, elefantes-flores y mariposas con cuernos. Y también suspiros de luz musical. Las artes, juntas en el origen—acto sagrado, conjuro, plegaria o, finalmente, juego o adorno—se han ido diferenciando paso a paso.

Quedaba la danza mezclada con la música. Pero una sudamericana, Mlle. Isabela Echessarry,[13] ha tratado de emancipar la danza, en París. A Carmen le parecía melancólico bailar sin música. Isabela, esta vascongada de la Ópera de Buenos Aires, baila sin acompañamiento de sonido o de ruido.

"La música—escribe en L'Oeuvre [14] —sólo sirve para corromper la idea

8. doña Marina: See pages 15–17.
9. Flechador de Estrellas: translation of "Ilhuicamina," epithet applied to Moctezuma I
10. The first line of John Keats' poem Endymion (1817) reads: "A thing of beauty is a joy forever."
11. Laoconte: See p. 542, n. 9. The great German critic, Gotthold Ephraim Lessing, (1729–1781) gave the title Laocoön to his treatise on the limitations of poetry and painting.
12. Díaz Mirón: See Outline History, pages 91–92. These lines are from his poem Gris de perla:

Siempre aguijo el ingenio en la lírica; y él en vano al misterio se asoma
a buscar a la flor del Deseo vaso digno del puro Ideal.
¡Quién hiciera una trova tan dulce, que al espíritu fuese un aroma,
un ungüento de suaves caricias, con suspiros de luz musical!

13. Mlle. Isabela Echessarry: contemporary danseuse
14. L'Oeuvre: Parisian newspaper

plástica, perturbando la verdad interior que produce el ritmo de los músculos."

Y la crítica recuerda las palabras del maestro Mallarmé [15]—quien, sin embargo, no prescindía de la música —sobre la danza entendida como escritura corporal o poema emancipado de los instrumentos del escriba.

Las danzas en silencio de la nueva sacerdotisa—"Andrómeda," "El Hombre y el Fantasma," "El Hombre y su Sombra"—quieren ser sinfonías musculares, pero con un asunto ideológico, externo a la ingenuidad del músculo. Así, pues, no hemos llegado aún a la danza pura. Las danzas de Isabela ¿no pecarán por lo imitativo? Así como se emancipa de la música ¿no se podría emancipar la danza de todo asunto episódico?

Mientras la danza describa o imite un asunto, no hemos salido de la prehistoria. La danza primitiva es mimética por buenas razones: tiene por fin, siendo operación religiosa, provocar el fenómeno que se desea: la lluvia, la cosecha fecunda, el cambio de estación, el fin de la peste, el logro del hijo. Y de aquí una mímica trascendental que no siempre comprendería un moderno—educado en la miserable escuela del realismo—. La mímica de la danza arcaica se justifica como único medio de obrar directamente sobre la naturaleza, atrayéndola también a danzar según el tema que la danza ritual propone o sugiere, en un tiempo en que la plegaria no tenía

aún sentido por lo mismo que no había a quien implorar. (Pues saben bien los estudiosos de la Grecia arcaica que el origen de las religiones no coincide con la noción relativamente tardía, de un dios a quien pedir.)

Lo que ahora sueño para la danza pura puede entenderse con el paralelo de la música:

Cuando, en los programas de conciertos, comienzan por explicarme que aquella mañana el joven despertó hastiado de la vida, que pensó en su novia, que por el balcón entraba el tañido de las campanas, que el joven meditó un instante y se acordó de Dios ... y pretenden que la música vaya diciéndome todo eso "renglón por renglón," me pongo triste, y pienso que con Mozart acabó la música pura. Yo no quiero historias, sino música; ya yo sabré las historias que me forjo con ella, si es que no soy capaz de alcanzar la cima platónica, donde flotan las especies abstractas, el deleite musical sin amalgama ni liga.

Lo mismo le diría yo a Isabela: valor: lleguemos a la depuración máxima; yo no quiero historias, sino danza —danzas cuyos temas, en fin, se conserven dentro de la especie filosófica de la danza pura, del poema muscular, sin descender a la fábula literaria de Andrómeda; [16] porque toda fábula, naturalmente, se expresa mejor con palabras.

Yo no creo, necesariamente, que sean malos todos los cuadros de

---

15. Stéphane Mallarmé (1842–1898), leading French symbolist poet, best known for his *L'Après-midi d'un Faune* (1876), which has a famous musical setting by Debussy

16. Andromeda was a princess of Ethiopia whose mother angered the sea-god, Poseidon, by saying that her daughter was more beautiful than the nymphs. Poseidon sent a sea monster to prey upon the country. The monster could be appeased only by the sacrifice of the king's daughter. Andromeda was left on a rock by the sea to await the monster. There she was found by Perseus, who rescued her and married her.

asunto. Al contrario: en materia de pintura estoy ya por volver un poco a los asuntos. (Y acaso, acaso, amigos, también en materia de poesía.)

Pero confieso que, en materia de música, los "Fragmentos en forma de pera," de Satie [17]—aunque el título sea una desviación irónica y algo escandalosa—excitan mi apetito musical más que la "Sinfonía del joven que tomó opio."

Y en materia de Danza pura, Isabela—como apenas he empezado a pensar en ella, no temo todavía la exageración "virtuosista," la caída en el vacío técnico—quiero de una vez ir hasta las últimas consecuencias; y espero que nos presente usted, alguna noche, una danza que no pretenda contar un cuento (el mínimo de cuento posible, puesto que lo absoluto no se puede alcanzar), sino, simplemente, ser danza.

Sea, pues, la danza que se llame: "Himno de los hombros," o "Combate de las rodillas y los tobillos," o "Las sonrisas paralelas de la cara y del vientre," o la "Exasperación de los senos," o bien la "Historia ejemplar de una cintura," o mejor aún, la "Anábasis del tronco." [18]

17. Erik Satie: contemporary composer
18. Anábasis del tronco: *anabasis; a going up; an expedition up;* especially that of Cyrus the younger, 401 B. C., described by Xenophon in his famous history of that name. As here used, it suggests several interesting interpretations.

Javier de Viana

1872-1926

JAVIER DE VIANA's stories deal exclusively with the rural scene. The author's primary concern was to portray the philosophy and psychology of the gaucho as the inevitable product of his environment and of the passing of the old way of life that nurtured his heroic forebears. For Viana's gaucho is of the type that appealed to his creator's naturalistic bent: brutal and fatalistic, a victim of disease and vice, lawless and anti-social, he afforded abundant material for one interested in a detailed and scientific depiction of social beings distorted by events above and beyond their power or their desire to alter or control. As a consequence, then, the normal tone of his tales is heavy and depressing; it is only on occasion that Viana treats his subject in a more sympathetic vein as in *El domador*. He is a facile story-teller. He has the gift of extracting the dramatic from the most casual and prosaic events of everyday life. One rarely puts his tales aside because one finds them lacking in interest or in a keen sense of dramatic action; when one does, it is rather because after considerable reading one finds that many of the stories are beginning to repeat themselves. Because of this repetitive—and episodic—quality, Viana's total collection does not attain to a uniformly high standard of artistic expression. This is not due entirely to certain shortcomings of the author; much of it must be attributed to the fact that Viana was forced to write under tremendous pressure in order to meet the steady demand for his work by journals and reviews. Later, in gathering these stories for publication, he gave little heed to the order in which they were to appear, and as a result the literary historian is confronted with a further barrier in attempting to trace Viana's literary development and to analyze the unevenness and inconsistencies of his treatment and approach.

EL DOMADOR

Podría tener veinticinco años, podría tener treinta, podría tener más, pero de cualquier modo era muy joven.

Se llamaba Sabiniano Fernández y hacía poco más de un año que había entrado a la estancia, como domador. El patrón, que tenía una yeguada grande medio montaraz,[1] cerca de cincuenta potros cogotudos,[2] lo contrató, sabedor de su fama, que lo tildaba único en el oficio, como diestro, como guapo, como prolijo.

Era todo un buen mozo Sabiniano. De mediana estatura, ancho de espaldas, recio de piernas, y con un rostro varonil, de grandes ojos pardos, de fuerte nariz aguileña, de gruesos labios coronados por fino bigote negro y de mentón[3] imperioso. Hablaba muy poco, no reía nunca y la elegancia de su porte tenía un dejo[4] de desdeñosa altivez. Lo consideraban rico; sabíase que era dueño de un campo, que arrendaba, y que su tropilla no tenía rival en el pago; su apero era lujoso—plata y oro en exceso—y su cinto hallábase siempre inflado con las libras.

Si continuaba ejerciendo su rudo y peligroso oficio era por encariñamiento, porque, para él, domar constituía la satisfacción mayor y tanto más gustada cuanto más morrudo[5] y bravo era el potro, y no porque le importasen nada los ocho pesos oro que ganaba por cada animal amansado.

No se le conocían amigos.[6] El paisanaje lo respetaba, pero no lo quería, a causa de su carácter altanero y dominador. Las pocas veces que hablaba lo hacía en forma de órdenes imperativas, a las cuales se sometían todos, de buen o mal grado, obligados a reconocer que siempre tenía razón, que cuanto decía era sensato.

Y al igual que con los hombres, tenía con las mujeres una urbanidad desdeñosa. Conocíansele amores fugaces, pero ninguna pasión; mostrábase indiferente a las insinuaciones de más de una buena moza seducida por su hermosura viril, por sus proezas, por su arrogancia, por su imperio de domador, domador de bestias y de personas.

Blasa, la hija del estanciero, no escapó al encanto. Era ella una morocha bonita, engreída y habituada a rendir galanes por simple satisfacción de su vanidad femenina.

Sabiniano era una conquista que colmaría su orgullo y consideró fácil el triunfo, basada en los prestigios de su juventud, su belleza y los caudales del padre. Empleó con él la táctica habitual: una mirada lánguida, como en olvidada contemplación, un voluntario rozamiento de manos con cualquier pretexto... y después, la indiferencia, las excesivas amabilidades para con[7] el forastero de visita, que no faltaba nunca.

Empero, el tiempo transcurría y Sabiniano demostraba no advertir los avances de Blasa. En el comedor, cuando hallábase reunida la familia,

1. montaraz: *wild*
2. cogotudos: *unbroken*
3. mentón: *mien*
4. dejo: *trace*

5. morrudo: *stubborn*
6. No... amigos: *He was not known to have any friends.*
7. para con: *toward*

aparecía amable con ella y hasta se dignaba sonreír de tiempo en tiempo; mas, si accidentalmente se encontraban solos, su adustez era invariable, llegando en ocasiones a la grosería. ₅

Una mañana, en el palenque, él sobaba el "bocado,"⁸ esperando que los peones echasen al corral la manada para darle el primer galope a un tordillo negro que ella había elegido ₁₀ para su andar. La moza se le acercó y ofertóle un mate, diciendo con zalamería:

—Para que no lo voltee el tordillo.

—A mí no me voltean aperiases ⁹ ₁₅ —respondió Sabiniano con voz áspera; y ella, comprendiendo que lo había ofendido, agregó dulcemente:

—¿A usted nunca lo ha volteado ningún animal? . . . ₂₀

Y acercándose, le rozó el hombro con su brazo.

El domador la miró con fijeza, dió un sorbo al mate y respondió con acento glacial: ₂₅

—Potros, alguna vez . . . ; yeguas, nunca.

Blasa enrojeció como una flor de ceibo, le temblaron los labios, le relampaguearon los ojos, se le crisparon ₃₀ los dedos y el corazón le latió con violencia, herida en lo más sensible de su orgullo. Quiso responder con una frase altanera y la frase se le cuajó en la garganta; quiso alejarse con ₃₅ ofendido ademán, y las piernas se le agarrotaron.

Él le alcanzó el mate y ella preguntó con humildad:

—¿Está bueno?

Sin mirarla, entregado de nuevo a su tarea de sobar el "bocado," Sabiniano respondió:

—Feón:¹⁰ está quemada la yerba.

La muchacha no pudo más; los ojos llenáronse de lágrimas:

—¡Grosero!—exclamó, y tomando violentamente el mate alejóse a paso acelerado.

Él, sin responder palabra, prosiguió su trabajo.

Poco después estaba encerrada la manada y enlazado y volteado el tordillo negro de la "patroncita."¹¹

Sabiniano lo ensilló en el suelo, y, desdeñando "tironearlo de abajo"¹² lo desmaneó y lo hizo levantar de un puntapié en el vacío.

Bufó el potro y se encogió, todo tembloroso, agitadas las orejas menudas y enrojecidos los ojos.

Había público. Estaban presentes el patrón, la patrona, las cinco muchachas de la servidumbre, el capataz y los peones. A diez varas de distancia, recostada en el marco de la puerta del galpón, Blasa hacía dibujos en la tierra con la punta del pie, manteniendo obstinadamente baja la cabeza.

—Vení,¹³ pues, a ver jinetear tu potrillo—le gritó el padre. Ella se encogió de hombros sin responder.

Dirigiéndose al domador, el capataz dijo:—Se mi hace ¹⁴ que le va dar trabajo este chimango ¹⁵; tiene facha 'e traicionero.

—Trabajando se gana la plata—respondió el mozo.

8. él sobaba el "bocado": *he was softening up his bridle*
9. aperiases: plural of *apereá*, name of a small animal of the pampa that closely resembles the guinea pig. Here used as slang for *pony*.
10. Feón (augmentative of *feo*): *Terrible*

11. "patroncita": *boss's daughter*
12. tironearlo de abajo: *to get on while he was tied up*
13. vení = ven
14. Se mi (me) hace: *Something tells me*
15. chimango: *pony*

Y tranquilamente, armó y encendió un cigarrillo.

Un peón tomó al potro de la oreja. Sabiniano mandó que lo largase. Se acercó, cogió las riendas, y de un salto brusco quedó enhorquetado.[16] Al sentir el peso, el tordillo tembló violentamente; un rebencazo feroz lo hizo alzarse sobre los remos traseros, para clavarse de nuevo en actitud de expectativa. El domador le hundió las espuelas en los ijares, y el potro, loco de rabia, metió la cabeza entre las manos, se hizo un ovillo y soplando y espumando, tornaba, tan pronto a un lado, tan pronto a otro, haciendo esfuerzos inauditos por desalojar al jinete, que no cesaba de castigarlo con el rebenque y con la espuela.

La gente observaba en silencio aquel duelo extraño. Blasa había ido acercándose, sin quererlo, dominada por lo soberbio del espectáculo, y en el instante en que llegaba al palenque, el tordillo, furioso, en un arranque de soberbia desesperación, se alzó sobre las patas traseras y se desplomó sobre el lomo.

Blasa dió un grito y se tapó la cara con las manos. Al quitárselas—un segundo después—vió un cuadro épico: el tordillo, tirado largo a largo en el suelo y Sabiniano, con el cabestro en la mano, con el pie rudamente apoyado sobre el pescuezo del bruto, sonreía manteniendo entre los labios el cigarrillo encendido... Luego, dióle un lazazo en la grupa, obligándolo a levantarse, y con increíble agilidad volvió a montarlo de un salto. El potro echó a correr en frenética carrera, sin cesar en los corcovos, y así ganó el llano para reaparecer junto al palenque, diez minutos después, jadeante, cubierto de espuma, enrojecidos los ijares. Echando las piernas hacia atrás, el domador, con duro tirón de riendas, que le hizo juntar el hocico con el pecho, lo detuvo, sentándolo sobre los garrones. Desmontó ágilmente, lo desensilló en un segundo y comenzó a palmearlo, sin que el animal, rendido, entregado, intentara rebelarse.

Haciendo caso omiso de las felicitaciones y de las frases admirativas, Sabiniano fuése tranquilo al galpón para sorber un amargo.[17]

Blasa, emocionada, se retiró a su cuarto y no apareció en todo el día. Durante más de una semana mostróse airada, agresiva, con el mozo, quien parecía no advertir semejante cambio. Cierta vez que en la mesa ponderaban sus habilidades de luchador, ella dijo con fiero desdén:

—Total,[18] entre un potro y un domador, el más bruto vence.

Él dejó vagar en sus labios la fría sonrisa habitual, y respondió calmosamente:

—Asigún:[19] hay unos que amansan, hay otros que doman.

Y luego con una entonación cálida, que nadie le conocía, agregó:

—¡Para poder domar, es preciso saber domarse a sí mismo; nadie domina a los otros si no sabe dominarse!

Dos meses después, concluída la doma, Sabiniano anunció su partida. Era un sábado y el lunes debía marcharse. El domingo hubo fiesta en la estancia; habían concurrido mozos y mozas de la vecindad, se había bailado toda la tarde, y Blasa, engala-

---

16. enhorquetado: *astride*
17. amargo = mate **amargo**
18. Total: *After all*
19. Asigún: *It all depends*

nada como nunca, coqueta como nunca, danzó, jaraneó,[20] mostróse extraordinariamente alegre, sin tener, sin embargo, una mirada ni una frase para el domador, quien, por su parte, mantenía la imperturbable indiferencia característica.

Después de la cena, recomenzó el baile con animación mayor. Sabiniano conversó un rato con el patrón y luego salió al patio, armó un cigarrillo y fué a fumar recostado a los postes del palenque.

Era una deliciosa noche de estío, con una luna grande en medio de un cielo azul purísimo. Solitario, el gaucho echaba humo y contemplaba distraídamente la amplia extensión del campo dormido, cuando un ruido de polleras le hizo volver la cabeza. Blasa se acercó a él y díjole con amabilidad desusada:

—Vengo a buscarlo para que me acompañe en un valse.

—Disculpe—respondió Sabiniano, impasible—; estoy cansado y tengo que madrugar mucho.

Ella hizo un gesto de cólera; pero, dominándose, preguntó:

—¿Siempre[21] se va mañana?

Él sonrió y dijo:

—¡De juro!...[22] Yo siempre hago lo que me propongo hacer.

Blasa no pudo más: los ojos se le llenaron de lágrimas, y echándole los brazos al cuello, exclamó entre sollozos:

—¡No! ¡No te podés[23] ir, no te vas, porque yo te quiero!... ¿No sabés que te quiero, malo?...

Tranquilamente, pausadamente, el mozo replicó, sin asomo de jactancia:

—Sí, lo sabía, como vos sabías que yo te quiero; pero te quería así, sumisa, domada, para que fueses feliz y me hicieras feliz... ¡Animal sancocho[24] no sirve para nada!...

Ella lo abrazó con fuerza, lo besó en los labios, y entregando su voluntad, humilde, rendida, exclamó con un acento de ternura que nunca tuviera su voz:

—¡Mi domador!... ¡Mi domador!...

LO MESMO DA

El rancho de don Tiburcio, mirado desde lejos, en una tarde de sol, parecía un bicho grande y negro, sesteando a la sombra de dos higueras frondosas. Un pampero—hacía añares[25]—le torció los horcones y le ladeó el techo, que fué a quedar como chambergo de compadre: requintado[26] y sobre la oreja.

No había quien pudiese arreglarlo, porque don Tiburcio era un viejo de mucho uso, que agarrotado por los años, dobló el lomo y andaba ya arrastrando las tabas[27] y mirando al suelo, como los chanchos.[28] Y además, no había por qué arreglarlo desde que servía lo mismo; el pelo de la res no influye en el sabor de la carne.

Lo mismo pensaba Casimira, su mujer, una viejecita seca, dura y ás-

20. jaraneó: *had a gay time*
21. Siempre: *Still.* (Often used in this sense in Spanish America.)
22. De juro: *Of course*
23. podés = puedes

24. sancocho: *stubborn*
25. hacía añares: *many long years ago*
26. requintado: *pressed down*
27. las tabas: *his feet*
28. chanchos: *pigs*

pera como rama de coronilla,[29] para quien, pudiendo rezongar a gusto, lo demás le era de un todo indiferente.

Y en cuanto a Maura, la chiquilina, encontraba más bello el rancho así, ladiado[30] y sucio como un gaucho trova.[31] Maura era linda, era fresca y era alegre al igual de una potranca que ofrece espejo a la luz en la aterciopelada piel de pelecheo.[32]

Sin embargo, en aquel domingo de otoño, blanco, diáfano, insípido como clara de huevo, la chiquilina agitábase en singular preocupación. El seno opulento batía con rabia dentro la jaula de hierro del corsé; las piernas nerviosas hacían crujir la zaraza de la pollera acartonada con el baño de almidón; el rostro, que tenía el color y la aspereza de los duraznos pintones,[33] resultaba un tanto pálido, emergiendo del fuego de una golilla de seda roja; los renegridos cabellos, espesos como almácigo, rudos, indómitos, hacían esfuerzos de potro por libertarse de las horquillas y las peinetas que los oprimían; las pupilas tenían el obscuro, misterioso y hondo, del agua dormida en la lejana entraña del pozo; y los labios, color de ladrillo viejo, apetitosos como "picana" de vaquillona,[34] se estremecían de vez en cuando, con un estremecimiento semejante al de un pedazo de pulpa arrancado de la res recién muerta.

Tan preocupada hallábase junto al fogón de la pequeña cocina, que la leche puesta a hervir en el caldero, subió, rebasó y cayó en las brasas, chillando y hediendo, sin que ella lo advirtiese, hasta que doña Casimira sintiendo el tufo le gritó desde el patio:

—¡Que se quema la leche, avestruza!...

Maura atendió en seguida, porque su madre la llamaba a veces perra, baguala,[35] animala, pero cuando le decía avestruza, es que estaba furiosa, y casi siempre acompañaba el insulto con una bofetada o de un tirón de las mechas.

En realidad, sobrábanle motivos a la chica para encontrarse preocupada; ese mismo domingo, apenas se instalara la noche, debía abandonar aquellos tres viejos queridos—su padre, su madre y el rancho—entre los cuales había nacido y crecido.

¡Y si al menos fuese tal el único causante de sus incertidumbres dolorosas!... Ella sabía bien que todos los pichones, una vez emplumados, alzan el vuelo y abandonan el nido en cumplimiento de la ley natural... Pero había más; había una duda atroz taladrando su pequeño cerebro de bruto. ¿Amaba realmente a Liborio? ... Evocando su imagen, su sola imagen, le parecía que sí; pero ocurríale que, al evocarla, no tardaba en presentarse, sin ser llamada, la imagen de Nemesio, y ya entonces el juicio vacilaba, enturbiado.

A cualquiera le pasaría lo mismo, porque Liborio la seducía con sus bucles azafranados, con su voz más dulce que miel de camoatí,[36] con sus languideces de felino y con su fama de cuatrero guapo, peleador de po-

29. coronilla: a thorny shrub
30. ladiado (ladeado): *tilted to one side*
31. un gaucho trova: *a "low-down" gaucho*
32. en ... pelecheo: *in her satiny new coat*
33. duraznos pintones: *half ripe peaches*
34. "picana" de vaquillona: *choice piece of meat*
35. baguala: *wild mare*
36. miel de camoatí: *honey*. The *camoatí* is a species of bee.

licías; pero también Nemesio era bulto que daba sombra en el corral de su alma.

Nemesio era casi indio y feo de un todo. Era más duro que una piedra colorada y mejor era tocar una ortiga que tocarlo a él. Hablaba muy poco y casi no se le entendía lo que hablaba, porque las palabras, al salir de su boca, se enredaban en los enormes bigotes y se convertían en ruido. Tenía un cuerpo grandísimo y una cabecita chiquita y redonda, poblada de pelos rígidos, parecida a una tuna de esas que se crían en el campo, sobre las piedras.

Empero, Nemesio era sargento de policía. La casaquilla militar, el kepis, las jinetas y el sable—sobre todo el sable—le daban un prestigio acentuado por los dos hombres que siempre, en todas partes, trotaban respetuosamente a su retaguardia. Era un poco "gobierno," puesto que llevaba uniforme y espada y mandaba.

Hacía tiempo que el sargento y el bandolero codiciaban con idéntico apetito a la pichona de don Tiburcio y ella no sabía por quién decidirse. Pero Liborio, más atrevido, sin duda, le dijo el lunes que se aprontase porque el domingo la iba "a sacar." Y ella... ¿qué iba a hacer?... aceptó no más.

Y llegó el domingo. Liborio lo había elegido, aprovechando la circunstancia de que Nemesio, con toda la policía, debía hallarse de servicio en las carreras grandes que se corrían en el negocio del gallego Pérez. Maura intentó resistir aplazando la "juida," [37] pero el mozo le dijo brutalmente:

—¿Pa qué?... ¡Lo que se ha de empeñar no carece fecha y el agua se saca cuando se tiene sé! ¡Aprontá tus trapos y esperame al oscurecer debajo de las higueras!...

¿Y ella qué iba a hacer?

La noche era obscura, y sin más guía que el instinto, Liborio avanzaba al trote, llevando a la grupa de su tordillo la carga preciosa de la morocha.

No hablaban. Él iba soñando; ella iba haciendo cálculos, esos cálculos chiquitos que hacen los brutos en los momentos solemnes.

De pronto, el gaucho sofrenó el caballo. Había oído, hacia su derecha, ruido de gentes y de sables.

—¡La polecía!—rugió—y me vienen ganando el paso!... ¡Sabandija!... Pero lo mesmo da; ¡vandiaremos [38] por la laguna!...

—¡Por la laguna!—gritó Maura asustada.

—¡No tengas miedo, china! p' algo es tordillo mi flete: boya [39] mesmo que un bote!...

Diez minutos después se detenían al borde de una laguna ancha y siniestra en la quietud de la noche.

—¡Tengo miedo!... ¡tengo miedo! —gimoteaba Maura. Y él:

—No se asuste, prenda. Agarresemé del lomo y cierre los ojos.

—¡Nos augamos,[40] Liborio!

—¿Ande has visto augarse una nutria?... Agárrate y tené confianza, que ande pasa un pescao, pasaremos mi tordillo y yo!...

Cerca, cerquita, resonaban los cascos de los caballos de los perseguidores y se oía claro el repiqueteo de

---

37. juida = huida
38. vandiaremos = vadearemos

39. boya: *keeps above the water*
40. augamos = ahogamos

los sables. El matrero, abandonando el tono cariñoso, ordenó con acento brutal:

—¡Vamos!...—Y espoloneando al tordillo, se lanzó a las aguas. La china, con brusco ademán, tiróse al suelo y cuando Liborio salió a flote, volvió la cabeza y lanzó a las sombras el más sangriento de los apóstrofes gauchos.

Casi en seguida atronó una descarga de fusilería... El matrero bramó como un puma herido, soltó las crines del tordillo y se hundió en las aguas muertas de la laguna...

El sargento Nemesio al verlo desaparecer dijo:

—Carniza pa las tarariras.[41]

Y luego, volviéndose hacia Maura, que permanecía en cuclillas, muerta de miedo, la castigó con una palabra fea y levantó el rebenque para pegarle.

Ella se cubrió el rostro con el brazo, en actitud de gata miedosa. Él se desbordó en groserías; pero poco a poco, fué enterneciéndose, por dentro, y como no sabía ser tierno con las palabras, le dió un beso.

Maura lloró y él dijo:

—¿Querés venir conmigo?...

Ella calculó todas esas cositas chicas que permiten vivir; pensó que muerto Liborio se simplificaba su problema y respondió lagrimeando:

—Güeno.

Y después, mirándolo cara a cara, confesó ingénuamente:

—¡Lo mesmo da!...

41. tarariras: large, black river fish

Horacio Quiroga

1878-1937

HORACIO QUIROGA's life as man and artist may be very appropriately and conveniently divided into three rather sharply-defined periods: first, the period of apprenticeship from 1901 to 1910; second, that of his finest writing from 1910 to 1926; and third, the period of decline ending with his death in 1937. Turning definitely from exaggerated modernist verse (*Los arrecifes de coral*, 1901) to prose, Quiroga soon discovered that his talents lay in the direction of the short story. With a technique acquired from Poe and other masters of the genre, and with his bride, he went to live (1910) in San Ignacio in the jungle province of Misiones. There, with striking originality and effectiveness, he developed and applied his art to the American tropical scene. Relentless struggle with the forces of nature and grief over the death of his wife (1917) were instrumental in the production of some of his finest stories (*El desierto*). Immediately upon his wife's death he returned to Buenos Aires to educate his children and to collect his stories for publication in book form. From 1926 on, his failing health and constant preoccupation with death drove him ever deeper into a tragic mental state, and dampened his enthusiasm for writing. With the exception of several stories in *Más allá* (1935), Quiroga wrote little in his closing years that was worthy of his name.

In American fiction Quiroga has few equals in the creation of horror effects, in the portrayal of impending tragedy and death, in the vividness of flash-backs, and in the depiction of abnormal mental states. It matters little whether the setting is regional or not, as witness his Ibsenesque *La gallina degollada;* but certainly his more popular tales of this class are those that spring directly from his own experiences in the flood-ridden, pestilential, heat-maddening wastes of tropical America. These stories, furthermore, place him among the first and best writers of the tropical scene. Delightfully told, and in a lighter vein, are his justly celebrated jungle tales "for children of all ages and all lands." Kipling, here, guided his early steps. And then to round out his rich and extensive collection he cultivated a cosmopolitan type of story—stories of love and of pure phantasy, and allegories, interesting for variety of theme and for his humorous, satiric treatment. Except for an early attempt at sensational modernist verse and an occasional novel that never really developed beyond the novelette stage, Quiroga remained steadfast in his devotion to, and cultivation of, the short story, of which he will be recognized—if that honor is not generally conceded already—as the first outstanding artist in contemporary Spanish American letters. Not a few critics are agreed that he deserves a high place among the world's gifted story tellers.

TRES CARTAS ... Y UN PIE

Señor:

Me permito enviarle estas líneas, por si usted tiene la amabilidad de publicarlas con su nombre. Le hago este pedido porque me informan de que no las admitirían en un periódico, firmadas por mí. Si le parece, puede dar a mis impresiones un estilo masculino, con lo que tal vez ganarían.

Mis obligaciones me imponen tomar dos veces por día el tranvía, y hace cinco años que hago el mismo recorrido. A veces, de vuelta, regreso con algunas compañeras, pero de ida voy siempre sola. Tengo veinte años, soy alta, no flaca y nada trigueña. Tengo la boca un poco grande, y poco pálida. No creo tener los ojos pequeños. Este conjunto, en apreciaciones negativas,[1] como usted ve, me basta, sin embargo, para juzgar a muchos hombres, tantos que me atrevería a decir a todos.

Usted sabe también que es costumbre en ustedes, al disponerse a subir al tranvía, echar una ojeada hacia adentro por las ventanillas. Ven así todas las caras (las de mujeres, por supuesto, porque son las únicas que les interesan). Después suben y se sientan.

Pues bien; desde que el hombre desciende de la vereda, se acerca al coche y mira adentro, yo sé perfectamente, sin equivocarme jamás, qué clase de hombre es. Sé si es serio, o si quiere aprovechar bien los diez centavos, efectuando de paso una rápida conquista. Conozco en seguida a los que quieren ir cómodos, y nada más, y a los que prefieren la incomodidad al lado de una chica.

Y cuando el asiento a mi lado está vacío, desde esa mirada por la ventanilla sé ya perfectamente cuáles son los indiferentes que se sentarán en cualquier lado; cuáles los interesados (a medias) que después de sentarse volverán la cabeza a medirnos tranquilamente; y cuáles los audaces, por fin, que dejarán en blanco siete asientos libres para ir a buscar la incomodidad a mi lado, allá en el fondo del coche.

Éstos son, por supuesto, los más

---

1. en apreciaciones negativas: *to put it mildly*

interesantes. Contra la costumbre general de las chicas que viajan solas, en vez de levantarme y ofrecer el sitio interior libre, yo me corro sencillamente hacia la ventanilla, para dejar amplio lugar al importuno.

¡Amplio lugar!... Ésta es una simple expresión. Jamás los tres cuartos de asiento abandonados por una muchacha a su vecino le son suficientes. Después de moverse y removerse a su gusto, le invade de pronto una inmovilidad extraordinaria, a punto de creérsele paralítico. Esto es una simple apariencia; porque si una persona lo observa desconfiando de esa inmovilidad, nota que el cuerpo del señor, insensiblemente, con una suavidad que hace honor a su mirada distraída, se va deslizando poco a poco por un plano inclinado hasta la ventanilla, donde está precisamente la chica que él no mira ni parece importarle absolutamente nada.

Así son: podría jurarse que están pensando en la luna. Entre tanto, el pie derecho (o el izquierdo) continúa deslizándose imperceptiblemente por el plano inclinado.

Confieso que en estos casos tampoco me aburro. De una simple ojeada, al correrme hacia la ventanilla, he apreciado la calidad de mi pretendiente. Sé si es un audaz de primera instancia, digamos, o si es de los realmente preocupantes. Sé si es un buen muchacho, o si es un tipo vulgar. Si es un ladrón de puños,[2] o un simple raterillo;[3] si es un seductor (el *seduisant*, no *seducteur*,[4] de los franceses), o un mezquino aprovechador.[5]

A primera vista parecería que en el acto de deslizar subrepticiamente el pie con cara de hipócrita no cabe sino un ejecutor: el ratero. No es así, sin embargo, y no hay chica que no lo haya observado. Cada tipo requiere una defensa especial; pero casi siempre, sobre todo si el muchacho es muy joven o está mal vestido, se trata de un raterillo.

La táctica en éste no varía jamás. Primero de todo, la súbita inmovilidad y el aire de pensar en la luna. Después, una fugaz ojeada a nuestra persona, que parece detenerse en la cara, pero cuyo fin exclusivo ha sido apreciar al paso la distancia que media entre su pie y el nuestro. Obtenido el dato, comienza la conquista.

Creo que haya pocas cosas más divertidas que esta maniobra de ustedes, cuando van alejando su pie en discretísimos avances de taco y de punta, alternativamente. Ustedes, es claro, no se dan cuenta; pero este monísimo juego de ratón, con botines cuarenta y cuatro,[6] y allá arriba, cerca del techo, una cara bobalicona (por la emoción seguramente), no tiene parangón con nada de lo que hacen ustedes, en cuanto a ridiculez.

Dije también que yo no me aburría en estos casos. Y mi diversión consiste en lo siguiente: desde el momento en que el seductor ha apreciado con perfecta exactitud la distancia a recorrer con el pie, raramente vuelve a bajar los ojos. Está seguro de su cálculo, y no tiene para qué ponernos en guardia con nuevas ojeadas. La gracia para él está, usted lo

---

2. ladrón de puños: *old hand* (*hardened criminal*)

3. raterillo: *amateur* (*pickpocket*)

4. el seduisant, no seducteur: *a charming person, not a seducer*

5. mezquino aprovechador: *petty masher*

6. botines cuarenta y cuatro: *number* (size) *11 shoes*

comprendería bien, en el contacto y no en la visión.

Pues bien: cuando la amable persona está a medio camino, yo comienzo la maniobra que él ejecutó, con igual suavidad e igual aire distraído de estar pensando en mi muñeca.[7] Solamente que en dirección inversa. No mucho, diez centímetros son suficientes.

Es de verse, entonces, la sorpresa de mi vecino cuando al llegar por fin al lugar exactamente localizado, no halla nada. Nada; su botín cuarenta y cuatro está perfectamente solo. Es demasiado para él; echa una ojeada al piso, primero, y a mi cara luego. Yo estoy siempre con el pensamiento a mil leguas, soñando con mi muñeca; pero el tipo se da cuenta.

De diecisiete veces (y marco este número con conocimiento de causa), quince, el incómodo señor no insiste más. En los dos casos restantes tengo que recurrir a una mirada de advertencia. No es menester que la expresión de esta mirada sea de imperio, ofensa o desdén: basta con que el movimiento de la cabeza sea en su dirección: hacia él, pero sin mirarlo. El encuentro con la mirada de un hombre que por casualidad puede haber gustado real y profundamente de nosotros, es cosa que conviene siempre evitar en estos casos. En un

raterillo puede haber la pasta de un ladrón peligroso, y esto lo saben los cajeros de grandes caudales, y las muchachas no delgadas, no trigueñas, de boca no chica y ojos no pequeños, como su segura servidora.

M. R.

Señorita:

Muy agradecido a su amabilidad. Firmaré con mucho gusto sus impresiones, como usted lo desea. Tendría, sin embargo, mucho interés, y exclusivamente como coautor, en saber lo siguiente: Aparte de los diecisiete casos concretos que usted anota, ¿no ha sentido usted nunca el menor enternecimiento por algún vecino alto o bajo, rubio o trigueño, gordo o flaco? ¿No ha tenido jamás un vaguísimo sentimiento de abandono—el más vago posible—que le volviera particularmente pesado y fatigoso el alejamiento de su propio pie?

Es lo que desearía saber, etc.,

H. Q.

Señor:

Efectivamente, una vez, una sola vez en mi vida, he sentido este enternecimiento por una persona, o esta falta de fuerzas en el pie a que usted se refiere. Esa persona era *usted*. Pero usted no supo aprovecharlo.

M. R.

EL DESIERTO

La canoa se deslizaba costeando el bosque, o lo que podía parecer bosque en aquella obscuridad. Más por instinto que por indicio alguno, Subercasaux sentía su proximidad, pues las tinieblas eran un solo bloque infranqueable, que comenzaban en las manos del remero y subían hasta el cenit. El hombre conocía bastante bien su río, para no ignorar dónde se hallaba; pero en tal noche y bajo amenaza de lluvia era muy distinto

---

7. pensando ... muñeca: *with my thoughts a thousand miles away*

atracar entre tacuaras punzantes y pajonales podridos, que en su propio puertito. Y Subercasaux no iba solo en la canoa.

La atmósfera estaba cargada a un grado asfixiante. En lado alguno a que se volviera el rostro, se hallaba un poco de aire que respirar. Y en ese momento, claras y distintas, sonaban en la canoa algunas gotas.

Subercasaux alzó los ojos buscando en vano en el cielo una conmoción luminosa o la fisura de un relámpago. Como en toda la tarde, no se oía tampoco ahora un solo trueno.

—Lluvia para toda la noche—pensó—. Y volviéndose a sus acompañantes, que se mantenían mudos en popa:

—Pónganse las capas—dijo brevemente—. Y sujétense bien.

En efecto, la canoa avanzaba ahora doblando las ramas, y dos o tres veces el remo de babor se había deslizado sobre un gajo sumergido. Pero aun a trueque de romper un remo, Subercasaux no perdía contacto con la fronda, pues de apartarse cinco metros de la costa podía cruzar y recruzar toda la noche delante de su puerto, sin lograr verlo.

Bordeando literalmente el bosque a flor de agua, el remero avanzó un rato aún. Las gotas caían ahora más densas, pero también con mayor intermitencia. Cesaban bruscamente, como si hubieran caído no se sabe de dónde. Y recomenzaban otra vez, grandes, aisladas y calientes, para cortarse de nuevo en la misma obscuridad y la misma depresión de atmósfera.

—Sujétense bien—repitió Subercasaux a sus dos acompañantes—. Ya hemos llegado.

En efecto, acababa de entrever la escotadura[8] de su puerto. Con dos vigorosas remadas lanzó la canoa sobre la greda, y mientras sujetaba la embarcación al piquete, sus dos silenciosos acompañantes saltaban a tierra, la que a pesar de la obscuridad se distinguía bien, por hallarse cubierta de miriadas de gusanillos luminosos que hacían ondular el piso con sus fuegos rojos y verdes.

Hasta lo alto de la barranca, que los tres viajeros treparon bajo la lluvia, por fin uniforme y maciza, la arcilla empapada fosforeció. Pero luego las tinieblas los aislaron de nuevo; y entre ellas, la búsqueda del sulky que habían dejado caído sobre las varas.

La frase hecha: "No se ve ni las manos puestas bajo los ojos," es exacta. Y en tales noches, el momentáneo fulgor de un fósforo, no tiene otra utilidad que apretar en seguida la tiniebla mareante, hasta hacernos perder el equilibrio.

Hallaron, sin embargo, el sulky, mas no el caballo. Y dejando de guardia junto a una rueda a sus dos acompañantes, que, inmóviles bajo el capuchón caído, crepitaban de lluvia, Subercasaux fué espinándose hasta el fondo de la picada,[9] donde halló a su caballo, naturalmente enredado en las riendas.

No había Subercasaux empleado más de veinte minutos en buscar y traer al animal; pero cuando al orientarse en las cercanías del sulky con un:

—¿Están ahí, chiquitos? —oyó:
—Sí, piapiá[10]—,

---

8. escotadura: *opening*
9. el fondo...picada: *the edge of the*
clearing
10. piapiá = papá, papaíto, papacito

Subercasaux se dió por primera vez cuenta exacta, en esa noche, de que los dos compañeros que había abandonado a la noche y a la lluvia eran sus dos hijos, de cinco y seis años, cuyas cabezas no alcanzaban al cubo de la rueda, y que, juntitos y chorreando agua del capuchón, esperaban tranquilos a que su padre volviera.

Regresaban por fin a casa, contentos y charlando. Pasados los instantes de inquietud o peligro, la voz de Subercasaux era muy distinta de aquella con que hablaba a sus chiquitos cuando debía dirigirse a ellos como a hombres. Su voz había bajado dos tonos; y nadie hubiera creído allí, al oír la ternura de las voces, que quien reía entonces con las criaturas era el mismo hombre de acento duro y breve de media hora antes. Y quienes en verdad dialogaban ahora eran Subercasaux y su chica, pues el varoncito—el menor—se había dormido en las rodillas del padre.

Subercasaux se levantaba generalmente al aclarar; y aunque lo hacía sin ruido, sabía bien que en el cuarto inmediato, su chico, tan madrugador como él, hacía rato que estaba con los ojos abiertos esperando sentir a su padre para levantarse. Y comenzaba entonces la invariable fórmula de saludo matinal, de uno a otro cuarto:

—¡Buen día, piapiá!
—¡Buen día, mi hijito querido!
—¡Buen día, piapiacito adorado!
—¡Buen día, corderito sin mancha!
—¡Buen día, ratoncito sin cola!
—¡Coaticito[11] mío!
—¡Piapiá tatucito![12]
—¡Carita de gato!
—¡Colita de víbora!

Y en este pintoresco estilo, un buen rato más. Hasta que, ya vestidos, se iban a tomar café bajo las palmeras, en tanto que la mujercita continuaba durmiendo como una piedra, hasta que el sol en la cara la despertaba.

Subercasaux, con sus dos chiquitos, hechura suya en sentimientos y educación, se consideraba el padre más feliz de la tierra. Pero lo había conseguido a costa de dolores más duros de los que suelen conocer los hombres casados.

Bruscamente, como sobrevienen las cosas que no se conciben por su aterradora injusticia, Subercasaux perdió a su mujer. Quedó de pronto solo, con dos criaturas que apenas lo conocían, y en la misma casa por él construida y por ella arreglada, donde cada clavo y cada pincelada en la pared eran un agudo recuerdo de compartida felicidad.

Supo al día siguiente, al abrir por casualidad el ropero, lo que es ver de golpe la ropa blanca de su mujer ya enterrada; y colgado, el vestido que ella no tuvo tiempo de estrenar.

Conoció la necesidad perentoria y fatal, si se quiere seguir viviendo, de destruir hasta el último rastro del pasado, cuando quemó con los ojos fijos y secos las cartas por él escritas a su mujer, y que ella guardaba desde novia con más amor que sus trajes de ciudad. Y esa misma tarde supo, por fin, lo que es retener en los brazos, deshecho al fin de sollozos, a una criatura que pugna por desasirse para ir a jugar con el chico de la cocinera.

Duro, terriblemente duro aquello ...Pero ahora reía con sus dos cachorros que formaban con él una sola

---

11. coaticito: *little raccoon*

12. tatucito: *little armadillo*

persona, dado el modo curioso como Subercasaux educaba a sus hijos.

Las criaturas, en efecto, no temían a la obscuridad, ni a la soledad, ni a nada de lo que constituye el terror de los bebés criados entre las polleras de la madre. Más de una vez, la noche cayó sin que Subercasaux hubiera vuelto del río, y las criaturas encendieron el farol de viento a esperarlo sin inquietud. O se despertaban solos en medio de una furiosa tormenta que los enceguecía a través de los vidrios, para volverse a dormir en seguida, seguros y confiados en el regreso de papá.

No temían a nada, sino a lo que su padre les advertía debían temer; y en primer grado, naturalmente, figuraban las víboras. Aunque libres, respirando salud y deteniéndose a mirarlo todo con sus grandes ojos de cachorros alegres, no hubieran sabido qué hacer un instante sin la compañía del padre. Pero si éste, al salir, les advertía que iba a estar tal tiempo ausente, los chicos se quedaban entonces contentos a jugar entre ellos. De igual modo, si en sus mutuas y largas andanzas por el monte o el río, Subercasaux debía alejarse minutos u horas, ellos improvisaban en seguida un juego y lo aguardaban indefectiblemente en el mismo lugar, pagando así, con ciega y alegre obediencia, la confianza que en ellos depositaba su padre.

Galopaban a caballo por su cuenta, y esto desde que el varoncito tenía cuatro años. Conocían perfectamente— como toda criatura libre—el alcance de sus fuerzas, y jamás lo sobrepasaban. Llegaban a veces, solos, hasta el Yabebirí,[13] al acantilado [14] de arenisca rosa.

—Cerciórense bien del terreno, y siéntense después—les había dicho su padre.

El acantilado se alza perpendicular a veinte metros de una agua profunda y umbría que refresca las grietas de su base. Allá arriba, diminutos, los chicos de Subercasaux se aproximaban tanteando las piedras con el pie. Y seguros, por fin, se sentaban a dejar jugar las sandalias sobre el abismo.

Naturalmente, todo esto lo había conquistado Subercasaux en etapas sucesivas y con las correspondientes angustias.

—Un día se me mata un chico—decíase—. Y por el resto de mis días pasaré preguntándome si tenía razón al educarlos así.

Sí, tenía razón. Y entre los escasos consuelos de un padre que queda solo con huérfanos, es el más grande el de poder educar a los hijos de acuerdo con una sola línea de carácter.

Subercasaux era, pues, feliz, y las criaturas sentíanse entrañablemente ligadas a aquel hombrón que jugaba horas enteras con ellos, les enseñaba a leer en el suelo con grandes letras rojas y pesadas de minio y les cosía las rasgaduras de sus bombachas con sus tremendas manos endurecidas.

De coser bolsas en el Chaco, cuando fué allá plantador de algodón, Subercasaux había conservado la costumbre y el gusto de coser. Cosía su ropa, la de sus chicos, las fundas del revólver, las velas de su canoa, todo con hilo de zapatero y a puntada por nudo. De

---

13. **Yabebirí:** or **Yabebiry** (Río del **Fuego**), a navigable river that rises in the central sierra and empties into the Paraná from the west in the vicinity of the town of San Ignacio

14. **acantilado:** *cliff*

modo que sus camisas podían abrirse por cualquier parte menos por donde él había puesto su hilo encerado.

En punto a juegos, las criaturas estaban acordes en reconocer en su padre a un maestro, particularmente en su modo de correr en cuatro patas, tan extraordinario que los hacía en seguida gritar de risa.

Como, a más de sus ocupaciones fijas, Subercasaux tenía inquietudes experimentales, que cada tres meses cambiaban de rumbo, sus hijos, constantemente a su lado, conocían una porción de cosas que no es habitual conozcan las criaturas de esa edad. Habían visto—y ayudado a veces— disecar animales, fabricar creolina, extraer caucho del monte para pegar sus impermeables; habían visto teñir las camisas de su padre de todos los colores, construir palancas de ocho mil kilos para estudiar cementos; fabricar superfosfatos, vino de naranja, secadoras de tipo Mayfarth, y tender, desde el monte al bungalow, un alambre carril suspendido a diez metros del suelo, por cuyas vagonetas los chicos bajaban volando hasta la casa.

Por aquel tiempo había llamado la atención de Subercasaux un yacimiento o filón de arcilla blanca que la última gran bajada del Yabebirí dejara al descubierto. Del estudio de dicha arcilla había pasado a las otras del país, que cocía en sus hornos de cerámica—naturalmente, construidos por él. Y si había de buscar índices de cocción, vitrificación y demás, con muestras amorfas, prefería ensayar con cacharros, caretas y animales fantásticos, en todo lo cual sus chicos lo ayudaban con gran éxito.

De noche, y en las tardes muy obscuras de temporal, entraba la fábrica en gran movimiento. Subercasaux encendía temprano el horno, y los ensayistas, encogidos por el frío y restregándose las manos, sentábanse a su calor a modelar.

Pero el horno chico de Subercasaux levantaba fácilmente mil grados en dos horas, y cada vez que a este punto se abría su puerta para alimentarlo, partía del hogar albeante un verdadero golpe de fuego que quemaba las pestañas. Por lo cual los ceramistas retirábanse a un extremo del taller, hasta que el viento helado que filtraba silbando por entre las tacuaras de la pared los llevaba otra vez, con mesa y todo, a caldearse de espaldas al horno.

Salvo las piernas desnudas de los chicos, que eran las que recibían ahora las bocanadas de fuego, todo marchaba bien. Subercasaux sentía debilidad por los cacharros prehistóricos; la nena modelaba de preferencia sombreros de fantasía, y el varoncito hacía indefectiblemente, víboras.

A veces, sin embargo, el ronquido monótono del horno no los animaba bastante, y recurrían entonces al gramófono, que tenía los mismos discos desde que Subercasaux se casó y que los chicos habían aporreado con toda clase de púas, clavos, tacuaras y espinas que ellos mismos aguzaban. Cada uno se encargaba por turno de administrar la máquina, lo cual consistía en cambiar automáticamente de disco sin levantar siquiera los ojos de la arcilla y reanudar en seguida el trabajo. Cuando habían pasado todos los discos, tocaba a otro el turno de repetir exactamente lo mismo. No oían ya la música, por resaberla de memoria; pero les entretenía el ruido.

A las diez, los ceramistas daban por

terminada su tarea y se levantaban a proceder por primera vez al examen crítico de sus obras de arte, pues antes de haber concluido todos no se permitía el menor comentario. Y era de ver, entonces, el alborozo ante las fantasías ornamentales de la mujercita y el entusiasmo que levantaba la obstinada colección de víboras del nene. Tras lo cual Subercasaux extinguía el fuego del horno, y todos de la mano atravesaban la noche helada hasta su casa.

Tres días después del paseo nocturno que hemos contado, Subercasaux quedó sin sirvienta; y este incidente, ligero y sin consecuencias en cualquier otra parte, modificó hasta el extremo la vida de los tres desterrados.

En los primeros momentos de su soledad, Subercasaux había contado para criar a sus hijos con la ayuda de una excelente mujer, la misma cocinera que lloró y halló la casa demasiado sola a la muerte de su señora.

Al mes siguiente se fué, y Subercasaux pasó todas las penas para reemplazarla con tres o cuatro hoscas muchachas arrancadas al monte y que sólo se quedaban tres días, por hallar demasiado duro el carácter del patrón.

Subercasaux, en efecto, tenía alguna culpa y lo reconocía. Hablaba con las muchachas apenas lo necesario para hacerse entender; y lo que decía tenía precisión y lógica demasiado masculinas. Al barrer aquéllas el comedor, por ejemplo, les advertía que barrieran también alrededor de cada pata de la mesa. Y esto, expresado brevemente, exasperaba y cansaba a las muchachas.

Por el espacio de tres meses no pudo obtener siquiera una chica que le lavara los platos. Y en estos tres meses, Subercasaux aprendió algo más que a bañar a sus chicos.

Aprendió, no a cocinar, porque ya lo sabía, sino a fregar ollas con la misma arena del patio, en cuclillas y al viento helado, que le amorataba las manos. Aprendió a interrumpir a cada instante sus trabajos para correr a retirar la leche del fuego o a abrir el horno humeante, y aprendió también a traer de noche tres baldes de agua del pozo—ni uno menos—para lavar su vajilla.

Este problema de los tres baldes ineludibles, constituyó una de sus pesadillas, y tardó un mes en darse cuenta de que le eran indispensables. En los primeros días, naturalmente, había aplazado la limpieza de ollas y platos, que amontonaba uno al lado de otro en el suelo, para limpiarlos todos juntos. Pero después de perder una mañana entera en cuclillas raspando cacerolas quemadas (todas se quemaban), optó por cocinar-comer-fregar, tres sucesivas cosas cuyo deleite tampoco conocen los hombres casados.

No le quedaba, en verdad, tiempo para nada, máxime en los breves días de invierno. Subercasaux había confiado a los chicos el arreglo de las dos piezas, que ellos desempeñaban bien que mal. Pero no se sentía él mismo con ánimo suficiente para barrer el patio, tarea científica, radial, circular y exclusivamente femenina, que a pesar de saberla Subercasaux base del bienestar en los ranchos del monte, sobrepasaba su paciencia.

En esa suelta arena sin remover, convertida en laboratorio de cultivo por el tiempo cruzado de lluvias y sol ardiente, los piques [15] se propagaron de tal modo que se los veía trepar por los pies descalzos de los chicos. Subercasaux, aunque siempre de stromboot,[16] pagaba pesado tributo a los piques. Y rengo casi siempre, debía pasar una hora entera después de almorzar, con los pies de su chico entre las manos, en el corredor y salpicado de lluvia o en el patio cegado por el sol. Cuando concluía con el varoncito, le tocaba el turno a sí mismo; y al incorporarse por fin, curvaturado, el nene lo llamaba porque tres nuevos piques le habían taladrado a medias la piel de los pies.

La mujercita parecía inmune, por ventura; no había modo de que sus uñitas tentaran a los piques, de diez de los cuales siete correspondían de derecho al nene y sólo tres a su padre. Pero estos tres resultaban excesivos para un hombre cuyos pies eran el resorte de su vida montés.

Los piques son, por lo general, más inofensivos que las víboras, las uras [17] y los mismos barigüís.[18] Caminan empinados por la piel, y de pronto la perforan con gran rapidez, llegan a la carne viva, donde fabrican una bolsita que llenan de huevos. Ni la extracción del pique o la nidada suelen ser molestas, ni sus heridas se echan a perder más de lo necesario. Pero de cien piques limpios hay uno que aporta una infección, y cuidado entonces con ella.

Subercasaux no lograba reducir una que tenía en un dedo, en el insignificante meñique del pie derecho. De un agujerillo rosa había llegado a una grieta tumefacta y dolorosísima, que bordeaba la uña. Yodo, bicloruro, agua oxigenada, formol, nada había dejado de probar. Se calzaba, sin embargo, pero no salía de casa, y sus inacabables fatigas de monte se reducían ahora, en las tardes de lluvia, a lentos y taciturnos paseos alrededor del patio, cuando al entrar el sol el cielo se despejaba y el bosque, recortado a contraluz como sombra chinesca, se aproximaba en el aire purísimo hasta tocar los mismos ojos.

Subercasaux reconocía que en otras condiciones de vida habría logrado vencer la infección, la que sólo pedía un poco de descanso. El herido dormía mal, agitado por escalofríos y vivos dolores en las altas horas. Al rayar el día, caía por fin en un sueño pesadísimo, y en ese momento hubiera dado cualquier cosa por quedar en cama hasta las ocho siquiera. Pero el nene seguía en invierno tan madrugador como en verano, y Subercasaux se levantaba achuchado [19] a encender el Primus [20] y preparar el café. Luego el almuerzo, el restregar ollas. Y por diversión, al mediodía, la inacabable historia de los piques de su chico.

—Esto no puede continuar así— acabó por decirse Subercasaux—. Tengo que conseguir a toda costa una muchacha.

Pero ¿cómo? Durante sus años de casado esta terrible preocupación de la sirvienta había constituido una de sus angustias periódicas. Las muchachas llegaban y se iban, como lo hemos dicho, sin decir por qué, y esto cuando

---

15. piques: *fleas*
16. stromboot: trade-name for a sturdy, high-top boot used in the jungle
17. uras: parasites something like our "jiggers"
18. barigüís: insects, about the size of the

fruit fly, which penetrate the skin and cause considerable irritation
19. achuchado: *exhausted*
20. el Primus: a kind of stove bearing the trade-mark "Primus." It burns naphtha, alcohol, or oil.

había una dueña de casa. Subercasaux abandonaba todos sus trabajos y por tres días no bajaba del caballo, galopando por las picadas desde Aparicio-cué [21] a San Ignacio, tras de la más inútil muchacha que quisiera lavar los pañales. Un mediodía, por fin, Subercasaux desembocaba del monte con una aureola de tábanos en la cabeza y el pescuezo del caballo deshilado en sangre; pero triunfante. La muchacha llegaba al día siguiente en ancas de su padre, con un atado; y al mes justo se iba con el mismo atado, a pie. Y Subercasaux dejaba otra vez el machete o la azada para ir a buscar su caballo, que ya sudaba al sol sin moverse.

Malas aventuras aquéllas, que le habían dejado un amargo sabor y que debían comenzar otra vez. ¿Pero hacia dónde?

Subercasaux había ya oído en sus noches de insomnio, el tronido lejano del bosque, abatido por la lluvia. La primavera suele ser seca en Misiones, y muy lluvioso el invierno. Pero cuando el régimen se invierte—y esto es siempre de esperar en el clima de Misiones—, las nubes precipitan en tres meses un metro de agua, de los mil quinientos milímetros que deben caer en el año.

Hallábanse ya casi sitiados. El Horqueta,[22] que corta el camino hacia la costa del Paraná, no ofrecía entonces puente alguno y sólo daba paso en el vado carretero, donde el agua caía en espumoso rápido sobre piedras redondas y movedizas, que los caballos pisaban estremecidos. Esto, en tiempos normales; porque cuando el riacho se ponía a recoger las aguas de siete días

de temporal, el vado quedaba sumergido bajo cuatro metros de agua veloz, estirada en hondas líneas que se cortaban y enroscaban de pronto en un remolino. Y los pobladores del Yabebirí, detenidos a caballo ante el pajonal inundado, miraban pasar venados muertos, que iban girando sobre sí mismos. Y así por diez o quince días.

El Horqueta daba aún paso cuando Subercasaux se decidió a salir; pero en su estado, no se atrevía a recorrer a caballo tal distancia. Y en el fondo, hacia el arroyo del Cazador,[23] ¿qué podía hallar?

Recordó entonces a un muchachón que había tenido una vez, listo y trabajador como pocos, quien le había manifestado riendo, el mismo día de llegar, y mientras fregaba una sartén en el suelo, que él se quedaría un mes, porque su patrón lo necesitaba; pero ni un día más, porque ése no era un trabajo para hombres. El muchacho vivía en la boca del Yabebirí, frente a la isla del Toro;[24] lo cual representaba un serio viaje, porque si el Yabebirí se desciende y se remonta jugando, ocho horas continuas de remo aplastan los dedos de cualquiera que ya no está en tren.

Subercasaux se decidió, sin embargo. Y a pesar del tiempo amenazante, fué con sus chicos hasta el río, con el aire feliz de quien ve por fin el cielo abierto. Las criaturas besaban a cada instante la mano de su padre, como era el hábito en ellos cuando estaban muy contentos. A pesar de sus pies y el resto, Subercasaux conservaba todo su ánimo para sus hijos;

---

21. **Aparíciocué:** a tributary of the Paraná
22. **El Horqueta:** tributary stream of the Yabebirí

23. **el arroyo del Cazador:** port of 96 inhabitants on Alto Paraná, near San Ignacio
24. **la isla del Toro:** island in the Paraná

pero para éstos era cosa muy distinta atravesar con su piapiá el monte enjambrado de sorpresas y correr luego descalzos a lo largo de la costa, sobre el barro caliente y elástico del Yabebirí.

Allí les esperaba lo ya previsto: la canoa llena de agua, que fué preciso desagotar con el achicador habitual y con los mates guardabichos [25] que los chicos llevaban siempre en bandolera cuando iban al monte.

La esperanza de Subercasaux era tan grande que no se inquietó lo necesario ante el aspecto equívoco del agua enturbiada, en un río que habitualmente da fondo claro a los ojos hasta dos metros.

—Las lluvias—pensó—, no se han obstinado aún con el sudeste... Tardará un día o dos en crecer.

Prosiguieron trabajando. Metidos en el agua a ambos lados de la canoa, baldeaban de firme. Subercasaux, en un principio, no se había atrevido a quitarse las botas, que el lodo profundo retenía, al punto de ocasionarle buenos dolores arrancar el pie. Descalzóse, por fin, y con los pies libres y hundidos como cuñas en el barro pestilente, concluyó de agotar la canoa, la dió vuelta y le limpió los fondos, todo en dos horas de febril actividad.

Listos, por fin, partieron. Durante una hora la canoa se deslizó más velozmente de lo que el remero hubiera querido. Remaba mal, apoyado en un solo pie, y el talón desnudo herido por el filo del soporte. Y asimismo avanzaba a prisa, porque el Yabebirí corría ya. Los palitos hinchados de burbujas,

que comenzaban a orlear [26] los remansos, y el bigote de las pajas atracadas en un raigón, hicieron por fin comprender a Subercasaux lo que iba a pasar si demoraba un segundo en virar de proa hacia su puerto.

Sirvienta, muchacho, ¡descanso, por fin!..., nuevas esperanzas perdidas. Remó, pues, sin perder una palada. Las cuatro horas que empleó en remontar, torturado de angustias y fatiga, un río que había descendido en una hora, bajo una atmósfera tan enrarecida que la respiración anhelaba en vano, sólo él pudo apreciarlas a fondo. Al llegar a su puerto, el agua espumosa y tibia había subido ya dos metros sobre la playa. Y por la canal bajaban a medio hundir las ramas secas, cuyas puntas emergían y se hundían balanceándose.

Los viajeros llegaron al bungalow cuando ya estaba casi obscuro, aunque eran apenas las cuatro, y a tiempo que el cielo, con un sólo relámpago desde el cenit al río, descargaba por fin su inmensa provisión de agua. Cenaron en seguida y se acostaron rendidos, bajo el estruendo del cinc, que el diluvio martilló toda la noche con implacable violencia.

Al rayar el día, un hondo escalofrío despertó al dueño de casa. Hasta ese momento había dormido con pesadez de plomo. Contra lo habitual, desde que tenía el dedo herido, apenas le dolía el pie, no obstante las fatigas del día anterior. Echóse encima el impermeable tirado en el respaldo de la cama, y trató de dormir de nuevo.

Imposible. El frío lo traspasaba. El hielo interior irradiaba hacia afuera,

---

25. mates guardabichos: adjective probably coined by Quiroga with reference to gourds used for *mate* that have been left upturned and exposed to flies and other insects

26. orlear = orlar

a todos los poros convertidos en agujas de hielo erizadas, de lo que adquiría noción al mínimo roce con su ropa. Apelotonado, recorrido a lo largo de la médula espinal por rítmicas y profundas corrientes de frío, el enfermo vió pasar las horas sin lograr calentarse. Los chicos, felizmente, dormían aún.

—En el estado en que estoy no se hacen pavadas como la de ayer—se repetía—. Éstas son las consecuencias ...

Como un sueño lejano, como una dicha de inapreciable rareza que alguna vez poseyó, se figuraba que podía quedar todo el día en cama, caliente y descansado, por fin, mientras oía en las mesas el ruido de las tazas de café con leche que la sirvienta— aquella primera gran sirvienta—servía a los chicos ...

¡Quedar en cama hasta las diez, siquiera! ... En cuatro horas pasaría la fiebre, y la misma cintura no le dolería tanto ... ¿Qué necesitaba, en suma, para curarse? Un poco de descanso, nada más. El mismo se lo había repetido diez veces ...

El día avanzaba, y el enfermo creía oír el feliz ruido de las tazas, entre las pulsaciones profundas de su sien de plomo. ¡Qué dicha oír aquel ruido! ... Descansaría un poco, por fin ...

—¡Piapiá!

—Mi hijo querido ...

—¡Buen día, piapiacito adorado! ¿No te levantaste todavía? Es tarde, piapiá.

—Sí, mi vida, ya me estaba levantando ...

Y Subercasaux se vistió aprisa, echándose en cara su pereza, que lo había hecho olvidar del café de sus hijos.

El agua había cesado, por fin, pero sin que el menor soplo de viento barriera la humedad ambiente. A mediodía la lluvia recomenzó, la lluvia tibia, calma y monótona, en que el valle del Horqueta, los sembrados y los pajonales, se diluían en una brumosa y tristísima capa de agua.

Después de almorzar, los chicos se entretuvieron en rehacer su provisión de botes de papel que habían agotado la tarde anterior ... Hacían cientos de ellos, que acondicionaban unos dentro de otros como cartuchos, listos para ser lanzados en la estela de la canoa, en el próximo viaje. Subercasaux aprovechó la ocasión para tirarse un rato en la cama, donde recuperó en seguida su postura de gatillo, manteniéndose inmóvil con las rodillas subidas hasta el pecho.

De nuevo, en la sien, sentía el peso enorme que la adhería a la almohada, al punto de que ésta parecía formar parte integrante de su cabeza. ¡Qué bien estaba así! ¡Quedar uno, diez, cien días sin moverse! El murmullo monótono del agua en el cinc lo arrullaba, y en su rumor oía distintamente, hasta arrancarle una sonrisa, el tintineo de los cubiertos que la sirvienta manejaba a toda prisa en la cocina. ¡Qué sirvienta la suya! ... Y oía el ruido de los platos, docenas de platos, tazas y ollas que las sirvientas—¡eran diez ahora!—raspaban y frotaban con rapidez vertiginosa. ¡Qué gozo de hallarse bien caliente, por fin, en la cama, sin ninguna, ninguna preocupación! ... ¿Cuándo, en qué época anterior había soñado él estar enfermo, con una preocupación terrible? ... ¡Qué zonzo había sido! ... Y qué bien se está así, oyendo el ruido de centenares de tazas limpísimas...

—¡Piapiá!

—Chiquita...

—¡Ya tengo hambre, piapiá!

—Sí, chiquita; en seguida...

Y el enfermo se fué a la lluvia a aprontar el café a sus hijos.

Sin darse cuenta precisa de lo que había hecho esa tarde, Subercasaux vió llegar la noche con hondo deleite. Recordaba, sí, que el muchacho no había traído esa tarde la leche, y que él había mirado un largo rato su herida, sin percibir en ella nada de particular.

Cayó en la cama sin desvestirse siquiera, y en breve tiempo la fiebre lo arrebató otra vez. El muchacho que no había llegado con la leche ... ¡Qué locura! ... Se hallaba ahora bien, perfectamente bien, descansando.

Con sólo unos días de descanso, con unas horas nada más, se curaría. ¡Claro! ¡Claro! ... Hay una justicia a pesar de todo... Y también un poquito de recompensa... para quien había querido a sus hijos como él... Pero se levantaría sano. Un hombre puede enfermarse a veces... y necesitar un poco de descanso. ¡Y cómo descansaba ahora, al arrullo de la lluvia en el cinc! ... ¿Pero no habría pasado un mes ya? ... Debía levantarse.

El enfermo abrió los ojos. No veía sino tinieblas, agujereadas por puntos fulgurantes que se retraían e hinchaban alternativamente, avanzando hasta sus ojos en velocísimo vaivén.

—Debo de tener fiebre muy alta— se dijo el enfermo.

Y encendió sobre el velador el farol de viento. La mecha, mojada, chisporroteó largo rato, sin que Subercasaux apartara los ojos del techo. De lejos, lejísimo, llegábale el recuerdo de una noche semejante en que él se hallaba muy, muy enfermo... ¡Qué tontería! ... Se hallaba sano, porque cuando un hombre nada más que cansado, tiene la dicha de oír desde la cama el tintineo vertiginoso del servicio en la cocina, es porque la madre vela por sus hijos...

Despertóse de nuevo. Vió de reojo el farol encendido, y tras un concentrado esfuerzo de atención, recobró la conciencia de sí mismo.

En el brazo derecho, desde el codo a la extremidad de los dedos, sentía ahora un dolor profundo. Quiso recoger el brazo y no lo consiguió. Bajó el impermeable, y vió su mano lívida, dibujada de líneas violáceas, helada, muerta. Sin cerrar los ojos, pensó un rato en lo que aquello significaba dentro de sus escalofríos y del roce de los vasos abiertos de su herida con el fango infecto del Yabebirí, y adquirió entonces, nítida y absoluta, la comprensión definitiva de que todo él también se moría—que se estaba muriendo.

Hízose en su interior un gran silencio, como si la lluvia, los ruidos y el ritmo mismo de las cosas se hubieran retirado bruscamente al infinito. Y como si estuviera ya desprendido de sí mismo, vió a lo lejos de un país, un bungalow totalmente interceptado de todo auxilio humano, donde dos criaturas, sin leche y solas, quedaban abandonadas de Dios y de los hombres, en el más inicuo y horrendo de los desamparos.

Sus hijitos ...

Con un supremo esfuerzo pretendió arrancarse a aquella tortura que le hacía palpar hora tras hora, día tras día, el destino de sus adoradas criaturas. Pensaba en vano: la vida tiene fuerzas superiores que nos escapan ... Dios provee ...

—¡Pero no tendrán qué comer!— gritaba tumultuosamente su corazón. Y él quedaría allí mismo muerto, asistiendo a aquel horror sin precedentes ...

Mas, a pesar de la lívida luz del día que reflejaba la pared, las tinieblas recomenzaban a absorberlo otra vez con sus vertiginosos puntos blancos, que retrocedían y volvían a latir en sus mismos ojos ... ¡Sí! ¡Claro! ¡Había soñado! No debiera ser permitido soñar tales cosas ... Ya se iba a levantar, descansado.

—¡Piapiá! ... ¡Piapiá ... ¡Mi piapiacito querido! ...

—Mi hijo ...

—¿No te vas a levantar hoy, piapiá? Es muy tarde. ¡Tenemos mucha hambre, piapiá!

—Mi chiquito ... No me voy a levantar todavía ... Levántense ustedes y coman galleta ... Hay dos todavía en la lata ... Y vengan después.

—¿Podemos entrar ya, piapiá?

—No, querido mío ... Después haré el café ... Yo los voy a llamar.

Oyó aún las risas y el parloteo de sus chicos que se levantaban, y después un rumor *in crescendo,* un tintineo vertiginoso que irradiaba desde el centro de su cerebro e iba a golpear en ondas rítmicas contra su cráneo dolorosísimo. Y nada más oyó.

Abrió otra vez los ojos, y al abrirlos sintió que su cabeza caía hacia la izquierda con una facilidad que le sorprendió. No sentía ya rumor alguno Sólo una creciente dificultad sin penurias para apreciar la distancia a que estaban los objetos ... Y la boca muy abierta para respirar.

—Chiquitos ... Vengan en seguida ...

Precipitadamente, las criaturas aparecieron en la puerta entreabierta: pero ante el farol encendido y la fisonomía de su padre, avanzaron mudos y los ojos muy abiertos.

El enfermo tuvo aún el valor de sonreír, y los chicos abrieron más los ojos ante aquella mueca.

—Chiquitos—les dijo Subercasaux cuando los tuvo a su lado—. Óiganme bien, chiquitos míos, porque ustedes son ya grandes y pueden comprender todo ... Voy a morir, chiquitos ... Pero no se aflijan ... Pronto van a ser ustedes hombres, y serán buenos y honrados ... Y se acordarán entonces de su piapiá ... Comprendan bien mis hijitos queridos ... Dentro de un rato me moriré, y ustedes no tendrán más padre ... Quedarán solitos en casa ... Pero no se asusten ni tengan miedo ... Y ahora, adiós, hijitos míos ... Me van a dar ahora un beso ... Un beso cada uno ... Pero ligero, chiquitos ... Un beso ... a su piapiá ...

Las criaturas salieron sin tocar la puerta entreabierta y fueron a detenerse en su cuarto, ante la llovizna del patio. No se movían de allí. Sólo la mujercita, con una vislumbre de la extensión de lo que acababa de pasar. hacía a ratos pucheros con el brazo en la cara, mientras el nene rascaba distraído el contramarco, sin comprender.

Ni uno ni otro se atrevían a hacer ruido.

Pero tampoco les llegaba el menor ruido del cuarto vecino, donde desde hacía tres horas, su padre, vestido y calzado bajo el impermeable, yacía 5 muerto a la luz del farol.

Mariano Latorre

1886-

Critica y cuentista

MARIANO LATORRE is generally thought of as the leader of the Chilean regionalist school. Certainly few have adhered so faithfully to a minute and inclusive depiction of the many *rincones* of their homeland as has this critic, professor of literature, and short-story writer. His earlier stories may well be classified as *costumbrista* sketches. Excessive descriptive detail, lack of plot, almost total absence of dialogue, and complete subordination of character to the natural setting have rendered many of them slow and dull reading. A decided improvement is apparent in *Chilenos del mar*, which was hailed as Latorre's first significant work. Plot and psychological development assume a more important role, although the author's naturalistic approach still demands that man be dwarfed and shaped by the determining forces of nature. That this identification of man and nature still persists as a motivating factor in these stories of Chileans molded by the sea is evident in the author's lyric apostrophe to that powerful determinant of national history and life: "*Maulinos y chilotes, marineros del mar chileno, duros como los cerros y ágiles como las olas.*" That Latorre is better prepared, by reason of long and immediate contacts and of sustained artistic application, to portray the relationship of man to mountain and valley and earthly creatures rather than to the sea, is unquestionably true; and yet such a story as *El piloto Oyarzo* attests only once again to his acute powers of observation and his ability to document the smallest detail. In *Hombres y zorros* man again becomes an integral part of the soil and of animal existence, but with more of the "inner life" that was so noticeably lacking in the characters of his early stories.

EL PILOTO OYARZO

Acababa de sentarme frente a mi escritorio, aquella tarde suave del mes de junio. Como de costumbre, había llegado con cinco minutos de adelanto.

Mi vida se había mecanizado de tal modo en esta casa inglesa importadora que hubiera podido llenar mi agenda (regalo de la casa) con lo que haría en todos los días del año y en todos los años que aún tenía por delante.

Fumaba mi cigarrillo Capstan (legítimo) y miraba distraído el golpe seco, acompañado de un fulgor de vidrios biselados, de la mampara automática [1] al empujón de los empleados que entraban: muchachitas porteñas, muy bien vestidas, dactilógrafas de las oficinas, jovencitos chilenos que imitaban a los empleados ingleses, gringos de paso lento, de huesudas espaldas, desgarbado chaleco de vicuña y pipa olorosa. Toda esta muchedumbre atareada se repartía en cada hueco de oficina como las obreras en las celdillas de su colmenar. Mi cerebro, adormecido un instante, penetraba de nuevo en el engranaje. Había que contestar unas cartas; ir al malecón y apurar el desembarco de mercaderías que ya estaban en los faluchos de la casa; visitar al Administrador de Aduana. Unos minutos más y la alta y escueta figura de Mr. Mackenzie, mi jefe, roja la nariz, roja la cara, aparecería en aquel cuadrado limpísimo que separaban cuatro tabiques barnizados, a modo de baranda. Preguntaría *"What's on today"?* la pipa entre los dientes, refiriéndose a estas cosas apuntadas en un memorándum, a dos centímetros de mi mano.

Por la amplia ventana penetraba abundante la luz de un sol excepcional, un tibio sol de invierno porteño. Acababa de sentarme, cuando el ujier, atravesando el dédalo de divisiones de madera, me avisó que una persona me buscaba.

Al levantar los ojos tropecé con un viejo apergaminado, medio envuelto en una raída chaqueta y de una timidez extraña. Sus dedos gruesos, negruzcos, apretaban con movimientos torpes el ala de un viejísimo sombrero.

—¿Qué se le ofrece?—pregunté con indisimulable sequedad.

Producíame, aunque no quería confesarlo, una sensación de molestia que un hombre de tal facha viniese en mi busca.

El viejo debió advertir en mi cara esta impresión, pues no contestó. Lo envolvía, como un temblor, un indecible halo de angustia. Por último, pareció decidirse. Sus dientes carcomidos se mostraban en una sonrisa deshecha, deplorable; diríase arrugada.

—¿Ya no me conoce, señor Sánchez?—dijo.

Su voz me produjo una emoción extraña. Era entera, casi juvenil; no había envejecido. Me pareció haberla oído en otros tiempos y me trajo un perfume de recuerdo que se desvaneció sin precisarse. El hombre, en un cuchicheo temeroso, explicó:

—He cambiado mucho, señor Sánchez. Veinte años. Soy José Oyarzo, el patrón Oyarzo, su *mercé*.

Su tono alto, digno, cambió súbitamente en el tiempo que pronunció la última palabra en un tono humilde y jeremíaco: el señor por su *mercé*.

Un tumulto de recuerdos fermentó en el fondo de mi memoria. Una emoción agudísima, inconsciente, me hizo precipitarme sobre el viejo y estrechar

---

1. miraba ... automática: *I was observing the dull click at each flash of bevelled glass of the revolving door*

su mano sucia que tuve que coger yo mismo, casi en contra de su voluntad.

—No te hubiera conocido nunca, Oyarzo. Eres otro. Estás muy viejo.

Y recordando de pronto, como para borrar la impresión de orgullo que pude haberle dejado, le observé:

—Yo te hacía navegando. Me dijeron que eras dueño de una goleta en Lebu.[2]

Mi gesto afectuoso pareció volverlo a la normalidad. Su palabra perdió el tono llorón y deplorable.

—Sí, patrón. La compré en Corral,[3] poco después de aquel viaje, pero los vapores alemanes echaron a perder los negocios en la costa. La carga, claro, iba más segura en los vapores. El sacrificio no valía la pena y volví de nuevo a la casa, a Talcahuano.[4]

Y como deseoso de llegar pronto al asunto que lo traía, cambió de nuevo el tono de la voz. Se apagó el timbre de un modo imperceptible y musitó humilde, con un acento pedigüeño, que me alejaba de nuevo la imagen del antiguo patrón de la casa Milnes.

—Para eso vine, patrón. Acabo de llegar de *pavo*[5] en un vapor de la Sud-Americana.[6] Usted disculpará el atrevimiento, pero yo me acordé de usted, la única persona que conozco en Valparaíso, en la casa.

Como vacilara, lo invité a sentarse. Por encima de los tabiques observaban la escena los empleados y las dac-

tilógrafas. Vi sonrisas en sus estúpidas caras.

—Dí, hombre. Estoy a tu disposición en todo lo que pueda serte útil.

—Me encuentran viejo, patrón, y quieren que me vaya. El reumatismo ...¡claro! ... lo bota a uno a veces ... Tantos años en el agua ... y solo. El único hijo ¿se acuerda? sería hoy un hombre.

No dijo más el viejo Oyarzo. Su voz se oscureció, carraspeando, al decir las últimas palabras. Y yo recordé otros casos. Era corriente esta historia de arrojar como lastre inútil a los viejos patrones, después de aprovecharles su vida entera. No era entonces el tiempo de las federaciones obreras y de las naturales exigencias de la ley del trabajo.

—Bueno, Oyarzo, eso lo arreglaré lo mejor que pueda. Desgraciadamente Mr. Mery murió ya. Mr. Mackenzie es un hombre excelente y creo que te arreglará la situación, aunque sea en tierra ¿no te parece?

—Mucho que se lo agradezco, patrón. ¿Cuándo puedo volver?

—Mañana mismo.

—Usted no sabe lo que se lo agradecerá la vieja y las chiquillas.

Su voz se hizo llorosa. Veíase que esta historia la había repetido mucho.

—Son cinco y viven de lo que yo gano—agregó.

Era, indudablemente, un hombre vencido. Poco quedaba del Oyarzo que yo conocí hacía veinte años. Re-

2. Lebu: coal mining town of some 9,000 inhabitants, about 475 miles south of Santiago

3. Corral: bathing resort of some 3,000 inhabitants located some 10 miles from Valdivia

4. Talcahuano: most important naval sta-

tion in Chile, some 10 miles from Concepción, with population of 27,600

5. llegar de pavo: chilenismo, one who rides without paying his fare

6. la Sud-Americana: the Compañía Sud-Americana de Vapores, Chilean steamship company established in 1870

cio, poderoso, dominador, como un árbol de su isla. Oyarzo era chilote.[7] Me alargó su mano con un movimiento espontáneo de gratitud, pero la retiró de pronto avergonzado. Sus ojillos lacrimosos reflejaron una alegría pueril cuando, al llevarlo hasta el hall, puse mi mano en su espalda encorvada. Era, indudablemente, un vencido. Lo seguí hasta que desapareció tras de la gruesa mampara su silueta disminuida, apocada, insignificante. Mi imaginación trataba de corregir este esqueleto arrugado, animarlo con un soplo de vida, pero los recuerdos se sucedían a los recuerdos y como un torrente irresistible mi juventud entera se agolpó en la memoria, con sus miserias y sus heroicidades, su ansia ciega de vivir y sus mortales desalientos, su desprendida generosidad y su egoísmo sin igual.

Me vi aquella lejana tarde de principios de enero metiendo precipitadamente la camisa y los calcetines en una maleta que me facilitó un amigo, para embarcarme en un vapor de la Braun y Blanchard. Hacía un año que estaba en la Casa Milnes y eran éstas mis primeras vacaciones. Chapurreaba con paciente voluntad mis primeros verbos ingleses; fumaba sólo cigarrillos olorosos y hasta mi paso había adquirido el compás sajón de Mr. Mery. Mi psicología se plegaba en tal forma a esta manera de ser, que sólo me gustaban las muchachas rubias, delgadas, jugadoras de tennis. No podía soportar la pereza criolla, las gruesas pantorrillas de las señoritas

chilenas chachareando en la Plaza Victoria[8] todas las tardes. Mi ideal de mujer debía usar una chalina de color en las tardes y andar atareada en la preparación de salmos para la iglesia protestante y de puddings de dorada entraña para las parturientas de la colonia. Así me enamoré perdidamente de aquella chiquitina de trenzas de oro, Ruby Thompson, hija de un comerciante yanqui, amigo de Mr. Mery, que se había propuesto enseñarme la práctica del inglés. Aquellas monótonas lecciones eran, sin embargo, para mí, lo más idílico y dulce que hubiese gustado en mi vida. Bien es cierto que a la llegada del verano, nos bañábamos juntos en las Torpederas[9] y yo hacía esfuerzos atléticos para alcanzar a mi amiga Ruby que, con su negro mameluco ajustado al albo esplendor de su cuerpo y su gorrito de hule adornado con una cinta azul, nadaba mar afuera.

A principios de enero, Mr. Thompson salió de vacaciones. Tenía unos parientes en las cercanías de Concepción, en un fundo, y se embarcó en el vapor "Chiloé." Pedí apresuradamente mis vacaciones y me embarqué también aquella lejana tarde de principios de enero. Llevaba sólo unos pocos billetes. En esto, claro, no pensaba muy anglosajonamente. Mi corazón, lleno de ternura, dejaba un poco al azar el futuro próximo. Eran los gérmenes latinos que todavía fermentaban en mi espíritu, la imprevisión de la raza que, poco a poco, se iría cicatrizando en contacto

7. chilote: native of the Chiloé archipelago in southern Chile. The largest island of the group is also named Chiloé.

8. Plaza Victoria: the main square of Valparaíso

9. las Torpederas: popular bathing beach on the very outskirts of Valparaíso to the west

con el régimen estricto de la Casa Milnes. En el barco debí gastar como mis amigos Thompson y al desembarcar en Talcahuano sólo me quedaba el dinero preciso para pasar algunos días en el puerto. Mi amada se separó de mí la misma tarde de la llegada. No hizo mención alguna a nuestra vida futura. No me insinuó que la visitara en el campo. La vi alejarse en el automóvil de sus parientes, envuelta en una nube de polvo rojo, por el camino de Concepción. Mi pasión amorosa terminó allí también. Fueron diez años de experiencia los que penetraron con su hielo en mi corazón juvenil. Pareció despertarse dentro de mí otro hombre, más sereno, más consciente. Saboreaba, sin poderlo remediar, el primer trago del desengaño. ¿Quién era yo, suche [10] criollo de la millonaria Casa Milnes para esa chica de otra raza, rica, voluntariosa y bella, que nunca más volvería a ver, porque su padre se embarcó para Europa, según supe después, en marzo de ese mismo año?

Estaba decidido a escribir a la casa, pidiendo un adelanto, lo que me fastidiaba bastante, pues eso parecería una imprevisión desatinada a las rígidas disciplinas sajonas de la Dirección, aunque contaba con el apoyo de Mr. Mery, casado con una chilena, y gran defensor del personal nativo de la Casa Milnes. Pensaba en los términos de la redacción cuando me encontré en San Vicente [11] con un viejo camarada de Valparaíso, que, después de algunos años en el puerto, había aceptado esta gerencia de la casa en Lebu. En un arranque de espontaneidad le expuse mi situación, sin pedirle

dinero. Mi amigo me dijo, francamente, que dinero no podía facilitarme. Era casado, el sueldo escaso. ¿Qué podía hacer? Pero, interesado en mi suerte, me propuso que fuera con él a Lebu. Al día subsiguiente debía salir un remolque con dos lanchas, cargadas de carbón para Valparaíso. En eso andaba por Talcahuano. José Oyarzo, el patrón del remolcador "Caupolicán," me llevaría con mucho gusto al norte.

—Puedes estar pasado mañana en Valparaíso sin gastar un centavo. Algo incómodo el alojamiento y muy caluroso, al lado de la máquina, pero no pidas este adelanto que te formará mala atmósfera, aunque Mr. Mery te estime mucho. Siempre es un inglés.

Yo acepté agradecido. Era una solución inesperada y la mejor de todas. Esa tarde me fuí a Lebu con mi amigo. Al día siguiente conocí al patrón Oyarzo en el muelle de la casa. Allí mismo estaba atracado el "Caupolicán," con sus fuegos listos. Era un tipo moderno de remolcador de alta mar, casi cuadrado, con poderosa máquina y formidable hélice. Relucían sus maderas y sus bronces y brillaba su enorme chimenea oscura, cortada en el centro por el anillo gris de los buques de la Casa Milnes. Su patrón, el Oyarzo de aquellos años, tenía una extraña semejanza con su barco, cuadrado, grueso, rebosante de fuerza. Mostraba un magnífico aspecto de prosperidad en su traje modesto y en la maciza cadena de oro, que, en dos haces, rayaba su chaleco de tejida lana. Una simpatía franca, risueña, rebosaban sus ojos azules y pequeños... No opuso resistencia al-

10. suche: *office boy*
11. San Vicente: popular bathing resort

close by Talcahuano, the seaport of Concepción

guna a la proposición de mi amigo. Observó sólo con un gesto decidido:

—Suba no más, señor. Si no hay viento fuerte, mañana en la tarde estamos en el puerto.

Mi maleta, cogida por un hombre vestido de tiznada mezclilla azul, desapareció por la única claraboya de cubierta. Me despedí de mi amigo y subí al puente de gobierno, al lado de Oyarzo. El remolcador se separó del embarcadero y la morena boza de remolque empezó a desenrrollarse como si brotase con extraña vida del mismo seno del buque, a medida que éste avanzaba hacia afuera. Dos hombres en la popa vigilaban la maniobra. El grueso cable trenzado golpeaba el verdor espeso del agua con chasquidos sibilantes. Los dos lanchones, cargados de altas pirámides de carbón, permanecían inmóviles a bastante distancia, negros, toscos, extrañamente torpes. Tenían algo de viejas bestias de carga. En la popa del más próximo, con chaqueta de hule y botas altas, un jovenzuelo manejaba la caña del timón improvisado. En la más lejana, un hombre de negra barba.

Cuando la espía terminó, uno de los hombres gritó al muchacho:

—Baaaucha, guaaarda el tiroón.

Oyarzo, las manos en las cabillas de la rueda del timón, miraba la silueta del pequeño timonel que se alejaba rápidamente. Una sonrisa de ternura jugueteaba en sus labios rojizos. Sus ojos francos me miraron confidencialmente.

—Es mi hijo—habló—. Viaja por primera vez. Es su bautizo en el mar.

Sentí que la máquina, bajo mis pies, jadeaba como un asmático. El ruido de los émbolos era extraordinario; sin embargo, la hélice volteaba en vano

el agua inerte. El remolcador no se movía. Reanudó su marcha, por fin, con esfuerzo. En la negra proa de los lanchones se dibujaron dos arcos de crespa espuma. El convoy empezó a navegar en la bahía. Contorneó el viejo casco de un velero abandonado. Un vapor de la Compañía Sud-Americana, de roja chimenea, penetraba suavemente en la bahía.

Era un día cálido de principios de febrero. El mar extendíase ligeramente arrugado hasta la línea del horizonte, donde el cielo, muy azul, se aclaraba en un tono pálido de acuarela. Las gaviotas, en la orla negra de la costa, eran copos de aleteante blancura. En las ondas espesas que formaba la proa del remolcador, movíase el pesado cuerpo de los pájaros carneros que, impertérritos, lo miraban pasar.

En este claro, puro ambiente matutino, empapado de sol estival, el remolcador, cuyo humo tirabuzoneaba recto hacia el cielo y los cabeceantes y negros lanchones carboneros, eran una nota discordante y sucia.

Cuando la costa se disolvió en la lejanía y el mar nos rodeó por todas partes, Oyarzo abandonó las cabillas y sentándose, me habló de su vida. Tenía una alma clara y abierta como el mar. En sus palabras vibraba el contento de vivir, una confianza segura en el porvenir que, en ciertos hombres, es como un magnetismo subyugante. Supe de este modo que, de marinero de goletas y de barcas, había pasado a los vapores y de ahí a patrón de remolcadores en Lebu. Tendría cuarenta años. A los veinte se había casado con una prima, que vivía en su casa, en una islilla chilota. Tenía seis hijos, de los cuales el mayor, el único hombre, viajaba por primera vez de timonel en una de las lanchas. Iba a comprar una goleta. Era éste el sueño de su vida; navegar en un buque propio y comerciar con él.

Vi llegar la tarde del día marino. Sobre el mar plomizo, suavemente ondulado, que rayaban franjas de sombra, se hundía el sol con una fulguración de brasa viva. Centelleó el mar en un largo espacio. Las aristas de las olas tenían ribetes de sanguina temblorosa. La noche vibró en una larga oleada de viento fresco.

Olas grises chasquearon besuconas los costados del remolcador. Las lanchas oscuras fueron dos borrones al carbón en el aire gris. Un cielo inmenso y límpido estrelleó sobre nuestras cabezas.

Dormí, en efecto, bastante mal en mi angosta litera bajo cubierta. El calor de las calderas impregnaba con su vaho el estrecho camarote. El estruendo palpitante de la máquina resonaba en mis mismos oídos. El pequeño barco no era otra cosa que una potente maquinaria. El casco contenía la estricta materia para alojar el personal y defenderse de las mareas.

Los marineros y maquinistas se despertaron casi al amanecer, al cambiar el turno; pero sólo subí a cubierta después de la salida del sol. Sentí, al dejar la cámara, el violento azote del sur. El mar era una blanca y hervorosa sábana de espuma: olas cortas, saltarinas, atacaban los costados, reventaban en la proa y en la popa, con rápidas risitas alocadas. Le hice notar el color del mar a Oyarzo.

—Está florecido—me replicó—. Siempre que no siga adelante...

—¿Hay probabilidades de que siga?

—En estos tiempos los surazos[12] son frecuentes.

—¿Y hay peligro?

—Con el remolque, sí. No se le puede poner la proa a las olas y las mares por el anca son traicioneras... Se puede despernar la hélice... No es la primera vez. Cuando hice mi servicio en la marina nos pescó un surazo en las alturas de Corral... A la hélice de un destróyer se le aflojaron los pernos y tuvimos que izarla a bordo y así, a medio remolque, hasta Talcahuano.

Indudablemente, el mar dejaba su apariencia juguetona. Ya no se veía ni una franja de ese verde ligeramente azulado por el aire; todo era blanco, lechoso, movible. Vi al remolcador hundir su proa en el mar. Una ola había descargado su lastre de espuma en la popa. Sonó la hélice en el vacío, entre el borbotar de las espumas deshechas. Advertí también, como un escalofrío que recorrió el maderamen, el tirón del remolque, trabando la agilidad del vaporcito. Pensé en los lanchones y me levanté a mirar para atrás. A través de los vidrios, salpicados de agua, apenas se veían, lejanamente, cabeceando con torpeza, sus negras proas, entre un albo desorden de espumas. El surazo se desencadenaba con furia. Aunque no me di cuenta de la graduación de su fuerza, lo vi en la cara del patrón y en las frases breves, rápidas, que cambió con el otro piloto.

—La mar, por el anca, puede estropear la hélice; y el remolque se nos viene encima—observó el patrón, asomado a la ventanilla.

—Y si viramos, la mar le pega de costado al remolque—responde el

12. surazos: *heavy storm winds from the south*

otro, agarrado a la baranda, chorreante su chaqueta de hule café con el agua de las olas.

—Esperemos—replica Oyarzo.

—Esperemos—dice el otro, hundiendo su cabeza en la boca negra del departamento de las máquinas.

Por delante, el mar, partido en millones de blancas rizaduras, formaba extraño contraste con la inmovilidad desteñida del cielo. Ni una nube turbaba su opaca serenidad, como si el viento del polo, semejante a un esmeril gigantesco, hubiese destruido el brillo aterciopelado de los días tranquilos. La línea del horizonte se precisaba aún más; y allá, muy lejos, un borrón oscuro, hacia el sur, hacía pensar en el soplo huracanado que encolerizaba las olas y las rasgaba a su antojo.

Sentíase bajo el pesado y rechoncho casco del remolcador, la fuerza del mar. La ola levantábalo como una tabla insignificante para hundirlo sobre la marcha entre rabiosos y blancos tumbos. El balanceo era cada vez más vivo. Crujían las cuadernas con ásperos quejidos; sonaban las planchas de hierro. El humo, arrebatado por el viento, apenas salía de la chimenea, había tomado esa característica línea recta, en dirección a la proa. Producía la impresión de una inmensa cola que tocase la cabeza del animal.

El patrón Oyarzo, nervioso, observaba a través de los gruesos vidrios de la cámara, hacia la popa. Preveía con ojo experto la ola peligrosa y mediante enérgicas evoluciones de la rueda, lograba reducir al mínimum el ataque de esos monstruos de babeante espuma. El mar se había agitado en tal forma que a veces, la comba de la ola interrumpía la serenidad del horizonte, donde el viento del sur parecía mellar su helada dentadura. Ahora no era una sola. Eran muchas, rápidas, incansables. Ya no se veían las lanchas entre sus alborotados borbotones; eso sí, a cada vaivén, aparecía, chorreante, la gruesa boza, como si alguien tirase del fondo del mar al remolcador para hacerlo desaparecer. En ese instante, una enorme ola reventó sobre el barco. El viento la pulverizó instantáneamente y nos vimos envueltos en una lluvia blanca que se escurrió enloquecida por los vidrios; corrió hacia babor a un nuevo balance y volvió al mar por los imbornales. Al descender de la formidable colina de agua, sintióse el ruido de la máquina y el chasquido de la hélice deshaciendo la espuma. Vi como la boza se retorcía, presa de una dolorosa convulsión. Me levanté emocionado. La cara de Oyarzo permanecía inmóvil, ligeramente pálida. Sus gestos, en lugar de demostrar nerviosidad o impaciencia, se habían hecho de una consciente impasibilidad; sólo sus dedos, obedientes a los ojos fríos y acerados, corrían sobre las cabillas de la rueda a cada minuto. Bajo este surazo implacable, el remolque no se divisaba. Su hijo iba en la lancha más próxima y era su único hijo. Recordé la mirada orgullosa del patrón cuando vió al muchacho en la popa del falucho, la caña en la mano. Era la continuación de sí mismo; su heredero en los remolcadores de la Casa Milnes y más quizá. Sonó el timbre melodioso, rápido, del telégrafo. Apareció el piloto que, en los turnos de alta mar, reemplaza al patrón, especie de segundo del remolcador. La voz de Oyarzo denotó una extraña debilidad:

—¿Se ve el remolque por la popa, Pérez?

—A ratos se le divisa el bulto a la primera lancha.

—¿No han hecho señales?

—Ninguna.

Mi estado de nerviosa tensión hacíame recoger estas observaciones dispersas y agrandarlas, en forma fantástica; pero me daba exacta cuenta del peligro que corríamos, de la lucha angustiosa, callada, que se libraba en el alma de Oyarzo. Nuevas olas, no ya espumosas y sonoras, sino agresivas e insidiosas, afirmaban sus tentáculos en las salientes del remolcador. Se acercaban hasta el puente, que chorreaba por las esquinas como bajo el manto de una lluvia torrencial. Una columna de espuma llegó hasta la negra nube de la humareda, especie de abanico que se perdía en el cabrestante, deshaciéndose sobre el mar. Resonó de nuevo la voz del piloto; se abrió la ventanilla de estribor; se oyeron estas palabras:

—El remolcador está encapillando agua.

Oyarzo respondió:

—Hay que virar.

Un maquinista, sudoroso, tiznado de carbón, limpiando sus dedos con un trapo sucio, asomó su cabeza en ese instante por la pequeña puerta de las máquinas. Su voz gritó agresivamente, sin consideración alguna:

—No queda sino picar la boza, aunque se pierda el remolque y se hunda el que se hunda.

Oyarzo cerró la ventanilla de la cabina de un golpe. Sus dientes se hundieron en los labios con un gesto de rabia y de impotencia al mismo tiempo. Fué el único movimiento que de-nunció algo su estado interior. Sus facciones regulares, que recordaban el lejano ascendiente español de las islas,[13] no se contrajeron. Sólo las descoloraba una palidez semejante a la de la inmensa bóveda celeste, barrida por el viento del sur.

Sonó una vez más la campanilla del telégrafo. La aguja giró en el cuadrante al máximum de tensión. La proa del remolcador comenzó a enfrentar el noroeste. Era la última probabilidad de salvar al remolque y de salvar a los timoneles, a quienes no podía prestarse auxilio alguno. Al poco rato, las olas, precipitadas, furiosas, rompían en el costado del "Caupolicán"; y arrojaban sobre cubierta su vómito helado y ruidoso. A un balance contrario, esta agua, sucia en su contacto con cordeles y hierros, vaciábase por la borda. Notaba que el vaporcito se defendía mal de las olas. Producíame la impresión de un pájaro atado a una pata que en vano mueve sus alas para levantar el vuelo. Era, sin duda, el peso muerto del remolque el que apagaba su vitalidad y le impedía capear las olas. El balance era verdaderamente angustiante. Cada dos segundos, el rectángulo barnizado de la cabina perdía su línea horizontal, para inclinarse ya a un costado, ya al otro, formando un ángulo obtuso con el horizonte. Empecé a sentir, muy luego, las bascas del mareo. Un sudor frío me bañaba el cuerpo entero; me senté en el pequeño canapé adherido al muro de madera y sujeto al borde cerré los ojos un momento. No obstante el velo de inconsciencia que se tendió sobre el mundo exterior y yo, recogí detalles que, aunque aislados, me permitieron

13. las islas: of the Chiloé archipelago

reconstruir lo que sucedió más tarde. Advertí voces apremiantes, coléricas, que, según supe después, noticiaban a Oyarzo que una de las lanchas, precisamente la que gobernaba su hijo, hacía las señales convenidas. Fué en un momento de calma que logró verse la banderola roja en el lomo de una ola. Esta bandera podía significar o que el timón estaba roto, que las cuadernas se habían aflojado y que el agua invadía la bodega, o que el compañero de más atrás se había hundido ya en el mar. Se arrojaron salvavidas al mar por si alguno de los timoneles alcanzaba a cogerlos al hundirse su lancha. Recuerdo la cabeza sudorosa de Oyarzo, cabeza desgreñada, descompuesta, que se asomó a la ventanilla y dictó, con una voz ronca, la sentencia de muerte de su hijo:

—¡Piquen la boza!

No oí el golpe del hacha al cortar la espía y dejar las lanchas entregadas a su suerte, en medio de este blanco torbellino de espuma, bajo la impasible serenidad de un día estival. Nunca olvidaré, sí, la cabeza deshecha de ese hombre, la frente apoyada en el relieve de la rueda del timón, entre dos cabillas y el jadeo convulsivo de sus espaldas poderosas.

Libre de ese peso que lo hundía en el mar, tal como un nadador a cuya pierna se ha aferrado un agonizante y se liberta de pronto, el remolcador se encaramó en las olas ágilmente, como alegre de su libertad. Su proa de hierro, agujereada por enormes escobenes que vomitaban constantemente agua, rompió la masa blanca del oleaje con todas las fuerzas de sus poderosos pulmones.

Al amanecer del día siguiente, el viento se ahogó en un alba desteñida, como cansada del esfuerzo de la noche. El remolcador viró en busca de los náufragos. No se encontró rastro alguno. Se izó a bordo uno de los salvavidas tirados el día anterior. Había una esperanza. Las olas podían arrojarlos a la playa. Al mediodía entrábamos a Valparaíso. A la una, el remolcador atracaba en el muelle de la Casa Milnes. De entre los hierros de la enorme grúa que iba a comenzar sus funciones, vi surgir a mi amigo Pedro González, el suche que me reemplazaba. Su cara roja, cuadrada, reflejaba el asombro.

—¿Cómo? ¿Tú? ¿Y el remolque?

Le hice un signo de inteligencia.

—¡Chiit! ¡Ya te contaré!

Y le señalaba a Oyarzo que, después de los marineros y mecánicos, pisaba la escalerilla de cemento y subía al malecón, acompañado del Capitán de Puerto que había venido a recibir al "Caupolicán." Sus ojos tenían una opaca tristeza; su paso era cansado e indeciso.

El "Caupolicán," blanqueado de sal, se mecía intacto, sujeto a su boya por la popa y anclado de proa.

La Casa felicitó a Oyarzo por mi testimonio y el de los tripulantes.

La Casa Milnes perdió sus lanchones carboneros y sus doscientas toneladas de carbón. ¿Qué era eso? Oyarzo, en cambio, había perdido a su hijo, pues nunca se supo de los timoneles.

Mr. John Mery, jefe entonces de la "Sección Embarques," recomendó a Oyarzo a la Gerencia. Dos días más tarde se volvió a Lebu con un remolque de sederías y licores. Algún tiempo después, encontré al piloto que hizo el viaje en el "Caupolicán."

Le pregunté si había visto algún rastro de las lanchas al cortarse la boza del remolque.

—La última lancha se hundió primero—me dijo—. Se le aflojaron las tablas y se fué a pique. La otra lancha donde iba el pobre Baucha, casi la vi hundirse. El muchacho subía por la pila de carbón. Después, una ola lo tapó todo.

Parecióme ese acto de que fuí testigo, como algo adherido a mi vida; algo mío y de mi raza. Sentí profunda pena por este hombre avejentado y enfermo que pedía humildemente que no se le echase de su cargo, sin alegar otra cosa que la piedad de los jefes. Era como uno de esos viejos pontones antiguos, carcomidos por la broma, que se hacen leña, porque ya ni siquiera pueden permanecer fondeados; y nerviosamente, en medio del asombro de las dactilógrafas que me veían gesticular y proferir palabras incoherentes, salí en busca de Mr. Mackenzie.

Manuel Rojas

1896-

HARD manual labor and broad human contacts served to mold the mind and body of Chile's outstanding short-story writer of the younger generation. Wholesome, strong, well-built, and weather-tanned, Manuel Rojas imparts similar characteristics of strength and vitality to the heroes of his vigorous tales. His emphasis on these qualities would appear at times to stamp him as indifferent to the fate of the weak and the troubled, and yet many of his stories reveal, too, a deep sensitivity and a warm understanding of the helpless and the unfortunate. Characters and situations are treated with such quiet assurance that one feels they must have been an integral part of the author's own experiences. Rojas is equally gifted at conveying the impression of rapid, intense action or at portraying an episode of a tragic inner struggle. Stories of the latter type are usually tinged with a subtle irony so artistically achieved that they may well be placed in a class by themselves. Restraint, vigor, balance, and sympathy, these are the qualities that distinguish his best stories. Settings are sharply outlined with a minimum of descriptive detail. Manuel Rojas writes with ease, a quality best revealed in scenes of intense dramatic action.

EL CACHORRO

Cuando la máquina lanzó un breve pitazo, algunos pañuelos colorados, grandes y a cuadros,[1] ondularon en las ventanillas; hubo algunos gritos de adioses y el convoy arrancó, rechinando.

Parados sobre pequeños montones de nieve dura, Jeria, el capataz de la cuadrilla carrilana,[2] y Antonio, "el Mota,"[3] apodo debido a su cabello retorcido y enredado como un matorral de zarza, miraban alejarse el tren que bajaba ya la pendiente. Era un tren pequeñito, nuevo y como de juguete, que se deslizaba alegremente sobre una vía de trocha angosta,[4] en

1. a cuadros: *checkered*
2. cuadrilla carrilana: *track gang*
3. "el Mota": *"Fuzzy-wuzzy"*
4. de trocha angosta: *narrow gauge*

medio de la cual la cremallera [5] parecía una larga espina dorsal con vértebras de hierro. Aquél era el segundo tren que partía de Las Cuevas,[6] estación limítrofe trasandina, en dirección a Los Andes,[7] primera ciudad chilena. En las ventanillas, rostros oscuros sonreían, al pasar, frente a los dos empleados.

—Adiós, don Máximo.

—Adiós, niños . . .

"Niños" decía Jeria a aquellos hombres, cada uno de los cuales era más alto que él. Era más alto que él, porque el que cruza de uno a otro océano, al ver aquella vía que sube desde los viñedos mendocinos [8] y atraviesa los campos, las montañas, los puentes, las curvas y las quebradas, y aquel túnel que no se acaba nunca, no puede creer que todo ha sido hecho por hombres de 1:65 de estatura y de 50 centímetros de pecho. No; aquello debe haber sido hecho por hombres altos, de pechos anchos y resonantes como troncos de árboles, piernas firmes, rematadas en pies que no resbalaron nunca sobre la dureza de las rocas, y brazos gruesos y musculosos, que abrieron a martillazos el agujero donde la dinamita explotaba sordamente.

Aquellos "niños" eran estos hombres. Concluida la enorme obra del trasandino, emigraban hacia Chile en bandadas que irían a perderse en las pampas salitreras del norte chileno, en los puertos del Pacífico, y en las minas de cobre del centro de aquel país.

Cuando el último vagón dió vuelta en la primera curva, Máximo y Antonio descendieron de su pequeño mirador. Ya todos los peones, empleados del ferrocarril y de la policía, habían vuelto a sus casas y carpas. Máximo encendió un cigarrillo, se subió el cuello del grueso abrigo, golpeó los pies y habló:

—Nos quedamos solos . . .

—Solos . . .

Solos, porque con los que se iban ellos habían venido. Ahora, Máximo se quedaba, enamorado de Ángela una mendocina morena, simpática, de una alma primitiva e ingenua.

Antonio también se quedaba; los ojos de María, hija del capataz de Puente del Inca [9] habían concluido con su espíritu de aventurero. Hacía mucho tiempo que andaban rodando juntos por los caminos. Durante un tiempo les dió lo mismo ir hacia adelante o hacia atrás. Todas las sendas eran propicias y al final de ellas había hermosas mujeres, puertos abiertos a todas las rutas del mundo, ciudades anchas y mares profundos. Ahora, dos mujeres detenían a aquellos que corrieron por todos los puertos sudamericanos del Pacífico, desde Balboa. llena de negros, hasta los canales del Estrecho de Magallanes, llenos de indios alacalufes.[10]

---

5. cremallera: *cog rail*

6. Las Cuevas: border station on the Argentine side of the Transandine Railway, corresponding to Caracoles on the Chilean side

7. Los Andes: The Transandine begins at Los Andes, Chile, and ends at present at Punta de Vacas, Argentina. It is planned to extend the line to Mendoza.

8. Los viñedos mendocinos: Mendoza, Argentine province lying directly across the Andes from Santiago, famous for its vineyards

9. Puente del Inca: a famous mineral baths resort about midway between Las Cuevas and Punta de Vacas

10. indios alacalufes: very warlike Indian tribe of Tierra del Fuego, famous for their skill with the bow

2

Empezaba a correr un viento helado. Estaba nublado y amenazaba nevar. De repente, al acercarse a un montón de nieve, Máximo se detuvo. Frunció los ojos, levantó la cabeza, y su mirada, un tanto miope, se fijó en un bulto acurrucado en un montón de durmientes.

—¿Qué es eso?

—El niñito . . .

—¿El hijo de El Lloica?

—¡Vicente!

El llamado alzó la cabeza y dejó ver un rostro joven, de niño, pero ya curtido y de grave expresión.

—¿Qué estás haciendo aquí?

—Nada . . .

—¿No te fuiste a Chile?

—¿A qué? No conozco a nadie . . . No tengo familia; tanto me da irme como quedarme.

Hablaba con la convicción y la firmeza de un hombre. Tenía once años. Era delgado y huesudo. Anunciaba un hombre alto y nudoso, silencioso y decidido.

—¿Y qué vas a hacer ahora?

—No sé . . .

Máximo y Antonio se miraron. Vicente era hijo de uno de los tantos mineros que trabajaron en las obras de construcción del túnel. Le llamaban "El Lloica." Lloica es el nombre indio de un pajarito chileno que tiene el pecho rojo, y Manuel Martínez recibía ese apodo a causa de una manta boliviana, color rojo, que le llegaba hasta la cintura, y que le hacía asemejarse a una lloica gigantesca.

Jugador y pendenciero, trabajador infatigable, "El Lloica" era querido por los guapos, por los tímidos y por los indiferentes, porque nadie lo vió jamás enderezarse contra un débil, achicarse ante un valiente, o decir que no cuando el trabajo era duro y se necesitaban hombres firmes. Llegado el día del pago, El Lloica pagaba lo que debía, mandaba guardar algo de dinero, tomaba a su hijo de la mano, y buscaba la cercanía de cualquier manta,[11] en la que el naipe mostraba sus figuras tentadoras, y las manos oscuras del carrilano recogían las apuestas del "monte."[12] Manuel era jugador por afición; jugaba sin sentir más que regocijo. Si ganaba, recogía su dinero, tomaba a su hijo de la mano y se iba a dormir, ya que las sesiones de monte solían durar hasta dos días; si perdía, se encogía de hombros, bebía un trago de aguardiente y también se iba. Y su hijo, delgado, con unos pantalones remendados, que querían ser largos, pero que no llegaban más que hasta la mitad de la pierna, silencioso, se estaba junto a su padre, cuidándolo, yéndole a buscar comida o bebida, durmiendo a sus pies, tendido en su manta negra y envuelta en la roja de su padre. No tenía madre, no la había conocido. Siempre, desde que él recordaba, había andado solamente con su padre, aquel hombrón rudo, fornido y moreno, que caminaba como los osos y que tenía una fuerza inagotable, y que era ágil, con una vista tan hábil que le permitía parar en el sombrero las puñaladas, cuando, jugando, armado él con un palito y otro con un cortaplumas, el último se retiraba con las costillas doloridas y cansado de en-

---

11. manta: *blanket* (used as a gaming table)

12. monte: *card game*

contrar siempre la defensa del Lloica ante su mano rápida. Era un tipo de raza: sudamericano puro, desde el cabello lacio y negro hasta el pie de tobillo fino y planta ancha.

Un día de pago, en el campamento de carpas que se alzaba al lado de la vía, el Lloica jugó su última apuesta y bebió su último trago de aguardiente.

Estaban jugando desde las seis de la tarde. A eso de las doce de la noche se promovió un desorden. Un riojano, carrilano,[13] cazador de pumas por oficio, según él, y bandido por afición, según todos, quiso alzarse con la plata ajena. El Lloica lo cogió de la mano, y los dedos del riojano crujieron bajo el apretón que le hizo soltar el puñado de billetes que había tomado. El riojano era hombre que no gustaba de palabras inútiles, y se marchó después de decir irónicamente:

—Hasta que nos veamos ...

Siguieron jugando, pero media hora después, una descarga los hizo poner en pie. Uno voz gritó:

—¡Fuera!

El Lloica iba a salir, pero lo detuvieron.

—Pero, ¿cómo no vamos a salir si nos están llamando?

Vicente que estaba ahí, parado al lado de su padre, pálido y sin llorar, permanecía inmóvil. Cuando Manuel salió, la claridad de la nieve en la noche le permitió ver al riojano, parado frente a la puerta, a una distancia de tres metros, esperándolo. En su mano brillaba un largo cuchillo. De-

trás de él, tres hombres formaban una guardia de bravos. El riojano dijo:

—Lo estoy esperando para saber si es tan guapo afuera como adentro ...

Todos salieron detrás de Manuel y algunos se pusieron al lado de él, en actitud de pelea, pero el Lloica, extendiendo sus brazos, los hizo retroceder:

—No, compañeros. Esta naipada[14] es para mí solo. Soy el tallador y tengo la banca. ¡Doy carta!

Buscó en su cintura, y su brazo se alargó con una ancha hoja de acero.

—Papá ...

Era Vicente. No rogaba, parecía recordar a su padre que él tenía derecho sobre su vida y que debía pensar en él antes de pelear; pero el Lloica estaba seguro de sí, y dándose vuelta hacia su hijo, le dijo:

—No tenga cuidado, mi hijito ...

Efectivamente, no había que tener cuidado. Saltó hacia adelante y quedó a un metro de distancia del riojano. Éste alzó la mano armada, y comenzó a hacer en el aire un enredado finteo[15] que terminó buscando la sonriente cara de Manuel Martínez. El Lloica se inclinó a un lado, y el tajo se perdió silbando ... De su cuchillo no se veía más que la punta que sobresalía por debajo del sombrero negro. No tiraba nunca a herir en el rostro; para él, las peleas a cuchillo eran a muerte, y se tiraba a fondo, buscando el vientre o el corazón. Por eso a los dos minutos, el saco del riojano se abrió en el lado izquierdo del pecho, cogido por una puñalada de abajo a arriba. Contestó con un viaje[16] capaz de degollar a un

---

13. riojano carrilano: member of a track gang, from the Argentine province of La Rioja, or capital city of the same name, to the north of Mendoza

14. naipada: *game* (of cards)
15. enredado finteo: *a complex series of feints*
16. viaje: **thrust**

puma, y la copa del sombrero del Lloica voló por el aire. Pero Manuel Martínez era hombre tranquilo, y no se impacientó.

Nadie hablaba; los demás miraban sin atreverse a gritar, miedosos de que una voz suya distrajera a los duelistas. De repente, el riojano se inclinó, se estiró rápidamente y tiró un tajo que rebanó el pantalón del Lloica e hizo brotar algunas gotas de sangre de la pierna derecha estirada hacia adelante. El Lloica se indignó. Está bien que un hombre se defienda y para herir busque todas las mañas, pero no hiera en las piernas; pegue en la cara o en el pecho; pelea con un hombre y no con un animal. Y en menos de un segundo terminó la pelea: se adelantó atrevidamente, abrió su brazo armado, éste describió un amplio círculo, lo cerró, se fué al centro del mismo y desde ahí se estiró como un resorte, hiriendo al riojano en medio del vientre. Éste abrió los brazos y cayó. En ese momento, alguien gritó:

—La policía...

Todo el mundo desapareció. El herido quedó tendido sobre la nieve, de donde lo recogieron. Empezaron las investigaciones; nadie sabía nada. Pero a las cuatro de la mañana, los que esa noche no durmieron, sintieron lejanas detonaciones. El Lloica fué sorprendido en momentos que huía hacia Chile, y como nadie se atrevió a acercársele, prefirieron herirlo desde lejos. Los gritos de Vicente anunciaron a la policía que su padre había sido herido. Cuando llegaron al lado de él, el Lloica agonizaba, alcanzado por tres balazos. Y el sargento recibió en mitad del pecho una pedrada que casi lo tumbó.

—¡Cobarde!

Y Vicente saltó a su cara, arañándolo, furioso. Fué preciso amarrarlo para que se quedara quieto.

El Lloica murió al otro día. Vicente, huérfano, ambuló por el campamento, con los ojos secos, sin comer. Los peones lo llamaban, le hablaban con palabras toscas y generosas, de su padre, *hombre valiente y noble,* y procuraban alegrarlo. Vivió así hasta que finalizaron los trabajos. Y como esas aves heridas, que no pueden irse con la bandada que emigra, cuando la gente se fué hacia las ciudades, Vicente quedó solo, indiferente a su destino, resignado a todo en la soledad de la cordillera; era la flor, el cachorro de aquella fuerte columna de cíclopes,[17] que se marchaba en el tren pequeñito, nuevo y como de juguete...

3

Vicente fué recogido por Máximo y Antonio y cuando éstos se retiraron, adoptado por la cuadrilla. Como era el único niño que había en el campamento, se le conocía por el nombre cariñoso de *el Niñito,* nombre que le quedó para siempre. Por eso, varios años después, cuando Vicente cumplía los dieciocho, a pesar de su cuerpo, que sobresalía diez centímetros sobre la cabeza del más alto, era llamado con el mismo apodo.

Era la mascota de la cuadrilla. Se le quería por la tradición de su padre, y por sus condiciones de silencioso y obediente. Servía para todo: lavaba la ropa de los peones, cosíales los parches que se soltaban y les cebaba el mate, cuando en el invierno gustaban tomarlo con aguardiente, mien-

17. cíclopes: *giants.* The Cyclops of Greek mythology were a race of one-eyed giants.

tras afuera la nieve subía hasta los diez metros de altura.

A los diecinueve años, un capataz que hubo en Las Leñas, estación pequeña que hay cerca de Puente del Inca, lo nombró recorredor de la línea. Su trabajo era sencillo: consistía en inspeccionar el estado de la vía desde Las Leñas hasta Las Cuevas. Todas las mañanas, a las diez, aparecía en una vuelta de la línea la alta silueta del Niñito que, calzado con botas, las piernas abrigadas por un grueso pantalón de pana, un saco del mismo género con aplicaciones de cuero,[18] y apoyándose en un cayado con punta de hierro, pasaba por el campamento entre los saludos de los trabajadores.

—Adiós, Niñito...
—Adiós, viejo...

El Aguilucho, viejo peón, lo detenía, lo miraba y lo abrazaba:

—¡Qué buen mozo estás!... Te pareces a tu padre, hijo de tigre!...

El viejo se enternecía, y el Niñito palmeándolo cariñoso, proseguía su viaje. Una hora después, venía de retorno.

—¡Qué toro! Le ganó al padre por una cuarta de alto...

—Esta raza se va acabando. ¡Hombres de ley,[19] como el cobre y el oro!...

Todo el mundo se admiraba de su vida; su conducta era ejemplar. No jugaba nunca, apenas bebía, era serio. Sin embargo, en el fondo de sus ojos vivía el recuerdo de su padre y algunas veces, cuando se enojaba, el espíritu del finado Lloica aparecía en él tan claro, que los peones reconocían a su padre en sus movimientos decididos.

A los diez y ocho años se enamoró de la hija del capataz, y éste, que lo conocía bien, no titubeó en darle su hija en matrimonio. Como Vicente había juntado unos cuantos pesitos y quería de veras a Ana, se propuso realizar pronto su casorio.

Pero, como hijo de tigre que era, tenía que salir overo,[20] y la fatalidad del padre se continuaba en el hijo.

Un domingo, Vicente, contento, casi alegre, en un rato de descanso, salió hacia Las Cuevas. Se juntó con un amigo y fueron al Hotel a beber un vaso de vino. Ahí estaba el Sargento Chaparro, hombretón tan fuerte como Vicente, moreno y hosco. Vicente no lo saludaba porque nunca había olvidado que el sargento era el que mandó hacer la descarga que mató a su padre, y aunque no sentía por él ningún sentimiento de venganza, tampoco lo sentía de amistad. Pero el Sargento Chaparro tenía horas de mal humor, y ese día detuvo a Vicente en medio de la sala:

—¿Por qué no me saluda?
—Nunca lo he saludado, sargento. No debe extrañarse por eso.
—Me tiene odio porque detuve a su padre...
—A mi padre no lo detuvieron: ¡lo mataron!
—Había herido a un hombre...
—Frente a frente, él solo... no como ustedes, que se juntaron cuatro para matarlo por la espalda...
—No sea insolente...
—Usted me habla y yo le contesto...

---

18. aplicaciones de cuero: *leather reinforcements* (or trimmings)
19. Hombres de ley: *Real men*

20. tenía que salir overo: *he was bound to be spotted* (like his father)

Para aquellos hombres todo era cuestión de hombría,[21] y la ley, cuando vencía, era buena; si no, inútil. Por eso el sargento levantó su sable y golpeó con la empuñadura el hombro de Vicente.

—¡Sargento!...

—¿Qué te pasa?

—Acuérdese que soy hijo de mi padre...

—¡Peor para vos!...

Y otra vez el sable rebotó sobre el hombro del Niñito, el cual arremetió con tal fuerza, que el sargento cayó sobre una mesa, resbalando hasta el suelo ruidosamente. La gente se paró y alguien dijo:

—Muy bien por el empujoncito...

Pero el sargento llamó a la guardia, y el Niñito fué sacado, amarrado codo con codo, sin poder defenderse.

Lo que pasó después nadie lo supo, pero a los dos días, en el tren internacional, pegado a la ventanilla del coche de segunda, Ana, la novia de Vicente, y todos los que estaban en el andén de la pequeña estación, vieron pasar el rostro pálido y grave del Niñito, que sonrió a la pasada con una sonrisa de pena.

Cuando volvió del hospital, había perdido todo aquel aire de tímido y respetuoso, y aunque no se mostraba provocador todos adivinaron que la sangre de Manuel Martínez, el Lloica, revivía en las venas de su cachorro.

Pero el cachorro ya no era tal. Le crecieron las garras en la desgracia; la rabia afinó su instinto de venganza, y cuando pasaba cerca de Chaparro, tenía la actitud del yaguareté que mirando de reojo va a saltar hacia adelante.

Se casó. Abandonó su antiguo empleo y tomó otro idéntico, pero con recorrido distinto. Viajaba desde Las Cuevas hasta la mitad del túnel. Esperaba pacientemente el día de su venganza. Sabía que era una cosa fatal. Tenía que suceder. Si no lo hubiera hecho, no habría podido vivir y el recuerdo de su padre lo habría avergonzado.

4

Una mañana, poco antes de medio día, al ir a entrar al túnel, haciendo su recorrido habitual, vió al Sargento Chaparro que sonreía al verle.

—¡Cómo te va, guapito!...

—No tan bien como a usted, verdugo...

El sargento avanzó, pero Vicente Martínez tenía ya su plan hecho. Arrojó su lámpara de aceite contra la cara del sargento y entró al túnel. Cincuenta metros adentro, ya en la oscuridad, se detuvo y sacó de debajo de su chaquetón de pana la daga de su padre, una hoja hecha de una lima, aguzada como una aguja y con doble filo, sin sangrador, con un mango formado por trozos de cobre y hierro y aplicaciones de hueso. El sargento venía entrando al túnel, escudriñando en la sombra. Vicente se escondió en uno de los tantos agujeros que hay en las paredes del túnel en forma de nichos, y desde allí veía, recortada en la luz, la silueta del sargento que avanzaba buscándolo. Lo dejó pasar adelante y después le habló:

—¡Yo podría pelear con usted y matarlo cara a cara; pero prefiero matarlo por la espalda para que mi

21. hombría: *virile strength and courage*

delito sea más grande y mi venganza digna de su ofensa! . . .

Por primera vez en su vida, el sargento Chaparro tuvo miedo. Su revólver arañó la sombra con sus guiñadas de luz, pero era inútil. Se oyó una risa, y la vieja daga del Lloica se hundió por el hombro izquierdo del sargento, buscando el corazón.

Lo demás era cuestión de tiempo. Y a los dos días Vicente Martínez estaba en Valparaíso, con los caminos del mar abiertos ante sus ojos de gato.

Enrique López Albújar

1872-

Cuentos andinos (1920) represents one of the earliest attempts in Peruvian letters to depict various phases of Indian life and to interpret the mind and soul of the modern Incas. There is no romantic veneer, no nostalgic shading in these pages to gloss over the tragic conditions of the indigenous peoples in whose midst the author has lived for many years. López Albújar admits that his tales seem overly somber and tragic, but thus, he asserts, is the milieu in which they are laid: *"y yo no he querido sólo inventar, sino volcar en sus páginas cierta faz de la vida de una raza, que si hoy parece ser nuestra vergüenza, ayer fué nuestra gloria y mañana tal vez sea nuestra salvación."* A three-months' suspension from the bench, because he preferred to *"dejar a un lado al juez y hacer que el hombre con sólo un poco de humanismo salvara los fueros del ideal,"* explains why the author states that the stories were written in hours of grief. Cruelty, horror, suffering, human debasement, these are the themes that he repeats from story to story. Time lifts these shadows occasionally from the pages of his later collection, *Nuevos cuentos andinos* (1937); but the mounting tide of stress on all things national and indigenous burdens many of these later tales with a weight of regional words and expressions that the accompanying glossary can only render intelligible in part. The following selection is an exception in the above respects; and yet it reveals to what extent the keen psychological acumen of the author has penetrated the deep, mysterious mental processes of the Indians, as individuals and as a people. It is interesting, too, for its ingenuous irony and for its autobiographical touch.

COMO HABLA LA COCA [1]

Me había dado a la coca. No sé si al peor o al mejor de los vicios. Ni sé tampoco si por atavismo o curiosidad, siempre algo de qué dolerse o aver-

[1]. coca: The *coca* plant (*erythroxylon coca*), from whose leaves cocaine is ob- tained, is a native of the eastern Andean slopes of Peru and Bolivia. It was known in

715

gonzarse. Y mirándolo bien, un vicio inútil para mí; vicio de idiota, de rumiante, en que la boca del *chac-chador*[2] acaba por semejarse a la espumante y buzónica del sapo y en el que el hombre parece recobrar su ancestral parentesco con la bestia.

Durante el día la labor del papel sellado me absorbía por completo la voluntad. Todo eran decretos y autos y sentencias. Vivía sumergido en un mar de considerandos legales; filtrando el espíritu de la ley en la retorta del pensamiento; dándole pellizcos, con escrupulosidades de asceta, a los resobados y elásticos artículos de los códigos para tapar con ellos el hueco de una débil razón; acallando la voz de los hondos y humanos sentimientos; poniendo debajo de la letra inexorable de la ley todo el humano espíritu de justicia de que me sentía capaz, aunque temeroso del dogal disciplinario, y secando, por otra parte, la fuente de mis inspiraciones con la esponja de la rutina judicial.

Bajo el peso de este fardo de responsabilidades, el vicio, como un murciélago, sólo se desprendía de la grieta de mi voluntad y echábase a volar a la hora del crepúsculo. Era entonces cuando a la esclavitud razonable sucedía la esclavitud envilecedora. Comenzaba por sentir sed de algo, una sed ficticia, angustiosa. Daba veinte vueltas por las habitaciones, sin objeto, como las que da el perro antes de acostarse. Tomaba un periódico y lo dejaba inmediatamente. Me levantaba y me sentaba en seguida. Y el reloj, con su palpitar isócrono, parecía decirme: *chac* . . . , *cha, chac* . . . *cha, chac* . . . *cha,* . . . Y la boca comenzaba a hacérseme agua.

Un día intenté rebelarme. ¿Para qué es uno hombre sino para rebelarse? —Hoy no habrá coca—me dije—. Basta ya de esa porquería que me corrompe el aliento y deja en mi alma pasividades de indio. Y poniéndome el sombrero salí y me eché a andar por las lóbregas calles como un noctámbulo.

Pero el vicio, que en las cosas del hombre sabe más que el hombre, al verme salir, hipócrita, socarrón, sonrió de esta fuga. ¿Y qué creen ustedes que hizo? Pues no me cerró el paso, no imploró el auxilio del deseo para que viniese a ayudarle a convencerme de la necesidad de no romper con la ley respetable del hábito, no me despertó el recuerdo de las sensaciones experimentadas al lento *chacchar*[3] de una coca fresca y jugosa, ni siquiera me agitó el señuelo de una *catipa*[4] evocadora del porvenir, en las que tantas veces había pensado. —Anda— pareció decirme—anda, que ya volverás más sometido que nunca. Y comencé a andar desorientado, rozándome indiferente con los hombres y las cosas, devorando cuadras y cuadras, saltando acequias, desafiando el furioso tartamudeo de los perros, lleno de rabia sorda contra mí mismo y procurando edificar sobre la base de

prehistoric times to the Indians, who chewed the leaves with lime or ashes to get a prolonged stimulation which enabled them to work or travel incredible periods without rest or food. The plant is now cultivated extensively from Peru to Argentina on the east slope of the Andes, as well as in the Orient. The dried leaves are exported to some extent, this amount being small, however, in comparison with that of the leaves chewed in South America, where the habit is very widespread.

2. chacchador: *one who chews coca*
3. chacchar: *to chew coca*
4. catipa: divination through the taste of the masticated coca

una rebeldía el baluarte de una resolución inquebrantable.

Y cuando más libre parecía sentirme de la horrible sugestión, una fuerza venida de no sé dónde, imperiosa, irresistible, me hizo volver sobre mis pasos, al mismo tiempo que una voz tenue, musitante, comenzó a vaciar sobre la fragua de mis protestas un chorro inagotable de razonamientos, interrogándose y respondiéndoselo todo.

—Has caminado mucho. ¿Te sientes fatigado? ¿Sí? No hay nada como una *chaccha* para la fatiga; nada. La coca hace recobrar las fuerzas exhaustas, devuelve en un instante lo que el trabajo se ha robado en un día. Di la verdad, ¿no quisieras hacer una *chacchita*, una ligera *chacchita*? . . . Parece que mi respuesta no te ha disgustado. Pero para eso es indispensable sentarse, y en la calle eso no sería posible. El cargo y el traje te lo impiden. Si estuvieras de poncho . . . ¿Qué? ¿No quieres volver a tu casa todavía? ¡Una tontería! Porque para lo que hay que ver a estas horas y en estas calles . . . Y luego que lo que hay que ver lo tienes ya visto, y lo que no has visto es porque no lo debes ver. Vamos, cede un poco. La intransigencia es una camisa que debe mudarse lo menos dos veces por semana, para evitar el riesgo de que huela mal. No hay cosa que haga fracasar más en la vida que la intransigencia. Y si no, fíjate en todos nuestros grandes políticos triunfadores. Cuando han ido por el riel de la intransigencia, descarrilamiento seguro. Cuando han ido por la carretera de las condescendencias y de las claudicaciones, han llegado, han llegado. Y en la vida lo primero es llegar. No te empecines, regrésate. A no ser

que prefieras una *chaccha* sobre andando porque lo que es coca no te ha de faltar. Busca, busca. ¿Estás buscando en el bolsillo de la izquierda? En ése no; en el de la derecha. ¿Ves? Son dos hojitas que escaparon a la *chaccha* devoradora de anoche. Dos, nada más que dos. ¿Cómo? . . . ¿Vas a botarlas? ¡Qué crimen! Un rasgo de soberbia, de cobardía, que no sienta bien en un hombre fuerte como tú. ¿Tanto le temes a ese par de hojitas que tienes en la mano? Ni que fueras fumador de opio.

Mira, el opio es fiebre, delirio, ictericia, envilecimiento. El opio tiene la voracidad del vampiro y la malignidad de la tarántula. Carne que cae entre sus garras la aprieta, la tortura, la succiona, la estruja, la exprime, la diseca, la aniquila . . . Es un alquimista falaz, que, envuelto en la púrpura de su prestigio oriental, va por el mundo escanciando en la imaginación de los tristes, de los adoloridos, de los derrotados, de los descontentos, de los insaciables, de los neuróticos, un poco de felicidad por gotas. Pero felicidad de ilusión, de ensueño, de nube, que pasa dejando sobre la placa sensible del goce fugaz el negativo del dolor.

La coca no es así. Tú lo sabes. La coca no es opio, no es tabaco, no es café, no es éter, no es morfina, no es hachich, no es vino, no es licor . . . Y, sin embargo, es todo esto junto. Estimula, abstrae, alegra, entristece, embriaga, ilusiona, alucina, impasibiliza . . . Pero sobre todos aquellos cortesanos del vicio tiene la sinceridad de no disfrazarse, tiene la virtud de su fortaleza y la gloria de no ser vicio. ¿Qué sí lo es? Bueno. Quiero que lo sea. Pero será, en todo caso, un vicio nacional, un vicio del que deberías enorgullecerte. ¿No eres peruano? Hay que ser patriota hasta en el vicio. No sólo las virtudes salvan a los pueblos sino también los vicios. Por eso todos los grandes pueblos tienen su vicio. Los ingleses tienen el suyo: el whisky. Una estupidez destilada de un tubérculo. ¿Y los franceses? También tienen su vicio: el ajenjo. Fíjate: el ajenjo, que en la paz le ha hecho a Francia más estragos que Napoleón en la guerra. ¿Y los rusos? Tienen el vodka; y los japoneses, tienen el sake; y los mejicanos, el pulque. Y los yanquis tienen el *ginjoismo,*[5] que también es un vicio. Hasta los alemanes no escapan de esta ley universal. Son tan viciosos como los ingleses y los franceses juntos. ¿Qué sería de Alemania sin la cerveza? Pregúntale a la cebada y al lúpulo y ellos te contarán la historia de Alemania. La cerveza es la madre de sus teorías enrevesadas y acres, como arenque ahumado, y de su militarismo férreo, militarismo frío, rudo, mastodóntico, geófago, que ve la gloria a través de las usinas[6] y de los cascos guerreros. Sí. Según lo que se come y lo que se bebe es lo que se hace y se piensa. El pensamiento es hijo del estómago. Por eso nuestro indio es lento, impasible, impenetrable, triste, huraño, fatalista, desconfiado, sórdido, implacable, vengativo y cruel. ¿Cruel he dicho? Sí; cruel sobre todo. Y la crueldad es una fruición, una sed de goce, una reminiscencia trágica de la selva. Y muchas de esas cualidades se las debe a la coca. La coca es superior al trigo, a la cebada, a la papa, a la avena, a la uva, a la carne... Todas estas cosas, desde que el mundo existe, viven engañando el hambre del hombre. ¿Qué cosa es un pan, o un tasajo, o un bock[7] de cerveza, o una copa de vino ante un hombre triste, ante una boca hambrienta? La bebida engendra tristezas pensativas de elefante o alegrías ruidosas de mono. Y el pan no es más que el símbolo de la esclavitud. Un puñado de coca es más que todo eso. Es la simplicidad del goce al alcance de la mano; una simplicidad sin manipulación, ni adulteraciones, ni fraudes. En la ciudad el vino deja de ser vino y el pan deja de ser pan. Y para que el pobre consiga comer realmente pan y beber realmente vino, es necesario que primero sacrifique en la capilla siniestra de la fábrica un poco de alegría, de inteligencia, de sudor, de músculo, de salud... La coca no exige estos sacrificios. La coca da y no quita. ¿Te ríes? Ya sé por qué. Porque has oído decir a nuestros sabios de biblioteca que la coca es el peor enemigo de la célula cerebral, del flúido nervioso. ¿La han probado ellos como la has probado tú?... Te pones serio. ¿Crees tú que la coca usada hasta el vicio es un problema digno de nuestros pedagogos? Tal vez así lo piensen los fisiólogos. Tal vez así lo supongan los químicos. Tal vez así lo crean los médicos. Pero tú bien puedes reírte de los médicos, de los químicos y de los fisiólogos...

Y es que la coca no es vicio sino virtud. La coca es la hostia del campo. No hay día en que el indio no comulgue con ella. ¡Y con qué religiosidad

5. ginjoismo: *jingoism,* the policy of those who favor aggressiveness in foreign affairs

6. usinas: *equipment*
7. bock: *stein, jug*

abre su *huallqui*,[8] y con qué unción va sacando la coca a puñaditos, escogiéndola lentamente, prolijamente, para en seguida hacer con ella su santa comunión! Y para augurar también. La coca habla por medio del sabor. Cuando dulce, buen éxito, triunfo, felicidad, alegría... Cuando amarga, peligros, desdichas, calamidades, pérdidas, muerte... No sonrías. Es que tú nunca has querido consultarla. Te has burlado de su poder evocador. Te has limitado a mascarla por *dilettantismo*. No bebes, no fumas, no te eteromanizas, ni te quedas estático, como cerdo ahito, bajo las sugestiones diabólicas del opio. Tenías hasta hace poco el orgullo de tu temperancia; de que tu inspiración fuera obra de tu carne, de tu espíritu, de ti mismo. Pero aquello no era propio de un artista. El arte y el vicio son hermanos. Hermandad eterna, satánica. Lazo de dolor... Nudo de pecado. Los imbéciles no tienen vicios, tienen apetitos, manías, costumbres. ¿Una herejía? ¡Una verdad!... El vicio es una fruición, algo que al pasar por el cuerpo se transforma en esencia de vida, en combustible intelectual. El vicio es para el cuerpo lo que el estiércol para las plantas. Tenías por esto que tener un vicio: *tu vicio*. Como todos. Poe lo tuvo, Baudelaire lo tuvo... Y Cervantes también: tuvo el vicio de las armas, el más tonto de los vicios.

¡Bah!, debes estar contento de tener tú también tu vicio. Ahora, si dudas de la virtud pronosticatoria de la coca, nada más fácil, vuélvete a tu casa y consúltala. Pruébalo aunque sea una vez, una sola vez. Una vez es ninguna,

como dice el adagio. Mira, llegas a tu casa, entras al despacho, te encierras con cualquier pretexto, para no alarmar a tu mujer, finges que trabajas y luego del cajón que ya tú sabes, levemente, furtivamente, como quien condesciende con la debilidad de un camarada viejo y simpático, sacas un *aptay*,[9] no un *purash*,[10] como el indio glotón, nada más que un *aptay* de *eso* y en seguida te repantigas, y, después de prometerte que será la última vez que vas a hacerlo, la última—hasta podrías jurarlo para dejar a salvo tu conciencia de hombre fuerte—comienzas a masticar unas cuantas hojitas. No por vicio, por supuesto. Puedes prescindir del vicio en esta vez. Lo harás por observación. Tú eres observador y hay que observar *in corpore sane* los efectos de la hoja alcalina. Y, sobre todo, consultarla, es decir, hacer una *catipa*. ¿Qué perderás con ello?... *Si te irá bien en el viaje que piensas hacer a la montaña... Si tu próximo vástago será varón o hembra... Si estás en la judicatura firme, tan firme que un empujón político no te podrá tumbar* (porque en este país, como tú sabes, ni los jueces están libres de las zancadillas políticas). *O si estás en peligro de que los señores de la Corte te cojan cualquier día de las orejas y te apliquen una azotaina disciplinaria.* Y al hacer tu *catipa* debes hacerla con fe, con toda la fe india de que tu alma mestiza es capaz. Te ruego que no sonrías. Tú crees que la palabra es solamente un don del bípedo humano, o que sólo con sonidos articulados se habla. También hablan las cosas. Las piedras hablan. Las montañas hablan. Las

---

8. huallqui: large purse of untanned leather used to carry coca.

9. aptay: *pinch, small amount*
10. purash: *handful*

plantas hablan. Y los vientos, y los ríos, y las nubes... ¿Por qué la coca —esa hada bendita—no ha de hablar también?

¿No has visto al indio bajo las chozas, tras de las tapias, en los caminos, junto a los templos, dentro de las cárceles, sentado impasiblemente, con el *huallqui* sobre las piernas, en quietud de fakir, masticando y masticando, horas enteras, mientras la vida gira y zumba en torno suyo, cual siniestro enjambre? ¿Qué crees tú que está haciendo entonces? Está orando, está haciendo su derroche de fe en el altar de su alma. Está haciendo de sacerdote y de creyente a la vez. Está confortando su cuerpo y elevando su alma bajo el imperio invencible del hábito. La coca viene a ser entonces como el rito de una religión, como la plegaria de una alma sencilla que busca en la simplicidad de las cosas la necesidad de una satisfacción espiritual. Y así como el hombre civilizado tiende a la complicación, al refinamiento por medio de la ciencia, el indio tiende a la simplicidad, a la sencillez, por medio de la *chaccha*. El hombre civilizado tiene la superstición complicada de los oráculos, de los esoterismos orientales; el indio, la superstición del cocaísmo, a la que somete todo y todo lo pospone.

Una *chaccha* es un goce; una *catipa*, una *oración*. En la *chaccha* el indio es una bestia que rumia; en la *catipa*, un alma que cree. Prescinde tú de la *chaccha* si quieres, pero *catipa* de cuando en cuando, y así serás hombre de fe. La fe es la sal de la vida. Por eso el indio cree y espera. Por eso el indio soporta todas las rudezas y amarguras de la labor montañesa, todos los rigores de las marchas accidentadas y zigzagueantes bajo el peso del fardo abrumador, todas las exacciones que inventa contra él la rapacidad del blanco y del mestizo. Posiblemente la coca es la que hace que el indio se parezca al asno; pero es la que hace también que ese asno humano labore en silencio nuestras minas, cultive resignado nuestras montañas antropófagas, transporte la carga por allí por donde la máquina y la bestia no han podido pasar todavía, que sea el más noble y durable motor del progreso andino. Un asno así es merecedor de pasar a la categoría de hombre y de participar de todas las ventajas de la ciudadanía. Y todo por obra de la coca. Sí, a pesar de tu incrédula sonrisa. ¿Qué te crees tú? Si hubiera un gobierno que prescribiera el uso de la coca en las oficinas públicas, no habría allí despotismos de lacayo, ni tratamientos de sabandija. Porque la coca—ya te lo he dicho —comienza primero por crear sensaciones y después por matarlas. Y donde no hay sensaciones los nervios están demás. Y tú sabes también que los nervios son el mayor enemigo del hombre. ¡Cuántos cambios ha sufrido la historia por culpa de los nervios! Las batallas se pierden generalmente por falta de freno en los nervios. La fatiga, el hambre, el horror, el dolor, el miedo, la nostalgia, son los heraldos de la derrota. Y la derrota es un producto de la sensibilidad. ¡Ah! si se le pudiera castrar al hombre la sensibilidad..., la sensibilidad moral siquiera, la fórmula de la vida sería una simple fórmula algebraica. ¿Y quién sabe si con el álgebra el hombre viviría mejor que con la ética?

¿Has meditado alguna vez sobre la quietud brahmánica? Ser y no ser en un momento dado es su ideal; ser por la forma, no ser por la sensibilidad. Lo que, según la vieja sabiduría indostánica, es la perfección, el desprendimiento del karma,[11] la liberación del ego. ¡La liberación! ¿Has oído? Y la coca es un inapreciable medio de abstracción de liberación. Es lo que hace el indio: nirvanizarse cuatro o seis veces al día. Verdad es que en estas nirvanizaciones no entra para nada el propósito moral, ningún deseo de perfeccionamiento. Él sabe, por propia experiencia, que la vida es dolor, angustia, necesidad, esfuerzo, desgaste, y también deseos y apetitos; y como la satisfacción o neutralización de todo esto exige una serie de actos volitivos, más o menos penosos, una contribución intelectual, más o menos enérgica, un ensayo continuo de experiencias y rectificaciones, el indio, que ama el yugo de la rutina, que odia la esclavitud de la comodidad, prefiere a todos los goces del mundo, esquivos, fugaces y traidores, la realidad de una *chaccha* humilde, pero al alcance de su mano. El indio sin saberlo, es *schopenhauerista*. Schopenhauer [12] y el indio tienen un punto de contacto: el pesimismo, con esta diferencia: que el pesimismo del filósofo es teoría y vanidad y el pesimismo del indio, experiencia y desdén. Si para el uno la vida es un mal, para el otro no es mal ni bien, es una triste realidad, y tiene la profunda sabiduría de tomarla como es. ¿De dónde ha sacado esta filosofía el indio? ¿No lo sabes tú, doctor de la ley? ¿No lo sabes tú, repartidor de justicia por libras, buceador de conciencias pecadoras, psicólogo del crimen, químico jubilado del amor, héroe anónimo de las batallas nauseabundas del papel sellado? ¡Parece mentira! ¿Pues de dónde había de sacarla sino del *huallqui*, arca sagrada de su felicidad. ¿Y hay nada más cómodo, más perfecto, que sentarse en cualquier parte, sacar a puñados la filosofía y luego, con simples movimientos de mandíbula, extraer de ella un poco de *ataraxia*, de suprema quietud? ¡Ah!, si Schopenhauer hubiera conocido la coca habría dicho cosas más ciertas sobre la voluntad del mundo. Y si Hindenburg hubiera *catipado* después del triunfo de los Lagos Manzurianos [13] la coca le habría dicho que detrás de las estepas de la Rusia estaba la inexpugnable Verdún y la insalvable barrera del Marne.[14]

Sí, mi querido repartidor de justicia por libras, la coca habla. La coca revela verdades insospechadas, venidas de mundos desconocidos. Es la Casandra de una raza vencida y doliente; es una biblia verde de millares de hojas, en cada una de las cuales duerme un salmo de paz. La coca, vuelvo a repetirlo, es virtud, no es

11. karma: the whole ethical consequence of one's acts considered as fixing one's lot in the future existence; hence, loosely, *destiny* or *fate*

12. Arthur Schopenhauer (1788–1860), German pessimistic philosopher

13. Hindenburg...Lagos Manzurianos: General and Field Marshal Paul von Hindenburg (1847–1934), second president of the German Republic (1925–1934), defeated the Russians in the Masurian Lakes battles of 1914 and 1915, driving them out of East Prussia.

14. Verdún...Marne: Verdun, impregnable fortress on the Western front in northeastern France, was the scene of one of the longest and bloodiest battles of World War I, lasting from February 1916 to the close of the year. The Marne River in northeastern France was the scene of two battles, the first in September, 1914, the second in July, 1918.

vicio, como no es vicio la copa de vino que diariamente consume el sacerdote en la misa. Y *catipar* es celebrar, es ponerse el hombre en comunión con el misterio de la vida. La coca es la ofrenda más preciada del *jirca*,[15] ese dios fatídico y caprichoso, que en las noches sale a platicar en las cumbres andinas y a distribuir el bien y el mal entre los hombres. La coca es para el indio el sello de todos sus pactos, el auto sacramental de todas sus fiestas, el manjar de todas sus bodas, el consuelo de todos sus duelos y tristezas, la salve de todas sus alegrías, el incienso de todas sus supersticiones, el tributo de todos sus fetichismos, el remedio de todas sus enfermedades, la hostia de todos sus cultos ...

Después de haberme oído todo esto, ¿no querrías hacer una *catipa?* ¿Estás seguro de tu porvenir? ¿Te molesta mi invitación? ¡Ingrato! ... Ya estás cerca de tu casa. Apura un poco más el paso. Así ... así ... Has subido a trancos la escalera. Buena señal. Ya estás en el despacho. Siéntate. ¿Para qué te descubres? La *catipa* puede hacerse encasquetado. Es un rito absolutamente plebeyo. El respeto es convencionalismo. ¿Qué cosa ha crujido? ¡Ah! es el cajón que ya tú sabes. ¡Y cómo cruje también lo que hay adentro! Parece que se rebela contra los codiciosos garfios de tu diestra. La coca es así; cuando se entrega parece que huye. Como la mujer ..., como la sombra ..., como la dicha ... Pero no importa que cruja. Ya la has cogido. ¿Quisieras ahora *catipar?* ¿Sí? ¡Muy bien! Pero pon fe, mucha fe. Escoge

aquella de pintas blancas; es la más alcalina y la que mejor dice la verdad del misterio. ¿La sientes dulce? No. No te sabe a nada todavía. Sólo vas sintiendo un poco de torpor en la lengua; es la anestesia, hada de la quietud y del silencio, que comienza a inyectar en tu carne la insensibilidad. ¡Cuidado que llegues a sentirla amarga! ¡Cuidado! ¿Qué? ¿Te has estremecido? ¿Sientes en la punta de la lengua una sensación? ¿Te está pareciendo amarga? ¿No te equivocas? Es que le has preguntado algo. ¿Qué le has preguntado? ... Callas. La escupes. ¿Te ha dado asco? No. Es que la has sentido amarga, muy amarga. ¡Perdóname! Yo habría querido que la sintieras dulce, pero muy dulce ...

Cuarentiocho horas después, a la caída de una tarde llena de electricidad y melancolía, vi un rostro. bastante conocido, aparecer entre la penumbra de mi despacho. ¿Un telegrama? Me asaltó un presentimiento No sé por qué los telegramas me azoran, me disgustan, me irritan. Ni cuando los espero, los recibo bien. No son como las cartas, que sugieren tantas cosas aun cuando nada digan. Las cartas son amigos cariñosos, expansivos, discretos. Los telegramas me parecen gendarmes que vinieran por mí.

Abrí el que me traía en ese instante el mozo y casi de un golpe leí esta lacónica y ruda noticia: "Suprema suspendido usted ayer por tres meses motivo sentencia juicio Roca-Pérez. Pida reposición." [16]

Un hachazo brutal, el más brutal de los que había recibido en mi vida.

---

15. *jirca:* the god of an Andean hill
16. Suprema . . . reposición: *Supreme Court suspended you yesterday. Reason: the* sentence *in the trial of Roca-Pérez. Ask for* reinstatement.

Delmira Agustini

1886-1914

DELMIRA AGUSTINI's poetry is the impassioned expression of a yearning for a higher type of love that would more nearly satisfy both her carnal and spiritual needs. But even as she sang of her secret thoughts and imaginings of a love she was never to experience, she sadly came to realize that Life and, above all, Death stood between her and her dream. Disillusionment that rapidly deepened into despair brought her to her tragic and untimely end. Candid and unabashed, Delmira Agustini translated her yearning into a poetry of ideas that was the unique product of a robust mentality as well as of an amazing intuitive strength—her worldly and cultural experiences were limited and there is little evidence anywhere in her verse that literary trends and philosophical readings shaped her thought or esthetics to any pronounced degree. Her poetic world is somber and desolate, full of extraordinary visions conceived in rich and challenging imagery. She was little concerned with the preciseness and beauty of verse forms—form had to yield to the intensity of her expression. The depth, sincerity, and emotional wealth of her mystical striving after some transcendental form of love has no parallel in Hispanic feminine poetry unless it be, as Darío observed, with that of Santa Teresa *"en su exaltación divina."* How reminiscent and characteristic of the mystic zeal of the Saint of Ávila is Agustini's longing as expressed in the phrase: *"Yo ya muero de vivir y soñar."* (*La barca milagrosa.*)

DESDE LEJOS

En el silencio siento pasar hora tras hora,
como un cortejo lento, acompasado y frío . . .
¡Ah! Cuando tú estás lejos, mi vida toda llora,
y al rumor de tus pasos hasta en sueños sonrío.

Yo sé que volverás, que brillará otra aurora
en mi horizonte, grave como un ceño sombrío;

5

723

revivirá en mis bosques tu gran risa sonora
que los cruzaba alegre como el cristal de un río.

Un día, al encontrarnos tristes en el camino,
yo puse entre tus manos pálidas mi destino   10
¡y nada de más grande jamás han de ofrecerte!

Mi alma es frente a tu alma como el mar frente al cielo;
pasarán entre ellas, tal la sombra de un vuelo,
¡la Tormenta y el Tiempo y la Vida y la Muerte!

EL INTRUSO

Amor, la noche estaba trágica y sollozante
cuando tu llave de oro cantó en mi cerradura;
luego, la puerta abierta sobre la sombra helante,
tu forma fué una mancha de luz y de blancura.

Todo aquí lo alumbraron tus ojos de diamante;   5
bebieron en mi copa tus labios de frescura,
y descansó en mi almohada tu cabeza fragante;
me encantó tu descaro y adoré tu locura.

Y hoy río si tú ríes, y canto si tú cantas;
y si tú duermes, duermo como un perro a tus plantas.   10
Hoy llevo hasta en mi sombra tu olor de primavera;

y tiemblo si tu mano toca la cerradura,
¡y bendigo la noche sollozante y oscura
que floreció en mi vida tu boca tempranera!

LA BARCA MILAGROSA

Preparadme una barca como un gran pensamiento ...
La llamarán "La Sombra" unos; otros, "La Estrella."
No ha de estar al capricho de una mano o de un viento;
¡yo la quiero consciente indomable y bella!

La moverá el gran ritmo de un corazón sangriento   5
de vida sobrehumana; he de sentirme en ella
fuerte como en los brazos de Dios. En todo viento,
en todo mar templadme su prora de centella.

La cargaré de toda mi tristeza, y, sin rumbo,
iré como la rota corola de un nelumbo,[1]
por sobre el horizonte líquido de la mar . . .

Barca, alma hermana: ¿hacia qué tierras nunca vistas,
de hondas revelaciones, de cosas imprevistas
iremos? . . . Yo ya muero de vivir y soñar . . .

LO INEFABLE

Yo muero extrañamente . . . No me mata la Vida,
no me mata la Muerte, no me mata el Amor;
muero de un pensamiento mudo como una herida . . .
¿No habéis sentido nunca el extraño dolor

de un pensamiento inmenso que se arraiga en la vida
devorando alma y carne, y no alcanza a dar flor?
¿Nunca llevastéis dentro una estrella dormida
que os abrasaba enteros y no daba un fulgor? . . .

¡Cumbre de los Martirios! . . . ¡Llevar eternamente,
desgarradora y árida, la trágica simiente
clavada en las entrañas como un diente feroz!

¡Pero arrancarla un día en una flor que abriera
milagrosa, inviolable! . . . ¡Ah, más grande no fuera
tener entre las manos la cabeza de Dios!

LAS ALAS

Yo tenía . . .
¡dos alas! . . .
Dos alas
que del Azur vivían como dos siderales
raíces . . .
Dos alas,
con todos los milagros de la vida, la muerte
y la ilusión. Dos alas,
fulmíneas
como el velamen de una estrella en fuga;
dos alas,
como dos firmamentos
con tormentas, con calmas y con astros . . .

1. nelumbo: *lotos flower*

¿Te acuerdas de la gloria de mis alas?...
El áureo campaneo   15
del ritmo, el inefable
matiz atesorando
el Iris todo, mas un Iris nuevo
ofuscante y divino,
que adorarán las plenas pupilas del Futuro   20
(¡las pupilas maduras a toda luz!) ... el vuelo...

El vuelo ardiente, devorante y único,
que largo tiempo atormentó los cielos,
despertó soles, bólidos, tormentas,
abrillantó los rayos y los astros;   25
y la amplitud: tenían
calor y sombra para todo el Mundo,
y hasta incubar un *más allá* pudieron.

Un día, raramente
desmayada a la tierra,   30
yo me adormí en las felpas profundas de este bosque...
¡Soñé divinas cosas!...
Una sonrisa tuya me despertó, paréceme...
¡Y no siento mis alas!...
¿Mis alas?...   35

—Yo las vi deshacerse entre mis brazos...
¡Era como un deshielo!

TU BOCA

Yo hacía una divina labor sobre la roca
creciente del Orgullo. De la vida lejana
algún pétalo vívido me voló en la mañana,
algún beso en la noche. Tenaz como una loca

seguía mi divina labor sobre la roca   5
cuando tu voz, que funde como sacra campana
en la nota celeste la vibración humana,
tendió su lazo de oro al borde de tu boca;

—¡maravilloso nido del vértigo tu boca!
dos pétalos de rosa abrochando un abismo...   10
Labor, labor de gloria, dolorosa y liviana;

¡tela donde mi espíritu se fué tramando él mismo!
tú quedas en la testa soberbia de la roca,
y yo caigo, sin fin, en el sangriento abismo.

EL ROSARIO DE EROS [2]

CUENTAS DE MÁRMOL

Yo, la estatua de mármol con cabeza de fuego,
apagando mis sienes en frío y blanco ruego...

Engarzad en un gesto de palmera o de astro
vuestro cuerpo, esa hipnótica alhaja de alabastro
tallada a besos puros y bruñida en la edad; 5
sereno, tal habiendo la luna por coraza;
blanco, más que si fuerais la espuma de la Raza,
y desde el tabernáculo de vuestra castidad,
nevad a mí los lises hondos de vuestra alma;
mi sombra besará vuestro manto de calma, 10
que creciendo, creciendo, me envolverá con Vos;
luego será mi carne en la vuestra perdida...
luego será mi alma en la vuestra diluida...
luego será la gloria... y seremos un dios.

—Amor de blanco y frío, 15
amor de estatuas, lirios, astros, dioses...
¡Tú me lo des, Dios mío!

CUENTAS DE SOMBRA

Los lechos negros logran la más fuerte
rosa de amor; arraigan en la muerte.

Grandes lechos tendidos de tristeza,
tallados a puñal y doselados
de insomnio; las abiertas 5
cortinas dicen cabelleras muertas;
buenas como cabezas
hermanas son las hondas almohadas:
plintos del Sueño y del Misterio gradas.

Si así en un lecho como flor de muerte, 10
damos llorando, como un fruto fuerte
maduro de pasión, en carnes y almas,
serán especies desoladas, bellas,

2. *El rosario de Eros* (volume I of the *Obras completas,* 1924) contains the poems, previously inedited, which Delmira Agustini was collecting and writing during the last two years of her life

que besen el perfil de las estrellas
pisando los cabellos de las palmas.   15

—Gloria al amor sombrío,
como la Muerte pudre y ennoblece.
¡Tú me lo des, Dios mío!

CUENTAS DE FUEGO

Cerrar la puerta cómplice con rumor de caricia,—
deshojar hacia el mal el lirio de una veste . . .
—La seda es un pecado, el desnudo es celeste;
y es un cuerpo mullido un diván de delicia—.

Abrir brazos . . . ; así todo ser es alado,   5
o una cálida lira dulcemente rendida
de canto y de silencio . . . más tarde, en el helado
más allá de un espejo como un lago inclinado,
ver la olímpica bestia que elabora la vida . . .

Amor rojo, amor mío;   10
sangre de mundos y rubor de cielos . . .
¡Tú me lo des, Dios mío!

CUENTAS DE LUZ

Lejos, como en la muerte,
siento arder una vida vuelta siempre hacia mí;
fuego lento hecho de ojos insomnes, más que fuerte
si de su allá insondable dora todo mi aquí.
Sobre tierras y mares su horizonte es mi ceño;   5
como un cisne sonámbulo duerme sobre mi sueño
y es su paso velado de distancia y reproche
el seguimiento dulce de los perros sin dueño
que han roído ya el hambre, la tristeza y la noche
y arrastran su cadena de misterio y de ensueño.   10

Amor, de luz, un río
que es el camino de cristal del Bien.
¡Tú me lo des, Dios mío!

CUENTAS FALSAS

Los cuervos negros sufren hambre de carne rosa;
en engañosa luna mi escultura reflejo;
ellos rompen sus picos, martillando el espejo,

y al alejarme irónica, intocada y gloriosa,
los cuervos negros vuelan hartos de carne rosa.   5

Amor de burla y frío,
mármol que el tedio barnizó de fuego
o lirio que el rubor vistió de rosa,
siempre lo dé, Dios mío . . .
O rosario fecundo,   10
collar vivo que encierra
la garganta del mundo.

Cadena de la tierra,
constelación caída.

O rosario imantado de serpientes,   15
glisa hasta el fin entre mis dedos sabios,
que en tu sonrisa de cincuenta dientes
con un gran beso se prendió mi vida:
una rosa de labios.

TU AMOR . . .

Tu amor, esclavo, es como un sol muy fuerte:
jardinero de oro de la vida,
jardinero de fuego de la muerte,
en el carmen fecundo de mi vida.

Pico de cuervo con olor de rosas,   5
aguijón enmelado de delicias
tu lengua es. Tus manos misteriosas
son garras enguantadas de caricias.

Tus ojos son mis medianoches crueles,
panales negros de malditas mieles   10
que se desangran en mi acerbidad;

Crisálida de un vuelo del futuro
es tu abrazo magnífico y oscuro
torre embrujada de mi soledad.

Gabriela Mistral

1889- *1957*

'AN EARLY tragic love affair, about which few real facts are known, and a deep but never satisfied maternal longing have left indelible marks of sadness on Gabriela Mistral's life and work. Her path has been a desolate one; but faith in God and long years of experience and contacts as a rural teacher so strengthened her will and heart that she has succeeded in alleviating and partly forgetting her own desolation through shouldering the sorrows and burdens of others (*Confesión*). This desire to give of herself is manifest even in her poems to love, especially in her celebrated *Los sonetos de la muerte* that won her first prize at the *Juegos Florales* held in Santiago in 1915. In these beautiful lyrics, which allude in bold but guarded imagery to the mystery of her lover's untimely death, it is clear that her love was neither sensual nor physical, but spiritual and intellectual—even in love it was not so much her physical being that she offered as it was her protection, her compassion and moral courage. Some of her most touching poetry is that in which she sings of the children of others and wistfully voices the wish that they might be her own. Her cradle songs are among the most beautiful in the Spanish language. Born and reared in close communion with the dreary, dark woodlands of the southern provinces, she has identified her own sad mood with that of nature. This sadness has colored her religious faith, which is neither mystic nor orthodox, since it appears rather as a mournful accompaniment to the grief of one abandoned, than as an all-abiding trust in God. Biblical themes, defense and exaltation of a motherhood she has never enjoyed, and a preoccupation with death even in its purely physiological aspects, are other motives of her poetic expression. Her best verse is that of her earlier period published in *Desolación* (New York, Instituto de las Españas, 1922) and *Ternura* (Madrid, Calleja, 1924; 3rd ed., Buenos Aires, Espasa-Calpe, 1945). *Tala* (Buenos Aires, Editorial Sur, 1938), which contains selections

730

written during the eventful 30's, attests to an intensification of her desire to carry more than her share of humanity's burden. The proceeds of the volume were quite appropriately given for the relief of Basque children made homeless during the Spanish Civil War. In 1946 her work received the great distinction of being awarded the Nobel Prize for Literature.

LA MAESTRA RURAL

La Maestra era pura. "Los suaves hortelanos,"
decía, "de este predio que es predio de Jesús,
han de conservar puros los ojos y las manos,
guardar claros sus óleos, para dar clara luz."

La Maestra era pobre. Su reino no es humano.   5
(Así en el doloroso sembrador de Israel.[1])
Vestía sayas pardas, no enjoyaba su mano.
¡Y era todo su espíritu un inmenso joyel!

La Maestra era alegre. ¡Pobre mujer herida!
Su sonrisa fué un modo de llorar con bondad.   10
Por sobre la sandalia rota y enrojecida,
tal sonrisa, la insigne flor de su santidad.

¡Dulce ser! ¡En su río de mieles, caudaloso,
largamente abrevaba sus tigres el dolor!
Los hierros que le abrieron el pecho generoso   15
¡más anchas le dejaron las cuencas del amor!

¡Oh, labriego, cuyo hijo de su labio aprendía
el himno y la plegaria, nunca viste el fulgor
del lucero cautivo que en sus carnes ardía:
pasaste sin besar su corazón en flor!   20

Campesina, ¿recuerdas que alguna vez prendiste
su nombre a un comentario brutal o baladí?
Cien veces la miraste, ninguna vez la viste.
¡Y en el solar de tu hijo, de ella hay más que de ti!

Pasó por él su fina, su delicada esteva,   25
abriendo surcos donde alojar perfección.

1. dolorosa . . . Israel: The allusion is to the parable of the Sower, *Matthew* XIII, 3-8.

La albada de virtudes de que lento se nieva
es suya. Campesina, ¿no le pides perdón?

Daba sombra por una selva su encina hendida
el día en que la muerte la convidó a partir.   30
Pensando en que su madre la esperaba dormida,
a La de Ojos Profundos [2] se dió sin resistir.

Y en su Dios se ha dormido, como en cojín de luna;
almohada de sus sienes, una constelación.
Canta el Padre para ella sus canciones de cuna   35
¡y la paz llueve largo sobre su corazón!

Como un henchido vaso, traía el alma hecha
para volcar aljófares sobre la humanidad;
y era su vida humana la dilatada brecha
que suele abrirse el Padre para echar claridad.   40

Por eso aún el polvo de sus huesos sustenta
púrpura de rosales de violento llamear.
¡Y el cuidador de tumbas, cómo aroma, me cuenta,
las plantas del que huella sus huesos, al pasar!

EL NIÑO SOLO

Como escuchase un llanto, me paré en el repecho
y me acerqué a la puerta del rancho del camino.
Un niño de ojos dulces me miró desde el lecho
¡y una ternura inmensa me embriagó como un vino!

La madre se tardó, curvada en el barbecho;   5
el niño, al despertar, buscó el pezón de rosa
y rompió en llanto ... Yo lo estreché contra el pecho,
y una canción de cuna me subió, temblorosa ...

Por la ventana abierta la luna nos miraba.
El niño ya dormía, y la canción bañaba,   10
como otro resplandor, mi pecho enriquecido ...

Y cuando la mujer, trémula, abrió la puerta,
me vería en el rostro tanta ventura cierta
¡que me dejó el infante en los brazos dormido!

2. La ... Profundos: *Death*

MECIENDO

El mar sus millares de olas
mece divino.
Oyendo a los mares amantes
mezo a mi niño.

El viento errabundo en la noche 5
mece los trigos.

Oyendo a los vientos amantes
mezo a mi niño.

Dios Padre sus miles de mundos
mece sin ruido.   10
Sintiendo su mano en la sombra
mezo a mi niño

YO NO TENGO SOLEDAD

Es la noche desamparo
de las sierras hasta el mar.
Pero yo, la que te mece,
¡yo no tengo soledad!

Es el cielo desamparo,   5
pues la luna cae al mar.

Pero yo, la que te estrecha,
¡yo no tengo soledad!

Es el mundo desamparo.
Toda carne triste va.   10
Pero yo, la que te oprime,
¡yo no tengo soledad!

PIECECITOS

Piececitos de niño,
azulosos de frío,
¡cómo os ven y no os cubren!
    ¡Dios mío!

¡Piececitos heridos   5
por los guijarros todos,
ultrajados de nieves
    y lodos!

El hombre ciego ignora
que por donde pasáis,   10
una flor de luz viva
    dejáis;

que allí donde ponéis
la plantita sangrante,
el nardo nace más   15
    fragante.

Sed, puesto que marcháis
por los caminos rectos,
heroicos como sois
    perfectos.   20

Piececitos de niño,
dos joyitas sufrientes,
¡cómo pasan sin veros
    las gentes!

SUAVIDADES

Cuando yo te estoy cantando,
en la tierra acaba el mal;
todo es dulce cual tus sienes:
la barranca, el espinar.

Cuando yo te estoy cantando,   5
se me borra la crueldad:
¡suaves son, como tus párpados,
el león con el chacal!

RUTH [3]

1

Ruth moabita a espigar va a las eras,
aunque no tiene ni un campo mezquino.
Piensa que es Dios dueño de las praderas
y que ella espiga en un predio divino.

El sol caldeo su espalda acuchilla,   5
baña terrible su dorso inclinado;
arde de fiebre su leve mejilla,
y la fatiga le rinde el costado.

Booz se ha sentado en la parva abundosa.
El trigal es una onda infinita,   10
desde la sierra hasta donde él reposa,

que la abundancia ha cegado el camino . . .
Y en la onda de oro la Ruth moabita
viene, espigando, a encontrar su destino.

2

Booz miró a Ruth, y a los recolectores
dijo: "Dejad que recoja confiada . . ."
Y sonrieron los espigadores,
viendo del viejo la absorta mirada . . .

Eran sus barbas dos sendas de flores,   5
su ojo dulzura, reposo el semblante;
su voz pasaba de alcor en alcores,
pero podía dormir a un infante . . .

Ruth lo miró de la planta a la frente,
y fué sus ojos saciados bajando,   10
como el que bebe en inmensa corriente . . .

Al regresar a la aldea, los mozos
que ella encontró la miraron temblando.
Pero en su sueño Booz fué su esposo . . .

3. See *The Book of Ruth* in the Old Testament. Ruth was a Moabitess, the wife of Mahlon, son of Elimelech and Naomi who were residing in the land of Moab because of a famine in Judah. Elimelech and his two sons died and Naomi decided to return to Judah. She urged her daughters-in-law to remain in their own land of Moab and marry again. Ruth refused and came with Naomi to Bethlehem at the beginning of the barley harvest. Here Ruth met Boaz while gleaning in a corner of his field. Boaz was a kinsman of Elimelech and a wealthy man. Through her subsequent marriage-at-law with Boaz, Ruth became the great-grandmother of David.

3

Y aquella noche el patriarca en la era
viendo los astros que laten de anhelo,
recordó aquello que a Abraham prometiera
Jehová: más hijos que estrellas dió al cielo.[4]

Y suspiró por su lecho baldío,   5
rezó llorando, e hizo sitio en la almohada
para la que, como baja el rocío,
hacia él vendría en la noche callada.

Ruth vió en los astros los ojos con llanto
de Booz llamándola, y estremecida,   10
dejó su lecho, y se fué por el campo . . .

Dormía el justo, hecho paz y belleza.
Ruth, más callada que espiga vencida,
puso en el pecho de Booz su cabeza.

LOS SONETOS DE LA MUERTE

1

Del nicho helado en que los hombres te pusieron,
te bajaré a la tierra humilde y soleada.
Que he de dormirme en ella los hombres no supieron,
y que hemos de soñar sobre la misma almohada.

Te acostaré en la tierra soleada, con una   5
dulcedumbre de madre para el hijo dormido,
y la tierra ha de hacerse suavidades de cuna
al recibir tu cuerpo de niño dolorido.

Luego iré espolvoreando tierra y polvo de rosas,
y en la azulada y leve polvareda de luna,   10
los despojos livianos irán quedando presos.

Me alejaré cantando mis venganzas hermosas,
¡porque a ese hondor recóndito la mano de ninguna
bajará a disputarme tu puñado de huesos!

4. See *Genesis*, XV, 5: "Then he took him
outside, and said, 'Now look at the sky, and
count the stars if you can. So shall be your
descendants,' he said to him."

2

Este largo cansancio se hará mayor un día,
y el alma dirá al cuerpo que no quiere seguir
arrastrando su masa por la rosada vía,
por donde van los hombres, contentos de vivir.

Sentirás que a tu lado cavan briosamente,   5
que otra dormida llega a la quieta ciudad.
Esperaré que me hayan cubierto totalmente ...
¡y después hablaremos por una eternidad!

Sólo entonces sabrás el porqué, no madura
para las hondas huesas tu carne todavía,   10
tuviste que bajar, sin fatiga, a dormir.

Se hará luz en la zona de los sinos, oscura;
sabrás que en nuestra alianza signo de astros había
y, roto el pacto enorme, tenías que morir ...

3

Malas manos tomaron tu vida, desde el día
en que, a una señal de astros, dejara su plantel
nevado de azucenas. En gozo florecía.
Malas manos entraron trágicamente en él ...

Y yo dije al Señor: "Por las sendas mortales   5
le llevan. ¡Sombra amada que no saben guiar!
Arráncalo, Señor, a esas manos fatales
o le hundes en el largo sueño que sabes dar!

"¡No le puedo gritar, no le puedo seguir!
Su barca empuja un negro viento de tempestad.   10
Retórnalo a mis brazos o le siegas en flor."

Se detuvo la barca rosa de su vivir ...
¿Que no sé del amor, que no tuve piedad?
¡Tú, que vas a juzgarme, lo comprendes, Señor!

EL RUEGO

Señor, tú sabes cómo, con encendido brío,
por los seres extraños mi palabra te invoca.

Vengo ahora a pedirte por uno que era mío,
mi vaso de frescura, el panal de mi boca,

cal de mis huesos, dulce razón de la jornada,
gorjeo de mi oído, ceñidor de mi veste.
Me cuido hasta de aquellos en que no puse nada.
¡No tengas ojo torvo si te pido por éste!

Te digo que era bueno, te digo que tenía
el corazón entero a flor de pecho, que era
suave de índole, franco como la luz del día,
henchido de milagro como la primavera.

Me replicas, severo, que es de plegaria indigno
el que no untó de preces sus dos labios febriles,
y se fué aquella tarde sin esperar tu signo,
trizándose las sienes como vasos sutiles.

Pero yo, mi Señor, te arguyo que he tocado,
de la misma manera que el nardo de su frente,
todo su corazón dulce y atormentado
¡y tenía la seda del capullo naciente!

¿Que fué cruel? Olvidas, Señor, que le quería,
y que él sabía suya la entraña que llagaba.
¿Que enturbió para siempre mis linfas de alegría?
¡No importa! Tú comprendes: ¡yo le amaba, le amaba!

Y amar (bien sabes de eso) es amargo ejercicio;
un mantener los párpados de lágrimas mojados,
un refrescar de besos las trenzas del cilicio
conservando, bajo ellas, los ojos extasiados.

El hierro que taladra tiene un gustoso frío,
cuando abre, cual gavillas, las carnes amorosas.
Y la cruz (Tú te acuerdas ¡oh Rey de los judíos!)
se lleva con blandura, como un gajo de rosas.

Aquí me estoy, Señor, con la cara caída
sobre el polvo, parlándote un crepúsculo entero,
o todos los crepúsculos a que alcance la vida,
si tardas en decirme la palabra que espero.

Fatigaré tu oído de preces y sollozos,
lamiendo, lebrel tímido, los bordes de tu manto,
y ni pueden huirme tus ojos amorosos
ni esquivar tu pie el riego caliente de mi llanto.   40

¡Di el perdón, dilo al fin! Va a esparcir en el viento
la palabra el perfume de cien pomos de olores
al vaciarse; todo agua será deslumbramiento;
el yermo echará flor y el guijarro esplendores.

Se mojarán los ojos oscuros de las fieras,   45
y, comprendiendo, el monte que de piedra forjaste
llorará por los párpados blancos de sus neveras:
¡Toda la tierra tuya sabrá que perdonaste!

IN MEMORIAM

Amado Nervo, suave perfil, labio sonriente;
Amado Nervo, estrofa y corazón en paz:
mientras te escribo, tienes losa sobre la frente,
baja en la nieve tu mortaja inmensamente
y la tremenda albura cayó sobre tu faz.   5

Me escribías: "Soy triste como los solitarios,
pero he vestido de sosiego mi temblor,
mi atroz angustia de la mortaja y el osario
y el ansia viva de Jesucristo, mi Señor!"

¡Pensar que no hay colmena que entregue tu dulzura;   10
que entre las lenguas de odio eras lengua de paz;
que se va el canto mecedor de la amargura,
que habrá tribulación y no responderás!

De donde tú cantabas se me levantó el día.
Cien noches con tu verso yo me he dormido en paz.   15
Aún era heroica y fuerte, porque aún te tenía;
sobre la confusión tu resplandor caía.
Y ahora tú callas, y tienes polvo, y no eres más.

No te vi nunca. No te veré. Mi Dios lo ha hecho.
¿Quién te juntó las manos? ¿Quién dió, rota la voz,   20
la oración de los muertos al borde de tu lecho?
¿Quién te alcanzó en los ojos el estupor de Dios?

Aún me quedan jornadas bajo los soles. ¿Cuándo
verte, dónde encontrarte y darte mi aflicción,
sobre la Cruz del Sur [5] que me mira temblando,   25
o más allá, donde los vientos van callando,
y, por impuro, no alcanzará mi corazón?

Acuérdate de mí—lodo y ceniza triste—
cuando estés en tu reino de extasiado zafir.
A la sombra de Dios, grita lo que supiste: 30
que somos huérfanos, que vamos solos, que tú nos viste,
¡que toda carne con angustia pide morir!

TRES ÁRBOLES

Tres árboles caídos
quedaron en la orilla del sendero.
El leñador los olvidó, y conversan,
apretados de amor, como tres ciegos.

El sol de ocaso pone   5
su sangre viva en los hendidos leños
¡y se llevan los vientos la fragancia
de su costado abierto!

Uno, torcido, tiende
su brazo inmenso y de follaje trémulo   10
hacia otro, y sus heridas
como dos ojos son, llenos de ruego.

El leñador los olvidó. La noche
vendrá. Estaré con ellos.
Recibiré en mi corazón sus mansas   15
resinas. Me serán como de fuego.
¡Y mudos y ceñidos
nos halle el día en un montón de duelo!

5. la Cruz del Sur: four bright stars in the Southern Hemisphere, situated as if at the
extremities of a Latin cross

Alfonsina Storni

1892-1938

ALFONSINA STORNI won for herself an enviable and respected position in the male-dominated literary circles of her native city. Even in her earliest verse, in which she confesses to her unquenchable yearning for love, she reveals her concern for the tragic role her sex has been forced to play through all time. She reveals, too, her preoccupation with the spiritual ills of our modern social world, especially those of the apathetic masses whose heart and vision have been deadened by their cold materialistic environment; and she fears lest her soul, too, become "*cuadrada.*" She poses likewise her own personal problem as a woman. Although her whole being cries instinctively for sensual satisfaction, she struggles against the urge to surrender herself completely to man. She never wholly subdues this passion (*Soy, Tú que nunca serás*) but she does succeed in controlling it, as is apparent in *Ocre* (1925), in which she feels that her best expression has its beginning and wherein she appears older, wiser, calculating, more sadly aware than ever of the hapless position to which she and all her kind have been condemned by a society that has failed to understand the feminine soul. Realizing the hopelessness of her struggle to win a compromise between this feminine instinct of surrender and her own determined wish to free and direct her passions, she understands at last (*Dolor*) that the only way open for her is to stifle completely these sensual passions, to rid herself of all sentimentality, of all feeling and concern for others, to become insensible and indifferent to life and love.

By 1934 reason appears to have won. Her mind has triumphed over her heart. Her poetry now is intellectual and cold. Her preoccupation now is, outwardly at least, with form—modern technique and "*mieles románticas*" yield to new metaphors and to new forms. She realized that her recent manner was not popular and that it would be understood and appreciated only by the few; but it was characteristic of Alfonsina Storni to seek new paths, new solutions. When she finally despaired of finding some answer to her problem, when an incurable illness only made the struggle seem more hopeless (*El hombre*), she sought peace in *"el olvido perenne del mar"*—the same sea that appears and reappears in all her works, becoming almost an obsession in her closing years.

CUADRADOS Y ÁNGULOS

Casas enfiladas, casas enfiladas,
casas enfiladas.
Cuadrados, cuadrados, cuadrados.
Casas enfiladas.
Las gentes ya tienen el alma cuadrada,   5
ideas en fila
y ángulo en la espalda.
Yo misma he vertido ayer una lágrima,
Dios mío, cuadrada.

PESO ANCESTRAL

Tú me dijiste: no lloró mi padre;
tú me dijiste: no lloró mi abuelo;
no han llorado los hombres de mi raza,
eran de acero.

Así diciendo te brotó una lágrima   5
y me cayó en la boca . . . ; más veneno
yo no he bebido nunca en otro vaso
así pequeño.

Débil mujer, pobre mujer que entiende,
dolor de siglos conocí al beberlo.   10
Oh, el alma mía soportar no puede
todo su peso.

BIEN PUDIERA SER . . .

Pudiera ser que todo lo que aquí he recogido
no fuera más que aquello que nunca pudo ser,
no fuera más que algo vedado y reprimido
de familia en familia, de mujer en mujer.

Dicen que en los solares de mi gente, medido   5
estaba todo aquello que se debía hacer . . .

Dicen que silenciosas las mujeres han sido
de mi casa materna... Ah, bien pudiera ser...

A veces, en mi madre apuntaron antojos
de liberarse, pero se le subió a los ojos   10
una honda amargura, y en la sombra lloró.

Y todo eso mordiente, vencido, mutilado,
todo eso que se hallaba en su alma encerrado,
pienso que sin quererlo lo he libertado yo.

✳ VEINTE SIGLOS

Para decirte, amor, que te deseo,
sin los rubores falsos del instinto,
estuve atada como Prometeo,[1]
pero una tarde me salí del cinto.

Son veinte siglos que movió mi mano   5
para poder decirte sin rubores:
"Que la luz edifique mis amores."
¡Son veinte siglos los que alzó mi mano!

Pasan las flechas sobre mis cabellos,
pasan las flechas, aguzados dardos...   10
Son veinte siglos de terribles fardos!
Sentí su peso al libertarme de ellos.

Y no creas que tenga el brazo fuerte,
mi brazo tiembla debilucho y magro,
pero he llegado entera hasta el milagro: 15
estoy acompañada por la muerte.

MODERNA

Yo danzaré en alfombra de verdura,
ten pronto el vino en el cristal sonoro,
nos beberemos el licor de oro
celebrando la noche y su frescura.

Yo danzaré como la tierra pura,   5
como la tierra yo seré un tesoro,

[1] Prometeo: When Prometheus brought fire to the earth and taught man to use it, Zeus punished him by chaining him to a Caucasian mountain where a vulture devoured his liver. There he remained chained until Hercules set him free.

y en darme pura no hallaré desdoro,
que darse es una forma de la Altura.

Yo danzaré para que todo olvides,
yo habré de darte la embriaguez que pides
hasta que Venus pase por los cielos.

Mas algo acaso te será escondido,
que pagana de un siglo empobrecido
no dejaré caer todos los velos.

HOMBRE PEQUEÑITO...

Hombre pequeñito, hombre pequeñito,
suelta a tu canario que quiere volar...
yo soy el canario, hombre pequeñito,
déjame saltar.

Estuve en tu jaula, hombre pequeñito,
hombre pequeñito que jaula me das.
Digo pequeñito porque no me entiendes,
ni me entenderás.

Tampoco te entiendo, pero mientras tanto
ábreme la jaula, que quiero escapar;
hombre pequeñito, te amé media hora,
no me pidas más.

LA QUE COMPRENDE...

Con la cabeza negra caída hacia adelante
está la mujer bella, la de mediana edad,
postrada de rodillas, y un Cristo agonizante
desde su duro leño la mira con piedad.

En los ojos la carga de una enorme tristeza,
en el seno la carga del hijo por nacer,
al pie del blanco Cristo que está sangrando reza:
—¡Señor: el hijo mío que no nazca mujer!

EL RUEGO

Señor, Señor, hace ya tiempo, un día
soñé un amor como jamás pudiera
soñarlo nadie, algún amor que fuera
la vida toda, toda la poesía.

Y pasaba el invierno y no venía,
y pasaba también la primavera,
y el verano de nuevo persistía,
y el otoño me hallaba con mi espera.

Señor, Señor: mi espalda está desnuda.
¡Haz restallar allí con mano ruda,
el látigo que sangra a los perversos!

Que está la tarde ya sobre mi vida,
y esta pasión ardiente y desmedida
la he perdido, Señor, ¡haciendo versos!

SOY

Soy suave y triste si idolatro, puedo
bajar el cielo hasta mi mano cuando
el alma de otro al alma mía enredo.
Plumón alguno no hallarás más blando.

Ninguna como yo las manos besa,
ni se acurruca tanto en un ensueño,
ni cupo en otro cuerpo, así pequeño,
un alma humana de mayor terneza.

Muero sobre los ojos, si los siento
como pájaros vivos, un momento,
aletear bajo mis dedos blancos.

Sé la frase que encanta y que comprende,
y sé callar cuando la luna asciende
enorme y roja sobre los barrancos.

EL ENGAÑO

Soy tuya, Dios lo sabe por qué, ya que comprendo
que habrás de abandonarme, fríamente, mañana,
y que, bajo el encanto de mis ojos, te gana
otro encanto el deseo, pero no me defiendo.

Espero que esto un día cualquiera se concluya,
pues intuyo, al instante, lo que piensas o quieres.
Con voz indiferente te hablo de otras mujeres
y hasta ensayo el elogio de alguna que fué tuya.

Pero tú sabes menos que yo, y algo orgulloso
de que te pertenezca, en tu juego engañoso   10
persistes, con un aire de actor del papel dueño.

Yo te miro callada con mi dulce sonrisa,
y cuando te entusiasmas, pienso: no te des prisa,
no eres tú el que me engaña; quien me engaña es mi sueño.

TÚ QUE NUNCA SERÁS...

Sábado fué y capricho el beso dado,
capricho de varón, audaz y fino,
mas fué dulce el capricho masculino
a este mi corazón, lobezno alado.

No es que crea, no creo; si inclinado   5
sobre mis manos te sentí divino
y me embriagué, comprendo que este vino
no es para mí, mas juego y rueda el dado...

Yo soy ya la mujer que vive alerta,
tú el tremendo varón que se despierta   10
y es un torrente que se ensancha en río

y más se encrespa mientras corre y poda.
Ah, me resisto, mas me tienes toda,
tú, que nunca serás del todo mío.

UNA VOZ

Voz escuchada a mis espaldas,
en algún viaje a las afueras,
mientras caía de mis faldas
el diario abierto, ¿de quién eras?

Sonabas cálida y segura   5
como de alguno que domina
del hombre oscuro el alma oscura,
la clara carne femenina.

No me di vuelta a ver el hombre
en el deseo que me fuera   10
su rostro anónimo, y pudiera
su voz ser música sin nombre.

¡Oh simpatía de la vida!
¡Oh comunión que me ha valido,
por el encanto de un sonido   15
ser, sin quererlo, poseída!

✳ DOLOR

no esta satisfecha con la vida

Quisiera esta tarde divina de octubre
pasear por la orilla lejana del mar;

que la arena de oro y las aguas verdes
y los cielos puros me vieran pasar ...

Ser alta, soberbia, perfecta, quisiera,   5
como una romana, para concordar

con las grandes olas, y las rocas muertas
y las anchas playas que ciñen el mar.

Con el paso lento y los ojos fríos
y la boca muda dejarme llevar;   10

ver cómo se rompen las olas azules
contra los granitos y no parpadear;

ver cómo las aves rapaces se comen
los peces pequeños y no suspirar;

pensar que pudieran las frágiles barcas   15
hundirse en las aguas y no despertar;

ver que se adelanta, la garganta libre,
el hombre más bello; no desear amar ...

Perder la mirada, distraídamente,
perderla y que nunca la vuelva a encontrar;   20

y, figura erguida entre cielo y playa,
sentirme el olvido perenne del mar.

EPITAFIO PARA MI TUMBA

Aquí descanso yo: dice "Alfonsina"
el epitafio claro al que se inclina.

Aquí descanso yo, y en este pozo,
pues que no siento, me solazo y gozo.

Los turbios ojos muertos ya no giran,   5
los labios, desgranados, no suspiran.

Duermo mi sueño eterno a pierna suelta;
me llaman y no quiero darme vuelta.

Tengo la tierra encima y no la siento,
llega el invierno y no me enfría el viento.   10

El verano mis sueños no madura,
la primavera el pulso no me apura.

El corazón no tiembla, salta o late,
fuera estoy de la línea de combate.

¿Qué dice el ave aquella, caminante?   15
Tradúceme su canto perturbante:

"Nace la luna nueva, el mar perfuma,
los cuerpos bellos báñanse de espuma.

Va junto al mar un hombre que en la boca
lleva una abeja libadora y loca;   20

bajo la blanca tela el torso quiere
el otro torso que palpita y muere.

Los marineros sueñan en las proas,
cantan muchachas desde las canoas.

Zarpan los buques y en sus claras cuevas.   25
los hombres parten hacia tierras nuevas.

La mujer que en el suelo está dormida
y en su epitafio ríe de la vida,

como es mujer grabó en su sepultura
una mentira aún: la de su hartura."   30

EL HOMBRE

No sabe cómo: un día se aparece en el orbe,
hecho ser; nace ciego; en la sombra revuelve
los acerados ojos. Una mano lo envuelve.
Llora. Lo engaña un pecho. Prende los labios. Sorbe.

Más tarde su pupila la tiniebla deslíe   5
y alcanza a ver dos ojos, una boca, una frente.
Mira jugar los músculos de la cara a su frente,
y aunque quien es no sabe, copia, imita y sonríe.

Da una larga corrida sobre la tierra luego.
Instinto, sueño y alma trenza en lazos de fuego,   10
los suelta a sus espaldas, a los vientos. Y canta.

Kilómetros en alto la mirada le crece
y ve el astro; se turba, se exalta, lo apetece:
una mano le corta la mano que levanta.

FARO EN LA NOCHE

Esfera negra el cielo
y disco negro el mar.

Abre en la costa el faro
su abanico solar.

¿A quién busca en la noche   5
que gira sin cesar?

Si en el pecho me busca
el corazón mortal,

mire la roca negra
donde clavado está.   10

Un cuervo pica siempre,
pero no sangra ya.

Juana de Ibarbourou

Uruguay

1895-

THE JOYS of pagan living, nature in her more intimate and sensuous forms (water, plant life, odors of the soil), and a desire to be loved in the ardor of a youth free of all preconceived notions of Christian sin or immorality, these are the themes of Ibarbourou's first and best volume, *Las lenguas del diamante,* published in 1918. For Juana, life is wholesome and sensual and beautiful, tangible and real, and love is the instinctive expression of happiness. Human life is but another manifestation of nature: mortal clay will return to Mother Earth to reappear in some beautiful form of floral life. This theme of the transmigration of the body recurs again and again; it is Juana's one crying hope, for out of her passionate yearning for life springs a realization that this material existence is only of momentary duration. She understands that death is inevitable, but she refuses to accept it as final. Hence her fear of shadows and of the mysterious, her avoidance of the abstract; hence her worship of light, as symbolized in her image of the flame; hence her request that she be buried *"a flor de tierra"* so that in her new state she may quickly rise again to watch her lover. This dread of the passing of love and of all earthly existence is voiced in her earliest poems; it becomes more marked as the years speed on; in *La rosa de los vientos* (1930) it develops into a bitterness and sadness, expressed in somber and complex abstractions, that seem to tell us that the youthful, buoyant *"salvaje"* is no more. It is the poetry of the pagan Juana—she who wandered exultantly in the rain— that will endure. In those paeans to life and love we find no ideological confusion, no moral sadness; in them there is nothing of the inner anguish of her compatriot Delmira Agustini or of the Christian faith of Gabriela Mistral. They are unlike the poems of any other artist of her time; spontaneous, unaffected, they are the wholesome fruits of her vitality and joy.

✷LA HORA

Tómame ahora que aún es temprano
y que llevo dalias nuevas en la mano.

Tómame ahora que aún es sombría
esta taciturna cabellera mía.

Ahora que tengo la carne olorosa, 5
y los ojos limpios y la piel de rosa.

Ahora que calza mi planta ligera
la sandalia viva de la primavera.

Ahora que en mis labios repica la risa
como una campana sacudida aprisa. 10

Después..., ¡ah, yo sé
que nada de eso más tarde tendré!

Que entonces inútil será tu deseo,
como ofrenda puesta sobre un mausoleo.

¡Tómame ahora que aún es temprano 15
y que tengo rica de nardos la mano!

Hoy, y no más tarde. Antes que anochezca
y se vuelva mustia la corola fresca.

Hoy, y no mañana. Oh, amante, ¿no ves
que la enredadera crecerá ciprés? 20

EL FUERTE LAZO

Crecí
para ti.
Tálame. Mi acacia
implora a tus manos el golpe de gracia.

Florí 5
para ti.
Córtame. Mi lirio
al nacer dudaba ser flor o ser cirio.

Fluí
para ti.   10
Bébeme. El cristal
envidia lo claro de mi manantial.

Alas di
por ti.
Cázame. Falena,   15
rodeo tu llama de impaciencia llena.

Por ti sufriré.
¡Bendito sea el daño que tu amor me dé!
¡Bendita sea el hacha, bendita la red,
y loadas sean tijeras y sed!   20

Sangre del costado
manaré, mi amado.
¿Qué broche más bello, qué joya más grata,
que por ti una llaga color escarlata?
En vez de abalorios para mis cabellos,   25
siete espinas largas hundiré entre ellos.
Y en vez de zarcillos pondré en mis orejas,
como dos rubíes dos ascuas bermejas.

Me verás reír
viéndome sufrir.   30

Y tú llorarás,
y entonces ... ¡más mío que nunca serás!

LA CITA

Me he ceñido toda con un manto negro.
Estoy toda pálida, la mirada extática.
Y en los ojos tengo partida una estrella.
¡Dos triángulos rojos en mi faz hierática!

Ya ves que no luzco siquiera una joya,   5
ni un lazo rosado ni un ramo de dalias.
Y hasta me he quitado las hebillas ricas
de las correhuelas de mis dos sandalias.

Mas soy esta noche, sin oros ni sedas,
esbelta y morena como un lirio vivo.   10
Y estoy toda ungida de esencias de nardos.
Y soy toda suave bajo el manto esquivo.

Y en mi boca pálida florece ya el trémulo
clavel de mi beso que aguarda tu boca.
Y a mis manos largas se enrosca el deseo
como una invisible serpentina loca.

¡Descíñeme, amante! ¡Descíñeme, amante!
Bajo tu mirada surgiré como una
estatua vibrante sobre un plinto negro,
hasta el que se arrastra, como un can, la luna.

LA INQUIETUD FUGAZ

He mordido manzanas y he besado tus labios.
Me he abrazado a los pinos olorosos y negros.
Hundí, inquieta, mis manos en el agua que corre.
He huroneado en la selva milenaria de cedros
que cruza la pradera como una sierpe grave,
y he corrido por todos los pedrosos caminos
que ciñen como fajas la ventruda montaña.

¡Oh amado, no te irrites por mi inquietud sin tregua!
¡Oh amado, no me riñas porque cante y me ría!
Ha de llegar un día en que he de estarme quieta,
¡ay, por siempre, por siempre!,
con las manos cruzadas y apagados los ojos,
con los oídos sordos y con la boca muda,
y los pies andariegos en reposo perpetuo
sobre la tierra negra.
Y estará roto el vaso de cristal de mi risa
en la grieta obstinada de mis labios cerrados.

Entonces, aunque digas: —¡Anda!, ya no andaré.
Y aunque me digas: —¡Canta!, no volveré a cantar.
Me iré desmenuzando en quietud y en silencio
bajo la tierra negra,
mientras encima mío se oirá zumbar la vida
como una abeja ebria.

¡Oh, déjame que guste el dulzor del momento
fugitivo e inquieto!

¡Oh, deja que la rosa desnuda de mi boca
se te oprima a los labios!

Después será cenizas bajo la tierra negra.

VIDA-GARFIO

Amante, no me lleves, si muero, al camposanto.
A flor de tierra abre mi fosa, junto al riente
alboroto divino de alguna pajarera,
o junto a la encantada charla de alguna fuente.

A flor de tierra, amante. Casi sobre la tierra,   5
donde el sol me caliente los huesos, y mis ojos,
alargados en tallos, suban a ver de nuevo
la lámpara salvaje de los ocasos rojos.

A flor de tierra, amante. Que el tránsito así sea
más breve. Yo presiento   10
la lucha de mi carne por volver hacia arriba,
por sentir en sus átomos la frescura del viento.

Yo sé que acaso nunca allá abajo mis manos
podrán estarse quietas,
que siempre, como topos, arañarán la tierra   15
en medio de las sombras estrujadas y prietas.

Arrójame semillas. Yo quiero que se enraícen
en la greda amarilla de mis huesos menguados.
¡Por la parda escalera de las raíces vivas
yo subiré a mirarte en los lirios morados!   20

LA ESPERA

¡Oh, lino, madura que quiero tejer
sábanas del lecho donde dormirá
mi amante que pronto, pronto tornará!
(Con la primavera tiene que volver.)

¡Oh, rosa, tu prieto capullo despliega!   5
Has de ser el pomo que arome su estancia.
Concentra colores, recoge fragancia,
dilata tus poros que mi amante llega.

Trabaré con grillos de oro sus piernas.
Cadenas livianas del más limpio acero,   10
encargué con prisa, con prisa al herrero
amor, que las hace brillantes y eternas.

Y sembré amapolas en toda la huerta.
¡Qué nunca recuerde caminos ni sendas!
Fatiga: en sus nervios aprieta tus vendas.   15
Molicie: sé el perro que guarde la puerta.

REBELDE

Caronte: [1] yo seré un escándalo en tu barca.
Mientras las otras sombras recen, giman, o lloren,
y bajo tus miradas de siniestro patriarca
las tímidas y tristes, en bajo acento, oren,

yo iré como una alondra cantando por el río   5
y llevaré a tu barca mi perfume salvaje,
e irradiaré en las ondas del arroyo sombrío
como una azul linterna que alumbrará en el viaje.

Por más que tú no quieras, por más guiños siniestros
que me hagan tus dos ojos, en el terror maestros,   10
Caronte, yo en tu barca seré como un escándalo.

Y extenuada de sombra, de valor y de frío,
cuando quieras dejarme a la orilla del río
me bajarán tus brazos cual conquista de vándalo.

ESTÍO

Cantar del agua del río.
Cantar continuo y sonoro,
arriba bosque sombrío
y abajo arenas de oro.

Cantar...
de alondra escondida
entre el oscuro pinar.

Cantar...
del viento en las ramas
floridas del retamar.   10

Cantar...
de abejas ante el repleto
tesoro del colmenar.

Cantar...
de la joven tahonera   15
que al río viene a lavar.

Y cantar, cantar, cantar
de mi alma embriagada y loca
bajo la lumbre solar.

SALVAJE

Bebo del agua limpia y clara del arroyo
y vago por los campos teniendo por apoyo

1. Caronte: Charon of Greek mythology, the son of Erebus, whose duty it was to ferry the souls of the dead over the Styx. He received as a fare an obol, an ancient Greek coin, which had been placed in the mouth of the dead.

un gajo de algarrobo liso, fuerte y pulido,
que en sus ramas sostuvo la dulzura de un nido.

Así paso los días, morena y descuidada,   5
sobre la suave alfombra de la grama aromada,
comiendo de la carne jugosa de las fresas
o en busca de fragantes racimos de frambuesas.

Mi cuerpo está impregnado del aroma ardoroso
de los pastos maduros. Mi cabello sombroso   10
esparce, al destrenzarlo, olor a sol y a heno,
a salvia, a hierbabuena y a flores de centeno.

¡Soy libre, sana, alegre, juvenil y morena
cual si fuera la diosa del trigo y de la avena!
        ¡Soy casta como Diana   15
y huelo a hierba clara nacida en la mañana!

LA PEQUEÑA LLAMA

Yo siento por la luz un amor de salvaje.
Cada pequeña llama me encanta y sobrecoge.
¿No será cada lumbre un cáliz que recoge
el calor de las almas que pasan en su viaje?

Hay unas pequeñitas, azules, temblorosas,   5
lo mismo que las almas taciturnas y buenas.
Hay otras casi blancas: fulgores de azucenas.
Hay otras casi rojas: espíritus de rosas.

Yo respecto y adoro la luz como si fuera
una cosa que vive, que siente, que medita,   10
un ser que nos contempla transformado en hoguera.

Así, cuando yo muera he de ser a tu lado,
una pequeña llama de dulzura infinita
para tus largas noches de amante desolado.

CENIZAS

Se ha apagado el fuego. Queda sólo un blando
        montón de cenizas,
donde estuvo ondulando la llama.
Ahí tienes, amigo, hecho porción quieta
        de polvo liviano,   5
a aquel pino inmenso que nos dió su sombra
fresca y movediza, durante el verano.

Tan alto, tan alto, que pasaba el techo
    de la casa mía.
Si hubiera podido guardarlo en dobleces,   10
ni en el arca grande del desván, cabría.

Y del pino inmenso ya ves lo que queda.
Yo, que soy tan pequeña y delgada,
¡qué montón tan chiquito de polvo
    seré cuando muera!   15

DÍAS SIN FÉ

El navío de la esperanza
ha olvidado los caminos claros de mi puerto.
El agua cóncava de la espera sólo refleja
la blancura caliza de un paisaje sin ecos.

Sobre los cielos lisos   5
no pasan nubes en simulacros de ríos y de parques;
y el buho pesado del tiempo
se ha detenido en la proa inmóvil de mi nave.

No tengo fuerzas para arrancar el ancla
y salir al encuentro del barco perdido.   10
Una mano ha echado raíz sobre la otra mano.
Los ojos se me cansan por los horizontes vacíos;
siento el peso de cada hora
como un racimo de piedra sobre el hombro.

¡Ah! quisiera ya librarme de esta cosecha   15
y volver a tener los días ágiles y rojos.

ATLÁNTICO

Océano que te abres lo mismo que una mano
a todos los viajeros y a todos los marinos:
tan sólo para mí eres puño cerrado;
para mí solamente tú no tienes caminos.

Jamás balanceará tu lomo milenario   5
la nave que me lleve desde esta tierra mía
ondulada y menuda, a las tierras que sueña
mi juventud inmóvil y mi melancolía.

¡Ah! océano Atlántico multicolor y ancho
cual un cielo caído entre el hueco de un mar: 10

te miro como un fruto que no he de morder nunca,
o como un campo rico que nunca he de espigar.

¡Ah! océano Atlántico, fiel leopardo que lames
mis dos pies que encadenan el amor y la vida:
haz que un día se sacien sobre tu flanco elástico,   15
esta ansiedad constante y este afán de partida.

DESPECHO

¡Ah, que estoy cansada! Me he reído tanto,
tanto, que a mis ojos ha asomado el llanto;
tanto, que este rictus [2] que contrae mi boca
es un rastro extraño de mi risa loca.

Tanto, que esta intensa palidez que tengo   5
(como en los retratos de viejo abolengo),
es por la fatiga de la loca risa
que en todos mis nervios su sopor desliza.

¡Ah, que estoy cansada! Déjame que duerma,
pues, como la angustia, la alegría enferma.   10
¡Qué rara ocurrencia decir que estoy triste!
¿Cuándo más alegre que ahora, me viste?

¡Mentira! No tengo ni dudas, ni celos,
ni inquietud, ni angustias, ni penas, ni anhelos.
Si brilla en mis ojos la humedad del llanto,   15
es por el esfuerzo de reírme tanto...

2. rictus: *twitch*

Enrique Banchs

1888-

THE TRANSITION from modernism to postmodernism is nowhere more apparent than in the unpretentious lyrics of Enrique Banchs, one of the first of the contemporary Spanish American poets to seek inspiration in the traditional founts of Hispanic verse. Banchs has well caught the spirit and technique of the popular songs and ballads (*Elogio de una lluvia, Romance de la bella, Romance de cautivo*) of the Spanish *romancero*. At times, however, one feels that the poet is definitely striving after effects and that he has been more directly influenced by similar tendencies of the modernist cult. This is not altogether true, for Banchs is ever genuinely sincere and ingenuous in his imitation of folk poetry. If his poems do remind one on occasion of the fanciful simplicity of the modernists, it is because he has not yet—especially in his earlier volumes—entirely freed himself from too assiduous an imitation of his models. Particularly marked is the repetitive quality of his verse that at times would seem to betray poverty of thought or a definite tendency toward verbal padding, even though such repetition is highly effective in such a poem as *Balbuceo* wherein the poet has successfully and appropriately imitated the broken utterances of the desolate lover. It is when Banchs applies this simple refreshing technique to humble daily subjects (*Carretero*) and to intimate emotional experiences, as in *La urna*

> Pues mi motivo eterno soy yo mismo;
> y ciego y hosco, escucha mi egoísmo
> la sola voz de un pecho gemebundo.

—symbolically portrayed with classic reserve (*Tornasolando el flanco*) —that he attains his best and most original expression. *La urna*, a collection of one hundred sonnets, attests to the poet's recognition of a need to subject himself to the discipline of the classic mold in order to achieve, with proper emotional restraint, the harmonious balance of substance and of form.

ELOGIO DE UNA LLUVIA [1]

Tres doncellas eran, tres
doncellas de bel mirar,
las tres en labor de aguja
en la cámara real.

La menor de todas tres   5
Delgadina era nombrada.
La del mirar de gacela
Delgadina se llamaba.

¡Ay! diga por qué está triste;
¡ay!, diga por qué suspira.   10
Y el rey entraba en gran saña
y lloraba Delgadina.

—Señor, sobre el oro fino
estoy tejiendo este mote:
"Doña Venus, doña Venus,   15
me tiene preso en sus torres."

En más saña el rey entraba,
más lloraba la infantina.
—En la torre de las hiedras
encierren la mala hija.   20

En la torre de las hiedras
tienen a la niña blanca.

¡Ay!, llegaba una paloma
y el arquero la mataba.

—Arquero, arquero del rey,   25
que vales más que un castillo,
dame una poca de agua
que tengo el cuerpo rendido.

—Doncella, si agua te diera,
si agua te diera, infantina,   30
la cabeza del arquero
la darán a la jauría.

—Hermanitas, madre mía,
que estáis junto al lago, dadme
agua . . . ; pero no la oyeron   35
las hermanas ni la madre.

Y entonces vino una lluvia,
vino una lluvia del cielo,
lluvia que se parte en ruido
de copla de romancero.   40

La niña que está en la torre
tendía la mano al cielo . . .
De agua se llenó su mano
y la aljaba del arquero.

ROMANCE DE LA BELLA

¡Oh, bella malmaridada!,
la que está torciendo lino,
la que en este mediodía
tuerce lino junto al río;

bella del tobillo blanco   5
como caracol de lirio:

cuando torne de la villa
te daré un puñal bellido.

Con el puñal que te diera,
con el puñal que te digo,   10
en esta noche de enero
matarás a tu marido.

1. This ballad was inspired by the traditional Spanish *romance Delgadina,* one of the most popular of the Spanish *romancero.*

Several variants have been found in Argentina and Chile. Cf. Menéndez Pidal, *Los romances de América* (Buenos Aires, Espasa-Calpe, 1939, pp. 45–46).

Le abrazarás con tus brazos,
le llamarás buen amigo,
y cuando cure que huelga   15
le hundirás el fierro fino.

¡Oh, bella malmaridada!,
bella del blanco tobillo:
sobre mi caballo moro,
sobre mi alazán morisco,   20

nos iremos desta tierra
donde medra el malnacido ...
Yo te cantaré una copla
para alegrar el camino.

De tierras de dulce Francia   25
tomaremos el camino,
allá donde es la Narbona,[2]
ese pueblo bien guarnido.

Verás cuánta linda dama,
cuánto cortejo tan rico ...   30
Esta noche a media luna
te aguardo al pie del molino.

—Pase, pase el aviltado;[3]
pase, pase el fementido;
al borde de la ribera   35
déjeme torcer mi lino.

ROMANCE DE CAUTIVO

Mujer, la adorada
que está en el solar,
tus mejillas suaves
ya no veré más.

Hijos, los que quise,   5
mi mejor laurel:
mis hijos dormidos
nunca más veré.

Estrella de tarde
que encendida vi   10
sobre mi molino,
se apagó por fin.

Buenos compañeros
los que en el mesón
conmigo bebieron,   15
todo pereció.

Me cogieron moros
en el mar azul;
lloro en morería
la mi juventud.   20

—Me dirás, cristiano,
trovas de solaz;
me dirás, amigo,
por tu pro será.

—Trovas de mi tierra   25
yo te las diré,
princesa de moros
que me quieres bien.

"Hada, con tus brazos
quiérasme ceñir;   30
mis otros quereres
finarán allí."

—Te daré mis brazos,
mi cuerpo y su flor;
entra en el alcázar   35
de mi corazón.

(¡Ay, la tierra linda
donde está la cruz,
no he de ver ya nunca
tu horizonte azul!)   40

2. Narbona: city in the department of Aude in southern France about five miles from the Mediterranean

3. aviltado: *vile* (tempter)

CANCIONCILLA

El pino dice agorerías
en el silencio vesperal.
—Pino albar, ¿cuántos son mis días?;
la cuenta siempre fina mal ...

Pino que rezas en voz baja,   5
pino agorero, pino albar,
de pino albar será la caja
en que me han de amortajar.

Caja de pino con retoño,
para enterrar a un rimador.   10

¡Ah!, que lo entierren en otoño ...
Pongan también alguna flor.

El pino dice agorerías
junto al molino rumiador;
arriba están las Tres Marías [4]   15
como tres hojas de una flor.

El pino dice agorerías
sobre el silencio vesperal;
los pobres pasan como días
y el pino reza en su misal.   20

CANCIONCILLA

Porque de llorar
et de sospirar
ya non cesaré.
Luna [5]

No quería amarte,
ramo de azahar;
no debía amarte:
te tengo que amar.

Tan manso vivía ... ,   5
rosa de rosal,
tan quieto vivía:
me has herido mal.

¿No éramos amigos?
Vara de alelí,   10
si éramos amigos,
¿por qué herirme así?

Cuidé no te amara,
paloma torcaz.
¿Quién que no te amara?   15
Ya no puedo más.

Tanto sufrimiento,
zorzal de jardín,
duro sufrimiento
me ha doblado al fin.   20

Suspiros, sollozos,
pájaro del mar;
sollozos, suspiros,
me quieren matar.

BALBUCEO

Triste está la casa nuestra,
triste, desde que te has ido.
Todavía queda un poco
de tu calor en el nido.

Yo también estoy un poco   5
triste desde que te has ido;
pero sé que alguna tarde
llegarás de nuevo al nido.

4. las Tres Marías: Orion's belt (See page 356, note 471)

5. Don Alvaro de Luna (?–1453), lord high constable of the kingdoms of Leon and Castile, was one of the richest and most powerful men of his time. He, too, contributed his share of courtly verse for the pleasure of don Juan I, whose favorite he was, until his wealth and power turned the king against him.

¡Si supieras cuánto, cuánto
la casa y yo te queremos!
Algún día cuando vuelvas
verás cuánto te queremos.

Nunca podría decirte
todo lo que te queremos:
es como un montón de estrellas   15
todo lo que te queremos.

Si tú no volvieras nunca,
más vale que yo me muera ... ;   10
pero siento que no quieres,
no quieres que yo me muera.   20

Bien querida que te fuiste,
¿no es cierto que volverás?;
para que no estemos tristes,
¿no es cierto que volverás?

CARRETERO

Oloroso está el heno, carretero,
oloroso está el heno;
huele a trébol del valle, a vellón nuevo
y al patio viejo del mesón del pueblo.

Oloroso está el heno en la carreta,   5
el heno de la húmeda pradera
sembrada de corderas ...
¡Oh, pradera que está en la primavera!

—Oloroso está el heno, buen amigo,
que vas por el camino ...   10
Un camino, una tarde, un buen amigo ...
Oloroso está el heno con rocío.

—Lo cortamos cuando era luna nueva.
—¿Sonaba una vihuela?
—Sí, una vihuela de baladas llena   15
a la luz de la luna, luna nueva.

Tus manos siempre tocan el rocío,
y el heno y la tierruca del camino,
y por eso parecen dos racimos
de sembrado con sueño matutino.   20

Y tienen un gajito de pereza,
de esa pereza, de esa
pereza que dormita en la carreta
quejosa a la tornada de la era.

Quién sabe si es tristura   25
la que empaña la breve felpa oscura
del ojo de los bueyes, de la yunta
de mansedumbre grave y de dulzura.

Carreta y carretero
se humedecen en ese raso viejo 30
del ojo de los bueyes, y por eso
están tus manos tristes, carretero.

Tus manos grandes, óseas, morenicas,
como sarmientos de las viejas viñas,
sobre el heno oloroso están dormidas, 35
carretero que vas para la villa.

EL VOTO

¿Cuál conjunción de estrellas me ha tornado coplero? ...
Mi planta para el carro de Harmonía es muy breve,
y ante tu templo, ¡oh Musa!, yo soy como un romero
que al ara, toda lumbre y lino y plata y nieve,
lleno de miedos santos a llegar no se atreve ... 5

Lejano es ese día. Fuí a la carpintería,
y turbando el chirrido de las sierras, entonce
clamé al roble, al escoplo y a la cerrajería,
al cepillo que canta y a la tuerca de bronce,
a las ensambladuras y al hueco para el gonce. 10

Y dije: olor de pino, sabor de selva y río,
rizo de la viruta, nitidez del formón,
tornillo, gusanito tenaz lleno de brío,
glóbulo saltarín del nivel, precisión
de escuadra, de compás, de plomo en suspensión. 15

Bienvenida a este nuevo trabajador de robles,
porque él hará hemistiquios, ya sobre el pino esprús,
ya en el nogal, que es digno de cuajar gestos nobles,
o el sándalo oloroso o el ébano, que en luz
brilla por negro y brilla porque él hace la cruz. 20

Bienvenida a este nuevo trabajador del pino,
que moverá el martillo cual rima de canción,
al hacer la mortaja, la cuna o el divino
talle de los violines o el recio mascarón
que habla con los delfines desde la embarcación; 25

la puerta que se abre cuando un amigo llega;
la mesa en que partimos el pan con los hermanos,

y el ropero, el ropero familiar que doblega
los anchos anaqueles bajo rimeros vanos
de lienzos que de tanto blancor están lozanos ...   30

¿Cuál conjunción de estrellas me ha tornado coplero?

LA ESTATUA

1

¡Oh, mujer de los brazos extendidos
y los de mármol ojos tan serenos,
he arrimado mis sienes a tus senos
como una rama en flor sobre dos nidos!

¡Oh, el sentimiento grave que me llena   5
al no escuchar latir tu carne fría
y saber que la piedra te condena
a no tener latido en ningún día!

¡Oh, diamante arrancado a la cantera,
tu forma llena está de Primavera,   10
y no tienes olor, ni luz, ni trino!

Tú que nunca podrás cerrar la mano,
tienes, en gesto de cariño humano,
la única mano abierta en mi camino.

2

No te enciende el pudor rosas rosadas,
ni el suceder del Tiempo te da injuria,
ni levanta tus vestes consagradas
a la mano temblante de lujuria.

A tus pies se dan muerte las pasiones,   5
las euménides [6] doman sus cabellos
y se asustan malsines y felones
al gesto inmóvil de tus brazos bellos.

Luz del día no cierra tus pupilas,
viento no mueve el haz de tus guedejas,   10
ruido no queda preso en tus oídos.

---

6. las euménides: the Eumenides or Erin- desses of vengeance, usually represented as
yes, in Greek religion, the furies or god- three maidens with snakes in their hair

Pues eres, ¡oh, mujer de aras tranquilas!,
un venusto ideal de edades viejas
transmitido a los tiempos no venidos.

3

Mujer, que eres mujer porque eres bella
y porque me haces ir el pensamiento
por senda muda de recogimiento
al símbolo, a la estrofa y a la estrella,

nunca mujer serás: tu carne vana   5
jamás palpitará de amor herida,
nunca sonreirás una mañana
ni serás una tarde entristecida.

Y sin embargo soy de ti cegado,
y sin embargo soy de ti turbado,   10
y al propio tiempo bueno y serenado,

y quisiera partir mi pan contigo
y pasear de tu mano en huerto amigo
en busca de esa paz que no consigo.

4

Arrimadas mis sienes a tus senos
siento que me penetra alevemente
frío de nieve y humedad de cienos ...
¡Siempre materia y siempre indiferente!

Quién tuviera, ¡oh, mujer que no suspira!   5
esa inmovilidad ante la suerte,
esa serenidad para la ira,
en la vida, esa mano de la Muerte.

Mi espíritu jamás podrá animarte,
ni turbar un instante solamente   10
el gesto grande que te ha dado el arte.

¡Quién pudiera esperar la muerte tarda,
sereno cual la piedra indiferente,
callado como el Ángel de la Guarda! ...

COMO ES DE AMANTES NECESARIA USANZA

Como es de amantes necesaria usanza
huir la compañía y el ruido,

vagaba en sitio solo y escondido
como en floresta umbría un ciervo herido.

Y a fe, que aunque cansado de esperanza,
pedía al bosquecillo remembranza
y en cada cosa suya semejanza
con el ser que me olvida y que no olvido.

Cantar a alegres pájaros oía
y en el canto su voz no conocía;
miré al cielo de un suave azul y perla

y no encontré la triste y doble estrella
de sus ojos ... y entonces para verla
cerré los míos y me hallé con ella.

ENTRA LA AURORA EN EL JARDÍN ...

Entra la aurora en el jardín; despierta
los cálices rosados; pasa el viento
y aviva en el hogar la llama muerta,
cae una estrella y raya el firmamento;

canta el grillo en el quicio de una puerta
y el que pasa detiénese un momento,
suena un clamor en la mansión desierta
y le responde el eco soñoliento;

y si en el césped ha dormido un hombre
la huella de su cuerpo se adivina,
hasta un mármol que tenga escrito un nombre

llama al Recuerdo que sobre él se inclina ...
Sólo mi amor estéril y escondido
vive sin hacer señas ni hacer ruido.

TORNASOLANDO EL FLANCO ...

Tornasolando el flanco a su sinuoso
paso va el tigre suave como un verso
y la ferocidad pule cual terso
topacio al ojo seco y vigoroso.

Y despereza el músculo alevoso
de los ijares, lánguido y perverso
y se recuesta lento en el disperso
otoño de las hojas. El reposo ...

El reposo en la selva silenciosa.
La testa chata entre las garras finas
y el ojo fijo, impávido custodio.

Espía mientras bate con nerviosa
cola el haz de las férulas vecinas,
en reprimido acecho ... así es mi odio.

SÉ DE UNA FUENTE ...

Sé de una fuente mansa y silenciosa
que sobre antiguo mármol se derrama
lenta y constante. El agua que rebosa
jamás refleja un rostro ni una rama.

Vierta la noche azul la luna en ella,
o abra su golfo de oro la mañana
donde naufraga la postrer estrella,
la solitaria fuente siempre mana.

¡Generoso dolor que siempre llora,
fuente que el agua da calladamente
como el Tiempo su hora! ...

Conozco una pasión que nadie mira,
que nadie escucha y sin cesar suspira,
perdiéndose como agua de la fuente.

Rafael Alberto Arrieta

1889-

SERENITY and simplicity are the dominant notes of all of Arrieta's verse. The very title of his first volume, *Alma y momento*, clearly defines his esthetics. He attempts to capture, to reflect, and to interpret the intimate tenderness of each passing moment; he seeks to fathom—without indulging in profound philosophical fantasies—the mystery of that "sweet sadness" that permeates even our happiest hours. The more placid moods of nature arouse and accentuate within him mingled sentiments of gentle melancholy and subdued joy. But nowhere does he allow personal sorrow or bitterness to mar the even classic temper of his muse; nowhere do we find a note of violence in either thought or word. His versification, too, is pleasingly formal and restrained; he prefers the traditional meters and strives for simple musical effects. His poetry best represents the postmodernist reaction to the affectations of form and sentiment of the "cultists of the swan." Refreshing and restful are these transparent, delicate lyrics of Arrieta. Although in the best popular tradition of Hispanic verse, his classic restraint and unadorned philosophical expression are reminiscent, too, of the best English poetry, with which he was thoroughly familiar.

...IBA EL PEREGRINO

...Iba el peregrino,
tendidas las alas de su pensamiento:
dábale el camino su alma del momento
y él daba el momento de su alma al camino...

EN LA TARDE INVERNAL

Blanda canción serena
y humilde de la lluvia suavecita,—
con esa suavidad de una hermanita
que nos cerrara el cauce de una pena...

Monótona balada   5
en la tarde invernal de las consejas
y del recuerdo de las cosas viejas
y del placer de no pensar en nada...

El agua regurgita en los canales
y llama quedamente en los cristales   10
descifrando su tema gutural.

Lloran, intercadentes, las goteras...
Rompe el silencio, dime lo que quieras,
¡este silencio me hace tanto mal!

LA VOZ AUSENTE

¡Ah, mi lejano país!
Cielo azul, río de nácar,
tierra en que dejé mi esfuerzo
y, con el esfuerzo, mi alma!

(¡Feliz tú que la verás!)   5

¡Ah, los árboles amigos!
¡Sombra y música! ¡Alabada
sombra que supo envolverme!
¡Cancioncilla de las ramas!

(¡Feliz tú que la verás!)   10

¡Ah, mi hogar, nido deshecho
del que ya no queda nada!
Dícenme que sus cimientos
sirvieron para otra casa...

(¡Feliz tú que la verás!)   15

¡Ah, rinconcito del valle
donde mis padres descansan!
La cruz de palo, me dicen,
ya fué convertida en llamas...

(¡Feliz tú que la verás!)   20

¡Ah, mi amor, mi dulce amor,
la que mi regreso aguarda!
Dícenme que el sufrimiento
su cabeza blanqueó en canas...

Feliz tú que la verás,   25
romero, ¡y tú no la amas!
Feliz tú que la verás...
¡y no es a ti a quien aguarda!

LIED

Éramos tres hermanas. Dijo una:
"Vendrá el amor con la primera estrella..."
Vino la muerte y nos dejó sin ella.

Éramos dos hermanas. Me decía:
"Vendrá la muerte y quedarás tú sola..."   5
Pero el amor llevóla.

Yo clamaba, yo clamo: "¡Amor o muerte!
¡Amor o muerte quiero!"
Y todavía espero...

EL SUEÑO

Tres cabezas de oro y una
donde ha nevado la luna.

—Otro cuento más, abuela,
que mañana no hay escuela.

—Pues señor, éste era el caso . . .   5

(Las tres cabezas hermanas
cayeron como manzanas
maduras, en el regazo.)

LA MEDALLA

Grabar quiero esta hora nocturna en la medalla
flotante, que recorta la pantalla
sobre el papel inerte bajo la pluma activa.
Mi lámpara semeja cosa viva.
Un ramo de violetas sahuma el aire. Siento   5
fluir, casi sonoro, el pensamiento.
Fuera, la calle sola, nostálgica de luna,
no espera a nadie . . . Es dulce mi soledad como una
mujer que en la acuarela del muro mira y calla
mientras grabo la hora fugaz en mi medalla.   10

ÁLAMOS DE CÓRDOBA

¡Álamos de Córdoba!,
pastores de acequias,
sonoros y fúlgidos
al viento y al sol,
fieles atalayas   5

de nubes y estrellas,
columnas de plata
de los plenilunios,
¡acoged el nido
de mi corazón!   10

CANCIÓN INFANTIL

En la noche ciega, un monstruo
abre su ojo de colores.

—No es un ojo: es el fuego
de los pastores.

¡Protege, noche, esa llama!   5
¡No es pira de leñadores!
¡Es hogar de fantasmas
y soñadores!

(El viento, en la noche hueca,
agiganta los rumores.)   10

—Viento de las serranías,
pastor de imaginerías
y de fulgores:
¡cuéntame el cuento contado
junto a la lumbre   15
de los pastores!

LLUVIA

Fina lluvia teje
diáfanos tapices
minuciosamente.

No altera colores,
no mezcla ni esfuma   5
las formas inmóviles.

No canta, no gime;
silenciosamente
trabaja en su urdimbre.

Su aguja no rasga
los humos que sueñan
sobre las cabañas.   15

Sin mover las hojas,   10
enfila en los bordes
traslúcidas gotas.

Y todo el paisaje—
la sierra boscosa
y el felpado valle—

cautiva en sus hilos
con delicadeza   20
de lago dormido...

EN UN CEMENTERIO ABANDONADO

El paso sigiloso, la voz queda,
votiva el alma, entre las tumbas... Yacen
aquí, bajo estas lápidas, humildes
serranos del lugar. Nada revelan
las pobres inscripciones, pero todo,   5
entre dos fechas simples, lo adivinan
tu corazón y el mío. Mis anhelos,
tus sueños, nuestro amor, tienen raíces
intrincadas e ignotas aquí abajo,
en la comunidad indestructible   10
del humano dolor. También alguno
de los aquí dormidos, miró un día,
en otra tarde como ésta, el cielo,
la línea de las cumbres, esos álamos,
el sol en el camino, el verde valle,   15
y oyó cantar al Rey-del-bosque [1]... Brillo
de juventud y de serena dicha,
como en tus ojos, en los suyos hubo,
y fué su paz hermana de la nuestra,
y esta alegría de vivir que tengo   20
¡túvola él ante el paisaje mismo!

Cementerio olvidado, ya no viene
a renovar tus flores el Recuerdo;
sólo la noche deja en ti sus lágrimas
y el viento su sollozo. La ruinosa   25
pirca, y el laberinto de malezas,
y las tronchadas cruces, son la muerte
sobre la muerte... Mas la vida triunfa

1. Rey-del-bosque: a bird closely resembling the nightingale, whose habitat is a grove or small woods, especially striking for its sweet singing at dusk and early evening

y con ardiente ímpetu avasalla
en pujante irrupción. Inciensa el aire
la oculta piperina; abeja acróbata   30
acaba de posarse en fino tallo
y hamácase feliz, tornasolada
al chispeante vaivén; cantan los élitros
entre el zarzal; trasvuela y centellea
libélula joyante; las retamas,   35
sus llamitas inmóviles encienden
sobre las tumbas; la ebriedad de un pájaro
invisible, desgrana en los cristales
del éter, su maravilloso trino;
y al lado mío, por el brazo único   40
de mutilada cruz, va tambaleante,
una hormiguita con su blanco pétalo
como una vela sola por el mar . . .

¡Oh, mujer mía! Aquí besarte quiero,
entre las tumbas que la sierra acoge   45
como en regazo maternal y baña,
con su tibieza, el sol. ¡Dame tu boca!
Bajo tus pies, la tierra estremecida
tendrá un latido de ternura humana,
y el corazón de polvo que la nutre   50
florecerá, tal vez, en una estrella
roja, sobre el vestigio de tu planta.

Ramón López Velarde

1888-1921

RAMÓN LÓPEZ VELARDE was the only poet of the postmodernist generation to exert a direct and considerable influence upon the younger Mexican group. Many of his followers were misled, however, by his stress on provincial themes and by his inordinate searching after poetic effects. In imitating these purely external and superficial features, they failed to grasp the real significance of his art; they could not see that the regional theme serves merely as a backdrop for the real burden of his song, which is the story of the poet's intense emotional responses born of his soul's grappling with universal forces. López Velarde's love of provincial life and of the mysteries and symbolism of Catholicism were always in open conflict with his amorous desires and pagan leanings. These differences were never resolved—instead, the poet made them live together throughout all his work. Misunderstood, too, was López Velarde's pronounced attempt to avoid commonplaces. It was thought that he was merely striving after decorative or unusual effects in the manner of the modernists, a belief easily entertained because of his apparent debt to Herrera y Reissig and Lugones, and to their common predecessor Góngora, all of whom the Mexican poet greatly admired. But nothing could have been further from the truth, for López Velarde's poetry is intensely subjective and revealing—it is the laying bare of the most intimate workings of his own soul. To express these more adequately and more challengingly he sought to create a vocabulary and an imagery of his own. Unusual words and expressions, strained effects, daring images, are not to be thought of, or condemned, either as the result of his attempt to dazzle and to confuse or as the product of an ironic revolt against modernist excesses. His inner tragic struggle and the message he wished to convey were not to be sung in a diction or poetic symbolism outmoded and outworn.

CUARESMAL

Tu paz—¡oh paz de cada día!—
y mi dolor que es inmortal,
se han de casar, Amada mía,
en una noche cuaresmal.

Quizá en un Viernes de Dolores,　5
cuando se anuncian ya las flores
y en el altar que huele a lirios
el casto pecho de María
sufre por nos siete martirios;
mientras la luna, Amada mía,　　10
deja caer sus tenues franjas
de luz de ensueño sideral
sobre las místicas naranjas
que, por el arte virginal
de las doncellas de la aldea,　　15
lucen banderas de papel
e irisaciones de oropel
sobre la piel que amarillea.

Fuensanta: al amor aventurero
de cálidas mujeres azafatas　　20
súbditas de la carne, te prefiero
por la frescura de tus manos gratas.

Yo te convido, dulce Amada,
a que te cases con mi pena
entre los vasos de cebada　　25
la última noche de novena.

Te ha de cubrir la luna llena
con luz de túnica nupcial
y nos dará la Dolorosa
la bendición sacramental.　　30

Y así podré llamarte esposa,
y haremos juntos la dichosa
ruta evangélica del bien
hasta la eterna gloria.

AMEN.

EL RETORNO MALÉFICO

Mejor será no regresar al pueblo,
al edén subvertido que se calla
en la mutilación de la metralla.

Hasta los fresnos mancos,
los dignatarios de cúpula oronda,　　5
han de rodar las quejas de la torre
acribillada en los vientos de fronda.

Y la fusilería grabó en la cal
de todas las paredes
de la aldea espectral,　　10
negros y aciagos mapas,
porque en ellos leyese el hijo pródigo
al volver a su umbral
en un anochecer de maleficio,
a la luz de petróleo de una mecha,　　15
su esperanza deshecha.

Cuando la tosca llave enmohecida
tuerza la chirriante cerradura,

en la añeja clausura
del zaguán, los dos púdicos 20
medallones de yeso,
entornando los párpados narcóticos,
se mirarán y se dirán: "¿Qué es eso?"

Y yo entraré con pies advenedizos
hasta el patio agorero 25
en que hay un brocal ensimismado,
con un cubo de cuero
goteando su gota categórica
como un estribillo plañidero.

Si el sol inexorable, alegre y tónico, 30
hace hervir a las fuentes catecúmenas
en que bañábase mi sueño crónico;
si se afana la hormiga;
si en los techos resuena y se fatiga
de los buches de tórtola el reclamo 35
que entre las telarañas zumba y zumba;
mi sed de amar será como una argolla
empotrada en la losa de una tumba.

Las golondrinas nuevas, renovando
con sus noveles picos alfareros 40
los nidos tempraneros;
bajo el ópalo insigne
de los atardeceres monacales,
el lloro de recientes recentales
por la ubérrima ubre prohibida 45
de la vaca, rumiante y faraónica,
que al párvulo intimida;
campanario de timbre novedoso;
remozados altares;
el amor amoroso 50
de las parejas pares;
noviazgos de muchachas
frescas y humildes, como humildes coles,
y que la mano dan por el postigo
a la luz de dramáticos faroles; 55
alguna señorita
que canta en algún piano
alguna vieja aria;
el gendarme que pita . . .
. . . Y una íntima tristeza reaccionaria. 60

LA SUAVE PATRIA

Proemio

Yo que sólo canté de la exquisita
partitura del íntimo decoro,
alzo hoy la voz a la mitad del foro
a la manera del tenor que imita
la gutural modulación del bajo,   5
para cortar a la epopeya un gajo.

Navegaré por las olas civiles
con remos que no pesan, porque van
como los brazos del correo Chuan [1]
que remaba la Mancha con fusiles.   10

Diré con una épica sordina:
la Patria es impecable y diamantina.

Suave Patria: permite que te envuelva
en la más honda música de selva
con que me modelaste por entero   15
al golpe cadencioso de las hachas,
entre risas y gritos de muchachas
y pájaros de oficio carpintero.

Primer Acto

Patria: tu superficie es el maíz,
tus minas el palacio del Rey de Oros,
y tu cielo las garzas en desliz
y el relámpago verde de los loros.

El Niño Dios te escrituró un establo   5
y los veneros de petróleo el diablo.

Sobre tu Capital, cada hora vuela
ojerosa y pintada, en carretela;

1. Chuan: Chouan, one of the royalist insurgents in Western France during and after the French Revolution. Francisco Monterde points out that this is a reference to the following passage from Barbey d'Aurevilly's novel *Le Chevalier Des Touches* (Spanish translation by Juan José Llovet, Madrid, Espasa-Calpe, 1920, p. 78) based on French history of that period: "—¡Sí! Se le creyó muerto—replicó la señorita Percy—. Pero, después de escapar de los Azules, se refugió en Inglaterra, donde los príncipes le encargaron de una misión personal cerca de Frotté. Por eso vino de Guernesey a la costa de Francia en la canoa de Des Touches, que apenas podía sostener un solo hombre y que estuvo expuesta a hundirse cien veces bajo el peso de los dos. Para suprimir toda carga inútil remaron con los fusiles."

y en tu provincia, del reloj en vela
que rondan los palomos colipavos,
las campanadas caen como centavos.

Patria: tu mutilado territorio
se viste de percal y de abalorio.

Suave Patria: tu casa todavía
es tan grande, que el tren va por la vía
como aguinaldo de juguetería.

Y en el barullo de las estaciones,
con tu mirada de mestiza, pones
la inmensidad sobre los corazones.

¿Quién, en la noche que asusta a la rana,
no miró, antes de saber del vicio,
del brazo de su novia, la galana
pólvora de los fuegos de artificio?

Suave Patria: en tu tórrido festín
luces policromías de delfín,
y con tu pelo rubio se desposa
el alma, equilibrista chuparrosa,
y a tus dos trenzas de tabaco, sabe
ofrendar aguamiel toda mi briosa
raza de bailadores de jarabe.[2]

Tu barro suena a plata, y en tu puño
su sonora miseria es alcancía;
y por las madrugadas del terruño,
en calles como espejos, se vacía
el santo olor de la panadería.

Cuando nacemos, nos regalas notas;
después, un paraíso de compotas,
y luego te regalas toda entera,
suave Patria, alacena y pajarera.

Al triste y al feliz dices que sí,
que en tu lengua de amor prueben de ti
la picadura del ajonjolí.[3]

10

15

20

25

30

35

40

2. jarabe = jarabe tapatío: popular Mexican dance, identified with the State of Jalisco

3. ajonjolí: *sesamum indicum* Loew, *sesame*, known in some parts of the United States as *benebene*, has been cultivated since ancient times for the high quality of its oil, which contains less acid than other table oils. It is used to flavor typical Mexican dishes, including several kinds of bread.

¡Y tu cielo nupcial, que cuando truena
de deleites frenéticos nos llena!

Trueno de nuestras nubes, que nos baña   45
de locura, enloquece a la montaña,
requiebra a la mujer, sana al lunático,
incorpora a los muertos, pide el Viático,[4]
y al fin derrumba las madererías
de Dios, sobre las tierras labrantías.   50

Trueno del temporal: oigo en tus quejas
crujir los esqueletos en parejas;
oigo lo que se fué, lo que aún no toco,
y la hora actual con su vientre de coco.
Y oigo en el brinco de tu ida y venida,   55
¡oh, trueno!, la ruleta de mi vida.

Intermedio

(CUAUHTEMOC.[5])

Joven abuelo: escúchame loarte,
único héroe a la altura del arte.

Anacrónicamente, absurdamente,
a tu nopal inclínase el rosal;
al idioma del blanco, tú lo imantas   5
y es surtidor de católica fuente
que de responsos llena el victorial
zócalo de ceniza de tus plantas.

No como a César el rubor patricio
te cubre el rostro en medio del suplicio;   10
tu cabeza desnuda se nos queda,
hemisféricamente, de moneda.

Moneda espiritual en que se fragua
todo lo que sufriste: la piragua
prisionera, el azoro de tus crías,   15
el sollozar de tus mitologías,
la Malinche,[6] los ídolos a nado,

4. Viático: the *viaticum*, or *Holy Wafer*, placed in the mouth of a person as he nears death
5. Cuauhtemoc: See page 504, note 67.
6. Malinche: also Malintzin and doña Marina, the celebrated *lengua* of Cortés. She is remembered by the Mexican Indians as the one who betrayed her people to the Spaniards. See pages 15–17; also page 19, note 22.

y por encima, haberte desatado
del pecho curvo de la emperatriz
como del pecho de una codorniz. 20

Segundo Acto

Suave Patria: tú vales por el río
de las virtudes de tu mujerío.
Tus hijas atraviesan como hadas,
o destilando un invisible alcohol,
vestidas con las redes de tu sol, 5
cruzan como botellas alambradas.

Suave Patria: te amo no cual mito,
sino por tu verdad de pan bendito,
como a niña que asoma por la reja
con la blusa corrida hasta la oreja 10
y la falda bajada hasta el huesito.

Inaccesible al deshonor, floreces;
creeré en ti mientras una mexicana
en su tápalo lleve los dobleces
de la tienda, a las seis de la mañana, 15
y al estrenar su lujo, quede lleno
el país, del aroma del estreno.

Como la sota moza, Patria mía,
en piso de metal, vives al día,
de milagro, como la lotería. 20

Tu imagen, el Palacio Nacional,
con tu misma grandeza y con tu igual
estatura de niño y de dedal.

Te dará, frente al hambre y al obús,
un higo San Felipe de Jesús.[7] 25

Suave Patria, vendedora de chía:[8]
quiero raptarte en la cuaresma opaca,

7. San Felipe de Jesús: Franciscan missionary who was crucified with the famous twenty-six Christian martyrs at Nagasaki on February 5, 1597. According to Francisco Monterde, this is an allusion to the legend which tells how a dead fig tree in the patio of the house where San Felipe lived in Mexico, came to life again the day of his martyrdom in Japan. The basis for the legend is retold as follows by General Vicente Riva Palacio (see *Lecturas mexicanas graduadas*, by Amado Nervo. Primera serie, París, Librería de la Vda. de Ch. Bouret, 1903, pp. 25–29): "Cada vez que la madre de Felipe tenía un disgusto con el chico, y que eran frecuentes, exclamaba: "Felipe, Dios te haga un santo!" Y la vieja esclava decía siempre por lo bajo: "¿Felipillo santo? cuando la higuera reverdezca."

8. chía: *lime-leaved sage* (*salvia columbariae*). When soaked in water, the seed gives off a considerable amount of mucilage, which mixed with sugar and lemon juice makes a very common drink in Mexico.

sobre un garañón, y con matraca,
y entre los tiros de la policía.

Tus entrañas no niegan un asilo   30
para el ave que el párvulo sepulta
en una caja de carretes de hilo,
y nuestra juventud, llorando, oculta
dentro de ti, el cadáver hecho poma
de aves que hablan nuestro mismo idioma.   35

Si me ahogo en tus julios, a mí baja
desde el vergel de tu peinado denso
frescura de rebozo y de tinaja:
y si tirito, dejas que me arrope
en tu respiración azul de incienso   40
y en tus carnosos labios de rompope.[9]

Por tu balcón de palmas bendecidas
el Domingo de Ramos, yo desfilo
lleno de sombra, porque tú trepidas.

Quieren morir tu ánima y tu estilo,   45
cual muriéndose van las cantadoras
que en las ferias, con el bravío pecho
empitonando la camisa, han hecho
la lujuria y el ritmo de las horas.

Patria, te doy de tu dicha la clave: 50
sé siempre igual, fiel a tu espejo diario;
cincuenta veces es igual el ave
taladrada en el hilo del rosario,
y es más feliz que tú, Patria suave.

Sé igual y fiel; pupilas de abandono;   55
sedienta voz, la trigarante [10] faja
en tus pechugas al vapor; y un trono
a la intemperie, cual una sonaja:
la carreta alegórica de paja.

9. rompope: or *rompopo*, a drink made of   10. trigarante: referring to the three col-
aguardiente (brandy, brandy-wine), milk,   ors of the Mexican flag
eggs, sugar, and cinnamon

Rafael Arévalo Martínez

1884-

FRAIL of body and incurably neurasthenic, Arévalo Martínez has been compelled to withdraw from a normal, active life. In so doing he has, by way of recompense, devoted himself to an intensive study of the spiritual qualities of his fellow man. Hence his keen psychological insight and his ability to pierce immediately each individual mask, to fathom the innermost recesses of the human heart and mind. His main interest has always been man, both as an animal and as one shaped in the likeness of God. His poetry reveals that he himself has been the unwilling victim of those two relentless forces ever at odds within all men—the carnal and the spiritual; and humbly and submissively he calls upon his Creator for strength to resolve the issue. In much of his poetry we sense his mystical striving after a completely spiritual life, as if he would free himself entirely of his sickly body and melancholic mind. But his mysticism is sane and wholesome, born of the innate goodness of the man and of the deep sincerity of his childlike trust in God and in all those near and dear to him, upon whom he leans blindly and hopefully for support. His confessing to a wayward Bohemian life is not to be interpreted as mere pose, but rather as the naive self-denunciation of one contritely penitent for his every trivial failing.

His total poetic production is relatively small, in spite of the several different titles of his collections of verse. His best poems appeared as early as 1914 in *Los atormentados;* these have been republished time and again in later works, especially in the several editions of *Las rosas de Engaddi,*[1] the first of which came out in 1915. This edition has not been available and it is possible, therefore, that the two poems listed below as of the 1922 edi-

---

1. Engaddi: En-Gedi, name of a warm spring, of a town, and also of a desert near the center of the west shore of the Dead Sea. It was in the Desert of Engedi that David hid with his men in flight from Saul (*The First Book of Samuel,* XXIV, 1–2).

tion first appeared in the earlier one. It is apparent, at any rate, that in theme and in spirit they are one with their companion pieces of the years 1914–1915. It is apparent, too, that the poet's range was delimited early and that it has been little affected, if at all, by more recent poetic trends.

ORACIÓN

Tengo miedo, miedo a no sé qué, el miedo de una visión confusa.
Un miedo que desconocen los buenos.
Señor, mi miedo mismo de mi crimen me acusa:
si no fuera tan vil te amaría más y te temería menos.

Señor, perdón; no te he amado, pero te he temido;   5
no pude acogerme a tu misericordia, pero a tu justicia me ha acogido.

Señor, para mi amor al arte, perdón.
Perdona que en este mismo instante rime mi petición.
Perdón para mi vanidad;
perdón porque no soy puro ni sencillo,   10
y reconozco mi maldad.

LOS ATORMENTADOS

El beodo

Vivo una vida miserable, completamente artificial.
Manda en mis actos no el cerebro sino la médula espinal.
Mi cuerpo se ha hecho transparente como una copa de cristal
y transparenta una alma loca, sin la noción de bien ni mal,
en la que ha muerto ha tiempo el hombre y sobrevive el animal.   5

El amante

Una vez la miré, sin otra ropa
que la tela de vidrio de una fuente.
Mi amor para alcanzarla fué impotente
y mi alma de cristal, que era una copa,
se llenó de tristeza eternamente.   10

El demente

Sombra es enfermedad. Las almas sanas
son luminosas como las ventanas.
La dicha es la bondad. Las almas buenas

son sin dolor como las azucenas.
Todas las almas blancas son serenas. 15

En mí existieron floraciones malas;
hubo en mi corazón cortezas duras;
y un día en mi razón sentí unas alas,
unas alas obscuras,
que se llevaron todas las escalas 20
y me dejaron todas las locuras.

Mis brazos abrí en cruz, como un arbusto
seco, sin una queja ni un reproche.
Porque hay pecado en mí, yo sé que es justo
que en mí aniden las aves de la noche. 25

El triste

Mi alma de cristal es transparente;
pero es como el cristal de la ventana
que recibe las luces del Poniente.
Deja pasar la rubia
procesión de la luz de la mañana 30
y oye tocar la lluvia eternamente.
Porque nada hay más triste que la lluvia
cuando llama al cristal de una ventana.

El poeta

De todas esas almas de cristales
recogí los dolores inmortales. 35
Nada más doloroso que yo existe.
Yo soy amante, beodo, loco y triste.

ANANKÉ [2]

Cuando llegué a la parte en que el camino
se dividía en dos, la sombra vino
a doblar el horror de mi agonía.
¡Hora de los destinos! Cuando llegas
es inútil luchar. Y yo sentía 5
que me solicitaban fuerzas ciegas.

Desde la cumbre en que disforme lava
escondía la frente de granito,

2. Ananké: *fate, destiny* (Greek word signifying *"need"*)

mi vida como un péndulo oscilaba
con la fatalidad de un "está escrito." 10

Un paso nada más y definía
para mí la existencia o la agonía,
para mí la razón o el desatino...
Yo di aquel paso y se cumplió un destino.

EL SEÑOR QUE LO VEÍA...

Porque en dura travesía
era un flaco peregrino,
el Señor que lo veía
hizo llano mi camino.

Porque agonizaba el día 5
y era cobarde el viajero,
el Señor que lo veía
hizo corto mi sendero.

Porque la melancolía
sólo marchaba a mi vera, 10

el Señor que lo veía
me mandó una compañera.

Y porque era la alma mía
la alma de las mariposas,
el Señor que lo veía 15
a mi paso sembró rosas.

Y es que sus manos sedeñas
hacen las cuentas cabales
y no mandan grandes males
para las almas pequeñas. 20

RETRATO DE MUJER

Ella es una muchacha muy gorda y muy fea;
pero con un gran contento interior.
Su vida es buena como la de las vacas de su aldea
y de mí posee mi mejor amor.

Es llena de vida como la mañana; 5
sus actividades no encuentran reposo;
es gorda, es buena, es alegre y es sana;
yo la amo por flaco, por malo, por triste y por ocioso.

En mi bohemia, cuando verde copa
se derramaba, demasiado henchida, 10
ella cosió botones a mi ropa
y solidaridades a mi vida.

Ella es de esas mujeres madres de todos
los que nacieron tristes o viven beodos;
de todos los que arrastran penosamente, 15
pisando sobre abrojos, su vida trunca.

Ella sustituyó a la hermana ausente
y a la esposa que no he tenido nunca.

Cuando se pone en jarras, parece una asa
de tinaja cada brazo suyo; es tan buena ama de casa   20
que cuando mi existencia vió manchada y helada y destruida
la lavó, la aplanchó; y luego, paciente,
la cosió por dos lados a la vida
y la ha tendido al sol piadosamente.

TU MANO

Bajan las avecillas a tu mano;
y he comprendido en su gozosa charla
que no descienden a ella por el grano
sino a rozar sus sedas y a besarla.

Al sentirla tan tibia y tan sedeña,   5
quisiera entre mis dedos enjaularla
cual si fuese una tórtola pequeña.

COMO LOS CIPRESES...

Poeta, dijeron, ¿por qué prodigaste
tus rubias estrofas, como un áureo engaste
dado a los diamantes de tu vida triste,
para muchas almas idas que lloraste,
para muchos cuerpos blancos que quisiste?   5

¿Y por qué callaste como un muerto cuando
se murió tu madre; y tu alma armoniosa
no ha tenido un canto ni para tu esposa
ni para tu hijo?
          —Porque la angustiosa   10
copa de la vida se bebe callando.

Los grandes dolores son mudos, señores.
Si nuestras tristezas contamos a veces
cuando nos enlutan los grandes dolores,
cuando nos conmueven las grandes ternuras,   15
nos quedamos mudos, como los cipreses,
como los cipreses de las sepulturas.

MI VIDA ES UN RECUERDO

Cuando la conocí me amé a mí mismo.
Fué la que tuvo mi mejor lirismo,

la que encendió mi obscura adolescencia,
la que mis ojos levantó hacia el cielo.

Me humedeció su amor, que era una esencia,   5
doblé mi corazón como un pañuelo
y después le eché llave a mi existencia.

Y por eso perfuma el alma mía
con lejana y diluida poesía.

LOS HOMBRES-LOBOS

Primero dije "hermanos" y les tendí las manos;
después en mis corderos hicieron mal sus robos;
y entonces en mi alma murió la voz de hermanos
y me acerqué a mirarlos: ¡y todos eran lobos!

¿Qué sucedía en mi alma que así marchaba a ciegas,   5
en mi alma pobre y triste que sueña y se encariña?
¿Cómo no vi en sus trancos las bestias andariegas?
¿Cómo no vi en sus ojos instintos de rapiña?

Después yo, también lobo, dejé el sendero sano;
después yo, también lobo, caí no sé en qué lodos;   10
y entonces en cada uno de ellos tuve un hermano
y me acerqué a mirarlos: ¡y eran hombres todos!

ROPA LIMPIA

Le besé la mano y olía a jabón;
yo llevé la mía contra el corazón.

Le besé la mano breve y delicada
y la boca mía quedó perfumada.

Muchachita limpia, quien a ti se atreva,   5
que como tus manos huela a ropa nueva.

Besé sus cabellos de crencha ondulada;
¡si también olían a ropa lavada!

¿A qué linfa llevas tu cuerpo y tu ropa?
¿En qué fuente pura te lavas la cara?   10
Muchachita limpia, si eres una copa
llena de agua clara.

ORACIÓN AL SEÑOR

Ha sido tal vez mi suerte
ser una rama encendida
que se apaga consumida
por su deseo de verte.

La cosa que arde, Señor,   5
es tal vez cosa que ama;
tal vez, Señor, una llama
no sea más que un amor,

la llama de este dolor
que siento que me consume   10
y en que es mi verso el perfume
de alguna mirra interior.

Y quién sabe si el dolor
no sea más que una llama
que arde tan dentro en la rama   15
que no se mira el fulgor.

Tal vez, Señor, el perfume
de la cándida azucena
no sea más que la pena
de un fuego que la consume,   20

que va tan bajo y profundo
que no sentimos calor;
tal vez, Señor, este mundo
no sea más que tu amor.

Y tal vez nos disgregamos   25
del fuego de interno hogar
y el mismo amor con que amamos
después nos vuelve a integrar.

Y son tal vez muerte y vida
proceso del mismo amor   30
de una lámpara encendida
en el fuego del Creador.

ENTRÉGATE POR ENTERO...

Vuela papalotes con tus niños,
cultiva tus filosofías;
da a las mujeres tus cariños
y a los hombres tus energías.

Y en cada momento, valiente, sincero,   5
en cada momento de todos tus días,
¡entrégate por entero!

Di: —"Siempre laboro
con igual esmero
mi barro o mi oro."   10
Y al medio del día, cuando el sol más arde,
como buen obrero; ¡como buen obrero!
Y al caer la tarde
juega con tus hijos, siéntete ligero;
y al llegar la noche   15
¡duerme por entero!

Entrégate por entero
hasta que caigas inerte

en el momento postrero,
y cuando venga la muerte
¡entrégate por entero!   20

CADENAS

Se sosegó la bestia. Dios mío, ¡qué alegría!
Y al sosegarse, el alma doliente que en mí había
con fatigado vuelo voló hacia su Señor;
y cuando estuvo cabe sus plantas de azucenas,
besólas amorosa. ¡Y le pidió cadenas   5
para guardar al monstruo que había en su interior!

Luis Carlos López

1883- 1950

AN UNASSUMING and impractical bourgeois, long beloved and known by his countrymen as *"El tuerto,"* there is nothing in the life or person of this genial Colombian to reveal the ribald Bohemian or blustery revolutionary of his verse. His early volumes endeared him to his fellow *cartaginenses*, who esteemed him as their local verbal comic artist; they could not foresee that their humorous observer of provincial life would in later years win a deserving place among America's most celebrated festive poets. Surfeited on the one hand with languid romanticism still in vogue—and mostly chronic—and on the other with the ridiculous pose assumed by the modernists of the opening years of the century, Luis Carlos López sought to laugh it all away by satirizing the cherished heritage of those years. His festive mood serves to cloak and to color the acrid and occasionally brutal realism of his art. Devoid of all sentiment, gently ironic, he is a master of poetic caricature, and as such he affords us a microscopic vision of his small world in all its pettiness and tropical languor, with inimitable portraits of its classic types and timeless customs. Equally a rebel in technique, he essays unusual forms and combinations, not always, it must be admitted, with like success.[1]

CROMO

En el recogimiento campesino,
que viola el sollozar de las campanas,
giran, como sin ganas,
las enormes antenas de un molino.

Amanece. Por el confín cetrino
atisba el sol de invierno. Se oye un trino
que semeja peinar ternuras canas,
y se escucha el dialecto de las ranas ...

---

1. See, for example, his sonnets *Cromo* and *Siesta del trópico*. He was roundly denounced by his detractors for experimenta- tion of this type. Cf. *Exordio* (*Por el atajo*, 1928), for an attack on him by Antonio de Valbuena.

La campiña, de un pálido aceituna,
tiene hipocondría, una   10
dulce hipocondría que parece mía.

Y el viejo Osiris [2] sobre el lienzo plomo
saca el paisaje lentamente, como
quien va sacando una calcomanía...

HONGOS DE LA RIBA [3]

1

El barbero del pueblo, que usa gorra de paja,
zapatillas de baile, chalecos de piqué,
es un apasionado jugador de baraja,
que oye misa de hinojos y habla bien de Voltaire. [4]

Lector infatigable de El Liberal. [5] Trabaja   5
alegre como un vaso de vino moscatel,
zurciendo, mientras limpia la cortante navaja,
chismes, todos los chismes de la mística grey.

Con el señor Alcalde, con el veterinario,
unas buenas personas que rezan el rosario   10
y hablan de los milagros de San Pedro Claver, [6]

departe en la cantina, discute en la gallera,
sacando de la vida recortes de tijera,
alegre como un vaso de vino moscatel.

2

El Alcalde, de sucio jipijapa de copa,
ceñido de una banda de seda tricolor,

2. Osiris: one of the chief deities of Egyptian religion, often identified with the sun
3. Hongos de la riba: The two sonnets here given under this title are frequently given individual titles—El barbero and El alcalde respectively—by other anthologists.
4. François Marie Arouet de Voltaire (1694–1778), French philosopher, author, satirist, a name synonymous with liberty and tolerance, was one of the most brilliant minds of the 18th century European Enlightenment.

5. El Liberal: of Cartagena, founded around 1867. The National Library at Bogotá has scattered numbers from 1867 to April, 1911.
6. San Pedro Claver was a Jesuit, born in Spain in 1580, who came to Colombia in 1610 to convert and to minister to 300,000 negro slaves brought into Cartagena from 1615 until shortly before his death in 1654. He was canonized by his Holiness Pope Leo XIII in 1888.

panzudo a lo Capeto,[7] muy holgada la ropa,
luce por el poblacho su perfil de *bull-dog*.

Hombre de pelo en pecho, rubio como la estopa,   5
rubrica con la punta de su machete. Y por
la noche cuando toma la lugareña sopa
de tallarines y ajos, se afloja el cinturón . . .

Su mujer, una chica nerviosamente guapa,
que lo tiene cogido como con una grapa,   10
gusta de las grasientas obras de Paul de Kock,[8]

ama los abalorios y se pinta las cejas,
mientras que su consorte luce por las callejas
su barriga, mil dijes y una cara feroz . . .

MEDIO AMBIENTE [9]

—Papá, ¿quién es el rey?
—Cállate, niño, que
me comprometes.

Swift [10]

Mi buen amigo el noble Juan de Dios, compañero
de mis alegres años de juventud, ayer
no más era un artista genial, aventurero . . .
Hoy vive en un poblacho con hijos y mujer.

. . . Y es hoy panzudo y calvo. Se quita ya el sombrero   5
delante de un don Sabas, de un don Lucas . . . ¿Qué hacer?
La cuestión es asunto de catre y de puchero,
sin empeñar la "Singer" [11] que ayuda a mal comer . . .

7. a lo Capeto: The reference is particularly applicable to Philippe I (1052–1108), fourth of the Capetian kings, who ruled from 1060 to 1108. Inept, corrupt, sensuous, greedy, he was a big man who catered only to his own interests and pleasures. It may also refer to Charles III (839–888), surnamed "The Fat," king of France from 885 to 888. The Capetian line proper, however, did not begin until the accession of Hugh Capet in 987, whose descendants in direct line remained on the throne till the death of Charles IV in 1328.

8. de Kock: See page 428, note 4.

9. This poem and the six which follow it are taken from *Por el atajo*, 1928. Although cited by the editors (Delvalle and Espinosa) as a second edition, it is unquestionably the first and is obviously an anthology of poems of which many had already appeared in earlier works. The volume contains 49 poems, all in facsimile save the last three which the author, then (1928) in Germany, sent the editors in typescript. The López bibliography is in a very muddled state. It has been impossible to locate *Posturas difíciles* and several other works cited by different critics. Carlos García Prada is certain that many of his compatriot's volumes exist in title only.

10. Jonathan Swift (1667–1745), one of the great masters of English prose, brilliant satirist, author of *Gulliver's Travels* (1726)

11. la "Singer": the sewing machine.

Quimeras moceriles—mitad sueño y locura;
quimeras y quimeras de anhelos infinitos,   10
y que hoy—como las piedras tiradas en el mar—

se han ido a pique oyendo las pláticas del cura,
junto con la consorte, la suegra y los niñitos . . .
¡Qué diablo! Si estas cosas dan ganas de llorar.

MUCHACHAS SOLTERONAS

Susana, ven: tu amor
quiero gozar.
Lehar: [12] *La casta Susana*

Muchachas solteronas de provincia,
que los años hilvanan
leyendo folletines
y atisbando en balcones y ventanas . . .

Muchachas de provincia,   5
las de aguja y dedal, que no hacen nada,
sino tomar de noche
café con leche y dulce de papaya . . .

Muchachas de provincia,
que salen—si es que salen de la casa—   10
muy temprano a la iglesia,
con un andar doméstico de gansas . . .

Muchachas de provincia,
papandujas, etcétera, que cantan
melancólicamente   15
de sol a sol: "Susana, ven . . . Susana" . . .

Pobres muchachas, pobres
muchachas tan inútiles y castas,
que hacen decir al Diablo,
con los brazos en cruz: —¡Pobres muchachas!   20

A MI CIUDAD NATIVA

Ciudad triste, ayer
reina de la mar . . .[13]
J. M. de Heredia

Noble rincón de mis abuelos: nada
como evocar, cruzando callejuelas,

12. Franz Lehar (1870–), Hungarian operetta composer, noted especially for *The Merry Widow* (1905). *La casta Susana* was produced some time around 1910.

13. Ciudad . . . mar: These lines from José María de Heredia (1842–1905) are a translation of the first line of his poem *A une ville morte* dedicated to Cartagena de Indias and appearing in his volume *Les trophées*: "Morne Ville, jadis reine des Oceans!"

los tiempos de la cruz y de la espada,
del ahumado candil y las pajuelas...

Pues ya pasó, ciudad amurallada,   5
tu edad de folletín... Las carabelas
se fueron para siempre de tu rada...
—¡Ya no viene el aceite en botijuelas!...

Fuiste heroica en los años coloniales,
cuando tus hijos, águilas caudales,   10
no eran una caterva de vencejos.

Mas hoy, con tu tristeza y desaliño,
bien puedes inspirar ese cariño
que uno le tiene a sus zapatos viejos...

SIESTA DEL TRÓPICO

Domingo de bochorno, mediodía
de reverberación
solar. Un policía
como empotrado en un guardacantón,

durmiendo gravemente. Porquería   5
de un perro en un pretil. Indigestión
de abad, cacofonía
sorda de un cigarrón...

Soledad de necrópolis, severo
y hosco mutismo. Pero   10
de pronto en el poblacho

se rompe la quietud dominical,
porque grita un borracho
feroz: —¡Viva el partido liberal!...

VERSOS A LA LUNA

¡Oh, luna, que hoy te asomas al tejado
de la iglesia, en la calma tropical,
para que te salude un bardo trasnochado
y te ladren los perros de arrabal!

¡Oh, luna... en tu silencio te has burlado
de todo!... ¡En tu silencio sideral,
viste anoche robar en despoblado...
y el ladrón era un juez municipal!...

Mas tú ofreces, viajera saturnina,
con qué elocuencia en los espacios mudos,   10
consuelo al que la vida laceró,

mientras te cantan, en cualquier cantina,
neurasténicos bardos melenudos
y piojosos, que juegan dominó . . .

VERSOS PARA TI

Y, sin embargo,
sé que te quejas.[14]
Bécquer

. . . Te quiero mucho. Anoche parado en una esquina,
te vi llegar . . . Y como si fuese un colegial,
temblé cual si me dieran sabrosa golosina . . .
—Yo estaba junto a un viejo farol municipal.

Recuerdo los detalles, cualquier simple detalle   5
de aquel minuto: como si fuese un chimpancé,
la sombra de un mendigo bailaba por la calle,
gimió una puerta, un chico dió a un gato un puntapié . . .

Y tú pasaste . . . Y viendo que tú ni a mí volviste
la luz de mirada jarifa como un sol,   10
me puse más que triste, tan hondamente triste,
que allí me dieron ganas de ahorcarme del farol . . .

ÉGLOGA TROPICAL

¡Qué descansada vida! [15]
Fray Luis de León

¡Oh, sí, qué vida sana
la tuya en este rústico retiro,
donde hay huevos de iguana,
bollo, arepa y suspiro,
y en donde nadie se ha pegado un tiro!   5

De la ciudad podrida
no llega un tufo a tu corral . . . ¡Qué gratas
las horas de tu vida,
pues andas en dos patas
como un orangután con alpargatas!   10

14. The epigraph is from Gustavo Adolfo Bécquer's (1836–1870) *Rima XII.*
15. "¡Qué descansada vida!": Opening line of the famous ode *Vida retirada* by the celebrated Spanish religious poet Fray Luis de León (1528–1591)

No en vano cabeceas
después de un buen ajiaco, en el olvido
   total de tus ideas,
   si estás desaborido
bajo un cielo que hoy tiene sarpullido.   15

   Feliz en tu cabaña
madrugas con el gallo ... ¡Oh, maravillas
   que oculta esta montaña
   de loros y de ardillas,
que tú a veces contemplas en cuclillas!   20

   Duermes en tosco lecho
de palitroques sin colchón de lana,
   y así, tan satisfecho,
   despiertas sin galbana,
refocilado con tu barragana.   25

   Atisbas el renuevo
de la congestionada clavellina,
   mientras te anuncia un huevo
   la voz de una gallina,
que salta de un jalón de la cocina.   30

   ¡Quién pudiera en un rato
de solaz, a la sombra de un caimito,
   ser junto a ti un pazguato
   panzudamente ahito;
para jugar con tierra y un palito!   35

   ¡Oh, sí, con un jumento,
dos vacas, un lechón y una cazuela
   —y esto parece un cuento
   del nieto de tu abuela—,
siempre te sabe dulce la panela!   40

   Y aún más: de mañanita
gozas en el ordeño, entre la bruma,
   de una leche exquisita
   que hace espuma, y la espuma
retoza murmurando en la totuma.   45

   ¡Oh, no, nunca te vayas
de aquí, lejos de aquí, donde te digo,
   viniendo de otras playas,

que sólo en este abrigo
podrás, como un fakir, verte el ombligo!   50

Y ¡adiós! . . . Que te diviertas
como un piteco [16] cimarrón . . . ¡Quién sabe
si torne yo a tus puertas
—lo cual cabe y no cabe—
a pedirte una torta de cazabe!   55

Puesto que voy sin rumbo,
cual un desorientado peregrino,
que va de tumbo en tumbo
buscando en el camino
cosas que a ti te importan un comino . . .   60

16. piteco: *monkey, ape*

José Eustasio Rivera

1889-1928

IN HIS only volume of verse, the sonnet sequence *Tierra de promisión,* this poet of the American tropics has recreated to an amazingly compact degree the variegated grandeur of a luxuriant nature already familiar to readers of *La vorágine.* In imagery precise and clear, in verse that is sonorous, rhythmical, and inspiring, and with penetrating objectivity and a keenly appreciative sense of detail and of mass, he has succeeded in making his readers see and respond to his own luminous vision of the outer world. Mountains, valleys, and rivers, creatures of its inaccessible crags and of its trackless llanos, humans shaped in its seductive mold, there is not a single vital feature of the tropical scene that has escaped his graphic fancy. Because Rivera could not wholly detach himself from the scene, many of his poems are characterized by a romantic identification of his own mood with that of the natural setting he describes. Perhaps in the work of no other poet of the Spanish tongue have the color, the exuberance, and the romantic passion of the tropics been so artistically and so originally reproduced. Rivera's poetic art is an outstanding example of the application of classic form and concepts to a theme that has hitherto defied restraint and objectivity.

TIERRA DE PROMISIÓN

PRÓLOGO

Soy un grávido río, y a la luz meridiana
ruedo bajo los ámbitos reflejando el paisaje;
y en el hondo murmullo de mi audaz oleaje
se oye la voz solemne de la selva lejana.

Flota el sol entre el nimbo de mi espuma liviana;
y peinando en los vientos el sonoro plumaje,

5

797

en las tardes un águila triunfadora y salvaje
vuela sobre mis tumbos encendidos en grana.

Turbio de pesadumbre y anchuroso y profundo,
al pasar ante el monte que en las nubes descuella   10
con mi trueno espumante sus contornos inundo;

y después, remansado bajo plácidas frondas,
purifico mis aguas esperando una estrella
que vendrá de los cielos a bogar en mis ondas.

PRIMERA PARTE

1

Esta noche el paisaje soñador se niquela
con la blanda caricia de la lumbre lunar;
en el monte hay cocuyos, y mi balsa que riela
va borrando luceros sobre el agua estelar.

El fogón de la prora, con su alegre candela,   5
me enciende en oro trémulo como a un dios tutelar;
y unos indios desnudos, con curiosa cautela,
van corriendo en la playa para verme pasar.

Apoyado en el remo avizoro el vacío,
y la luna prolonga mi silueta en el río;   10
me contemplan los cielos, y del agua al rumor

alzo tristes cantares en la noche perpleja,
y a la voz del bambuco [1] que en la sombra se aleja,
la montaña responde con un vago clamor.

4

La selva de anchas cúpulas, al sinfónico giro
de los vientos, preludia sus grandiosos maitines;
y al gemir de dos ramas como finos violines
lanza la móvil fronda su profundo suspiro.

Mansas voces se arrullan en oculto retiro;   5
los cañales conciertan moribundos flautines,

1. bambuco: popular song and dance of Colombia

y al mecerse del cámbulo [2] florecido en carmines
entra por las marañas una luz de zafiro.

Curvada en el espasmo musical, la palmera
vibra sus abanicos en el aura ligera;   10
mas de pronto un gran trémolo de orquestados concentos

rompe las vainilleras . . . ; y con grave arrogancia,
el follaje, embriagado con su propia fragancia,
como un león, revuelve la melena en los vientos.

SEGUNDA PARTE

2

En un bloque saliente de la audaz cordillera
el cóndor soberano los jaguares devora;
y olvidando la presa, las alturas explora
con sus ojos de un vivo resplandor de lumbrera.

Entre locos planetas ha girado en la esfera;   5
vencedor de los vientos, lo abrillanta la aurora,
y al llenar el espacio con su cauda sonora,
quema el sol los encajes de su heroica gorguera.

Recordando en la roca los silencios supremos,
se levanta al empuje colosal de sus remos;   10
zumban ráfagas sordas en las nubes distantes,

y violando el misterio que en el éter se encierra,
llega al sol, y al tenderle los plumones triunfantes
va corriendo una sombra sobre toda la tierra.

9

Cantadora sencilla de una gran pesadumbre,
entre ocultos follajes, la paloma torcaz
acongoja las selvas con su blanca quejumbre,
picoteando arrayanas [3] y pepitas de agraz.

Arrurruúuu . . . canta viendo la primera vislumbre;   5
y después, por las tardes, al reflejo fugaz,

---

2. cámbulo = cachimbo, búcaro, búcare, bucare: a shade tree with red flowers, used extensively throughout the coffee and cacao producing regions of the Americas to protect the young trees from the sun

3. arrayanas: fruit of the myrtle shrub (*arrayán*)

en la copa del guáimaro [4] que domina la cumbre
ve llenarse las lomas de silencio y de paz.

Entreabiertas las alas que la luz tornasola,
se entristece, la pobre, de encontrarse tan sola;
y esponjando el plumaje como leve capuz,

al impulso materno de sus tiernas entrañas,
amorosa se pone a arrullar las montañas . . .
y se duermen los montes . . . ¡Y se apaga la luz!

10

En la estrellada noche de vibración tranquila
descorre ante mis ojos sus velos el arcano,
y al giro de los orbes en el cenit lejano
ante mi absorto espíritu la eternidad desfila.

Ávido de la pléyade [5] que en el azul rutila,
sube con ala enorme mi Numen soberano,
y alta de ensueño, y libre del horizonte humano,
mi sien, como una torre, la inmensidad vigila.

Mas no se sacia el alma con la visión del cielo:
cuando en la paz sin límites al Cosmos interpelo,
lo que los astros callan mi corazón lo sabe;

y luego una recóndita nostalgia me consterna
al ver que ese infinito, que en mis pupilas cabe,
es insondable al vuelo de mi ambición eterna.

TERCERA PARTE

3

Atropellados, por la pampa suelta,
los raudos potros en febril disputa,
hacen silbar sobre la sorda ruta
los huracanes en su crin revuelta.

Atrás dejando la llanura envuelta
en polvo, alargan la cerviz enjuta,

4. guáimaro: Carib word, name of tall forest tree of hard, heavy wood and brilliant foliage

5. pléyade: *the Pleiades,* a group of more than 400 stars in the constellation Taurus, six of which are visible to ordinary sight

y a su carrera retumbante y bruta
cimbran los pindos [6] y la palma esbelta.

Ya cuando cruzan el austral peñasco,
vibra el relincho por las altas rocas;   10
entonces paran el triunfante casco,

resoplan, roncos, ante el sol violento,
y alzando en grupo las cabezas locas
oyen llegar el retrasado viento.

9

Con pausados vaivenes refrescando el estío,
la palmera engalana la silente llanura;
y en su lánguido ensueño, solitaria murmura
ante el sol moribundo sus congojas al río.

Encendida en el lampo que arrebola el vacío,   5
presintiendo las sombras, desfallece en la altura;
y sus flecos suspiran un rumor de ternura
cuando vienen las garzas por el cielo sombrío.

Naufragada en la niebla, sobre el turbio paisaje
la estremecen los besos de la brisa errabunda;   10
y al morir en sus frondas el lejano celaje,

se abandona al silencio de las noches más bellas,
y en el diáfano azogue de la linfa profunda
resplandece cargada de racimos de estrellas.

21

Sintiendo que en mi espíritu doliente
la ternura romántica germina,
voy a besar la estrella vespertina
sobre el agua ilusoria de la fuente.

Mas cuando hacia el fulgor cerulescente   5
mi labio melancólico se inclina,
oigo como una voz ultradivina
de alguien que me celara en el ambiente.

Y al pensar que tu espíritu me asiste,
torno los ojos a la pampa triste;   10
¡nadie! . . . sólo el crepúsculo de rosa.

6. pindos: trees of beautiful thick foliage

Mas, ¡ay!, que entre la tímida vislumbre,
inclinada hacia mí, con pesadumbre,
suspira una palmera temblorosa.

23

Grabando en la llanura las pisadas,
y ambos, uncida al yugo la cabeza,
dos bueyes de humillada fortaleza
pasan ante las tímidas vacadas.

Por el pincho las pieles torturadas   5
fruncen con una impávida entereza;
y al canto del boyero, con tristeza
revuelven las pupilas agrandadas.

Mientras llora la rueda, el correaje
chirría en los cuernos, y la ruta queda   10
bordada, a trechos, de espumoso encaje;

y ellos, bajo el topacio vespertino,
parecen en la errante polvareda
dos tardas pesadumbres del camino.

Jorge Luis Borges

1899-

IN THE prologue to his first book of poems, *Fervor de Buenos Aires* (1923), and in the one written three years later for the anthology of American post-war verse, *Índice de la nueva poesía americana* (1926), Jorge Luis Borges states clearly the tenets of the *ultraísta* movement of which he became the recognized leader upon his return to Buenos Aires in 1921. In contrast to the decorative and visual art of Darío and his school, Borges and his followers were to create a type of poetry *"hecha de aventuras espirituales . . . y por enfilamiento de imágenes."* They stood opposed, likewise, to the purely musical or auditive qualities of modernist poetry, especially to what Borges calls *"las rimas barulleras,"* because, they confess frankly, *"las rimas ya nos cansan."* The image, then, and unrhymed verse were to be the alpha and omega of the new poetry; the former, in particular, was to be their *"universal santo y seña."* In addition, poetic reality was no longer something to be sought for beyond the seas, nor was it thought to be something obscure and evasive. For Borges, rather, it was profound and near, to be discovered in Buenos Aires itself, in his own home, in *"los barrios amigables, y, juntamente con esas calles y retiros, que son querida devoción de mi tiempo, lo que en ellos supe de amor, de pena y de dudas."* That is why Borges, by comparison with others of the school in America of the 1920's, e.g., Huidobro and Juan Marín [1] of Chile, Maples Arce [2] of Mexico, *et al.*, appears conservative and restrained; that is why we do not find in his poetry the affected denial of form, the absurdly forced imagery, and the wild abandon to themes erroneously conceived as most typical of modern mechanical existence, that were so characteristic of the movement in its earlier years.

1. Juan Marín, celebrated author of *Paralelo 53 Sur* and literary discoverer of Patagonia and Tierra del Fuego, became, by reason of such poetic collections as *Looping* and *Acuarium,* one of the leaders of the Chilean vanguardistas of the 1920's.

2. Manuel Maples Arce (1900–) was the leading poet of *estridentismo,* Mexican revolutionary movement in literature launched in 1922.

UN PATIO

Con la tarde
se cansaron los dos o tres colores del patio.
La gran franqueza de la luna llena
ya no entusiasma su habitual firmamento.
Hoy que está crespo el cielo   5
dirá la agorería que ha muerto un angelito.
Patio, cielo encauzado.
El patio es la ventana
por donde Dios mira las almas.
El patio es el declive   10
por el cual se derrama el cielo en la casa.
Serena
la eternidad espera en la encrucijada de estrellas.
Lindo es vivir en la amistad oscura
de un zaguán, de un alero y de un aljibe.   15

LA GUITARRA

He mirado la Pampa
de un patiecito de la calle Sarandí [3] en Buenos Aires.
Cuando entré no la vi.
Estaba acurrucada
en lo profundo de una brusca guitarra.   5
Sólo se desmelenó
al entreverar la diestra las cuerdas.
No sé lo que azuzaban;
a lo mejor fué un triste del Norte
pero yo vi la Pampa.   10
Vi muchas brazadas de cielo
sobre un manojito de pasto.
Vi una loma que arrinconan
quietas distancias
mientras leguas y leguas   15
caen desde lo alto.
Vi el campo donde cabe
Dios sin haber de inclinarse,
vi el único lugar de la tierra
donde puede caminar Dios a sus anchas.   20
Vi la Pampa cansada
que antes horrorizaron los malones
y hoy apaciguan en quietud maciza las parvas.

3. calle Sarandí: centrally located and close by the Plaza del Congreso

De un tirón vi todo eso
mientras se desesperaban las cuerdas   25
en un compás tan zarandeado como éste.
(La vi también a ella
cuyo recuerdo aguarda en toda música.)
Hasta que en brusco cataclismo
se allanó la guitarra encabritada   30
y estrújome el silencio
y hurañamente volvió el vivir a estancarse.

✳ *CALLE DESCONOCIDA*

Penumbra de la paloma
llamaron los judíos a la iniciación de la tarde
cuando la sombra aún no entorpece los pasos
y la venida de la noche se advierte
antes como advenimiento de música esperada   5
que como enorme símbolo de nuestra primordial nadería.
En esa hora de fina luz arenosa
mis andanzas dieron con una calle ignorada,
abierta en noble anchura de terraza
mostrando en las cornisas y en las paredes   10
colores blandos como el mismo cielo
que conmovía el fondo.
Todo—honesta medianía de las casas austeras,
travesuras de columnitas y aldabas,
tal vez una esperanza de niña en los balcones—   15
se me adentró en el corazón anhelante
con limpidez de lágrima.
Quizá esa hora única
aventajaba con prestigio la calle
dándole privilegios de ternura   20
haciéndola real como una leyenda o un verso;
lo cierto es que la sentí lejanamente cercana
como recuerdo que si parece llegar cansado de lejos
es porque viene de la propia hondura del alma.
Íntimo y entrañable   25
era el milagro de la calle clara
y sólo después
entendí que aquel lugar era extraño,
que es toda casa un candelabro
donde arden con aislada llama las vidas,   30

que todo inmediato paso nuestro
camina sobre Gólgotas [4] ajenos.

A LA CALLE SERRANO [5]

Calle Serrano.
Vos ya no sos [6] la misma de cuando el Centenario;
antes eras más cielo y hoy sos puras fachadas.
El cielo estaba en todo:
en la luz de los charcos   5
y en las tapias rosadas.
Ahora te prestigian
el barullo caliente de una confitería
y un aviso punzó como una injuria.
En la espalda movida de tus italianitas   10
no hay ni una trenza donde ahorcar la ternura ...
He soltao mi vagancia por tu noche guaranga.
Adentro de un fonógrafo persiste una guitarra
y el sabor de Palermo [7] se me sube hasta el alma.
La tienda La Sirena   15
se arrepintió de enseña.
Antes
había un corazón en cada casa:
el corazón del patio.
Me acuerdo de una luna grande desde la acera   20
(no sé si era Carriego el que le daba cuerda.)
Me acuerdo de esas tapias rosadas que alegraban
y eran como un espejo de la tarde ligera.
Por ellos el poniente
siempre estaba en tu tierra.   25

4. Gólgotas: *Golgotha,* or *Calvary,* was the place where Jesus was crucified, outside the wall of Jerusalem.

5. Calle Serrano and also Guatemala, Paraguay, and Gurruchaga are streets either in or near the Palermo district of Buenos Aires, in the vicinity of Plaza Italia.

6. Vos ... sos: *"Vos"* is used instead of *"tú"* in familiar speech in many parts of America, especially in Argentina, Chile, and other regions formerly somewhat remote from the colonial centers of Mexico and Peru; *"sos"* for *"sois"* is also common among the folk.

7. Palermo: In the days of Rosas, Palermo was a suburb at some distance north of the city. It is inseparably associated with its beloved poet Evaristo Carriego, whom Borges calls *"el numen titular de Palermo"* and whom he describes as the *"entrerriano tuberculoso y casi genial que miró al barrio con mirada eternizadora."* For an excellent appreciative portrayal of Carriego's oneness with Palermo, see Borges' *Carriego y el sentido del arrabal,* in *El tamaño de mi esperanza,* Buenos Aires, Editorial Proa, 1926, pp. 25–30. Carriego (1883–1912) rebelled against the *modernista* poetry of his day to write simple verse of the humble, unsung lives of the city's poor.

DULCIA LINQUIMUS ARVA[8]

Mi canción de criollo final,
por la noche agrandada de relámpagos
en el expreso del Sur
que desfonda y pierde los campos.

Una amistad hicieron mis abuelos   5
con esta lejanía
y conquistaron la intimidad de la Pampa
y ligaron a su baquía
la tierra, el fuego, el aire, el agua.
Fueron soldados y estancieros   10
y apacentaron el corazón con mañanas,
y el horizonte igual que una bordona
sonó en la hondura de su austera jornada.
Su jornada fué clara como un río
y era fresca su tarde como el aljibe del patio   15
y en su vivir eran las cuatro estaciones
como los cuatro versos de una copla esperada.
Descifraron hurañas polvaredas
en carretas o en caballadas
y los alegró el resplandor   20
con que aviva el sereno la luz de la espadaña.
Uno peleó contra los godos,[9]
otro en el Paraguay cansó su espada;
todos supieron del abrazo del mundo
y fué mujer sumisa a su querer la campaña.   25
Los otros corazones fueron serenos
como ventana que da al campo;
resplandecientes y altos eran sus días
hechos de cielo y llano.
Sabiduría de tierra adentro la suya,   30
de la lazada que es comida
y de la estrella que es vereda
y de la guitarra encendida.
Sangre negra de coplas brotó bajo sus manos;
se sintieron confesos en el canto de un pájaro.   35
Soy un pueblero y ya no sé de esas cosas,

8. Dulcia linquimus arva (Latin): "We abandon our beloved fields." See Virgil, Eclogues, I, 3.
9. godos: Spaniards

soy hombre de ciudad, de barrio, de calle;
los tranvías lejanos me ayudan la tristeza
con esa queja larga que sueltan en la tarde.

EL GENERAL QUIROGA VA EN COCHE AL MUERE [10]

El madrejón [11] desnudo ya sin una sé de agua
y la luna atorrando por el frío del alba
y el campo muerto de hambre, pobre como una araña.

El coche se hamacaba rezongando la altura:
un galerón enfático, enorme, funerario.   5
Cuatro tapaos con pinta de muerte en la negrura
tironeaban seis miedos y un valor desvelado.

Junto a los postillones jineteaba un moreno.
Ir en coche a la muerte, ¡qué cosa más oronda!
El general Quiroga quiso entrar al infierno   10
llevando seis o siete degollados de escolta.

Esa cordobesada bochinchera y ladina
(meditaba Quiroga), ¿qué ha de poder con mi alma?
Aquí estoy afianzado y metido en la vida
como la estaca pampa bien metida en la pampa.   15

Yo que he sobrevivido a millares de tardes
y cuyo nombre pone retemblor en las lanzas,
no he de soltar la vida por estos pedregales.
¿Muere acaso el pampero, se mueren las espadas?

Pero en llegando al sitio nombrao Barranca Yaco [12]   20
sables a filo y punta menudiaron sobre él:
muerte de mala muerte se lo levó al riojano
y una de puñaladas lo mentó a Juan Manuel.[13]

10. El general Quiroga . . . al muere (a la muerte): For an account of the death of Juan Facundo Quiroga see pages 285–291.
11. madrejón = laguna
12. Barranca Yaco: in the province of Córdoba where Quiroga was killed the morning of February 16, 1835, by his enemies, Captain Santos Pérez and the Reinafés, as he was returning to Buenos Aires from the provinces of Santiago del Estero, Salta, and Jujuy, where he had gone on a mission for Rosas to prevent war in the north

13. Juan Manuel: Rosas, whose spirit also, *"más ponderosa de eternidá que la suya* (Carriego)," hovers close above Palermo. In *El tamaño de mi esperanza*, p. 8, Borges says of him: "Nuestro mayor varón sigue siendo don Juan Manuel: gran ejemplar de la fortaleza del individuo, gran certidumbre de saberse vivir, pero incapaz de erigir algo espiritual, y tiranizado al fin más que nadie por su propia tiranía y su oficinismo."

Luego (ya bien repuesto) penetró como un taita [14]
en el infierno negro que Dios le hubo marcado,   25
y a sus órdenes iban, rotas y desangradas,
las ánimas en pena de fletes y cristianos.

ANTELACIÓN DE AMOR

Ni la intimidad de tu frente clara como una fiesta
ni la privanza de tu cuerpo, aún misterioso y tácito y de niña,
ni la sucesión de tu vida situándose en palabras o acallamiento
serán favor tan persuasivo de ideas
como el mirar tu sueño implicado   5
en la vigilia de mis ávidos brazos.
Virgen milagrosamente otra vez por la virtud absolutoria del sueño,
quieta y resplandeciente como una dicha en la selección del recuerdo,
me darás esa orilla de tu vida que tú misma no tienes.
Arrojado a quietud   10
divisaré esa playa última de tu ser
y te veré por vez primera quizás,
como Dios ha de verte,
desbaratada la ficción del Tiempo
sin el amor, sin mí.   15

LA FUNDACIÓN MITOLÓGICA DE BUENOS AIRES

¿Y fué por este río de sueñera [15] y de barro
que las proas vinieron a fundarme la patria?
Irían a los tumbos los barquitos pintados
entre los camalotes de la corriente zaina.

Pensando bien la cosa supondremos que el río   5
era azulejo entonces como oriundo del cielo,
con su estrellita roja para marcar el sitio
en que ayunó Juan Díaz [16] y los indios comieron.

Lo cierto es que mil hombres y otros mil arribaron
por un mar que tenía cinco lunas de anchura,   10
y aun estaba repleto de sirenas y endriagos
y de piedras imanes que enloquecen la brújula.

14. taita: *city "tough,"* of gangster type
15. sueñera = sueño
16. Juan Díaz: The reference is to a local legend. In the winter of 1536 the Indians attacked the new settlement at Buenos Aires after the colonists had endured great hardships and suffered from lack of provisions. Pedro de Mendoza and his men were obliged to return to their ships. Juan Díaz was one of Mendoza's men.

Prendieron unos ranchos trémulos en la costa,
durmieron extrañados. Dicen que en el Riachuelo,[17]
pero son embelecos fraguados en la Boca.[18]   15
Fué una manzana entera y en mi barrio: en Palermo.

Una manzana entera, pero en mitá del campo,
presenciada de auroras y lluvias y suestadas.
La manzana pareja que persiste en mi barrio:
Guatemala, Serrano, Paraguay, Gurruchaga.   20

Un almacén rosado como revés de naipe
brilló y en la trastienda conversaron un truco;
el almacén rosado floreció en un compadre
ya patrón de la esquina, y resentido y duro.

El primer organito salvaba el horizonte   25
con su achacoso porte, su habanera y su gringo.
El corralón seguro ya opinaba *Irigoyen*,[19]
algún piano mandaba tangos de Saborido.[20]

Una cigarrería sahumó como una rosa
la nochecita nueva, zalamera y agreste.   30
No faltaron zaguanes y novias besadoras.
Sólo faltó una cosa: la vereda de enfrente.

A mí se me hace cuento que empezó Buenos Aires:
la juzgo tan eterna como el agua y el aire.

17. Riachuelo: small river emptying into the Plata in the southern part of the city
18. Boca: humble quarter of Buenos Aires on the north bank of the mouth of the Riachuelo
19. Hipólito Irigoyen (1856–1933), president of Argentina from 1916 to 1922, and again in 1928. He was extremely popular with the masses.
20. Saborido: one of many popular composers of tangos

Jaime Torres Bodet

1902-

CONSISTENT with the restraint so characteristic of his country's muse is the richly variegated production of Jaime Torres Bodet. Extensive and varied as his work has been—and he is still one of Mexico's younger poets—it has never fluctuated wildly in its passage through the gamut of modern poetic experimentation. Conscious of his mission, painstaking and reflective, the poet has kept abreast of modern expression without succumbing to the whimsicalities, affectations, or obscurities of any period. His verse represents a gradual, steady progression upward from the traditional forms and themes of the postmodernist period, with emphasis on its musical aspects—but always with classic reserve—with increasing concern for a more expressive and more personal imagery, and with attention ever focussed on the message or theme. With like consummate skill Torres Bodet can reproduce the poetic aspects of visual reality or breathe life into the most subtle abstractions of his poetic creations. Form becomes ever more subservient to thought in his later work; nothing must hinder the artist in the precision and the conciseness with which he gives voice to his own concept of life and reality. As a consequence, his poetry is somewhat cold and intellectual, lacking much of the intimate warmth one would expect of so subjective an artist.

MÉXICO CANTA EN LA RONDA DE MIS CANCIONES DE AMOR

México está en mis canciones,
México dulce y cruel,
que acendra los corazones
en finas gotas de miel.

Lo tuve siempre presente
cuando hacía esta canción;   5

¡su cielo estaba en mi frente;
su tierra, en mi corazón!

    México canta en la ronda
de mis canciones de amor,   10
y en guirnalda con la ronda
la tarde trenza su flor.

811

Lo conoceréis un día,
amigos de otro país:
¡tiene un color de alegría   15
y un acre sabor de anís!

¡Es tan fecundo, que huele
como vainilla en sazón
y es sutil! Para que vuele
basta un soplo de oración ...   20

Lo habréis comprendido entero
cuando podáis repetir
¿Quién sabe? con el mañero
proverbio de mi país ...

¿Quién sabe? ¡Dolor, fortuna!   25
¿Quién sabe? ¡Fortuna, amor!

¿Quién sabe?, dirá la cuna,
¿Quién sabe?, el enterrador ...

En la duda arcana y terca,
México quiere inquirir: 30
un disco de horror lo cerca ...
¿Cómo será el porvenir?

¡El porvenir! ¡No lo espera!
Prefiere, mientras, cantar,
que toda la vida entera   35
es una gota en el mar;

una gota pequeñita
que cabe en el corazón:
Dios la pone, Dios la quita ...
¡Cantemos nuestra canción!   40

PAZ

No nos diremos nada. Cerraremos las puertas.
Deshojaremos rosas sobre el lecho vacío
y besaré, en el hueco de tus manos abiertas,
la dulzura del mundo, que se va, como un río ...

MEDIODÍA

Tener, al mediodía, abiertas las ventanas
del patio iluminado que mira al comedor.
Oler un olor tibio de sol y de manzanas.
Decir cosas sencillas: las que inspiren amor ...

Beber un agua pura, y en el vaso profundo,   5
ver coincidir los ángulos de la estancia cordial.
Palpar, en un durazno, la redondez del mundo.
Saber que todo cambia y que todo es igual.

Sentirse, ¡al fin!, maduro, para ver, en las cosas,
nada más que las cosas: el pan, el sol, la miel ...   10
Ser nada más el hombre que deshoja unas rosas,
y graba, con la uña, un nombre en el mantel ...

RUPTURA

Nos hemos bruscamente desprendido
y nos hemos quedado

con las manos vacías, como si una guirnalda
se nos hubiese ido de las manos;
con los ojos al suelo,   5
como viendo un cristal hecho pedazos:
el cristal de la copa en que bebimos
un vino tierno y pálido...

Como si nos hubiéramos perdido,
nuestros brazos   10
se buscan en la sombra... ¡Sin embargo,
ya no nos encontramos!

En la alcoba profunda
podríamos andar meses y años,
en pos uno del otro,   15
sin hallarnos...

ECO

¿Cómo pude arrancar,
con qué mano sin alma al árbol seco
en que la vida endureció sus savias
los tímidos renuevos de lo eterno?

Cambié   5
por un collar de frágiles palabras
un ánfora colmada de silencio.

¡Ay! ¿Por qué te maté dentro de mí,
Eternidad? Llevé tu cauce lento
a despeñarse en una   10
catarata de músicas vulgares
para mover las fábricas del eco...

Te dividí en minutos.
Rompí la adusta integridad del tiempo,
en cuyo ancho caudal, solemne, bogas.   15
Tuve miedo de ti, como de un vuelo.

Nada quedó después.
He roto, Vida, tu árbol más perfecto
para tejer guirnaldas con las hojas
y coger, en sus redes, los pájaros del viento.   20

Ahora miro el hueco que dejó
tu raíz en el suelo.

¡Y cada fibra rota
resucita sensible, dolorosa,
en las fibras desnudas de mis nervios!   25

DESPERTAR

Encendí, esta mañana,
más temprano que nunca,
la lámpara del alba
sobre tu lecho,
y puse el alma, obscura, de pantalla...   5

Como las guías mustias
de una guirnalda,
caían de tus hombros de novicia
los brazos, sin color, sobre las sábanas.

En la boca, marchita por la fiebre,   10
una tonalidad malva
substituía el rojo de los besos
con las violetas de la madrugada.

Estabas muerta. Pero no sentí
en tu actitud, en tu silencio, nada   15
que no indujera a recordar la onda
de una hermosa guirnalda deshojada.
La tristeza de ser
te había abandonado entre las blancas
cortinas entreabiertas de la aurora.   20

Andabas, libre de tu corazón,
por las colinas trémulas del alba.

¡Cuánto hubiera querido
no remover el agua
de tu sueño   25
con el rumor de una palabra humana!

¡Y qué no hubiera dado
por mirar en su fondo, al fin trenzada
al tallo de tu cuerpo,
la yedra melodiosa de mi alma!   30

✱ *MÚSICA*

Amanecía tu voz
tan perezosa, tan blanda,
como si el día anterior
hubiera
llovido sobre tu alma . . .

Era, primero, un temblor
confuso del corazón,
una duda de poner
sobre los hielos del agua
el pie
desnudo de la palabra.

Después,
iba quedando la flor
de la emoción, enredada
a los hilos de tu voz

con esos garfios de escarcha
que el sol
desfleca en cintillos de agua.

Y se apagaba y se iba
poniendo blanca,
hasta dejar traslucir,
como la luna del alba
la luz
tierna de la madrugada.

Y se apagaba y se iba,
¡ay!, haciendo tan delgada
como la espuma de plata
de la playa,
como la espuma de plata
que deja ver, en la arena,
la forma de una pisada.

Pablo Neruda

1904-

MUCH of Neruda's earlier poetry is deservedly forgotten. It was typical of the later poet only in that it, too, was the product of extreme subjectivity, and of an inordinately dramatic and romantic conception of life, qualities that to this day bespeak the intensity with which Neruda gives voice to his most intimate emotions. *"Con sangre mía, con dolores míos,"* truly, has he created his already long list of poetic compositions. But neither in imagery nor in versification do we discover the creative power of this untrammeled and uneven artist until 1923, when the appearance of *Crepusculario* was hailed as one of the distinctive contributions to modern Chilean poetry. Uncontrollable carnal passions and desires provide the prevailing motif of this period in which his misdirected imitation of Whitman is only too apparent. The poet himself wished to forget the erotic pieces of his collection *El hondero entusiasta*, written around 1923, only consenting to their publication because he felt that they would serve as a *"documento de una juventud excesiva y ardiente."* From that year on, Neruda has turned his back violently and completely upon the entire poetic past. But even though he denounces, as have most of his *ultraísta* colleagues, the self-imposed enslavement of verse forms, in actual practice he adheres fairly closely to traditional prosodic rules and standards and returns frequently, with consummate skill, to those very forms; he is especially fond of the hendecasyllable and the alexandrine. His break with the past, then, is more particularly marked in his images, which no longer function in the traditional sense. His imagery, although concrete and specific and "sternly and starkly realistic" in its complete *volte face* against modernism, does not respond to objective and rational analysis. The poet does not make clear to us to what precise reality his purely personal symbols correspond. And until the reader has worked out a key with which to decipher them, most of the poetry of Neruda's later period (*Residencia en la tierra*) must remain annoyingly closed to his full understanding and appreciation. Amado Alonso, who, fortunately, has provided us with just such a key, thus explains the reason for this hermetic quality of Neruda's art, defining at the same time the poet's technique: *"En lugar del procedimiento tradicional, que describe una realidad y sugiere su sentido poético entre líneas, los poetas como Neruda describen el sentido poético y sugieren nebulosamente a qué realidad se refiere."* But perhaps Neruda himself has best characterized his more recent poetry in the following lines from *Oda con un lamento* (*Residencia en la tierra*, 1935):

> O sueños que salen de mi corazón a borbotones,
> polvorientos sueños que corren como jinetes negros,
> sueños llenos de velocidades y desgracias.

PUENTES

Puentes—arcos de acero azul adonde vienen
a dar su despedida los que pasan,—
por arriba los trenes,
por abajo las aguas,
enfermos de seguir un largo viaje   5
que principia, que sigue y nunca acaba.

Cielos—arriba—cielos,
y pájaros que pasan
sin detenerse, caminando como
los trenes y las aguas.   10
¿Qué maldición cayó sobre vosotros?
¿Qué esperáis en la noche densa y larga
con los brazos abiertos como un niño
que muere a la llegada de su hermana?

¿Qué voz de maldición pasiva y negra   15
sobre vosotros extendió sus alas,
para hacer que siguieran
el viaje que no acaba
los paisajes, la vida, el sol, la tierra,
los trenes y las aguas,   20
mientras la angustia inmóvil del acero
se hunde más en la tierra y más la clava?

POEMA 15

Me gustas cuando callas, porque estás como ausente,
y me oyes desde lejos, y mi voz no te toca.

Parece que los ojos se te hubieran volado
y parece que un beso te cerrara la boca.

Como todas las cosas están llenas de mi alma,
emerges de las cosas, llena del alma mía.
Mariposa de ensueño, te pareces a mi alma,
y te pareces a la palabra melancolía.

Me gustas cuando callas y estás como distante
y estás como quejándote, mariposa en arrullo,
y me oyes desde lejos, y mi voz no te alcanza:
déjame que me calle en el silencio tuyo.

Déjame que te hable también con tu silencio
claro como una lámpara, simple como un anillo.
Eres como la noche, callada y constelada.
Tu silencio es de estrella, tan lejano y sencillo.

Me gustas cuando callas, porque estás como ausente.
Distante y dolorosa como si hubieras muerto.
Una palabra entonces, una sonrisa bastan.
Y estoy alegre, alegre de que no sea cierto.

POEMA 20

Puedo escribir los versos más tristes esta noche.

Escribir, por ejemplo: "La noche está estrellada,
y tiritan, azules, los astros, a lo lejos."

El viento de la noche gira en el cielo y canta.

Puedo escribir los versos más tristes esta noche.
Yo la quise, y a veces ella también me quiso.

En las noches como ésta la tuve entre mis brazos.
La besé tantas veces bajo el cielo infinito.

Ella me quiso, a veces yo también la quería.
¡Cómo no haber amado sus grandes ojos fijos!

Puedo escribir los versos más tristes esta noche.
Pensar que no la tengo. Sentir que la he perdido.

Oír la noche inmensa, más inmensa sin ella.
Y el verso cae al alma como al pasto el rocío.

¡Qué importa que mi amor no pudiera guardarla!   15
La noche está estrellada y ella no está conmigo.

Eso es todo. A lo lejos alguien canta. A lo lejos.
Mi alma no se contenta con haberla perdido.

Como para acercarla mi mirada la busca.
Mi corazón la busca, y ella no está conmigo.   20

La misma noche que hace blanquear los mismos árboles.
Nosotros, los de entonces, ya no somos los mismos.

Ya no la quiero, es cierto, pero cuánto la quise.
Mi voz buscaba el viento para tocar su oído.

De otro. Será de otro. Como antes de mis besos.   25
Su voz, su cuerpo claro. Sus ojos infinitos.

Ya no la quiero, es cierto, pero tal vez la quiero.
Es tan corto el amor, y es tan largo el olvido.

Porque en noches como ésta la tuve en mis brazos,
mi alma no se contenta con haberla perdido.   30

Aunque éste sea el último dolor que ella me causa,
y éstos sean los últimos versos que yo le escribo.

ARTE POÉTICA

Entre sombra y espacio, entre guarniciones y doncellas,
dotado de corazón singular y sueños funestos,
precipitadamente pálido, marchito en la frente,
y con luto de viudo furioso por cada día de vida,
ay para cada agua invisible que bebo soñolientamente,   5
y de todo sonido que acojo temblando,
tengo la misma sed ausente y la misma fiebre fría,
un oído que nace, una angustia indirecta,
como si llegaran ladrones o fantasmas,
y en una cáscara de extensión fija y profunda,   10

como un camarero humillado, como una campana un poco ronca,
como un espejo viejo, como un olor de casa sola
en la que los huéspedes entran de noche perdidamente ebrios,
y hay un olor de ropa tirada al suelo, y una ausencia de flores,
posiblemente de otro modo aun menos melancólico,   15
pero, la verdad, de pronto, el viento que azota mi pecho,
las noches de substancia infinita caídas en mi dormitorio,
el ruido de un día que arde con sacrificio,
me piden lo profético que hay en mí, con melancolía,
y un golpe de objetos que llaman sin ser respondidos   20
hay, y un movimiento sin tregua, y un nombre confuso.

BARCAROLA

Si solamente me tocaras el corazón,
si solamente pusieras tu boca en mi corazón,
tu fina boca, tus dientes,
si pusieras tu lengua como una flecha roja
allí donde mi corazón polvoriento golpea,
si soplaras en mi corazón, cerca del mar, llorando,   5
sonaría con un ruido oscuro; con sonido de ruedas de tren con sueño,
como aguas vacilantes,
como el otoño en hojas,
como sangre,
con un ruido de llamas húmedas quemando el cielo,   10
sonando como sueños o ramas o lluvias,
o bocinas de puerto triste;
si tú soplaras en mi corazón, cerca del mar,
como un fantasma blanco,
al borde de la espuma,   15
en mitad del viento,
como un fantasma desencadenado, a la orilla del mar, llorando.
Como ausencia extendida, como campana súbita,
el mar reparte el sonido del corazón,
lloviendo, atardeciendo, en una costa sola,   20
la noche cae sin duda,
y su lúgubre azul de estandarte en naufragio
se puebla de planetas de plata enronquecida.

Y suena el corazón como un caracol agrio,
llama, oh mar, oh lamento, oh derretido espanto   25

esparcido en desgracias y olas desvencijadas:
de lo sonoro el mar acusa
sus sombras recostadas, sus amapolas verdes.

Si existieras de pronto, en una costa lúgubre, 30
rodeada por el día muerto,
frente a una nueva noche,
llena de olas,
y soplaras en mi corazón de miedo frío,
soplaras en su movimiento de paloma con llamas, 35
sonarían sus negras sílabas de sangre,
crecerían sus incesantes aguas rojas,
y sonaría, sonaría a sombras,
sonaría como la muerte,
llamaría como un tubo lleno de viento o llanto 40
o una botella echando espanto a borbotones.

Así es, y los relámpagos cubrirían tus trenzas
y la lluvia entraría por tus ojos abiertos
a preparar el llanto que sordamente encierras,
y las alas negras del mar girarían en torno 45
de ti, con grandes garras, y graznidos, y vuelos.

¿Quieres ser fantasma que sople, solitario,
cerca del mar su estéril, triste instrumento?
Si solamente llamaras,
su prolongado son, su maléfico pito, 50
su orden de olas heridas,
alguien vendría acaso,
alguien vendría,
desde las cimas de las islas, desde el fondo rojo
del mar, 55
alguien vendría, alguien vendría.

Alguien vendría, sopla con furia,
que suene como sirena de barco roto,
como lamento,
como un relincho en medio de la espuma y la sangre, 60
como un agua feroz mordiéndose y sonando.

En la estación marina
su caracol de sombra circula como un grito,
los pájaros del mar lo desestiman y huyen,
sus listas de sonido, sus lúgubres barrotes
se levantan a orillas del océano solo.   65

Index of Authors